KB074614

한국사 연표

한국사 연표 북한·세계사 포함

2002년 2월 20일 초판 1쇄 발행
2007년 1월 10일 초판 3쇄 발행
2008년 8월 10일 증보 1쇄 발행
2009년 8월 30일 증보 2쇄 발행
2013년 4월 20일 증보개정 1쇄 발행
2016년 2월 20일 증보개정보유 1쇄 발행
2022년 3월 30일 증보개정보유 3쇄 발행

편저자 백태남
발행인 김영애
편 집 김배경
발행처 SniFactory(에스앤아이팩토리)

등록일 2013년 6월 3일
등 록 제 2013-00163호
주 소 서울시 강남구 삼성로 96길 6 엘지트윈텔 1차 1210호
전 화 02. 517. 9385
팩 스 02. 517. 9386
이메일 dahal@dahal.co.kr
홈페이지 http://www.snifactory.com

ISBN 979-11-86036-52-9

가격 30,000원

다할미디어는 SniFactory(에스앤아이팩토리)의 출판브랜드입니다.

한국사 연표

북한·세계사 포함
우리 역사와 세계 역사가 만나는

목차

머리말

역사적으로 일어난 여러 사실을 연대순으로 정리한 연표는, 역사학은 물론 인접 관련 학문을 연구하거나 학습하는 데 필수불가결한 참고자료가 된다. 그뿐 아니라, 역사에 관한 관심이 날로 높아지는 현대에는 일상생활에서도 그 필요성이 점차 커지고 있다.

어느 해에 어떤 사건이 일어났는가라는 단순한 역사적 지식을 얻으려는 데 만족하지 않고, 그 사건은 어떤 이유로 일어나 어떤 결과를 가져왔는가, 우리나라에서 그런 일이 일어나고 있을 때 이웃 일본과 중국, 그리고 세계 각국은 어떤 일을 하고 있었는가 하는 데까지 관심을 갖고 종합적이고 체계적인 지식과 정보를 얻으려 하고 있는 것이다.

그동안 우리나라에는 종합 연표와 분야별 연표 등 많은 연표들이 간행되어 이러한 독자들의 요구에 부응하여 왔다고 본다. 그러나 어떤 것은 너무 방대하여 수시로 이용하는 데 불편함을 주고 있고, 어떤 것은 시대 변천에 따른 새로운 사실을 반영하지 못한 채 10여 년 전의 연표에 머물고 있어 그 실용성을 반감시키고 있는 실정이다.

이제 새로운 21세기를 맞아 지난 세기까지의 우리 역사를 정리하여야 할 필요성이 커졌고, 더구나 50여 년 동안 자료의 부족 등 여러 가지 이유로 우리의 역사에서 자세히 다룰 수 없었던 북한 관계 사실을 함께 다룰 수 있는 여건이 마련되었다고 보아 다할미디어에서는 이 《한국사 연표》를 엮어 내놓게 되었다. 명칭은 한국사 연표이지만 세계 역사도 최대한 반영하였기에 이 책으로 우리 역사와 세계 역사에 관한 많은 정보를 얻을 수 있으리라 믿으며, 앞 부분에 수록한 한국·중국·일본의 역대 왕 및 연호 일람도 많은 도움이 되리라 기대해 본다.

기존의 국내외 연표와 자료들을 참고하여 이 《한국사 연표》를 작성하면서 국내외 연표에서 내용의 오류들이 많이 발견되어 내심 놀라움을 금하지 못하였다. 그만큼 역사서를 쓴다는 것은 어려운 일이며, 더구나 모든 역사적 사실을 종합하는 연표를 작성한다는 것은 어렵고도 힘든 일임을 가르쳐 주고 있는 듯하다.

이 책에도 편저자의 능력 부족으로 많은 잘못이 나타날 것으로 생각되지만, 이용자 여러분들의 가르침과 지적을 받아가며 꾸준히 오류를 수정하고 새로운 사실들을 지속적으로 증보하여 여러분들의 기대에 부응하고자 한다.

2002. 3.

편저자 씀

증보개정보유판을 내면서

새로운 21세기를 맞아 지난 세기까지의 우리 역사를 한번 정리하여야 할 필요성에서 펴낸 《한국사 연표》가 그간 독자들의 꾸준한 관심과 성원을 받으며 몇 차례의 증쇄를 하였고, 이제 새로운 내용을 대폭 추가, 보완하면서 새로이 증보개정판을 펴내게 되었다.

초판 편찬 때 기존의 국내외 연표와 자료들을 참고하여 원고를 작성하면서 내용의 오류들이 많이 발견되어 내심 놀라움을 금하지 못하였음은 이미 피력한 바이지만, 그간의 자체 검토과정에서 이 《한국사 연표》에서도 적잖은 오류가 발견되었음을 솔직히 고백하지 않을 수 없다. 역시 역사서를 쓴다는 것은 어려운 일이며, 더구나 모든 역사적 사실을 종합하는 연표를 작성한다는 것은 어렵고도 힘든 일임을 다시 한번 깨닫게 되었다.

이 증보개정보유판에서는 그간 발견된 오류를 수정하고 미진한 부분을 보완하면서 특히 다음 사항에 유의하였다.

첫째, 한자 등 원어의 노출로 읽어나가기에 부담이 크다는 지적에 따라 전체 내용을 모두 한글 위주로 작성하면서 필요 시 한자 등 원어를 병기하였다. 따라서 본문은 물론, 역대 왕 및 연호 일람도 한글 위주로 작성하고 한자를 병기하였으며, 일본의 왕 및 연호는 일본 문자까지 부기하여 현지음대로 읽을 수 있도록 하였다.

둘째, 어려운 용어나 고지명 등은 ( ) 안에 풀이 또는 부연 설명을 붙임으로써 이해에 도움을 주도록 하였다.

셋째, 중국이나 일본 등 이웃 나라의 역사 왜곡이 빈번하고 심각하여져 우리 역사가 잘못 이해될 우려가 있는 현실을 감안하여, 우리의 주체성을 유지할 수 있도록 용어 사용에 신중을 기하였으며, 북한 관련 내용도 가급적 많이 수록하였다.

넷째, 국내외 최신 자료를 충분히 반영하고자 노력하였으며, 변경된 국내외의 인명이나 지명도 현행 표기법에 맞추어 반영하였다.

다섯째, 찾아보기의 아이템을 다른 나라까지 확장하여 수록하였다.

모쪼록 이 《한국사 연표》가 독자 여러분들에게 많은 도움이 되기를 바라마지 않는다.

2022. 3.

편저자 씀

일러두기

* 이 책은 크게 역대 왕 일람, 연호 일람, 연표, 찾아보기로 구성되어 있다.

* 역대 왕 일람에는 한국·중국·일본의 역대 왕조 도읍지, 왕명, 재위년을 시대순으로 수록하였다.

* 연호 일람에는 한국·중국·일본의 연호명, 사용 왕조, 사용 기간을 가나다순으로 수록하였다.

* 연표는 다음과 같은 방침 아래 작성하였다.
  - 한국사를 중심으로 작성한 종합 연표로서, 특히 해방 후의 북한 관계 사항을 최대한 반영하였으며, 〈다른나라〉 내용도 수록하여 우리 역사를 세계사와 연계시켜 이해하도록 하였다.
  - 선사시대부터 최근까지의 국내외 역사적 주요 사실을 연대순, 날짜순으로 기술하여 우리 역사를 비롯한 관련 학문 연구와 학습에 도움이 되도록 하였다.
  - 지면 구성은 서기, 단기, 간지, 왕조명, 왕명, 즉위 후 연수, 내용으로 하였다.
  - 내용 기술에서 1863년(고종 즉위년) 전까지는 월까지, 그 이후는 일까지 밝히는 것을 원칙으로 하되, 날짜가 미상인 경우는 월 끝에, 월이 미상인 경우는 연도 끝에 기술하였다. 월일은 태양력이 채용된 1896년 이후는 양력을 기준으로 하였고, 그 전은 음력으로 표기하였다. 한편, 일본의 경우는 1872년 태양력을 채용한 이후, 중국의 경우는 1912년 신해혁명 이후 양력을 기준으로 하였다.

- 학술용어, 인명, 지명 등의 표기는 고등학교 교과서에 따르는 것을 원칙으로 하되, 일반적으로 널리 쓰이는 관용적인 것은 관용에 따랐다. 또, 띄어쓰기는 의미 파악에 지장이 없는 한도 내에서 붙여쓰기를 하였다.
- 문장부호에서 문헌명은《 》, 작품명은〈 〉, 그 결과나 부연 설명이 필요한 때에는 : 다음에 기술하였다.

* 찾아보기는 우리나라와 다른나라의 중요한 사항을 선정하여 각각 가나다순으로 수록하고, 옆에 해당연도를 표시하였다. 다만, 2000년 이후에는 검색에 도움을 주기 위해 해당 연도와 월을 함께 표시하였다. 그리고, 동음이의어에는 한자 또는 영문을 병기하여 내용 파악에 도움이 되도록 하였다.

주요 참고문헌

韓國史年表(震檀學會, 乙酉文化社, 1965)

國史大事典(李弘稙, 百萬社, 1975)

東洋年表(李鉉淙, 探求堂, 1980)

文藝年表(韓國文化藝術振興院, 1981)

韓國史年表(李萬烈, 역민사, 1985)

한국민족문화대백과사전(한국정신문화연구원, 1991)

東아시아繪畵史年表(한국미술사연구소 편, 시공사, 1996)

연표와 사진으로 보는 한국사(하일식, 일빛, 1999)

세계대백과사전(두산동아, 1999)

한국사연표(한국정신문화연구원, 2004)

이야기로 엮은 한국사 · 세계사 비교연표(이근호 · 신선희, 청아출판사, 2006)

中國歷代年表(齊召南, 國書刊行會, 1980)

最新歷史年表(平田俊春, 朋友出版株式會社, 1976)

日本史年表(歷史學研究會, 岩波書店, 1981)

日本史小典(日笠山正治, 日正社, 1999)

新編日本史圖表(第一學習社, 1999)

역대 왕 일람

*숫자는 재위년
*(再)=재조再祚(두번째 즉위함)

*전 = 기원전
*국가명 옆 지명은 수도 · 중심지

한 국

【고구려高句麗】졸본卒本(랴오닝성遼寧省 환런桓仁)/국내성國內城(길림성吉林省 통구通溝)/평양平壤

동명성왕東明聖王	전37~전19
유리왕琉璃王	전19~18
대무신왕大武神王	18~44
민중왕閔中王	44~48
모본왕慕本王	48~53
태조왕太祖王	53~146
차대왕次大王	146~165
신대왕新大王	165~179
고국천왕故國川王	179~197
산상왕山上王	197~227
동천왕東川王	227~248
중천왕中川王	248~270
서천왕西川王	270~292
봉상왕烽上王	292~300
미천왕美川王	300~331
고국원왕故國原王	331~371
소수림왕小獸林王	371~384
고국양왕故國壤王	384~391
광개토왕廣開土王	391~413
장수왕長壽王	413~491
문자(명)왕文咨(明)王	491~519
안장왕安藏王	519~531
안원왕安原王	531~545
양원왕陽原王	545~559
평원왕平原王	559~590
영양왕嬰陽王	590~618
영류왕榮留王	618~642
보장왕寶藏王	642~668

【백제百濟】서울/공주公州/부여扶餘

온조왕溫祚王	전18~28
다루왕多婁王	28~77
기루왕己婁王	77~128
개루왕蓋婁王	128~166
초고왕肖古王	166~214
구수왕仇首王	214~234
사반왕沙伴王	234
고이왕古爾王	234~286
책계왕責稽王	286~298
분서왕汾西王	298~304

비류왕比流王	304~344
계왕契王	344~346
근초고왕近肖古王	346~375
근구수왕近仇首王	375~384
침류왕枕流王	384~385
진사왕辰斯王	385~392
아신왕阿莘王	392~405
전지왕腆支王	405~420
구이신왕久爾辛王	420~427
비유왕毗有王	427~455
개로왕蓋鹵王	455~475
문주왕文周王	475~477
삼근왕三斤王	477~479
동성왕東城王	479~501
무령왕武寧王	501~523
성왕聖王	523~554
위덕왕威德王	554~598
혜왕惠王	598~599
법왕法王	599~600
무왕武王	600~641
의자왕義慈王	641~660

【신라新羅】경주慶州

혁거세赫居世	전57~4
남해南解	4~24
유리儒理	24~57
탈해脫解	57~80
파사婆娑	80~112
지마祇摩	112~134
일성逸聖	134~154
아달라阿達羅	154~184
벌휴伐休	184~196
나해奈解	196~230
조분助賁	230~247
첨해沾解	247~261
미추味鄒	261~284
유례儒禮	284~298
기림基臨	298~310
흘해訖解	310~356
내물奈勿	356~402
실성實聖	402~417
눌지訥祇	417~458
자비慈悲	458~479
소지炤知	479~500
지증왕智證王	500~514
법흥왕法興王	514~540
진흥왕眞興王	540~576
진지왕眞智王	576~579
진평왕眞平王	579~632
선덕여왕善德女王	632~647
진덕여왕眞德女王	647~654
무열왕武烈王	654~661
문무왕文武王	661~681
신문왕神文王	681~692
효소왕孝昭王	692~702
성덕왕聖德王	702~737
효성왕孝成王	737~742
경덕왕景德王	742~765
혜공왕惠恭王	765~780
선덕왕宣德王	780~785
원성왕元聖王	785~798
소성왕昭聖王	798~800
애장왕哀莊王	800~809
헌덕왕憲德王	809~826
흥덕왕興德王	826~836
희강왕僖康王	836~838

민애왕閔哀王	838~839
신무왕神武王	839
문성왕文聖王	839~857
헌안왕憲安王	857~861
경문왕景文王	861~875
헌강왕憲康王	875~886
정강왕定康王	886~887
진성여왕眞聖女王	887~897
효공왕孝恭王	897~912
신덕왕神德王	912~917
경명왕景明王	917~924
경애왕景哀王	924~927
경순왕敬順王	927~935

【금관가야金官伽倻】김해金海

수로왕首露王	42~199
거등왕居登王	199~259
마품왕麻品王	259~291
거질미왕居叱彌王	291~346
이시품왕伊尸品王	346~407
좌지왕坐知王	407~421
취희왕吹希王	421~451
질지왕銍至王	451~492
겸지왕鉗知王	492~521
구형왕仇衡王	521~532

【발해渤海】동모산東牟山(길림성吉林省 돈화敦化)/중경현덕부中京顯德府(길림성吉林省 화룡和龍)/상경용천부上京龍泉府(헤이룽장성黑龍江省 영안寧安)/동경용원부東京龍原府(길림성吉林省 혼춘琿春)/상경용천부

고왕高王	698~719
무왕武王	719~737
문왕文王	737~793
폐왕 원의廢王 元義	793~794
성왕成王	794~795
강왕康王	795~809
정왕定王	809~813
희왕僖王	813~817
간왕簡王	817~818
선왕宣王	818~830
이진彝震	830~858
건황虔晃	858~871
현석玄錫(경왕景王)	871~893
위해瑋瑎	893~906
인선諲譔(애왕哀王)	906~926

【고려高麗】개성開城

태조太祖	918~943
혜종惠宗	943~945
정종定宗	945~949
광종光宗	949~975
경종景宗	975~981
성종成宗	981~997
목종穆宗	997~1009
현종顯宗	1009~1031
덕종德宗	1031~1034
정종靖宗	1034~1046
문종文宗	1046~1083
순종順宗	1083
선종宣宗	1083~1094
헌종獻宗	1094~1095
숙종肅宗	1095~1105

예종睿宗	1105~1122
인종仁宗	1122~1146
의종毅宗	1146~1170
명종明宗	1170~1197
신종神宗	1197~1204
희종熙宗	1204~1211
강종康宗	1211~1213
고종高宗	1213~1259
원종元宗	1259~1274
충렬왕忠烈王	1274~1308
충선왕忠宣王	1308~1313
충숙왕忠肅王	1313~1330
충혜왕忠惠王	1330~1332
충숙왕忠肅王(再)	1332~1339
충혜왕忠惠王(再)	1339~1344
충목왕忠穆王	1344~1348
충정왕忠定王	1348~1351
공민왕恭愍王	1351~1374
우왕禑王	1374~1388
창왕昌王	1388~1389
공양왕恭讓王	1389~1392

【조선朝鮮】개성開城/서울

태조太祖	1392~1398
정종定宗	1398~1400
태종太宗	1400~1418
세종世宗	1418~1450
문종文宗	1450~1452
단종端宗	1452~1455
세조世祖	1455~1468
예종睿宗	1468~1469
성종成宗	1469~1494
연산군燕山君	1494~1506
중종中宗	1506~1544
인종仁宗	1544~1545
명종明宗	1545~1567
선조宣祖	1567~1608
광해군光海君	1608~1623
인조仁祖	1623~1649
효종孝宗	1649~1659
현종顯宗	1659~1674
숙종肅宗	1674~1720
경종景宗	1720~1724
영조英祖	1724~1776
정조正祖	1776~1800
순조純祖	1801~1834
헌종憲宗	1834~1849
철종哲宗	1849~1863
고종高宗	1863~1907
순종純宗	1907~1910

중국

【주周】호경鎬京(시안西安)/뤄양洛陽

무왕武王	전1134~1116
성왕成王	전1115~1079
강왕康王	전1078~1053
소왕昭王	전1052~1002
목왕穆王	전1001~947
공왕共王	전946~935
의왕懿王	전934~910
효왕孝王	전909~895

이왕夷王	전894~879
여왕厲王	전878~828
선왕宣王	전827~782
유왕幽王	전781~771
평왕平王	전770~720
환왕桓王	전719~697
장왕莊王	전696~682
희왕僖王	전681~677
혜왕惠王	전676~652
양왕襄王	전651~619
경왕頃王	전618~614
광왕匡王	전613~607
정왕定王	전606~586
간왕簡王	전585~572
영왕靈王	전571~545
경왕景王	전544~520
도왕悼王	전520
경왕敬王	전519~477
원왕元王	전476~470
정정왕貞定王	전469~442
애왕哀王	전441
사왕思王	전441
고왕考王	전440~427
위열왕威烈王	전426~403
안왕安王	전402~377
열왕烈王	전376~370
현왕顯王	전369~321
신정왕愼靚王	전320~316
난왕赧王	전315~256
(혜공惠公)	(전255~250)

【춘추전국시대】

〈춘추시대〉	전770~403
〈전국시대〉	전403~221

【진秦】셴양咸陽

장양왕莊襄王	전249~247
시황제始皇帝	전247~210
2세호해二世胡亥	전210~207
3세상三世嬬	전207~206

【전한前漢=서한西漢】시안西安

고조高祖(유방劉邦)	전202~195
혜제惠帝	전195~188
소제공少帝恭	전188~184
소제홍少帝弘	전184~180
문제文帝	전180~157
경제景帝	전157~141
무제武帝	전141~87
소제昭帝	전87~74
창읍왕昌邑王	전74
선제宣帝	전74~49
원제元帝	전49~33
성제成帝	전33~7
애제哀帝	전7~1
평제平帝	전1~6
유자영孺子嬰	6~8
(왕망王莽)	(8~23)
회양왕淮陽王	23~25

【후한後漢=동한東漢】뤄양洛陽

광무제光武帝(유수劉秀)	25~57
명제明帝	57~75
장제章帝	75~88

화제和帝 88~105
상제殤帝 105~106
안제安帝 106~125
소제少帝(북향후北鄕侯) 125
순제順帝 125~144
충제冲帝 144
질제質帝 145~146
환제桓帝 146~167
영제靈帝 167~189
소제少帝(홍농왕弘農王) 189
헌제獻帝 189~220

【삼국三國】

〈촉蜀〉청두成都
소열제昭烈帝(유비劉備) 221~223
후주後主 223~263

〈위魏〉뤄양洛陽
(무제조조武帝曺操) (216~220)
문제文帝(조비曺丕) 220~226
명제明帝 226~239
제왕방齊王芳 239~254
고귀향공高貴鄕公 254~260
원제元帝 260~265

〈오吳〉난징南京
대제大帝(손권孫權) 222~252
회계왕會稽王 252~258
경제景帝 258~264
오정후烏程侯 264~280

【진晋】뤄양洛陽

무제武帝(사마염司馬炎) 265~290
혜제惠帝 290~306
회제懷帝 306~313
민제愍帝 313~316

【동진東晋】난징南京

원제元帝(사마예司馬睿) 317~322
명제明帝 322~325
성제成帝 325~342
강제康帝 342~344
목제穆帝 344~361
애제哀帝 361~365
폐제혁廢帝奕 365~370
간문제簡文帝 371~372
효무제孝武帝 372~396
안제安帝 396~418
공제恭帝 418~420

【오호십육국五胡十六國】

〈성한成漢〉청두成都
이특李特 302~303
무제웅武帝雄 303~333
애제반哀帝班 334
폐제기廢帝期 335~337
소문제수昭文帝壽 337~343
귀의후세歸義侯勢 343~347

〈전조前趙〉평양平陽/시안西安

광문제光文帝(유연劉淵)	304~310
이화李和	310
소무제총昭武帝聰	310~318
은제찬隱帝粲	318
유요劉曜	318~329

〈전량前涼〉고장姑藏

서평공西平公(장궤張軌)	313~314
서평공식西平公寔	314~320
태종성무太宗成茂	320~324
세조문왕준世祖文王駿	324~345
세조환왕중화世祖桓王重華	346~352
위왕조威王祚	352~355
서왕현근庶王玄靚	355~362
도왕천석悼王天錫	363~376

〈후조後趙〉임장臨漳

명제明帝(석륵石勒)	319~333
폐제홍廢帝弘	333
무제호武帝虎	334~349
폐제세廢帝世	349
준遵	349
감鑒	349~350
지祗	350
염민冉閔	350~351

〈전연前燕〉용성龍城/임장臨漳

(모용외慕容廆)	289~333
문명황제황文明皇帝皝	333~348
경소제준景昭帝儁	348~360
유제위幽帝暐	360~370

〈전진前秦〉시안西安

경명제景明帝(부건苻健)	351~355
폐제생廢帝生	355~357
소선제견宣昭帝堅	357~385
애제비哀帝丕	385~386
고제등高帝登	386~394
숭崇	394

〈후연後燕〉중산中山

성무제成武帝(모용수慕容垂)	384~396
혜민제보惠愍帝寶	396~398
소무제성昭武帝盛	398~401
소문제희昭文帝熙	401~407
혜의제고운惠懿帝高雲	407~408

〈후진後秦〉시안西安

무소제武昭帝(요장姚萇)	384~393
문환제흥文桓帝興	393~416
홍泓	416~417

〈서진西秦〉원천苑川

선열왕宣烈王(걸복국인乞伏國仁)	385~388
무원왕건귀武元王乾歸	388~412
무소왕치반文昭王熾磐	412~428
모말慕末	428~431

〈후량後涼〉고장姑藏

의무제懿武帝(여광呂光)	386~398
은왕소隱王紹	398
영왕찬靈王纂	398~400
융隆	400~403

〈남량南涼〉러두樂都

무왕武王(독발오고禿髮烏孤)	397~399
강왕이록고康王利鹿孤	399~402
경왕욕단景王傉檀	402~414

〈북량北凉〉간쑤甘肅

단업段業	397~401
무선왕저구몽손武宣王沮渠蒙遜	401~433
애왕목건哀王牧健	433~439

〈남연南燕〉활현滑縣

헌무제獻武帝(모용덕慕容德)	398~405
초超	405~410

〈서량西凉〉둔황敦煌

양공凉公(이고李暠)	400~417
흠歆	417~420
순恂	420~421

〈하夏〉산시陝西

무열제武烈帝(혁련발발赫連勃勃)	407~425
창昌	425~428
정定	428~431

〈북연北燕〉용성龍城

문성제文成帝(풍발馮跋)	409~431
소성제홍昭成帝弘	431~436

【남조南朝】

〈송宋〉난징南京

무제武帝(유유劉裕)	420~422
소제少帝	422~424
문제文帝	424~453
효무제孝武帝	453~464
전폐제前廢帝	464~465
명제明帝	465~472
후폐제後廢帝	472~477
순제順帝	477~479

〈제齊〉난징南京

고제高帝(소도성蕭道成)	479~482
무제武帝	482~493
울림왕鬱林王	493~494
해릉왕海陵王	494
명제明帝	494~498
동혼후東昏侯	498~501
화제和帝	501~502

〈양梁〉난징南京

무제武帝(소연蕭衍)	502~549
간문제簡文帝	549~551
예장왕豫章王	551~552
원제元帝	552~554
정양후貞陽侯	554~555
경제敬帝	555~557

〈진陳〉난징南京

무제武帝(진패선陳覇先)	557~559
문제文帝	559~566
폐제임해왕廢帝臨海王	566~568
선제宣帝	569~582
후주後主	582~589

【북조北朝】

〈북위北魏〉다퉁大同/뤄양洛陽

도무제道武帝(탁발규拓跋珪)	386~409
명원제明元帝	409~424
태무제太武帝	424~452
문성제文成帝	452~465

헌문제獻文帝 465~471
효문제孝文帝 471~499
선무제宣武帝 499~515
효명제孝明帝 515~528
효장제孝莊帝 528~530
폐제엽廢帝曄 530~531
절민제節閔帝 531
폐제낭廢帝朗 531~532
효무제孝武帝 532~534

〈동위東魏〉임장臨漳
효정제孝靜帝(탁발선견拓跋善見) 534~550

〈서위西魏〉시안西安
문제文帝(탁발보거拓跋寶炬) 535~551
폐제흠廢帝欽 551~554
공제恭帝 554~556

〈북제北齊〉임장臨漳
(신무제고환神武帝高歡) 531~547
문선제文宣帝(고양高洋) 550~559
폐제은廢帝殷 559
효소제孝昭帝 560
무성제武成帝 561~565
후주온공後主溫公 565~577
유주고항幼主高恒 577

〈북주北周〉시안西安
(문제우문태文帝宇文泰)
효민제孝閔帝(우문각宇文覺) 557
명제明帝 557~560
무제武帝 560~578
선제宣帝 578~579
정제靜帝 579~581

【수隋】시안西安
문제文帝(양견楊堅) 581~604
양제煬帝 604~617
(공제일恭帝侑) (618)
(공제恭帝) (618~619)

【당唐】시안西安

고조高祖(이연李淵) 618~626
태종太宗 626~649
고종高宗 649~683
중종中宗 683~684
예종睿宗 684~690
(주周 측천무후則天武后) (690~705)
중종中宗(再) 705~710
예종睿宗(再) 710~712
현종玄宗 712~756
숙종肅宗 756~762
대종代宗 762~779
덕종德宗 779~805
순종順宗 805
헌종憲宗 805~820
목종穆宗 820~824
경종敬宗 824~826
문종文宗 826~840
무종武宗 840~846
선종宣宗 846~859
의종懿宗 859~873
희종僖宗 873~888
소종昭宗 888~904
애종哀宗 904~907

【오대五代】

〈후량後梁〉카이펑開封

태조太祖(주전충朱全忠) 907~912
우규友珪 912~913
말제末帝 913~923

〈후당後唐〉뤄양洛陽

(무제이극용武帝李克用)
장종莊宗(이존욱李存勗) 923~926
명종明宗 926~933
면제閔帝 933~934
말제末帝 934~936

〈후진後晋〉카이펑開封

고조高祖(석경당石敬瑭) 936~942
출出(소少)제帝 942~946

〈후한後漢〉카이펑開封

고조高祖(유지원劉知遠) 947
은제隱帝 948~950

〈후주後周〉카이펑開封

태조太祖(곽위郭威) 951~954
세종世宗 954~960
공제恭帝 960

【십국十國】

〈오吳〉양저우揚州

양행밀楊行密 902~905
양악楊渥 905~908
양융연楊隆演 908~920
양부楊溥 920~937

〈전촉前蜀〉청두成都

왕건王建 907~918
왕연王衍 918~925

〈오월吳越〉항저우杭州

전류錢鏐 907~932
전원관錢元瓘 932~941
전홍좌錢弘佐 941~947
전홍종錢弘倧 947~948
전홍숙錢弘俶 948~978

〈민閩〉푸저우福州

왕심지王審知 909~925
왕연한王延翰 925~926
(공위空位) (926~928)
왕연균王延鈞 928~935
왕창王昶 935~939
왕희王曦 939~944
왕연정王延政(은殷) 943~945

〈남한南漢〉광저우廣州

유공劉龔 917~942
유빈劉玢 942~943
유홍희劉弘熙 943~958
유장劉鋹 958~971

〈형남荊南(남평南平)〉장링江陵

고계흥高季興 924~928
고종회高從誨 928~948
고보융高保融 948~960
고보훈高保勖 960~962
고계충高繼沖 962~963

〈초楚〉창사長沙

마은馬殷	927~930
마희성馬希聲	930~931
마희범馬希範	931~947
마희광馬希廣	947~950
마희악馬希萼	950~951
마희숭馬希崇	951

〈후촉後蜀〉청두成都

맹지상孟知祥	934
맹창孟昶	934~965

〈남당南唐〉난징南京

이승李昇	937~942
이경李璟	942~960
이욱李煜	960~975

〈북한北漢〉타이위안太原

유숭劉崇	951~954
유승균劉承鈞	954~968
유계은劉繼恩	968
유계원劉繼元	968~979

【송宋】카이펑開封(변경汴京)

태조太祖(조광윤趙匡胤)	960~976
태종太宗	976~997
진종眞宗	997~1022
인종仁宗	1022~1063
영종英宗	1063~1067
신종神宗	1067~1085
철종哲宗	1085~1100
휘종徽宗	1100~1125
흠종欽宗	1125~1126

【남송南宋】항저우杭州(임안臨安)

고종高宗(조구趙構)	1127~1162
효종孝宗	1162~1189
광종光宗	1189~1194
영종寧宗	1194~1224
이종理宗	1224~1264
탁종度宗	1264~1274
공종恭宗	1274~1276
단종端宗	1276~1278
위왕衛王(제병帝昺)	1278~1279

【요遼(거란契丹)】상경임황부上京臨潢府
(랴오닝성遼寧省 바린줘이치巴林左旗)

태조太祖(야율아보기耶律阿保機)	907~926
태종太宗	926~947
세종世宗	947~951
목종穆宗	951~969
경종景宗	969~982
성종聖宗	983~1031
흥종興宗	1031~1055
도종道宗	1055~1101
천조제天祚帝	1101~1125

【서요西遼】중앙아시아

덕종德宗(야율대석耶律大石)	1132~1151
인종仁宗	1151~1177
말주末主	1177~1211

【서하西夏】간쑤甘肅

경종景宗(이원호李元昊)	1032~1048
의종毅宗	1048~1067
혜종惠宗	1067~1086
숭종崇宗	1086~1139
인종仁宗	1139~1193
환종桓宗	1193~1205
양종襄宗	1205~1211
신종神宗	1211~1223
헌종獻宗	1223~1226
이현李睍	1226~1227

【금金】상경회령부上京會寧府(헤이룽장성黑龍江省 아청阿城)/베이징北京/카이펑開封

태조太祖(아구다阿骨打)	1115~1123
태종太宗	1123~1135
희종熙宗	1135~1149
해릉왕海陵王(폐제양廢帝亮)	1149~1161
세종世宗	1161~1189
장종章宗	1189~1208
위소왕衛紹王(폐제영제廢帝永濟)	1208~1213
선종宣宗	1213~1223
애종哀宗	1223~1234
말제末帝	1234

【원元(몽골蒙古)】베이징北京

태조太 祖(칭기즈칸成吉思汗)	1206~1229
태종太宗	1229~1241
탈렬가나脫列哥那(황후칭제皇后稱帝)	1241~1246
정종定宗	1246~1248
해미실海迷失(황후칭제皇后稱帝)	1248~1251
헌종憲宗	1251~1259
세조世祖	1259~1294
성종成宗	1294~1307
무종武宗	1307~1311
인종仁宗	1311~1320
영종英宗	1320~1323
진종晋宗(태정제泰定帝)	1323~1328
천순제天順帝	1328~1329
명종明宗	1329
문종文宗	1329~1332
영종寧宗	1332~1333
순제順帝	1333~1368

【명明】난징南京/베이징北京

태조太祖(주원장朱元璋)	1368~1398
혜제惠帝	1398~1402
성조成祖	1402~1424
인종仁宗	1424~1425
선종宣宗	1425~1435
영종英宗	1435~1449
대종代宗(경제景帝)	1449~1457
영종英宗(再)	1457~1464
헌종憲宗	1464~1487
효종孝宗	1487~1505
무종武宗	1505~1521
세종世宗	1521~1566
목종穆宗	1566~1572
신종神宗	1572~1620
광종光宗	1620

희종熹宗	1620~1627
의종毅宗	1627~1644

〈남명南明〉

복왕福王(유숭由崧)	1644~1645
당왕唐王(율건聿鍵)	1645~1646
영명왕永明王(계왕桂王)	1646~1662

【청淸】선양瀋陽/베이징北京

태조太祖(누르하치奴兒哈赤)	1616~1626
태종太宗	1626~1643
세조世祖	1643~1661
성조聖祖	1661~1722
세종世宗	1722~1735
고종高宗	1735~1796
인종仁宗	1796~1820
선종宣宗	1820~1850
문종文宗	1850~1861
목종穆宗	1861~1875
덕종德宗	1875~1908
선통제宣統帝	1908~1912

【만주국滿洲國】창춘長春

부의溥儀(집정執政)	1932~1934
부의황제溥儀皇帝	1934~1945

일 본

오사카大阪/나라奈良/교토京都/도쿄東京

*(南)=남조南朝
*(北)=북조北朝
*(女)=여왕女王

신무神武(じんむ)	전660~585
(공위空位)	(전584~582)
수정綏靖(すいぜい)	전581~549
안녕安寧(あんぬぃ)	전549~511
의덕懿德(いとく)	전510~477
(공위空位)	(전476)
효소孝昭(こうしょう)	전475~393
효안孝安(こうあん)	전392~291
효령孝靈(こうれい)	전290~215
효원孝元(こうげん)	전214~158
개화開化(かい か)	전158~98
숭신崇神(す じん)	전97~30
수인垂仁(すいにん)	전29~70
경행景行(けいこう)	71~130
성무成務(せい む)	131~190
(공위空位)	(191)
중애仲哀(ちゅうあい)	192~200
신공神功(섭정攝政)(じんこう)	201~269
응신應神(おうじん)	270~310
(공위空位)	(311~312)
인덕仁德(にんとく)	313~399
이중履中(りちゅう)	400~405
반정反正(はんぜい)	406~411
윤공允恭(いんぎょう)	412~453
안강安康(あんこう)	453~456
웅략雄略(ゅうりゃく)	456~479

청녕清寧(せいねい)	480~484
현종顯宗(けんそう)	485~487
인현仁賢(にんけん)	488~498
무열武烈(ぶれつ)	498~506
계체繼體(けいたい)	507~531
안한安閑(あんかん)	531~535
선화宣化(せんか)	535~539
흠명欽明(きんめい)	539~571
민달敏達(びだつ)	572~585
용명用明(ようめい)	585~587
숭준崇峻(すしゅん)	587~592
추고推古(女 すいこ)	592~628
서명舒明(じょめい)	629~641
황극皇極(女 こうぎょく)	642~645
효덕孝德(こうとく)	645~654
제명齊明(再:황극 さいめい)	655~661
천지天智(てんじ)	661~671
홍문弘文(こうぶん)	671~672
천무天武(てんむ)	673~686
지통持統(女 じとう)	686~697
문무文武(もんむ)	697~707
원명元明(女 げんめい)	707~715
원정元正(女 げんしょう)	715~724
성무聖武(しょうむ)	724~749
효겸孝謙(女 こうけん)	749~758
순인淳仁(じゅんにん)	758~764
칭덕稱德(再:효겸 しょうとく)	764~770
광인光仁(こうにん)	770~781
환무桓武(かんむ)	781~806
평성平城(へいぜい)	806~809
차아嵯峨(さが)	809~823
순화淳和(じゅんな)	823~833
인명仁明(にんみょう)	833~850
문덕文德(もんとく)	850~858
청화淸和(せいわ)	858~876
양성陽成(ようぜい)	876~884
광효光孝(こうこう)	884~887
우다宇多(うだ)	887~897
제호醍醐(だいご)	897~930
주작朱雀(すざく)	930~946
촌상村上(むらかみ)	946~967
냉천冷泉(れいぜい)	967~969
원융圓融(えんゆう)	969~984
화산花山(かざん)	984~986
일조一條(いちじょう)	986~1011
삼조三條(さんじょう)	1011~1016
후일조後一條(ごいちじょう)	1016~1036
후주작後朱雀(ごすざく)	1036~1045
후냉천後冷泉(ごれいぜい)	1045~1068
후삼조後三條(ごさんじょう)	1068~1072
백하白河(しらかわ)	1072~1086
굴하堀河(ほりかわ)	1086~1107
조우鳥羽(とば)	1107~1123
숭덕崇德(すとく)	1123~1141
근위近衛(このえ)	1141~1155
후백하後白河(ごしらかわ)	1155~1158
이조二條(にじょう)	1158~1165
육조六條(ろくじょう)	1165~1168
고창高倉(たかくら)	1168~1180
안덕安德(あんとく)	1180~1185
후조우後鳥羽(ごとば)	1183~1198
토어문土御門(つちみかど)	1198~1210
순덕順德(じゅんとく)	1210~1221
중공仲恭(ちゅうきょう)	1221
후굴하後堀河(ごほりかわ)	1221~1232
사조四條(しじょう)	1232~1242
후차아後嵯峨(ごさが)	1242~1246
후심초後深草(ごふかくさ)	1246~1259

구산龜山(かめやま) 1259~1274

후우다後宇多(ごうだ) 1274~1287

복견伏見(ふしみ) 1287~1298

후복견後伏見(ごふしみ) 1298~1301

후이조後二條(ごにじょう) 1301~1308

화원花園(はなぞの) 1308~1318

후제호後醍醐(南 ごだいご) 1318~1339

광엄光嚴(北 こうごん) 1331~1333

광명光明(北 こうみょう) 1336~1348

후촌상後村上(南 ごむらかみ) 1339~1368

숭광崇光(北 すこう) 1348~1351

후광엄後光嚴(北 ごこうごん) 1352~1371

장경長慶(南 ちょうけい) 1368~1383

후원융後圓融(北 ごえんゆう) 1371~1382

후구산後龜山(南 ごかめやま) 1383~1392

후소송後小松(北 ごこまつ) 1382~1412

칭광稱光(しょうこう) 1412~1428

후화원後花園(ごはなぞの) 1428~1464

후토어문後土御門(ごつちみかど) 1464~1500

후백원後柏原(ごかしわばら) 1500~1526

후내량後奈良(ごなら) 1526~1557

후친정後親町(おおぎまち) 1557~1586

후양성後陽成(ごょうぜい) 1586~1611

후수미後水尾(ごみずのお) 1611~1629

명정明正(女 めいしょう) 1629~1643

후광명後光明(ここうみょう) 1643~1654

후서後西(ごさい) 1654~1663

영원靈元(れいげん) 1663~1687

동산東山(ひがしやま) 1687~1709

중어문中御門(なかみかど) 1709~1735

앵정櫻町(さくらまち) 1735~1747

도원桃園(ももぞの) 1747~1762

후앵정後櫻町(女 ごさくらまち) 1762~1770

후도원後桃園(ごももぞの) 1771~1779

광격光格(こうかく) 1779~1817

인효仁孝(にんこう) 1817~1846

효명孝明(こうめい) 1846~1866

명치明治(めいじ) 1867~1912

대정大正(たいしょう) 1912~1926

소화昭和(しょうわ) 1926~1989

평성平成(へいせい) 1989~2019

영화令和(れいわ) 2019~

연호 일람

*가나다순 · 시대순　　*전 = 기원전

한 국

개국開國(신라)	551~567
개국기년開國紀己年(조선)	1894~1895
건복建福(신라)	584~633
건양建陽(조선)	1896~1897
건원建元(신라)	536~550
건흥建興(고구려)	6세기 말
건흥建興(발해)	818~829
경운慶雲(장안)	822
광덕光德(고려)	950~951
광무光武(대한제국)	1897~1907
대창大昌(신라)	568~571
대흥大興(발해)	737~792
무태武泰(마진)	904~905
성책聖册(마진)	905~910
수덕만세水德萬歲(태봉)	911~914
영덕永德(발해)	809~812
영락永樂(고구려)	391~413
융기隆基(대원국)	1116
융희隆熙(대한제국)	1907~1910
응순應順 = 융기隆基	
인안仁安(발해)	719~737
인평仁平(신라)	634~647
정개政開(태봉)	914~918
정력正曆(발해)	795~807
주작朱雀(발해)	813~817
준풍峻豊(고려)	960~963
중흥中興(발해)	794~795
천개天開(대위)	1135
천경天慶(흥료국)	1029~1030
천수天授(고려)	918~933
천통天統(발해)	698~719
천흥天興 = 천경天慶	
태시太始(발해)	817~818
태화太和(신라)	647~650
함화咸和(발해)	830~858
홍제鴻濟(신라)	572~583

중 국

가경嘉慶(청)	1796~1820
가령嘉寧(성한)	346

가우嘉祐(송)	1056~1063
가정嘉定(송)	1208~1224
가정嘉靖(명)	1522~1566
가태嘉泰(송)	1201~1204
가평嘉平(위)	249~253
가평嘉平(북한)	311~314
가평嘉平(남량)	408~414
가화嘉禾(오)	232~238
가흥嘉興(서량)	417~420
가희嘉熙(송)	1237~1240
감로甘露(한)	전53~50
감로甘露(위)	258~260
감로甘露(오)	265~266
감로甘露(전진)	359~364
감로甘露(요동)	926~927
갑술甲戌(남당)	974
강국康國(서요)	1127~1135
강덕康德(만주국)	1934~1945
강정康定(송)	1040~1041
강희康熙(청)	1662~1722
개경開慶(남송)	1259
개보開寶(남당)	968~973
개보開寶(북송)	968~976
개보開寶(오월)	968~976
개성開成(당)	836~840
개요開耀(당)	681~682
개운開運(초)	944~947
개운開運(오월)	944~947
개운開運(후진)	944~947
개운開運(서하)	1034
개원開元(당)	713~741
개태開泰(요)	1012~1021

개평開平(후량)	907~911
개평開平(민)	909~911
개황開皇(수)	581~600
개흥開興(금)	1232
개희開禧(남송)	1205~1207
거섭居攝(한)	6~8
건강建康(후한)	144
건광建光(후한)	121~122
건광建光(남제)	494~498
건국建國(대)	338~376
건녕建寧(후한)	168~172
건녕乾寧(당)	894~898
건덕建德(북주)	572~578
건덕乾德(송)	963~968
건도乾道(서하)	1068~1070
건도乾道(남송)	1165~1173
건륭建隆(송)	960~963
건륭乾隆(청)	1736~1795
건명建明(서연)	386
건명建明(북위)	530~531
건명乾明(북제)	559~560
건무建武(후한)	25~56
건무建武(진)	304
건무建武(동진)	317~318
건무建武(후조)	335~348
건무建武(서연)	386
건무중원建武中元(후한)	56~57
건문建文(명)	1399~1402
건봉乾封(당)	666~668
건부乾符(당)	874~879
건세建世(후한)	25~26
건소建昭(후한)	전38~전34

건시建始(한)	전32~전29	건평建平(후연)	398
건시建始(진)	301	건평建平(남연)	400~405
건시建始(후연)	407	건형建衡(오)	269~271
건안建安(후한)	196~220	건형乾亨(남한)	917~925
건염建炎(남송)	1127~1130	건형乾亨(요)	979~982
건우乾祐(초)	948~949	건홍建弘(서진)	420~428
건우乾祐(후한)	948~950	건화建和(후한)	147~149
건우乾祐(북한)	951~956	건화建和(남량)	400~402
건우乾祐(서하)	1171~1194	건화乾化(후량)	911~915
건원建元(한)	전140~전134	건화乾和(남한)	943~958
건원建元(진)	304	건흥建興(촉)	223~237
건원建元(전조)	315	건흥建興(오)	252~253
건원建元(동진)	343~344	건흥建興(성한)	304~306
건원建元(전량)	357~361	건흥建興(진)	313~316
건원建元(전진)	365~385	건흥建興(전량)	313~319
건원建元(제)	479~482	건흥建興(후연)	386~396
건원乾元(당)	758~760	건흥乾興(송)	1022
건의建義(서진)	385~388	건희建熙(전연)	360~370
건의建義(북위)	528	경녕竟寧(한)	전33
건정乾貞(오)	927~928	경덕景德(송)	1004~1007
건정乾定(서하)	1224~1226	경력慶曆(송)	1041~1048
건중建中(당)	780~783	경룡景龍(당)	707~710
건중정국建中靖國(송)	1101	경명景明(북위)	500~503
건창建昌(유연)	508~519	경복景福(당)	892~893
건초建初(후한)	76~84	경복景福(요)	1031~1032
건초建初(성한)	302~303	경술庚戌(남송)	1130
건초建初(후진)	386~394	경시更始(한)	23~25
건초建初(서량)	405~417	경시更始(서연)	385
건통乾統(요)	1101~1110	경시更始(서진)	409~412
건평建平(한)	전6~전3	경염景炎(남송)	1276~1278
건평建平(후조)	330~333	경요景耀(촉)	258~263
건평建平(서연)	386	경우景祐(송)	1034~1038

경운景雲(당)	710~711
경원景元(위)	260~264
경원慶元(남송)	1195~1200
경인庚寅(명)	1650
경자庚子(서량)	400
경정景定(남송)	1260~1264
경초景初(위)	237~239
경태景泰(명)	1450~1457
경평景平(송)	423~424
경화景和(송)	465
계묘癸卯(서량)	403
공화拱化(서하)	1063~1069
광경光慶(당)	656~661
광계光啓(당)	885~888
광대光大(진)	567~568
광덕廣德(당)	763~764
광명廣明(당)	880~881
광민廣民(서하)	1034~1035
광서光緖(청)	1875~1908
광수光壽(전연)	357~360
광순廣順(후주)	951~954
광시光始(후연)	401~406
광운廣運(후량)	586~587
광운廣運(북한)	968
광운廣運(서하)	1034~1035
광원光元(남한)	942
광정廣政(후촉)	938~965
광정光定(서하)	1211~1223
광천光天(진)	567~568
광천光天(전촉)	918
광천光天(남한)	942~943
광초光初(전조)	318~329
광택光宅(당)	684
광화光和(후한)	178~184
광화光化(당)	898~901
광흥光興(전조)	310
광희光熙(진)	306
광희光熹(후한)	189
교태交泰(남당)	958
구시久視(당)	700
단공端拱(송)	988~989
단평端平(남송)	1234~1236
당륭唐隆(당)	710
대감大感(요)	975~984
대강大康(요)	1075~1084
대건大建(진)	569~582
대경大慶(서하)	1036~1038
대경大慶(서하)	1140~1143
대계大啓(북위)	525
대관大觀(송)	1107~1110
대덕大德(서하)	1135~1140
대덕大德(원)	1297~1307
대동大同(양)	535~546
대동大同(요)	947
대동大同(만주국)	1932~1933
대력大曆(당)	766~779
대령大寧(동진)	323~326
대령大寧(후조)	349
대령大寧(북위)	561~562
대명大明(송)	457~464
대보大寶(양)	550~551
대보大寶(남한)	958~971
대사예성국경大賜禮盛國慶(서하)	1070~1075
대상大象(북주)	579~580

대성大成(북주)	579	명덕明德(후촉)	934~937
대순大順(당)	890~891	명도明道(송)	1032~1033
대안大安(전진)	385	명수明受(남송)	1128
대안大安(후량)	386~389	명창明昌(금)	1190~1196
대안大安(서하)	1076~1085	무덕武德(당)	618~626
대안大安(요)	1085~1094	무성武成(북주)	559~560
대안大安(금)	1209~1211	무성武成(전촉)	908~910
대업大業(수)	605~617	무의武義(오)	919~921
대유大有(남한)	928~942	무정武定(동위)	543~550
대정大定(후량)	555~562	무태武泰(북위)	528
대정大定(북주)	581	무평武平(북제)	570~576
대정大定(금)	1161~1189	문덕文德(당)	888
대족大足(당)	701	문명文明(당)	684
대중大中(당)	847~860	백룡白龍(남한)	925~926
대중상부大中祥符(송)	1009~1016	백작白雀(후진)	384~386
대창大昌(北魏)	533	보경寶慶(남송)	1225~1227
대초원장大初元將(한)	전4	보경寶慶(서하)	1226~1227
대통大通(양)	527~529	보대寶大(오월)	924~925
대통大統(서위)	535~551	보대保大(남당)	943~957
대형大亨(동진)	403	보대保大(요)	1121~1125
대화大和(오)	929~934	보력寶曆(당)	825~827
대흥大興(동진)	318~321	보령保寧(요)	969~979
덕우德祐(남송)	1275~1276	보우寶祐(남송)	1253~1258
도광道光(청)	1821~1850	보원寶元(송)	1038~1040
동광同光(후당)	923~926	보응寶應(당)	762~763
동무東武(명)	1648	보의寶義(서하)	1226~1227
동치同治(청)	1862~1874	보정寶鼎(오)	266~269
등국登國(북위)	386~396	보정保定(북주)	561~565
만력萬曆(명)	1573~1620	보정寶正(오월)	926~931
만세등봉萬歲登封(당)	696	보태普泰(북위)	531
만세통천萬歲通天(당)	696~697	보통普通(양)	520~527
명경明慶(당)	656~661	복성승도福聖承道(서하)	1053~1056

본시本始(한)	전73~전70	수광壽光(전진)	355~357
본초本初(후한)	146	수국收國(금)	1115~1116
봉력鳳曆(후량)	912	수창壽昌(요)	1095~1101
봉상鳳翔(대하)	413~418	수화綏和(한)	전8~전7
봉황鳳凰(오)	272~274	순우淳祐(남송)	1241~1252
부창阜昌(제)	1131~1137	순의順義(오)	921~927
사성嗣聖(당)	684~704	순치順治(청)	1644~1661
상부祥符(송)	1008~1016	순화淳化(송)	990~994
상원上元(당)	674~676	순희淳熙(남송)	1174~1180
상원上元(당)	760~762	숭경崇慶(금)	1212~1213
상흥祥興(남송)	1278~1279	숭녕崇寧(요)	1032~1055
선광宣光(북원)	1369~1377	숭녕崇寧(송)	1102~1106
선덕宣德(명)	1426~1435	숭덕崇德(청)	1636~1643
선정宣政(북주)	578	숭복崇福(서요)	1154~1167
선천先天(당)	712~713	숭안崇安(동진)	397~401
선통宣統(청)	1909~1911	숭정崇禎(명)	1628~1644
선평宣平(성한)	306~310	승광承光(하)	425~428
선화宣和(송)	1119~1125	승광勝光(하)	428~431
성력聖曆(당)	698~700	승광承光(북제)	577
성창盛昌(금)	1234	승도承道(서하)	1055~1056
성태盛泰(요)	1095~1101	승명承明(북위)	476
성화成化(명)	1465~1487	승명昇明(송)	477~479
소령昭寧(후한)	189	승성承聖(양)	552~555
소무紹武(명)	1646	승안承安(금)	1196~1200
소성紹聖(송)	1094~1098	승원昇元(남당)	937~943
소정紹定(남송)	1228~1233	승조承鈞(북한)	954
소태紹泰(양)	555~556	승평升平(동진)	357~361
소한紹漢(위)	237~238	승평升平(전량)	362
소흥紹興(남송)	1131~1162	승평承平(북위)	452
소흥紹興(서요)	1142~1154	승현承玄(북량)	428~431
소희紹熙(남송)	1190~1194	승화承和(북량)	433~439
수공垂拱(당)	685~688	시건국始建國(신)	9~13

시광始光(북위)	424~428
시원始元(한)	전86~전80
시평始平(유연)	506~507
신가神䴥(북위)	428~431
신가神嘉(북위)	525~527
신공神功(당)	697
신구神龜(북위)	518~519
신룡神龍(당)	705~707
신봉神鳳(오)	252
신새神璽(북량)	397~398
신서神瑞(북위)	414~416
신작神爵(한)	전61~전58
신정神鼎(후량)	401~403
신책神冊(요)	916~921
안평晏平(서한)	306~310
양가陽嘉(후한)	132~135
양삭陽朔(한)	전24~전21
여의如意(당)	692
연강延康(후한)	220
연경延慶(서요)	1125~1126
연광延光(후한)	122~125
연사영국延祠寧國(서하)	1049
연우延祐(원)	1314~1320
연원燕元(전연)	349~352
연원燕元(후연)	384~385
연재延載(당)	694
연창延昌(북위)	512~515
연초延初(전진)	394
연평延平(후한)	106
연평燕平(남연)	398~399
연화延和(북위)	432~434
연화延和(당)	712
연흥燕興(서연)	384
연흥延興(북위)	471~476
연흥延興(남제)	494
연흥延興(양)	619
연희延熹(후한)	158~167
연희延熙(촉)	238~257
연희延熙(후조)	333~334
염흥炎興(진)	263~264
영가永嘉(후한)	145
영가永嘉(진)	307~313
영강永康(후한)	167
영강永康(진)	300~301
영강寧康(동진)	373~375
영강永康(후연)	396~398
영강永康(서진)	412~419
영건永建(후한)	126~132
영건永建(서량)	420~421
영광永光(한)	전43~전39
영광永光(하)	425~428
영광永光(송)	465
영국寧國(서하)	1049
영녕永寧(후한)	120~121
영녕永寧(진)	301~302
영녕永寧(후조)	350
영락永樂(전량)	346~353
영락永樂(명)	1403~1424
영력永曆(명)	1647~1661
영륭永隆(당)	680~681
영륭永隆(민)	939~944
영명永明(남제)	483~493
영봉永鳳(전조)	308
영수永壽(후한)	155~158

영순永淳(당)	682~683	영흥永興(후조)	350~352
영시永始(한)	전16~전13	영흥永興(전진)	357~358
영안永安(오)	258~264	영흥永興(북위)	409~413
영안永安(진)	304	영흥永興(북위)	532
영안永安(북량)	401~412	영희永熙(진)	290
영안永安(북위)	528~530	영희永熙(북위)	532~534
영안永安(서하)	1099~1101	오봉五鳳(한)	전57~전54
영원永元(후한)	89~105	오봉五鳳(오)	254~256
영원永元(전량)	320~323	오항五恒(성한)	335~337
영원永元(남제)	499~501	옥형玉衡(성한)	311~334
영정永定(진)	557~559	옹녕雍寧(서하)	1115~1119
영정永貞(당)	805	옹정擁正(청)	1723~1735
영제永濟(금)	1209	옹희雍熙(송)	984~987
영창永昌(동진)	322~323	용계龍啓(민)	933~934
영창永昌(당)	689	용기龍紀(당)	889
영초永初(후한)	107~113	용덕龍德(후량)	921~923
영초永初(송)	420~422	용덕龍德(민)	921~923
영태永泰(남제)	498	용봉龍鳳(명)	1356
영태永泰(당)	765	용비龍飛(후량)	396~398
영평永平(후한)	58~75	용삭龍朔(당)	661~663
영평永平(진)	291	용승龍升(하)	407~413
영평永平(전촉)	911~916	용흥龍興(후한)	25~26
영한永漢(후한)	189	원가元嘉(후한)	145
영홍永弘(서진)	428~431	원가元嘉(후한)	151~153
영화永和(후한)	136~141	원가元嘉(송)	424~453
영화永和(동진)	345~356	원강元康(한)	전65~전62
영화永和(후진)	416~417	원강元康(진)	291~299
영화永和(북량)	433~439	원광元光(한)	전134~전129
영화永和(민)	935	원광元光(금)	1222~1224
영휘永徽(당)	650~655	원덕元德(서하)	1120~1126
영흥永興(후한)	153~154	원봉元封(한)	전110~전105
영흥永興(진)	304~306	원봉元鳳(한)	전80~전75

원부元符(송)	1098~1100	응건應乾(남한)	943
원삭元朔(한)	전128~전123	응력應曆(요)	951~969
원상元象(동의)	538~539	응순應順(후당)	934
원새元璽(전연)	352~357	응천應天(서하)	1206~1209
원수元狩(한)	전122~전117	의령義寧(수)	617~618
원수元壽(한)	전2~전1	의봉儀鳳(당)	676~679
원시元始(한)	1~5	의화義和(북량)	431~433
원시元始(북량)	412~428	의희義熙(동진)	405~418
원연元延(한)	전12~전9	인가麟嘉(북한)	316~318
원우元祐(송)	1086~1094	인가麟嘉(후량)	389~395
원정元鼎(한)	전116~전111	인경人慶(서하)	1144~1148
원정元貞(원)	1295~1297	인덕麟德(전조)	316~317
원초元初(후한)	114~120	인덕麟德(당)	664~665
원통元統(원)	1333~1334	인수仁壽(수)	601~604
원평元平(한)	전74	자도䩍都(서하)	1057~1062
원풍元豊(송)	1078~1085	장경長慶(당)	821~824
원화元和(후한)	84~87	장락長樂(후연)	399~401
원화元和(당)	806~820	장무章武(촉)	221~222
원휘元徽(송)	473~477	장수長壽(당)	692~693
원흥元興(후한)	105	장안長安(주)	701~705
원흥元興(오)	264~265	장화章和(후한)	87~88
원흥元興(동진)	402~404	장흥長興(후당)	930~933
원희元熙(전조)	304~307	장흥長興(오월)	932~933
원희元熙(동진)	419~420	재초載初(당)	690
융경隆慶(명)	1567~1572	적오赤烏(오)	238~250
융무隆武(명)	1645~1646	정강靖康(송)	1126~1127
융서隆緖(북위)	527~530	정관貞觀(당)	627~649
융안隆安(동진)	397~401	정관貞觀(서하)	1102~1114
융창隆昌(남제)	494	정광正光(북위)	520~524
융화隆和(동진)	362~363	정대正大(금)	1224~1231
융화隆化(북제)	576~577	정덕正德(서하)	1127~1134
융흥隆興(남송)	1163~1164	정덕正德(명)	1506~1521

정륭正隆(금)	1156~1161
정명禎明(진)	587~589
정명貞明(후량)	915~920
정명貞明(민)	915~921
정시正始(위)	240~248
정시正始(후연)	407~408
정시正始(북위)	504~507
정우貞祐(금)	1213~1216
정원正元(위)	254~255
정원貞元(당)	785~805
정원貞元(금)	1153~1155
정정定鼎(후연)	391~392
정통正統(명)	1436~1449
정평正平(북위)	451~452
정평正平(양)	548~549
정화征和(한)	전92~전89
정화政和(송)	1111~1117
조로調露(당)	679~680
중대동中大同(양)	546
중대통中大通(양)	529~534
중원中元(한)	전149~전144
중원中元(후한)	56~57
중통中統(원)	1260~1263
중평中平(후한)	184~189
중화中和(당)	881~884
중화重和(송)	1118~1119
중흥中興(서연)	386~394
중흥中興(남제)	501~502
중흥中興(북위)	531~532
중흥中興(남당)	958
중희重熙(요)	1032~1055
증성證聖(당)	695
지대至大(원)	1308~1311
지덕至德(진)	583~587
지덕至德(당)	756~757
지도至道(송)	995~997
지령至寧(금)	1213
지순至順(원)	1330~1332
지원至元(원)	1264~1294
지원至元(원)	1335~1340
지절地節(한)	전69~전66
지정至正(원)	1341~1367
지치至治(원)	1321~1323
지화至和(송)	1054~1055
지황地皇(신)	20~22
진원眞元(금)	1153~1156
진흥眞興(하)	419~425
창무昌武(하)	418~419
창수昌壽(요)	1095~1101
창평昌平(서연)	386
천가天嘉(진)	560~565
천감天監(양)	502~519
천강天康(진)	566
천경天慶(요)	1111~1120
천경天慶(서하)	1194~1206
천계天啓(명)	1621~1627
천권天眷(금)	1138~1140
천기天紀(오)	277~280
천덕天德(민)	943~944
천덕天德(금)	1149~1152
천력天曆(원)	1328~1329
천록天祿(요)	947~950
천명天命(청)	1616~1627
천보天保(북제)	550~559

천보天保(후량)	562~585	천의치평天儀治平(서하)	1087~1089
천보天寶(당)	742~756	천정天正(양)	551~552
천보天寶(오월)	908~923	천조天祚(오월)	935~937
천보天寶(남한)	958	천찬天贊(요)	922~926
천보天輔(금)	1117~1122	천책天冊(오)	275~276
천복天復(당)	901~903	천책만세天冊萬歲(당)	695~696
천복天福(후진)	936~943	천총天聰(청)	1627~1635
천복天福(후한)	947	천통天統(북제)	565~569
천복天福(서요)	1154~1167	천평天平(북연)	409
천사天賜(북위)	404~409	천평天平(동위)	534~537
천사예성국경天賜禮盛國慶(서하)	1071~1075	천한天漢(한)	전100~전97
천새天璽(오)	276	천한天漢(전촉)	917
천새天璽(북량)	399~401	천현天顯(요)	926~936
천석天錫(전량)	364	천화天和(북주)	566~571
천성天成(양)	555	천회天會(북한)	957~973
천성天成(후당)	926~929	천회天會(금)	1123~1137
천성天聖(송)	1022~1031	천흥天興(북위)	398~403
천성天盛(서하)	1149~1169	천흥天興(수)	617~620
천수天授(당)	690~692	천흥天興(몽고)	1147~1205
천수예법연조天授禮法延祚(서하)	1038~1048	천흥天興(금)	1232~1234
천순天順(당)	904~907	천희天禧(송)	1017~1021
천순天順(원)	1328	천희天禧(서요)	1168~1201
천순天順(명)	1457~1464	첨원添元(타타르)	1454~1461
천안天安(후량)	386	청녕淸寧(요)	1055~1064
천안天安(북위)	466~467	청룡靑龍(위)	233~236
천안天安(진)	566	청룡靑龍(후조)	349~350
천안예정天安禮定(서하)	1086	청태淸泰(후당)	934~935
천우天祐(당)	904~907	초시初始(한)	8
천우天祐(오)	904~919	초원初元(한)	전156~전150
천우민안天祐民安(서하)	1090~1098	초원初元(한)	전48~전44
천우수성天祐垂聖(서하)	1050~1052	초평初平(후한)	190~193
천원天元(북원)	1378~1387	총장總章(당)	668~669

치평治平(송)	1064~1067
치화治和(원)	1328
태강太康(진)	280~289
태강太康(요)	1075~1094
태건太建(진)	569~582
태극太極(당)	712
태령太寧(동진)	323~326
태령太寧(후조)	349
태령太寧(북제)	561~562
태령太寧(요)	1074
태무太武(성한)	306~310
태보太寶(양)	550~551
태상太上(남연)	405~410
태상泰常(위)	416~423
태시太始(한)	전96~전93
태시泰始(진)	265~274
태시太始(전량)	355~356
태시泰始(송)	465~471
태안太安(진)	302~303
태안太安(전진)	385~386
태안太安(후량)	386~389
태안太安(북위)	435~439
태안太安(유연)	492~505
태연太延(북위)	435~440
태예泰豫(송)	472
태원太元(오)	251~252
태원太元(전량)	324~345
태원太元(동진)	376~396
태정泰定(원)	1324~1327
태창太昌(북위)	532
태창泰昌(명)	1620
태청太淸(전량)	363~376
태청太淸(양)	547~549
태초太初(한)	전104~전101
태초太初(전진)	388~408
태초太初(남량)	397~399
태평太平(오)	256~258
태평太平(진)	300~301
태평太平(북연)	409~430
태평太平(유연)	485~492
태평太平(양)	556~557
태평太平(요)	1021~1030
태평진국太平眞國(북위)	440~450
태평흥국太平興國(송)	976~983
태항泰恒(위)	416~423
태형太亨(동진)	403
태화太和(위)	227~232
태화太和(후조)	328~329
태화太和(성한)	344~345
태화太和(동진)	366~371
태화太和(북위)	477~499
태화太和(당)	827~835
태화太和(오월)	929~934
태화泰和(금)	1201~1208
태흥太興(동진)	318~321
태흥太興(북연)	431~436
태희太熙(진)	290
통문通文(민)	936~939
통정通正(전촉)	916
통화統和(요)	983~1011
하서河瑞(전조)	339~340
하청河淸(북제)	561~564
하평河平(한)	전28~전25
한안漢安(후한)	142~143

한창漢昌(전조)	318	화평和平(후한)	150
한흥漢興(성한)	337	화평和平(전량)	354~355
함강咸康(동진)	335~342	화평和平(북위)	460~465
함강咸康(전촉)	925	황건皇建(북제)	560~561
함녕咸寧(진)	275~279	황건皇建(서하)	1210
함녕咸寧(후량)	399~400	황경皇慶(원)	1312~1313
함녕咸寧(요)	1065~1074	황룡黃龍(한)	전49
함순咸淳(남송)	1265~1274	황룡黃龍(오)	229~231
함안咸安(동진)	371~372	황무黃武(오)	222~229
함청咸淸(서요)	1136~1141	황시皇始(전진)	351~355
함통咸通(당)	860~873	황시皇始(북위)	396~398
함평咸平(송)	998~1003	황우皇祐(송)	1049~1053
함풍咸豊(청)	1851~1861	황초黃初(위)	220~226
함형咸亨(당)	670~673	황초皇初(후진)	394~399
함화咸化(동진)	326~334	황치皇治(전진)	351
함희咸熙(위)	264~265	황태皇泰(수)	618
현경顯慶(당)	656~660	황통皇統(금)	1141~1148
현덕顯德(후주)	954~959	황흥皇興(북위)	467~470
현덕顯德(오월)	954~959	회동會同(요)	937~946
현덕顯德(남당)	958~959	회창會昌(당)	841~846
현도顯道(서하)	1032~1033	효건孝建(송)	454~456
현치玄始(북량)	412~428	효창孝昌(북위)	525~527
홍가鴻嘉(한)	전20~전17	후원後元(한)	전163~전150
홍광弘光(명)	1644	후원後元(한)	전143~전141
홍도弘道(당)	683	후원後元(한)	전88~전87
홍무洪武(명)	1368~1398	흥광興光(북위)	454~455
홍시弘始(후진)	399~416	흥녕興寧(동진)	363~365
홍좌弘佐(오월)	942	흥안興安(북위)	452~453
홍창弘昌(남량)	402~408	흥원興元(당)	784
홍치弘治(후진)	399	흥정興定(금)	1217~1221
홍치弘治(명)	1488~1505	흥평興平(후한)	194~195
홍희洪熙(명)	1425	흥화興和(동위)	539~542

희령熙寧(송) 1068~1077

희평熹平(후한) 172~177

희평熙平(북위) 516~518

일본

가경嘉慶(北朝 かけい) 1387~1389

가길嘉吉(室町 かきつ) 1441~1444

가력嘉曆(鎌倉 かりゃく) 1326~1329

가록嘉祿(鎌倉 かろく) 1225~1227

가보嘉保(平安 かほう) 1094~1096

가상嘉祥(平安 かしょう) 848~851

가승嘉承(平安 かしょう) 1106~1108

가영嘉永(江戸 かえい) 1848~1854

가원嘉元(鎌倉 かげん) 1303~1305

가응嘉應(平安 かおう) 1169~1171

가정嘉禎(鎌倉 かてい) 1235~1238

강력康曆(北朝 こうりゃく) 1379~1381

강보康保(平安 こうほう) 964~968

강안康安(北朝 こうあん) 1361~1362

강영康永(北朝 こうえい) 1342~1345

강원康元(鎌倉 こうげん) 1256~1257

강응康應(北朝 こうおう) 1389~1390

강정康正(室町 こうしょう) 1455~1457

강치康治(平安 こうじ) 1142~1144

강평康平(平安 こうへい) 1058~1065

강화康和(平安 こうわ) 1099~1104

건구建久(平安 · 鎌倉 けんきゅう) 1190~1199

건덕建德(南朝 けんとく) 1370~1372

건력建曆(鎌倉 けんりゃく) 1211~1213

건무建武(南朝 けんむ) 1334~1336

건무建武(北朝 けんむ) 1334~1338

건보建保(鎌倉 けんぽう) 1213~1219

건영建永(鎌倉 けんえい) 1206~1207

건원乾元(鎌倉 けんげん) 1302~1303

건인建仁(鎌倉 けんにん) 1201~1204

건장建長(鎌倉 けんちょう) 1249~1256

건치建治(鎌倉 けんじ) 1275~1278

경안慶安(江戸 けいあん) 1648~1652

경운慶雲(大和 けいうん) 704~708

경응慶應(江戸 けいおう) 1865~1868

경장慶長(桃山 · 江戸 けいちょう) 1596~1615

관덕寬德(平安 かんとく) 1044~1046

관문寬文(江戸 かんぶん) 1661~1673

관보寬保(江戸 かんぽう) 1741~1744

관연寬延(江戸 かんえん) 1748~1751

관영寬永(江戸 かんえい) 1624~1644

관원寬元(鎌倉 かんげん) 1243~1247

관응觀應(北朝 かんのう) 1350~1352

관인寬仁(平安 かんにん) 1017~1021

관정寬正(室町 かんしょう) 1460~1466

관정寬政(江戸 かんせい) 1789~1801

관치寬治(平安 かんじ) 1087~1094

관평寬平(平安 かんぴょう) 889~898

관홍寬弘(平安 かんこう) 1004~1012

관화寬和(平安 かんな) 985~987

관희寬喜(鎌倉 かんぎ) 1229~1232

구수久壽(平安 きゅうじゅ) 1154~1156

구안久安(平安 きゅうあん) 1145~1151

대동大同(平安 だいどう) 806~810

대보大寶(大和 たいほう) 701~704

대영大永(室町 たいえい) 1521~1528

대정大正(大正 たいしょう)	1912~1926
대치大治(平安 たいじ)	1126~1131
대화大化(大和 たいか)	645~650
덕치德治(鎌倉 とくじ)	1306~1308
만수萬壽(平安 まんじゅ)	1024~1028
만연萬延(江戸 まんえん)	1860~1861
만치萬治(江戸 まんじ)	1658~1661
명덕明德(北朝 めいとく)	1390~1394
명력明曆(江戸 めいれき)	1655~1658
명응明應(室町 めいおう)	1492~1501
명치明治(明治 めいじ)	1867~1912
명화明和(江戸 めいわ)	1764~1772
문구文龜(室町 ぶんき)	1501~1504
문구文久(江戸 ぶんきゅう)	1861~1864
문력文曆(鎌倉 ぶんりゃく)	1234~1235
문록文祿(桃山 ぶんろく)	1592~1596
문명文明(室町 ぶんめい)	1469~1487
문보文保(鎌倉 ぶんぽう)	1317~1319
문안文安(室町 ぶんあん)	1444~1449
문영文永(鎌倉 ぶんえい)	1264~1275
문응文應(鎌倉 ぶんおう)	1260~1261
문정文正(室町 ぶんしょう)	1466~1467
문정文政(江戸 ぶんせい)	1818~1830
문중文中(南朝 ぶんちゅう)	1372~1375
문치文治(鎌倉 ぶんじ)	1185~1190
문화文和(北朝 ぶんな)	1352~1356
문화文化(江戸 ぶんか)	1804~1818
백치白雉(大和 はくち)	650~654
보구寶龜(奈良 ほうき)	770~780
보덕寶德(室町 ほうとく)	1449~1452
보력寶曆(江戸 ほうれき)	1751~1764
보안保安(平安 ほうあん)	1120~1124
보연保延(平安 ほうえん)	1135~1141
보영寶永(江戸 ほうえい)	1704~1711
보원保元(平安 ほうげん)	1156~1159
보치寶治(鎌倉 ほうじ)	1247~1249
소화昭和(昭和 しょうわ)	1926~1989
수영壽永(平安 じゅえい)	1182~1185
승구承久(鎌倉 じょうきゅう)	1219~1222
승덕承德(平安 じょうとく)	1097~1099
승력承曆(平安 じょうりゃく)	1077~1081
승보承保(平安 じょうほう)	1074~1077
승안承安(平安 じょうあん)	1171~1175
승원承元(鎌倉 じょうげん)	1207~1211
승응承應(江戸 じょうおう)	1652~1655
승평承平(平安 じょうへい)	931~938
승화承和(平安 じょうわ)	834~848
신구神龜(奈良 じんき)	724~729
신호경운神護景雲(奈良 じんごけいうん)	767~770
안영安永(江戸 あんえい)	1772~1781
안원安元(平安 あんげん)	1175~1177
안정安貞(鎌倉 あんてい)	1227~1229
안정安政(江戸 あんせい)	1854~1860
안화安和(平安 あんな)	968~970
양로養老(奈良 ようろう)	717~724
양화養和(平安 ようわ)	1181~1182
역응曆應(北朝 りゃくおう)	1338~1342
역인曆仁(鎌倉 りゃくにん)	1238~1239
연경延慶(鎌倉 えんきょう)	1308~1311
연구延久(平安 えんきゅう)	1069~1074
연덕延德(室町 えんとく)	1489~1492
연력延曆(奈良 · 平安 えんりゃく)	782~806
연문延文(北朝 えんぶん)	1356~1361

연보延寶(江戸 えんぽう) 1673~1681
연원延元(南朝 えんげん) 1336~1340
연응延應(鎌倉 えんのう) 1239~1240
연장延長(平安 えんちょう) 923~931
연향延享(江戸 えんきょう) 1744~1748
연희延喜(平安 えんぎ) 901~923
영관永觀(平安 えいかん) 983~985
영구靈龜(奈良 れいき) 715~717
영구永久(平安 えいきゅう) 1113~1118
영덕永德(北朝 えいとく) 1381~1384
영력永曆(平安 えいりゃく) 1160~1161
영록永祿(室町 えいろく) 1558~1570
영만永萬(平安 えいまん) 1165~1166
영보永保(平安 えいほう) 1081~1084
영승永承(平安 えいしょう) 1046~1053
영연永延(平安 えいえん) 987~989
영인永仁(鎌倉 えいにん) 1293~1299
영장永長(平安 えいちょう) 1096~1097
영정永正(室町 えいしょう) 1504~1521
영조永祚(平安 えいそ) 989~990
영치永治(平安 えいじ) 1141~1142
영향永享(室町 えいきょう) 1429~1441
영화永和(北朝 えいわ) 1375~1379
영화令和(令和 れいわ) 2019~
원경元慶(平安 がんぎょう) 877~885
원구元久(鎌倉 げんきゅう) 1204~1206
원구元龜(室町 げんき) 1570~1573
원덕元德(鎌倉 げんとく) 1329~1332
원력元曆(平安 けんりゃく) 1184~1185
원록元祿(江戸 げんろく) 1688~1704
원문元文(江戸 げんぶん) 1736~1741
원영元永(平安 げんえい) 1118~1120
원응元應(鎌倉 げんおう) 1319~1321
원인元仁(鎌倉 げんにん) 1224~1225
원중元中(南朝 げんちゅう) 1384~1392
원치元治(江戸 げんじ) 1864~1865
원형元亨(鎌倉 げんこう) 1321~1324
원홍元弘(南朝 げんこう) 1331~1334
원화元和(江戸 げんな) 1615~1624
응덕應德(平安 おうとく) 1084~1087
응보應保(平安 おうほう) 1161~1163
응안應安(北朝 おうあん) 1368~1375
응영應永(室町 おうえい) 1394~1428
응인應仁(室町 おうにん) 1467~1469
응장應長(鎌倉 おうちょう) 1311~1312
응화應和(平安 おうわ) 961~964
인수仁壽(平安 にんじゅ) 851~854
인안仁安(平安 にんあん) 1166~1169
인치仁治(鎌倉 にんじ) 1240~1243
인평仁平(平安 にんぴょう) 1151~1154
인화仁和(平安 にんな) 885~889
장관長寬(平安 ちょうかん) 1163~1165
장구長久(平安 ちょうきゅう) 1040~1044
장덕長德(平安 ちょうとく) 995~999
장력長曆(平安 ちょうりゃく) 1037~1040
장록長祿(室町 ちょうろく) 1457~1460
장보長保(平安 ちょうほう) 999~1004
장승長承(平安 ちょうしょう) 1132~1135
장원長元(平安 ちょうげん) 1028~1037
장치長治(平安 ちょうじ) 1104~1105
장향長享(室町 ちょうきょう) 1487~1489
장화長和(平安 ちょうわ) 1012~1017
정가正嘉(鎌倉 しょうか) 1257~1259
정경正慶(北朝 しょうきょう) 1332~1334

정관貞觀(平安 じょうがん) 859~877
정덕正德(江戸 しょうとく) 1711~1716
정력正曆(平安 しょうりゃく) 990~995
정보正保(江戸 しょうほう) 1644~1648
정안正安(鎌倉 しょうあん) 1299~1302
정영貞永(鎌倉 じょうえい) 1232~1233
정원貞元(平安 じょうげん) 976~978
정원正元(鎌倉 しょうげん) 1259~1260
정응貞應(鎌倉 じょうおう) 1222~1224
정응正應(鎌倉 しょうおう) 1288~1293
정장正長(室町 しょうちょう) 1428~1429
정중正中(鎌倉 しょうちゅう) 1324~1326
정치正治(鎌倉 しょうじ) 1199~1201
정치貞治(北朝 じょうじ) 1362~1368
정평正平(南朝 しょうへい) 1346~1370
정향貞享(江戸 じょうきょう) 1684~1688
정화正和(鎌倉 しょうわ) 1312~1317
정화貞和(北朝 じょうわ) 1345~1350
제형齊衡(平安 さいこう) 854~857
주조朱鳥(大和 しゅちょう) 686
지덕至德(北朝 しとく) 1384~1387
창태昌泰(平安 しょうたい) 898~901
천경天慶(平安 てんぎょう) 938~947
천덕天德(平安 てんとく) 957~961
천력天曆(平安 てんりゃく) 947~957
천록天祿(平安 てんろく) 970~973
천명天明(江戸 てんめい) 1781~1789
천문天文(室町 てんぶん) 1532~1555
천보天保(江戸 てんぽう) 1830~1844
천복天福(鎌倉 てんぷく) 1233~1234
천수天授(南朝 てんじゅ) 1375~1381
천승天承(平安 てんじょう) 1131~1132
천안天安(平安 てんあん) 857~859
천양天養(平安 てんよう) 1144~1145
천연天延(平安 てんえん) 973~976
천영天永(平安 てんえい) 1110~1113
천원天元(平安 てんげん) 978~983
천응天應(奈良 てんのう) 781~782
천인天仁(平安 てんにん) 1108~1110
천장天長(平安 てんちょう) 824~834
천정天正(安土桃山 てんしょう) 1573~1592
천치天治(平安 てんじ) 1124~1126
천평天平(奈良 てんぴょう) 729~749
천평감보天平感寶(奈良 てんぴょうかんぽう) 749
천평보자天平寶字(奈良 てんぴょうほうじ) 757~764
천평승보天平勝寶(奈良 てんぴょうしょうほう) 749~757
천평신호天平神護(奈良 てんぴょうじんご) 765~767
천화天和(江戸 てんな) 1681~1684
천희天喜(平安 てんぎ) 1053~1058
치력治曆(平安 じりゃく) 1065~1069
치승治承(平安 じしょう) 1177~1181
치안治安(平安 じあん) 1021~1024
평성平成(平成 へいせい) 1989~
평치平治(平安 へいじ) 1159~1160
향덕享德(室町 きょうとく) 1452~1455
향록享祿(室町 きょうろく) 1528~1532
향보享保(江戸 きょうほう) 1716~1736
향화享和(江戸 きょうわ) 1801~1804
홍안弘安(鎌倉 こうあん) 1278~1288
홍안弘仁(平安 こうにん) 810~824

홍장弘長(鎌倉 こうちょう)	1261~1264
홍치弘治(室町 こうじ)	1555~1558
홍화弘和(南朝 こうわ)	1381~1384
홍화弘化(江戶 こうか)	1844~1848
화동和銅(大和 · 奈良 わどう)	708~715
흥국興國(南朝 こうこく)	1340~1346

* 기타 일본 연호

광영光永 1년	1576
명록命祿 1년	1540
미륵彌勒 2년	1507
백록白鹿 1년	1345
백봉白鳳 1년	673
법흥法興 6년	596
보수保壽 1년	1532
보수寶壽 2년	1534
복덕福德 1년	1490
영전永傳 1년	1490
영창永昌 1년	690
영희永喜 2년	1527
주작朱雀 1년	672
화승和勝 1년	1190

연 대	우 리 나 라	다 른 나 라
B.C. 300만		▶구석기시대 시작. 아프리카에 원인猿人 출현: 오스트랄로피테쿠스Australopithecus가 최초의 인류로 알려짐.
70만	▶구석기시대 시작: 뗀석기(타제석기打製石器) 사용. ▶이 무렵, 공주公州 석장리유적 제1문화층이 형성됨.	
50만	▶이 무렵, 상원祥原 검은모루동굴유적 형성됨.	▶호모 에렉투스Homo erectus 출현: 베이징인 · 자바인 · 하이델베르크인 등.
30만	▶이 무렵, 연천漣川 전곡리유적 · 단양丹陽 도담리유적 형성됨.	
20만	▶이 무렵, 청원淸原 두루봉유적 형성됨.	▶호모 사피엔스Homo sapiens 출현: 현생 인류와 같은 종. 네안데르탈Neanderthal인.
3만	▶이 무렵, 웅기雄基 굴포리유적 제2문화층 · 공주公州 석장리유적 제6문화층 · 동관진潼關鎭유적 · 단양丹陽 상시리바위그늘유적 · 제천堤川 사기리유적 등 형성됨.	▶호모 사피엔스 사피엔스Homo sapiens sapiens 출현: 현생 인류의 직접적인 조상. 프랑스의 크로마뇽Cro-Magnon인 및 중국 저우커우뎬周口店의 상동인上洞人 등.
1만	▶오늘날의 한반도 원형이 형성됨.	▶신석기시대 시작.
8500		▶농경생활과 목축 시작.
6000	▶신석기시대 시작: 간석기(마제석기磨製石器)와 토기 사용. 부산동삼동유적 하층 형성됨.	
5000	▶이 무렵, 서울암사동유적 형성됨.	▶중국 산시성山西省에 사위안沙苑 문화 형성.
4000	▶이 무렵, 봉산지탑리유적 형성됨.	▶오리엔트에 청동기문화 형성됨. 중국 황하黃河 유역에 양사오문화仰韶文化가 발달함: 채도彩陶 사용.
3500	▶이 무렵, 양양襄陽 오산리유적 형성됨.	▶수메르인Sumerian, 메소포타미아 지방에 도시문명을 형성함(B.C. 3300경).
3000	▶이 무렵, 단양丹陽 금굴유적 형성됨.	▶햄족Ham族, 이집트에 통일왕국을 형성함. ▶크레타Creta섬에 에게Aegea문명 발달함.
2700		▶이집트, 피라미드Pyramid를 건립함. 파피루스papyrus에 문자를 기록함.
2500		▶인도, 인더스Indus 문명 시작. 뒤이어 중국의 황하黃河 문명 시작.

연대	우리 나라	다른 나라
B.C. 2333	▶단군왕검檀君王儉, 아사달阿斯達을 도읍지로 정하고 고조선古朝鮮을 세움.	▶중국, 요堯 임금 25년. ▶아카드인Akkadians, 메소포타미아Mesopotamia 지방에 통일왕국 건설함(B.C.2350년경).
2100		▶중국, 룽산문화龍山文化가 발달함: 흑도黑陶 사용. ▶북중국에 하夏나라 시작(B.C.2192년경).
2000	▶청동기시대 시작. 금속기 사용. ▶이 무렵, 동이東夷와 중국 하夏의 충돌이 시작됨.	▶아리아인Aryans, 중앙아시아에서 남하하여 인도 펀자브Punjab 지방에 정주 시작. ▶미케네Mycenae 문명이 발달함.
1792		▶바빌로니아, 함무라비Hammurabi 즉위: 《함무라비 법전》을 제정함.
1751		▶중국, 은殷왕조가 성립되었다 함.
1600		▶크레타문명 전성기: 크노소스Knossos 궁전을 건립함.
1500		▶헤브라이인Hebrew, 메소포타미아에서 가나안 Ganaan(팔레스타인Palesteine)으로 이동함.
1300	▶이 무렵, 김해金海 농소리조개더미유적 등 형성됨.	▶은, 안양安陽으로 천도함. ▶인도 아리아인Aryans, 리그 베다Rig Veda 편찬.
1200		▶그리스Greece 문명 시작됨. ▶페니키아인Phoenician, 시리아 해안에 도시국가 건설함. 표음문자 사용함: 알파벳Alphabet의 기원.
1050경	▶이 무렵, 동이족東夷族들이 주周와 왕래하였다 함.	▶중국, 은殷왕조 망하고 주周왕조 성립:호경鎬京(지금의 시안西安 부근)에 수도首都 정함.
1000		▶인도 아리아인Aryans, 갠지스강Ganges江 유역에 도시국가를 건설함: 카스트caste제도 성립. ▶솔로몬Solomon, 이스라엘 왕이 됨. ▶이 무렵, 그리스에 폴리스Police가 성립됨.
776		▶그리스, 올림픽Olympic 경기가 시작됨.
770	▶이 무렵, 고조선이 계속 발전함.	▶중국, 춘추전국시대春秋戰國時代 시작. ▶이 무렵, 그리스 호메로스Homeros, 서사시 〈일리아드Iliad〉·〈오디세이Odyssey〉를 지음. ▶이탈리아인, 로마Roma를 건설함.
722		▶이스라엘, 아시리아Assyria에게 정복됨.
670경		▶아시리아, 서아시아 세계를 통일함.
651		▶중국, 제齊의 환공桓公이 제후의 패자가 됨.
612		▶아시리아Assyria 멸망.
590경		▶아테네, 솔론Solon의 금권정치金權政治, 페이스트라토스Peistratos의 참주정치僭主政治, 클레이테네스 Kleithenes의 도편추방제陶片追放制를 시행함.

연 대	우 리 나 라	다 른 나 라
B.C. 586		▶유대Judea왕국, 신바빌로니아에게 멸망함: 바빌론Babylon의 유수幽囚.
563경		▶인도, 석가釋迦 탄생.
551		▶중국, 공자孔子 탄생. ▶바빌로니아Babylonia, 아라비아Arabia에 원정함.
550		▶페르시아Persia, 오리엔트Orient를 통일함.
525경		▶인도 바르다마나Vardhamana, 자이나교Jainism를 창시함.
500	▶이 무렵, 공자孔子가 구이九夷(조선朝鮮)에 가서 살기를 원했다 함.	▶중국 공자孔子, 노魯의 대사구大司寇가 됨. ▶이 무렵, 스키타이Scythai 기마민족騎馬民族의 문화가 북아시아에 전파됨.
494		▶로마, 호민관제護民官制를 시행함.
492		▶페르시아, 그리스에 침입함: 페르시아Persia 전쟁.
490		▶인도 마가다국Magadha國, 갠지스강Ganges江 유역을 통일함. ▶그리스, 페르시아군을 격파함: 마라톤Marathon 전쟁.
482		▶오왕吳王 부차夫差, 월왕越王 구천句踐을 격파하고 패자가 됨.
473		▶월왕 구천句踐, 오吳를 멸하고 패자가 됨.
451	▶이 무렵, 쑹화강松花江 상류 일대에 부여夫餘 성립.	▶로마, 〈12표법十二表法: 12동판법十二銅板法〉을 제정함: 최초의 성문법. ▶이 무렵, 중국의 묵자墨子가 활약함. ▶이 무렵, 그리스의 프로타고라스Protagoras · 소크라테스Socrates 등이 활약함. 헤로도토스Herodotos의 《역사》 나옴.
438		▶그리스, 파르테논Parthenon 신전이 완성됨.
431	▶이 무렵, 진국辰國 성립.	▶그리스, 아테네Athenae와 스파르타Sparta 간에 펠로폰네소스Peloponnesos 전쟁 일어남. 이 무렵 투키디데스Thukydides의 《펠로폰네소스전쟁사》 나옴.
403		▶중국, 전국시대 시작.
399		▶그리스, 소크라테스Socrates 사망.
367		▶로마, 리키니우스법Licinius法을 제정함. ▶이 무렵, 중국의 맹자孟子 · 상앙商鞅이 활약함. ▶이 무렵, 그리스의 플라톤Platon · 아리스토텔레스Aristoteles가 활약함.
337		▶ 마케도니아 필리프Philippe 2세, 그리스를 정복함.
334	▶마케도니아 필리프Philippe 2세, 그리스를 정복함.	▶마케도니아Macedonia 알렉산더Alexander대왕, 동방에 원정함: 330년 페르시아Persia 정복. ▶이 무렵, 중국의 장자莊子가 활약함.

연 대	우 리 나 라	다 른 나 라
B.C. 323		▶마케도니아, 알렉산더Alexander 대왕 사망: 헬레니즘Hellenism 시대 개막
317	▶이 무렵, 연燕이 왕을 칭하고 동방 침략을 시도함: 조선후朝鮮侯, 왕을 칭하고 역공하려 함.	▶인도 찬드라 굽타Chandragupta, 마우리아왕국Maurya王國을 세움.
300	▶철기문화 보급됨: 철제 농기구 사용. ▶고조선, 연燕의 장수 진개秦開의 공격을 받음.	▶일본, 야요이시대彌生時代 성립: 중국 기록에 왜倭가 처음 등장함. ▶인도 아소카Ashoka왕, 국내 통일을 이룸.
287		▶로마, 호르텐시우스법Hortensius法을 제정함.
264		▶로마, 카르타고Cartago와 포에니전쟁Poeni戰爭 일으킴. ▶이 무렵, 중국의 순자荀子가 활약함. ▶이 무렵, 그리스의 유클리드Euclid · 아르키메데스Archimedes · 아리스타르코스Aristarcos · 에라토스테네스Eratostenes가 활약함.
222	▶이 연도의 명문銘文이 있는 진과秦戈가 평양에서 출토됨.	▶진秦, 조趙와 연燕을 멸함. 한비자韓非子 사망(B.C.233).
221		▶진, 중국을 통일함. 이사李斯가 처형당함(B.C.208). 진秦 멸망(B.C.206).
202		**3** 중국 유방劉邦, 한漢을 세움. 항우項羽 자살.
194	▶고조선, 위만衛滿이 왕이 됨.	**1** 한, 장안성長安城을 수축하기 시작함. 소하蕭何 사망(B.C. 193).
190	▶이 무렵, 고조선이 진번眞番 · 임둔臨屯 지역을 복속시킴.	▶로마 스키피오Scipio, 카르타고Cartago 군대를 격파함.
183		▶카르타고Cartago 한니발Hannibal, 로마군에 패하여 자살함.
168		▶한, 가의賈誼 · 장량張良 사망. ▶로마, 마케도니아Macedonia를 멸망시킴: 4분하여 통치.
128	▶예군濊君 남려南閭, 한漢에 항복함: 한이 창해군滄海郡을 설치함.	▶한, 흉노匈奴의 침입을 받음.
111		▶한, 베트남Vietnam 북부의 남월南越을 정복함: 9군을 설치함.

연대		우리 나라	다른 나라
B.C. 108		▶고조선, 이계상尼谿相 삼參이 우거왕右渠王을 시해케 하고 한漢에 항복함. 성기成己 지휘하에 왕검성王儉城에서 한에 항전함. ▶고조선 멸망: 한이 고조선 지역에 낙랑樂浪 · 임둔臨屯 · 진번眞蕃 · 현도玄菟의 4개군 설치함.	
97			한 이광리李廣利, 흉노를 토벌함. ▶한 사마천司馬遷,《사기史記》지음.
91			▶로마, 동맹시전쟁 일어남.
82		▶고구려족, 임둔군 · 진번군을 축출함. ▶한漢이 진번군 폐하고 일부를 낙랑군에, 임둔군 폐하고 일부를 현도군에 합함. ▶이 무렵, 한이 낙랑군에 동부 · 남부 도위都尉를 둠. 평양토성리고분유적 형성됨.	▶한, 사마천司馬遷 사망(B.C. 86).
75		▶고구려족, 현도군玄菟郡을 공격함.	**1** 한,랴오둥에 현도성玄菟城을 쌓음.
73			▶로마, 스파르타쿠스Spartacus의 노예 반란 일어남.
60			▶로마, 카이사르Caesar · 폼페이우스Pompeius · 크라수스Crassus의 제1차 삼두정치三頭政治 실시됨.
59			▶한, 서역도호부를 설치함
58			▶로마 카이사르, 갈리아를 정벌함.
57 (2277) 갑자	**신라** 혁거세 1	**4** 신라, 박혁거세朴赫居世가 경주에서 즉위함: 왕호를 거서간居西干, 국호를 서라벌徐羅伐이라 함. ▶이 무렵, 진한辰韓, 풍속에 가무와 음주를 즐김. 마한馬韓, 5월 파종과 10월 추수 후 축제를 벌임.	▶흉노, 내분 일어나 5선우單于가 병립하여 다툼. ▶로마 키케로Cicero, 삼두정치에 대항하다 추방당함.
56 (2278) 을축	2		**11** 한, 흉노 일파가 항복해 옴. ▶로마, 카이사르 · 폼페이우스 · 크라수스가 루카Lucca에서 회합함.
55 (2279) 병인	3		▶로마, 카이사르가 게르마니아Germania에 원정함. 폼페이우스와 크라수스가 통령이 됨.
54 (2280) 정묘	4		**1** 한, 상평창常平倉을 설치함. ▶흉노, 동 · 서로 분열됨. ▶로마 카이사르, 브리타니아를 정벌함.

연대	신라	우리 나라	다른 나라
B.C. 53 (2281) 무진	5	1 신라, 알영閼英을 왕비로 삼음.	1 흉노, 한에 아들을 보내 입시시킴. ▶오손烏孫, 내분 일어남. ▶로마, 크라수스가 파르티아Parthia 원정에서 전사함. 폼페이우스가 로마로 돌아옴.
52 (2282) 기사	6		▶로마, 폼페이우스Pompeius와 카이사르Caesar와의 불화가 표면화됨. 키이사르의 《갈리아전기Gallia戰記》가 완성됨.
51 (2283) 경오	7		1 한, 흉노에서 내조해 옴. ▶한, 학자들이 오경五經 내용을 강론함. ▶로마 카이사르, 갈리아Gallia 정벌을 완료함.
50 (2284) 신미	8	▶신라, 왜倭가 변방을 침입하였다 물러감.	▶한, 흉노에서 사신 보내 조공해 옴. ▶로마, 원로원의 카이사르 소환과 관련한 호민관護民官의 조정이 실패함.
49 (2285) 임신	9	▶이 무렵, 경주慶州 조양동유적이 조성되기 시작함.	1 한, 흉노에서 내조해 옴. ▶로마 카이사르, 루비콘Rubicon강 건너 폼페이우스 일파를 제압하고 정권을 장악함.
48 (2286) 계유	10		1 한, 공전公田과 원지苑地를 빈민에게 지급함. ▶로마 폼페이우스Pompeius, 이집트에서 암살당함.
47 (2287) 갑술	11		12 한, 소망지蕭望之 자살. ▶로마 카이사르, 이집트로부터 소아시아에까지 정벌함.
46 (2288) 을해	12		▶로마 카이사르, 폼페이우스 잔당을 파함: 독재관이 되어 10년 임기를 종신으로 고침. 율리우스력(태양력太陽曆)을 사용함.
45 (2289) 병자	13		3 한, 하동河東의 토지 신에게 제사지냄. ▶로마 카이사르, 스페인에 침입하여 폼페이우스Pompeius의 두 아들을 격파함.
44 (2290) 정축	14		3 로마 카이사르, 원로원元老院 의사당에서 암살당함. 6 한, 염철관鹽鐵官과 상평창常平倉을 폐지함.
43 (2291) 무인	15	▶낙랑군, 영광원년명금동구칠이배永光元年銘金銅釦漆耳杯를 제작함.	▶로마, 옥타비아누스Octavianus · 안토니우스Antonius · 레피두스Lepidus의 제2차 삼두정치가 실시됨. 키케로Cicero 피살.
42 (2292) 기묘	16		7 한, 서강西羌의 반란을 평정함. ▶로마, 옥타비아누스Octavianus가 귀국함. 안토니우스Antonius가 이집트로 감.

연대	신라		우리 나라	다른 나라
B.C. 41 (2293) 경진	혁거세 17		▶신라, 왕이 왕비와 함께 6부 순행하고 농사와 양잠을 장려함.	▶한, 염철관鹽鐵官을 다시 설치함. ▶로마 옥타비아누스Octavianus, 이탈리아 최고지도자가 되어 갈리아·스페인을 통치함.
40 (2294) 신사	18			▶한, 오수전五銖錢을 발행함. ▶로마, 영토를 3분하여 통치하기로 협정함.
39 (2295) 임오	19		**1** 신라, 변한弁韓이 항복을 청해옴.	▶로마, 안토니우스Antonius가 귀국함. 동방에 원정하여 파르티아를 정벌함: B.C. 36년 패퇴.
38 (2296) 계미	20			▶한, 침사원寢祠園을 폐지함. ▶로마, 시칠리아Sicilia와 전쟁 벌임.
37 (2297) 갑신	21	**고구려** 동명 1	▶주몽朱蒙(동명왕東明王), 동가강冬佳江 유역 졸본卒本(환인桓仁)에서 고구려 세움. ▶이 무렵, 고구려는 동맹東盟, 부여는 영고迎鼓, 동예는 무천舞天 행사를 행함.	▶한, 위군태수魏郡太守, 경방京房을 살해함 ▶유대Judea, 헤롯왕Herod王 즉위.
36 (2298) 을유	22	2	▶고구려, 비류국沸流國의 송양松讓이 항복해 오자 그곳을 다물도多勿島라 함.	▶로마 레피두스Lepidus, 옥타비아누스Octavianus에 굴복함.
35 (2299) 병술	23	3	**3** 고구려, 황룡黃龍이 골령鶻嶺에 나타남.	▶로마 옥타비아누스Octavianus, 다마르치아인·이리리아인을 토벌함.
34 (2300) 정해	24	4	**7** 고구려, 성城과 궁실宮室을 축조함.	**7** 한, 침묘원寢廟園 설립을 허가함. ▶로마 안토니우스Antonius, 이집트의 클레오파트라Cleopatra 여왕과 혼인함.
33 (2301) 무자	25	5		**1** 한 왕소군王昭君, 흉노 호한야선우呼韓耶單于에게 출가함. ▶한, 기년紀年에 간지干支를 사용함.
32 (2302) 기축	26	6	**1** 신라, 금성金城에 궁궐을 지음. **10** 고구려 오이烏伊·부분노扶芬奴, 행인국荇人國을 병합함.	▶로마 원로원, 이집트의 클레오파트라Cleopatra 여왕에 선전포고함.

연 대	신라	고구려	우 리 나 라	다 른 나 라
B.C. 31 (2303) 경인	27	7		▶한 성제成帝, 처음으로 친히 남교南郊에 제사지냄. ▶로마 옥타비아누스, 안토니우스와 이집트 클레오파트라 세력을 격파함: 악티움Actium 해전.
30 (2304) 신묘	28	8		▶로마, 알렉산드리아Alexandria를 정복함: 안토니우스 자살. ▶이집트, 클레오파트라 자살.
29 (2305) 임진	29	9		▶한, 중서中書의 환관宦官 폐하고 상서尙書를 설치함. ▶로마 옥타비아누스, 로마에 개선함.
28 (2306) 계사	30	10	**4** 신라, 낙랑인이 침범하였다 물러감. **11** 고구려, 북옥저北沃沮를 병합함.	▶인도 안드라Andhra 왕조, 북인도를 통일함. ▶로마, 인구조사: 406만 3천명으로 집계됨.
27 (2307) 갑오	31	11	▶신라, 도공陶工이 일본에 건너가 신라식으로 도자기를 제작함.	▶로마 옥타비아누스Octavianus, 아우구스투스Augustus(신성함) 존호를 받음: 제정帝政 시작.
26 (2308) 을미	32	12	▶낙랑군, 하평3년명협저칠반河平三年銘夾紵漆盤을 제작함.	▶한, 유향劉向에게 시서詩書와 고문古文을 교정시킴.
25 (2309) 병신	33	13		**1** 한, 흉노匈奴에서 조공해 옴. ▶로마, 이집트 총독이 아라비아에 원정함.
24 (2310) 정유	34	14	**8** 고구려, 왕모 유화부인柳花夫人이 동부여에서 사망함: 동부여 금와왕金蛙王, 태후의 예로 장사지내고 신묘神廟를 세움. **10** 고구려, 동부여에 사신使臣 보내 감사함.	▶로마 아우구스투스Augustus, 갈리아Gallia 거쳐 로마에 귀환함.
23 (2311) 무술	35	15	▶낙랑군, 양삭2년명금구귀칠편호陽朔二年銘金釦龜漆扁壺를 제작함.	▶로마 아우구스투스Augustus, 속주 지배권을 강화하여 모두 호민관護民官 권한을 부여함.
22 (2312) 기해	36	16	**2** 신라, 호씨공瓠氏公을 마한馬韓에 사신으로 보냄.	▶한, 영천穎川에서 반란 발생함. ▶로마 아그립파Agrippa, 동방東方지역의 총독이 됨.
21 (2313) 경자	37	17		▶로마, 아우구스투스가 동방지역을 순행함. 아그립파가 로마에 귀환하여 아우구스투스의 사위가 됨.

연대	신라	고구려	백제	우리 나라	다른 나라
B.C. 20 (2314) 신축	혁거세 38	동명 18			▶인도, 로마에 사신을 보냄. ▶로마 아우구스투스 Augustus, 다시 동방지역을 순행함.
19 (2315) 임인	39	유리 1		4 고구려, 동명왕의 아들 유리瑠璃가 부여에서 도망해옴. 9 고구려, 동명왕 사망:유리왕 즉위. ▶신라, 마한 왕 죽자 사신을 보내 조문함.	3 한, 군국郡國의 호걸들을 창릉昌陵으로 옮김. ▶로마 아우구스투스Augustus, 로마에 귀환함.
18 (2316) 계묘	40	2	백제 온조 1	▶온조왕溫祚王, 하남위례성河南慰禮城(지금의 서울 지역)에서 백제 세움. 5 백제, 동명왕묘東明王廟를 세움. 7 고구려, 송양宋讓의 딸을 왕비로 삼음.	11 한, 황후 허씨許氏를 폐함. ▶로마, 원로원元老院을 개혁함. 혼인법을 제정함.
17 (2317) 갑진	41	3	2	7 고구려, 골천鶻川에 이궁離宮을 세움. 10 고구려, 왕비 사망. ▶이 무렵, 고구려 유리왕이 〈황조가黃鳥歌〉를 지음.	▶한, 정궁鄭躬의 난을 평정함.
16 (2318) 을사	42	4	3	9 백제, 북쪽에 침입한 말갈을 격파함. ▶낙랑군, 영시원년명금동구협저칠반永始元年銘金銅釦夾紵漆盤을 제작함.	5 한, 왕망王莽을 신도후新都侯에 봉함.
15 (2319) 병오	43	5	4	8 백제, 낙랑군에 사신 보내 친선관계를 맺음.	3 한 왕상王商, 대사마大司馬에 오름. 11 한 적방진翟方進, 승상丞相에 오름.
14 (2320) 정미	44	6	5	12 고구려, 평양의 고상현묘高常賢墓를 축조함.	12 한 소령蘇令 등, 난 일으켰다 처형됨. ▶한 매복梅福, 시세時勢를 논하는 글을 올림.
13 (2321) 무신	45	7	6	7 백제, 일식日蝕 현상이 나타남	▶로마, 아그립파Agrippa를 동방지역에서 소환함. 레피두스 Lepidus 사망.
12 (2322) 기유	46	8	7		12 한, 왕상王商 사망. ▶로마, 게르마니아에 원정함. 아그립파Agrippa 사망.
11 (2323) 경술	47	9	8	2 백제, 하남위례성河南慰禮城 포위한 말갈을 대부현大斧峴에서 격파함. 7 백제, 마수성馬首城을 쌓음.	▶한, 오손烏孫 태수 번구番丘를 처형함.

연대	신라	고구려	백제	우리 나라	다른 나라
B.C. 10 (2324) 신해	48	10	9		**1** 한, 민산岷山이 무너져 강을 막음. ▶로마 아우구스투스Augustus, 갈리아Gallia에 행차함.
9 (2325) 임자	49	11	10	**4** 고구려, 선비鮮卑를 공격하여 항복 받음: 공을 세운 부분노扶芬奴에게 금金과 말馬을 하사함. **10** 백제, 북에 침입한 말갈을 격파함.	**2** 한, 사예교위司藝校尉를 폐지함. ▶로마 아우구스투스, 율리우스력Julius曆을 개정함.
8 (2326) 계축	50	12	11	**4** 백제, 낙랑군에서 조종한 말갈이 병산책甁山柵을 습격함. **7** 백제, 독산책禿山柵 · 구천책狗川柵을 쌓아 낙랑과의 통로를 막음.	▶한, 유흠劉歆이 《칠략七略》을 지음. 왕망이 대사마에 오름. ▶로마 티베리우스Tiberius, 게르마니아Germania에 원정함.
7 (2327) 갑인	51	13	12		**6** 한, 한전법限田法을 발포함. ▶로마, 전영토를 14지구로 분할함.
6 (2328) 을묘	52	14	13	**7** 백제, 한산漢山에 책柵 세우고 하남 위례성 백성들을 이주시킴. **8** 백제, 마한과의 경계를 정함. **11** 부여 대소왕帶素王, 고구려를 공격하다 물러감.	▶한, 유향劉向 사망. ▶팔레스타인Palesteine, 로마 총독의 지배를 받음.
5 (2329) 병진	53	15	14	**1** 백제, 하남위례성河南慰禮城에서 한산漢山으로 천도함. **7** 백제, 한강 서북에 성을 쌓음.	▶한, 자사刺史를 다시 둠.
4 (2330) 정사	54	16	15	**1** 백제, 궁실을 지음. ▶낙랑군, 건평3년명칠합개建平三年銘漆盒蓋를 제작함.	▶예수 그리스도Jesus Kristos 탄생. ▶유대Judea, 헤롯왕Herod王 사망.
3 (2331) 무오	55	17	16	▶낙랑군, 건평4년명금동구협저칠반建平四年銘金銅釦夾紵漆盤을 제작함.	▶한, 관동지방의 빈민들이 장안長安을 약탈함. 상서복야尙書僕射 정숭鄭崇이 옥사함.
2 (2332) 기미	56	18	17	**4** 백제, 국모國母의 묘廟를 세움. ▶낙랑군, 백제에 침입하여 하남위례성河南慰禮城을 불태움.	▶이 무렵, 한에 참위설讖緯說이 등장함.
1 (2333) 경신	57	19	18	**10** 백제, 칠중하七重河(임진강臨津江)에서 말갈을 격퇴함: 추장 소모素牟를 생포함. **11** 백제, 우두산성牛頭山城을 습격함.	**9** 한 왕망王莽, 실권을 장악함. ▶로마, 파르티아Parthia 토벌차 동방지역에 원정함.

연대	신라	고구려	백제	우리 나라	다른 나라
A.D. 1 (2334) 신유	혁거세 58	유리 20	온조 19	▶이 무렵, 김해金海 회현동조개더미유적 · 동래東萊 조개더미유적 · 영천永川 어은동유적 · 양산梁山 다방동조개더미유적 등 형성됨.	▶한 왕망王莽, 태부太傅가 되어 안한공安漢公이라 칭함. ▶로마, 게르마니아Germania 정벌을 재개함.
2 (2335) 임술	59	21	20	**8** 고구려, 지진아 발생함. **9** 신라, 일식 현상이 나타남.	**4** 한, 종실宗室 및 공신功臣을 봉함. ▶로마, 파르티아Parthia 전쟁 일으킴.
3 (2336) 계해	60	22	21	**10** 고구려, 졸본卒本에서 국내성國內城(길림성吉林城 통구通溝)으로 천도함: 위나암성尉那巖城을 축조함. ▶낙랑, 원시3년명금동구칠이배元始三年銘金銅釦漆耳杯를 제작함.	▶한 왕망王莽, 새 제도를 정하도록 함. ▶로마, 아르메니아Armenia를 정복함.
4 (2337) 갑자	남해 1	23	22	**3** 신라, 박혁거세 사망: 남해차차웅南海次次雄 즉위. **7** 신라, 수도 습격한 낙랑군 군사를 격퇴함. **9** 백제, 말갈을 부현斧峴(지금의 경주 지역)에서 격파함.	▶한 왕망王莽, 스스로 재상의 호를 더 가짐: 제후諸侯의 위에 군림. ▶로마, 게르마니아Germania 원정을 개시함.
5 (2338) 을축	2	24	23		**12** 한 왕망王莽, 평제平帝와 태황태후太皇太后를 살해함: 천자 위치를 차지함. ▶로마 티베리우스, 엘베강Elbe江 연안까지 진출함.
6 (2339) 병인	3	25	24	**1** 신라, 시조묘始祖廟를 세움. **7** 백제, 웅진熊津(지금의 공주公州)에 책柵을 세움. **10** 신라, 일식 현상이 일어남.	**3** 한, 영嬰 즉위. **4** 한 유숭劉崇, 왕망王莽에 대항하여 군사 일으키다 패사함. **5** 한 왕망王莽, 가황제假皇帝를 칭함.
7 (2340) 정묘	4	26	25	**2** 백제, 진한 · 마한 병합 계획을 세움. **3** 고구려, 태자 해명解明이 황룡국黃龍國 왕의 시험을 무술로 이겨냄.	**5** 한 왕망, 전화錢貨를 주조함. **9** 한 적의翟義, 군사 일으키다 패사함.
8 (2341) 무진	5	27	26	**1** 신라, 공주公主가 석탈해昔脫解와 혼인함. **10** 백제, 마한을 공격하여 그 일부 지역을 병합함.	**12** 한 왕망王莽, 신新을 세움: 한漢 멸망.

연 대	신라	고구려	백제	우 리 나 라	다 른 나 라
9 (2342) 기사	6	28	27	**4** 백제, 마한의 원산성圓山城과 금현성錦峴城이 항복해 옴. **7** 백제, 대두산성大豆山城을 쌓음.	**1** 신 왕망王莽, 한왕을 폐하여 안정공安定公이라 함. **4** 신 유쾌劉快, 군사 일으켜 왕망 치려다 패사함.
10 (2343) 경오	7	29	28	**2** 백제, 다루多婁를 태자로 삼아 군정軍政을 맡김. **7** 신라, 석탈해昔脫解를 좌보左輔로 삼아 정사를 맡김.	**2** 신, 한의 제후왕을 폐함. ▶로마 티베리우스Tiberius, 라인지방을 정벌함.
11 (2344) 신미	8	30	29		▶신, 흉노의 침입 받음. 과도한 징세로 유랑민과 도둑이 증가함. ▶로마 티베리우스Tiberius, 라인강을 건넘.
12 (2345) 임신	9	31	30	▶고구려, 중국의 신新이 고구려군을 흉노 정벌에 동원하려 하자 불응함: 요서 대윤遼西大尹 전담田譚을 죽임. ▶신新에서 고구려왕을 하구려 후下句麗侯로 봉한다고 통고해 옴.	▶신, 뤄양洛陽을 동도東都, 장안長安(지금의 시안西安)을 서도西都라 함.
13 (2346) 계유	10	32	31	**1** 백제, 국내 민호民戶를 남부와 북부의 2부部로 나눔. **11** 고구려, 왕자 무휼無恤이 부여의 침입을 압록강 유역의 학반령鶴盤嶺에서 격퇴함.	▶신, 서역西域을 정벌하여 와해시킴. ▶로마 티베리우스Tiberius, 로마에 개선함.
14 (2347) 갑술	11	33	32	**1** 고구려, 태자 무휼에게 군정을 맡김. **8** 고구려, 한漢의 고구려현을 공격하여 빼앗음. ▶신라, 병선 100여척으로 해변의 민호民戶를 침략한 왜구를 격퇴함.	▶신, 화포貨布와 화천貨泉을 제조함. ▶로마, 아우구스투스Augustus 황제 사망. 인구가 493만 7천명으로 집계됨.
15 (2348) 을해	12	34	33	**8** 백제, 동부와 서부의 2부部를 증설함.	▶로마 게르마니쿠스Germanicus, 게르마니아Germania에 원정함.
16 (2349) 병자	13	35	34	**10** 백제, 우곡성牛谷城(지금의 곡성谷城 서부 지역)에서 반란 일으킨 옛 마한 장수 주근周勤을 토벌함.	**5** 신, 처음으로 관리에게 녹봉을 지급함. ▶신, 흉노를 토벌함. ▶로마 게르마니쿠스Germanicus, 게르마니아를 격파함.

연대	신라	고구려	백제	우리 나라	다른 나라
17 (2350) 정축	남해 14	유리 36	온조 35		6 신, 제후에게 봉역封域을 지급함. ▶로마 게르마니쿠스Germanicus, 개선하여 동방지역 총독에 부임함.
18 (2351) 무인	15	대무신 1	36	7 백제, 탕정성湯井城(지금의 아산牙山 지역)을 쌓음. 8 백제, 고사부리성古沙夫利城(지금의 고부古阜 일대)을 쌓음. 10 고구려, 유리왕 사망: 대무신왕大武神王 즉위.	▶신, 대부 양웅楊雄 사망. 적미赤眉의 농민반란 일어남. ▶로마 스트라본Strabon, 《지리지地理誌》를 편찬함.
19 (2352) 기묘	16	2	37	2 신라, 북명인北溟人으로부터 예왕인濊王印을 얻음.	▶신, 군사 징집하여 흉노를 침. ▶로마 티베리우스, 유대인을 추방함. 노예해방령을 발포함.
20 (2353) 경진	17	3	38	3 고구려, 동명왕묘를 건립함. 10 부여, 고구려에 사신 보내 교역함.	▶신, 9묘九廟를 세움. ▶로마, 티베리우스Tiberius 궁전을 완성함.
21 (2354) 신사	18	4	39	12 고구려, 부여 원정을 개시함.	▶신, 한 고조高祖 묘廟를 훼철함. 왕망王莽의 아들 왕림王臨이 아버지를 살해하려다 발각되어 처형됨. ▶로마, 스트라본Strabon 사망.
22 (2355) 임오	19	5	40	2 고구려, 부여 공격하여 대소왕을 죽임: 부여, 대소왕 동생을 왕으로 삼아 갈사국葛思國을 세움.	▶신, 한의 종실 유연劉縯과 동생 유수劉秀가 군사 일으킴: 유현劉玄을 왕으로 삼음.
23 (2356) 계미	20	6	41	2 백제, 하남위례성河南慰禮城을 개축함.	2 한, 유현劉玄이 황제를 칭함. 6 한, 유수가 왕망의 군사를 격파함. 9 신 왕망王莽, 전사함.
24 (2357) 갑신	유리 1	7	42	9 신라, 남해차차웅 사망: 유리이사금儒理尼師今 즉위. ▶낙랑군 왕조王調, 대장군 낙랑태수를 칭하고 한의 낙랑군 태수太守 유헌劉憲을 죽임.	2 한, 유현劉玄이 장안長安(지금의 시안西安)으로 천도함. ▶한, 유수劉秀가 소왕蕭王이 됨. ▶한, 공손술公孫述이 촉왕蜀王을 칭함.
25 (2538) 을유	2	8	43	2 고구려, 을두지乙豆智를 좌보左輔로 삼아 군국사軍國事를 맡김.	4 한, 공손술이 촉蜀의 황제 칭함. 6 후한 건국: 광무제 유수 즉위. 10 후한, 뤄양洛陽으로 천도함. 12 후한 유현, 적미赤眉 군에게 피살.

연대	신라	고구려	백제	우리 나라	다른 나라
26 (2359) 병술	3	9	44	**10** 고구려, 개마국蓋馬國을 멸함. **12** 고구려, 구다국왕句茶國王이 항복해 옴.	**1** 후한, 공신들을 열후列侯에 봉함. ▶후한, 종실들을 왕후王侯에 봉함.
27 (2360) 정해	4	10	45	**1** 고구려, 송옥구松屋句를 우보右輔에 임명함.	**1** 후한, 뤄양洛陽에 사친묘四親廟를 세움. **윤1** 후한 풍이馮異, 적미赤眉의 군을 격파함. **11** 후한 이헌李憲, 황제를 칭함.
28 (2361) 무자	5	11	다루 1	**3** 백제, 온조왕 사망: 다루왕多婁王 즉위. **7** 고구려, 한의 요동 태수가 위나암성尉那巖城을 공격해 옴. ▶신라, 〈도솔가兜率歌〉 지음.	**8** 후한, 이헌李憲을 토벌함. ▶로마, 크리스트교 세례 받은 자들을 참수형에 처함.
29 (2362) 기축	6	12	2		**10** 후한, 태학太學을 창설함. ▶로마, 12사도使徒가 포교를 시작함.
30 (2363) 경인	7	13	3	**10** 백제, 마수산馬首山에서 말갈을 격파함. ▶낙랑군, 한이 왕준王遵을 보내 왕조王調의 난을 평정함. 동부도위東部都尉를 폐지함.	**5** 후한, 외효隗囂의 모반 일어남. **12** 후한, 옛 전조田租 제도를 복구함. ▶예수 그리스도Jesus Kristos 처형됨.
31 (2364) 신묘	8	14	4	**8** 백제, 고목성高木城에서 말갈을 격파함.	▶후한, 삭방朔方 · 운중雲中 2개 군이 항복해 옴. 군병郡兵을 폐지함.
32 (2365) 임진	9	15	5	**4** 고구려 호동왕자好童王子, 낙랑군을 공격하여 항복 받음. **8-15** 신라, 한가위 가배嘉俳놀이를 시작함. 〈회소곡會蘇曲〉을 부름. **11** 고구려 호동왕자, 원비元妃의 모함 받아 자살함. ▶신라, 6부의 이름을 고치고 이벌찬伊伐湌 등 17관등을 설치함.	**4** 후한, 외효隗囂를 침. **11** 후한 공손술公孫述, 외효隗囂를 구원해 줌. ▶예루살렘Jerusalem 원시교회가 성립됨.
33 (2366) 계사	10	16	6	**2** 백제, 남부의 주州 · 군郡에서 벼농사가 시작됨.	▶후한, 외효隗囂 사망: 아들 외순隗純이 뒤를 이음. 사차莎車의 왕강王康 사망: 동생 왕현王賢이 뒤를 이음.

연대	신라	고구려	백제	우리 나라	다른 나라
34 (2367) 갑오	유리 11	대무신 17	다루 7	**2** 백제, 흘우屹于를 우보右輔에 임명함. **9** 백제, 말갈이 마수성馬首城에 침입해 옴. ▶백제, 말갈이 병산책瓶山柵에 침입해옴.	**10** 후한, 외순隗純이 항복해 옴. ▶파르티아Parthia, 왕위계승분쟁이 일어남.
35 (2368) 을미	12	18	8		**3** 후한, 촉蜀을 공격함. ▶바울Paulos, 크리스트교에 입교함.
36 (2369) 병신	13	19	9	**8** 신라, 낙랑군이 북쪽 변방 타산성朶山城에 침입해 옴.	**7** 후한, 촉蜀의 군사를 격파함. **11** 후한, 촉의 땅을 평정함. ▶바울Paulos, 예루살렘을 방문함.
37 (2370) 정유	14	20	10	▶신라, 고구려에 침입당한 낙랑인과 대방인들이 귀부해 옴.	**2** 후한 노방盧芳, 흉노로 도망함. ▶후한, 국내 통일을 이룸. ▶파르티아Parthia, 로마와 화친하고 아르메니아Armenia를 포기함.
38 (2371) 무술	15	21	11	**10** 백제, 왕이 동부와 서부에 순무하여 가난한 자에게 곡식을 나누어 줌.	**4** 후한, 공자孔子 후손을 포성후褒成侯에 봉함. ▶유대Judea, 로마에 사신 보냄.
39 (2372) 기해	16	22	12		**6** 후한, 주州·군郡의 간전墾田과 호구戶口를 조사함. ▶로마, 게르마니아Germania에 원정함.
40 (2373) 경자	17	23	13	**9** 신라, 화려華麗·불내不耐의 기병으로부터 북쪽 변경이 습격당함: 맥인貊人이 격파.	**12** 후한 노방盧芳, 흉노에 항복하여 대왕代王이 됨. ▶후한, 오수전五銖錢을 발행함.
41 (2374) 신축	18	24	14		**10** 후한, 황후 곽씨郭氏 폐하고 음씨陰氏를 세움. ▶사차의 왕현王賢, 후한의 대장군이 됨.
42 (2375) 임인	19	25	15	**3** 수로왕首露王, 금관가야金官加耶(가야加耶)를 세움. ▶가야, 〈구지가龜旨歌〉가 지어짐.	**4** 후한 마원馬援, 안남安南을 공격함. **5** 후한 노방盧芳, 반란 일으켜 흉노로 도망함. ▶후한, 주·목을 폐하고 자사刺史를 둠.
43 (2376) 계묘	20	26	16	**3** 가야 수로왕, 신답평新畓平에 도읍지를 정함. ▶신라, 나성羅城과 궁궐을 수축함.	**6** 후한, 태자 강彊을 폐하여 동해왕東海王으로 함. ▶로마, 브리타니아Britannia에 원정함.

연 대	신라	고구려	백제	우 리 나 라	다 른 나 라
44 (2377) 갑진	21	민중 1	17	**10** 고구려, 대무신왕 사망: 민중왕閔中王 즉위.	**12** 후한 마원馬援, 양국襄國에 머물면서 흉노匈奴의 침공에 대비함. ▶로마, 브리타니아Britannia를 정복함. 유대를 속주로 함. ▶사도使徒 야곱Jakob이 처형됨.
45 (2378) 을사	22	2	18	▶낙랑군, 건무21년명칠이배建武二十一年銘漆耳杯를 제작함.	**1** 후한, 오환烏桓 · 선비鮮卑 · 흉노匈奴의 침입 받음. ▶인도, 쿠샨Kushan 왕조 일어남.
46 (2379) 병오	23	3	19	**11** 고구려, 혜성이 출현함.	▶흉노, 선우여單于輿 사망: 포노蒲奴 즉위. ▶서역, 흉노에 종속됨.
47 (2380) 정미	24	4	20	**10** 고구려, 잠지蠶支마을의 대가大加 · 대승戴升 등 1만여호가 낙랑군에 귀부해 옴.	**1** 후한, 남군만南郡蠻이 배반함. **12** 후한, 무릉만武陵蠻이 배반함.
48 (2381) 무신	25	모본 1	21	**봄** 고구려, 민중왕 사망: 모본왕慕本王 즉위. **7** 가야 수로왕, 허황옥許黃玉을 왕비로 삼음. 9간干 명칭을 고침. **10** 고구려, 왕자 익翊을 태자太子로 삼음.	**7** 후한 마원馬援, 무릉만武陵蠻을 공격함. **10** 흉노, 남 · 북으로 분열됨. ▶로마, 인구 598만명으로 집계됨.
49 (2382) 기유	26	2	22	**8** 고구려, 국내 빈민을 구제함. **10** 부여, 후한에 사신 보내 수교함. ▶고구려, 후한의 베이핑北平 · 타이위안太原을 공격함.	**1** 후한, 선비鮮卑와 오환烏桓이 조공해 옴. ▶바울Paulos이 소아시아 지역에 전도함.
50 (2383) 경술	27	3	23		**1** 후한, 백관의 봉작封爵을 더하여줌. ▶로마, 게르만시German市를 건설함.
51 (2384) 신해	28	4	24		▶후한, 삼공三公을 태위太尉 · 사도司徒 · 사공司空으로 고침. ▶바울Paulos, 고린도Korinthos에 전도함.

연 대	신라	고구려	백제	우 리 나 라	다 른 나 라
52 (2385) 임자	유리 29	모본 5	다루 25	▶낙랑군, 건무28년명칠이배建武二十八年銘漆耳杯 제작.	**10** 후한, 북흉노가 화친을 청해옴. ▶바울, 크리스트교 전도여행을 떠남.
53 (2386) 계축	30	태조 1	26	**11** 고구려, 왕이 피살되고 태조왕太祖王이 즉위함: 태후 섭정. 이후 계루부桂婁部 출신이 왕위에 오름.	**2** 후한, 억울한 죄인들을 사면함. ▶파르티아, 아르메니아Armenia를 점령함.
54 (2387) 갑인	31	2	27	▶낙랑군, 건무30년명칠이배를 제작함.	▶로마 클라우디우스Claudius 황제, 황후에게 독살됨: 아들 네로Nero 즉위.
55 (2388) 을묘	32	3	28	**2** 고구려, 후한後漢에 대비하여 요서遼西 10성을 쌓음.	▶후한, 북흉노가 조공해 옴. ▶로마 네로Nero, 이복동생 브리타니쿠스Britannicus를 독살함.
56 (2389) 병진	33	4	29	**2** 백제, 우곡성牛谷城을 쌓아 말갈에 대비함. **7** 고구려, 동옥저를 정벌함.	**2** 후한 광무제, 타이산泰山에 제사 지냄. **4** 후한, 전국에 도참圖讖을 선포함.
57 (2390) 정사	탈해 1	5	30	▶신라, 유리이사금 때 〈돌아악突阿樂〉을 지음. **10** 신라, 유리이사금 사망: 탈해이사금脫解尼師今 즉위.	**2** 후한, 광무제 사망: 명제明帝 즉위. ▶일본, 후한에 조공하고 금인金印을 받음.
58 (2391) 무오	2	6	31	**2** 신라, 왕이 시조묘始祖廟에 제사祭祀 지냄.	▶후한, 화관畫官을 둠. 오환烏桓을 격파함. ▶로마, 게르마니아 전쟁 일으킴.
59 (2392) 기미	3	7	32	**5** 신라, 왜倭와 사신을 교환함.	**3** 후한, 대사례大射禮를 행함. **10** 후한, 양로례養老禮를 행함. ▶로마 네로Nero, 어머니 아그리피나Agrippina를 죽임.
60 (2393) 경신	4	8	33		▶후한, 중흥공신 32상像을 그림. ▶로마, 아르메니아Armenia를 평정함.
61 (2394) 신유	5	9	34	**8** 신라, 마한 장수 맹소孟召가 복암성覆巖城에서 항복해 옴.	▶후한 우치于寘, 사차沙車의 왕현王賢을 살해함. ▶로마 브리타니아인, 반란 일으켜 런던을 불태움.

연대	신라	고구려	백제	우리 나라	다른 나라
62 (2395) 임술	6	10	35		**12** 후한, 상평창常平倉을 다시 둠. ▶로마 네로Nero, 황후 옥타비아Octavia를 죽임. 네로극장 준공.
63 (2396) 계해	7	11	36	**10** 백제, 낭자곡성娘子谷城(청주 일대)까지 영토를 넓힘.	▶로마, 파르티아Parthia와 화친함. 세네카Seneca가 《도덕서간道德書簡》을 지음. 야곱Jagob 순교.
64 (2397) 갑자	8	12	37	**10** 신라, 백제가 구양성狗壤城을 습격하자 기병 3천으로 격퇴함.	▶로마 네로, 로마시내에 방화함. 크리스트교도 박해를 시작함. 베드로Petrus와 바울Paulos 순교.
65 (2398) 을축	9	13	38	**3** 신라, 계림鷄林에서 김알지金閼智가 탄생함. ▶신라, 국호를 계림鷄林으로 고침.	▶후한 채음蔡愔, 서역西域에 가서 불법을 구함. ▶로마, 세네카Seneca 자살.
66 (2399) 병인	10	14	39	▶백제, 신라의 와산성蛙山城을 공격함.	▶후한, 조칙 내려 공전公田을 빈민에게 분배함. ▶로마, 유대인 반란 일어남.
67 (2400) 정묘	11	15	40	**1** 신라, 박씨의 종실宗室로 국내의 주·군을 나누어 맡기고 주주州主·군주郡主라 칭함. ▶신라, 순정順貞을 이벌찬에 임명함.	▶후한 채음蔡愔, 서역西域에서 불경을 가지고 돌아옴: 중국에 불교 전래.
68 (2401) 무진	12	16	41	**8** 고구려, 갈사국葛思國 왕의 손자 도두都頭가 항복해 옴.	**1** 후한, 초왕楚王 영英 및 동평왕東平王 창蒼 등이 내조해 옴. ▶후한, 백마사白馬寺를 건립함. ▶로마, 내란 일어남. 네로Nero 자살.
69 (2402) 기사	13	17	42	▶낙랑군, 영평12년명신선화상칠안칠배永平十二年銘神仙畫像漆案漆杯를 제작함.	**1** 로마, 오소Otho 황제 즉위. **4** 로마, 비텔리우스Vitellius 황제 즉위. **12** 로마 베스파시아누스Vespasianus, 내란 평정하고 황제에 즉위함.
70 (2403) 경오	14	18	43	▶백제, 신라를 침공함.	▶로마, 예루살렘Jerusalem을 파괴함. 원형극장 콜로세움Colosseum 건설에 착수함: 10년간의 공사 끝에 80년에 완공함.
71 (2404) 신미	15	19	44	▶낙랑군, 영평14년명칠이배永平十四年銘漆耳杯를 제작함.	**3** 후한, 궁인宮人·도사道士 등 1천여명의 출가를 허락함. **4** 후한, 초왕 영英 자살.

연대	신라	고구려	백제	우리 나라	다른 나라
72 (2405) 임신	탈해 16	태조 20	다루 45	**2** 고구려, 조나국藻那國을 공격하여 왕을 생포함.	**2** 후한 명제明帝, 동쪽지방 순행 중 공자孔子의 옛집을 방문함. **4** 후한, 태자 6인을 각각 왕에 봉함.
73 (2406) 계유	17	21	46	▶신라, 왜병이 목출도木出島에 침입해 옴: 우조羽鳥를 보내 막았으나 실패함.	**2** 후한, 흉노匈奴를 정벌함.
74 (2407) 갑술	18	22	47	**10** 고구려, 주나朱那를 쳐서 왕자 을음乙音을 고추가古鄒加로 삼음.	▶후한, 반초班超가 서역을 정벌함. 서역도호부를 다시 설치함. ▶로마, 도나우강 상류지방을 정복함.
75 (2408) 을해	19	23	48	**10** 백제, 신라 와산성蛙山城을 쳐서 빼앗음.	▶후한, 명제 사망: 장제章帝 즉위. ▶로마, 평화신전 완성됨. ▶〈마태복음〉 이루어짐.
76 (2409) 병자	20	24	49	**9** 신라, 와산성蛙山城을 수복함.	▶후한, 도호都護·무기교위戊己校尉 관직을 폐지함. 반초班超가 카슈가르Kashgar에 주둔함.
77 (2410) 정축	21	25	기루 1	**3** 신라 길문吉門, 황산진구黃山津口에서 가야군을 격파함. **9** 백제, 다루왕 사망: 기루왕己婁王 즉위.	**3** 후한, 삼공三公들로 하여금 귀족들의 비리를 규탄하게 함. ▶로마 플리니우스Plinius, 《박물지博物誌》를 완성함.
78 (2411) 무인	22	26	2	**2** 신라, 혜성이 출현함.	▶로마 아그리콜라Agricola, 브리타니아Britannia 총독에 부임하여 로마화를 촉진함.
79 (2412) 기묘	23	27	3		**11** 후한, 학자들이 백호관白虎觀에 모여 오경五經을 논의함. ▶로마, 폼페이Pompei시가 화산 폭발로 매몰됨.
80 (2413) 경진	파사 1	28	4	**8** 신라, 탈해이사금 사망: 파사이사금婆娑尼師今 즉위.	▶후한 반초班超, 카슈가르Kashgar를 격파하고 서역을 평정함. ▶로마, 질병과 화재가 극심해짐.
81 (2414) 신사	2	29	5	**2** 신라, 왕이 시조묘始祖廟에 제사 지냄. **3** 신라, 왕이 주·군을 순무함.	▶로마, 크리스트교도를 박해함. 브리타니아Britannia를 정복함. 전쟁과 토목공사로 재정이 궁핍해짐.
82 (2415) 임오	3	30	6	**3** 신라, 유사有司로 하여금 농사와 양잠을 권하고 무기를 갖추어 만일의 사태에 대비하도록 함.	▶후한, 반고班固의 《한서漢書》가 거의 완성됨.

연대	신라	고구려	백제	우리 나라	다른 나라
83 (2416) 계미	4	31	7		▶후한 반초班超, 서역 장병장사將兵長史가 됨. ▶로마, 라인강Rhein江과 다뉴브강Danube江 사이에 장성을 쌓기 시작함.
84 (2417) 갑신	5	32	8	**5** 신라, 고타군주古陀郡主가 청우靑牛를 바침.	**6** 후한, 공거법貢擧法을 논의함. **7** 후한, 혹독한 형옥을 금함. ▶후한, 북흉노의 무역을 허락함. ▶로마 아그리콜라Agricola, 브리타니아Britannia에서 소환당함.
85 (2418) 을유	6	33	9	**1** 백제, 신라의 변경을 공격함. ▶점제현신사비粘蟬縣神祠碑 가 건립됨.	**2** 후한, 사분력四分曆을 시행함. ▶북흉노, 남흉노에 패하여 세력이 급격히 약해짐. ▶로마, 다키아Dacia인의 침입 받음.
86 (2419) 병술	7	34	10		▶후한, 시중 조포曺褒에게 한례漢禮를 정하게 함. ▶로마, 다키아Dacia를 토벌함.
87 (2420) 정해	8	35	11	**7** 신라, 거창居昌 지역에 가소성加召城 · 마두성馬頭城 쌓음.	▶후한, 반초가 서역 50여국을 복속시킴. 조포曺褒가 《한례漢禮》 150편을 정함. ▶북흉노, 선비족에게 패배함. ▶로마, 다키아Dacia에게 패배함.
88 (2421) 무자	9	36	12		**4** 후한, 염철鹽鐵 금지법을 폐지함.
89 (2422) 기축	10	37	13	**6** 백제, 지진이 일어나 민가와 인명 피해 발생함.	**2** 후한 두헌竇憲, 북흉노를 격파함: 연연산燕然山에 공적 기록하고 귀환.
90 (2423) 경인	11	38	14	**7** 신라, 왕의 사자使者 10인을 주 · 군에 파견하여 감찰케 함.	**9** 후한, 북흉노가 조공해 옴. ▶후한 반초班超, 인도 쿠샨Kushan 왕조를 격파하고 대월지大月氏에게 조공케 함. ▶로마, 다키아Dacia의 게르만German인에게 세공歲貢을 약속함.
91 (2424) 신묘	12	39	15		**1** 후한 두헌竇憲, 북흉노를 격파함. **12** 후한 반초班超, 서역도호西域都護가 됨.
92 (2425) 임진	13	40	16	**6** 백제, 일식 현상이 나타남.	**6** 후한, 두헌竇憲이 처형당함. ▶후한, 반고班固가 옥사함. 환관 정중鄭衆이 대장추大長秋에 오름: 환관의 전횡 시작.

연대	신라	고구려	백제	우리 나라	다른 나라
93 (2426) 계사	파사 14	태조 41	기루 17	**2** 신라, 왕이 고소부리군古所夫里郡을 순행하고 노인들에게 곡식을 나누어 줌.	▶선비족, 북흉노 영토에 침입함. ▶로마, 크리스트교도와 유대인 탄압. 아그리콜라Agricola 피살됨.
94 (2427) 갑오	15	42	18	**2** 신라, 가야가 마두성馬頭城을 공격해 오자 길원吉元으로 하여금 막게 함.	▶후한, 서역 50여개국이 복속해 옴. 북흉노 20만명이 항복해 옴.
95 (2428) 을미	16	43	19		**1** 후한, 중랑장군中郎將軍 두숭杜崇 등 옥사함. ▶로마, 크리스트교도를 박해함.
96 (2429) 병신	17	44	20	**9** 가야, 신라 남쪽 변경을 습격함.	**7** 후한, 남흉노의 반란을 토벌함. ▶로마, 네르바Nerva 황제 즉위: 5현제시대五賢帝時代 시작.
97 (2430) 정유	18	45	21	**1** 신라, 가야를 공격하려 하였으나 가야의 사죄로 중지함.	▶후한 반초班超, 감영甘英을 대진국大秦國(로마제국)에 사신으로 보냄.
98 (2431) 무술	19	46	22	**3** 고구려, 왕이 동으로 책柵에 순수함.	▶로마, 크리스트교도의 집회를 금함. 타키투스Tacitus가 《게르마니아Germania》를 완성함.
99 (2432) 기해	20	47	23	**8** 백제, 서리가 내려 콩농사 피해 입음.	**4** 후한 화제和帝, 유학자들을 접견함. ▶쿠샨 왕조, 인도 서북부를 점령함.
100 (2433) 경자	21	48	24	▶이 무렵, 경산 압량押梁유적, 양산 남부동 조개더미유적, 산성자山城子고분유적이 형성됨.	▶후한 허신許愼, 《설문해자說文解字》를 완성함. ▶로마 플루타르크Plutarch, 《영웅전英雄傳》을 지음.
101 (2434) 신축	22	49	25	**2** 신라, 금성金城에 월성月城을 쌓음. **7** 신라, 왕이 거처를 월성으로 옮김.	**1** 후한 화제, 유학자들을 접견함. ▶로마 트라야누스Trajanus 황제, 다키아Dacia에 원정함.
102 (2435) 임인	23	50	26	**8** 신라, 음즙벌국音汁伐國(안강安康)·실직국悉直國(삼척三陟)·압독국押督國(경산慶山)을 복속시킴.	▶후한, 반초班超 사망. 환관 정중鄭衆을 소향후鄛鄕侯에 봉함: 환관 최초의 제후.
103 (2436) 계묘	24	51	27	▶백제, 왕이 한산漢山에서 사냥함.	**1** 후한 장우張禹, 황제가 멀리 나가 유흥하는 것을 간함. ▶로마 트라야누스Trajanus 황제, 로마에 개선함.

연대	신라	고구려	백제	우리 나라	다른 나라
104 (2437) 갑진	25	52	28	7 신라, 실직국悉直國(삼척三陟)의 반란을 평정함.	11 후한, 북흉노의 화친 요청을 받아들임. 12 후한, 랴오둥 서부도위西部都尉를 다시 설치함. ▶로마, 도나우강 석교 축조를 시작함.
105 (2438) 을사	26	53	29	1 고구려, 한의 요동 6현縣을 공격함. ▶백제, 신라에 강화講和를 요청하여 화평 성립됨.	▶후한 채륜蔡倫, 제지법製紙法을 발명함. ▶로마, 다키아Dacia에 원정함.
106 (2439) 병오	27	54	30	8 신라, 마두성주馬頭城主로 하여금 가야를 치게 함.	▶후한, 현도군玄菟郡을 신성新城으로 옮김. ▶로마, 파르티아Parthia와 아르메니아 쟁탈전을 벌임.
107 (2440) 정미	28	55	31		6 후한, 서역도호부를 폐지함. 7 일본, 후한에 사신 보내 안제安帝를 알현케 함. ▶로마, 다키아Dacia를 속주로 함.
108 (2441) 무신	29	56	32	5 신라, 비지국比只國 · 초인국草人國 · 다벌국多伐國을 병합함. 7 백제, 말갈이 우곡성牛谷城에 들어와 약탈함.	▶후한, 공전公田을 빈민에게 나누어 줌.
109 (2442) 기유	30	57	33	1 고구려, 한에 사신 보내 안제安帝의 원복元服(성인이 되어 입는 옷) 착용식을 축하함.	7 후한, 해적이 연안에 침입해 옴. 10 후한, 남흉노가 반하여 침입해 옴.
110 (2443) 경술	31	58	34	▶고구려, 한에 사신 보내 현도군을 통하여 내왕하기로 함.	3 후한, 남흉노가 항복해 옴. ▶로마 플리니우스Plinius, 《서간집書簡集》을 간행함.
111 (2444) 신해	32	59	35	3 고구려, 예맥과 함께 현도군을 침.	4 후한 반웅班雄, 해적을 격퇴하고 장백로張伯魯를 참수함.
112 (2445) 임자	지마 1	60	36	▶신라, 파사이사금 때 〈지아악枝兒樂〉 지음. 10 신라, 파사이사금 사망: 지마이사금祇摩尼師今 즉위.	3 후한, 건무공신建武功臣을 봉함.
113 (2446) 계축	2	61	37	2 신라, 왕이 시조묘始祖廟에 제사 지냄. 3 백제, 신라에 사신을 보내 교류함.	▶로마 트라야누스Trajanus 황제, 파르티아에 원정함: 전략기념주戰略紀念柱를 건립함.

연대	신라	고구려	백제	우리 나라	다른 나라
114 (2447) 갑인	지마 3	태조 62	기루 38	**3** 신라, 우박으로 보리에 피해 입음. **8** 고구려, 왕이 남해南海에 순수함: 10월에 환도.	**6** 후한, 강羌의 침입을 격퇴함. ▶로마, 메소포타미아Mesopotamia에 원정함.
115 (2448) 을묘	4	63	39	**2** 가야, 신라의 남쪽 변경을 침략함. **7** 신라, 가야를 공격하다 황산하黃山河에서 패함.	▶후한, 반웅班雄이 강羌의 영창零昌 침입을 격퇴함. 우후虞詡가 강의 침입을 격퇴함.
116 (2449) 병진	5	64	40	**6** 백제, 극심한 수해 당함. **8** 신라, 1만으로 가야를 침. **12** 고구려, 눈이 많이 옴.	▶후한, 대신들의 3년상을 허가함. ▶로마, 파르티아Parthia의 쿠레시폰을 함락함: 최대의 판도 개척. 타키투스Tacitus의 《연대기年代記》가 완성됨.
117 (2450) 정사	6	65	41		**7** 후한 임상任尙, 강羌의 영창零昌을 살해함. ▶후한 채륜, 유교경전을 교정함. ▶로마, 타키투스Tacitus 사망.
118 (2451) 무오	7	66	42	**6** 고구려, 예맥濊貊과 함께 현도군 화려성華麗城을 공격함. **8** 고구려, 유사有司에게 명하여 효자들을 천거하고 외로운 사람들에게 의식을 제공케 함.	**10** 후한, 선비족이 상곡上谷에 침입해 옴. ▶로마 하드리아누스Hadrianus 황제, 소아시아 서부지역을 순행함.
119 (2452) 기미	8	67	43		**7** 후한, 선비족이 마성馬城에 침입해옴. ▶로마, 갈리아 조직을 개편함.
120 (2453) 경신	9	68	44	▶부여, 왕자 위구태尉仇台를 후한에 사신으로 보냄.	**3** 후한, 다시 서역에 도호都護와 둔병屯兵을 둠. ▶로마, 브리타니아Britania에 장성을 쌓음. 플루타르크Piutarch 사망. 이 무렵, 판테온Pantheon 신전을 재건함.
121 (2454) 신유	10	69	45	**2** 신라, 대증산성大甑山城을 쌓음. **4** 고구려, 선비족과 함께 요동을 공격함:태수 채풍蔡諷을 살해함. **10** 고구려, 숙신肅愼 사신이 조공해 옴. **11** 고구려, 왕의 아우 수성遂成에게 국사를 총괄케 함. **12** 고구려, 현도성을 공격하다 실패함.	▶후한, 채륜蔡倫 사망. ▶로마, 로마신전 기공.

연대	신라	고구려	백제	우리 나라	다른 나라
122 (2455) 임술	11	70	46	**7** 신라, 병충해로 농사에 큰 타격 받음. ▶고구려, 마한·예맥과 함께 요동을 공격함: 부여가 요동을 도와줌.	▶후한, 선비족이 타이위안太原에 침입해 옴. ▶로마 하드리아누스Hadrianus 황제, 브리타니아에 이름.
123 (2456) 계해	12	71	47	**3** 신라, 왜와 수교함. **10** 고구려, 목도루穆度婁를 좌보左輔, 고복장高福章을 우보右輔에 임명함.	▶후한 반용班勇, 서역장사西域長史가 됨. ▶로마 하드리아누스 황제, 유프라테스강 유역을 순행함.
124 (2457) 갑자	13	72	48	**4** 신라, 왜병 침입설이 퍼짐. **10** 고구려, 후한에 사신을 보냄. **11** 고구려, 수도에 지진이 발생함.	**1** 후한 반용班勇, 흉노를 정벌하여 서역 길을 개척함. ▶로마 하드리아누스 황제, 아테네Athenae에서 비제秘祭에 참가함.
125 (2458) 을축	14	73	49	**1** 신라, 말갈이 북쪽 변경에 침입해 옴. **7** 백제, 말갈의 침입받은 신라를 구원함.	**1** 후한, 환관 손정孫程이 순제順帝를 옹립함. ▶후한, 환관 19인을 열후에 봉함. ▶로마, 소아시아 지역 크리스트교도 취체령을 발포함.
126 (2459) 병인	15	74	50		▶후한, 마현馬賢이 종강鍾羌의 반란을 진압함. 반용班勇이 흉노를 정벌함.
127 (2460) 정묘	16	75	51	**7** 신라, 일식 현상이 나타남.	**2** 후한, 선비족이 랴오둥과 현도에 침입해 옴. **6** 후한, 반용班勇이 투옥됨.
128 (2460) 무진	17	76	개루 1	**11** 백제, 기루왕 사망: 개루왕蓋婁王 즉위.	**9** 후한, 선비족이 어양漁陽에 침입해 옴. ▶로마 하드리아누스 황제, 아테네에 순행하여 빈민에게 곡물을 지급함.
129 (2461) 기사	18	77	2	▶신라, 파진찬 왕권王權을 이찬伊湌으로 삼아 정무에 참여케 함.	**1** 후한, 순제順帝의 대관식을 거행함. **11** 후한, 선비족이 북방에 침입해 옴.
130 (2463) 경오	19	78	3		**10** 후한, 반초班超의 아들 반시班始가 처형당함. ▶로마하드리아누스황제, 이집트 순행.
131 (2464) 신미	20	79	4	**5** 신라, 홍수로 민가들이 피해 입음.	**3** 후한, 이오려伊吾廬에 둔전屯田을 설치함. **9** 후한, 태학太學을 설립함.

연대	신라	고구려	백제	우리 나라	다른 나라
132 (2465) 임신	지마 21	태조 80	개루 5	**2** 백제, 북한산성北漢山城을 축조함. 신라, 궁남문宮南門에 화재 발생함. **7** 고구려, 미유彌儒·어지류菸支留·양신陽神 등이 수성遂成에게 집권을 부추김.	**11** 후한, 효렴연한과시법孝廉年限課試法을 시행함. ▶로마, 유대인의 반란 일어남.
133 (2466) 계유	22	81	6		**8** 후한 시연施延, 태위太尉가 됨. ▶후한, 지진 발생. 카슈가르Kashgar에서 사자를 바침.
134 (2467) 갑술	일성 1	82	7	**8** 신라, 지마이사금 사망: 일성이사금逸聖尼師今 즉위.	▶후한 장형張衡, 도참圖讖의 금지를 상소함. ▶로마 하드리아누스Hadrianus 황제, 유대인의 반란을 평정함.
135 (2468) 을해	2	83	8	**1** 신라, 왕이 시조묘始祖廟에 제사 지냄.	**10** 후한, 오환烏桓이 침입해 옴. ▶로마, 예루살렘Jerusalem을 파괴함: 유대인의 유랑생활 시작.
136 (2469) 병자	3	84	9	**1** 신라, 웅선雄宣을 이찬, 근종近宗을 일길찬에 임명함. ▶부여, 왕이 후한 수도에 다녀옴.	**12** 후한, 무릉만武陵蠻의 반란 일어남. ▶후한, 오경박사五經博士를 둠.
137 (2470) 정축	4	85	10	**2** 신라, 말갈이 침입하여 장령長嶺의 책柵 5개를 불태움.	**2** 후한 이진李進, 무릉만武陵蠻의 반란을 평정함. **4** 후한, 상림만象林蠻이 반란을 일으킴.
138 (2471) 무인	5	86	11	**2** 신라, 금성金城에 정사당政事堂을 설립함. **7** 신라, 알천閼川 서쪽에서 군사를 검열함. **10** 신라, 왕이 태백산太白山에 제사 지냄.	**10** 후한, 맹장을 뽑아 등용함. ▶로마, 안토니우스피우스Antoniuspius 즉위.
139 (2472) 기묘	6	87	12	**8~10** 신라, 2차에 걸쳐 말갈의 침입 받음.	**4** 후한 마현馬賢, 강羌의 나리那離를 참수함. ▶로마, 하드리아누스Hadrianus 황제의 영묘靈廟를 준공함.
140 (2473) 경진	7	88	13	**2** 신라, 장령長嶺에 책柵을 세워 말갈의 침입을 막음.	**4** 후한, 남흉노가 반란 일으킴. **5** 후한 마속馬續, 남흉노를 파하고 항복받음.

연대	신라	고구려	백제	우리 나라	다른 나라
141 (2474) 신사	8	89	14	**9** 신라, 일식 현상이 나타남.	**1** 후한 마현馬賢, 강羌의 군사와 싸우다 패사함. ▶후한, 장도릉張道陵의 오두미도五斗米道가 전파되기 시작함.
142 (2475) 임오	9	90	15	**7** 신라, 말갈 공략 방안을 논의함. **9** 고구려, 위나암성尉那巖城에 지진이 발생함.	**8** 후한, 주·군에 사자使者를 파견함. ▶로마, 스코틀랜드와의 경계에 묵벽墨壁을 설치함.
143 (2476) 계미	10	91	16	**2** 신라, 궁궐을 수리함.	**4** 후한 조충趙沖, 강羌의 군사를 격파함. **10** 후한, 백관의 봉급을 감함.
144 (2477) 갑신	11	92	17	**2** 신라, 권농령勸農令을 내림: 제방堤防 보수와 농지 개간을 명령함. 백성의 금·은·주옥 사용을 금함.	**11** 후한, 주장九江의 도적 마면馬勉이 황제를 칭함. ▶후한 조충趙沖, 강羌의 군사와 싸우다 패사함. ▶인도 카니슈카Kanishka왕, 최대 영토를 확보함.
145 (2478) 을유	12	93	18	▶신라, 심한 가뭄이 들어 곡식을 이송하여 백성들을 구제함.	**2** 후한, 강의 반란군이 항복해 옴. **3** 후한, 황제를 칭한 마면馬勉을 살해함.
146 (2479) 병술	13	차대 1	19	**7** 고구려 수성遂成, 왜산倭山 아래에서 사냥하며 왕의 시해를 꾀함. **8** 고구려, 요동 서안평西安平을 공격함: 낙랑태수 처자를 잡아옴. **10** 고구려 고복장高福章, 왕에게 수성이 반하려 함을 고함. **12** 고구려 태조왕, 아우 차대왕次大王에게 선위함.	**4** 후한, 태학생을 3만여명으로 늘임. **윤6** 후한 양기梁冀, 질제質帝를 살해하고 환제桓帝를 옹립함.
147 (2480) 정해	14	2	20	**2** 고구려, 미유彌儒를 우보로 함. **3** 고구려, 왕의 반대파인 고복장을 죽임. **7** 고구려, 어지류菸支留를 좌보로 함. **11** 고구려, 양신陽神을 중외대부中畏大夫로 삼음.	▶후한, 월지국月支國승려 지루가참支婁迦讖이 뤄양洛陽에 와서 불교를 강의함. ▶로마, 건국 900년기념제에서 대규모 연극을 공연함.
148 (2481) 무자	15	3	21	**1** 신라, 박아도朴阿道를 갈문왕葛文王에 봉함. **4** 고구려, 태조왕의 원자 막근莫勤을 살해함: 동생 막덕莫德 자살.	▶후한, 파르티아Parthia 승려 안세고安世高가 뤄양洛陽에 와서 불경을 번역함. ▶로마, 밀린 세금을 면제해 줌.

연대	신라	고구려	백제	우리 나라	다른 나라
149 (2482) 기축	일성 16	차대 4	개루 22	**1** 신라, 득훈得訓을 사찬, 선충宣忠을 나마에 임명함. **4** 고구려, 일식 현상이 나타남. **8** 신라, 혜성이 출현함.	**10** 후한 장흠張歆, 사도司徒에 오름.
150 (2483) 경인	17	5	23	▶이 무렵, 평양낙랑리85호분유적 · 평양남사리고분군유적 · 창원삼동동유적 등 형성됨.	▶후한, 월지국 승려 지루가참이 뤄양洛陽에 와서 《반야삼매경般若三昧經》 등 불경을 번역함. ▶고트족, 흑해 연안에 이주함.
151 (2484) 신묘	18	6	24	**2** 신라, 대선大宣을 이찬으로 삼아 군사에 관한 일을 겸무케 함.	**7** 후한, 무릉만의 반란 일어남. ▶후한 최식崔寔, 《정론政論》을 저술함.
152 (2485) 임진	19	7	25		▶로마 안토니누스피우스 Antoninuspius 황제, 크리스트교 박해를 중지함.
153 (2486) 계사	20	8	26	**10** 신라, 궁문宮門이 불탐. **12** 고구려, 월식 현상이 나타남.	**7** 후한, 황하黃河가 범람함: 기주冀州의 백성들이 심한 기근에 처함.
154 (2487) 갑오	아달라 1	9	27	**2** 신라, 일성이사금 사망: 아달라이사금阿達羅尼師今 즉위. **3** 신라, 계원繼元을 이찬으로 삼아 군국사軍國事를 맡김.	**11** 후한, 타이산泰山 등지에 도적이 봉기함.
155 (2488) 을미	2	10	28	**1** 신라, 왕이 시조묘始祖廟에 제사 지냄.	**2** 후한, 기주冀州에 기근 발생함. ▶후한, 남흉노가 반란 일으킴: 장환張奐이 평정. ▶선비족, 북흉노를 정벌함.
156 (2489) 병신	3	11	29	**4** 신라, 계립령로鷄立嶺路를 개통함.	**7** 후한, 선비의 단석괴檀石槐가 운중雲中에 침입해 옴. ▶후한 단영段潁, 타이산泰山 등지의 도적을 평정함.
157 (2490) 정유	4	12	30	**2** 신라, 감물甘勿 · 마산馬山의 현을 처음으로 둠. **3** 신라, 왕이 장령長嶺에 순행함. ▶신라, 세오녀細烏女가 일본에 건너가 귀비가 됨: 〈연오랑세오녀설화延烏郎細烏女說話〉 이룩됨.	**4** 후한, 구진九眞의 만이蠻夷가 반란 일으킴. **11** 후한, 창사長沙의 만이蠻夷가 반란 일으킴.

연대	신라	고구려	백제	우리 나라	다른 나라
158 (2491) 무술	5	13	31	**3** 신라, 죽령로竹嶺路를 개통함. **5** 고구려, 일식 현상이 나타남.	**12** 후한 장환張奐, 남흉노·오환·선비의 침입을 격퇴함. ▶로마, 크리스트교 보호령을 내림.
159 (2492) 기해	6	14	32		▶후한, 환관 선초單超 등 5인을 열후列侯에 봉함. 천축국天竺國 사신이 옴.
160 (2493) 경자	7	15	33	**4** 신라, 호우로 알천閼川이 범람함.	**윤1** 후한 단영段熲, 서강西羌의 침입을 격퇴함. **5** 후한, 타이산泰山의 적이 도위都尉를 살해함.
161 (2494) 신축	8	16	34	**7** 신라, 메뚜기들이 곡식에 많은 피해를 입힘.	**7** 후한, 백관百官의 녹봉을 감함. ▶로마 가이우스Gaius, 《로마법 해설》을 지음.
162 (2495) 임인	9	17	35	▶신라, 왕이 사도성沙道城을 순행하고 군사를 위무함.	**3** 후한 풍곤馮緄, 만족을 평정함. **11** 후한 양병楊秉, 태위太尉에 오름. ▶로마, 아르메니아Armenia에 원정함.
163 (2496) 계묘	10	18	36		**5** 후한, 선비족이 랴오둥에 침입해옴. **12** 후한 양병楊秉, 환관의 전횡을 상소함.
164 (2497) 갑진	11	19	37	**1** 신라, 수도에 용이 나타났다고 함.	**9** 후한, 구이양桂陽 등지의 적을 평정함. ▶로마, 파르티아에 원정함.
165 (2498) 을사	12	신대 1	38	**10** 고구려 명림답부明臨答夫, 차대왕을 시해함: 신대왕新大王 즉위. 신라, 아찬 길선吉宣이 반란 꾀하다 탄로나 백제로 도망함.	**8** 후한, 처음으로 전답에 세금을 징수함. ▶로마, 파르티아에서 전염병이 전파되어 인구가 격감함.
166 (2499) 병오	13	2	초고 1	**1** 고구려, 태자 추안鄒安을 양국군讓國君에 봉함. 명림답부明臨答夫를 국상으로 삼고, 좌보·우보를 국상國相이라 개칭함. ▶백제, 개루왕 때 도미都彌와 그의 아내가 고구려로 도망함: 〈도미전설〉 나옴. ▶백제, 개루왕 사망: 초고왕肖古王 즉위.	**12** 후한, 당고黨錮의 옥 일어남. 로마 사절이 옴. ▶로마, 게르만족German族과 전쟁 벌임. 파르티아Parthia와 화친함.

연 대	신라	고구려	백제	우 리 나 라	다 른 나 라
167 (2500) 정미	아달라 14	신대 3	초고 2	**7** 백제, 신라 서쪽 2성을 공격하여 주민 1천명을 잡아옴. **9** 고구려, 왕이 졸본卒本에 가서 시조묘始祖廟에 제사 지냄: 10월 환도. ▶부여, 부태夫台 왕이 현도군을 공격함.	**6** 후한, 당인黨人들을 사하여 주고 종신 금고에 처함. ▶로마, 동방지역 원정으로 페스트가 전파됨: 이를 계기로 크리스트교를 박해함.
168 (2501) 무신	15	4	3	**12** 고구려, 선비鮮卑와 함께 후한의 유주幽州 · 병주并州를 공격함.	**9** 후한, 진번陳蕃과 두무竇武가 환관을 죽이려다 피살됨.
169 (2502) 기유	16	5	4	▶고구려, 후한의 현도태수 경림耿臨이 침입하자 공손탁公孫度을 도와 부산성富山城을 토벌함.	**9** 후한, 강하江夏(현 우창武昌)의 만이蠻夷가 반란 일으킴. **10** 후한, 이응李膺 등 100여명을 살해함.
170 (2503) 경술	17	6	5	**2** 신라, 시조묘始祖廟를 증수함. **10** 백제, 신라의 변경을 공격함.	▶후한, 지난濟南 지방에 도적이 봉기함. ▶쿠샨 왕조, 서북 인도를 통일함.
171 (2504) 신해	18	7	6		**1** 후한, 영제靈帝 대관식을 거행함: 당인黨人들을 사면함. ▶이 무렵, 로마의 파우사니아스 Pausanias가 《그리스 안내기》를 지음.
172 (2505) 임자	19	8	7	**11** 고구려 명림답부明臨答夫, 후한의 침입을 좌원坐原에서 격퇴함.	**11** 후한, 허생許生이 배반하여 왕을 칭함. ▶로마, 이집트에서 반란 일어남.
173 (2506) 계축	20	9	8	**5** 신라, 왜倭의 사신이 입국함.	**5** 후한, 태위 이함李咸이 사임하고 단영段穎이 대신함. **12** 후한, 선비족이 침입해 옴.
174 (2507) 갑인	21	10	9	**2** 신라, 가뭄이 발생함. ▶신라, 우토雨土(황사黃沙 현상) 내림.	**11** 후한 손견孫堅, 왕을 칭한 허생許生을 토벌함. ▶로마 마르쿠스 아우렐리우스 Marcus Aurelius, 《명상록瞑想錄》을 지음.
175 (2508) 을묘	22	11	10		**3** 후한, 태학太學에 석경石經을 세움. **5** 후한, 선비족이 유주幽州에 침공해 옴. ▶로마, 시리아에서 반란 일어남.

연대	신라	고구려	백제	우리 나라	다른 나라
176 (2509) 병진	23	12	11	**3** 고구려, 왕자 남무男武를 태자로 삼음.	**윤5** 후한, 영창태수永昌太守 조난曹鸞을 죽이고 그 일족을 가둠. ▶로마, 아우렐리우스Aurelius 대원주大圓柱 건립.
177 (2510) 정사	24	13	12	**10** 고구려, 일식 현상이 나타남.	**8** 후한, 하육夏育 등이 선비족을 공격하다 패배함. ▶로마, 갈리아Gallia의 크리스트교도를 박해함.
178 (2511) 무오	25	14	13		**2** 후한, 홍도문학鴻都門學을 설치함. **10** 후한, 황후 송씨宋氏를 폐한 후 살해함.
179 (2512) 기미	26	고국천 1	14	**9** 고구려, 명림답부明臨答夫 사망. **12** 고구려, 신대왕 사망: 고국천왕故國川王 즉위.	**10** 후한, 판순板楯의 만족蠻族이 반란 일으킴. **12** 후한, 선비족이 병주幷州와 유주幽州에 침입해 옴.
180 (2513) 경신	27	2	15	**2** 고구려, 우소于素의 딸을 왕비로 맞음. **9** 고구려, 왕이 졸본卒本에 가서 시조묘始祖廟에 제사 지냄.	**4** 후한, 강하江夏(현 우창武昌)의 만족蠻族이 반란 일으킴. ▶로마, 5현제시대五賢帝時代가 끝남. 아프리카Africa 내의 크리스트교도를 탄압함.
181 (2514) 신유	28	3	16		**4** 후한 주준朱儁, 교지交趾의 난을 평정함. ▶이 무렵, 로마에 게르만인 이주가 시작됨.
182 (2515) 임술	29	4	17	**3** 고구려, 혜성이 출현함.	**7** 후한, 판순板楯 만족蠻族의 침입을 받음. ▶로마, 다키아Dacia를 정벌함.
183 (2516) 계해	30	5	18		**1** 후한, 외국에서 불경을 들여옴. ▶후한, 장각張角이 민심을 현혹시킴.
184 (2517) 갑자	벌휴 1	6	19	**3** 신라, 아달라이사금 사망: 벌휴이사금伐休尼師今 즉위. ▶고구려, 후한의 요동태수 공격을 왕자로 하여금 막게 하였으나 실패함:왕이 친히 나아가 격파함.	**2** 후한, 황건적黃巾賊의 난 일어남: 장각張角 등 봉기. **5** 후한 황보숭皇甫嵩, 조조曹操와 함께 황건적黃巾賊을 격퇴함. 장각張角 사망.

연대	신라	고구려	백제	우리 나라	다른 나라
185 (2518) 을축	벌휴 2	고국천 7	초고 20	**1** 신라, 왕이 시조묘始祖廟에 제사 지냄. **2** 신라, 파진찬 구도仇道와 일길찬 구수혜仇須兮를 좌우 군주軍主로 삼아 소문국召文國을 침.	**6** 후한, 환관 장양張讓 등 13인이 열후列侯가 됨. ▶로마, 가이우스Gaius 사망.
186 (2519) 병인	3	8	21	**1** 신라, 왕이 주 · 군을 순행하며 풍속을 살핌. **10** 백제, 혜성이 출현함.	**10** 후한, 무릉만武陵蠻의 반란 일어남. **12** 후한, 선비족鮮卑族의 침입 받음.
187 (2520) 정묘	4	9	22	**3** 신라, 주 · 군에 영을 내려 토목공사로 인한 농사 피해가 없도록 함. **5** 백제, 가뭄으로 우물과 강물이 마름.	**2** 후한, 형양滎陽에서 도적이 봉기함. **10** 후한, 창사長沙에서 반란 일어남.
188 (2521) 무진	5	10	23	**2** 백제, 신라의 모산성母山城(지금의 남원南原)을 공격함. 궁궐을 중수함.	**10** 후한, 황건적黃巾賊이 봉기함. ▶후한, 자사刺史를 목백牧伯으로 고침.
189 (2522) 기사	6	11	24	**7** 신라, 구양성狗壤城에서 백제군을 격파함. ▶고구려, 요동태수 군사를 좌원坐原에서 격파함.	**8** 후한 원소袁紹, 환관들을 주살함. **9** 후한 동탁董卓, 소제少帝를 폐하여 홍농왕弘農王으로 함. ▶사라센족Saracen族, 로마 군사를 격파함: 처음 역사에 등장함.
190 (2523) 경오	7	12	25	**3** 백제, 신라의 원산향圓山鄕을 공격하여 부곡성缶谷城을 포위함: 신라, 구도仇道가 이를 막다가 와산성蛙山城에서 패함. **9** 고구려, 좌가려左可慮 등이 반란을 꾀함.	**1** 후한 동탁董卓, 홍농왕弘農王을 죽임. **3** 후한 동탁董卓, 수도를 장안長安(지금의 시안西安)으로 옮김. ▶후한 공손탁公孫度, 랴오둥태수가 됨.
191 (2524) 신미	8	13	26	**4** 고구려, 좌가려左可慮 등의 반란음모를 진압함. 을파소乙巴素를 국상國相에 임명함. **10** 고구려, 안류晏留에게 대사자大使者의 직을 내림.	**2** 후한 손견孫堅, 동탁을 토벌하고 뤄양洛陽에 입성함. **10** 후한 공손찬公孫瓚, 유비劉備를 평원상平原相으로 삼음.
192 (2525) 임신	9	14	27	**1** 신라, 국량國良을 아찬, 술명述明을 일길찬에 임명함.	**4** 후한 동탁董卓, 암살당함. ▶로마Roma, 콤모두스Commodus 황제가 피살당함. 로마에 화재 발생함.

연 대	신라	고구려	백제	우 리 나 라	다 른 나 라
193 (2526) 계유	10	15	28	**6** 신라, 일본의 흉년으로 왜인 1천여명이 망명해 옴.	▶후한 조조曹操, 원술袁術의 군사를 격파함.
194 (2527) 갑술	11	16	29	**7** 고구려, 흉년이 들자 곡식을 풀어 백성들을 구제함. **10** 고구려, 을파소乙巴素의 건의로 진대법賑貸法을 실시함.	▶봄. 후한 유비劉備, 예주자사豫州刺史가 됨. **7** 후한 유비劉備, 쉬저우徐州를 점령함.
195 (2528) 을해	12	17	30		**2** 후한 이각李傕, 곽범郭氾을 치고 황제를 맞이함. ▶후한 조조曹操, 곤주목袞州牧이 됨.
196 (2529) 병자	내해 1	18	31	**2** 신라, 궁궐을 중수함. **4** 신라, 벌휴이사금 사망: 내해이사금奈解尼師今 즉위.	**2** 후한 헌제, 뤄양洛陽으로 귀환함. ▶후한, 조조曹操가 황제를 허許로 옮김. 둔전법屯田法을 시행함.
197 (2530) 정축	2	산상 1	32	**5** 고구려, 고국천왕 사망: 산상왕山上王 즉위. 왕의 형 발기發岐가 반란을 일으키다 패사함. ▶고구려, 고국천왕의 비 우씨于氏를 왕후王后로 삼음.	**2** 후한 원술袁術, 황제를 칭함. **5** 후한 여포呂布, 원술의 군사를 격파함. **9** 후한 조조曹操, 원술의 군사를 토벌함. ▶로마, 파르티아Parthia에 원정함.
198 (2531) 무인	3	2	33	**2** 고구려, 위나암성尉那巖城을 전면적으로 다시 축조함: 명칭을 환도성丸都城이라 함.	**4** 후한 이각李傕, 피살됨. **9** 후한 조조曹操, 여포呂布를 죽임. ▶후한 원소袁紹, 공손찬을 공격함. ▶로마, 파르티아군을 격파함.
199 (2532) 기묘	4	3	34	**3** 가야, 수로왕 사망: 거등왕居登王 즉위. **5** 신라, 수재민에게 1년간 조세를 면제해 줌. ▶가야, 수로왕릉 및 묘廟를 조성함.	**3** 후한, 공손찬公孫瓚 자살. **6** 후한, 원술袁術이 병사함. ▶로마, 메소포타미아Mesopotamia를 속주로 삼음.
200 (2533) 경진	5	4	35	**9** 신라, 알천閼川에서 군사를 훈련함.	**10** 후한 조조曹操, 원소袁紹를 격파함. ▶후한, 손책孫策 사망: 동생 손권孫權이 뒤를 이음. 정현鄭玄 사망. ▶인도 용수龍樹, 《중론中論》을 저술함.
201 (2534) 신사	6	5	36	**2** 가야, 신라에 화의和議를 요청함. **3** 신라, 일식 현상이 나타남.	**4** 후한 조조曹操, 원소袁紹를 토벌함. **9** 후한 조조曹操, 유비劉備를 격파함: 유비, 형주荊州로 이동함.

연대	신라	고구려	백제	우리 나라	다른 나라
202 (2535) 임오	내해 7	산상 6	초고 37		**5** 후한, 원소袁紹 사망: 아들 원상袁尙이 뒤를 이음. ▶후한 조조曹操, 손권孫權에게 볼모를 요구함: 손권孫權, 불응. ▶로마, 크리스트교도를 박해함.
203 (2536) 계미	8	7	38	**8** 고구려, 을파소乙巴素 사망: 고우루高優婁를 국상에 임명함. **10** 신라, 말갈이 국경에 침입해 옴.	**2** 후한 조조曹操, 여양黎陽으로 진격함. **8** 후한 조조曹操, 유표劉表를 공격함. ▶후한 손책孫策, 산월山越을 평정함.
204 (2537) 갑신	9	8	39	**7** 백제, 신라의 요차성腰車城을 공격하여 성주 설부薛夫를 죽임: 신라, 왕이 백제의 사현성沙峴城을 공격함.	**4** 후한 조조曹操, 업鄴을 공격함. **12** 후한 조조, 평원平原을 함락함. ▶랴오둥 태수 공손탁公孫度이 사망함:아들 공손강公孫康이 그 뒤를 이음.
205 (2538) 을유	10	9	40	**2** 신라, 진충眞忠을 일벌찬에 임명함. ▶이 무렵, 요동 공손강公孫康이 낙랑군의 남부에 대방군帶方郡을 설치함.	**1** 후한 원상袁尙, 조조曹操를 피하여 오환烏桓으로 도망함. **10** 후한, 고간高幹의 반란 일어남.
206 (2539) 병술	11	10	41		**3** 후한 조조曹操, 고간高幹의 반란을 진압하고 처형함. ▶후한, 오환烏桓의 침입을 받음.
207 (2540) 정해	12	11	42	**1** 신라, 왕자 이음利音을 이벌찬으로 삼아 내외 병마사兵馬事를 맡김.	**2** 후한 조조曹操, 공신을 책봉함. **8** 후한 조조曹操, 오환烏桓을 토벌함. **10** 후한 유비劉備, 제갈량諸葛亮을 만남.
208 (2541) 무자	13	12	43	**4** 신라, 왜倭가 국경에 침입해 옴. **11** 고구려, 왕이 후녀后女를 만남. ▶백제, 병충해와 가뭄으로 흉년이 듦.	**6** 후한 조조曹操, 승상丞相에 오름. **9** 후한, 손권 · 유비 연합군이 조조군을 적벽赤壁에서 대파함: 천하 3분. ▶로마 세베루스Severus 황제, 브리타니아Britania 원정함.
209 (2542) 기축	14	13	44	**7** 신라, 가야가 포상팔국浦上八國의 침입을 받자 우로于老와 이음利音이 구원함. **9** 고구려, 주통촌酒桶村의 여자가 동천왕東川王을 낳음: 그녀를 소후小后에 봉함. **10** 고구려, 수도를 환도성으로 옮김.	**12** 후한 손권孫權, 유비劉備를 형주목荊州牧으로 삼음.

연대	신라	고구려	백제	우리 나라	다른 나라
210 (2543) 경인	15	14	45	**2** 백제, 적현성赤峴城·사도성沙道城을 쌓음. **10** 백제, 말갈이 사도성沙道城에 침입해 옴.	**12** 후한, 주유周瑜 사망: 노숙魯肅을 등용함. ▶후한 조조曺操, 업鄴에 동작대銅雀臺를 세움. ▶로마, 브리타니아Britannia 장성을 수축함.
211 (2544) 신묘	16	15	46	**1** 신라, 훤견萱堅을 이찬, 윤종允宗을 일길찬에 임명함. **8** 백제, 메뚜기 습격으로 큰 흉년이 듦.	**1** 후한 조비曺丕, 승상부丞相府에 오름. **3** 후한 조조曺操, 장로張魯를 토벌함.
212 (2545) 임진	17	16	47	**3** 신라, 가야 왕자를 볼모로 삼음. ▶이 무렵, 신라에 보라국保羅國·고자국古自國·사물국史勿國 등 8국이 침입해 옴: 물계자, 〈물계자가勿稽子歌〉를 지음.	▶여름. 후한 손권孫權, 건업建業(난징南京)으로 옮김. **10** 후한 조조曺操, 손권孫權을 토벌함. ▶로마 카라칼라Caracalla 황제, 안토니우스칙령Antonius勅令을 공포함: 전 자유민에게 시민권 부여.
213 (2546) 계사	18	17	48	**1** 고구려, 교체郊彘를 태자로 삼음.	**1** 후한, 14주를 9주로 개편함. **5** 후한 조조曺操, 위공魏公이 됨. **8** 후한 마초馬超, 양주자사涼州刺史가 됨.
214 (2547) 갑오	19	18	구수 1	**7** 백제, 신라의 요차성腰車城을 공격함: 신라 이음利音, 백제의 사현성沙峴城을 공격함. **9** 백제, 말갈의 석문성石門城을 점령함. **10** 백제, 말갈이 술천述川에 침입해 옴. 초고왕 사망: 구수왕仇首王 즉위.	**5** 후한 유비劉備, 익주목益州牧이 됨. **7** 후한 조조曺操, 손권孫權을 격파함. **11** 후한 조조曺操, 황후와 두 아들을 살해함. ▶로마 카라칼라Caracalla 황제, 동방지역을 순방함.
215 (2548) 을미	20	19	2	▶신라, 골포국骨浦國 등 3국이 침입해 옴.	**1** 후한 조조曺操, 자신의 딸을 황후에 앉힘. **5** 후한 유비劉備·손권孫權, 형주荊州를 분할하여 취함. **7** 후한, 조조曺操가 관중關中을 차지함. 장로張魯가 항복해 옴.
216 (2549) 병신	21	20	3	**8** 백제, 적현성赤峴城에 침입한 말갈을 사도성沙道城에서 격파함.	**4** 후한 조조曺操, 위왕魏王이 됨. **7** 남흉노, 위魏에 조공함. ▶로마, 카라칼라 목욕탕을 완성함.

연대	신라	고구려	백제	우리 나라	다른 나라
217 (2550) 정유	내해 22	산상 21	구수 4	**2** 백제, 사도성沙道城 옆에 두 개의 책柵을 세움. **8** 고구려, 후한의 평주平州 1천여 가호가 항복해 옴.	**3** 후한 손권, 조조에게 항복을 청함. **4** 후한 조조曹操, 천자天子의 거복車服(수레와 의복)을 사용함. ▶로마, 카라칼라Caracalla 황제 피살: 마크리누스Macrinus 즉위.
218 (2551) 무술	23	22	5	**7** 신라, 장산성獐山城에 침입한 백제군을 격퇴함.	**1** 후한 경기耿己 등, 조조曹操를 치다가 패사함. **7** 후한 조조曹操, 유비劉備를 공격함.
219 (2552) 기해	24	23	6	**2** 고구려, 일식 현상이 나타남.	**7** 후한 유비劉備, 한중왕漢中王을 칭하고 청두成都에 수도 정함. **10** 후한 손권孫權, 관우關羽를 죽임.
220 (2553) 경자	25	24	7	**3** 부여, 위魏에 사신을 보냄. 신라, 충훤忠萱을 이벌찬으로 삼아 군에 관한 일을 겸직케 함. **10** 백제, 말갈의 침입을 격퇴함. ▶낙랑군, 왕우묘王肝墓 · 왕광묘王光墓 · 채협총彩篋塚 유물을 제작함.	**1** 후한, 조조曹操 사망. **10** 조비曹丕, 위魏를 세움: 뤄양洛陽에 수도 정함. 후한後漢 멸망: 이후 오吳 · 위魏 · 촉蜀 삼국 정립 ▶위, 9품중정제九品中正制를 공포함.
221 (2554) 신축	26	25	8	**2** 백제, 수도 동편 산 40여개가 홍수로 무너짐. **8** 백제, 한수漢水 서쪽에서 군사를 사열함.	**4** 유비劉備, 촉蜀을 세움. 제갈량諸葛亮, 촉의 승상丞相이 됨. **7** 촉 장비張飛, 부하에게 피살됨.
222 (2555) 임인	27	26	9	**2** 백제, 제방을 수리함. **3** 백제, 권농령勸農令을 내림. **10** 백제, 신라의 우두주牛頭州(지금의 춘천 지역)에 침입함.	**1** 위, 공사한년법貢士限年法을 해제함. **9** 손권孫權, 오吳를 세움: 삼국시대 시작.
223 (2556) 계묘	28	27	10		**4** 촉, 유비劉備 사망: 유선劉禪(후주後主) 즉위. **5** 촉 제갈량諸葛亮, 무향후武鄕侯가 되어 익주목益州牧을 통치함.
224 (2557) 갑진	29	28	11	**7** 신라 연진連珍, 봉산烽山 아래에서 백제군을 격파함. **8** 신라, 봉산성烽山城을 수축함.	**4** 위, 태학太學을 설치함. **8** 위, 오吳를 공격함. **11** 선비족, 허베이지방에 침입함.
225 (2558) 을사	30	29	12	▶이 무렵, 낙랑군이 왕광묘王光墓를 조성함.	**3** 촉 제갈량, 남중南中을 평정함. ▶로마, 게르만족German族이 라인강Rhein江 변경에 침입하기 시작함.

연대	신라	고구려	백제	우리 나라	다른 나라
226 (2559) 병오	31	30	13	**10** 신라, 죄가 가벼운 죄수를 풀어 줌.	**5** 위, 조비曹丕 사망. ▶페르시아 , 사산Sasan 왕조 성립.
227 (2560) 정미	32	동천 1	14	**3** 신라, 파진찬 강훤康萱을 이찬에 임명함. **5** 고구려, 산상왕 사망: 동천왕東川王 즉위.	**2** 위, 궁궐을 건립함. **3** 촉 제갈량諸葛亮, 〈출사표出師表〉를 올리고 위나라 원정 떠남. **4** 위, 오수전五銖錢을 발행함.
228 (2561) 무신	33	2	15	**2** 고구려, 왕이 졸본卒本에 가서 시조묘始祖廟에 제사하고 죄수들을 사면함. **3** 고구려, 우씨를 태후에 봉함.	**8** 오, 위魏의 군사를 격파함. **12** 촉 제갈량諸葛亮, 위魏를 치고 진창陳倉을 포위함.
229 (2562) 기유	34	3	16	**9** 신라, 지진 발생. **11** 백제, 말갈이 우곡성牛谷城에 침입하여 약탈함.	**4** 오 손권孫權, 황제를 칭함. **9** 오, 난징南京으로 천도함. **10** 위魏, 율박사律博士를 설치함.
230 (2563) 경술	조분 1	4	17	▶신라, 내해이사금 때 〈사내악思內樂〉 지음. **3** 신라, 내해이사금 사망: 조분이사금助賁尼師今 즉위. **7** 고구려, 명림어수明臨於漱를 국상國相에 임명함. ▶신라, 연충連忠을 이찬에 임명함.	**2** 위, 낭리과시법郎吏課試法을 제정함. **7** 위, 촉의 한중漢中에 침입함. **12** 오, 위魏를 공격함. ▶페르시아, 조로아스터교Zoroaster教를 국교國教로 삼음.
231 (2564) 신해	2	5	18	**7** 신라, 이찬 우로于老가 감문국甘文國을 공격하여 군郡으로 삼음.	**5** 촉 제갈량諸葛亮, 위魏의 사마의司馬懿를 격파함. **10** 오, 위魏의 군사를 격파함. ▶로마, 페르시아에 원정함.
232 (2565) 임자	3	6	19	**4** 신라, 왜인이 금성金城에 침공해 옴.	**3** 위魏, 랴오둥遼東 지방을 공격함. ▶이 무렵, 조로아스터교의 아베스타Avesta 경전 이룩됨.
233 (2566) 계축	4	7	20	**5** 신라, 왜군이 동쪽 변방에 침입해 옴. **7** 신라, 이찬 우로于老가 사도성沙道城에서 왜병을 격파함.	▶봄. 오, 랴오둥의 공손연公孫淵을 연왕에 봉함. 위魏, 공손연을 낙랑공樂浪公에 봉함. 공손연이 오나라 사신의 목을 베어 위魏에 보냄. **윤5** 오, 위魏의 신성新城을 공격하여 승리함.

연대	신라	고구려	백제	우리 나라	다른 나라
234 (2567) 갑인	조분 5	동천 8	사반 1 고이 1	**9** 고구려, 태후 우씨于氏 사망. ▶고구려, 위魏에서 사신 보내 오자 화의함. ▶백제, 구수왕 사망: 사반왕沙伴王 즉위. 이어 고이왕古爾王 즉위.	**2** 촉 제갈량諸葛亮, 위魏를 공략함. **5** 오, 위를 공략함. **8** 촉 제갈량諸葛亮, 무장위안五丈原 진중에서 사망. ▶로마, 게르만과 전쟁 벌임.
235 (2568) 을묘	6	9	2	**1** 신라, 왕이 동으로 순행하여 백성들을 위무함. ▶고구려, 오吳의 사신이 옴.	▶위, 낙양궁洛陽宮 지음. ▶로마, 알렉산데르Alexander 황제 사망: 막시미누스Maximinus 황제 즉위. 군인황제시대가 시작됨. 크리스트교도를 박해함.
236 (2569) 병진	7	10	3	**2** 신라, 골벌국骨伐國이 항복해 옴. **7** 고구려, 오吳의 사신을 죽여 위魏로 보냄.	▶오, 대전大錢을 주조함. ▶인도, 안드라Andhra 왕조가 쇠퇴하기 시작함: 인도 분열.
237 (2570) 정사	8	11	4	▶고구려, 위魏에 사신 보내 연호 개칭을 하례함.	**7** 공손연公孫淵 랴오둥 태수, 위魏에 반하여 스스로 연왕燕王을 칭함. **10** 위, 동전을 주조함.
238 (2571) 무오	9	12	5	**1** 백제, 천지에 제사할 때 고취鼓吹를 사용하게 함. **8** 고구려, 위魏와 함께 요동의 공손연公孫淵을 공격함. ▶낙랑군·대방군이 위魏에 속하게 됨.	**2** 오, 당천대전當千大錢을 주조함. **8** 위魏 사마의司馬懿, 랴오둥遼東의 공손연公孫淵을 토벌하여 참함. ▶로마, 크리스트교 박해를 중지함.
239 (2572) 기미	10	13	6	▶고구려, 위魏의 요동을 공격함.	**2** 위魏 사마의司馬懿, 태부太傅가 됨. **6** 일본, 야마타이국邪馬台國 히미코卑彌呼 여왕이 위魏에 조공하고 금인金印을 받음.
240 (2573) 경신	11	14	7	**4** 백제, 진충眞忠을 좌장左將으로 삼아 내외의 병마사를 맡김. **7** 백제, 석천石川에서 열병식을 거행함.	▶위魏, 일본에 사신을 보냄. ▶인도 제바提婆, 《백론百論》을 지음.
241 (2574) 신유	12	15	8		**4** 오, 위魏를 공격함. ▶로마, 페르시아와 전쟁 벌임. ▶프랑크Frank인, 갈리아Gallia에 침입함: 처음 역사에 등장함.
242 (2575) 임술	13	16	9	**2** 백제, 남택南澤에 논을 조성함. ▶고구려, 요동 서안평西安平을 정벌함.	▶이 무렵, 페르시아Persia가 쿠샨Kushan 왕조를 정복하고 인도 서북지방에 침입함.

연대	신라	고구려	백제	우리 나라	다른 나라
243 (2576) 계해	14	17	10	**1** 고구려, 왕자 연불然佛을 태자로 삼고 죄수들을 사면함. ▶백제, 큰 제단 만들고 천지에 제사 지냄.	**12** 일본, 위魏에 사신 보내 조공朝貢함. ▶로마, 페르시아군Persia軍을 격파함.
244 (2577) 갑자	15	18	11	**1** 신라, 우로于老를 이벌찬에 임명함. **8** 고구려, 위魏의 유주자사幽州刺史 관구검毌丘儉이 침입하여 국내성國內城을 점령함: 유유紐由 · 밀우密友의 항전. ▶고구려, 위의 요동지방을 공격함.	**3** 위, 촉의 한중漢中을 공격함. ▶로마, 페르시아와 화친함: 메소포타미아Mesopotamia를 로마령으로, 아르메니아Armenia를 페르시아령으로 함.
245 (2578) 을축	16	19	12	**10** 신라 우로于老, 북변에 침입한 고구려 군을 공략하다 패배함. ▶고구려, 현도태수 왕기王頎의 침입을 받아 왕이 남옥저로 피난함. 관구검기공비毌丘儉紀功碑가 건립됨(264년 설도 있음).	**11** 촉, 대사마 장완蔣琬 사망: 유선劉禪, 친정親政을 시작함.
246 (2579) 병인	17	20	13	**8** 백제 진충眞忠, 낙랑을 공격하여 변방을 취함. **10** 고구려, 위魏에게 환도성丸都城을 점령당함.	▶이 무렵, 페르시아의 마니Mani가 포교를 시작함.
247 (2580) 정묘	첨해 1	21	14	**2** 고구려, 평양성을 축조함. **3** 백제, 진충眞忠을 우보右輔, 진물眞勿을 좌장左將에 임명함. **5** 신라, 조분이사금 사망: 첨해이사금沾解尼師今 즉위.	**3** 위 조상曺爽, 태후太后를 영녕궁永寧宮으로 옮기고 정권을 독단함. ▶오, 태초궁太初宮을 건립함.
248 (2581) 무진	2	중천 1	15	**1** 신라, 장훤長萱을 서불한舒弗邯에 임명함. **9** 고구려, 동천왕 사망: 중천왕中川王 즉위. **11** 고구려, 왕의 아우 예물預物 · 사구奢句 등이 반란 꾀하다 처형됨.	▶일본, 히미코卑彌乎 여왕 사망: 노비 100여명 순사. ▶로마, 건국 1000년기념제를 거행함.
249 (2582) 기사	3	2	16	**4** 신라 우로于老, 일본 왕과 왕비를 비하하는 발언을 함: 그 책임으로 일본 진영에 가서 죽임을 당함. **7** 신라, 궁궐 남쪽에 남당南堂을 세움. ▶신라, 사벌국沙伐國을 멸함.	**1** 위 사마의司馬懿, 조상曺爽과 하안何晏을 죽임. ▶로마 데키우스Decius 황제, 크리스트교도 대박해를 시작함.

연대	신라	고구려	백제	우리 나라	다른 나라
250 (2583) 경오	첨해 4	중천 3	고이 17	**2** 고구려, 국상國相 명림어수明臨於漱에게 병마사兵馬事를 겸임시킴. ▶이 무렵, 고구려의 지안만보정集安萬寶汀1368호벽화고분 · 가평마장리야철冶鐵주거지유적이 형성됨.	**11** 위, 오吳를 장링江陵에서 대파함. ▶크리스트교회의 5본산 제도(로마Roma · 콘스탄티노플Constantinople · 안티오크Antioch · 예루살렘Jerusalem · 알렉산드리아Alexandria)가 확립됨. 서고트족, 마케도니아Macedonia · 트라키아Thracia 등에 침입함.
251 (2584) 신미	5	4	18	**1** 신라, 왕이 처음으로 남당南堂에서 정사를 봄. **4** 고구려, 왕후와 다투던 관나부인貫那夫人을 가죽자루에 넣어 서해에 던져 죽임.	**8** 위, 사마의司馬懿 사망. **10** 오 제갈각諸葛恪, 국사를 총괄함. ▶로마 데키우스Decius 황제, 서고트족西Goths을 치다가 전사함.
252 (2585) 임신	6	5	19		▶오, 손권 사망: 회계왕會稽王 즉위. ▶로마교회, 전 이탈리아 교회의 본산이 되어 파문권破門權과 승직서임권僧職敍任權을 장악함.
253 (2586) 계유	7	6	20	**9** 가야, 거등왕 사망: 마품왕麻品王 즉위. ▶신라, 가뭄이 심하여 사묘祠廟와 명산名山에 기우제祈雨祭를 지냄.	**4** 촉 강유姜維, 위魏를 공격함. **10** 오, 제갈각諸葛恪을 죽임. ▶로마, 고트족Goths과 전투 벌임.
254 (2587) 갑술	8	7	21	**4** 고구려, 음우陰友를 국상國相에 임명함.	**2** 위 사마사司馬師, 황후를 폐함. **9** 위 사마사司馬師, 제왕齊王을 폐함. **10** 위, 고귀향高貴鄕 즉위.
255 (2588) 을해	9	8	22	**9~10** 백제, 신라의 괴곡성槐谷城 서쪽 지방과 봉산성烽山城을 공격함.	**1** 위 관구검毌丘儉, 사마사司馬師를 토벌하다 패사함. **2** 위, 사마사司馬師 사망. **8** 촉 강유姜維, 위魏를 토벌함.
256 (2589) 병자	10	9	23	**10** 신라, 일식 현상이 나타남. **11** 고구려, 명림홀도明臨笏覩를 부마도위로 삼음.	**7** 촉 강유姜維, 위魏와 싸우다 패퇴함. ▶프랑크족, 스페인에 침입함. ▶고트족Goths, 소아시아 · 그리스로 이동함.
257 (2590) 정축	11	10	24	**1** 백제, 가뭄이 발생함.	**5** 촉 제갈탄諸葛誕, 위魏를 공략함. **6** 촉 강유姜維, 위魏를 토벌함.

연대	신라	고구려	백제	우리 나라	다른 나라
258 (2591) 무인	12	11	25	▶백제, 말갈 사신이 좋은 말을 바침.	9 오 손침孫綝, 회계왕會稽王을 폐하고 경제景帝를 세움. ▶페르시아, 로마와 교전함.
259 (2592) 기묘	13	12	26	7 신라, 극심한 가뭄과 병충해로 흉년이 듦. 12 고구려, 위魏의 침입을 양맥곡梁貊谷에서 대파함.	▶이 무렵, 중국에 완적阮籍·혜강嵇康·산도山濤·향수向秀·유영劉伶·완함阮咸·왕융王戎 등 죽림7현竹林七賢이 출현함: 부패한 정치권력을 비웃으며 청담으로 새월을 보냄.
260 (2593) 경진	14	13	27	1 백제, 6좌평과 16관등을 제정함. 2 백제, 공복제도公服制度를 시행함. 3 백제, 왕의 동생 우수優壽를 내신좌평內臣佐平에 임명함.	5 위, 고귀향高貴鄕 피살: 6월 원제元帝 즉위. ▶로마 발레리아누스Valerianus 황제, 페르시아군 포로가 됨: 30참주시대僭主時代. ▶페르시아, 마니Mani를 추방함.
261 (2594) 신사	15	14	28	1 백제, 왕이 남당南堂에서 정사를 봄. 2 신라, 달벌성達伐城을 쌓음. 백제, 진가眞可를 내두좌평에 임명함. 12 신라, 첨해이사금 사망: 미추이사금味鄒尼師今 즉위.	▶로마, 크리스트교 박해 끝남: 이후 40년간 교회의 평화시대 옴.
262 (2595) 임오	미추 1	15	29	1 백제, 관리로서 재물을 받은 자와 도적은 장물의 3배를 징수하고 종신 금고禁錮토록 영을 내림. 7 신라, 금성金城 서문에 화재 발생함.	10 촉 강유姜維, 위魏를 토벌함. ▶고트족Goths, 소아시아 연안에 침략함.
263 (2596) 계미	2	16	30	10 신라, 양부良夫를 서불한舒弗으로 삼아 병마사兵馬事를 겸임시킴. 12 신라, 구도를 갈문왕에 봉함. ▶신라, 고구려 아도阿道가 불법佛法을 전하기 위해 들어옴.	10 위 사마소司馬昭, 진공晋公이 됨. ▶촉 후주後主, 위魏에 항복함: 촉蜀 멸망. ▶위 유휘劉徽, 《구장산술주해九章算術註解》를 지음.
264 (2597) 갑신	3	17	31	2 신라, 왕이 동해에 순행함. 3 신라, 왕이 황산黃山에 순행함. ▶신라, 고구려 아도阿道가 궁궐에 들어가 불법 행하기를 청함.	3 위 사마소司馬昭, 진왕晋王이 됨. 7 오, 경제景帝 사망: 오정후烏程侯 즉위. ▶위, 촉의 유선劉禪을 안락현공安樂縣公으로 삼음.

연대	신라	고구려	백제	우리 나라	다른 나라
265 (2598) 을유	미추 4	중천 18	고이 32		**8** 위, 진왕 사마소司馬昭 사망. **12** 위 사마염司馬炎, 황제를 칭하고 진晉을 세움: 위 멸망. ▶오, 우창武昌으로 천도함.
266 (2599) 병술	5	19	33	**8** 백제, 신라의 봉산성烽山城을 공격함: 신라, 성주城主 직선直宣이 이를 격파함.	**12** 오, 건업建業(난징南京)으로 천도함. ▶일본, 진晉에 사신 보내 조공함.
267 (2600) 정해	6	20	34		**9** 진, 관리의 녹봉을 증액함. 성기星氣 · 참위讖緯 학문을 금함. ▶고트족, 모에시아Moesia와 아테네Athenae에 침입함.
268 (2601) 무자	7	21	35	▶신라, 신하를 남당南堂에 모아 정형政刑의 득실을 물음.	**1** 진, 율령律令을 제정함. **12** 진, 부남扶南 · 임읍林邑에서 사신이 옴. ▶진, 상평창常平倉을 설치함.
269 (2602) 기축	8	22	36	**9** 백제, 혜성이 출현함.	**2** 진, 제齊의 태수 문립文立의 건의에 따라 촉蜀의 명신名臣 자손들을 관직에 등용함.
270 (2603) 경인	9	서천 1	37	**10** 고구려, 중천왕 사망: 서천왕西川王 즉위.	**6** 진, 선비족을 토벌함. ▶로마, 아우렐리아누스Aurelianus 황제 즉위.
271 (2604) 신묘	10	2	38	**1** 고구려, 우수于漱의 딸을 왕후로 삼음. **7** 고구려, 국상 음우陰友 사망: 9월 상루尙婁를 국상에 임명함.	**1** 진, 흉노의 유맹劉猛이 반란 일으킴. **7** 오, 교지交趾를 취함. **10** 촉의 후주後主 유선劉禪 사망. ▶로마, 게르만족에게 대패함.
272 (2605) 임진	11	3	39	**2** 신라, 농사에 나쁜 점을 모두 없애라고 명령함. **11** 백제, 신라를 침공함.	**1** 진, 흉노 이각李恪이 유맹劉猛을 죽이고 항복해 옴. ▶로마, 크리스트교도를 박해함.
273 (2606) 계사	12	4	40	**7** 고구려, 창고를 열어 빈민들을 구제함.	▶진, 공경公卿 여자를 육궁六宮에 둠. ▶로마, 시리아의 팔미라Palmyra 왕국을 멸함.
274 (2607) 갑오	13	5	41	▶낙랑군 · 대방군 · 현도군 등이 진晉의 평주平州에 예속됨.	**2** 진, 유주를 나누어 평주平州를 설치함. ▶로마, 국가적인 태양숭배사상을 창시함.
275 (2608) 을미	14	6	42		**12** 진, 전염병이 유행함. ▶로마, 아우렐리아누스Aurelianus 황제 피살: 타키투스Tacitus 즉위.

연대	신라	고구려	백제	우리 나라	다른 나라
276 (2609) 병신	15	7	43	**2** 신라, 신하들이 궁궐을 고치기를 청함: 왕이 불허함. **4~8** 고구려, 왕이 신성新城에 순행함: 8월 환궁.	**10** 진, 국자학國子學을 설치함. 양호羊祜가 오吳 정벌을 건의함. ▶로마, 새 성벽공사를 완성함.
277 (2610) 정유	16	8	44	▶백제, 진晋에 사신을 보내 통교함.	▶진, 공신功臣을 책봉함. ▶로마, 갈리아Galia와 게르마니아Germania에 원정함. ▶페르시아, 마니Mani가 순교함.
278 (2611) 무술	17	9	45	**10** 신라, 파진찬 정원正原이 괴곡성槐谷城에 침입한 백제군을 막음.	**11** 진, 두예杜預가 진남대장군鎭南大將軍에 오름. 양호楊虎 사망.
279 (2612) 기해	18	10	46		**11** 진, 오吳를 공격함. ▶진, 흉노의 유연劉淵을 좌부수左部帥로 삼음.
280 (2613) 경자	19	11	47	**10** 고구려, 왕제 달가達賈가 숙신의 침입을 물리치고 항복 받음: 달가를 안국군安國君에 봉하고 병마사兵馬事를 맡김.	**3** 오, 진晋에 항복함: 오 멸망. 진晋의 국내 통일. ▶진, 점전법占田法을 공포함.
281 (2614) 신축	20	12	48		**10** 진, 선비족이 창려昌黎에 침입해 옴. ▶진, 호조식戶調式을 시행함.
282 (2615) 임인	21	13	49		**12** 진, 제왕齊王 유攸가 대사마가 됨. ▶로마, 카루스Carus 황제 즉위.
283 (2616) 계묘	22	14	50	**2** 백제, 일본에 옷 짓는 공녀工女를 파견함. **10** 신라 양질良質, 괴곡성槐谷城에 침입한 백제군을 막음.	**3** 진, 제왕齊王 유攸 사망. ▶진, 양저우揚州 등지에 홍수가 발생함. ▶로마, 페르시아를 격파함.
284 (2617) 갑진	유례 1	15	51	**10** 신라, 미추이사금 사망: 유례이사금儒禮尼師今 즉위.	▶진, 전국 과세를 3분의 1로 경감해 줌. ▶로마, 디오클레티아누스Diocletianus 황제 즉위.
285 (2618) 을사	2	16	52	**2** 신라, 홍권弘權을 서불한舒弗邯에 임명함. ▶부여, 선비족 모용외慕容廆의 침입을 받음: 의려왕依慮王 자살하고 그 자제들은 옥저沃沮로 피함.	▶진 진수陳壽, 《삼국지三國志》를 지음. ▶선비족 모용외慕容廆, 모용부의 수장이 됨. ▶로마, 카루스Carus 황제 피살.

연대	신라	고구려	백제	우리나라	다른나라
286 (2619) 병오	유례 3	서천 17	책계 1	**2** 고구려, 왕의 아우 일우逸友 · 소발素渤 등이 반란 꾀하다 처형됨. **10** 백제, 아차성阿且城 · 사성蛇城을 쌓아 고구려 침입에 대비함. **11** 백제, 고이왕 사망: 책계왕責稽王 즉위. 고구려가 대방군을 공격하자 이를 구원함. ▶부여, 진晋의 원조로 국력을 회복함.	▶로마, 양분됨: 디오클레티아누스Diocletianus는 동부, 막시미아누스Maximianus는 서부를 맡음.
287 (2620) 정미	4	18	2	**4** 신라, 왜인이 일례부一禮部에 침입해옴.	**9** 진, 대묘전大廟殿을 개수함. ▶로마, 색슨족Saxon族이 침입하기 시작함.
288 (2621) 무신	5	19	3	**9** 고구려, 지진이 발생함. ▶대방태수 장무이묘張撫夷墓를 축조함.	▶진, 뤄양洛陽에 전염병이 크게 유행함. ▶로마, 알렉산드리아Alexandria에 폭동 발생함. 페르시아로부터 아르메니아를 취함.
289 (2622) 기유	6	20	4	**5** 신라, 왜의 침입에 대비하여 배와 무기를 정비함.	**5** 진, 선비족 모용외慕容廆의 항복 받고 도독都督으로 삼음.
290 (2623) 경술	7	21	5	**4** 신라, 홍수로 월성月城이 무너짐.	**4** 진, 무제武帝 사망: 혜제惠帝 즉위. 황후 가씨賈氏(가후賈后)가 집정함. ▶흉노 유연劉淵, 북부도위가 됨.
291 (2624) 신해	8	22	6	**1** 신라, 말구末仇를 이벌찬에 임명함. 가야, 마품왕 사망: 거질미왕居叱彌王 즉위. ▶신라, 월성月城을 보수함.	**3** 진 가후賈后, 태부 양준楊駿을 죽이고 양태후楊太后를 폐함. **6** 진 가후, 여남왕汝南王 양亮을 죽임.
292 (2625) 임자	9	봉상 1	7	**6** 신라, 일길찬 대곡大谷이 사도성沙道城에 침입한 왜구를 막음. ▶고구려, 서천왕 사망: 봉상왕烽上王 즉위.	**2** 진 가후賈后, 양태후楊太后를 금용성金墉城에서 살해함.
293 (2626) 계축	10	2	8	**2** 신라, 사도성沙道城을 개축하고 사벌주沙伐州의 민호民戶를 이주시킴. **8** 고구려, 모용외慕容廆 침입을 파함.	▶로마, 동 · 서에 각각 부제副帝를 둠.

연대	신라	고구려	백제	우리 나라	다른 나라
294 (2627) 갑인	11	3	9	**9** 고구려, 창조리倉助利를 국상國相에 임명함. ▶신라, 장봉성長峰城에 침입한 왜구를 격파함.	▶진, 모용외慕容廆가 대극성大棘城으로 옮김. ▶로마, 게르만족German族을 토벌함.
295 (2628) 을묘	12	4	10	▶신라, 일본 정벌 방안을 논의함.	**10** 진, 무고武庫에 화재 발생함: 역대 보물 전소. ▶로마, 브리타니아Britannia 및 아프리카를 진압함.
296 (2629) 병진	13	5	11	**8** 고구려, 모용외慕容廆가 재침하여 서천왕의 능묘를 파냄. 고노자高奴子를 신성태수新城太守로 삼아 모용외의 침입에 대비함.	**5** 진, 흉노의 반란 일어남. **8** 진, 저강氐羌의 반란 일어남. ▶로마, 이집트의 반란을 평정함.
297 (2630) 정사	14	6	12	**1** 신라, 이서국伊西國이 침입하여 금성金城을 포위함.	▶진, 진수陳壽 사망. ▶로마, 페르시아와 싸워 티그리스강Tigris江까지 영토를 넓힘.
298 (2631) 무오	기림 1	7	분서 1	**9** 백제, 한인漢人 · 맥인貊人에게 책계왕이 전사함: 분서왕汾西王 즉위. **12** 신라, 유례이사금 사망: 기림이사금基臨尼師今 즉위.	▶진, 한천漢川의 유민流民을 위무함.
299 (2632) 기미	2	8	2	**1** 신라, 장흔長昕을 이찬으로 삼아 병마사兵馬事를 겸임케 함.	**1** 진, 저강氐羌의 반란을 평정함. **11** 진 가후賈后, 태자를 폐함.
300 (2633) 경신	3	미천 1	3	**3** 신라, 낙랑군 · 대방군 유민들이 항복해 옴. **8** 고구려, 국상 창조리倉助利가 봉상왕을 폐하고 미천왕美川王을 세움: 봉상왕 자살. ▶이 무렵, 고구려의 무용총舞踊塚 · 각저총角抵塚 이룩됨.	**4** 진, 조왕趙王 윤倫이 가후賈后를 죽이고 집정함. **8** 진, 회남왕懷南王이 조왕趙王에게 패사함: 8왕의 난 일어남.
301 (2634) 신유	4	2	4	▶이 무렵, 고령지산동고분 · 동래복천동고분 이룩됨.	**1** 진 조왕趙王, 황제를 칭함: 4월에 피살. ▶로마 디오클레티아누스Diocletianus 황제, 최고가격령을 공포함.
302 (2635) 임술	5	3	5	**9** 고구려, 현도군을 공격하여 8천명을 사로잡아 평양으로 옮김.	**12** 진 장사왕長沙王, 제왕齊王 문冏을 죽임. ▶이특李特, 성成을 세움: 청두成都에 근거.

연 대	신라	고구려	백제	우 리 나 라	다 른 나 라
303 (2636) 계해	기림 6	미천 4	분서 6		**2** 진 나상羅尙, 이특李特을 참살함. **8** 진, 성도왕成都王 영穎과 하간왕河間王 옹顒이 반란 일으킴. ▶로마, 크리스트교 박해 가함.
304 (2637) 갑자	7	5	비류 1	**2** 백제, 낙랑군 서쪽 현을 취함. **10** 백제 분서왕, 낙랑태수가 보낸 자객에게 피살됨: 비류왕比流王 즉위.	**1** 진, 장사왕長沙王 피살. **8** 진, 동안왕東安王 피살. **10** 이웅李雄, 성도왕成都王을 칭함. 유연劉淵, 한왕漢王을 칭함.
305 (2638) 을축	8	6	2		**7** 갈羯의 석륵石勒 일어남. **12** 성도왕 영穎, 뤄양洛陽에 근거지를 정함.
306 (2639) 병인	9	7	3		**6** 이웅李雄, 황제 칭하고 국호를 대성大成이라 함. **10** 진, 성도왕成都王 영穎 피살. **12** 진, 하간왕河間王 옹顒 피살: 8왕의 난 수습됨. ▶로마, 콘스탄티누스 1세 황제 즉위.
307 (2640) 정묘	10	8	4	▶신라, 국호로 신라新羅를 사용하기 시작함.	**7** 석륵石勒, 한漢에 항복함. ▶흉노 모용외慕容廆, 대선우大單于를 칭함.
308 (2641) 무진	11	9	5	**1** 백제, 일식 현상이 나타남.	**1** 진, 석륵石勒이 침입하였다가 패배하여 물러남. **10** 한 유연劉淵, 황제를 칭함.
309 (2642) 기사	12	10	6		**1** 한漢, 평양平陽으로 천도함. ▶한 유총劉聰, 진의 뤄양洛陽에 침입해 옴.
310 (2643) 경오	흘해 1	11	7	**6** 신라, 기림이사금 사망: 흘해이사금訖解尼師今 즉위.	**7** 한漢, 유연劉淵 사망: 아들 유화劉和 즉위. 동생 유총劉聰이 유화劉和를 죽이고 즉위함. **10** 진, 의려猗盧를 대공代公에 봉함. ▶진, 서역 승려 불도징佛圖澄이 뤄양에 옴.
311 (2644) 신미	2	12	8	**1** 신라, 급리急利를 아찬에 임명해 정사와 병마사를 겸임케 함. **2** 신라, 왕이 시조묘에 제사 지냄. **8** 고구려, 요동 서안평西安平을 취함.	**6** 진, 한이 침입하여 뤄양洛陽을 점령함. 회제懷帝 탈출: 영가永嘉의 난. ▶로마 콘스탄티누스Constantinus 1세, 크리스트교 박해 중지령을 발포함.

연대	신라	고구려	백제	우리 나라	다른 나라
312 (2645) 임신	3	13	9	**3** 신라, 아찬 급리急利의 딸을 왜의 왕자와 혼인케 함. **4** 백제, 해구解仇를 병관좌평에 임명함.	**9** 진 가필賈疋, 장안長安(지금의 시안西安)을 회복함. **12** 진 가필, 도적에게 피살됨. ▶석륵石勒, 양국襄國에 근거함.
313 (2646) 계유	4	14	10	**1** 백제, 왕이 친히 제수를 마련하여 하늘에 제사 지냄. **10** 고구려, 낙랑군을 멸함: 한사군漢四郡 소멸.	**2** 한 유총劉聰, 진의 회제懷帝를 죽임. **4** 진, 민제愍帝 즉위. ▶진 장궤張軌, 전량前凉을 세움: 깐수성甘肅城에 근거함. ▶로마 콘스탄티누스 1세, 밀라노칙령Milano勅令을 반포함: 크리스트교 공인.
314 (2647) 갑술	5	15	11	**1** 고구려, 왕자 사유斯由를 태자로 삼음. 신라, 급리急利를 이찬에 임명함. **9** 고구려, 대방군을 점령함.	**6** 진, 한의 침입을 격파함. ▶로마 콘스탄티누스 1세, 리키니우스Licinius에 승리하여 마케도니아와 그리스 지방을 취함.
315 (2648) 을해	6	16	12	**2** 고구려, 현도성玄菟城을 공격하여 점령함. **8** 고구려, 혜성이 출현함.	**2** 진 사마예司馬睿, 승상丞相이 됨. **6** 진 왕돈王敦, 주군사도독이 됨. ▶진 의려倚廬, 대왕代王을 칭함.
316 (2649) 병자	7	17	13	▶백제, 봄에 가뭄이 발생함.	**2** 진 의려倚廬, 장자 육수六修에게 죽임을 당함. **11** 한, 진의 장안長安(지금의 시안西安)을 함락함: 진晋 멸망. 5호16국시대 시작.
317 (2650) 정축	8	18	14		**3** 사마예司馬睿, 진왕晋王에 즉위함: 동진東晋 건국. **12** 한, 진晋의 민제를 시해함.
318 (2651) 무인	9	19	15		**3** 동진 진왕, 황제를 칭함. **7** 한, 유총劉聰 사망. **10** 한 유요劉曜, 적벽赤壁에서 자립함: 석륵石勒을 조공趙公으로 함.
319 (2652) 기묘	10	20	16	**12** 고구려, 동진東晋 평주자사 최비崔毖가 모용외慕容廆를 치다가 패하여 도망옴.	**10** 석륵石勒, 후조後趙를 세움. ▶한 유요劉曜, 국호를 조趙로 개칭함: 전조前趙.
320 (2653) 경진	11	21	17	**8** 백제, 궁성 서쪽에 사대射臺를 설치함. **12** 고구려, 요동을 공격하다 모용인慕容仁에게 패함.	▶전조, 태학太學을 설립함. ▶후조, 9품九品을 제정함. ▶인도, 굽타Gupta 왕조가 시작됨.
321 (2654) 신사	12	22	18	**1** 백제, 왕의 이복동생 우복優福을 내신좌평內臣佐平에 임명함.	**3** 후조, 유주 · 익주 · 병주를 함락함. ▶로마 콘스탄티누스Constantinus 1세, 고트족과 전쟁 벌임.

연대	신라	고구려	백제	우리 나라	다른 나라
322 (2655) 임오	흘해 13	미천 23	비류 19		**1** 동진, 왕돈王敦의 난 일어남. ▶로마 리키니우스Licinius, 군인 · 관리 중에서 크리스트교도를 추방함.
323 (2656) 계미	14	24	20		**6** 전조, 항복해 온 장무張茂를 양왕凉王으로 삼음.
324 (2657) 갑신	15	25	21	**7** 고구려, 일본에 철鐵로 만든 방패와 과녁을 보냄.	**7** 동진 왕돈王敦, 반란 일으키다 패사함. ▶로마 콘스탄티누스Constantinus 1세, 리키니우스Licinius 격파: 로마 통일.
325 (2658) 을유	16	26	22	**11** 백제, 왕이 구원狗原 북쪽에서 사냥함.	▶로마, 니케아Nicaea공의회를 개최함: 아타나시우스Athanasius의 삼위일체설三位一體說을 정통교리로 삼음. 리키니우스Licinius가 반란 모의 혐의로 처형됨.
326 (2659) 병술	17	27	23		**11** 후조, 수춘壽春을 침공함. **12** 후조, 9류九流를 정함. ▶로마, 성 피에트로 사원을 건립함.
327 (2660) 정해	18	28	24	**9** 백제, 내신좌평 우복優福이 북한산성北漢山城에서 반란 일으켰으나 평정됨.	**11** 동진, 소준蘇峻의 반란 일어남. ▶전조, 허난河南 지역을 취함.
328 (2661) 무자	19	29	25		**9** 동진 도간陶侃, 소준蘇峻을 참살함. **12** 후조 석륵, 전조의 유요劉曜를 살해함. ▶로마 아타나시우스Athanasius, 알렉산드리아 사교司敎가 됨.
329 (2662) 기축	20	30	26		**8** 후조 석륵石勒, 전조의 태자 희熙를 살해함: 전조前趙 멸망. ▶대왕代王 예괴翳槐가 자립함.
330 (2663) 경인	21	31	27	▶고구려, 후조後趙에 사신 보냄. ▶백제, 벽골제碧骨堤를 축조함.	**9** 후조 석륵石勒, 황제를 칭함. ▶로마, 수도를 비잔티움Byzantium으로 옮기고 콘스탄티노플Constantinople이라 개칭함.
331 (2664) 신묘	22	고국원 1	28	**2** 고구려, 미천왕 사망: 고국원왕故國原王 즉위.	▶동진, 도간陶侃의 청으로 모용외慕容廆를 연왕燕王에 봉함. ▶로마, 안티오키아Antiochia의 대8각당사원大八角堂寺院을 세움.
332 (2665) 임진	23	2	29	**2** 고구려, 왕이 졸본卒本에서 시조묘始祖廟에 제사 지냄: 3월에 환도.	▶동진, 도간을 보내 샹양襄陽을 공략함. ▶로마, 콜로나투스Colonatus(토지 정착 강제법)를 공포함.

연대	신라	고구려	백제	우리 나라	다른 나라
333 (2666) 계사	24	3	30	5 백제, 왕궁에 불이 나서 민가로 번짐. 10 백제, 왕궁을 수리함. 진의眞義를 내신좌평에 임명함.	5 모용외慕容廆 사망: 모용황慕容皝이 뒤를 이어 전연前燕을 세움. 7 후조, 석륵石勒 사망: 석홍石弘 즉위.
334 (2667) 갑오	25	4	31	8 고구려, 평양성을 증축함.	10 성成, 이월李越이 왕을 죽이고 동생 기期를 세움. 11 후조 석호石虎, 석홍을 죽이고 즉위함.
335 (2668) 을미	26	5	32	1 고구려, 북쪽에 신성을 쌓음. 7 고구려, 이른 서리로 곡식이 피해 입음. 10 백제, 일식 현상이 나타남.	9 후조, 업鄴으로 천도함. ▶후조, 불도징佛圖澄을 국사國師로 삼음. ▶랑고바르드족Langobard族이 고트족으로부터 독립함.
336 (2669) 병신	27	6	33	1 백제, 혜성 출현함. 3 고구려, 동진東晋에 사신 보내 방물을 전함.	1 전연 모용황慕容皝, 모용인慕容仁을 격파함. 11 후조, 태무전太武殿과 동서궁東西宮을 건립함.
337 (2670) 정유	28	7	34	1 고구려, 요동 모용인慕容仁의 부하였던 동수冬壽 등이 귀화해 옴. 2 신라, 백제에 사신 보내 교빙함.	1 후조 석호石虎, 천왕天王이라 칭함. ▶동진, 태학太學 세움. ▶모용황, 연왕燕王을 칭함. ▶로마, 콘스탄티누스Constantinus 1세 사망: 세 아들 즉위하여 로마 3분.
338 (2671) 무술	29	8	35	▶고구려, 전연前燕의 호군護軍 송황宋晃 등이 후조 군사에게 패하여 망명해 옴. 후조가 고구려와 제휴하여 둔전병屯田兵 1만을 양성함.	4 성成의 이수李壽, 왕을 죽이고 자립함: 한漢(성한成漢)으로 개칭함. ▶대왕代王 예괴翳槐 사망.
339 (2672) 기해	30	9	36	▶고구려, 전연前燕 모용황慕容皝 군사가 신성新城에 침입하자 화의를 요청함.	▶페르시아, 크리스트교 박해를 시작함.
340 (2673) 경자	31	10	37	▶고구려, 태자를 전연前燕의 모용황慕容皝에게 보냄.	3 대代, 운중雲中으로 천도함. 10 후조, 전연前燕을 정벌함. ▶로마 콘스탄티누스Constantinus 2세, 콘스탄스와 싸우다 전사함.
341 (2674) 신축	32	11	38		1 전연, 용성龍城을 축조함. 2 동진, 전연의 모용황慕容皝을 연왕燕王에 봉함.

연대	신라	고구려	백제	우리나라	다른나라
342 (2675) 임인	흘해 33	고국원 12	비류 39	**2** 고구려, 환도성과 국내성을 수축함. **8** 고구려, 왕이 환도성으로 옮김. **11** 고구려, 전연 모용황의 침입으로 환도성이 함락됨: 미천왕릉 도굴당함.	**10** 전연前燕, 용성龍城으로 천도함. ▶후조, 뤄양洛陽·장안長安에 궁궐을 건립함.
343 (2676) 계묘	34	13	40	**2** 고구려, 전연前燕에 방물을 전함: 미천왕의 시신을 돌려받음. **7** 고구려, 왕이 평양 동황성東黃城으로 옮김.	▶성한成漢, 이수李壽 사망.
344 (2677) 갑진	35	14	계 1	**2** 신라, 일본의 혼인관계 요청을 거절함. **10** 백제, 비류왕 사망: 계왕契王 즉위.	**3** 전연前燕, 우문부宇文部를 멸함.
345 (2678) 을사	36	15	2	**1** 신라, 강세康世를 이벌찬에 임명함. **2** 신라, 일본이 절교를 통고해옴. **10** 고구려, 전연前燕의 모용각慕容恪이 남소성南蘇城을 빼앗음.	**1** 후조, 낙양궁洛陽宮을 수축함. **12** 동진 장준張駿, 스스로 양왕涼王이라 칭함.
346 (2679) 병오	37	16	근초고 1	**7** 가야, 거질미왕 사망: 이시품왕伊尸品王 즉위. ▶백제, 계왕 사망: 근초고왕近肖古王 즉위. ▶신라 강세康世, 포항 앞바다 풍도風島와 금성에 침입한 왜병을 격파함.	**5** 양涼, 장준張駿 사망: 아들 장중화張重華가 뒤를 이음. **11** 동진 환온桓溫, 성한成漢을 토벌함. ▶로마, 그리스 신전神殿 폐쇄령을 내림.
347 (2680) 정미	38	17	2	▶백제, 진정眞淨을 조정좌평朝廷佐平에 임명함. ▶부여, 전연前燕의 침략을 받아 왕 등 5만여명이 잡혀감.	**3** 동진, 성한 왕 이세李勢의 항복을 받음: 성한成漢 멸망. **4** 양 장중화張重華, 후조의 공격을 막아냄.
348 (2681) 무신	39	18	3		**9** 전연, 모용황慕容皝 사망: 아들 모용준慕容儁 즉위. ▶동진, 불도징佛圖澄 사망.
349 (2682) 기유	40	19	4	▶고구려, 338년에 망명한 송황宋晃을 전연前燕으로 돌려보냄.	**1** 후조 석호石虎, 황제를 칭함. **4** 후조, 석호石虎 사망: 석세石世 즉위. 석준石遵이 석세石世를 시해하고 즉위함. ▶겨울. 후조 석감石鑒, 석준石遵을 시해하고 즉위함. ▶전연 모용준慕容儁, 베이징北京으로 도함: 대연大燕이라 칭함.

연대	신라	고구려	백제	우리 나라	다른 나라
350 (2683) 경술	41	20	5	**4** 신라, 큰비 내려 홍수로 피해 입음.	**윤1** 후조 염민冉閔, 자립하여 국호를 위魏로 고침: 석호의 아들 석지石祗가 황제 칭함. ▶동고트 헤르만리크왕Hermanrik王, 남러시아에 왕국을 건설함.
351 (2684) 신해	42	21	6		**1** 부건符健, 진천왕秦天王이라 칭함: 전진前秦 건국. **4** 후조 석지, 유현劉顯에게 피살됨: 후조 멸망.
352 (2685) 임자	43	22	7		**1** 전진 부건符健, 황제를 칭함. **4** 전연, 염민冉閔을 살해함: 위魏 멸망. **11** 전연 모용준慕容儁, 황제를 칭함.
353 (2686) 계축	44	23	8	▶고구려, 영화9년명전永和九年銘塼을 제작함.	**11** 전량, 장조張祚 즉위. ▶로마 콘스탄티우스Constantius 2세, 마그넨티우스Magnentius를 정복하고 로마 통일을 이룸.
354 (2687) 갑인	45	24	9		**1** 전량 장조張祚, 양왕凉王이라 칭함. **4** 동진 환온桓溫, 전진을 파함. ▶로마 콘스탄티우스 2세, 가루스 부제副帝 죽이고 율리아누스Julianus 부제 세움.
355 (2688) 을묘	46	25	10	**1** 고구려, 왕자 구부丘夫를 태자로 삼음. **12** 고구려, 주씨周氏가 전연前燕에서 귀환함.	**윤9** 전량, 장조張祚 피살: 장현정張玄靜 즉위. ▶로마, 밀라노Milano 종교회의 개최: 아리우스파Arius派가 아타나시우스파Athanasius派를 배척함.
356 (2689) 병진	내물 1	26	11	**4** 신라, 흘해이사금 사망: 내물마립간奈勿麻立干 즉위. 김씨의 왕위 세습 시작: 왕호를 이사금에서 마립간麻立干으로 바꿈.	**11** 전연, 산둥山東 지방을 평정함. ▶로마 율리아누스Julianus 부제副帝, 갈리아Galia와 게르마니아Germania에 출정함.
357 (2690) 정사	2	27	12	**10** 고구려, 안악3호분의 동수묵서명冬壽墨書銘이 이룩됨.	**6** 전진 부견符堅, 왕을 죽이고 자립하여 천왕이라 함. **11** 전연, 업鄴에 수도 정함.
358 (2691) 무오	3	28	13	**2** 신라, 왕이 시조묘始祖廟에 제사 지냄.	**12** 동진 순이荀羡, 전연을 토벌함. ▶전연, 허난河南 지방을 정복하고 랴오둥遼東 지방을 지킴.
359 (2692) 기미	4	29	14		▶동진 제갈유諸葛攸, 전연의 군사에게 패배함. ▶로마, 페르시아와의 전쟁에서 패배함: 페르시아, 시리아에 침입함.

연대	신라	고구려	백제	우리 나라	다른 나라
360 (2693) 경신	내물 5	고국원 30	근초고 15		**1** 전연 모용각慕容恪, 태재太宰에 오름. ▶로마, 성소피아聖Sophia 성당을 건립함. ▶인도 굽타Gupta 왕조, 스리랑카Sri Lanka 사신이 옴.
361 (2694) 신유	6	31	16		▶로마, 율리아누스Julianus 황제가 〈크리스트교 반박론〉을 지음. 이교異教 관용령을 발포함.
362 (2695) 임술	7	32	17		**1** 동진, 전세田稅를 감함. ▶동진 환온桓溫, 뤄양洛陽에 침입한 전연의 군사를 격파함. ▶전진 부견符堅, 대학大學에 행차함.
363 (2696) 계해	8	33	18		**8** 전량 장천석張天錫, 왕을 죽이고 자립함. ▶로마 율리아누스Julianus 황제, 페르시아와 싸우다 전사함.
364 (2697) 갑자	9	34	19	**4** 신라, 왜구의 침입을 부현斧峴 동쪽 벌판에서 격퇴함.	**3** 동진, 토단법土斷法(호적법戶籍法)을 제정함. ▶로마, 다시 동 · 서로 양분됨.
365 (2698) 을축	10	35	20		▶전연, 뤄양洛陽을 함락함. ▶전진, 둔황敦煌에 천불동千佛洞을 조성함.
366 (2699) 병인	11	36	21	**3** 백제, 신라에 사신 보냄. ▶고구려, 도림道琳 사망.	▶전진, 둔황석굴을 조성하기 시작함. ▶동로마제국, 콘스탄티노플Constantinople에 수도首道를 가설함.
367 (2700) 정묘	12	37	22		**2** 전연, 모용각慕容恪 사망. ▶로마, 토지와 분리된 콜로니Colony(경작지) 및 노예 매매를 금지함.
368 (2701) 무진	13	38	23	▶ 백제, 신라에 사신 보냄.	**12** 동진, 환온桓溫을 특별히 예우하여 제후의 위에 둠. ▶동진 왕현王晛, 자기 집을 사찰로 삼음.
369 (2702) 기사	14	39	24	**5** 백제, 칠지도七支刀를 만들어 일본 왕에게 보냄. **9** 고구려, 치양성雉壤城(황해도 배천白川)에서 백제에 대패함. **11** 백제, 한강 남쪽에서 군사를 사열함.	▶동진 환온桓溫, 전연前燕과 싸우다 패퇴함. ▶전진, 뤄양洛陽을 빼앗음.

연 대	신라	고구려	백제	우 리 나 라	다 른 나 라
370 (2703) 경오	15	40	25	**10** 고구려, 일본에 사신을 파견함. ▶고구려, 전연의 태부 모용평慕容評이 망명해 오자 이를 잡아 전진前秦으로 보냄.	**11** 전진 부견符堅, 전연前燕을 멸함.
371 (2704) 신미	16	소수림 1	26	**10** 고구려, 백제 침략으로 고국원왕이 전사함: 소수림왕小獸林王 즉위. ▶백제, 한산漢山으로 천도함.	**1** 전진, 토곡혼吐谷渾이 조공해옴. ▶동진 환온桓溫, 황제 폐하고 간문제簡文帝를 세움.
372 (2705) 임신	17	2	27	**1** 백제, 동진에 사신 보냄. **6** 고구려, 태학太學을 세움. 전진前秦의 승려 순도順道가 불상과 불경을 전해 옴: 불교 전래의 시초.	**6** 전진 왕맹王猛, 재상에 오름. **7** 동진, 간문제簡文帝 사망: 효무제孝武帝 즉위.
373 (2706) 계유	18	3	28	**7** 백제, 청목령靑木嶺에 성을 쌓음. **11** 신라, 백제의 독산성주禿山城主가 300명을 이끌고 항복해 옴: 6부에 나누어 살게 함. ▶고구려, 율령律令을 반포함.	**7** 동진, 환온桓溫 사망. **8** 동진, 숭덕태후崇德太后가 섭정함. ▶로마, 아타나시우스 사망.
374 (2707) 갑술	19	4	29		**2** 전진 사안謝安, 상서尙書에 오름. ▶훈족Huns, 볼가강Volga江을 건너 고트족을 압박함.
375 (2708) 을해	20	5	근구수 1	**2** 고구려, 성문사省門寺 · 이불란사伊弗蘭寺 창건. **7** 고구려, 백제 수곡성水谷城(황해도 신계新溪)을 함락함. **11** 백제, 근초고왕 사망: 근구수왕近仇首王 즉위. ▶백제, 근초고왕 때 고흥高興이 《서기書記》를 편찬함. 아직기阿直岐가 일본에 가서 일본 태자의 스승이 됨. 왕인王仁이 일본에 《논어論語》와 《천자문千字文》을 전함.	**10** 전진, 노장도참학老莊圖讖學을 금함. ▶훈족Huns, 동고트족東Goths을 정복함. ▶서고트족西Goths, 로마제국에 침입함: 게르만족German族 대이동 시작.
376 (2709) 병자	21	6	2	**11** 고구려, 백제 북부를 공격함. ▶백제, 진고도眞高道를 내신좌평內臣佐平에 임명함.	**8** 전량, 전진에 항복함: 전량前凉 멸망. **12** 전진, 대代를 멸망시키고 화베이華北지방을 통일함. ▶로마, 이교異敎 금지령 내림. 페르시아와 화친함.

연대	신라	고구려	백제	우리 나라	다른 나라
377 (2710) 정축	내물 22	소수림 7	근구수 3	**7** 신라, 전진前秦에 사신을 보냄. **10** 백제, 고구려 평양성에 침입함. **11** 고구려, 전진에 사신을 보냄.	▶전진, 서남이족西南夷族이 조공해 옴.
378 (2711) 무인	23	8	4	**9** 고구려, 거란에게 북부 8개 마을이 함락됨.	**4** 전진, 남양南陽을 함락함. ▶동로마 바렌스Valens 황제, 서고트족과의 아드리아노플Adrianople 전쟁에서 전사함.
379 (2712) 기묘	24	9	5	**3** 백제, 동진東晋에 가던 사신이 해상에서 폭풍을 만나 다시 돌아옴.	▶동진, 왕희지王羲之 사망. ▶동로마제국, 테오도시우스Theodosius 황제 즉위.
380 (2713) 경진	25	10	6	**5** 백제, 지진이 발생함.	**2** 전진, 교무당敎武堂을 세움. ▶로마, 칙령 내려 정통파 크리스트교만 믿도록 함.
381 (2714) 신사	26	11	7	**2** 신라, 위두衛頭를 전진前秦에 사신으로 보냄.	**1** 동진, 궁궐 안에 불정사佛精舍 세움. **2** 전진, 동이東夷와 서역 62개국으로부터 조공 받음. ▶콘스탄티노플 종교회의 개최.
382 (2715) 임오	27	12	8	**6** 백제, 계속된 가뭄으로 극심한 기근이 발생함.	**9** 전진, 서역을 토벌함. ▶전진, 동이東夷 5개국이 조공해 옴. ▶로마, 빈민의 이주를 금함.
383 (2716) 계미	28	13	9		**8** 동진, 전진의 침입을 받음. ▶서로마제국, 그라티아누스Gratianus 황제가 암살당함.
384 (2717) 갑신	29	고국양 1	침류 1	**4** 백제, 근구수왕 사망: 침류왕枕流王 즉위. **9** 백제, 마라난타摩羅難陀가 동진東晋에서 들어와 불교를 전함. **11** 고구려, 소수림왕 사망: 고국양왕故國壤王 즉위.	**1** 모용수慕容垂, 왕을 칭함: 후연後燕 건국. **4** 요장姚萇, 진왕晋王을 칭함: 후진後秦 건국. ▶로마, 게르만족을 토벌함.
385 (2718) 을유	30	2	진사 1	**2** 백제, 한산漢山에 사찰을 건립함. **6** 고구려, 요동과 현도군을 함락하고 1만명을 포로로 함. **11** 고구려, 전연 왕 모용농慕容農이 침입해 요동과 현도군을 회복함. ▶백제, 침류왕 사망: 진사왕辰斯王 즉위.	**8** 요장, 전진 부견을 시해하고 즉위함. ▶걸복국인乞伏國仁, 서진西秦을 세움. ▶인도 찬드라굽타Chandragupta 2세, 굽타 왕조의 최전성기를 이룸.

연대	신라	고구려	백제	우리 나라	다른 나라
386 (2719) 병술	31	3	2	**8** 고구려, 백제를 침범함. ▶백제, 관방關防을 설치하여 국방을 강화함.	**1** 척발규拓跋珪, 대왕代王이라 칭함. **4** 대代, 국호를 북위北魏(후위後魏)로 개칭함. **12** 전진 여광呂光, 자립하여 후량後涼을 세움.
387 (2720) 정해	32	4	3	**9** 백제, 관미령關彌嶺에서 말갈과 전투 벌임.	▶로마 아우구스티누스 Augustinus, 세례 받음. 《독어록獨語錄》을 지음.
388 (2721) 무자	33	5	4	**4** 고구려, 가뭄으로 큰 피해 입음. **6** 신라, 지진이 발생함.	**7** 거란, 북위를 침입함. ▶로마, 유대교를 금지하고 유대인과의 혼인을 금함.
389 (2722) 기축	34	6	5	**9** 백제, 고구려의 남쪽 변방을 공격함.	▶로마 아우구스티누스 Augustinus, 아프리카로 가서 승원僧院 생활을 시작함. ▶이 무렵, 인도 무착無着이 《유가사지론瑜伽師地論》을 지음.
390 (2723) 경인	35	7	6	**9** 백제 진가모眞嘉謨, 고구려를 공격하여 도압성都押城을 함락함: 그 공으로 병관좌평兵官佐平에 임명됨.	**1** 서연西燕, 뤄양洛陽에 침입함. **7** 후진後秦, 전진을 격파함. ▶동진 혜원慧遠, 백련사白蓮社를 결성함.
391 (2724) 신묘	36	광개토 1	7	**1** 백제, 궁궐을 중수함. **4** 백제, 말갈이 적현성赤峴城에 침입해 옴. **5** 고구려, 고국양왕 사망: 광개토왕廣開土王 즉위. 영락永樂 연호를 사용함. **8** 고구려, 평양에 9개 사찰을 창건함.	**10** 북위, 유연柔然을 격파함. 흉노의 여러 고을이 항복해 옴. ▶로마, 이교異教를 금함.
392 (2725) 임진	37	2	아신 1	**1** 신라, 실성實聖을 고구려에 볼모로 보냄. **7** 고구려, 백제를 공격하여 10성을 빼앗음. **11** 백제, 진사왕 사망: 아신왕阿莘王 즉위.	▶서로마 발렌티니아누스 2세, 갈리아인에게 피살됨. ▶동로마제국, 크리스트교를 국교로 함.
393 (2726) 계사	38	3	2	**5** 신라, 금성金城을 포위해 온 왜인들을 격파함. **7** 고구려, 백제군이 침입하자 왕이 친히 군사 5천을 거느리고 나아가 격파함.	**10** 후연, 서연西燕을 토벌함. ▶고대 최후의 올림픽 경기를 실시함.

연대	신라	고구려	백제	우리나라	다른나라
394 (2727) 갑오	내물 39	광개토 4	아신 3	**2** 백제, 전지腆支를 태자로 삼음. 7 백제, 고구려와 수곡성水谷城 아래에서 싸워 패배함. **8** 고구려, 백제 침입에 대비하여 남방에 7성을 쌓음.	▶서연西燕 멸망. ▶후진, 전진前秦을 멸함. ▶동로마 테오도시우스Theodosius 황제, 로마를 통일함.
395 (2728) 을미	40	5	4	**8** 신라, 북변을 침범한 말갈을 격파함. 백제, 고구려 치다가 패강浿江(대동강大同江)에서 대패함. **11** 백제, 고구려를 공격하려다 눈 때문에 회군함. ▶고구려, 비려卑麗(거란)를 정벌함.	▶로마, 테오도시우스Theodosius 황제 사망: 두 아들이 동·서로 분할 통치. 동로마제국은 콘스탄티노플Constantinople, 서로마제국은 로마Roma에 수도 정함.
396 (2729) 병신	41	6	5	▶고구려, 수군으로 백제 수도를 공격하여 항복 받음: 백제의 왕의 동생과 대신 10명을 볼모로 삼음. 동진東晋 승려 담시曇始가 불경을 가지고 옴. ▶백제, 고구려에 남녀 1천명과 베 1천필을 보내 화의를 요청함.	**9** 동진, 효무제 피살: 안제安帝 즉위. ▶후량 여광呂光, 양천왕涼天王을 칭함. ▶서고트 알라리크Alaric, 그리스에 침입하여 약탈함.
397 (2730) 정유	42	7	6	**5** 백제, 일본과 수호하고 태자 전지腆支를 볼모로 보냄. 7 백제, 한수漢水 이남에서 군사를 사열함. ▶고구려, 후연後燕의 요동성을 점령함.	**1** 독발오고禿髮烏孤, 남량南涼을 세움. ▶단업段業, 북량北涼을 세움. ▶아우구스티누스Augustinus, 《고백록告白錄》을 지음.
398 (2731) 무술	43	8	7	**1** 고구려, 북위에 사신 보냄. **2** 백제, 진무眞武를 병관좌평兵官佐平에 임명함. **3** 백제, 쌍현성雙峴城을 쌓음. ▶고구려, 숙신을 정벌함.	**1** 모용덕慕容德, 남연南燕을 세움. ▶북위, 평성平城(지금의 다퉁大同)에 천도함: 궁궐과 사찰을 건립함. ▶아프리카에 길드guild 반란 일어남.
399 (2732) 기해	44	9	8	**8** 백제, 고구려 원정 위해 군사와 말을 징발함. ▶신라, 일본과 백제의 침입을 받음: 고구려에 원병을 청함.	**3** 북위, 오경박사를 둠. **12** 후량, 여광呂光 피살. ▶동진 법현法顯, 인도 순례를 시작함.
400 (2733) 경자	45	10	9	**1** 고구려, 후연後燕에 사신을 보냄. **2** 고구려, 후연後燕이 침입하여 신성新城과 남소성南蘇城을 함락함. ▶고구려, 보병과 기병 5만으로 백제·가야·일본 연합군을 격파하고 신라를 구원함.	7 서진, 후진後秦에 항복함. ▶이고李暠, 서량西涼을 세움. ▶히에로니무스Hieronymus, 《구약성서》를 라틴어로 번역함.

연대	신라	고구려	백제	우리나라	다른나라
401 (2734) 신축	46	11	10	**7** 신라, 고구려에 볼모로 가 있던 실성實聖이 돌아옴.	**5** 북량 저거몽손沮渠蒙遜, 단업段業을 살해함. ▶후진, 서역 승려 쿠마라지바(구마라습鳩摩羅什)가 장안長安(지금의 시안西安)에 도착함.
402 (2735) 임인	실성 1	12	11	**2** 신라, 내물마립간 사망: 실성마립간實聖麻立干 즉위. **3** 신라, 일본과 통교하고 미사흔未斯欣을 볼모로 보냄. ▶고구려, 후연의 숙군성宿軍城을 공격함.	**12** 동진 환현桓玄, 반란 일으킴. ▶서고트 알라리크Alaric, 로마를 점령함: 서로마제국, 라벤나Ravenna로 천도함.
403 (2736) 계묘	2	13	12	**1** 신라, 미사품未斯品을 서불한에 임명함. **7** 백제, 신라의 변경에 침입함. **11** 고구려, 후연後燕을 공격함.	**7** 후진 요흥姚興, 후량을 멸함. **12** 동진 환현桓玄, 황제를 칭함: 모거毛璩가 토벌함.
404 (2737) 갑진	3	14	13	**2** 신라, 왕이 시조묘始祖廟를 배알함. **11** 고구려, 왕이 후연後燕을 친히 정벌함. ▶고구려, 대방군帶方郡에 침입한 왜군을 대파함.	**2** 동진 유유劉裕, 환현桓玄을 토벌함. **9** 북위, 관제를 개정함. ▶동진 지용智勇, 구법차 인도에 감.
405 (2738) 을사	4	15	전지 1	**1** 고구려, 요동성에 침입한 후연後燕 왕 모용희慕容熙 군사를 격파함. **4** 신라, 명활성明活城에 침입한 왜구를 격퇴함. **9** 백제, 아신왕 사망: 전지왕腆支王 즉위.	**1** 후진, 서역 승려 쿠마라지바를 국사國師로 삼음. ▶동진 도연명陶淵明, 〈귀거래사歸去來辭〉 지음. ▶서로마제국, 색유리 사용함.
406 (2739) 병오	5	16	2	**1** 백제, 왕이 동명왕묘東明王廟를 배알하고 하늘에 제사 지냄. **2** 백제, 동진東晋에 사신 보냄. **12** 고구려, 목저성木底城에 침입한 후연 왕 모용희慕容熙 군사를 격파함.	**7** 남량, 북량北凉을 토벌함. ▶동진, 고개지顧愷之 사망.
407 (2740) 정미	6	17	3	**2** 백제, 여신餘信을 내신좌평에, 해수解須를 내법좌평에, 해구解丘를 병관좌평에 임명함. **4** 가야, 이시품왕 사망: 좌지왕坐知王 즉위.	**6** 혁련발발赫連勃勃, 하夏를 세움. **7** 후연 고운高雲, 왕을 시해하고 자립함.
408 (2741) 무신	7	18	4	**2** 신라, 쓰시마섬對馬島을 정벌하려다 중지함. 백제, 여신餘信을 상좌평에 임명하여 정사를 맡김. **12** 고구려, 평남 강서군의 덕흥리벽화고분이 완성됨.	▶후연, 남량南凉과 하夏에 패배함. ▶서고트 알라리크Alaric, 이탈리아를 침입하여 보상금을 받고 철수함.

연대	신라	고구려	백제	우리 나라	다른 나라
409 (2742) 기유	실성 8	광개토 19	전지 5	4 고구려, 왕자 거련巨連을 태자로 삼음. 7 고구려, 독산성禿山城 등 6성을 쌓고 백성을 이주케 함. ▶백제, 일본 사신이 와서 야명주夜明珠를 바침.	10 풍발馮跋, 북연北燕을 세움. ▶북위, 후연 격파하고 황하 이북을 병합함: 후연後燕 멸망. ▶페르시아, 크리스트교를 공인함.
410 (2743) 경술	9	20	6	▶고구려, 동부여를 병합함.	2 동진 유유, 남연南燕을 멸함. ▶서고트 알라리크Alaric, 로마에 침입하여 약탈을 자행함: 남이탈리아에서 사망.
411 (2744) 신해	10	21	7		1 서진, 후진後秦에게 항복함. ▶후진, 인재를 널리 등용함.
412 (2745) 임자	11	22	8	▶신라, 내물마립간 아들 복호卜好를 고구려에 볼모로 보냄.	6 서진 걸복공부乞伏公府, 왕을 시해함. 8 서진 걸복치반乞伏熾盤, 걸복공부乞伏公府를 죽이고 자립함.
413 (2746) 계축	12	장수 1	9	10 고구려, 광개토왕 사망: 장수왕長壽王 즉위. ▶고구려, 고익高翼을 동진東晋에 사신으로 보냄: 장수왕, 동진으로부터 작호를 받음.	▶동진, 토단법土斷法을 다시 시행함. ▶후진, 서역 승려 쿠마라지바(구마라습鳩摩羅什) 사망. ▶일본, 동진에 조공함. ▶부르군트Burgund 왕국 성립.
414 (2747) 갑인	13	2	10	8 신라 김무金武, 일본에 건너가 일본왕의 병을 치료함. 9 고구려, 광개토왕릉비를 건립함. ▶이 무렵, 고구려가 장군총將軍塚을 조성함.	6 서진, 남량南凉을 멸함. ▶동진 법현法顯, 인도 여행에서 돌아와 《불국기佛國記》를 지음.
415 (2748) 을묘	14	3	11	8 신라, 풍도風島에서 왜병을 격파함. ▶고구려, 호태왕호우好太王壺杅를 제작함.	1 동진 유유劉裕, 형주荊州 지역을 토벌함. ▶북량, 서진을 공격함.
416 (2749) 병진	15	4	12	3 신라, 동해에서 고래를 잡음. 8 백제, 동진東晋에서 전지왕에게 작호를 보내옴.	12 동진, 서진이 복속해 옴. ▶서량, 호적戶籍을 작성함. ▶카르타고 종교회의 개최.
417 (2750) 정사	눌지 1	5	13	5 신라, 눌지마립간訥祗麻立干이 실성마립간을 시해하고 즉위함. 7 백제, 사구성沙口城을 쌓음.	8 동진 유유劉裕, 후진後秦을 멸함.

연 대	신라	고구려	백제	우 리 나 라	다 른 나 라
418 (2751) 무오	2	6	14	**1** 신라 박제상朴堤上, 왕의 동생 복호卜好를 고구려에서 구출해 옴. ▶가을. 신라 박제상, 왕의 동생 미사흔未斯欣을 일본에서 구출하고 자신은 죽임을 당함. ▶신라, 〈치술령곡鵄述嶺曲〉 나옴.	**6** 동진 유유劉裕, 송공宋公이 됨. **11** 하, 장안長安(지금의 시안西安)을 함락시킴. **12** 동진 유유劉裕, 안제安帝를 살해함. ▶서고트왕국 성립.
419 (2752) 기미	3	7	15	**1** 백제, 혜성이 출현함. **11** 백제, 일식 현상이 나타남.	▶일본, 처음으로 과세하여 궁궐을 건립함. ▶페르시아, 크리스트교 박해하여 동로마제국과 전쟁 벌임.
420 (2753) 경신	4	8	구이신 1	**3** 백제, 전지왕 사망: 구이신왕久爾辛王 즉위. **7** 신라, 기근으로 자식을 파는 백성이 생김. ▶백제, 송宋에서 왕의 작호를 보내옴.	**6** 동진 유유劉裕, 공제恭帝를 폐하고 송宋을 세움: 동진 멸망. ▶프랑크족Franks, 라인강Rhein江을 건너옴.
421 (2754) 신유	5	9	2	**5** 가야, 좌지왕 사망: 취희왕吹希王 즉위.	**5** 송, 음사淫祀를 파괴함. 서량西涼, 멸망함. ▶일본, 송에 조공함.
422 (2755) 임술	6	10	3	▶고구려, 장수왕이 송宋으로부터 작호를 받음.	**1** 송 서선지徐羨之, 사공司空에 오름. **5** 송, 유유劉裕(무제武帝) 사망. ▶동진, 법현法顯 사망.
423 (2756) 계해	7	11	4	**3** 고구려, 송宋에 사신 보냄. **4** 신라, 남당南堂에서 경로회를 개최함.	**2** 북위, 장성을 쌓음. **11** 북위, 천사도량天師道場을 세움.
424 (2757) 갑자	8	12	5	**2** 신라, 고구려에 사신 보냄. **9** 고구려, 풍년으로 궁궐 안에서 잔치를 벌임. ▶백제, 장위張威를 송에 사신으로 보냄.	**5** 송 서선지徐羨之, 정권을 독단함: 소제少帝를 폐하고 문제文帝 옹립. **8** 유연柔然, 북위를 침공함.
425 (2758) 을축	9	13	6	▶고구려, 북위에 사신 보냄. ▶백제, 송宋의 사신이 옴.	**1** 송 문제, 친정親政을 시작함. **10** 북위, 유연柔然을 공격함. ▶일본, 송宋에 조공함.
426 (2759) 병인	10	14	7		**1** 송, 서선지徐羨之를 처형함. ▶동로마 아우구스티누스Augustinus, 《신국론神國論》을 지음.

연대	신라	고구려	백제	우리 나라	다른 나라
427 (2760) 정묘	눌지 11	장수 15	비유 1	**12** 백제, 구이신왕 사망: 비유왕毗有王 즉위. ▶고구려, 평양으로 천도함. 안학궁安鶴宮을 건립함.	**6** 북위, 하의 통만성統萬城을 취함. ▶동진 시인 도연명陶淵明 사망. ▶반달족Vandal族, 아프리카에 침입함.
428 (2761) 무진	12	16	2	**2** 백제, 왕이 4부를 돌아보고 빈민에게 곡식을 내림.	**2** 북위, 하의 창昌을 사로잡음: 혁련정赫連定이 평량平凉에서 하夏의 황제를 칭함.
429 (2762) 기사	13	17	3	**10** 백제, 해수를 상좌평에 임명함. ▶백제, 송宋에 사신 보냄. ▶신라, 시제矢堤를 쌓음.	**4** 북위, 유연柔然을 토벌함. ▶반달족, 북아프리카에 반달Vandal 왕국 세움.
430 (2763) 경오	14	18	4	**4** 백제, 송宋의 사신이 와서 왕의 작호를 전함.	**9** 북연 풍홍馮弘, 태자를 시해하고 즉위함. **10** 송, 사수전四銖錢을 주조함. ▶일본, 송宋에 사신 보내 조공함. ▶로마, 아우구스티누스Augustinus 사망.
431 (2764) 신미	15	19	5	**4** 신라, 왜구가 침입하여 명활성明活城을 포위했다 돌아감.	**1** 하, 서진西秦을 멸함. **6** 하 혁련정赫連定, 토곡혼土谷渾에게 생포됨: 하夏 멸망. ▶에페수스Ephesus 종교회의에서 네스토리우스Nestorius에게 이단異端을 선고함.
432 (2765) 임신	16	20	6	▶봄. 신라, 흉년이 듦.	**7** 송 조광趙廣, 익주益州에서 반란 일으킴. ▶일본, 장부藏部를 설치함.
433 (2766) 계유	17	21	7	**5** 신라, 미사흔未斯欣 사망. **7** 신라, 백제와 화친함: 나제동맹羅濟同盟 성립.	**11** 송 사영운謝靈運, 처형당함. ▶동로마제국, 콘스탄티노플Constantinople에 큰 화재 발생함.
434 (2767) 갑술	18	22	8	**2** 백제, 신라에 좋은 말을 선물로 보냄. **10** 신라, 백제에 금과 주옥을 보내 백제의 선물에 답례함.	**1** 북연, 북위에 제후국諸侯國을 자청함. **2** 북위, 유연柔然과 화친함.
435 (2768) 을해	19	23	9	**2** 신라, 역대 왕의 능묘를 보수함. **6** 고구려, 북위北魏에 사신 보냄: 북위에서 왕의 작호를 보내옴.	**2** 북위, 서역西域에서 조공해 옴. **7** 송, 사찰 건립과 불상 조성을 금함.

연 대	신라	고구려	백제	우 리 나 라	다 른 나 라
436 (2769) 병자	20	24	10	**4** 고구려, 북연北燕 왕 풍홍馮弘이 북위의 공격을 피해 도망해 옴. **5** 고구려, 북위北魏 사신이 와서 풍홍馮弘을 돌려줄 것을 요청함.	**5** 북위, 북연北燕을 멸함.
437 (2770) 정축	21	25	11	**2** 고구려, 북위北魏에 사신 보냄.	▶북위北魏, 서역西域에서 조공해 옴. ▶서로마제국, 훈족Huns 원조 받아 부르군트Burgund 군대를 격파함.
438 (2771) 무인	22	26	12	**3** 고구려, 북연 왕 풍홍馮弘을 죽임. **4** 신라, 백성들에게 우차법牛車法을 가르침.	▶송, 4학을 세움. ▶동로마제국, 《테오도시우스법전 Theodosius法典》을 반포함.
439 (2772) 기묘	23	27	13	**11~12** 고구려, 북위北魏에 두 차례에 걸쳐 사신을 보냄. ▶고구려, 송宋에 말 800필을 보냄.	**9** 북위, 북량 멸하고 화베이지방 통일함: 남북조시대南北朝時代 시작. ▶반달Vandal 왕국, 카르타고Carthago를 정복하여 수도로 삼음.
440 (2773) 경진	24	28	14	**6** 신라, 왜구가 동해에 침입해옴. **10** 백제, 송宋에 사신 보냄.	▶일본, 형부刑部를 설치함. ▶반달Vandal 왕국, 함대를 창설하여 시칠리아Sicily와 남이탈리아에 침입함.
441 (2774) 신사	25	29	15	▶신라, 이름난 의원醫員을 일본에 보내 왕의 병을 치료해 줌. ▶백제, 송宋에 사신 보냄.	**11** 송宋, 저氐의 양난당楊難當이 침입해 옴. ▶시리아, 훈족Huns의 침입을 받음.
442 (2775) 임오	26	30	16		**5** 송宋, 저의 양난당楊難當을 정벌함. ▶일본, 성姓의 혼란을 바로잡음. ▶마케도니아, 훈족Huns의 침입을 받음.
443 (2776) 계미	27	31	17	▶고구려 · 백제, 송宋에 사신 보냄.	**9** 북위, 유연柔然을 격파함. ▶일본, 송宋에 조공하고 왜국倭國 왕의 칭호를 받음.
444 (2777) 갑신	28	32	18	**4** 신라, 금성金城에 침입하였다가 물러가는 왜구를 공격함.	**1** 송 문제, 적전籍田을 친히 경작함. ▶북위, 사사로이 승려와 무당 양성하는 것을 금함.
445 (2778) 을유	29	33	19		**1** 송, 원가력元嘉曆을 사용함. **11** 북위, 송宋을 공격함. ▶서로마제국 발렌티니아누스Valentinianus 3세, 로마교회 지상권至上權을 인정함.

연 대	신라	고구려	백제	우 리 나 라	다 른 나 라
446 (2779) 병술	눌지 30	장수 34	비유 20		**3** 북위, 승려를 죽이고 불경과 불상을 불태움. **6** 송, 임읍林邑을 파함.
447 (2780) 정해	31	35	21	**7** 백제, 가뭄으로 흉년이 들어 많은 백성들이 신라로 이주해 감.	**6** 송, 대전大錢을 주조함. ▶동로마, 훈족Huns이 콘스탄티노플Constantinople에 육박해 옴.
448 (2781) 무자	32	36	22		**5** 송, 대전大錢 사용을 폐지함. **12** 북위, 서역을 토벌함. ▶북위, 구겸지寇謙之 사망.
449 (2782) 기축	33	37	23	▶고구려, 중원고구려비中原高句麗碑 건립.	**9** 북위, 유연柔然을 격파함. ▶앵글로 색슨족Anglo Saxon族, 영국에 침입해 켄트Kent 왕국 세움.
450 (2783) 경인	34	38	24	**7** 신라, 하슬라何瑟羅(강릉江陵) 성주 삼직三直이 고구려 장수를 죽임: 고구려, 신라를 침입하다가 신라의 사죄로 중지함.	**7** 송 왕현모王玄謨, 대규모로 북위北魏를 공격함.
451 (2784) 신묘	35	39	25	**2** 가야, 취희왕 사망: 질지왕銍至王 즉위. ▶고구려, 송宋에 사신 보냄.	**6** 북위, 율령을 개정함. **7** 일본, 송에 사신 보내 조공함. ▶송, 북위와 다시 화친함.
452 (2785) 임진	36	40	26	▶가야, 수로왕首露王과 허황옥許黃玉의 명복을 빌기 위해 왕후사王后寺를 창건함.	**8** 북위北魏, 환관 종애宗愛가 태무제太武帝를 시해함: 문성제文成帝 즉위 ▶북위北魏, 사찰의 건립과 출가를 허용함.
453 (2786) 계사	37	41	27	**1** 신라, 일본 윤공왕允恭王 사망에 조위사를 보냄. **2** 고구려, 송宋에 사신 보냄.	**2** 송 태자 소劭, 왕을 시해함: 5월 처형됨. ▶훈족Huns, 아틸라Attila왕 사망: 왕국 와해.
454 (2787) 갑오	38	42	28	**7** 고구려, 신라 북쪽 변방을 공격함. **8** 백제, 병충해로 흉년이 듦.	**1** 송, 사수전四銖錢을 주조함. **2** 송 왕현모王玄謨, 장질臧質의 반란을 진압하고 처형함.
455 (2788) 을미	39	43	개로 1	**9** 백제, 비유왕 사망: 개로왕蓋鹵王 즉위. **10** 고구려, 백제를 공격함: 신라, 백제를 구원함.	**10** 송, 왕후王侯의 제도를 개정함. ▶서로마제국, 반달족Vandal族이 침입하여 약탈함.
456 (2789) 병신	40	44	2		▶북위北魏, 페르시아 사신이 옴. ▶리키메르Ricimer 게르만 용병대장, 서로마제국 황제를 폐함.

연 대	신라	고구려	백제	우 리 나 라	다 른 나 라
457 (2790) 정유	41	45	3	**10** 백제, 송宋에서 개로왕의 작호를 보내옴. ▶가야, 왕궁사王宮寺와 장유사長遊寺 건립함.	**1** 북위, 송宋을 공격함. ▶페르시아, 에프탈족Ephthalites에 패해 황제가 전사함: 두 왕자의 왕위王位 쟁탈로 내분 발생.
458 (2791) 무술	자비 1	46	4	▶신라, 눌지마립간 때 묵호자墨胡子가 고구려에서 들어와 불교를 전파함. 〈우식악憂息樂〉을 지음. **8** 신라, 눌지마립간 사망:자비마립간慈悲麻立干 즉위.	**1** 북위, 금주禁酒 위한 관직을 설치함. **10** 북위, 산둥山東 지방을 공격함.
459 (2792) 기해	2	47	5	**2** 신라, 왕이 시조묘를 배알함. **4** 신라, 월성月城에 침입한 왜구를 격파함. ▶고구려, 송宋에 사신 보냄.	**4** 송宋, 경릉왕竟陵王 탄誕이 반란 일으키다 처형당함. **9** 송宋, 교단郊壇을 옮기고 5로五路를 조성함.
460 (2793) 경자	3	48	6		**6** 북위, 토곡혼土谷渾을 정벌함. ▶북위, 윈강석굴雲崗石窟 공사를 시작함.
461 (2794) 신축	4	49	7	**2** 신라, 미사흔未斯欣의 딸을 왕비로 삼음.	**5** 송宋, 명당明堂을 세움. **12** 송宋, 사족士族의 잡혼雜婚을 금함.
462 (2795) 임인	5	50	8	**3** 고구려, 북위北魏에 사신 보냄. **5** 신라, 왜구가 활개성活開城에 침입해 옴.	**3** 일본, 송宋에 사신 보내 조공하고 왜국倭國 왕의 책봉을 받음. ▶이탈리아, 반달족Vandal族의 침입을 받음.
463 (2796) 계묘	6	51	9	**2** 신라, 삽량성歃良城에 침입한 왜구를 격파함. **7** 신라, 군사를 사열함. ▶백제 인사라아因斯羅我, 일본에 건너가 회화의 종조宗祖가 됨.	**10** 북위, 송宋에 사신 보냄. **11** 송, 수군水軍을 훈련함. ▶송, 궁궐을 개수함.
464 (2797) 갑진	7	52	10	▶고구려, 신라를 공격함: 백제와 가야가 신라를 지원함.	▶북위, 개인이 화폐 주조하는 것을 허가함. ▶로마와 남갈리아와의 교회 관계가 단절됨.
465 (2798) 을사	8	53	11	**2** 고구려, 북위北魏에 사신을 보냄.	▶송宋, 자업子業 왕이 피살됨: 명제明帝 즉위. ▶서로마제국, 세베루스Severus 황제 사망: 리키메르Ricimer, 황제를 세우지 않고 직접 통치함.

연대	신라	고구려	백제	우리 나라	다른 나라
466 (2799) 병오	자비 9	장수 54	개로 12	**3** 고구려, 북위北魏에 사신 보냄.	**1** 송, 진안왕晋安王 자훈子勛이 황제를 칭함: 8월 피살됨. **9** 북위, 군학郡學을 세움.
467 (2800) 정미	10	55	13	**2** 고구려, 북위北魏에 사신 보냄. ▶신라, 유사有司에게 명하여 전함을 수리함.	▶북위, 대불大佛을 조성함. 헌문제獻文帝가 친정을 시작함. ▶서로마제국, 안테미우스Anthemius 즉위.
468 (2801) 무신	11	56	14	**2** 고구려, 말갈과 함께 신라 실직성悉直城을 공격함. **9** 신라, 하슬라何瑟羅(강릉江陵)의 15세 이상인 자를 동원하여 이하泥河(함남 영흥永興의 용흥천龍興川)에 성을 쌓음.	**1** 북위, 송宋에 침입하다 격퇴당함. **4** 송, 조세를 반으로 감함. ▶동로마 레오Leo 1세, 반달족Vandal族과의 해전에서 대패함.
469 (2802) 기유	12	57	15	**1** 신라, 수도의 방리坊里 이름을 정함. **10** 백제, 쌍현성雙峴城을 수축함.	**2** 북위, 수조輸租 3등을 정하고 잡세를 폐지함. ▶북위, 농민폭동이 발생함.
470 (2803) 경술	13	58	16	**2** 고구려, 북위北魏에 사신 보냄. ▶신라, 삼년산성三年山城을 축조함.	**8** 유연, 북위北魏를 치다가 패함. ▶서고트족, 스페인의 절반 이상을 정벌함.
471 (2804) 신해	14	59	17	**2** 신라, 모로성芼老城을 쌓음. **9** 고구려 민노각民奴各, 북위北魏로 도망함.	**8** 북위 헌문제, 양위하고 태상황제太上皇帝라 칭함: 효문제孝文帝 즉위.
472 (2805) 임자	15	60	18	**2** 백제 사여례史餘禮, 북위北魏에 사신으로 가서 고구려 침입 막을 군사를 청함.	**2** 북위, 유연柔然의 침입을 받음. ▶서로마제국, 리키메르Ricimer 사망.
473 (2806) 계축	16	61	19	**1** 신라, 아찬 벌지伐智와 급찬 덕지德智를 좌우 장군에 임명함. **7** 신라, 명활성明活城을 보수함.	**4** 북위, 토곡혼土谷渾을 토벌함. **7** 북위, 허난河南 6주의 부법賦法을 정함.
474 (2807) 갑인	17	62	20	**7** 고구려, 북위北魏와 송宋에 사신 보냄. ▶신라, 일모성一牟城 · 사시성沙尸城 · 구례성仇禮城을 축조함.	**1** 북위, 도적 줄이려 농사 장려함. **5** 송, 계양왕桂陽王 휴범休範이 반란 일으켰다 처형됨.
475 (2808) 을묘	18	63	문주 1	**9** 고구려, 백제 수도 한성漢城을 함락함: 개로왕을 시해함. **10** 백제, 문주왕文周王 즉위. 웅진熊津(지금의 공주公州)으로 천도함.	**6** 북위, 우마牛馬의 살생을 금함. ▶인도, 부다굽타Buddhagupta가 북인도 일대를 통치함.

연 대	신라	고구려	백제	우 리 나 라	다 른 나 라
476 (2809) 병진	19	64	2	**2** 백제, 대두산성大豆山城을 수리하고 한강 이북의 백성을 이주시킴. **4** 백제, 탐라국耽羅國(제주도)에서 방물을 바침. **8** 백제, 해구解仇를 병관좌평에 임명함.	**6** 북위 태후太后, 태상황제 헌문제를 시해함. ▶서로마제국, 게르만 용병대장 오도아케르Odoacer에게 멸망함.
477 (2810) 정사	20	65	삼근 1	**2** 백제, 궁궐을 중수함. **5** 신라, 5도로 침입한 왜구를 격퇴함. **9** 백제 해구, 문주왕을 시해함: 삼근왕三斤王 즉위.	**7** 송 소도성蕭道成, 후폐제後廢帝를 시해함. **11** 송 원찬袁粲, 소도성을 치려다 패사함.
478 (2811) 무오	21	66	2	▶백제 해구解仇, 은솔恩率 벼슬의 연신燕信과 함께 대두산성大豆山城에서 반란 일으킴: 해구는 살해되고 연신은 고구려로 도망함.	**12** 송, 승건勝虔의 청에 따라 음악을 정함. ▶동고트, 발칸반도Balkan半島에 침입함.
479 (2812) 기미	소지 1	67	동성 1	▶신라 백결선생百結先生, 자비마립간 때 〈대악碓樂〉(방아타령)을 지음. **2** 신라, 자비마립간 사망: 소지마립간炤知麻立干 즉위. **11** 백제, 삼근왕 사망: 동성왕東城王 즉위. ▶신라, 도리사桃李寺 창건.	**4** 송 소도성蕭道成, 황제 칭하고 제齊를 세움: 송 멸망. ▶북위, 거란이 복속해 옴.
480 (2813) 경신	2	68	2	**2** 신라, 왕이 시조묘始祖廟를 배알함. **4** 고구려, 제齊에서 왕에게 작호를 보내옴. **11** 신라, 말갈이 북변에 침입해 옴.	**2** 제, 민적民籍을 검정함. **11** 제, 진치법診治法을 제정함.
481 (2814) 신유	3	69	3	**3** 고구려, 말갈과 함께 신라 북변에 침입하여 7개 성을 점령함: 신라, 백제·가야와 함께 이하泥河 서쪽에서 격퇴함.	**1** 제, 북위 군사를 격파함. ▶프랑크, 클로비스Clovis 즉위: 메로빙거Merovinger 왕조 시작.
482 (2815) 임술	4	70	4	**1** 백제, 진로眞老를 병관좌평에 임명함. **2** 신라, 금성金城 남문에 화재 발생함. **9** 백제, 말갈이 한산성漢山城에 침입함.	**11** 북위, 왕이 칠묘七廟에 제사 지냄. ▶제, 국학國學을 폐지함.
483 (2816) 계해	5	71	5	**2** 백제, 제齊에 사신 보냄: 제에서 왕의 작호를 보내옴. ▶신라, 도리사桃李寺 화엄석탑 건립. ▶백제, 왕이 한산성漢山城의 군사와 백성을 위무함.	**12** 북위, 동성 간의 혼인을 금함: 한화정책漢化政策 실시.

연 대	신라	고구려	백제	우 리 나 라	다 른 나 라
484 (2817) 갑자	소지 6	장수 72	동성 6	**5** 백제, 신라와 화의함. **7** 신라, 백제와 함께 고구려군을 모산성母山城에서 격파함.	**12** 북위, 제齊와 교빙함. ▶로마교회, 동 · 서 교회로 분리됨.
485 (2818) 을축	7	73	7	**2** 신라, 구벌성仇伐城을 쌓음. **4** 신라, 왕이 시조묘始祖廟에 제사 지냄. **5** 백제, 신라에 사신을 보냄. **10** 고구려, 북위北魏에 사신을 보냄.	**1** 북위, 도참圖讖과 무복巫卜을 금함. **10** 북위, 균전제를 시행함. ▶제, 국학을 다시 설치함.
486 (2819) 병인	8	74	8	**1** 신라, 삼년산성三年山城과 굴산성屈山城(지금의 옥천沃川 지역)을 개축함. **2** 신라, 내숙乃宿을 이벌찬에 임명함. 백제, 백가苩加를 위사좌평에 임명함. **7** 백제, 우두산성牛頭山城을 쌓음. **8** 신라, 낭산狼山 남쪽에서 군사를 사열함.	**1** 북위 효문제孝文帝, 처음으로 곤룡포와 면류관을 착용함. **2** 북위, 호적戶籍을 제정함. **4** 북위, 공복公服 5등제를 제정함.
487 (2820) 정묘	9	75	9	**2** 신라, 나을奈乙에 신궁神宮을 건립함. **3** 신라, 처음으로 사방에 우역郵驛을 두고 관도官道를 수리함. **7** 신라, 월성月城을 수리함.	**1** 북위, 악장樂章을 정함. **2** 제齊, 북위군을 격파함.
488 (2821) 무진	10	76	10	**1** 신라, 왕이 거처를 월성月城으로 옮김. **7** 신라, 도나성刀那城을 쌓음. ▶신라, 〈사금갑射琴匣 전설〉 및 〈달도가怛忉歌〉 이루어짐.	**12** 유연, 북위에 종속됨. ▶동고트 테오도리크Theodoric, 이탈리아에 침입함.
489 (2822) 기사	11	77	11	**1** 신라, 유민을 농사에 종사케 함. **10** 고구려, 신라 고산성孤山城을 함락함. **11** 백제, 왕이 남당南堂에서 신하들과 연회를 베풂.	**10** 북위, 제齊와 수호함.
490 (2823) 경오	12	78	12	**2** 신라, 비라성鄙羅城을 증축함. **3** 신라, 처음으로 수도에 시장을 개설함. **7** 백제, 사현성沙峴城과 이산성耳山城을 축조하여 외침에 대비함.	**9** 북위, 태후 풍씨馮氏 사망. ▶동고트, 이탈리아의 오도아케르Odoacer를 격파함.
491 (2824) 신미	13	79	13	**7** 백제, 기근으로 600여호가 신라로 이주함. **12** 고구려, 장수왕 사망: 문자(명)왕文咨(明)王 즉위. ▶고구려, 장수왕 때 모두루묘지牟頭婁墓誌를 조성함.	**5** 북위, 율령律令을 개정하여 의심스러운 점을 해결함. **12** 제齊, 율령을 공포함.

연 대	신라	고구려	백제	우 리 나 라	다 른 나 라
492 (2825) 임신	14	문자 1	14	**3** 고구려, 북위北魏의 사신이 와서 왕에게 작호를 수여함. **10** 고구려, 북위에 사신 보냄. 가야, 질지왕 사망: 겸지왕鉗知王 즉위.	**7** 북위北魏, 토곡혼土谷渾이 조공해 옴. **8** 제 심약沈約, 《송서宋書》를 편찬함. ▶북위, 태화율령太和律令을 반포함.
493 (2826) 계유	15	2	15	**3** 신라, 백제 왕의 청혼에 이벌찬 비지比智 딸을 보냄. **7** 신라, 임해진臨海鎭과 장령진長嶺鎭을 설치함. ▶고구려, 일본에 피혁공皮革工 보내 기술을 전수함.	**6** 북위北魏, 제齊에 침입함. ▶동고트 테오도리크Theodoric, 오도아케르Odoacer를 격파하고 이탈리아에 동고트 왕국을 건설함. 오도아케르Odoacer 전사.
494 (2827) 갑술	16	3	16	**1** 부여, 물길勿吉의 공격으로 멸망함. **2** 고구려, 부여 왕이 항복해 옴. **7** 신라 실죽實竹, 고구려와 살수殺水(청천강淸川江)에서 싸우다 패배함.	**10** 제 소란蕭鸞(명제明帝), 해릉왕海陵王을 폐하고 즉위함. **11** 북위, 뤄양洛陽으로 천도함. **12** 북위, 호복胡服을 금함. ▶북위, 룽먼석굴龍門石窟 조성.
495 (2828) 을해	17	4	17	**1** 신라, 왕이 신궁神宮에 제사 지냄. **8** 고구려, 백제 치양성雉壤城(황해도 배천白川)을 포위함: 백제, 신라 도움으로 물리침.	**6** 북위, 호어胡語를 금함. **12** 북위, 오수전五銖錢을 주조함. ▶서색슨족西Saxon族, 브리타니아Britannia에 상륙함.
496 (2829) 병자	18	5	18	**5** 신라, 알천閼川이 범람하여 민가 200여호가 유실됨. **7** 고구려, 우산성牛山城을 공격함: 신라, 실죽實竹이 이하泥河(함남 영흥永興의 용흥천龍興川)에서 격파.	**1** 북위, 족성族姓을 정함. ▶북위, 상평창常平倉을 설치함. ▶프랑크 클로비스Clovis, 크리스트교로 개종함.
497 (2830) 정축	19	6	19	**5** 백제, 연돌燕突을 병관좌평兵官佐平에 임명함. **7** 신라, 관리들에게 인재를 추천케 함. **8** 고구려, 우산성牛山城을 함락함.	**8** 북위, 제齊를 공격하다 실패함.
498 (2831) 무인	20	7	20	**1** 백제, 웅진교熊津橋를 가설함. **7** 백제, 사정성沙井城을 축조함. 고구려, 금강사金剛寺 창건. **8** 백제, 탐라국耽羅國 정벌을 시도함:탐라국의 사죄로 중지함.	**4** 제 왕경칙王敬則, 반란 일으키다 처형됨. ▶프랑크, 서갈리아西Galia를 정벌함.
499 (2832) 기묘	21	8	21	▶백제, 기근으로 2천여호가 고구려로 이주함.	**1** 제, 북위北魏를 치다가 패퇴함. **9** 제, 동혼후東昏侯 소탄지蕭坦之 등을 살해함.

연대	신라	고구려	백제	우리나라	다른나라
500 (2833) 경진	지증 1	문자 9	동성 22	**3** 신라, 왜구가 장봉진長峰鎭에 침입해 옴. **11** 신라, 소지마립간 사망: 지증왕智證王 즉위. ▶백제, 왕궁 동쪽에 임류각臨流閣을 지음.	**1** 제 배숙업裵叔業, 반란을 일으켰다 패사함. **11** 제 소연蕭衍, 군사를 일으킴. ▶인도, 힌두교 Hindu敎가 창시됨. ▶프랑크 클로비스Clovis, 국내 통일을 이룸
501 (2834) 신사	2	10	무령 1	**8** 백제, 가림성加林城을 쌓고 백가苩加에게 지키게 함. **11** 백제, 고구려 수곡성水谷城을 공격함. **12** 백제 백가苩加, 동성왕을 시해함: 무령왕武寧王 즉위.	**1** 제 보융寶融(화제和帝), 왕을 시해하고 즉위함. **12** 제 소연蕭衍, 난징에 진입함. ▶부르군트, 왕국을 통일하고 《부르군트 법전》을 편찬함.
502 (2835) 임오	3	11	2	**1** 백제 백가苩加, 가림성加林城에서 반란 일으켰다가 처형당함. **2** 신라, 순장법殉葬法을 폐지함. **3** 신라, 처음으로 우경牛耕을 실시함. **4** 고구려 · 백제, 양梁에서 왕의 작호를 보내옴.	**2** 제 소연蕭衍, 황제를 칭하고 화제和帝를 폐위시킴: 양梁 건국. 제齊 멸망. **8** 양, 아악雅樂을 정함. ▶동로마제국, 페르시아와 전쟁 벌임.
503 (2836) 계미	4	12	3	**9** 백제, 고목성高木城에 침입한 말갈을 물리침. **10** 신라, 국호를 신라新羅로 정하고, '왕'이라는 존호를 사용함. **11** 백제, 고구려 수곡성水谷城을 침공함. ▶신라, 영일냉수리신라비迎日冷水里新羅碑 건립.	**4** 양, 새 법령을 반포함.
504 (2837) 갑신	5	13	4	**4** 신라, 상복법喪服法을 제정함. **9** 신라, 파리성波里城 등 12성을 축조함.	**9** 북위, 북방에 9성을 축조함. **11** 북위, 국학國學을 설립함. ▶양, 불교를 국교로 함.
505 (2838) 을유	6	14	5	**2** 신라, 주 · 군 · 현을 정함. 실직주悉直州(삼척三陟)를 설치하고 이사부異斯夫를 군주軍主로 삼음. ▶이 무렵, 고구려 승랑僧朗이 중국 양梁에 들어가 삼론종三論宗 성립의 기초를 닦음.	**1** 양, 오경박사五經博士를 두고 주 · 군에 학교를 설립함.
506 (2839) 병술	7	15	6	**7** 백제, 말갈이 고목성에 침입해 옴. **11** 고구려, 백제를 정벌하려다 눈을 만나 회군함.	**4** 북위北魏, 군사를 독려하여 양의 침입에 대비함. **5** 양, 북위를 침공함.

연 대	신라	고구려	백제	우 리 나 라	다 른 나 라
507 (2840) 정해	8	16	7	**5** 백제, 고목성高木城 남쪽에 책柵을 세우고 장령성長嶺城 쌓아 말갈 침입에 대비함. **10** 백제, 고구려와 말갈의 침입을 격퇴함.	**5** 양, 북위군을 대파함. ▶프랑크, 서고트족을 격파함: 포아티에Poitier 싸움.
508 (2841) 무자	9	17	8	**5** 고구려, 북위北魏에 사신 보냄. **12** 탐라국, 백제와 통교함. ▶고구려, 양梁에서 문자왕의 작호를 보내옴.	**1** 양, 관품官品을 18반班으로 정함. ▶프랑크, 파리를 수도로 정함.
509 (2842) 기축	10	18	9	**1** 신라, 수도에 동시東市를 개설함. **2** 백제, 일본 사신이 옴. **3** 신라, 함정을 파서 맹수의 침입을 막음.	**3** 양, 북위의 침입을 격파함. **11** 북위 선무제宣武帝, 불경을 강론함.
510 (2843) 경인	11	19	10	**1** 백제, 제방堤防을 쌓고 유민流民들을 정착시킴. **윤6** 고구려, 북위에 사신 보냄.	**10** 양, 대명력大明曆을 사용함. ▶북위, 오수전五銖錢을 주조함.
511 (2844) 신묘	12	20	11		**5** 북위, 천문학天文學을 금함. ▶프랑크, 클로비스Clovis사망: 네 아들이 왕국을 4분함.
512 (2845) 임진	13	21	12	**6** 신라 이사부異斯夫, 우산국于山國(울릉도)을 정벌함. **9** 고구려, 백제의 가불성加弗城과 원산성圓山城을 함락함.	**11** 양梁, 오례五禮가 이룩됨.
513 (2846) 계사	14	22	13	**1** 고구려, 북위에 사신 보냄. **6** 백제, 일본에 오경박사 단양이段楊爾를 파견함.	▶페르시아 갈바데스왕이 크리스트교를 믿음.
514 (2847) 갑오	법흥 1	23	14	**1** 신라, 아시촌阿尸村에 소경小京을 설치함. **7** 신라, 지증왕 사망: 법흥왕法興王 즉위. 시호법諡號法을 시행함.	**2** 양 무제武帝, 적전籍田을 경작함. **11** 북위 고조高肇, 양梁의 익주益州를 침공함.
515 (2848) 을미	2	24	15	**10** 고구려, 북위에 사신 보냄. ▶신라, 일본에게 백제 사신 문귀文貴 장군의 파면을 요청함.	**1** 북위, 선무제 사망: 효명제孝明帝 즉위. **2** 북위, 고조高肇를 처형함.
516 (2849) 병신	3	25	16	**1** 신라, 왕이 신궁神宮에 제사 지냄. ▶백제, 오경박사 고안무高安茂를 일본에 파견함.	**7** 북위, 양의 익주益州를 취함. ▶북위, 영녕사永寧층탑을 조성함.

연 대	신라	고구려	백제	우 리 나 라	다 른 나 라
517 (2850) 정유	법흥 4	문자 26	무령 17	**4** 신라, 병부兵部를 설치함.	**1** 북위北魏, 여러 전화錢貨를 유동시킴. **4** 양, 종묘宗廟 제물을 채소와 과일로 대신함.
518 (2851) 무술	5	27	18	**2** 신라, 주산성株山城을 쌓음. 고구려, 북위北魏에 사신 보냄. **3** 고구려, 왕궁 남문이 부서짐.	▶북위 송운宋雲 · 혜생慧生, 서역에 불경을 구하러 감. ▶북위, 페르시아에서 사신 보내옴.
519 (2852) 기해	6	안장 1	19	▶고구려, 문자(명)왕 사망: 안장왕安藏王 즉위. 북위北魏에서 왕의 작호를 보내옴.	**2** 북위, 우림호분羽林虎賁의 반란 일어남. ▶북위 혜교慧皎, 《고승전高僧傳》을 저술함.
520 (2853) 경자	7	2	20	**1** 신라, 율령을 반포하고 공복제도公服制度를 정함. **2** 고구려, 북위와 양에서 왕의 작호를 보내옴.	**12** 양, 북위北魏와 수호함. ▶인도, 분열됨. ▶이탈리아 베네딕트Benedict, 베네딕트 수도원을 설립함.
521 (2854) 신축	8	3	21	**4** 가야, 겸지왕 사망: 구형왕仇衡王 즉위. 고구려, 왕이 졸본卒本에 행차하여 시조묘始祖廟에 제사 지냄.	**1** 양, 고독원孤獨園을 두고 빈민을 구제함. **8** 북위, 유연柔燕이 항복해 옴: 11월 유연을 2분함. ▶북위 혜생慧生, 서역에서 불경을 구하여 귀국함.
522 (2855) 임인	9	4	22	**3** 신라, 가야 왕의 청혼을 받고 비조부比助夫의 누이를 보냄.	**2** 일본, 양梁에서 불교를 들여옴: 공식 기록에 의한 연대. **11** 북위, 정광력正光曆을 사용함.
523 (2856) 계묘	10	5	성 1	**2** 백제, 쌍현성雙峴城을 수축함. **5** 백제, 무령왕 사망: 성왕聖王 즉위. 시호법諡號法을 실시함. **8** 고구려, 백제를 침입함. ▶백제, 무령왕 지석誌石을 만듦.	**1** 양, 적전籍田을 경작함. **12** 양, 철전鐵錢을 주조함. ▶북위 송운宋雲, 서역에서 불경을 구하여 귀국함.
524 (2857) 갑진	11	6	2	**9** 신라, 왕이 남쪽 변방을 순시함: 가야 왕이 와서 만남. ▶신라, 군사당주軍師幢主를 설치함. 울진봉평신라비蔚珍鳳坪新羅碑 건립. ▶백제, 양에서 왕의 작호를 보내옴.	**8** 북위, 진鎭을 주州로 고침. ▶페르시아, 동로마제국과 전쟁 벌임.

연대	신라	고구려	백제	우리 나라	다른 나라
525 (2858) 을사	12	7	3	**2** 신라, 대아찬 이등伊登을 사벌주沙伐州 의 군주軍主에 임명함. ▶백제, 공주에 무령왕릉武寧王陵을 축조함. ▶신라, 울주천전리 각석刻石을 조성함.	**1** 북위 원법승元法僧, 배반하고 양梁에 항복함. ▶양, 수양壽陽에서 북위군을 격파함. ▶북위, 터키계의 철륵鐵勒이 항복해 옴.
526 (2859) 병오	13	8	4	**3** 고구려, 양梁에 사신 보냄. **10** 백제, 웅진성熊津城을 보수함. ▶백제 겸익謙益, 불법을 구하러 인도에 감.	**8** 북위의 갈영葛榮이 자립함. **11** 양, 북위의 수양壽陽을 점령함. ▶ 로마 디오니시우스 엑시구스 Dionysius Exigus, 크리스트교력 Chrisr教曆을 전파함.
527 (2860) 정미	14	9	5	▶신라, 불교를 공인함: 이차돈異次頓의 순교 결과. ▶백제, 대통사大通寺 · 대조사大鳥寺 창건.	▶북위, 역도원酈道元 사망. ▶동로마제국, 유스티니아누스 Justinianus 1세 즉위.
528 (2861) 무신	15	10	6		**2** 북위 호태후胡太后, 효명제孝明帝를 살해하고 효장제孝莊帝를 옹립함. ▶동로마제국, 페르시아군을 격파함.
529 (2862) 기유	16	11	7	**10** 백제, 오곡성五谷城(황해도 서흥瑞興)에서 고구려군을 대파함. ▶신라, 불법佛法으로 살생을 금함.	**1** 북위, 오수전五銖錢을 주조함. ▶동로마, 《유스티니아누스법전 Justianus法典》을 완성함.
530 (2863) 경술	17	12	8		**3** 북위, 만후추노萬俟醜奴를 공격함. ▶북위 우문태宇文泰, 정서장군征西將軍이 됨.
531 (2864) 신해	18	안원 1	9	**4** 신라, 이찬 철부哲夫를 상대등上大等에 임명함. **5** 고구려, 안장왕 사망: 안원왕安原王 즉위.	**2** 북위 이주세륭爾朱世隆, 왕을 시해하고 절민제節閔帝를 옹립함. **11** 북위 고환高歡, 폐제낭廢帝朗을 옹립함.
532 (2865) 임자	19	2	10	**3** 고구려, 북위北魏에서 왕에게 작호를 보내옴. **9** 금관가야 구형왕, 신라에 항복함: 금관가야金官加耶 멸망.	**4** 북위, 이주세륭爾朱世隆을 처형함. 고환高歡이 효무제孝武帝를 옹립함. ▶동로마제국, 콘스탄티노플 Constantinople에 폭동 일어남.
533 (2866) 계축	20	3	11	**1** 고구려, 평성平成을 태자로 삼음. **2** 고구려, 북위北魏에 사신 보내 통교함.	**2** 북위, 양의 옹주雍州에 침입함. ▶동로마제국, 페르시아와 화의함.

연대	신라	고구려	백제	우리 나라	다른 나라
534 (2867) 갑인	법흥 21	안원 4	성 12	3 백제, 양梁에 사신 보냄. ▶고구려, 동위東魏에서 왕에게 삭호를 보내옴. ▶신라, 철부哲夫 사망.	10 북위 고환高歡, 효정제孝靜帝를 옹립함: 동위東魏 건국. 윤12 북위 우문태于文泰, 효무제孝武帝를 시해함: 북위北魏 멸망. ▶프랑크, 부르군트Burgund 왕국을 병합함. ▶동로마제국, 반달Vandal왕국 멸함.
535 (2868) 을묘	22	5	13	2 고구려, 양梁에 사신 보냄. 5 고구려, 남쪽 지방에 홍수 피해 발생함.	1 북위 우문태, 문제文帝를 옹립함: 서위西魏 건국. 북위가 동·서로 분열됨. 12 동위, 문무 관록官祿을 정함.
536 (2869) 병진	23	6	14	▶신라, 처음으로 연호年號를 제정함:건원建元이라 함. 영천청제비永川菁堤碑를 건립함.	12 동위, 양梁과 화친함. ▶동로마제국, 동고트 정벌. 벨리사리우스Belisarius가 로마에 입성함.
537 (2870) 정사	24	7	15	12 고구려, 동위東魏에 사신 보냄. ▶고구려 고흘高紇, 백암성白巖城에서 돌궐을 대파함.	12 동위·서위, 위곡渭曲에서 전투 벌임. ▶동로마제국, 콘스탄티노플에 성 소피아聖Sophia 성당을 중건함.
538 (2871) 무오	25	8	16	1 백제, 사비泗沘(부여扶餘)로 천도함. 국호를 남부여南扶餘라 함. 신라, 지방관이 가족을 데리고 현지에 부임하는 것을 허락함.	10 일본, 백제로부터 불교가 공식 전래함. ▶동로마제국, 콘스탄티노플에 칼케 궁전을 재건함.
539 (2872) 기미	26	9	17	5 고구려, 동위東魏에 사신 보냄. ▶고구려, 연가延嘉7년명금동여래입상 조성.	11 양, 여러 주州를 5품品으로 구분함. ▶서위, 예악禮樂을 제정함.
540 (2873) 경신	진흥 1	10	18	▶신라, 법흥왕 때 아시량국阿尸良國을 통합함. 7 신라, 법흥왕 사망: 진흥왕眞興王 즉위. 9 백제, 고구려 우산성牛山城을 공격함.	2 서위, 유연柔然의 침입을 받음. 11 동위, 토곡혼에서 사신 보내옴. ▶동로마제국, 페르시아와 싸워 시리아와 메소포타미아를 정복함. 벨리사리우스Belisarius가 동고트 왕을 생포함.
541 (2874) 신유	2	11	19	▶백제, 양梁에 사신 보내 불경佛經과 공장工匠·화사畫師 등을 청함. ▶신라 이사부異斯夫, 병부령이 됨.	9 서위, 관리 줄이고 둔전屯田을 설치함. 12 양, 이분李賁의 반란 일어남.

연대	신라	고구려	백제	우리 나라	다른 나라
542 (2875) 임술	3	12	20	**12** 고구려, 동위東魏에 사신 보냄.	**3** 양, 왕승변王僧弁이 요인妖人의 난을 평정함. 서위, 6군軍을 설치함.
543 (2876) 계해	4	13	21	**11** 고구려, 동위東魏에 사신 보냄.	**3** 동위, 망산邙山에서 서위와 전투 벌임. **11** 동위, 장성長城을 축조함. ▶프랑크, 생제르맹 Saint-Germen 수도원을 설립함. ▶이탈리아, 베네딕트Benedict 사망.
544 (2877) 갑자	5	14	22	**3** 신라, 출가해 승려됨을 것을 허락함. ▶신라, 중원소경中原小京(충주忠州)을 설치함. 대당大幢을 설치함. 화엄사華嚴寺 창건.	**7** 서위, 도량형度量衡을 개정함. **10** 동위, 호적戶籍이 없는 자를 입적시켜 세금을 부과함.
545 (2878) 을축	6	양원 1	23	**3** 고구려, 안원왕 사망: 양원왕陽原王 즉위. **7** 신라 거칠부居柒夫, 《국사國史》를 편찬함.	▶양, 이분李賁의 반란을 진압하고 처형함.
546 (2879) 병인	7	2	24	**1** 백제, 일본에 갔던 기련己連 일행이 귀국함. **6** 백제, 일본에 약엽례掠葉禮 등을 파견함.	**3** 양 무제, 동태사同泰寺에서 불경을 강독함. ▶돌궐突厥, 유연柔然에서 독립함.
547 (2880) 정묘	8	3	25	**7** 고구려, 백암성白巖城을 쌓고 신성新城을 보수함. 동위東魏에 사신 보냄.	**1** 동위, 고환高歡 사망. **3** 양 무제, 동태사同泰寺에 입문함. **8** 양, 동위와 전투 벌임.
548 (2881) 무진	9	4	26	**2** 고구려, 예濊와 함께 백제 독산성禿山城을 공격함: 신라 주진朱珍, 고구려군을 격파함. **윤7** 백제, 약엽례 일행이 일본에서 돌아옴.	**2** 양, 동위에 화의를 요청함. **11** 양, 소정덕蕭正德의 반란 일어남.
549 (2882) 기사	10	5	27	**10** 백제, 양梁에 보낸 사신이 후경侯景에게 납치됨. ▶신라, 대관대감大官大監을 둠. 각덕覺德이 양梁의 사신과 함께 사리舍利를 가지고 옴.	**2** 양 후경侯景, 대승상이 되어 반란 일으킴: 수도 건강建康(난징南京)을 함락함. **12** 양 진패선陳霸先, 후경侯景을 토벌함.
550 (2883) 경오	11	6	28	**1** 백제, 고구려 도살성道薩城(천안天安)을 점령함. **3** 고구려, 백제 금현성錦峴城을 점령함. 신라 이사부異斯夫, 도살성과 금현성을 모두 점령함.	**5** 북제, 고양高洋(문선제文宣帝)이 동위의 효정제孝靜帝를 살해하고 즉위함: 동위東魏 멸망. ▶서위, 부병제府兵制를 실시함.

연대	신라	고구려	백제	우리 나라	다른 나라
551 (2884) 신미	진흥 12	양원 7	성 29	**1** 신라, 연호를 개국開國으로 고침. **3** 신라, 가야에서 온 우륵于勒이 가야금을 전수함:그의 제자 이문尼文과 함께 하림궁河臨宮에 머물게 함. **9** 고구려, 신성新城과 백암성白巖城에 침입한 돌궐을 격파함. **11** 신라 혜량惠亮, 처음으로 백고좌강회百高座講會와 팔관회八關會를 개최함. ▶백제 · 신라 · 고구려군을 물치치고 한강 하류를 되찾음.	**8** 양 후경侯景, 간문제簡文帝를 폐하고 예장왕豫章王을 옹립함. **10** 양 후경, 스스로 한왕漢王이라 칭함. ▶동로마제국, 페르시아를 토벌함. 비단이 전래됨.
552 (2885) 임신	13	8	30	**10** 백제 노리사치계怒利斯致契, 일본에 불교를 전파함. ▶고구려, 장안성長安城을 축조함. ▶신라 우륵于勒, 계고階古 · 법지法知 · 만덕萬德에게 음악을 전수함.	**3** 양, 후경侯景을 처형함. **12** 일본, 백제로부터 불상과 불경이 전래됨. ▶돌궐제국 성립.
553 (2886) 계유	14	9	31	**2** 신라, 신궁神宮을 고쳐 황룡사皇龍寺를 세우기 시작함. **7** 신라, 한강 하류를 점령함: 신주新州 설치하고 군주軍主를 둠. 나제동맹 깨짐. **10** 신라 진흥왕, 백제 성왕의 딸을 소비小妃로 삼음. ▶신라, 법주사法住寺 창건.	**10** 북제, 거란을 격파함. **11** 북제, 돌궐이 항복해 옴. ▶동로마제국, 동고트를 멸함. ▶콘스탄티노플Constantinople 종교회의 개최.
554 (2887) 갑술	15	10	위덕 1	**2** 백제, 일본에 역박사曆博士 · 오경박사五經博士 · 의학박사醫學博士를 보냄. **7** 백제 성왕, 신라와의 관산성管山城(옥천沃川) 전투에서 전사함: 위덕왕威德王 즉위. **10** 고구려, 백제 웅진성熊津城을 공격함.	**4** 서위 우문태宇文泰, 왕을 살해함: 공제恭帝 옹립. **12** 서위, 양의 원제元帝를 살해함. ▶동로마제국, 서고트 공략함.
555 (2888) 을해	16	11	2	**1** 신라, 하주下州를 설치함. **10** 신라, 북한산에 진흥왕순수비眞興王巡狩碑를 세움.	**1** 양 소찰蕭察, 황제를 칭함: 후량後梁 건국. ▶돌궐, 유연柔然을 멸함. ▶동로마제국, 동고트에 군정軍政을 실시함.
556 (2889) 병자	17	12	3	**7** 신라, 비열홀주比列忽州를 설치하고 사찬 성종成宗을 군주軍主로 삼음. ▶백제, 일본에 가 있던 왕자 혜惠가 귀국함.	**10** 서위, 우문태宇文泰 사망. **12** 서위 우문각宇文覺, 주공周公이 됨. ▶북제, 장성長城을 축조함.

연대	신라	고구려	백제	우리 나라	다른 나라
557 (2890) 정축	18	13	4	**10** 고구려, 환도성丸都城의 간주리干朱里가 모반함. ▶신라, 국원소경國原小京(충주忠州) 및 감문주甘文州·북한산주北漢山州를 설치함.	**1** 서위 우문각于文覺, 공제恭帝를 폐함: 서위西魏 멸망. 북주北周 건국. **10** 양, 진패선陳霸先에게 멸망당함: 진陳 건국.
558 (2891) 무인	19	14	5	**2** 신라, 귀족 자제와 6부의 호민을 국원경國原京으로 옮김. ▶신라, 나마 신득身得이 포노砲弩를 생산함.	**3** 후량 왕림王琳, 재상이 됨. ▶프랑크 클로타르Chlotar 1세, 국내 통일을 이룸.
559 (2892) 기묘	20	평원 1	6	**3** 고구려, 양원왕 사망: 평원왕平原王 즉위.	**8** 북주, 왕이 황제 칭하고 연호를 정함. **10** 북제, 문선제文宣帝사망: 고은高殷(폐제은廢帝殷)즉위.
560 (2893) 경진	21	2	7	**1** 고구려, 북제北齊에서 왕에게 작호를 보내옴.	**4** 북주 우문호宇文護, 명제明帝를 폐하고 무제武帝를 옹립함. **8** 북제 상산왕常山王, 효소제孝昭帝에 오름.
561 (2894) 신사	22	3	8	**2** 신라, 비자벌比子伐에서 군신회의群臣會議를 개최함. **8** 신라, 창녕에 진흥왕순수비眞興王巡狩碑를 세움.	▶북주, 포전布錢을 주조함. ▶프랑크, 클로타르Chlotar 1세 사망: 왕국 4분됨.
562 (2895) 임오	23	4	9	**1** 신라, 대가야를 병합함. **9** 신라, 사다함斯多含이 대가야의 반란을 진압함.	**윤2** 진陳, 오수전五銖錢을 고쳐 주조함. ▶페르시아, 아라비아에 원정함.
563 (2896) 계미	24	5	10	▶신라, 계미명금동삼존불癸未銘金銅三尊佛을 조성함.	**2** 북주, 율령을 반포함. **9** 북주, 북제를 토벌함. ▶동로마제국, 페르시아와 화의함.
564 (2897) 갑신	25	6	11	▶고구려, 북제北齊에 사신 보냄. ▶신라, 북제에 사신 보냄. 각 소경小京에 사신仕臣을 둠.	**3** 북제, 율령을 반포하고 전세田稅를 제정함. **12** 북제, 북주군을 격파함.
565 (2898) 을유	26	7	12	**1** 고구려, 왕자 원元을 태자에 책봉함. **9** 신라, 대야주大耶州를 설치함. 진陳의 사신 유사劉思와 승려 명관明觀이 불경 2,700여권을 가져옴.	**4** 북제 무성제武成帝, 왕위를 태자 위緯에게 물려주고 태상제太上帝가 됨. ▶동로마제국, 벨리사리우스Belisarius 사망.

연 대	신라	고구려	백제	우 리 나 라	다 른 나 라
566 (2899) 병술	진흥 27	평원 8	위덕 13	**2** 신라, 기원사祇園寺와 실제사實際寺를 창건함. **12** 고구려 · 신라, 진陳에 사신 보냄.	▶북제, 처음으로 사인士人을 현령縣令으로 함.
567 (2900) 정해	28	9	14	**3** 신라 · 백제, 진陳에 사신 보냄. ▶고구려, 태천성벽석각泰川城壁石刻을 조성함.	▶일본, 홍수와 기근 심해 군국郡國에 곡물을 배급함.
568 (2901) 무자	29	10	15	**1** 신라, 연호를 대창大昌으로 고침. **8** 신라, 황초령黃草嶺과 마운령摩雲嶺에 진흥왕순수비를 세움. **10** 신라, 북한산주北漢山州 폐지하고 남천주南川州를, 비열홀주比列忽州 폐지하고 달홀주達忽州를 설치함.	**11** 진 안성왕安成王, 황제를 폐하고 자립함. ▶동로마제국, 돌궐에 사신 보냄. ▶랑고바르드Langobard 왕국, 북이탈리아에서 건국함.
569 (2902) 기축	30	11	16	▶고구려, 평양성벽석각을 조성함. ▶신라, 황룡사皇龍寺 완공. 이 무렵 솔거率居가 〈노송도老松圖〉를 그렸다고 전함.	**1** 진, 선제宣帝 즉위. **8** 북제 구양흘歐陽紇, 반란 일으킴. **12** 북주, 진陳과 통호함. ▶토번吐蕃(티베트), 불교가 전래됨.
570 (2903) 경인	31	12	17	**4** 고구려, 사신이 일본 오사카大阪에 도착함. **7** 고구려, 일본에 간 사신이 상락관相樂館에서 접대 받음.	**2** 진, 나라 사람들이 구양흘區陽紇을 참함. ▶진, 후량後梁을 공격함. ▶아라비아 메카Mecca에서 마호메트Mahomet 출생.
571 (2904) 신묘	32	13	18	**8** 고구려, 궁궐을 중수함. 신라, 일본에 왕조문사弔問使를 파견함. ▶고구려, 신묘명금동삼존불상 조성.	**1** 북제, 북주군을 격파함.
572 (2905) 임진	33	14	19	**1** 신라, 연호를 홍제鴻濟로 고침. **10** 신라, 전사한 병사兵士들을 위하여 팔관회八關會를 개최함.	**3** 북주 무제, 우문호宇文護를 살해하고 친정 시작함. **10** 돌궐, 동서로 분열됨.
573 (2906) 계사	34	15	20	▶고구려, 북제北齊에 사신 보냄.	**2** 북제, 문림관文林館 설치. ▶북주, 양견楊堅의 딸을 태자비로 맞음.
574 (2907) 갑오	35	16	21	**1** 고구려, 진陳에 사신 보냄. **3** 신라, 황룡사장육상皇龍寺丈六像을 조성함. **11** 신라, 일본에 사신 보냄.	**5** 북주, 불교와 도교를 폐하고 음사淫祠를 없앰. **6** 북주, 오행대포전五行大布錢을 주조함.
575 (2908) 을미	36	17	22	**2** 백제, 일본에 사신 보냄. ▶신라, 고성술랑제석각高城述郎題石刻을 조성함.	**7** 북주, 북제北齊를 토벌함. **윤9** 진 오명철吳明徹, 북제군을 토벌함.

연 대	신라	고구려	백제	우 리 나 라	다 른 나 라
576 (2909) 병신	진지 1	18	23	▶봄. 신라, 원화제도源花制度가 시작되었다고 함. **8** 신라, 진흥왕 사망: 진지왕眞智王 즉위. 이찬 거칠부를 상대등으로 삼음.	**2** 북주, 토곡혼을 토벌함. **10** 북주, 북제北齊의 평양平陽을 점령함. ▶동로마제국, 페르시아에 원정함.
577 (2910) 정유	2	19	24	**2** 신라, 왕이 신궁神宮에 제사 지냄. **10** 백제, 신라의 일선一善(선산善山) 지방을 공격함. 신라, 내리서성內利西城을 쌓음.	**1** 북제 후주後主, 왕위를 태자에게 전함. ▶북주, 북제北齊를 멸함.
578 (2911) 무술	3	20	25	**7** 신라, 알야산성閼也山城에서 백제에 패배함. ▶신라, 무술오작비戊戌塢作碑를 건립함. ▶백제, 수원사水原寺 창건.	**2** 북주, 진陳의 오명철吳明徹을 생포함. **7** 북주 양견楊堅, 대사마大司馬가 됨.
579 (2912) 기해	진평 1	21	26	**2** 백제, 웅현성熊峴城과 송술성松述城을 쌓음. ▶신라, 진지왕 폐위: 진평왕眞平王 즉위. **8** 신라, 이찬 노리부努里夫를 상대등으로 삼음. 왕의 동생 백반伯飯과 국반國飯을 갈문왕葛文王에 봉함. **10** 신라, 일본에 불상을 전달함. ▶신라, 옥대玉帶를 제작함.	**2** 북주 선제宣帝, 정제靜帝에게 양위함. **12** 북주, 불교와 도교를 부활시킴. 진陳의 강북지역을 취함.
580 (2913) 경자	2	22	27	**2** 신라, 왕이 신궁神宮에 제사 지냄. 김후직金后稷을 병부령으로 삼음. **6** 신라, 안도安刀와 실소失消를 일본에 보냄.	**5** 북주, 전왕 선제宣帝 사망. **12** 북주 양견楊堅, 수왕隋王이 됨.
581 (2914) 신축	3	23	28	**1** 신라, 위화부位和府를 설치함. **12** 고구려, 수隋에 사신 보냄: 수에서 왕에게 작호를 보내옴. ▶백제, 수隋에 사신 보냄: 수에서 왕에게 작호 보내옴. 선운사禪雲寺 창건.	**2** 북주 양견楊堅, 정제를 폐하고 황제에 오름: 수隋 건국. **10** 수, 관직 명칭을 고치고 신법新法을 제정함. **12** 돌궐, 4분됨.
582 (2915) 임인	4	24	29	**1** 백제 · 고구려, 수隋에 사신을 보냄.	**1** 진, 선제宣帝 사망. 시흥왕始興王 숙릉叔陵이 반란을 일으키다 실패하여 처형당함. 후주後主 즉위. **6** 수, 용수원龍首原에 새 수도를 건설함.

연대	신라	고구려	백제	우리 나라	다른 나라
583 (2916) 계묘	진평 5	평원 25	위덕 30	**1** 신라, 선부서船府署에 대감大監·제감弟監 각 1인을 둠. **7** 백제 일라日羅, 일본 왕의 초청으로 일본에 건너감: 오사카大阪에서 수행원에게 피살. **9** 백제, 일본에 불상을 보냄. ▶신라, 녹금서당綠衿誓幢을 설치함.	**3** 수, 수도를 시안西安 대흥성大興城으로 옮김. **4** 수, 돌궐을 격파함. **9** 일본 소가蘇我馬子, 백제가 불상 보내오자 법당을 세움. **11** 수, 군郡을 주州로 고침.
584 (2917) 갑진	6	26	31	**2** 신라, 연호를 건복建福으로 고침. **11** 백제, 진陳에 사신 보냄. ▶신라, 황룡사 금당을 완성함.	**2** 서돌궐, 수隋에 항복함. **6** 수, 광통거廣通渠를 건설함.
585 (2918) 을사	7	27	32	**3** 신라, 가뭄이 들자 왕이 남당南堂에 나아가 죄수들을 사면함. **7** 신라 지명智明, 불법 구하러 진陳에 감.	**1** 수, 오례五禮를 반포함. **5** 수, 의창義倉을 설치함. ▶수, 장성長城을 축조함. 동돌궐이 항복해 옴.
586 (2919) 병오	8	28	33	**1** 신라, 예부禮部를 설치함. ▶고구려, 평양 대성산大城山에서 장안성長安城으로 천도함.	**10** 수, 토곡혼土谷渾이 항복해 옴. ▶수, 돌궐에 역서曆書를 전함.
587 (2920) 정미	9	29	34	**6** 백제, 일본에 사신 보냄. ▶신라, 대승사大乘寺 창건.	**4** 일본, 왕이 불교에 귀의함. **9** 수, 후량後梁을 멸함. ▶서고트, 가톨릭교로 개종함.
588 (2921) 무신	10	30	35	**12** 신라, 이찬 수을부首乙夫를 상대등에 임명함. ▶백제, 일본 승려 선신니善信尼가 유학 목적으로 들어옴. ▶신라, 남산사南山寺 창건.	**3** 수, 진陳 정벌의 조칙을 내림. ▶일본, 아스카사飛鳥寺 건립을 시작함.
589 (2922) 기유	11	31	36	**3** 신라 원광圓光, 중국에 가서 불법을 구함. ▶고구려, 강서삼묘江西三墓를 조성함.	**1** 수, 진陳을 멸함: 국내 통일. **2** 수, 향정鄕正·이장里長을 둠. **12** 수, 아악雅樂을 정함.
590 (2923) 경술	12	영양 1	37	**10** 고구려, 평원왕 사망: 영양왕嬰陽王 즉위. ▶백제 온달溫達, 신라군과의 아차성阿且城 전투에서 전사함.	**5** 수, 부병제府兵制를 정비함. **6** 수, 50세가 되면 부역을 면제케 함. **11** 수, 강남江南에서 난 일어남. ▶교황 그레고리Gregory 1세 즉위.
591 (2924) 신해	13	2	38	**2** 신라, 영객부領客府 영令 2인을 둠. **7** 신라, 경주에 남산신성비南山新城碑를 세움.	**2** 수, 토곡혼土谷渾이 조공해 옴. ▶동로마제국, 페르시아와 화친함.

연대	신라	고구려	백제	우리 나라	다른 나라
592 (2925) 임자	14	3	39	**1** 고구려, 수隋에 사신 보냄. ▶백제, 기술자들이 일본에 건너가 호코사法興寺의 건립에 참여함.	**11** 일본, 스순崇峻왕 피살: 스이코推古왕 즉위. **12** 수, 균전법均田法을 시행함.
593 (2926) 계축	15	4	40	**7** 신라, 명활성明活城과 서형산성西兄山城을 개축함.	**1** 수, 도참圖讖 관련 서적의 소장을 금함. **4** 일본, 쇼토쿠태자聖德太子 가 왕을 대리하여 섭정함. **7** 수, 명당明堂 제도를 의논함. ▶일본, 시텐노사四天王寺 창건.
594 (2927) 갑인	16	5	41	▶신라, 수隋에 사신 보냄: 수에서 왕에게 작호를 보내옴.	**2** 일본, 불교 흥륭의 조칙을 내림. **4** 수, 새로운 음악을 행함. **6** 수, 공경公卿 이하에게 직전職田을 지급함.
595 (2928) 을묘	17	6	42	**5** 고구려 혜자慧慈, 일본에 건너가 쇼토쿠聖德 태자의 스승이 됨. ▶백제 혜총慧聰, 일본에 감. ▶신라, 어숙술간묘於宿述干墓를 조성함.	**2** 수, 개인의 무기 소유를 금하고 모두 회수함. **3** 수, 인수궁仁壽宮을 건립함. ▶수, 관리 선발 위해 실시하였던 9품중정제九品中正制를 폐지함.
596 (2929) 병진	18	7	43	**3** 신라 담육曇育, 수隋에 감. **10** 신라, 영흥사永興寺가 불탐. ▶백제, 건흥명建興銘금동석가여래상을 조성함.	**11** 일본, 아스카사飛鳥寺 완공: 고구려 혜자慧慈와 백제 혜총慧聰 등을 머물게 함. ▶수, 사창社倉을 설치함.
597 (2930) 정사	19	8	44	**4** 백제 아좌태자阿佐太子, 일본에 건너가 쇼토쿠聖德 태자 초상을 그림. ▶신라, 무위사無爲寺 · 삼랑사三郎寺 창건.	**4** 수, 새 역서曆書를 반포함. **7** 수 안의공주安義公主, 동돌궐에 출가함. ▶교황 그레고리Gregory 1세 사절이 브리타니아Britannia에 도착함: 켄트족Kent族과 동색슨족東Saxon族에 포교.
598 (2931) 무오	20	9	혜 1	**2** 고구려, 요서지방을 공격함. **6** 고구려, 수隋의 문제文帝가 30만 군으로 침입해 옴. **9** 고구려, 수隋의 침입을 격파함. **12** 백제, 위덕왕 사망: 혜왕惠王 즉위.	**12** 수, 행궁行宮 12소를 설치함.

연 대	신라	고구려	백제	우 리 나 라	다 른 나 라
599 (2932) 기미	진평 21	영양 10	법 1	▶백제, 혜왕 사망: 법왕法王 즉위. 12 백제, 살생 금하는 조서詔書를 내림. ▶백제, 수덕사修德寺와 금산사金山寺를 창건함. ▶이 무렵. 신라, 〈서동요薯童謠〉가 이루어짐.	2 수, 돌궐을 공격함. 7 수 의성공주義成公主, 동돌궐에 출가함.
600 (2933) 경신	22	11	무 1	1 고구려 이문진李文眞, 《신집新集》 5권을 편찬함. 백제, 왕흥사王興寺 창건. 5 백제, 법왕 사망: 무왕武王 즉위. ▶신라, 원광圓光이 수隋에서 돌아옴. 금곡사金谷寺 · 가실사加悉寺 창건.	10 수, 태자 용勇을 폐함: 11월 진왕晋王 광廣을 태자로 세움. 12 수, 불상 훼손을 금함. ▶일본, 수隨에 사신 보냄. ▶교황 그레고리Gregory 1세, 교권을 확립함.
601 (2934) 신유	23	12	2	11 신라, 일본이 신라 정벌을 논의함.	5 수, 돌궐족 9만여 명이 항복해 옴. ▶수, 대학大學과 주현학州縣學을 폐지함. 국자학國子學을 태학太學으로 개칭함.
602 (2935) 임술	24	13	3	8 백제, 신라 아막성阿莫城(모산성母山城)을 공격함: 원광圓光이 세속오계世俗五戒 가르친 귀산貴山과 추항箒項이 전사함. 9 신라 지명智明, 수隋에서 돌아옴. 10 백제 관륵觀勒, 일본에 천문서天文書 · 지리서地理書 · 역서曆書 · 방술서方術書 등을 전함.	3 수 양소楊素, 돌궐의 침입을 격파함. 윤10 수, 오례五禮를 수정함. ▶동로마제국, 유스티니아누스Justanianus 왕조가 단절되고 내란 일어남.
603 (2936) 계해	25	14	4	8 고구려, 신라의 북한산성北漢山城을 공격함.	9 수, 상평창常平倉을 설치함. 11 일본, 고류사廣隆寺 창건. 12 일본, 12관등을 제정함.
604 (2937) 갑자	26	15	5	7 신라, 남천주南川州를 폐지하고 북한산주北漢山州를 설치함. 만세萬世 · 혜문惠文 등이 수隋에 사신으로 감. ▶신라, 군사당軍師幢을 설치함.	1 일본, 역서曆書를 처음으로 사용함. 4 일본, 헌법 17조를 제정함. 7 수, 태자 광廣이 문제文帝 살해하고 즉위함: 양제煬帝. 8 수 양소楊素, 한왕漢王 양凉의 군사를 평정함.

연대	신라	고구려	백제	우리나라	다른나라
605 (2938) 을축	27	16	6	**2** 백제, 각산성角山城을 쌓음. **3** 신라 담육曇育, 수隋에서 돌아옴. ▶신라, 급당急幢을 설치함.	**3** 수, 대운하 공사를 시작함. **5** 수, 서원西苑을 조성함. ▶수, 뤄양洛陽을 동경東京이라 함. 철륵鐵勒의 반란 일어남.
606 (2939) 병인	28	17	7	**4** 백제인 도리止利(구라쓰쿠리노 도리鞍作鳥)가 일본 아스카사飛鳥寺 장육불상을 조성함.	**1** 수, 주州 · 현縣을 정비함. **10** 수, 율령律令을 개정하고 처음으로 진사과進士科를 설치함. ▶동로마제국, 교황의 지상권至上權을 승인함.
607 (2940) 정묘	29	18	8	**3** 백제, 수隋에 사신 보내 고구려 정벌을 요청함. **5** 고구려, 백제의 송산성松山城과 석두성石頭城을 공격함. **6** 고구려, 수의 양제煬帝가 왕의 입조入朝를 강요해 옴.	**7** 수, 장성長城을 수축함. **10** 수 배구裵矩, 서역을 정벌함. ▶일본, 호류사法隆寺 창건. 금당약사상金堂藥師像 조성.
608 (2941) 무진	30	19	9	**4** 고구려, 신라 우명산성牛鳴山城을 함락함. ▶신라, 수隋에 사신 보내 고구려 정벌을 요청함. 원광圓光이 〈걸사표乞師表〉를 지음.	**2** 수, 서돌궐이 조공해 옴. **3** 일본, 수隋에 조공함. **10** 수 배구裵矩, 철륵鐵勒의 반란군을 격파함.
609 (2942) 기사	31	20	10	**1** 신라, 지진 발생.	**1** 수, 민간인의 병기 사용을 금함. **4** 수, 토곡혼吐谷渾을 격파함.
610 (2943) 경오	32	21	11	**3** 고구려 담징曇徵, 일본에 종이 · 먹 · 수차水車 등을 전하고 호류사法隆寺 금당벽화를 그림. **7** 신라 죽세사竹世士, 사신으로 일본에 감.	**1** 수, 유구국琉球國을 정벌하고 그 왕을 죽임. ▶수, 강남江南 운하를 개통함. ▶마호메트Mahomet, 이슬람교를 창시함: 경전 《코란Koran: 쿠란Quran》.
611 (2944) 신미	33	22	12	**2** 백제 국지모國智牟, 수隋에 사신으로 가 고구려 정벌을 요청함. **8** 백제, 적암성赤嵓城을 축조함. **10** 백제, 신라 가잠성椵岑城(현 거창으로 추정) 함락: 성주 찬덕讚德을 죽임. ▶신라, 수隋에 〈걸사표乞師表〉 보내 군사 출동을 요청함: 수의 양제煬帝, 이를 허락하고 군사를 일으킴.	**2** 수, 고구려 원정 위한 총동원령을 내림. **10** 수, 도적이 봉기함. ▶수, 서돌궐 사신이 옴.

연 대	신라	고구려	백제	우 리 나 라	다 른 나 라
612 (2945) 임신	진평 34	영양 23	무 13	**2** 고구려, 수隋의 군대가 요동성을 포위함. **7** 고구려 을지문덕乙支文德, 살수薩水(청천강淸川江)에서 수의 군사를 섬멸함(살수대첩薩水大捷): 〈여수장우중문시與隋將于仲文詩〉를 지음. ▶백제 미마지味摩之, 일본에 귀화하여 기악무伎樂舞를 가르침.	**1** 서돌궐, 3분됨. **7** 수, 고구려 원정 군대가 귀환함. ▶일본, 다이마사當麻寺 창건.
613 (2946) 계유	35	24	14	**2** 고구려, 수隋가 다시 침입해 옴. **4** 고구려, 수 양제煬帝가 요동성에 침입해 옴: 6월에 철수.	**1** 수 양제, 고구려 원정 위한 총동원령을 내림. **6** 수 양현감楊玄感, 반란 일으킴. **8** 수 이연李淵, 홍화유수弘化留守가 됨. ▶프랑크 클로타르Chlotar 2세, 왕국을 다시 통일함.
614 (2947) 갑술	36	25	15	**2** 신라, 사벌주沙伐州 폐지하고 일선주一善州를 설치함. **7** 고구려, 수 양제煬帝가 회원진懷遠鎭에 도착함. **8** 고구려, 수隋의 군대를 격파함.	**11** 수, 묘왕苗王이 군사 일으킴. ▶페르시아, 다마스쿠스Damascus를 함락함.
615 (2948) 을해	37	26	16	**1** 신라, 수隋에 사신 보냄. ▶고구려 혜지慧慈, 일본에서 돌아옴.	**8** 수, 돌궐을 공격함. ▶수 이자통李子通, 해릉海陵에 근거함. ▶페르시아, 예루살렘을 점령함.
616 (2949) 병자	38	27	17	**7** 신라 죽세사竹世士, 일본에 불상을 전함. **10** 백제, 신라의 모산성母山城을 공격함.	▶수 이연李淵, 타이위안太原 유수留守가 됨. ▶페르시아, 이집트에 원정함. ▶서고트, 스페인 반도를 완전히 지배함.
617 (2950) 정축	39	28	18		**4** 수 설거薛擧, 반란 일으킴. **5** 수 이연李淵, 타이위안太原에서 거병함: 11월 장안長安(시안西安)에서 승리.
618 (2951) 무인	40	영류 1	19	**9** 고구려, 영양왕 사망: 영류왕榮留王 즉위. ▶신라, 백제의 가잠성椵岑城에 침입함: 해론奚論 전사.	**3** 수, 양제煬帝 피살: 수隋 멸망. **5** 이연李淵, 황제를 칭함: 당唐 건국.

연대	신라	고구려	백제	우리 나라	다른 나라
619 (2952) 기묘	41	2	20	**2** 고구려, 당唐에 사신 보냄. **4** 고구려, 왕이 졸본卒本의 시조묘始祖廟에 제사 지냄.	**2** 당, 조용조租庸調를 제정함. **7** 당, 12군을 설치함. ▶페르시아, 이집트를 점령함.
620 (2953) 경진	42	3	21		**2** 당, 관직 명칭을 개정함. **5** 당, 노자묘老子廟를 세움. ▶일본 쇼토쿠태자聖德太子, 《천황기天皇記》·《국기國記》 지음.
621 (2954) 신사	43	4	22	**7** 고구려·신라, 당에 사신 보냄. ▶신라, 설계두薛罽頭가 당에 들어감. 왜전倭典을 영객전領客典으로 고침.	**7** 당, 처음으로 개원통보開元通寶를 사용함. **11** 당, 이자통李子通을 체포함.
622 (2955) 임오	44	5	23	**2** 신라, 내성사신內省私臣을 둠. **7** 신라, 불상佛像·금탑金塔·사리舍利 등을 일본에 보냄.	**2** 일본, 쇼토쿠태자聖德太子 사망. **9** 마호메트Mahomet, 메카Mecca에서 메디나Medina로 옮겨 적극적인 포교 시작함: 헤지라hegira(성천聖遷). 이해를 이슬람 기원 원년으로 함. ▶당 안사고顔師古, 《수서隋書》 편찬.
623 (2956) 계미	45	6	24	**7** 신라, 당唐에 사신 보냄. 지세이智洗爾를 일본에 보냄. ▶백제, 신라의 늑노현勒弩縣을 공격함. ▶고구려, 혜자慧慈 사망.	**2** 당, 임읍林邑이 조공해 옴. **3** 일본, 호류사法隆寺 석가삼존상을 조성함. ▶동로마제국, 아르메니아Armenia에 침입하여 페르시아 왕을 파함.
624 (2957) 갑신	46	7	25	**2** 백제, 신라의 속함速含 등 6개 성을 점령함: 신라 눌최訥催 전사.	**2** 당, 주·현에 향학鄕學을 설립함. **3** 당, 관제를 제정함. **4** 당, 무덕율령武德律令을 반포함: 균전법均田法·조용조租庸調 제정. ▶마호메트Mahomet, 메카군을 격파함.
625 (2958) 을유	47	8	26	**1** 고구려 혜관惠灌, 일본에 삼론종三論宗을 전함. **11** 신라, 당唐에 고구려가 길을 막음을 호소함.	**4** 당, 서돌궐의 청혼을 허가함. 12군을 다시 둠. ▶동로마제국, 살스의 싸움에서 페르시아군을 격파함.
626 (2959) 병술	48	9	27	**7** 신라, 당唐에 사신 보냄. **8** 백제, 신라의 주재성主在城을 공격함. 신라, 고허성高墟城을 쌓음.	**8** 당, 고조高祖 양위함: 태종太宗 즉위. **9** 당, 홍문관弘文館을 설치함. ▶동로마제국, 성상聖像 숭배 금지령을 내림.

연대	신라	고구려	백제	우리나라	다른나라
627 (2960) 정해	진평 49	영류 10	무 28	7 백제, 신라 서쪽 2개의 성을 점령함: 신라, 당唐에 백제의 침략을 호소함. ▶백제, 혜현惠現 사망.	1 당, 연군왕淵郡王 이예李藝가 반란 일으키다 처형됨. 2 당, 전국을 10도로 나눔. ▶동로마제국, 페르시아군 격파함.
628 (2961) 무자	50	11	29	2 백제, 신라의 가잠성椵岑城을 공격함. 9 고구려, 당에 〈봉역도封域圖〉를 보냄. ▶신라, 검군劍君 피살.	4 당, 양사도梁師都를 죽이고 국내 통일을 완성함. ▶페르시아, 폭동 일어남: 코스로 2세 피살. ▶동로마제국, 예루살렘을 회복함.
629 (2962) 기축	51	12	30	8 신라 김유신金庾信, 고구려를 공격하여 낭비성娘臂城(지금의 청주淸州 지역)을 함락함. 9 고구려 · 백제 · 신라, 당에 사신 보냄.	11 당 이정李靖, 돌궐을 공격함. ▶당, 《양서梁書》 · 《진서陳書》 · 《북제서北齊書》를 편찬함. 현장玄奘, 인도에 감. ▶티베트 손첸캄포松贊干布왕, 국내 통일을 이룸.
630 (2963) 경인	52	13	31	2 백제, 궁성을 중수함. 3 고구려 · 백제, 일본에 사신 보냄.	2 당 이정李靖, 동돌궐을 정벌함. ▶마호메트Mahomet, 메카Mecca를 점령함.
631 (2964) 신묘	53	14	32	2 고구려, 천리장성千里長城을 축조하기 시작함. 5 신라, 칠숙柒宿 · 석품石品 등이 반란을 꾀함. ▶고구려, 담징曇徵 사망.	8 당, 장온고張蘊古를 죽임. 11 당, 장안長安(지금의 시안西安)에 태진사太秦寺를 창건함. ▶프랑크 다고베르트Dagobertus 1세, 국내 통일을 이룸.
632 (2965) 임진	선덕여 1	15	33	▶신라 융천融天, 진평왕 때 〈혜성가彗星歌〉 지음. 1 신라, 진평왕 사망: 선덕여왕善德女王 즉위. 2 신라 을제乙祭, 국사를 총괄함.	2 당, 삼사관三師官을 설치함. ▶마호메트Mahomet 사망.
633 (2966) 계사	2	16	34	8 백제, 신라의 서곡성西谷城을 공격함. ▶신라 혜구惠求, 내소사來蘇寺 창건.	11 당, 장손무기長孫武忌를 사공司空에 임명함. ▶당, 혼천의渾天儀를 제작함. ▶사라센제국, 페르시아를 파하고 전 아라비아를 지배함.
634 (2967) 갑오	3	17	35	1 신라, 연호를 인평仁平으로 고침. 분황사芬皇寺 창건. 3 백제, 왕궁 남쪽에 궁남지宮南池를 조성함.	1 당, 전국에 출척대사黜陟大使를 파견함. 11 당, 티베트가 처음으로 조공해 옴.

연대	신라	고구려	백제	우리 나라	다른 나라
635 (2968) 을미	4	18	36	**6** 백제, 달솔 유柔를 일본에 파견함. **7** 신라, 영묘사靈廟寺 준공. **10** 신라 수품水品 · 용수龍樹, 주·군을 순무함.	**윤4** 당 이정李靖, 토곡혼을 격파함. ▶페르시아 아라본阿羅本, 당에 네스토리우스교Nestorius敎(경교景敎)를 전함. ▶사라센제국, 다마스쿠스 점령함.
636 (2969) 병신	5	19	37	**1** 신라 수품水品, 상대등이 됨. **3** 신라, 황룡사皇龍寺에서 백고좌도량百高座道場 베풀고 《인왕경仁王經》을 강독함. 승려 100인에게 도첩度牒을 줌. **5** 백제, 신라의 독산성禿山城을 공격함. ▶신라 자장慈藏, 당에 유학함.	**1** 당, 돌궐이 항복해 옴. ▶당, 부병제府兵制를 정비함. ▶사라센제국, 동로마제국과 페르시아를 격파함.
637 (2970) 정유	6	20	38	**1** 신라 사진思眞, 서불한舒弗邯에 오름. **7** 신라, 알천閼川을 대장군에 임명함. ▶신라, 우수주牛首州(지금의 춘천春川 지역)를 설치함.	**1** 당, 정관율령貞觀律令을 제정함. ▶페르시아, 시리아와 팔레스타인Palestine을 빼앗김. ▶사라센, 예루살렘을 정복함.
638 (2971) 무술	7	21	39	**10** 고구려, 신라 칠중성七重城(지금의 적성積城 지역)을 공격함. **11** 신라, 고구려군을 격파함. ▶신라, 원광圓光 사망.	**1** 당, 《씨족지氏族志》를 반포함. **5** 당, 우세남虞世南 사망. **12** 당, 네스토리우스교를 허가함. ▶프랑크, 클로비스 2세 즉위.
639 (2972) 기해	8	22	40	**2** 신라, 하슬라何瑟羅(강릉江陵)를 북소경北小京으로 함. **7** 신라, 동해의 적조赤潮 현상으로 물고기가 많이 죽음. **11** 백제, 무왕이 세운 지모밀지정사枳慕蜜地精舍를 파괴함. ▶백제, 미륵사彌勒寺를 창건함.	**7** 일본, 백제궁百濟宮과 백제사百濟寺를 조성함. **8** 당, 이사마李思摩를 돌궐 가한可汗으로 함. **10** 당, 고창高昌을 토벌함.
640 (2973) 경자	9	23	41	**2** 고구려, 왕자 환권桓權을 당唐에 보냄. ▶고구려 · 백제 · 신라, 자제들을 당에 유학 보냄.	**5** 당, 고창高昌을 멸함: 안서도호부安西都護府 설치. ▶당 공영달孔穎達, 《오경정의五經正義》를 편찬함.
641 (2974) 신축	10	24	의자 1	**3** 백제, 무왕 사망: 의자왕義慈王 즉위. ▶고구려, 당唐의 사신 진대덕陳大德이 와서 지리를 정찰함.	**1** 당 문성공주文成公主, 티베트로 출가함. ▶당, 구양순歐陽詢 사망. ▶사라센제국, 페르시아를 격파함. 알렉산드리아 도서관을 불태움.

연대	신라	고구려	백제	우리 나라	다른 나라
642 (2975) 임인	선덕여 11	보장 1	의자 2	**8** 백제, 신라의 대야성大耶城(합천陜川)을 점령함: 신라 김품석金品釋·죽죽竹竹 전사. **10** 고구려 연개소문淵蓋蘇文, 정권을 장악함: 영류왕 시해하고 보장왕寶藏王 옹립. ▶신라 김춘추金春秋, 고구려에 군사 지원을 요청함.	**1** 당 위왕태魏王泰, 《괄지지括地志》를 올림. **9** 일본, 구다라오사百濟大寺 창건. ▶사라센, 동로마제국으로부터 이집트를 탈취함.
643 (2976) 계묘	12	2	3	**3** 신라 자장慈藏, 당唐에서 돌아와 대국통大國統이 됨. 고구려, 당으로부터 도교道教가 전래됨. **11** 백제, 고구려와 함께 신라의 당항성黨項城을 점령함.	**4** 당, 태자 승건承乾이 반란 일으킴: 서인庶人으로 강등시킴.
644 (2977) 갑진	13	3	4	**9** 신라 김유신金庾信, 백제 7개 성城을 점령함. ▶신라, 굴산사掘山寺·생의사生義寺 창건.	**11** 당 태종, 고구려 원정을 선포함. ▶사라센, 북아프리카를 정복함.
645 (2978) 을사	14	4	5	**3** 신라, 황룡사9층탑 건립. **5** 신라, 당唐과 함께 고구려를 공격함. **6** 고구려, 당의 군대가 안시성安市城을 포위함: 9월 성주 양만춘楊萬春이 격퇴함. **11** 신라, 비담毗曇을 상대등에 임명함.	**1** 당 현장玄奘, 인도에서 돌아옴. **6** 일본, 다이카개신大化改新으로 중앙집권적 율령국가 체제 갖춤. 최초로 연호年號를 사용함.
646 (2979) 병오	15	5	6	**5** 고구려, 당唐에서 화의 요청을 거절함. ▶고구려, 천리장성千里長城을 완성함. ▶신라 자장慈藏, 통도사通度寺를 창건하고 계율종戒律宗을 폄. **1** 일본, 신정부의 4개 기본방침을 선포함.	▶당 현장玄奘, 《대당서역기大唐西域記》를 저술함.
647 (2980) 정미	진덕여 1	6	7	▶신라, 선덕여왕 때 첨성대瞻星臺를 건립함. **1** 신라, 비담毗曇·염종廉宗의 반란 일어남: 곧 진압함. 선덕여왕 사망: 진덕여왕眞德女王 즉위. **7** 신라, 연호를 태화太和로 고침. **10** 신라, 김유신金庾信이 감물성甘勿城·동잠성桐岑城에 침입한 의직義直의 백제군을 격파함: 신라 비령자丕寧子·거진擧眞 전사. **11** 신라, 왕이 신궁神宮에 제사 지냄. **12** 고구려, 당唐의 이세적李世勣 군사를 대파함.	▶일본, 13계의 관위官位를 제정함. ▶인도, 계일왕戒日王 사망: 국내 혼란. ▶사라센제국, 동로마제국을 공격하여 트리폴리Tripoli를 점령함.

연대	신라	고구려	백제	우리 나라	다른 나라
648 (2981) 무신	2	7	8	**1** 고구려, 당唐의 수군이 압록강 입구 박작성泊灼城에 침입해 옴. **4** 신라, 백제를 공격하여 21개 성을 점령함. ▶신라 김춘추金春秋, 아들 김인문金仁問과 함께 당에 가서 백제를 협공할 것을 요청함. ▶백제, 개심사開心寺 창건.	**5** 당, 왕현책王玄策을 인도에 보냄. ▶당, 자은사慈恩寺 창건. 방현령房玄齡 사망.
649 (2982) 기유	3	8	9	**1** 신라, 처음으로 당의 의관衣冠을 사용함. **8** 백제, 신라의 석토성石吐城 등 7성을 점령함: 신라 김유신金庾信에게 도살성道薩城에서 격파당함.	**5** 당, 태종이 고구려 원정 준비 중 사망함: 9월 고종高宗 즉위. 이정李靖 사망. ▶사라센제국, 키프로스Cyprus를 공격함.
650 (2983) 경술	4	9	10	**6** 신라 김법민金法敏, 당唐에 진덕여왕이 지은 〈태평송太平頌〉을 전달함. 고구려 보덕普德, 연개소문淵蓋蘇文의 도교道教 숭상에 반발하여 백제로 이주함: 전주全州 경복사景福寺에서 열반종涅槃宗을 폄. ▶신라, 당唐의 연호를 사용함. 수다사水多寺 창건. ▶고구려, 반룡사盤龍寺 창건.	**9** 사라센제국, 당唐과 통상함. **10** 일본, 천불상千佛像을 조성함.
651 (2984) 신해	5	10	11	**1** 신라, 처음으로 하정례賀正禮를 거행함. **2** 신라, 품주稟主를 집사부執事部로 고침. 김인문金仁問이 당에 가서 숙위함. ▶신라, 월성月城에 조원전朝元殿을 건립함.	▶당, 이슬람교가 전래됨. 사라센의 사신이 옴. ▶페르시아, 사산Sasan 왕조 멸망.
652 (2985) 임자	6	11	12	**3** 신라, 금성城金 왕궁의 남문이 부서짐. 자장慈藏이 계조암繼祖庵을 창건함.	**4** 일본, 호적戶籍을 작성함. ▶사라센, 아르메니아Armenia를 점령함.
653 (2986) 계축	7	12	13	**8** 백제, 일본과 국교를 재개함. **11** 신라, 당唐에 사신 보냄.	**2** 당 고양공주高陽公主, 반란 꾀하다 처형됨. ▶당, 《오경정의五經正義》를 전국에 배포함.

연대	신라	고구려	백제	우리 나라	다른 나라
654 (2987) 갑인	무열 1	보장 13	의자 14	**3** 신라, 진덕여왕 사망: 무열왕武烈王 즉위. ▶신라 원효元曉, 〈무애가無碍歌〉와 〈양산가陽山歌〉를 지음. ▶백제, 사택지적비砂宅智積碑를 건립함.	**10** 당, 수도에 나성羅城을 축조함.
655 (2988) 을묘	2	14	15	**1** 고구려, 백제 · 말갈과 함께 신라 33개 성을 빼앗음. **7** 백제, 마천성馬川城을 중수함. **9** 신라, 백제의 조비성助比城을 공격함: 신라 김흠운金欽運 전사.	**8** 당, 처음으로 원외관員外官을 설치함. **10** 당, 왕후王后 왕씨王氏를 폐하고 측천무후則天武后를 세움.
656 (2989) 병진	3	15	16	**3** 백제 성충成忠, 의자왕에게 간언하다 옥사함. 신라 김인문金仁問, 당에서 돌아와 압독주押督州 총관이 되어 장산성獐山城을 축조함.	▶사라센제국, 제4대 칼리프caliph 알리Ali가 메디나Medina에서 이라크의 쿠파Kufah로 옮김: 이슬람 분열.
657 (2990) 정사	4	16	17	**1** 백제, 왕의 서자 41명을 좌평佐平에 임명함: 귀족 간 알력 심화. **7** 신라, 흥륜사興輪寺 문이 부서짐. ▶신라, 대일임전大日任典을 둠.	**10** 당, 서돌궐을 나누어 2개 도호都護를 설치함.
658 (2991) 무오	5	17	18	**3** 신라, 하슬라何瑟羅(강릉江陵) 소경을 주州로 고치고 도독都督을 둠. 실직悉直(삼척三陟 지역)을 북진北鎭으로 삼음. **6** 고구려, 당의 설인귀薛仁貴 군사와 요동에서 전투 벌임.	▶당 이선李善, 《문선文選》을 봉정함. ▶동로마제국, 사라센과 수호함.
659 (2992) 기미	6	18	19	**4** 백제, 신라의 독산성과 동잠성을 공격함. **10** 신라, 장의사莊義寺 창건. ▶신라, 사정부司正府를 설치함.	**7** 당, 장손무기長孫武忌 등이 유배당함: 측천무후 득세. **10** 당, 사결思結의 난을 평정함.
660 (2993) 경신	7	19	20	**1** 신라 김유신金庾信, 상대등이 됨. **5** 신라, 백제 공략 위해 출병함. **7** 신라 · 백제, 황산벌에서 전투 벌임: 신라 반굴盤屈 · 관창官昌과 백제 계백階伯 전사. 백제, 나당연합군에게 항복함: 백제 멸망. 당이 백제에 웅진도독부 설치. **8** 백제 유민이 부흥운동을 일으킴. 신라, 임존성任存城(지금의 예산禮山 지역)에서 백제부흥군에 패함. **10** 신라, 백제부흥군을 대파함. **11** 고구려, 신라 칠중성七重城에 침입함.	**3** 당, 백제 출병을 결정함. **4** 당, 장손무기長孫武忌를 처형함. **5** 일본, 누각漏刻을 제작함. **10** 당 측천무후則天武后, 상주 내용을 결재함. ▶사라센제국, 칼리프caliph 알리Ali 피살.

연대	신라	고구려	우리 나라	다른 나라
661 (2994) 신유	문무 1	20	**1** 백제의 복신福信 · 도침道琛 · 흑치상지黑齒常之 등, 왕자 부여풍扶餘豊을 왕으로 삼고 주류성周留城(지금의 한산韓山지역)에서 부흥운동을 전개함. **3** 백제부흥군, 복신福信이 도침道琛을 죽이고 거점을 임존성任存城으로 옮김. **6** 신라, 무열왕 사망: 문무왕文武王 즉위. **7** 신라, 고구려 정벌 위해 출병함. **9** 고구려, 압록강에서 당군과 격전 벌임. ▶신라, 원효元曉가 분황사芬皇寺에서 법성종法性宗을 폄. 의상義湘이 당唐에 유학함. 무열왕릉비武烈王陵碑를 건립함.	**4** 당, 임아상任雅相 등에게 고구려 원정을 명령함. **6** 당, 서역의 여러 나라를 96주 · 8부로 편성함. ▶사라센제국, 우마이야Umayya왕조 성립: 칼리프Caliph 세습. 사라센Saracen 제국 시작.
662 (2995) 임술	2	21	**1** 고구려 연개소문淵蓋蘇文, 사수蛇水에서 당군을 격파함. **2** 고구려, 당의 소정방蘇定方이 평양 포위를 풀고 철수함. **7** 백제부흥군, 복신福信이 당군에게 패함. 부여풍扶餘豊이 복신을 죽임. **8** 신라, 백제부흥군을 토벌함.	**1** 당, 백관百官의 명칭을 고침. **3** 당, 천산에서 철륵鐵勒을 격파함: 최대 판도 개척. ▶사라센제국, 소아시아에 침입함.
663 (2996) 계해	3	22	**1** 신라, 남산신성南山新城을 수축함. **4** 신라, 당唐이 계림대도독부鷄林大都督府를 설치하고 문무왕을 계림주 대도독에 임명함. **9** 나당연합군, 백강白江(백마강)에서 백제 · 일본 연합군을 대파함: 부여풍扶餘豊, 고구려로 탈출. ▶신라, 백제 땅 부여에 당유인원기공비唐劉仁願紀功碑를 세움.	▶당, 유인궤劉仁軌를 백제에 주둔시키고 대방주자사帶方州刺使로 삼음. ▶토곡혼吐谷渾 멸망.
664 (2997) 갑자	4	23	**1** 신라, 김유신에게 궤장几杖을 하사함. **2** 신라 김인문, 당의 유인원願仁劉 및 백제 왕자 부여융扶餘隆과 웅진熊津에서 서약 맺음. **3** 백제 유민들이 사비성泗沘城에서 부흥운동 전개하다 웅진도독부 군사에게 패배함. ▶백제 왕자 부여융, 당에 의해 웅진도독에 임명됨.	▶당, 현장玄奘 사망. ▶사라센제국, 인도 일부를 점령함.
665 (2998) 을축	5	24	**8** 신라 문무왕, 당의 유인원 및 웅진도독 부여융과 웅진 취리산就利山에서 서약 맺음. ▶신라 혜통惠通, 당에서 귀국함.	**1** 당, 티베트에서 사신을 보내옴. **5** 당, 인덕력麟德曆을 사용함.

연대	신라	고구려	우리나라	다른나라
666 (2999) 병인	문무 6	보장 25	**5** 고구려, 연개소문淵蓋蘇文 사망: 맏아들 남생男生이 막리지莫離支가 됨. **6** 고구려 남생男生, 아우 남건男建 · 남산男産에게 쫓겨 당唐으로 망명함. **8** 고구려 남건男建, 막리지가 됨. **12** 고구려 연정토淵淨土, 신라에 항복함.	**1** 당, 타이산泰山에서 노자老子에 제사 지냄. **12** 당, 이적李勣에게 고구려 원정을 명함. ▶당, 건봉천보乾封泉寶를 주조함.
667 (3000) 정묘	7	26	**8** 신라 문무왕, 김유신金庾信 등 고구려 정벌군을 거느리고 평양으로 출발함. **9** 고구려, 당군에게 17개 성이 함락됨. **12** 신라, 문훈文訓 사망. ▶신라, 우이방부右理方府를 설치함.	▶사라센제국, 시칠리아Sicilia를 공격함. ▶이 무렵, 동로마제국의 칼리니쿠스Callinicus가 화약火藥을 발명함.
668 (3001) 무진	8	27	**2** 고구려, 당군에게 부여성扶餘城이 함락됨. **6** 신라 김유신金庾信, 고구려 정벌 위한 대당대총관大幢大摠管에 임명됨. **9** 고구려, 나당연합군에게 패하여 항복함: 고구려 멸망. **10** 백제의 부여풍扶餘豊과 고구려의 남산男産이 당唐으로 유배됨. **11** 신라, 선조묘先祖廟에 삼국통일을 고함. **12** 당이 평양에 안동도호부安東都護府를 설치함.	**1** 일본, 스우후쿠시崇福寺 창건. ▶사라센제국, 콘스탄티노플Constantinople을 포위함.
669 (3002) 기사	9		**1** 신혜법사信惠法師를 정관대서성政官大書省에 임명함. **2** 문무왕, 사면령을 내리고 민생 문제 해결 교서를 내림.	**4** 당, 고구려 유민을 지방 각지로 옮김. **11** 당, 이적李勣 사망. ▶당, 전주법銓注法을 제정함.
670 (3003) 경오	10		**6** 고구려 유민 검모잠劍牟岑이 왕족 안승安勝을 추대하고 부흥운동을 전개함: 신라, 이들을 금마저金馬渚(지금의 익산益山 지방)에 안치함. **8** 안승安勝을 고구려왕에 봉함. ▶의상義湘, 당에서 귀국함.	**2** 일본, 최초로 전국의 호적을 작성함: 경오년적庚午年籍. 국호를 일본日本으로 정함. **4** 일본, 호류사法隆寺 소실. **8** 당 설인귀薛仁貴, 티베트를 치다 패함.
671 (3004) 신미	11		**6** 죽지竹旨 등, 석성石城(지금의 임천林川 지역)에서 당군을 격파함. **7** 고구려 유민들이 당의 고간高侃 군사에게 안시성에서 격파당함.	▶당 의정義淨, 구법차 인도에 감.

연대	신라	우리 나라	다른 나라
672 (3005) 임신	12	**7** 당의 고간高侃이 군사 이끌고 평양에 주둔함. **8** 고구려군과 연합하여 백수성白水城 근처에서 당군을 격파함. ▶의상義湘, 낙산사洛山寺 창건.	**4** 당, 티베트가 조공해 옴. **6** 일본, 임신壬申의 난 일어남.
673 (3006) 계유	13	**1** 강수强首를 사찬으로 삼음: 매년 벼 200석 하사. **7** 김유신金庾信 사망. **9** 국원성國原城 · 북형산성北兄山城 등을 축조함.	▶동로마제국, 사라센제국 침입을 화약 사용하여 격퇴함. ▶당, 염입본閻立本 사망.
674 (3007) 갑술	14	**1** 덕복전德福傳, 당唐의 역술易術을 배워와 새 역법曆法을 만듦. **2** 임해전臨海殿과 안압지雁鴨池를 조성함. **9** 안승安勝을 보덕왕報德王에 봉함.	**1** 당, 유인궤를 계림대총관으로 삼아 신라를 공격케 함. **8** 당, 제帝를 천황天皇이라 하고 후后를 천후天后라 함.
675 (3008) 을해	15	**1** 중앙과 지방 각 관서에 구리로 만든 관인官印을 나누어 줌. **2** 칠중성에서 당의 유인궤劉仁軌 군에게 패함. **9** 당의 이근행李謹行 군사를 매소성買肖城(연천漣川)에서 대파함.	**1** 일본, 처음으로 점성대占星臺를 세움. **3** 당 유위지劉褘之, 《열녀전烈女傳》을 편찬함.
676 (3009) 병자	16	**2** 의상義湘, 부석사浮石寺 창건. **11** 당의 설인귀薛仁貴 군사를 기벌포伎伐浦에서 격파함. 대동강大同江 이남에서 당군을 몰아냄:신라의 삼국통일 완성.	▶당, 《후한서後漢書》 주注를 작성함.
677 (3010) 정축	17	**2** 당이 전 고구려 보장왕을 요동주도독 조선군왕에, 전 백제 왕자 부여융扶餘隆을 웅진도독 대방군왕에 봉하여 신라를 견제함. ▶의상義湘, 법계도法界圖를 완성함.	**12** 당, 티베트를 정벌함. ▶당, 안동도호부安東都護府를 랴오둥遼東으로 옮김.
678 (3011) 무인	18	**1** 선부船府 및 북원소경北原小京(지금의 원주原州 지역)을 설치함. ▶의상義湘, 범어사梵魚寺 창건.	**1** 당, 백관과 제국들이 측천무후에게 조례朝禮를 올림. **9** 당 이경현李敬玄, 티베트와 싸워 패배함.
679 (3012) 기묘	19	**2** 탐라국耽羅國을 경략함. **8** 동궁東宮을 건립함. 사천왕사四天王寺 창건. ▶고구려인 남생男生 사망.	**1** 일본, 배하례拜賀禮를 제정함. **6** 당, 배행검裵行儉을 페르시아왕에 봉함. ▶당, 교주交州에 안남도호부安南都護府를 설치함.
680 (3013) 경진	20	**3** 문무왕의 누이를 보덕왕報德王 안승安勝에게 출가시킴. **5** 금관소경金官小京을 설치함.	**3** 당 배행검裵行儉, 돌궐을 토벌함. **8** 당, 태자 현賢을 폐하고 셋째 아들 영왕 철哲을 세움.

연대	신라	우리 나라	다른 나라
681 (3014) 신사	신문 1	**7** 문무왕 사망: 신문왕神文王 즉위. **8** 김흠돌金欽突, 반란 꾀하다 처형됨. ▶광덕廣德, 〈원왕생가願往生歌〉를 지음. 대왕암大王巖에 문무왕릉을 조성함.	**1** 당, 돌궐突厥이 조공해 옴. **4** 일본, 금식禁式 92조를 제정하여 복색服色을 정함.
682 (3015) 임오	2	**6** 국학國學 설립. 고구려 마지막 왕 보장왕 사망. **7** 백제 왕자 부여융扶餘隆 사망. ▶감은사感恩寺를 창건함. 만파식적萬波息笛을 제작함.	**7** 당, 설인귀薛仁貴가 돌궐突厥의 침입을 격퇴함. 규기窺基 사망.
683 (3016) 계미	3	**5** 김흠운金欽運의 딸을 왕비로 삼음. **10** 보덕왕 안승安勝에게 김씨 성姓을 주어 경주에 머물게 함. 고구려인으로 황금서당黃衿誓幢, 말갈인으로 흑금서당黑衿誓幢을 조직함.	**4** 일본, 은전 대신 동전 사용함. **12** 당, 고종 사망: 중종中宗 즉위. 측천무후則天武后가 정권을 잡음.
684 (3017) 갑신	4	**11** 대문大文(안승安勝의 조카), 금마저金馬渚(지금의 익산益山 지역)에서 반란 꾀하다 처형됨.	**2** 당 측천무후則天武后, 중종을 폐함: 예종睿宗 즉위. **9** 당 측천무후則天武后, 무씨武氏의 오묘五廟를 건립함.
685 (3018) 을유	5	**3** 전국을 9주 5소경으로 재편함. 봉성사奉聖寺 창건. **4** 망덕사望德寺 창건. ▶북원소경北原小京에 성을 쌓음.	**3** 당 측천무후則天武后, 중종을 방주房州로 옮김. ▶당, 유인궤劉仁軌 사망.
686 (3019) 병술	6	**1** 이찬 대장大莊을 중시中侍에 임명함. **3** 원효元曉 사망. ▶고선사高仙寺삼층석탑 건립.	**1** 당, 측천무후則天武后가 집정함. **9** 당, 돌궐突厥이 조공해 옴.
687 (3020) 정해	7	**5** 백제인으로 청금서당靑衿誓幢을 조직함. 문무관료전文武官僚田을 지급함.	**7** 당, 돌궐突厥의 침입을 받음.
688 (3021) 무자	8	**1** 원수元帥를 중시에 임명함.	**1** 당 측천무후則天武后, 당의 묘廟를 파기함. **8** 당 측천무후則天武后, 종실宗室들을 많이 죽임.
689 (3022) 기축	9	**1** 내관과 외관의 녹읍祿邑을 혁파함. **윤9** 달구벌達句伐(대구大邱)로 천도 계획을 세웠으나 실행되지 못함. ▶백제인 흑치상지黑齒常之 사망.	▶당, 종실宗室의 속적屬籍을 없앰.
690 (3023) 경인	10	**2** 선원仙元을 중시에 임명함. ▶개지극당皆知戟幢 및 삼변수당三邊守幢을 설치함.	**9** 당 측천무후則天武后, 나라 이름을 주周로 고치고 스스로 황제皇帝를 칭함.

연대	신라	발해	우리나라	다른나라
691 (3024) 신묘	11		3 남원성南原城을 쌓음. ▶백률사栢栗寺 창건.	4 주, 불교를 도교보다 우대함. 일본, 노비제를 정함. ▶주 의정義淨, 《남해기귀내법전南海寄歸內法傳》 지음.
692 (3025) 임진	효소 1		▶봄. 당에서 사신이 와 무열왕의 묘호廟號가 당과 같다 하여 고칠 것을 요구하였으나 거절함. 7 신문왕 사망: 효소왕孝昭王 즉위. 처음으로 의학박사를 둠. 8 도증道證, 당에서 돌아와 〈천문도天文圖〉 바침. ▶강수强首 사망.	5 주, 동물의 도살과 포획을 금함. ▶사라센제국, 소아시아와 아르메니아Armenia를 침략함.
693 (3026) 계사	2		▶장창당長槍幢을 비금서당緋衿誓幢으로 고침.	9 주 측천무후則天武后, 스스로 금륜성신황제金輪聖神皇帝라 칭함.
694 (3027) 갑오	3		4 김인문金仁問, 당唐에서 사망함. ▶공악성公嶽城과 우잠성牛岑城을 쌓음.	12 일본, 후지와라궁藤原宮으로 천도함: 최초로 도성제都城制를 채용함. ▶주, 마니교Mani敎 교전敎典 들어옴.
695 (3028) 을미	4		1 자월子月(음력 11월)을 정월로 함. 10 서·남 시전市典을 설치함. ▶원측圓測, 당에서 《화엄경華嚴經》을 번역함.	▶동로마제국, 사라센제국과의 전쟁으로 무정부상태가 됨.
696 (3029) 병신	5		5 요서遼西지방의 걸걸중상乞乞仲象이 백두산 동북으로 근거를 옮기고 고구려 유민과 속말갈粟靺鞨을 통합함. ▶원측圓測 사망.	1 주, 티베트를 대파함. 5 주, 거란의 침입을 격퇴함. ▶주, 거란의 이진충李盡忠이 반란 일으킴.
697 (3030) 정유	6		▶망덕사望德寺 낙성회를 개최함.	4 주, 9정鼎을 주조함. ▶사라센제국, 카르타고Cartago를 점령함.
698 (3031) 무술	7	고왕 1	2 신라, 순원順元을 중시에 임명함. ▶대조영大祚榮(고왕高王), 동모산東牟山(길림성吉林省 돈화敦化)에서 건국: 국호를 진震(뒤에 발해渤海로 고침), 연호를 천통天統이라 함.	7 일본, 처음으로 태법笞法을 제정함.
699 (3032) 기해	8	2	7 당이 멸망한 고구려 보장왕의 손자 고덕무高德武를 안동도독으로 삼음.	12 일본, 주전사鑄錢司를 설치함. ▶사라센제국, 아라비아어를 공용어로 함.

연대	신라	발해	우리 나라	다른 나라
700 (3033) 경자	효소 9	고왕 3	**1** 신라, 다시 인월寅月(음력 1월)을 정월로 함. **5** 신라, 이찬 경영慶永이 반란을 꾀하다 처형당함.	**3** 일본, 법상종法相宗 승려 도쇼道昭를 화장으로 장례 지냄: 화장火葬의 시초. **6** 주, 거란의 잔당을 평정함.
701 (3034) 신축	10	4	**2** 고구려인 남산男産이 당의 뤄양洛陽에서 사망함. **4** 신라, 김인문비金仁問碑를 건립함: 한국서예사 연구의 귀중한 자료.	**8** 일본, 대보율령大寶律令을 제정함. **10** 주, 연호를 장안長安으로 정함.
702 (3035) 임인	성덕 1	5	**7** 신라, 효소왕 사망: 성덕왕聖德王 즉위. **10** 신라, 의상義湘 사망. ▶신라 김대문金大問, 《화랑세기花郞世紀》와 《고승전高僧傳》을 지음.	**7** 주, 돌궐의 침입을 받음. **10** 주, 티베트를 공략함. 일본, 대보율령大寶律令을 반포함.
703 (3036) 계묘	2	6	**7** 신라, 아찬 원문元文을 중시中侍에 임명함. 아찬 김사양金思讓을 당唐에 보냄.	▶주 의정義淨, 《금광명경金光明經》을 번역함. ▶네팔, 티베트로부터 독립함.
704 (3037) 갑진	3	7	**3** 신라 김사양金思讓, 당唐에 입조하였다가 돌아와 왕에게 《최승왕경最勝王經》을 바침. ▶신라 김대문金大問, 한산주漢山州 대총관이 됨.	**4** 일본, 제국諸國의 인印을 주조함. **10** 주 장간지張柬之, 재상이 됨.
705 (3038) 을사	4	8	**7** 신라, 영묘사靈廟寺에 화재 발생함. ▶발해, 대문예大門藝를 당唐에 보내 입시케 함.	**1** 주 장간지張柬之, 군사를 일으켜 중종을 복위시킴. **6** 당, 국호 당唐을 회복함. **11** 당, 측천무후則天武后 사망.
706 (3039) 병오	5	9	**1** 신라, 인품仁品을 상대등上大等으로 삼음. **8** 신라, 문량文良을 중시中侍로 삼음.	**7** 당 장간지張柬之, 무삼사武三思에게 피살당함. **9** 일본, 처음으로 전조법田租法을 정하여 실시함.
707 (3040) 정미	6	10	**1** 신라, 빈민에게 곡식을 분배함. **12** 신라, 당唐에 사신 보냄.	**1** 일본, 천도遷都를 논의함. ▶당, 호구戶口가 615만 6천으로 집계됨.
708 (3041) 무신	7	11		**2** 일본, 주전사鑄錢司에서 은전銀錢과 동전銅錢을 주조함. **4** 당, 수문관학사修文館學士를 둠.

연 대	신라	발해	우 리 나 라	다 른 나 라
709 (3042) 기유	8	12	**6** 신라 김신복金信復, 일본에 사신으로 갔다 귀국함. ▶신라, 〈북암사北庵詞〉와 〈남암사南庵詞〉가 이루어짐.	**8** 일본, 은전銀錢을 폐지함.
710 (3043) 경술	9	13	**1** 신라, 당唐에 사신 보냄.	**3** 일본, 나라奈良 헤이조궁平城宮으로 천도함: 나라시대奈良時代 **6** 당, 황후 위씨韋氏가 중종을 독살함: 융기隆基가 황후를 살해하고 예종睿宗을 옹립함. ▶당 유지기劉知幾, 《사통史通》을 저술함.
711 (3044) 신해	10	14	**5** 신라, 도살을 금함. **11** 신라, 왕이 〈백관잠百官箴〉을 지어 신하들에게 내림.	**4** 당, 태자太子가 정권을 장악함. **6** 당, 10도에 안찰사按察使를 둠. ▶사라센제국, 서고트 왕국을 멸함.
712 (3045) 임자	11	15	**3** 신라, 당唐의 요구로 왕의 이름 융기隆基를 흥광興光으로 고침.	**1** 일본, 《고지키古事記》를 편찬함. **8** 당, 현종玄宗 즉위: 개원開元의 치. ▶당, 혜능慧能 · 법장法藏 사망.
713 (3046) 계축	12	16	**3** 발해, 당에서 대조영大祚榮 작호를 보냄. 국호를 발해渤海로 함. **12** 신라, 개성에 성을 쌓음.	**2** 일본, 도량형을 정함. ▶당, 의정義淨 사망.
714 (3047) 갑인	13	17	**1** 신라, 효정孝貞을 중시에 임명함. **2** 신라, 상문사詳文司를 통문박사通文博士로 고침. 김수충金守忠을 당에 숙위케 함.	**1** 당, 좌우 교방敎坊을 설치함. ▶프랑크 마르텔Martel, 재상이 되어 실권을 잡음.
715 (3048) 을묘	14	18	**3** 신라, 김풍후金楓厚를 당에 사신으로 보냄.	**9** 당, 처음으로 시독관侍讀官을 둠. **11** 당, 서역西域 8국이 항복해 옴.
716 (3049) 병진	15	19	**3** 신라, 숭례전崇禮殿이 강력한 태풍으로 인해 부서짐. ▶발해 대수령大首領, 당에 감.	**6** 당, 전왕 예종 사망. ▶당, 이사훈李思訓 사망.

연대	신라	발해	우리 나라	다른 나라
717 (3050) 정사	성덕 16	고왕 20	**3** 신라, 신궁新宮을 건립함. **9** 신라 김수충金守忠, 당唐에서 귀국하여 공자孔子·10철哲·72제자弟子 그림을 바침.	**1** 당 현종, 동도東都(뤄양洛陽)에 행차함.
718 (3051) 무오	17	21	**6** 신라, 누각전漏刻典을 설치함. **10** 신라, 한산주漢山州 관내에 여러 성을 축조함.	**8** 당, 주·현으로 하여금 매년 12월에 향음주례鄕音酒禮를 행하게 함. ▶동로마제국, 콘스탄티노플Constantinople에서 사라센제국 군사를 격퇴함.
719 (3052) 기미	18	무왕 1	**2** 신라, 감산사甘山寺 창건. ▶발해, 고왕 사망: 무왕武王 즉위. 연호를 인안仁安으로 고침.	**2** 돌궐, 사라센제국의 침공 받자 당에 구원을 요청함.
720 (3053) 경신	19	2	**3** 신라, 이찬 순원順元의 딸을 왕비로 삼음. ▶신라, 황룡사 9층탑을 증수함.	**5** 일본, 《니혼쇼키日本書紀》를 편찬함.
721 (3054) 신유	20	3	**7** 신라, 북쪽 경계 일대에 장성長城을 축조함. **12** 신라, 일길찬 김건안金乾安과 사찬 김필金弼 등을 일본에 보냄.	**1** 일본, 은전銀錢과 동전銅錢의 비율을 정함. **11** 당, 유지기劉知幾 사망.
722 (3055) 임술	21	4	**8** 신라, 처음으로 백성에게 정전丁田을 지급함. **10** 신라, 모벌군毛伐郡에 관문성關門城을 쌓아 왜구의 침입에 대비함.	**7** 당, 안남安南의 난을 토벌함. ▶당, 부병제府兵制 대신 용병제傭兵制를 채용함.
723 (3056) 계해	22	5	**3** 신라, 당唐에 사신 보냄. ▶신라, 혜초慧超가 인도를 순례함. 하동 쌍계사雙磎寺 창건.	**5** 당, 여정서원麗正書院을 설립함. **11** 당, 숙위宿衛 위해 군사를 모집함.
724 (3057) 갑자	23	6	**1** 신라, 상원사上院寺 창건. ▶신라, 왕자 승경承慶을 태자로 삼음. ▶발해, 하조경賀祚慶을 당에 파견하여 신년을 축하함.	**5** 당, 제도안찰사諸道按察使를 둠. **7** 당, 양사욱楊思勖이 보국대장군輔國大將軍에 오름.
725 (3058) 을축	24	7	**3** 신라, 윤충允忠을 중시中侍에 임명함. 상원사종上院寺鐘 주조. ▶신라, 법천사法泉寺 창건.	**10** 당, 수운혼천의水運渾天儀를 제작함. ▶프랑크, 《바이에른Bayern 법전》을 편찬함.

연대	신라	발해	우리 나라	다른 나라
726 (3059) 병인	25	8	**4** 신라 김충신金忠信, 당에 사신으로 감. ▶발해 대문예大門藝, 흑수말갈黑水靺鞨을 치도록 명하자 당으로 도망함.	**1** 당 장열張說, 오례五禮를 행함. ▶동로마제국 레오Leo 3세, 우상숭배偶像崇拜 금지령을 선포함.
727 (3060) 정묘	26	9	**12** 신라, 월성 영창궁永昌宮을 보수함. 발해, 고제덕高齊德 일행이 일본에 사신으로 감. ▶신라 혜초慧超, 인도 거쳐 당唐의 안서도호부에 돌아옴.	**1** 당 왕군환王君奐, 티베트를 공략함. **9** 티베트, 당의 과주瓜州를 함락함.
728 (3061) 무진	27	10	**1** 발해 고제덕高齊德 등, 일본 왕으로부터 향응 받음. **7** 신라 김사종金嗣宗, 당에 가서 신라인 자제들의 국학國學 입학을 청함.	**8** 당, 개원대연력開元大衍曆을 사용함.
729 (3062) 기사	28	11	**1** 신라, 당唐에 사신 보냄. ▶발해, 왕의 아우 대호아大胡雅와 대림大琳을 당에 보냄.	**8** 당, 황제의 생일을 천추절千秋節이라 함. ▶당, 3년에 1회 승적僧籍을 작성함
730 (3063) 경오	29	12	**2** 신라 지만志滿, 당唐에 사신으로 가서 방물方物을 바침. ▶발해, 왕의 아우 대랑아大郎雅를 당에 보냄.	**10** 당, 티베트가 조공해 옴. **11** 당, 돌궐이 조공해 옴. ▶교황 그레고리Gregory 2세, 동로마제국 레오Leo 3세를 파문함.
731 (3064) 신미	30	13	**1** 발해, 사신을 당唐에 보내 신년을 축하함. **4** 신라, 동변에 침입한 일본 병선 300척을 격파함.	**7** 당, 티베트에 시서詩書를 전함. ▶교황 그레고리Gregory 3세 즉위: 우상 파괴파를 파문破門함.
732 (3065) 임신	31	14	▶신라, 경성주작전京城周作典을 설치함. 〈임신서기석壬申誓記石〉 이룩됨. ▶발해 장문휴張文休, 당의 등주登州를 공격함: 자사 위준韋俊을 살해함.	▶프랑크, 마르텔Martel이 사라센제국 군사를 격파함. 마니교Mani敎를 금함. ▶사라센제국, 이베리아Iberia 반도를 공략함.
733 (3066) 계유	32	15	**1** 발해, 당의 대문예大門藝가 공격해 옴. **7** 신라, 당에서 발해 정벌을 요청해 옴.	**10** 당, 전국을 15도로 나누고 채방사採訪使를 둠.
734 (3067) 갑술	33	16	**1** 신라, 백관으로 하여금 북문北門에 들어와 상주上奏케 함. **4** 신라, 당에 하정사賀正使를 보냄.	**1** 일본, 고후쿠사興福寺 서금당西金堂을 세움. **12** 당 장수규張守珪, 거란 왕 굴렬屈烈을 살해함.

연 대	신라	발해	우 리 나 라	다 른 나 라
735 (3068) 을해	성덕 34	무왕 17	**1** 신라 김의충金義忠, 당唐에 하정사賀正使로 감. **2** 신라, 당으로부터 대동강大同江 이남의 영토 영유권을 인정받음.	**12** 당, 수왕壽王 비妃 양씨楊氏를 후궁에 책립함. ▶프랑크, 남프랑스에서 사라센제국 군사를 격파함.
736 (3069) 병자	35	18	**6** 신라, 당唐에 사신 보내 대동강大同江 이남의 영토 영유권 인정에 감사의 뜻을 표함. **11** 신라, 이찬 윤충允忠 일행이 평양과 우두주牛頭州의 지세를 살핌.	**4** 당 안녹산安祿山, 거란을 공격하다가 패퇴함. **8** 당 장구령張九齡, 《천추금감록千秋金鑑錄》을 찬진함. ▶동로마제국, 전국의 우상을 파괴함.
737 (3070) 정축	효성 1	문왕 1	▶신라, 성덕왕 때 〈헌화가獻花歌〉 지음. **2** 신라, 성덕왕 사망: 효성왕孝成王 즉위. ▶신라 신충信忠, 〈원가怨歌〉를 지음. ▶발해, 무왕 사망: 문왕文王 즉위. 연호를 대흥大興으로 고침.	**2** 당, 진사시경법進士試經法을 제정함. ▶당, 〈개원율령격식開元律令格式〉을 제정함.
738 (3071) 무인	2	2	**2** 신라, 당唐에서 효성왕의 작호를 보내옴. **4** 신라, 당에서 《노자도덕경老子道德經》을 보내옴.	**1** 당, 주 · 현에 학교를 설치함. **3** 당, 티베트의 침입을 받음. ▶서돌궐 멸망.
739 (3072) 기묘	3	3	**1** 신라, 신충信忠을 중시에 임명함. 선천궁善天宮을 세움. **5** 신라, 왕의 아우 헌영憲英을 태자로 삼음.	**8** 당, 공자孔子에게 문선왕文宣王 시호를 추증함. ▶사라센제국, 동로마제국에 패하여 쇠퇴함.
740 (3073) 경진	4	4	**8** 신라, 파진찬 영종英宗이 반란을 꾀하다 죽임을 당함.	**1** 당, 장구령張九齡 사망. **10** 당, 티베트의 침입을 받음. ▶당, 맹호연孟浩然 사망.
741 (3074) 신사	5	5	**4** 신라, 정종貞宗과 사인思仁이 노병弩兵을 사열함. ▶발해 실아리失阿利, 당唐에 사신으로 감.	**3** 일본, 고쿠분사國分寺와 고쿠분니사國分尼寺를 건립하라는 조칙을 내림. **8** 당 안녹산安祿山, 영주도독營州都督이 됨.
742 (3075) 임오	경덕 1	6	**5** 신라, 효성왕 사망: 경덕왕景德王 즉위. **10** 신라, 일본 사신의 입국을 거절함. ▶신라 심상審祥, 일본에서 사망함.	**1** 당 안녹산安祿山, 평로절도사平盧節度使가 됨. **2** 당, 관직 명칭을 개정함.
743 (3076) 계미	2	7	**4** 신라, 서불한舒弗邯 김의충金義忠의 딸을 왕비로 삼음. ▶발해, 왕의 아우 대번大蕃을 당에 보냄.	**5** 일본, 간전墾田의 영구 사유령私有令을 반포함. ▶당 이백李白, 〈청평조淸平調〉를 지음.

연대	신라	발해	우리 나라	다른 나라
744 (3077) 갑신	3	8	**1** 신라, 유정惟正을 중시中侍에 임명함. **4** 신라, 왕이 신궁神宮에 제사 지냄.	**2** 일본, 오사카 나니와궁難波宮으로 천도함. ▶위구르Uighur, 돌궐을 멸하고 동서 교통로를 장악함.
745 (3078) 을유	4	9	**5** 신라, 대정大正을 중시에 임명함. **7** 신라, 소년감전少年監典과 예관전穢官典을 설치함.	**5** 일본, 헤이조궁平城宮으로 환도함. **8** 당, 양태진楊太眞을 귀비貴妃로 삼음. **9** 당 안녹산安祿山, 거란을 격파함.
746 (3079) 병술	5	10	▶신라, 내사정전內司正典을 설치함. ▶발해, 당唐에 사신 보내 신년을 축하함.	**5** 일본, 사찰 소속 전원田園의 매수를 금함.
747 (3080) 정해	6	11	**1** 신라, 중시를 시중侍中으로, 전대등典大等을 시랑侍郎으로 개칭함. ▶신라, 기근과 질병이 심해지자 10도에 안무사安憮使를 보내 위무함.	**1** 당 안녹산安祿山, 어사대부御史大夫에 오름. ▶당 고선지高仙芝, 서역에 원정하여 파미르Pamir 남방에 이름.
748 (3081) 무자	7	12	**8** 신라, 태후가 영명신궁永明神宮으로 옮김. 대곡성大谷城 등 14개 군·현을 설치함.	**11** 당, 양귀비楊貴妃 일족을 등용함. ▶역사학에 처음으로 크리스트력을 사용함.
749 (3082) 기축	8	13	**3** 신라, 천문박사天文博士와 누각박사漏刻博士 둠. ▶발해, 당에 사신 보내 매를 선사함.	**2** 일본, 승려 교키行基 사망. **10** 일본, 도다이사東大寺 대불을 주성함.
750 (3083) 경인	9	14	**1** 신라, 조량朝良을 시중에 임명함. **2** 신라, 어룡성御龍省에 봉어奉御 2인을 둠.	**5** 당, 안녹산安祿山에게 동평군왕東平郡王 작호를 내림. ▶당 고선지高仙芝, 제2차 서역 원정하여 타슈켄트Tashkent에 이름. ▶사라센제국, 우마이야Umayyad 왕조 멸망; 서칼리프西Caliph 왕조 성립.
751 (3084) 신묘	10	15	▶신라 김대성金大城, 불국사佛國寺와 석굴암石窟庵을 창건하고, 다보탑多寶塔 등을 건립함. ▶신라, 목판인쇄술로 〈무구정광대다라니경無垢淨光大陀羅尼經〉을 간행함(702년 등 이설 있음).	**7** 당 고선지高仙芝, 서역 원정 중 탈라스강Talas江에서 사라센제국군사에게 패함; 이때 제지법製紙法이 서방징ㄱ에 전래함. ▶프랑크 피핀Pippin, 카롤링거Csrolinger 왕조를 세움.
752 (3085) 임진	11	16	**1** 신라, 일본에서 마려麻呂를 사신으로 보내옴. **10** 신라, 창부사倉部史 3인을 더 둠.	**3** 당 안녹산安祿山, 거란을 침. **11** 당 양국충楊國忠, 우상右相에 오름.

연대	신라	발해	우리 나라	다른 나라
753 (3086) 계사	경덕 12	문왕 17	**3** 신라, 일본 사신이 왔으나 왕이 만나지 않음. **5** 발해 모시몽慕施蒙, 일본에 사신으로 감: 6월 귀국.	**8** 당 가서한哥舒翰, 하서절도사河西節度使를 겸함. ▶프랑크 피핀Pippin, 색슨Saxon을 토벌함.
754 (3087) 갑오	13	18	**5** 신라, 성덕왕릉비를 건립함. **8** 신라, 황룡사종皇龍寺鐘을 주조함. ▶발해, 당唐에 사신 보내 신년을 축하함.	**1** 당 안녹산安祿山, 입조入朝하여 좌복야佐僕射 벼슬을 더 받음. ▶프랑크 피핀Pippin, 교황에게 교회령을 기증함.
755 (3088) 을미	14	19	**7** 신라, 김기金耆를 시중에 임명함. ▶신라, 효자 향덕向德에게 상賞을 내림.	**11** 당, 안녹산安祿山의 난 일어남. **12** 당, 고선지高仙芝를 부원수로 삼음. 안녹산安祿山이 동경東京(뤄양洛陽)을 함락함. 고선지가 참형당함.
756 (3089) 병신	15	20	▶신라, 당에 사신 보내 청두成都에서 피란 온 현종玄宗을 위문함. ▶발해, 상경용천부上京龍泉府로 천도함.	**1** 당 안녹산安祿山, 황제를 칭함. **6** 당, 현종이 촉蜀으로 피란함. 양귀비楊貴妃와 양국충楊國忠이 피살됨. ▶사라센제국, 동·서로 분리됨: 동칼리프東Caliph 왕조 성립.
757 (3090) 정유	16	21	**3** 신라, 내관과 외관의 월봉月俸을 없애고 다시 녹읍祿邑을 줌. **7** 신라, 영창궁永娼宮을 수리함.	**1** 당 안경서安慶緖, 아버지 안녹산安祿山을 살해함. ▶당, 위구르Uighur의 원조 받아 장안長安(지금의 시안西安)을 수복함.
758 (3091) 무술	17	22	**1** 신라, 염상廉相을 시중에 임명함. **4** 신라, 율령박사 2인을 둠. ▶신라, 무루無漏 사망.	**6** 당, 사사명史思明의 반란 일어남. **8** 일본, 관직 명칭을 중국식으로 개정함.
759 (3092) 기해	18	23	**1** 신라, 국학國學을 태학감太學監으로 개칭함. 중앙관청 이름을 중국식으로 대폭 정비함. 발해 양승경楊承慶, 일본에 사신으로 가 국서國書를 전함.	**1** 당 사사명史思明, 연왕燕王을 자칭함: 3월 안경서安慶緖를 살해함. **5** 일본, 상평창上平倉을 설치함. **8** 일본, 도쇼다이사唐招提寺 창건. ▶일본 오토모大伴家持, 《만요슈万葉集》를 편찬함.
760 (3093) 경자	19	24	**4** 신라 월명月明, 〈도솔가兜率歌〉를 지음. ▶이 무렵, 월명의 〈제망매가祭亡妹歌〉, 충담忠談의 〈찬기파랑가讚耆婆郎歌〉 나옴.	**3** 일본, 만년통보萬年通寶를 주조함. **11** 당, 유전劉展이 반란 일으킴.

연대	신라	발해	우리 나라	다른 나라
761 (3094) 신축	20	25	▶신라, 용장사茸長寺 중건. ▶고구려 유장遺將 왕사례王思禮 사망.	1 당, 유전劉展을 참함. 3 당 사조의史朝義, 아버지 사사명史思明을 살해함.
762 (3095) 임인	21	26	5 신라, 오곡성五谷城 등 6개 성을 쌓고 각각 태수太守를 둠. ▶발해, 당唐이 문왕의 작호를 보내옴.	11 당, 이백李白 사망. ▶사라센제국, 바그다드Baghdad를 건설함.
763 (3096) 계묘	22	27	8 신라, 상대등 신충信忠과 시중 김옹金邕을 사면함. ▶신라, 단속사斷俗寺 창건.	1 당 이회선李懷僊, 사조의史朝義를 살해함. 5 당, 감진鑑眞 사망. 8 일본, 당의 대연력大衍曆 채택. 10 당 곽자의郭子儀, 장안長安(시안西安)에 침입한 티베트군을 격파함.
764 (3097) 갑진	23	28	1 신라, 만종萬宗을 상대등에, 김양상金良相을 시중에 임명함. 6 신라 진표眞表, 금산사金山寺에서 법상종法相宗을 폄.	5 당, 오기력五紀曆을 사용함. 7 당, 청묘전靑苗錢을 시행함. 9 일본, 에미노惠美押勝가 반란 일으켰다 패사함. 10 일본, 고켄孝謙이 다시 즉위함.
765 (3098) 을사	혜공 1	29	4 신라, 〈도천수관음가禱千手觀音歌〉·〈산화가散花歌〉 이루어짐. 6 신라, 경덕왕 사망: 혜공왕惠恭王 즉위.	9 당, 위구르와 티베트의 침입을 받음. 12 일본, 시다이사西大寺 창건.
766 (3099) 병오	2	30	5 신라 진표眞表, 금산사金山寺 금당에 미륵장육상을 조성함. ▶신라, 영태2년명탑지永泰二年銘塔誌를 제작함.	1 당, 국자학 학생을 다시 보충함. 10 일본 도교우道鏡, 법왕法王의 위를 받음. ▶사라센제국, 바그다드에 도읍함.
767 (3100) 정미	3	31	7 신라, 이찬 김은거金隱居를 당唐에 사신으로 보냄. 8~12 발해, 당에 매월 사신을 보냄.	3 일본, 법왕궁직法王宮職을 설치함. ▶당, 장경사章敬寺 창건.
768 (3101) 무신	4	32	7 신라, 일길찬 대공大恭과 이찬 대렴大廉 등이 반란 일으킴: 대공의 난. 10 신라, 신유神猷를 상대등에, 김은거金隱居를 시중에 임명함.	1 당, 승려 1천명에게 도첩度牒을 줌. 9 프랑크, 피핀Pippin 사망: 카롤루스Carolus 대제 즉위.
769 (3102) 기유	5	33	3 신라, 왕이 임해전臨海殿에서 신하들과 연회를 개최함. 5 신라, 백관에게 인재를 천거케 함.	1 당 곽자의郭子儀, 조정에 들어감. ▶로마, 반우상파反偶像派 종교회의를 개최함.

연 대	신라	발해	우 리 나 라	다 른 나 라
770 (3103) 경술	혜공 6	문왕 34	**1** 신라, 왕이 서원경西原京(지금의 청주淸州)을 순행함: 4월 환도. **8** 신라, 대아찬 김융金融이 반란 꾀하다 처형됨. **12** 신라 진표眞表, 발연사鉢淵寺 창건.	**3** 당, 두보杜甫 사망. **8** 일본, 도교道鏡를 유배 보냄.
771 (3104) 신해	7	35	**12** 신라, 성덕대왕신종聖德大王神鐘(에밀레종)을 조성함. ▶신라, 동화사桐華寺 중수.	**4** 당, 티베트가 화의할 것을 청해 옴. ▶프랑크 카롤루스Carolus, 국내 통일을 이룸.
772 (3105) 임자	8	36	**1** 신라, 김표석金標石을 당唐에 보냄. ▶신라, 동화사桐華寺 5층석탑을 건립함.	**4** 일본, 도교道鏡 사망. ▶프랑크, 색슨Saxon에 원정하여 크리스트교를 전파함.
773 (3106) 계축	9	37	**4** 신라, 당唐에 사신 보내 신년을 하례함. **6** 발해 오수불烏須佛, 사신으로 일본에 건너감.	**3** 일본, 상평법常平法을 제정함. ▶프랑크, 랑고바르드Langobard 왕국을 병합함.
774 (3107) 갑인	10	38	**9** 신라, 김양상金良相을 상대등에 임명함. ▶신라, 김대성金大城 사망.	**6** 당, 불공不空 사망. ▶프랑크 카롤루스Carolus, 롬바르디아Lombardia를 멸하고 이탈리아 왕을 겸함.
775 (3108) 을묘	11	39	**6** 신라, 이찬 김은거金隱居가 반란 꾀하다 처형됨. **8** 신라, 이찬 염상廉相이 전 시중 정문正門과 반란 꾀하다 처형됨.	**1** 당, 전승사田承祠가 세력 키워 반란 일으킴. **10** 일본, 처음으로 천장절天長節 행사를 개최함.
776 (3109) 병진	12	40	**1** 신라, 백관의 칭호를 모두 옛것으로 복구함. **2** 신라, 왕이 국학國學에서 강의를 들음. **12** 발해 사도몽史都蒙, 일본에 사신으로 감.	**2** 당, 전승사田承祠의 죄를 용서해 줌. **4** 일본, 제사 태만을 경계함.
777 (3110) 정사	13	41	**4** 신라, 상대등 김양상金良相이 상소하여 정치를 비판함. **10** 신라, 김주원金周元을 시중으로 삼음. ▶신라, 효자 성각聖覺에게 상을 내림.	**7** 당 안진경顔眞卿, 형부상서刑部尙書가 됨. ▶영국, 머시아Mercia 왕 오파Offa가 웨섹스Wessex를 정복함.
778 (3111) 무오	14	42	▶신라, 일본의 견당사遣唐使 배 1척이 탐라耽羅에 표착함.	**2** 당 장광성張光晟, 타이위안太原에 침입한 위구르Uighur를 격파함. ▶프랑크 카롤루스Carolus, 스페인 원정에서 패배함.

연 대	신라	발해	우 리 나 라	다 른 나 라
779 (3112) 기미	15	43	**10** 신라, 신행神行 사망. ▶신라 김암金巖, 일본에 건너가 둔갑법遁甲法을 가르치고 옴.	**2** 당, 전승사田承祠를 살해함. **10** 당 이성李晟, 티베트와 남조南詔의 침입을 격퇴함.
780 (3113) 경신	선덕 1	44	**2** 신라, 이찬 김지정金志貞이 반란을 꾀하여 왕궁을 포위함. **4** 신라, 상대등 김양상金良相과 이찬 김경신金敬信 등이 김지정金志貞을 처형함. 혜공왕과 왕후 시해됨. 선덕왕宣德王(김양상) 즉위. 김경신을 상대등에 임명함.	**1** 당, 양염楊炎의 건의로 양세법兩稅法을 실시함. **6** 당, 펑톈성奉天城을 축조함. ▶프랑크, 은본위제를 채용함.
781 (3114) 신유	2	45	**2** 신라, 왕이 신궁神宮에 제사 지냄. **7** 신라, 관리 파견하여 패강浿江 이남의 주·군을 위무함.	**6** 당, 곽자의郭子儀 사망. ▶당, 대진경교유행중국비大秦景敎流行中國碑를 건립함. ▶프랑크 카롤루스Carolus, 이탈리아에 가서 교황과 회견함.
782 (3115) 임술	3	46	**2** 신라, 왕이 한산주漢山州에 순행하여 백성들을 패강진浿江鎭(황해도 평산平山)으로 옮김. ▶발해, 정효공주묘貞孝公主墓를 조성함.	**11** 당, 전열田悅 등이 각처에서 왕을 칭함. **12** 당 이희열李希烈, 천하도원수를 칭함. ▶프랑크, 반란 일으킨 색슨인Saxon人 4,500여명을 학살함.
783 (3116) 계해	4	47	**1** 신라, 아찬 체신體信을 대곡진大谷鎭 군주軍主로 삼음. ▶신라, 사직단社稷壇을 세우고 사전祀典을 설치함.	**1** 당 이희열李希烈, 여주汝州를 함락함. **10** 당 주자朱 , 장안長安(지금의 시안西安)에서 반란을 일으킴: 11월 혼감渾瑊에게 패함.
784 (3117) 갑자	5	48	**4** 신라, 왕이 선위하려다 신하들이 간하므로 중지함. ▶신라 명적明寂, 사신 김양공金讓恭을 따라 당唐에 감.	**1** 당 이희열李希烈, 왕호를 참칭함. **2** 당 이회광李懷光, 반란 일으킴. **6** 당 이성李晟, 수도 회복하고 주자朱 를 처형함. **8** 당, 안진경顔眞卿 사망. **11** 일본, 교토京都 나가오카궁長岡宮으로 천도함: 헤이안시대平安時代.
785 (3118) 을축	원성 1	49	**1** 신라, 선덕왕 사망: 원성왕元聖王(김경신) 즉위. **2** 신라, 인겸仁謙을 태자로 삼음. **3** 신라, 9주 총관摠管을 도독都督으로 고침. ▶발해, 동경용원부東京龍原府로 천도함.	**3** 당 마수馬燧, 이회광李懷光 군을 격파함: 8월 이회광 자살. ▶색슨Saxon 수장 위테킨드, 프랑크에 항복함: 크리스트교로 개종.

연대	신라	발해	우 리 나 라	다 른 나 라
786 (3119) 병인	원성 2	문왕 50	**10** 신라 무조武烏, 《병법兵法》과 《화령도花鈴圖》를 바침. ▶신라, 천관사天官寺 창건. 일본이 신라에 만파식적萬波息笛 있다는 말 듣고 침입을 그만둠.	**4** 당 진선기陳仙奇, 이희열李希烈을 죽이고 항복해 옴. ▶사라센제국, 하룬 알라시드Hārūn alRashid 즉위: 이슬람문화 전성기 이룸.
787 (3120) 정묘	3	51	**2** 신라, 왕이 신궁神宮에 제사 지냄. ▶신라, 소년서성少年書省 2인을 둠. ▶신라, 혜초慧超 사망.	**5** 당 혼감渾瑊, 회맹사會盟使가 되어 위구르Uighur와 동맹을 체결함. ▶제2회 니케아Nicaea 종교회의가 개최됨: 우상숭배 금지령을 해제함.
788 (3121) 무진	4	52	▶신라, 독서삼품과讀書三品科(독서출신과讀書出身科)를 설치함. ▶신라, 서부지역의 가뭄과 메뚜기 피해로 인한 기근으로 도적이 발생함.	▶일본 사이쵸最澄, 엔랴쿠사延暦寺를 창건함. ▶위구르, 회흘回紇에서 회골回鶻로 개명함. ▶프랑크, 바바리아 공국Bavaria公國을 정복함
789 (3122) 기사	5	53	**9** 신라, 문적文籍 출신 아닌 자도 당唐에서 학사學士가 된 자는 발탁하기로 함. ▶신라, 왕손 김준옹金俊邕을 당에 보냄.	▶노르만인Norman, 브리타니아Britannia에 침입하여 약탈함. ▶프랑크, 슬라브인Slavs을 정복하여 엘베강Elbe江까지 지배권을 확대함.
790 (3123) 경오	6	54	**1** 신라, 벽골제碧骨堤를 증축함. **3** 신라, 왕손 김언승金彦昇을 당唐에 보냄. ▶발해, 학문과 교육을 진흥시킴.	**6** 당, 티베트가 안서安西 지역을 함락함. **10** 일본, 철전사鐵錢司를 부활시킴.
791 (3124) 신미	7	55	**1** 신라, 태자 인겸仁謙 사망. 전 시중 김제공金悌恭이 반란 꾀하다 처형됨. **10** 신라, 김준옹金俊邕을 시중에 임명함. ▶신라, 김생金生 사망.	**3** 일본, 산정율령刪定律令을 채용함. ▶프랑크, 아바르족Avar族을 격파함.
792 (3125) 임신	8	56	**8** 신라, 왕자 의영義英을 태자로 삼음. ▶발해, 양길복楊吉福 등 35인을 당에 보냄.	**7** 일본, 장례葬禮에서의 사치를 금함. ▶레겐스부르크Regensburg 종교회의 개최: 제2회 니케아Nicaea 종교회의 결정사항을 폐기함.
793 (3126) 계유	9	원의 1	**1** 신라, 태풍으로 나무와 곡식이 피해당함. ▶발해, 문왕 사망: 폐왕廢王 원의元義 즉위.	**1** 당, 차茶에 과세함. **8** 당, 이성李晟 사망.

연대	신라	발해	우리 나라	다른 나라
794 (3127) 갑술	10	성왕 1	**2** 신라, 태자 의영義英 사망. **7** 신라, 봉은사奉恩寺 창건. ▶발해, 원의 피살: 성왕成王 즉위. 연호를 중흥中興이라 함. 수도를 다시 상경용천부上京龍泉府로 옮김.	**10** 일본, 교토京都 헤이안경平安京으로 천도함. ▶프랑크, 색슨족Saxon族의 반란을 진압함.
795 (3128) 을해	11	강왕 1	**1** 신라, 김준옹金俊邕을 태자로 삼음. ▶발해, 성왕 사망: 강왕康王 즉위. 연호를 정력正曆으로 고침.	**8** 당, 마수馬燧 사망. ▶노르만인Norman, 아일랜드에 침입함.
796 (3129) 병자	12	2	**4** 신라, 이찬 지원智原을 시중에 임명함. ▶발해, 여정림呂定林이 일본 답빙사答聘使와 함께 귀국함.	**8** 일본, 제국諸國의 지도를 작성함. ▶프랑크, 아헨Aachen 궁정교회당을 건립함.
797 (3130) 정축	13	3	**9** 신라, 김삼조金三朝를 시중에 임명함. ▶신라, 좌이방부左理方府 사史를 15인에서 5인으로 줄임.	**2** 당, 성城을 쌓아 티베트의 침입에 대비함. ▶일본, 《속니혼쇼기續日本書紀》 편찬.
798 (3131) 무인	14	4	▶신라 영재永才, 이 시기 〈우적가遇賊歌〉·〈신공사뇌가身空詞腦歌〉 지음. **12** 신라, 원성왕 사망: 소성왕昭聖王 즉위.	**2** 당 징관澄觀, 《신역 화엄경新譯華嚴經》을 완성함. **9** 당, 오소성吳少誠의 반란 일어남.
799 (3132) 기묘	소성 1	5	**3** 신라, 거로현居老縣(현 거제巨濟 지역)을 국학國學 학생들의 녹읍祿邑으로 함. **4** 발해, 대창태大昌泰가 일본 답빙사答聘使와 함께 귀국함.	**9** 당, 각 도의 군사에게 오소성吳少誠의 반란을 진압하게 함. ▶교황 레오Leo 3세, 로마에서 축출됨: 프랑크 카롤루스Carolus 지원으로 복귀.
800 (3133) 경진	애장 1	6	**6** 신라, 소성왕 사망: 애장왕哀莊王 즉위. 병부령 김언승金彦昇이 섭정함. ▶신라, 백률사柏栗寺 청동약사여래입상을 조성함.	**10** 당, 오소성吳少誠을 용서해 줌. ▶프랑크 카롤루스, 교황 레오Leo 3세로부터 서로마제국 황제에 대관됨. ▶노르만족Norman族(바이킹Viking), 대이동 시작함.
801 (3134) 신사	2	7	**2** 신라, 5묘五廟 제도를 개정함. 김언승金彦昇이 상대등에 오름. **10** 신라, 탐라국耽羅國에서 조공해 옴.	**10** 당 두우杜佑, 《통전通典》을 편찬함. ▶프랑크, 스페인의 바르셀로나Barcelona를 점령함.
802 (3135) 임오	3	8	**8** 신라, 해인사海印寺 창건. **12** 신라, 김균정金均貞을 가왕자假王子로 하여 일본에 보내려다 중지함.	▶영국 알퀴누스Alcuinus, 〈신앙삼위일체론信仰三位一體論〉을 완성함: 중세신학中世神學의 기초 이룸.

연 대	신라	발해	우 리 나 라	다 른 나 라
803 (3136) 계미	애장 4	강왕 9	**4** 신라, 왕이 남부 교외에서 보리농사를 관람함. **7** 신라, 일본과 교빙함. ▶신라 지장地藏, 중국에서 사망함.	**12** 당 한유韓愈, 양산령陽山令으로 좌천됨. ▶사라센제국, 소아시아에 침입하여 키프로스Kypros를 약탈함.
804 (3137) 갑신	5	10	**1** 신라, 이찬 수승秀昇을 시중에 임명함. ▶신라 혜소慧昭, 당唐에 감.	**3** 일본, 사이쵸最澄와 구카이空海가 견당사遣唐使를 수행하여 당에 감. ▶프랑크, 색슨족Saxon族을 토벌하여 영토를 합병함.
805 (3138) 을유	6	11	**1** 신라, 당에서 왕에게 작호를 보내옴. **8** 신라, 공식公式(법률) 20여조를 반포함.	**7** 일본 사이쵸最澄, 당에서 천태종天台宗을 들여옴. **8** 당, 《사관일력史官日曆》을 편찬함.
806 (3139) 병술	7	12	**3** 신라, 왕이 조원전朝元殿에서 일본 사신을 접견함. 사찰을 새로 짓는 것을 금하고 보수만 허가함.	**1** 당 유벽劉闢, 반란 일으킴: 9월 처형됨. **8** 일본 구카이空海, 당에서 진언종眞言宗 을 들여옴. ▶동로마제국, 사라센제국 군사에 패하여 화의를 청함.
807 (3140) 정해	8	13	**1** 신라, 이찬 김헌창金憲昌을 시중에 임명함. ▶발해, 양광신楊光信을 당唐에 파견함.	**8** 일본, 헌법 15조를 반포함. **10** 당 이기李琦, 반란 일으킴: 11월 처형됨. ▶프랑크, 정기우편로를 개설함. 운하運河를 기공함.
808 (3141) 무자	9	14	**2** 신라, 12도에 관리 보내 군·읍의 경계를 정함. 김역기金力奇를 당에 사신으로 보냄.	**4** 당, 우승유牛僧孺와 이종민李宗閔을 등용함: 당쟁黨爭의 원인이 됨. ▶프랑크, 엘베강Elbe江 연안에서 데인족Danes을 격파함.
809 (3142) 기축	헌덕 1	정왕 1	**7** 신라 김언승金彦昇, 애장왕을 시해하고 왕위에 오름: 헌덕왕憲德王. **8** 신라, 죄인 사면령을 내림. ▶발해, 강왕 사망: 정왕定王 즉위. 연호를 영덕永德으로 고침. ▶신라, 체명體明 사망.	**4** 당, 티베트의 화의 요청에 응함. **9** 당 왕승종王承宗, 반란 일으킴. **11** 당, 오소성吳少誠 사망.
810 (3143) 경인	2	2	**2** 신라, 전국의 제방을 수리함. **11** 발해, 대정진大廷眞을 당唐에 사신으로 보냄. ▶신라, 월정사月精寺 창건.	**1** 당, 왕승종王承宗을 치다가 패배하고 사면해 줌. ▶프랑크, 데인족Danes을 토벌함.

연대	신라	발해	우리 나라	다른 나라
811 (3144) 신묘	3	3	**1** 신라, 이찬 원흥元興을 시중에 임명함. **4** 신라, 왕이 처음으로 평의전平議殿에서 정무를 봄.	**6** 당, 주 · 현 관리의 녹봉을 같게 함. ▶동로마제국, 니케포루스Nicephorus 1세가 불가리아인과 전투 중에 전사함.
812 (3145) 임진	4	4	**3** 신라, 신라인 110명이 일본 소영도小迎島에서 원주민과 전투 벌임. ▶신라 김균정金均貞, 시중에 임명됨.	**11** 당, 티베트의 침입을 받음. ▶프랑크 카롤루스Carolus, 아헨Aachen 조약으로 동로마제국 황제에게 제위 승인받음.
813 (3146) 계사	5	희왕 1	**1** 신라, 김헌창金憲昌을 무진주武珍州(현 광주光州 지역) 도독에 임명함. ▶발해, 정왕 사망: 희왕僖王 즉위. 연호를 주작朱雀으로 고침.	**1** 당 이길보李吉甫, 《육대략六代略》을 지음. **10** 위구르Uighur, 티베트를 토벌함.
814 (3147) 갑오	6	2	**5** 신라, 서부의 홍수로 1년간의 조세를 면제해 줌. **8** 신라, 김헌창金憲昌을 시중에 임명함.	**6** 일본, 《신찬성씨록新撰姓氏錄》 편찬. **10** 당, 이길보李吉甫 사망. ▶일본, 왕자와 공주에 미나모토源 성姓을 내리고 신하 신분으로 강등시킴. ▶프랑크, 카롤루스Carolus 사망.
815 (3148) 을미	7	3	**1** 신라, 일본이 자국에 신라역어新羅譯語(통역생)를 설치함. **7** 발해, 왕자 대정준大廷俊 등을 당에 파견함.	**1** 당 오원제吳元濟, 반란 일으킴. ▶동로마 레오Leo 5세, 다시 우상偶像 숭배 금지령 내림.
816 (3149) 병신	8	4	**1** 신라, 김헌창金憲昌을 청주菁州(지금의 진주晋州 지역) 도독에 임명함. 김장여金璋如를 시중에 임명함.	**1** 당, 왕승종王承宗을 토벌함. ▶당 백거이白居易, 〈비파행琵琶行〉을 지음.
817 (3150) 정유	9	간왕 1	**10** 신라, 흉년으로 굶주려 죽는 사람이 많아 주 · 군의 곡식으로 이를 구제함. ▶발해, 희왕 사망: 간왕簡王 즉위. 연호를 태시太始로 고침.	**10** 당 이소李愬, 오원제吳元濟를 생포함: 11월 처형. ▶프랑크 루이Louis 1세, 장자 로타르Lothar와 공동 통치함. 영토를 세 아들에게 분배함. 랭스Rems에서 대관식을 행함.
818 (3151) 무술	10	선왕 1	▶신라, 당에 악공樂工을 보냄. ▶발해, 간왕 사망: 선왕宣王 즉위. 연호를 건흥建興으로 고침.	**3** 일본, 조회朝會 절차를 당唐의 제도에 따름. **7** 당, 반란 일으킨 이사도李師道를 침.
819 (3152) 기해	11	2	**3** 신라, 초적草賊 일어나자 주 · 군에 명하여 평정케 함 **7** 신라, 김웅원金雄元 군사를 당에 보내 이사도李師道의 난 평정을 돕게 함.	**1** 당, 불골佛骨을 궁궐 안으로 맞아들임: 한유韓愈, 이에 반대하다 좌천당함. **2** 당, 이사도李師道를 처형함. ▶당, 유종원柳宗元 사망.

연 대	신라	발해	우 리 나 라	다 른 나 라
820 (3153) 경자	헌덕 12	선왕 3	**윤1** 발해, 당唐에 사신 보냄. ▶신라, 흉년으로 인하여 기근에 처한 자가 많이 생김.	**1** 당, 헌종憲宗 피살: 목종穆宗 즉위. **10** 당, 왕승종王承宗 사망.
821 (3154) 신축	13	4	**4** 신라, 이찬 영공永恭을 시중에 임명함. 김헌창金憲昌을 웅천주熊川州(현 공주公州) 도독에 임명함. ▶신라 도의道義, 당에서 귀국하여 남종선南宗禪을 전함. 김충공金忠恭 사망.	**4** 당 이종민李宗閔, 좌천당함: 붕당朋黨의 파쟁 시작. **5** 당, 대화공주大和公主를 위구르Uighur에 시집보냄.
822 (3155) 임인	14	5	**3** 신라 김헌창金憲昌, 아버지 김주원金周元이 왕위에 오르지 못하자 웅천주熊川州(현 공주公州)에서 반란 일으킴: 국호를 장안長安, 연호를 경운慶雲이라 함. 관군에 패해 자살.	**6** 일본, 사이쵸最澄 사망. **12** 당, 선명력宣明曆을 사용함.
823 (3156) 계묘	15	6	**1** 신라, 당唐에서 영을 내려 신라인을 노비로 삼는 것을 금하고 자국에 있는 신라인은 돌려보냄.	**1** 일본, 구카이空海에게 동사東寺를 하사함. **9** 당, 한유韓愈를 이부시랑에 임명함.
824 (3157) 갑진	16	7	▶신라, 보림사보조선사비寶林寺普照禪師碑를 건립함. ▶발해, 대총예大聰叡 등 50인을 당唐에 파견함.	**8** 일본, 시정방침 6조를 제정함. ▶당, 페르시아에서 조공해 옴. 한유韓愈 사망.
825 (3158) 을사	17	8	**1** 신라, 김범문金梵文(김헌창金憲昌의 아들)의 반란 일어남: 김범문 · 수신壽神 등을 처형함. **5** 신라, 김윤부金允夫 등 12명을 당唐의 국학國學에 입학시킴.	**2** 당 이덕유李德裕, 《단의육잠丹扆六箴》을 바침. ▶미얀마, 페구Pegu 왕조 일어남.
826 (3159) 병오	흥덕 1	9	**7** 신라, 패강浿江(지금의 대동강大同江)에 장성長城을 쌓음. ▶신라 도의道義, 헌덕왕 때 장흥 보림사寶林寺에서 선종禪宗을 폄. **10** 신라, 헌덕왕 사망: 흥덕왕興德王 즉위. ▶신라 홍척洪陟, 당에서 돌아와 남원 실상사實相寺에서 선종禪宗을 폄.	**2** 당 배도裵度, 재상에 오름. **5** 당, 유주군幽州軍이 반란 일으킴. **12** 당, 환관이 경종敬宗을 시해함: 문종文宗 즉위.
827 (3160) 정미	2	10	**2** 신라, 중초사中初寺 당간지주를 조성함. **3** 신라 구덕丘德, 당唐에서 불경을 가지고 귀국함.	**6** 당 왕파王播, 뇌물을 바치고 재상에 오름. **8** 당 이동첩李同捷, 반란 일으킴. ▶사라센제국, 시칠리아를 공격함.

연대	신라	발해	우리 나라	다른 나라
828 (3161) 무신	3	11	**1** 신라, 김우징金祐徵을 시중에 임명함. **4** 신라 장보고張保皐, 완도莞島에 청해진淸海鎭을 설치하고 대사大使에 임명됨. **12** 신라 김대렴金大廉, 당唐에서 차茶 종자를 가져옴.	**3** 당 유귀劉貴, 환관宦官의 전횡을 논함. **6** 당 왕승조王昇朝, 반란 꾀하다 처형됨.
829 (3162) 기유	4	12	**2** 신라, 당은군唐恩郡을 당파진唐坡鎭으로 고치고 사찬 극정極正에게 지키게 함. ▶신라, 집사부를 집사성執事省으로 고침.	**5** 일본, 관개용 수차水車를 제작함. **9** 당, 환관의 비단 착용을 금함. **11** 당, 남조南詔가 침입해 옴.
830 (3163) 경술	5	이진 1	▶발해, 선왕 때 전성기 이루어 해동성국海東盛國의 칭호 들음. 선왕 사망: 이진彝震 즉위. 연호를 함화咸和로 고침. ▶신라, 혜소慧昭가 당에서 귀국함. 진감眞鑑이 당에서 귀국하여 옥천사玉泉寺에서 범패梵唄를 가르침.	**1** 당, 이종민李宗閔과 우승유牛僧孺를 재상에 등용함: 이덕유李德裕 일파 배척. **9** 당 배도裵度, 절도사가 됨. ▶사라센제국, 〈아라비안나이트〉 원형이 성립됨.
831 (3164) 신해	6	2	**1** 신라, 이찬 윤분允芬을 시중에 임명함. **7** 신라, 당에 갔던 사신 일행이 돌아오다 익사함.	**8** 일본, 산성에 빙실氷室을 추가로 설치함. **9** 당, 티베트 장수가 항복해 옴.
832 (3165) 임자	7	3	**10** 신라, 관리 파견하여 가뭄과 기근 당한 백성을 위무함. ▶신라, 장춘사長春寺 창건.	**12** 당, 우승유牛僧孺를 파면함: 이덕유李德裕를 병부상서에 임명함. ▶사라센제국, 바그다드에 '지혜의 집'을 건립함: 그리스 문헌 연구.
833 (3166) 계축	8	4	**2** 발해, 대광성大光晟을 당에 사신으로 파견함. **3** 신라, 진주 연지사종蓮池寺鐘을 조성함.	**2** 당 이덕유李德裕, 재상에 오름. **8** 당, 진사시進士詩에서 시부詩賦를 없앰.
834 (3167) 갑인	9	5	**1** 신라 김우징金祐徵, 다시 시중에 오름. **10** 신라, 왕이 남방 주·군을 순행함. ▶신라, 백관의 복색제도를 공포함.	**10** 당, 유주군幽州軍이 반란 일으킴: 절도사 양지성楊志誠을 처형함. ▶당 이종민李宗閔, 재상에 오름: 이덕유李德裕 퇴임.
835 (3168) 을묘	10	6	**2** 신라, 아찬 김균정金均貞을 상대등에, 대아찬 김명金明을 시중에 임명함. ▶신라, 김유신金庾信을 흥무대왕興武大王에 추증함.	**3** 일본, 구카이空海 사망. **11** 당, 감로甘露의 변 일어남.

연대	신라	발해	우리나라	다른나라
836 (3169) 병진	희강 1	이진 7	**12** 신라, 흥덕왕 사망: 희상왕僖康王, 김균정金均貞을 살해하고 즉위함. ▶신라 손순孫順, 노모를 봉양하기 위해 아이를 땅에 묻으려다 석종石鐘을 얻음.	**4** 당 이고언李固言, 재상에 오름. ▶영국, 웨섹스Wessex 왕 에그버트Egbert가 데인족Danes과 서웨일스족西Welsh을 격파함.
837 (3170) 정사	2	8	**5** 신라 김우징金祐徵, 청해진淸海鎭 대사 장보고張保皐에게로 피신함. **6** 신라 김예징金禮徵 · 김양순金良順, 김우징金祐徵에게 합류함.	**10** 당, 국자감國子監의 석경石經이 이룩됨. ▶당 이고언李固言, 조정에서 퇴임함.
838 (3171) 무오	민애 1	9	**1** 신라, 상대등 김명金明과 시중 이홍利弘 등이 반란 일으킴. 희강왕 자살: 민애왕閔哀王 즉위. **2** 신라 김양金陽, 청해진淸海鎭에서 김우징金祐徵을 받들고 군사 일으킴. **12** 신라, 김민주金敏周의 중앙군이 김양金陽의 군사에게 패배함.	**7** 일본 엔닌圓仁, 견당사遣唐使를 수행하여 당에 감.
839 (3172) 기미	신무 1 문성 1	10	**윤1** 신라 김우징金祐徵 · 김양金陽, 달구벌達句伐(지금의 대구大邱)에서 중앙군을 격파함. 민애왕을 시해하고 신무왕神武王(김우징金祐徵)을 추대함. 이홍利弘 피살. **7** 신라, 신무왕 사망: 문성왕文聖王 즉위. **8** 신라 장보고張保皐, 청해진淸海鎭 장군이 됨.	**윤1** 일본, 권농勸農의 조서 내림. **3** 당, 배도裵度 사망. **9** 일본, 견당사遣唐使가 귀국함.
840 (3173) 경신	2	11	**1** 신라, 김예징金禮徵을 상대등에, 김의종金義琮을 시중에 임명함. **2** 신라 체징體澄, 당에서 돌아옴. **12** 신라 장보고張保皐, 일본에 사신 보냄.	**1** 당, 문종 사망: 동생 무종武宗이 태자를 살해하고 즉위함. ▶위구르Uighur, 키르기즈Kirgiz에게 패망함. ▶프랑크, 루이Louis 1세 사망: 세 아들간에 영토 분쟁 일어남.
841 (3174) 신유	3	12	▶봄. 신라, 일길찬 홍필弘弼이 반란 일으키다 해도海道로 도망함. **7** 발해, 하복정賀福延 등 105명을 일본에 파견함.	**12** 일본 후지와라藤原緖嗣 등, 《니혼고키日本後紀》를 편찬함. ▶프랑크 루이Louis 2세, 카롤루스Carolus 2세와 함께 형 로타르Lothar를 파함.
842 (3175) 임술	4	13	**2** 신라, 장보고張保皐가 보낸 사신이 일본에 도착함. **3** 신라, 이찬 위흔魏昕의 딸을 왕비로 삼음.	**9** 당 백거이白居易, 한림학사가 됨. ▶사라센제국, 남이탈리아 정벌. ▶니케아Nicaea 종교회의 개최: 우상偶像 숭배가 부활됨.

연대	신라	발해	우리 나라	다른 나라
843 (3176) 계해	5	14	1 신라, 이찬 김양순金良順을 시중에 임명함: 이듬해 해임.	▶동로마제국, 우상 숭배가 부활됨. ▶프랑크, 베르 Verdun 조약에 의해 중·동·서로 영토가 3분됨.
844 (3177) 갑자	6	15	8 신라, 혈구진穴口鎭을 설치함: 아찬 계홍啓弘에게 지키게 함. ▶신라, 염거廉居 사망: 흥법사興法寺 염거화상탑 조성.	4 일본, 지온엔慈恩院 건립. 6 당, 주·현의 필요 없는 관리를 줄임.
845 (3178) 을축	7	16	3 신라, 장보고張保皐의 딸을 후비로 삼으려다 신하들의 반대로 중지함. ▶신라 무염無染, 당에서 돌아와 성주사聖住寺에서 선종禪宗을 폄.	8 당 무종, 불교를 탄압함: 사찰 4만여 개소를 부수고 승려 26만 명을 환속시킴. 9 당, 비변고備邊庫를 설치함.
846 (3179) 병인	8	17	1 발해, 당唐에 사신 보냄. ▶신라 장보고張保皐, 반란 일으킴: 자객 염장閻長에게 피살됨.	▶당, 백거이白居易 사망. ▶사라센제국, 이탈리아에 침략하여 로마를 포위함.
847 (3180) 정묘	9	18	2 신라, 평의전平議殿과 임해전臨海殿을 중수함. 5 신라, 김양순金良順과 파진찬 흥종興宗이 반란을 꾀하다 죽임을 당함. ▶신라 범일梵日·도윤道允, 당에서 돌아와 각각 굴산사掘山寺와 흥녕사興寧寺에서 선종禪宗을 폄.	10 일본 엔닌圓仁, 당에서 귀국함: 12월 《입당구법순례행기入唐求法巡禮行記》를 저술함. ▶당, 우승유牛僧孺 사망.
848 (3181) 무진	10	19	12 발해, 왕문구王文矩 등 100명이 일본에 도착함. ▶신라, 김계명金啓明을 시중에 임명함.	5 당, 태황태후太皇太后 곽씨郭氏 사망. 9 일본, 장년대보전長年大寶錢 주조
849 (3182) 기사	11	20	9 신라, 이찬 김식金式과 대흔大昕이 반란을 꾀하다 처형당함. ▶신라, 김흔金昕 사망.	5 당, 무령군武寧軍의 난 일어남. 11 당, 이덕유李德裕 사망.
850 (3183) 경오	12	21	1 신라, 혜소慧昭 사망. 11 신라 사량진웅沙良眞熊, 일본인 서주書主에게 신라금新羅琴 타는 법을 전수함.	9 당, 티베트가 하서河西 지방을 약탈함. ▶사라센제국, 바그다드Baghdad로 환도함.
851 (3184) 신미	13	22	2 신라, 청해진淸海鎭을 파하고 주민을 벽골군碧骨郡으로 옮김. 4 신라 원홍元弘, 당唐에서 불경佛經을 가지고 옴.	2 당 배휴裵休, 염철전운사鹽鐵轉運使가 됨. ▶영국, 데인족Danes이 캔터베리 Canterbury와 런던을 침공함.

연대	신라	발해	우리 나라	다른 나라
852 (3185) 임신	문성 14	이진 23	**2** 신라, 파진찬 진량眞亮을 웅주도독熊州都督에 임명함. **7** 신라, 명학루明鶴樓를 중수함.	**8** 낭 배휴裵休, 재상이 됨. ▶당, 두목杜牧 사망.
853 (3186) 계유	15	24	**2** 신라, 홍수 발생. **8** 신라, 서남지방 주·군에 메뚜기 피해가 발생함.	**4** 당, 장태법杖笞法을 제정함. **6** 일본, 왕자와 공주에 미나모토源성姓을 내리고 신하의 신분으로 강등시킴
854 (3187) 갑술	16	25	▶신라, 영암 쌍계사雙溪寺 창건.	**10** 당, 감로甘露의 변 때 당한 억울한 일을 풀어줌. ▶당, 환관과 대신 간에 갈등이 심해짐.
855 (3188) 을해	17	26	**윤4** 신라, 창림사무구정탑昌林寺無垢淨塔을 건립함. **12** 신라, 진각성珍閣省에 화재 일어남.	**윤4** 당, 주·현에 차과부差科簿를 만들게 함. **7** 당, 절동군浙東軍의 난 일어남.
856 (3189) 병자	18	27	**8** 신라, 규흥사종窺興寺鐘을 주조함. ▶신라 대통大通, 하정사賀正使를 따라 당唐에 유학함.	**6** 당 배휴裵休, 파면당함. ▶노르만족Norman族, 네덜란드 해안을 약탈함.
857 (3190) 정축	헌안 1	28	**1** 신라, 김양金陽 사망. **9** 신라, 문성왕 사망: 헌안왕憲安王 즉위.	**2** 일본, 당의 오기력五紀曆을 채용함. 후지와라藤原良房가 태정대신太政大臣이 됨.
858 (3191) 무인	2	건황 1	**2** 발해, 이진 사망: 당唐에서 사신 보내 건황虔晃을 왕으로 책봉함. **7** 신라, 보림사寶林寺 철조비로자나불좌상 조성.	**7** 당, 선주군宣州軍의 반란 일어남. ▶당, 이상은李商隱 사망. ▶사라센제국, 소아시아에서 동로마제국 군사와 전투 벌임.
859 (3192) 기묘	3	2	**1** 발해, 오효신烏孝愼 일행이 일본에 도착함: 7월에 귀국. **4** 신라, 제방을 수리하고 농사를 권장함. ▶신라, 김가기金可紀 사망.	**8** 당 선종宣宗, 도사道士가 준 약 먹고 사망함: 의종懿宗 즉위. **12** 남조南詔 추룡酋龍, 황제를 자칭함: 국호를 대리大理라 함.
860 (3193) 경진	4	3	**9** 신라, 공주를 김응렴金膺廉(후의 경문왕)에게 출가시킴. ▶발해, 이거정李居正 등을 일본에 파견함.	▶남조南詔, 교지交趾에 침입함. ▶노르웨이인, 아이슬란드Iceland를 발견함.
861 (3194) 신사	경문 1	4	**1** 헌안왕 사망: 경문왕景文王 즉위. **2** 신라, 혜철惠哲 사망.	**6** 일본, 당의 선명력宣明曆을 채용함. ▶사라센제국, 나일강Nile江 수량계水量計를 제작함.

연대	신라	발해	우리 나라	다른 나라
862 (3195) 임오	2	5	**1** 신라, 김정金正을 상대등에, 위진魏珍을 시중에 임명함. **8** 신라, 입당사 부량富良 일행이 중도에 익사함.	**4** 남조南詔, 안남安南에 침입함. ▶노르만족 루리크Rurik, 노브고로트 Novgorod 왕국을 건설함: 러시아Russia의 기원.
863 (3196) 계미	3	6	**2** 신라, 왕이 국학에서 강의 들음. ▶신라, 동화사桐華寺 비로자나 불좌상 조성.	**1** 남조南詔, 교지交趾를 함락함. **8** 당 오덕응吳德應, 관역사館驛使가 됨.
864 (3197) 갑신	4	7	**2** 신라, 왕이 감은사感恩寺에서 바다에 제사 지냄. **4** 신라, 일본 사신이 옴.	**4** 당, 옹주雍州에 침입한 남조南詔에 패퇴함. **7** 당 고변高駢, 영남嶺南 절도사에 오름. ▶일본, 엔닌圓仁 사망.
865 (3198) 을유	5	8	**4**신라, 당唐의 사신이 와서 헌안왕 죽음에 조의를 표함. ▶신라, 도피안사到彼岸寺 철조 비로자나불좌상을 조성함.	**7** 일본, 당의 상인이 규슈九州에 도착함. ▶동로마제국, 루스족Rus族이 콘스탄티노플Constantinople에 침입함.
866 (3199) 병술	6	9	**1** 신라, 황룡사皇龍寺에서 관등 행사를 개최함. **10** 신라, 이찬 윤흥允興 형제들이 반란 꾀하다 처형당함.	**10** 당 고변高駢, 남조南詔를 대파하고 교지交趾를 회복함.
867 (3200) 정해	7	10	**1** 신라, 임해전臨海殿을 중수함. ▶신라, 완주 송광사松廣寺 창건.	**4** 일본, 동·서경에 상평창常平倉을 설치함. ▶로마 교황과 콘스탄티노플Constantinople 관장管長이 서로 파문破門함.
868 (3201) 무자	8	11	**1** 신라, 이찬 김예金銳 등이 반란 꾀하다 처형당함. **4** 신라, 도윤道允 사망. **8** 신라, 조원전朝元殿을 중수함.	**7** 당, 방훈龐勛을 추대한 계주桂州의 군이 난을 일으킴. **12** 당 방훈龐勛, 사주泗州를 공격함. ▶당, 《금강반야바라밀다경》을 간행함.
869 (3202) 기축	9	12	**7** 신라 이동李同, 왕자 김윤金胤을 따라 당唐에 들어감. **11** 신라, 현욱玄昱 사망.	**2** 당 강승훈康承訓, 반군을 토벌함. **4** 당 방훈, 천책장군天冊將軍이라 칭함. **8** 일본 후지와라藤原良房 등, 《속니혼고키續日本後紀》를 편찬함.
870 (3203) 경인	10	13	**2** 신라, 사찬 김인金因을 당에 보내 숙위케 함. **5** 신라, 왕비 사망.	**2** 당, 남조南詔가 청두成都에 침입함. ▶프랑크, 메르센Mersen 조약으로 3분됨: 이탈리아·독일·프랑스 국경의 기초.
871 (3204) 신묘	11	현석 1	**1** 신라, 황룡사9층탑을 개조함. **2** 신라, 월상루月上樓를 개수함. ▶발해, 건황 사망: 현석玄錫(경왕景王) 즉위.	**10** 일본, 정관식貞觀式 율령을 반포함. ▶데인족Danes, 영국 웨섹스Wessex에 정착함.

연대	신라	발해	우리 나라	다른 나라
872 (3205) 임진	경문 12	현석 2	**5** 발해, 양성규楊成規 일행이 일본에서 교역하고 돌아옴. **11** 신라, 〈황룡사9층탑 찰주본기刹柱本記〉를 작성함.	**9** 일본, 후지와라藤原良房 태정대신太正大臣 사망.
873 (3206) 계사	13	3	**9** 발해, 최종좌崔宗佐 일행이 당唐에 가다 폭풍 만나 일본에 표착함. ▶신라, 기근과 질병이 유행함.	**1** 당, 사신 보내 불골佛骨을 맞이하게 함. **4** 일본, 왕자와 공주에 미나모토源 성姓을 내리고 신하의 신분으로 강등시킴.
874 (3207) 갑오	14	4	**5** 신라, 이찬 근종近宗이 반란 꾀하다 처형당함. ▶신라 최치원崔致遠, 당唐에서 과거에 급제함.	▶당, 왕선지王仙芝의 난 일어남. ▶노르만Norman, 아이슬란드에 식민을 시행함.
875 (3208) 을미	헌강 1	5	**2** 신라, 당唐의 연호 건부乾符를 사용함. **7** 신라, 경문왕 사망: 헌강왕憲康王 즉위. 위홍魏弘을 상대등에, 예겸乂謙을 시중에 임명함.	**1** 당 고변高騈, 서천西川절도사가 됨. **6** 당 왕선지王仙芝, 여러 주州를 함락함: 황소黃巢가 이에 응함(황소의 난). ▶이란, 동부에 사만Saman 왕조 일어남.
876 (3209) 병신	2	6	**2** 신라, 황룡사皇龍寺에서 백고좌도량百高座道場을 베풀고 불경을 강론함. **12** 발해, 사신 양중달楊中達 등 105명이 일본에 건너감.	**7** 당 종위宗威, 왕선지王仙芝 반란군을 격파함. **12** 당 왕선지王仙芝, 화이난淮南에 침입함.
877 (3210) 정유	3	7	**6** 발해, 양중달楊中達 등 사신 일행이 일본에서 귀국함. ▶신라 도선道詵, 청곡사靑谷寺 개창.	**2** 남조, 추룡酋龍 사망. **3** 당 황소黃巢, 이저우沂州를 함락함.
878 (3211) 무술	4	8	**7** 신라, 당에 사신 보내려다 황소黃巢의 난으로 중지함. **8** 신라, 일본 사신을 조원전朝元殿에서 접견함.	**2** 당 증원유曾元裕, 왕선지王仙芝를 살해함. **7** 당 황소黃巢, 절동浙東에 침입함.
879 (3212) 기해	5	9	**3** 신라, 왕이 동부 주·군을 순행함. **6** 신라, 일길찬 신홍信弘이 반란 꾀하다 처형당함. ▶신라, 최치원崔致遠이 당에서 〈토황소격문討黃巢檄文〉을 지음. 헌강왕이 동해안지역을 순행함: 처용설화處容說話 전함. 문경 봉암사鳳巖寺 창건.	**1** 당 고변高騈, 황소黃巢의 군사를 대파함. **7** 당 황소黃巢, 광저우廣州를 점령함. **10** 당 유한굉劉漢宏, 반란 일으킴. **11** 당 유거용劉巨容, 황소黃巢의 군사를 격파함.

연대	신라	발해	우리 나라	다른 나라
880 (3213) 경자	6	10	**2** 신라, 민공敏恭을 시중에 임명함. **4** 신라, 체징體徵 사망. **9** 신라, 왕이 월상루月上樓에 올라 경주 시가를 바라보며 신하들과 대화함: 월상루의 대화.	**7** 당, 유한굉劉漢宏이 항복해 옴. **12** 당 황소黃巢, 장안長安(지금의 시안西安)에 침입하여 황족을 살해함. ▶캄보디아, 크메르인Khmer의 앙코르톰Angkor Thom 유적이 형성됨.
881 (3214) 신축	7	11	**3** 신라, 왕이 임해전臨海殿에서 신하들과 연회를 개최함. ▶신라, 법화사法華寺 창건.	**4** 당, 관군이 장안長安에 입성함. **6** 당, 돌궐 출신 이극용李克用이 출전하여 승전함.
882 (3215) 임인	8	12	**5** 신라, 당의 연호 중화中和를 사용함. ▶신라, 견당사 김직량金直諒이 쓰촨四川에 피난한 당의 희종僖宗을 알현함. 지선智詵 사망.	**9** 당 주온朱溫, 황소黃巢 의 진영에 있다가 조정에 항복함:주전충朱全忠으로 개명. ▶노르만족, 키예프Kiev 공국을 건설함.
883 (3216) 계묘	9	13	**2** 신라, 왕이 삼랑사三郎寺에 가서 문신들에게 시 1수씩 짓게 함. **10** 신라, 대통大通 사망.	**4** 당 이극용李克用, 황소黃巢의 반군 격파하고 장안長安(지금의 시안西安)을 수복함: 하동河東 절도사에 오름. **7** 당 주전충朱全忠, 선무절도사宣撫節度使가 됨.
884 (3217) 갑진	10	14	**9** 신라, 보림사보조선사창성탑寶林寺普照禪師彰聖塔과 보림사보조선사창성탑비를 건립함.	**6** 당 상양尙讓, 반군을 격파함: 반군이 황소黃巢를 죽이고 항복함. ▶동프랑크 카알Karl 3세, 서프랑크 왕을 겸하고 옛 제국을 통일함.
885 (3218) 을사	11	15	**3** 신라 최치원崔致遠, 당唐에서 돌아와 벼슬에 오름. **10** 신라, 당에 사신 보내 황소黃巢의 난 진압을 축하함. ▶신라 행적行寂, 당에서 돌아옴.	**12** 당 이극용李克用, 처우에 불만 품고 수도에 육박함:희종僖宗, 산시陝西지방으로 피난함. ▶노르만 추장 롤로Rollo, 파리를 포위함: 파리 백작 오도Odo가 격퇴.
886 (3219) 병오	정강 1	16	**7** 신라, 헌강왕 사망: 정강왕定康王 즉위. **8** 신라, 준흥俊興을 시중에 임명함. ▶신라, 당 연호 광계光啓를 사용함.	**10** 당 주매朱玫, 양왕襄王 온熅을 세워 황제를 칭함: 12월 주매 살해됨.
887 (3220) 정미	진성여 1	17	**1** 신라, 이찬 김요金蕘가 반란 꾀하다가 진압됨. **7** 정강왕 사망: 진성여왕眞聖女王 즉위. ▶신라, 효녀 지은知恩을 표창함.	**9** 당 고변高駢, 부장部將 필사탁畢師鐸에 살해됨. **10** 당 양행밀楊行密, 회남유후淮南留後를 칭함.

연대	신라	발해	우리나라	다른나라
888 (3221) 무신	진성여 2	현석 18	**2** 신라, 각간 위홍魏弘과 대구화상大矩和尙이 향가집 《삼대목三代目》을 편찬함. 위홍 사망. 왕거인王巨仁 투옥사건 일어남. **11** 신라, 무염無染 사망.	**12** 당 신총申叢, 주전충朱全忠에게 항복함. ▶프랑크 오도Odo, 서프랑크의 왕이 됨.
889 (3222) 기유	3	19	▶신라, 원종元宗과 애노哀奴가 사벌주沙伐州에서 반란 일으킴: 김영기金令奇, 진압에 실패하여 처형당함. 범일梵日 사망. 견훤甄萱과 양길梁吉이 각기 무리를 모아 세력을 키움.	**3** 당, 주전충朱全忠을 동평군왕東平郡王으로 삼음. ▶당 이극용李克用, 다시 반란 일으킴.
890 (3223) 경술	4	20	**10** 신라, 왕이 황룡사皇龍寺에 가서 연등행사를 관람함. ▶신라 최승우崔承祐, 당에 건너가 국학國學에 입학함.	**4** 당, 이극용李克用의 관작官爵을 삭탈함. **10** 당 왕건王建, 촉주蜀州를 취함. **11** 당, 관군이 이극용李克用에게 패배함.
891 (3224) 신해	5	21	**10** 신라, 양길梁吉이 궁예弓裔를 보내 북원北原(지금의 원주原州) · 명주溟州(지금의 강릉江陵) 등 10여 군현을 점령함. ▶신라, 형미逈微와 도육道育이 당에 유학함.	**1** 당, 이극용李克用의 삭탈된 관작官爵을 복구함. **8** 당 왕건王建, 청두成都에서 승리를 거둠. **10** 당, 양복공楊復恭의 반란 일어남.
892 (3225) 임자	6	22	▶신라, 견훤甄萱이 완산주完山州(지금의 전주全州 지역)에서 반란 일으킴: 무진주武珍州(지금의 광주光州)에서 왕을 자칭함. ▶신라, 금산사金山寺 사리탑과 금산사 5층석탑을 건립함.	▶당 양행밀楊行密, 회남절도사가 됨. ▶일본 스가와라菅原道眞, 《유취국사類聚國史》를 편찬함.
893 (3226) 계축	7	위해 1	**5** 신라, 수철秀澈 사망. ▶신라, 최승우崔承祐가 당唐에서 과거에 급제함. 병부시랑 김처회金處誨가 당에 가다가 익사함. ▶발해, 현석 사망: 위해瑋瑎 즉위.	**8** 당, 병권을 남용한 이무정李茂貞의 군사를 토벌함. **9** 당, 이무정李茂貞이 관군을 격파함. 전류錢鏐를 진해절도사에 임명함. 일본, 《신찬만요슈新撰万葉集》를 편찬함. ▶마자르인Magyars, 헝가리Hungary를 세움.
894 (3227) 갑인	8	2	**2** 신라, 최치원崔致遠이 〈시무10조時務十條〉 올리고 아찬에 오름. **10** 신라, 궁예弓裔가 북원北原(지금의 원주原州)으로부터 명주溟州(지금의 강릉江陵)로 들어가 장군을 칭함.	**1** 당, 이무정李茂貞이 입조함. **6** 당 이극용李克用, 토곡혼土谷渾을 토벌함. **9** 일본, 견당사를 폐지함. ▶동프랑크, 이탈리아에 진격함.

연 대	신라	발해			우 리 나 라	다 른 나 라
895 (3228) 을묘	9	3			**3** 신라, 궁예弓裔가 스스로 왕을 칭하고 내외 관직을 설치함. **10** 신라, 헌강왕의 서자 요嶢를 태자로 삼음.	**5** 당, 이무정李茂貞과 왕행유王行瑜가 거병하여 궁궐을 범함. **11** 당, 왕행유를 처형함. 이극용李克用을 진왕晉王으로 삼음.
896 (3229) 병진	10	4			▶신라, 적고적赤袴賊이 경주 모량리牟梁里까지 침입해 옴. ▶신라 궁예弓裔가 왕륭王隆을 금성태수金城太守로 삼고 그의 아들 왕건王建을 발어참성勃禦塹城 성주로 삼음.	**7** 당 이무정李茂貞, 다시 궁궐을 침범함: 소종昭宗, 산시陝西 지방으로 피난함. ▶동프랑크 아르눌프Arnulf, 로마에서 대관됨: 이탈리아 지배.
897 (3230) 정사	효공 1	5			**5** 신라, 왕륭王隆 사망. **6** 신라 진성여왕, 효공왕孝恭王에게 선위함: 12월 사망.	**6** 당, 왕건王建을 좌천시킴. **10** 당, 이무정李茂貞 토벌. 주전충朱全忠이 양행밀楊行密에 패함.
898 (3231) 무오	2	6			**3** 신라, 도선道詵 사망. **7** 신라, 궁예弓裔가 황해도와 경기도 일대를 점령하고 송악松嶽(지금의 개성開城)으로 본거지를 옮김.	**1** 당, 이무정의 관작을 복구시킴. **8** 당 소종, 장안長安으로 환도함. ▶마자르족Magyar, 독일 · 이탈리아 지방을 공격함.
899 (3232) 기미	3	7			**7** 신라, 양길梁吉이 국원성國原城 등 10여 성주 동원하여 궁예弓裔 공격하다 패배함. **11** 신라 최치원崔致遠, 면직되어 가야산 해인사海印寺로 은둔함.	**3** 당 주전충朱全忠, 하동河東을 공격하다 대패함. **6** 당, 보의군保義軍의 반란 일어남.
900 (3233) 경신	4	8	**후백제** 견훤 1		**3** 신라, 절중折中 사망. **10** 신라, 궁예가 왕건王建을 아찬으로 함. ▶신라, 견훤甄萱이 후백제 세움: 완산주完山州(전주 지역)를 도읍으로 삼음	**2** 진왕晉王 이극용李克用, 산시山西 지방의 진양성晉陽城을 다스림. ▶노르웨이 왕국 건국.
901 (3234) 신유	5	9	2	**후고구려** 궁예 1	**8** 후백제, 대야성大耶城을 공격하다 대패함. ▶신라, 궁예弓裔가 송악松嶽을 근거로 후고구려 세움: 석총釋聰, 궁예를 간하다 처형됨.	**1** 당, 주전충朱全忠을 동평왕東平王으로, 이무정李茂貞을 기왕岐王으로 함. **8** 일본, 《삼대실록三代實錄》을 편찬함.
902 (3235) 임술	6	10	3	2	**2** 신라, 대아찬 효종孝宗을 시중에 임명함.	**3** 당 양행밀楊行密吳, 오왕吳王이 됨: 오 건국. **5** 당 전류錢鏐, 월왕越王이 됨.
903 (3236) 계해	7	11	4	3	▶후고구려, 왕건王建이 수군 거느리고 금성錦城(현 나주羅州 지역) 등 10여 성을 공략함.	**2** 당, 주전충朱全忠을 양왕梁王으로 함: 8월 왕건王建을 촉왕蜀王으로 함.

연 대	신라	발해	후백제	마진	우 리 나 라	다 른 나 라
904 (3237) 갑자	효공 8	위해 12	견훤 5	궁예 4	▶후고구려, 백관을 임명함. 국호를 마진摩震, 연호를 무태武泰라 함. 패서도浿西道(평안도)의 10여 주 · 현이 항복해 옴.	**8** 당 주전충朱全忠, 소종昭宗을 시해함: 애종哀宗 즉위.
905 (3238) 을축	9	13	6	5	**7** 마진, 수도를 철원鐵原으로 옮김. ▶마진, 연호를 성책聖冊으로 고침. 평양성주 검용黔用이 마진에 항복해 옴.	**4** 일본, 《고금화가집古今和歌集》을 편찬함. **11** 오, 양행밀楊行密 사망. **12** 당 주전충朱全忠, 태후를 살해함.
906 (3239) 병인	10	인선 1	7	6	**3** 신라 김문울金文蔚, 당唐에서 과거에 합격한 후 책명사冊命使로 귀국함. **4** 마진, 왕건王建이 상주에서 견훤甄萱 군사를 대파함. ▶신라 현휘玄暉, 당에 유학함. ▶발해, 위해 사망: 인선諲譔(애왕哀王) 즉위.	**10** 당 왕건王建, 촉蜀에 행대行臺를 설치함. ▶당 고계흥高季興(고계창高季昌), 형남유후荊南留後가 됨.
907 (3240) 정묘	11	2	8	7	**5** 발해, 왕자 대소순大昭順이 후량後梁에 사신으로 감. ▶후백제, 일선군一善郡 이남 10여 성을 빼앗음.	**4** 당 주전충朱全忠, 애종을 폐하고 후량後梁을 세움: 당 멸망. 5대10국시대 시작. **9** 촉 왕건王建, 황제를 칭함: 전촉前蜀 건국. ▶후량, 전류錢鏐를 오월왕에 봉함: 오월吳越 건국. ▶야율아보기耶律阿保機, 거란을 통일함.
908 (3241) 무진	12	3	9	8	**1** 발해, 전중소령 최체광崔禮光이 후량後梁에 사신으로 감. **7** 신라 녹엄鹿嚴, 당에서 귀국함.	**1** 진왕晋王 이극용李克用 사망: 아들 이존욱李存勗 자립. 후량, 애종 피살.
909 (3242) 기사	13	4	10	9	**6** 마진, 왕건王建이 오월吳越에 가는 후백제 사신의 배를 나포함. ▶신라 최언위崔彦 , 당에서 돌아옴. ▶발해 대성악大誠諤, 후량後梁에 사신으로 감.	**1** 후량, 뤄양洛陽으로 천도. **4** 후량, 왕심지王審知를 민왕閩王에 봉함: 민閩 건국. ▶이집트, 파티마Fatima 왕조 일어남.
910 (3243) 경오	14	5	11	10	▶마진, 왕건王建이 나주 포구에서 견훤甄萱 군사를 격파함. ▶후백제, 실상사實相寺 부도를 건립함.	**8** 오월吳越, 항주성杭州城을 확장함. ▶프랑스, 클루니Cluny 수도원 창립.

연 대	신라	발해	후백제	태봉	우 리 나 라	다 른 나 라
911 (3244) 신미	15	6	12	11	**1** 마진, 국호를 태봉泰封, 연호를 수덕만세水德萬歲로 고침. ▶신라 이엄利嚴, 당唐에서 귀국함.	**8** 후량 유수광劉守光, 연燕의 황제를 칭함. ▶서프랑크 롤로Rollo, 노르망디공Normandie公이 됨.
912 (3245) 임신	신덕 1	7	13	12	**4** 신라, 효공왕 사망: 신덕왕神德王 즉위. **5** 신라, 이찬 계강繼康을 상대등에 임명함.	**6** 후량 우규友珪, 아버지 주전충朱全忠을 살해함. ▶노르망디공Normandie公, 카톨릭교로 개종함.
913 (3246) 계유	2	8	14	13	**4** 태봉, 궁예弓裔가 왕건王建을 파진찬 겸 시중에 임명함: 왕건, 화를 두려워하여 외직外職을 구함.	**2** 후량, 우규友珪 피살: 우정友貞(말제末帝) 즉위. **8** 후량, 고계흥高季興을 발해왕으로 올림.
914 (3247) 갑술	3	9	15	14	**3** 태봉, 연호를 정개政開로 고침. 왕건王建이 수군을 거느리고 나주羅州에 출정함.	**1** 연, 유수광劉守光이 피살됨. 연燕 멸망.
915 (3248) 을해	4	10	16	15	**6** 태봉 궁예弓裔, 부인과 두 아들을 죽임. ▶태봉 왕건王建, 나주羅州를 순무함.	**10** 일본, 천연두가 유행하여 사면령을 내림. **11** 촉, 기岐를 공격함.
916 (3249) 병자	5	11	17	16	**2** 신라, 행적行寂 사망. **8** 후백제, 신라의 대야성大耶城을 공격함.	**2** 후량, 진양晋陽을 공격함. **12** 거란 엘뤼아바오지耶律阿保機, 거란국契丹國 세우고 황제를 칭함.
917 (3250) 정축	경명 1	12	18	17	**7** 신라, 신덕왕 사망: 경명왕景明王 즉위. ▶신라 홍계弘繼, 흥륜사興輪寺 벽에 보현보살상을 그림. 양부陽孚 · 형미逈微 사망.	**8** 진晋, 거란을 파함. ▶유공劉龔, 황제를 칭함: 남한南漢 건국.
918 (3251) 무인	2	13	19	**고려** 태조 1	**2** 신라, 일길찬 현승玄昇이 반란 일으킴. 태봉, 오吳에 사신을 보냄. **6** 태봉, 왕건王建이 철원鐵原에서 고려高麗 세움: 연호 천수天授. 태봉 궁예弓裔, 부양斧壤(지금의 평강平康)에서 피살됨. **9** 신라 아자개阿玆蓋, 고려에 귀순함. **11** 고려, 팔관회八關會를 설치함. ▶고려 임춘길林春吉, 반란 꾀하다 처형됨.	**6** 촉, 왕건王建 사망. **8** 진晋, 후량後凉을 공격함.

연대	신라	발해	후백제	고려	우리 나라	다른 나라
919 (3252) 기묘	경명 3	인선 14	견훤 20	태조 2	**1** 고려, 수도를 송악松嶽으로 옮김. 3성省 등 관제를 정함. **3** 고려, 왕륜사王輪寺·법왕사法王寺 등 10개 사찰을 창건함. **10** 고려, 평양성平壤城을 수축함.	**7** 오월, 오吳를 공격함: 8월 서로 화의함. ▶동프랑크, 하인리히Heinrich 1세 즉위: 작센Sachsen 왕조 시작.
920 (3253) 경진	4	15	21	3	**1** 신라, 고려에 사신 보내 교빙함. **3** 고려, 유금필庾黔弼로 하여금 골암진鶻巖鎭에 성을 쌓게 함. **9** 후백제 견훤甄萱, 공달孔達을 고려에 보내 선물을 전함.	**5** 오, 양융연楊隆演 사망: 6월 양부楊溥 즉위. **11** 촉, 기岐를 토벌함. ▶거란, 문자文字를 제정함.
921 (3254) 신사	5	16	22	4	**2** 고려, 흑수말갈黑水靺鞨 추장 고자라高子羅가 항복해 옴. **3** 고려, 경유慶猷 사망. **4** 고려, 흑수말갈 아어한阿於閒이 항복해옴.	**10** 진 이사원李嗣源, 재상이 됨. **12** 거란, 유주幽州를 치고 탁주涿州를 함락함.
922 (3255) 임오	6	17	23	5	**7** 고려, 명주溟州 장군 왕순식王順式이 항복해 옴. **11** 고려, 진보성眞寶城(현 청송군 진보면) 홍유洪儒(홍술洪術)가 내부해 옴. ▶고려, 서경西京에 관부를 설치함.	**1** 진晉, 거란을 파함.
923 (3256) 계미	7	18	24	6	**4** 신라, 심희審希 사망. **6** 고려 윤질尹質, 후량後凉에서 오백나한화상을 들여와 해주 숭산사嵩山寺에 안치함. ▶고려, 광조사廣照寺 창건.	**4** 진 이존욱李存勗, 후당後唐을 세움. **10** 후당, 후량後梁을 멸함. **12** 후당, 뤄양洛陽에 수도를 정함.
924 (3257) 갑신	경애 1	19	25	7	**1** 신라·발해, 후당後唐에 사신 보냄. **7** 후백제, 조물성曹物城을 공격함. 발해, 거란이 침입해 옴. **8** 신라, 경명왕 사망: 경애왕景哀王 즉위. ▶발해, 거란 공격하여 요주자사遼州刺使를 살해함.	**1** 후당, 이무정李茂貞이 항복해 옴: 기岐 멸망. **3** 후당, 고계흥高季興을 남평왕에 봉함: 형남荊南(남평南平) 건국. **10** 오월, 후당에 조공함. ▶영국 대大 에드워드Edward, 전 영국의 수장이 됨. ▶독일, 마자르인의 침공받음.
925 (3258) 을유	2	20	26	8	**9** 고려, 매조성買曹城 장군 능현能玄과 발해 장군 신덕申德이 항복해 옴. **10** 고려, 고울부高鬱府(지금의 영천永川) 장군 능문能文이 항복해 옴.	**3** 후당, 뤄양을 동도東都라 함. **11** 후당, 전촉前蜀을 멸함. **12** 일본, 《풍토기風土記》를 편찬함.

연대	신라	발해	후백제	고려	우리 나라	다른 나라
926 (3259) 병술	3	21	27	9	**1** 발해, 거란이 상경上京을 포위하자 항복함. **2** 발해, 자국 영토 내에 거란이 동단국東丹國을 세움. **4** 후백제, 고려의 인질 왕신王信을 죽이고 고려에 침입함. **7** 발해, 103성이 모두 거란에게 점령됨: 발해渤海 멸망. **12** 고려 태조, 서경西京에서 재齋 올리고 주·진을 순력함.	**4** 후당, 이존욱李存勖 피살: 명종明宗 즉위. **7** 거란, 야율아보기耶律阿保機 사망. **12** 민, 연한延翰 왕 이 피살됨.
927 (3260) 정해	경순 1		28	10	**3** 고려, 운주運州와 강주康州에서 후백제군을 격파함. **9** 고려, 후백제 근품성近品城 (현 문경시 산양면)에서 전투 벌임. 태조가 공산公山 전투에서 후백제에게 대패함: 김낙金樂·신숭겸申崇謙 전사. **11** 후백제 견훤甄萱, 신라 수도에 침입함: 경애왕을 자살케 하고 경순왕敬順王 세움. ▶신라 최치원崔致遠, 《계원필경桂苑筆耕》을 지음.	**6** 후당, 마은馬殷을 초왕楚王으로 함: 초楚 건국. **11** 오 양부楊溥, 황제를 칭함. ▶중앙아시아에 터키계의 이라크한 왕조 일어남.
928 (3261) 무자	2		29	11	**7** 고려 유금필庾黔弼, 후백제군을 격파함. **8** 고려 홍경洪慶, 후당에서 귀국하여 대장경大藏經을 바침. **11** 후백제, 고려의 부곡성缶谷城(지금의 군위군 부계면)을 빼앗음.	**8** 후당, 연조延鈞를 민왕閩王으로 함. ▶거란, 동단국東丹國을 랴오양遼陽으로 옮김.
929 (3262) 기축	3		30	12	**4** 고려 태조, 서경에 행차하여 주·진을 순시함. **10** 후백제, 신라의 가은현加恩縣(지금의 문경시 가은읍)에 침입함.	**3** 초왕 마은馬殷, 아들 희성希聲에게 정치를 맡김.
930 (3263) 경인	4		31	13	**1** 고려, 신라의 선필善弼이 귀부해 옴. **2** 신라, 여엄麗嚴 사망. **8** 고려, 안화사安和寺 창건. **9** 신라, 개청開淸 사망. **12** 고려 태조, 서경西京에 행차하여 학교를 설립함. ▶고려, 흥국사興國寺 창건.	**8** 후당, 중서령 맹지상孟知祥이 반란 일으킴: 9월 석경당石敬瑭을 보내 치게 함. **11** 초왕 마은馬殷 사망: 희성希聲 즉위.

연 대	신라	후백제	고려	우 리 나 라	다 른 나 라
931 (3264) 신묘	경순 5	견훤 32	태조 14	**2** 고려 태조, 신라 수도를 방문함: 임해전臨海殿에서 연회 열고 경순왕과 백성들을 위로함. **11** 고려 태조, 서경西京에 행차함.	**6** 후당, 전세田稅를 균등하게 함. **12** 후당, 매 무畝마다 세금을 징수함.
932 (3265) 임진	6	33	15	**6** 후백제 공직龔直, 고려에 항복함. 고려, 일모성一牟城을 점령함. **9** 후백제, 고려의 예성강禮成江 및 백주白州(황해도 연안延安) 등을 침공함. **11** 고려, 최응崔凝 사망.	**2** 후당, 처음으로 〈구경판九經版〉을 인각함. **3** 오월, 전류錢鏐 사망. **11** 후당 석경당石敬塘, 하동河東 절도사가 됨.
933 (3266) 계사	7	34	16	**3** 고려, 후당後唐 사신이 와서 왕건王建의 작호를 전함. **5** 후백제, 의성부義城府에 침입함: 고려, 유금필庾黔弼이 이를 격파함. ▶고려, 후당後唐의 연호를 사용함.	**1** 민왕 연조延鈞, 황제 칭함. **2** 후당, 맹지상孟知祥을 촉왕으로 함. **7** 후당, 전원관錢元瓘을 오월왕으로 함.
934 (3267) 갑오	8	35	17	**7** 고려, 발해 세자 대광현大光顯이 귀순해 옴. **9** 고려, 운주運州에서 후백제군을 격파함.	**1** 촉왕 맹지상孟知祥, 황제를 칭함: 후촉後蜀 건국. **4** 후당 종가從珂, 반란 일으켜 민제閔帝를 시해하고 즉위함.
935 (3268) 을미	9	36	18	**3** 후백제 신검神劍, 견훤甄萱을 금산사金山寺에 유폐하고 왕이 됨. **6** 후백제 견훤甄萱, 나주羅州로 도망하여 고려에 항복함. **10** 신라 마의태자麻衣太子, 금강산金剛山으로 들어감. **11** 신라 경순왕, 고려에 항복함: 신라 멸망. **12** 고려, 경순왕을 경주의 사심관事審官으로 삼음.	**3** 일본, 엔랴쿠사延暦寺가 화재로 소실됨. **6** 후당, 거란이 침입함. **10** 민 이오李倣, 왕 연조延鈞를 시해함. **12** 후당, 풍도馮道를 사공司空에 임명함.
936 (3269) 병신		신검 1	19	**2** 후백제, 견훤甄萱의 사위 박영규朴英規가 고려에 항복함. **9** 고려, 일리천一利天(지금의 이천 지역)에서 후백제군을 대파함. 후백제 신검, 고려에 항복함: 후백제 멸망. 고려 태조, 후삼국을 통일함. 〈정계政誡〉·〈계백료서誡百僚書〉를 지어 반포함. 개태사開泰寺 창건. ▶견훤甄萱·이엄利嚴·배현경裵玄慶·홍유洪儒 사망.	**5** 후당 석경당石敬塘, 반란 일으켜 거란을 구원함. **11** 거란, 석경당石敬塘을 옹립하여 진제晋帝로 함: 후당後唐 멸망. 후진後晋 건국. ▶거란, 연운燕雲 16주를 영유함.

연대	고려	우리 나라	다른 나라
937 (3270) 정유	20	**5** 태조, 신라의 경순왕으로부터 진평왕의 옥대玉帶를 받음. **9** 진공眞空 사망. **10** 진철대사보월승공탑비眞澈大師寶月乘空塔碑를 건립함.	**4** 후진, 카이펑開封에 수도 정함. **10** 이승李昪(서고徐誥), 황제를 칭함: 남당南唐 건국. 오吳 멸망. ▶대리국大理國, 윈난雲南에서 건국.
938 (3271) 무술	21	**3** 서역 승려 홍범弘梵이 후진後晋에서 옴. **7** 서경西京에 나성羅城을 쌓게 함. **12** 탐라국耽羅國 태자 말로末老가 개경에 와서 조공함.	**3** 후진, 백성들이 동기銅器 만드는 것을 금함. **10** 일본, 엔랴쿠사延曆寺 중당中堂을 재건함. **11** 후진, 주전鑄錢을 허가함.
939 (3272) 기해	22	**3** 공직龔直 사망. **8** 비로사毘盧寺에 진공대사보법탑비眞空大師普法塔碑를 건립함. ▶숙주肅州와 안주安州에 성을 쌓음.	**3** 후진, 개인의 주전鑄錢을 금함. 민왕 희曦, 왕을 시해함. **12** 후진, 사찰 건립을 금함. ▶베트남 오권吳權, 중국으로부터 독립함.
940 (3273) 경자	23	**3** 경주에 대도독부를 설치함. **7** 충담忠湛 사망. 신흥사新興寺에 공신당功臣堂을 세움. ▶역분전제役分田制를 시행함.	**2** 초, 여러 만족蠻族을 평정함. **9** 후진, 양광원楊光遠을 평성절도사에 임명함.
941 (3274) 신축	24	**4** 유금필庾黔弼 사망. ▶왕신일王神一을 후진後晋에 사신으로 보냄. 현휘玄暉 사망.	**11** 남당, 전세田稅를 정함. **12** 후진, 안중영安重榮이 반란 일으킴.
942 (3275) 임인	25	**10** 거란에서 낙타 50필을 보내옴: 발해를 멸망시킨 나라라 하여 거란 사신을 섬으로 유배하고, 낙타는 만부교萬夫橋 아래서 굶겨 죽임.	**1** 후진, 안중영安重榮을 처형함. **4** 남한, 유공劉龔 사망: 유분劉玢이 즉위함. **6** 후진, 석경당石敬塘 사망: 출제出帝 즉위.
943 (3276) 계묘	26	**4** 태조, 〈훈요10조訓要十條〉를 지어 박술희朴述希에게 전수함. **5** 태조 사망: 혜종惠宗 즉위. ▶용문사龍門寺 창건. 현휘玄暉의 법경대사자등탑비法鏡大師慈燈塔碑를 건립함.	**2** 민閩, 연정延政이 황제 칭하고 국호를 은殷이라 함. **3** 남한, 유홍희劉弘熙 즉위.
944 (3277) 갑진	혜종 1	**5** 경유慶猷의 법경대사보조혜광탑비法鏡大師普照慧光塔碑를 건립함. **6** 징효대사보인탑비澄曉大師寶印塔碑 건립. **12** 최언위崔彦撝 사망.	**1** 후진, 거란에게 여러 주를 빼앗김. **8** 후진, 유지원劉知遠에게 거란의 침입을 막게 함. **윤12** 민閩 멸망.

연대	고려	우리 나라	다른 나라
945 (3278) 을사	혜종 2	**9** 왕규王規, 혜종을 시해하려다 발각됨: 서경의 대광大匡 왕식렴王式廉이 입경하여 왕규를 죽임. 혜종 사망: 정종定宗 즉위. 박술희朴述希, 유배지 갑곶甲串(강화도江華島)에서 피살됨. ▶윤다允多 사망.	**1** 은, 국호를 민閩으로 고침. **6** 후진, 거란에 사신 보냄. **8** 남당, 민을 멸함.
946 (3279) 병오	정종 1	**5** 선각대사편광영탑비先覺大師遍光靈塔碑를 건립함. ▶큰 사찰에 불명경보佛名經寶와 광학보廣學寶를 두게 함.	**12** 후진 두위杜威, 거란을 공격하다 항복함: 후진後晋 멸망. ▶거란, 국호를 거란국에서 요遼로 개칭함.
947 (3280) 정미	2	▶서경西京에 왕성을 쌓음. 광군사光軍司 설치: 광군 30만명을 두어 거란에 대비함. ▶경보慶甫 사망.	**1** 요, 카이펑開封에 입성함. **2** 후진 출신 유지원劉知遠이 황제를 칭함: 6월 카이펑에서 후한後漢 건국.
948 (3281) 무신	3	**3** 후한 연호 건우乾祐를 사용함. **9** 동여진이 사신 보내 말과 방물方物을 바침.	**3** 후한 이수정李秀貞, 반란 일으킴. **8** 후한, 곽위郭威를 등용함.
949 (3282) 기유	4	**1** 왕식렴王式廉 사망. **3** 정종 선위: 광종光宗 즉위. 정종, 제석원帝釋院에서 사망. ▶주 · 현의 세공歲貢 액수를 정함.	**7** 후한 이수정李秀貞, 곽위郭威에게 패하여 자살함. **10** 요, 허베이河北 지방에 침입함.
950 (3283) 경술	광종 1	▶연호를 광덕光德이라 함. 장청진長青鎭과 위화진威化鎭에 성을 쌓음.	**12** 후한 곽위郭威, 세력을 키워 자립함: 후한後漢 멸망. ▶독일 오토Otto 1세, 보헤미아Bohemia 정복.
951 (3284) 신해	2	**10** 대봉은사大奉恩寺를 창건하고 태조의 원당願堂으로 함. **12** 후주後周의 연호 광순廣順을 사용함.	**1** 곽위郭威, 황제 칭함: 후주後周 건국. 유숭劉崇, 황제 칭함: 북한北漢 건국. **10** 남당, 초楚를 멸함.
952 (3285) 임자	3	▶북계北界의 안삭진安朔鎭에 성을 쌓음. ▶후주後周에 사신 보냄.	**9** 후주, 요遼의 침입 받음. **10** 후주, 송소법訟訴法을 제정함. **11** 후주, 전무田畝를 균등하게 정함.
953 (3286) 계축	4	**10** 황룡사皇龍寺 9층탑이 불탐. ▶후주後周에서 사신 보내 광종의 작호를 전해 옴.	**6** 후주, 〈구경판九經版〉을 인각함. **8** 후주 왕규王逵, 후난湖南 지방에 근거함.
954 (3287) 갑인	5	**7** 태자사낭공대사백월서운탑비太子寺朗空大師白月栖雲塔碑를 건립함: 김생金生의 글씨 집자集字. ▶숭선사崇先寺 창건.	**2** 북한北漢, 요遼의 군사를 동원하여 후주를 공격함. ▶헝가리인, 독일을 거쳐 프랑스에 침입함.

연대	고려	우리 나라	다른 나라
955 (3288) 을묘	6	▶대상 왕융王融, 광평시랑 순질筍質을 후주後周에 사신으로 보냄.	**5** 후주後周, 촉蜀을 공격함. **8** 독일, 헝가리인을 격파함. **9** 후주後周, 사찰을 폐하고 불상으로 화폐를 주조함.
956 (3289) 병진	7	**8** 후주後周의 쌍기雙冀가 귀화함: 한림학사로 삼음. 긍양兢讓 사망. ▶노비안검법奴婢按檢法을 시행함. 관리의 복제를 개정함.	**2** 후주後周, 조광윤趙匡胤에게 남당南唐을 치게 함. **8** 후주後周, 흠천력欽天曆을 채용함.
957 (3290) 정사	8	**1** 광종, 구정毬庭에서 활쏘기를 관람함.	**5** 후주後周, 《형통刑統》을 편찬함. **10** 후주後周, 현량과賢良科와 경학과經學科를 설치함.
958 (3291) 무오	9	**5** 쌍기雙冀의 건의로 처음으로 과거제도科擧制度를 시행함: 쌍기雙冀를 지공거知貢擧(과거시험관)로 삼음. **8** 찬유璨幽 사망.	**10** 후주後周, 전세田稅를 균등히 정함.
959 (3292) 기미	10	▶후주後周의 쌍철雙哲(쌍기雙冀의 아버지)이 고려에 옴: 좌승左丞으로 삼음.	**4** 후주 세종世宗, 요遼를 정벌함. **6** 후주後周, 조광윤趙光胤을 전전도점검殿前都點檢으로 삼음.
960 (3293) 경신	11	**3** 백관의 공복公服을 제정함. 개경을 황도皇都, 서경을 서도西都라 함. ▶연호를 준풍峻豐으로 고침. ▶제관諦觀, 오월吳越에 건너감: 《천태사교의天台四敎儀》를 지음.	**1** 후주 조광윤趙光胤, 황제를 칭함: 송宋 건국. 후주後周 멸망. **3** 일본, 시텐노사四天王寺가 불탐.
961 (3294) 신유	12	▶과거를 실시함: 시詩·부賦·의醫·복卜을 과거시험 과목으로 함. ▶수영궁궐도감修營宮闕都監을 설치함.	**1** 송, 민전民田을 측량하고 의창義倉을 둠. ▶독일 오토Otto 1세, 이탈리아를 공격하여 왕위를 겸함.
962 (3295) 임술	13	**3** 용두사철당간龍頭寺鐵幢竿을 건립함. ▶이흥우李興祐를 송宋에 사신으로 보냄: 송과의 국교 시작.	**1** 송, 동경성東京城(카이펑開封)을 증축함. **2** 독일 오토Otto 1세, 로마에서 신성로마제국 황제에 오름. **12** 후촉後蜀, 철전을 주조함. ▶아프가니스탄, 가즈니Ghazni 왕조가 성립됨.
963 (3296) 계해	14	**7** 귀법사歸法寺 창건. 제위보濟危寶를 설치함. **12** 송의 연호 건덕乾德을 사용함.	**1** 송, 절도사節度使에 무관 대신 문관을 임명함. **2** 형남荊南 멸망.
964 (3297) 갑자	15	**3** 과거를 실시함. **8** 박수경朴守卿·오공悟空 사망.	**4** 송, 참지정사參知政事를 처음 설치함. **7** 송, 《형통刑統》을 반포함. ▶송 계업繼業, 인도에 감.

연대	고려	우리 나라	다른 나라
965 (3298) 을축	광종 16	**5** 봉암사鳳巖寺에 징진대사원오탑비靜眞大師圓悟塔碑를 건립함: 장단열張端說이 글씨 씀. **7** 서필徐弼 사망.	**1** 송, 후촉後蜀을 멸함. **3** 송, 각지에 전운사轉運使를 설치함. ▶마자르인Magyar, 크리스트교로 개종함.
966 (3299) 병인	17		**1** 송, 공자의 후손 공선孔宣을 등용함. ▶신성로마제국 오토Otto 1세, 이탈리아에 원정함.
967 (3300) 정묘	18	**11** 최행귀崔行歸, 균여均如의 향가鄕歌를 한역漢譯함.	**7** 일본, 연희식延喜式 율령律令을 시행함.
968 (3301) 무진	19	**5** 위화진威化鎭에 성을 쌓음. ▶삼귀사三歸寺 · 보현사普賢寺 창건. ▶국사國師 · 왕사王師 제도 채택: 혜거惠居를 국사國師, 탄문坦文을 왕사王師로 함. ▶방생소放生所를 설치함.	**8** 송, 북한北漢을 토벌함. **11** 요, 북한北漢을 구원함. ▶북한 곽무위郭無爲, 왕 계은繼恩을 시해하고 계원繼元을 옹립함.
969 (3302) 기사	20	**11** 대종戴宗(태조의 아들) 사망. ▶영삭진寧朔鎭과 장평진長平鎭에 성을 쌓음.	**1** 요, 목종穆宗 피살: 경종景宗 즉위. **3** 송, 북한北漢을 정벌함. ▶파티마 왕조, 카이로Cairo 건설.
970 (3303) 경오	21	▶광종, 귀법사歸法寺에 행차함. ▶안삭진安朔鎭에 성을 쌓음. ▶개경에 관음사觀音寺를 창건함.	**7** 송, 주 · 현의 관리를 감원하고 봉급을 늘여 줌. **10** 송 반미潘美, 남한南漢을 토벌함.
971 (3304) 신미	22	**10** 광종, 원화전元和殿에서 대장경大藏經을 읽음. **12** 지진 발생.	**2** 송, 남한南漢을 멸함. **11** 남당, 국호를 강남江南이라 격하시키고 송에 입조入朝함.
972 (3305) 임신	23	**1** 내의시랑 서희徐熙, 송宋에 사신으로 가서 검교병부시랑檢校兵部侍郎 칭호 받음. ▶운주雲州에 성을 쌓음.	**5** 송, 후궁後宮 380명을 해방시킴. ▶신성로마제국, 동로마제국과 화의함.
973 (3306) 계유	24	**6** 균여均如 사망. 〈보현십원가普賢十願歌〉 완성됨. **12** 진전陳田의 개간과 경작에 관한 수조법收租法을 정함.	**3** 송, 과거科擧로 인재를 뽑음. ▶신성로마제국, 덴마크에 원정함. ▶파티마Fatima 왕조, 카이로Cairo로 천도함.
974 (3307) 갑술	25	**10** 일본의 무역사절단이 옴. ▶연가緣可, 서경에서 반란 꾀하다 처형됨. ▶탄문坦文을 국사로 삼음. 혜거惠居 사망.	**9** 송 조빈曹彬, 강남江南을 토벌함. **10** 송 설거정薛居正, 《구오대사舊五代史》를 찬진함.

연 대	고려	우 리 나 라	다 른 나 라
975 (3308) 을해	26	**3** 탄문坦文 사망. **5** 광종 사망: 경종景宗 즉위. **10** 멸망한 신라의 경순왕에게 도성령都省令 관직과 식읍食邑 1만호를 지급함.	**2** 송 조빈曹彬, 강남江南을 파함. **4** 오월, 강남을 침공함. **11** 강남江南(남당南唐) 멸망.
976 (3309) 병자	경종 1	**2** 문무 양반의 묘제墓制를 정함. **11** 전시과田柴科를 제정함. ▶김행성金行成, 송宋의 국자감國子監에 입학함.	**8** 송, 북한北漢을 토벌함: 요, 북한을 구원함.
977 (3310) 정축	2	**3** 공음전시법功蔭田柴法을 정하여 개국공신開國功臣과 귀순한 자에게 훈전勳田을 지급함. ▶김행성金行城, 송宋의 과거에 급제함. ▶고달사高達寺 원종대사혜진탑비元宗大師慧眞塔碑를 건립함.	**1** 송, 강남江南 지역의 다장茶場에 과세함. **3** 송, 요遼에 시장市場 개설을 허가함. ▶송, 《태평광기太平廣記》를 편찬함.
978 (3311) 무인	3	**4** 신라 경순왕 김부金傅 사망. ▶송宋의 태자 중윤中允이 고려에 사신으로 옴.	**2** 송, 숭문원崇文院을 설치함. **5** 오월, 송에 항복함. **10** 송, 내장고內藏庫를 설치함.
979 (3312) 기묘	4	▶청색진淸塞鎭에 성을 쌓음. ▶발해인 수만명이 항복해 옴.	**2** 송, 북한北漢을 공격함. **5** 송, 북한北漢을 멸하고 국내 통일을 이룸. 5대10국시대 끝남.
980 (3313) 경진	5	**4** 쌀과 베에 대한 이자율을 정함: 쌀 15말에 이자 5말, 베 15자에 이자 5자. **6** 왕승王承, 반란을 꾀하다 처형됨.	**2** 송, 차역법差役法을 제정함. **3** 송, 요遼의 군사를 격파함. **7** 송, 교주交州의 난을 평정함. ▶러시아 키예프 공국, 블라디미르Vladimir 1세 즉위: 전성기 이룸.
981 (3314) 신사	6	**7** 경종 사망: 성종成宗 즉위. **11** 팔관회八關會의 잡기雜技를 폐지함. **12** 백관의 부모 기일忌日에 휴가를 실시함. ▶송宋에서 사신 보내 반거란 동맹 체결을 요청함.	**3** 송, 교주交州의 군사를 철수시킴. ▶파티마Fatima 왕조, 다마스쿠스Damascus를 점령함.
982 (3315) 임오	성종 1	**3** 관제를 개혁함: 내의성을 내사문하성內史門下省으로, 광평성을 어사부성御史部省으로 개칭함. **6** 최승로崔承老, 〈시무時務28조〉를 올림. **12** 왕의 생일을 천추절千秋節이라 함.	**6** 송, 이계천李繼遷의 반란 일어남. ▶요, 다시 거란이라 칭함.

연 대	고려	우 리 나 라	다 른 나 라
983 (3316) 계미	성종 2	**1** 기곡적전례祈穀籍田禮를 거행함. **2** 전국에 12목牧을 설치함: 처음으로 지방관 파견. **5** 3성 6부를 정비함. 지방 향리의 직제를 개편함. **6** 공해전시公廨田柴를 정함. 주州·부府·군郡·현縣의 관館과 역驛에 공수전公須田·지전紙田·장전長田을 지급함. **10** 처음으로 주점酒店을 설치함. ▶역참驛站 등급에 따른 인원수를 정함.	**1** 송, 조빈曺彬을 파면함. **11** 송, 《태평어람太平御覽》을 편찬함.
984 (3317) 갑신	3	**3** 우사雩祀(기우제祈雨祭)의 예를 행함. ▶압록강 연안에 성을 쌓아 여진의 침입에 대비함. ▶처음으로 군인의 복색服色을 정함.	**11** 일본, 새로 장원莊園 세우는 것을 정지시킴. ▶송, 이계천李繼遷의 반군을 격파함.
985 (3318) 을유	4	**5** 송宋에서 거란 협공을 요청해 옴. **10** 개인 집으로 사찰 만드는 것을 금함.	**2** 송, 사찰寺刹의 추가 건립을 금지함. ▶노르만Norman, 그린란드Greenland에 식민지를 건설함.
986 (3319) 병술	5	**1** 거란이 사신 보내 화친을 청함. **3** 조詔를 교敎로 고침. **7** 흑창黑倉을 의창義倉으로 고쳐 중앙과 지방에 설치함. **8** 12목 지방관에게 가족을 데리고 부임하는 것을 허락함. ▶개경과 서경의 팔관회八關會를 금지함.	**2** 송 이계천李繼遷, 거란에 항복함. **3** 송, 거란과 기구岐溝에서 전투 벌임. ▶동로마제국, 불가리아와 30년전쟁 일으킴.
987 (3320) 정해	6	**3** 최지몽崔知夢 사망. **6** 주·군의 병기를 모두 몰수하여 농기구를 만들게 함. **7** 노비환천법奴婢還賤法을 제정함. **8** 12목牧에 경학박사·의학박사 1인씩을 둠. **9** 각 촌의 대감大監·제감弟監을 촌장村長·촌정村正으로 개칭함. **10** 노비방량법奴婢放良法을 제정함. **11** 경주를 동경유수東京留守로 고침.	**1** 일본, 개인의 무기 휴대를 금함. **7** 송, 삼반원三班院을 설치함. ▶프랑스, 카롤링거Carolinger 왕조 멸망: 카페Capet 왕조 성립.
988 (3321) 무자	7	**2** 주·군에서 곡식의 작황을 보고하는 날짜를 정함. **11** 면재법免災法을 제정함. 불법佛法에 의하여 1·5·9월에는 도살을 금하게 함. ▶의통義通 사망.	**5** 송, 비각秘閣을 건립함. ▶키예프Kiev 공국 블라디미르Vladimir 1세, 그리스정교로 개종함.

연 대	고려	우 리 나 라	다 른 나 라
989 (3322) 기축	8	**3** 동북면과 서북면에 병마사兵馬使를 둠. **4** 태묘太廟를 건립하기 시작함. **5** 최승로崔承老 사망.	**1** 거란, 역주易州를 함락함. **8** 송 윤계륜尹繼倫, 서하西河에서 거란군을 격파함.
990 (3323) 경인	9	**7** 서경西京에 분사分司를 설치함. **10** 좌우 군영軍營을 설치함. **12** 서경에 수서원修書院(국립도서관)을 설치함.	**5** 송, 순화원보淳化元寶를 주조함. **12** 거란, 이계천李繼遷을 하국왕夏國王으로 함.
991 (3324) 신묘	10	**2** 처음으로 사직社稷을 건립함. **4** 한언공韓彦恭, 송에서 받은 대장경을 바침. **10** 중추원中樞院을 설치함: 출납出納 · 숙위宿衛 · 군국軍國 업무 관장. ▶압록강에 내원성來遠城을 쌓음.	**5** 송, 각 지역에 제형관提刑官을 설치함. **7** 하국왕 이계천, 송에 항복함. **10** 송 조보충趙保忠, 반란 일으켜 거란에 항복함.
992 (3325) 임진	11	**7** 왕욱王郁(태조 제8자)을 사수현泗水縣(지금의 사천泗川)에 유배 보냄. **11** 전국 주 · 부 · 군 · 현의 명칭을 개정함. 공전公田의 수조收租를 정함. **12** 국자감國子監을 설치하고 토지를 하사함. 서재학사書齋學舍를 건립함. 태묘太廟 낙성.	**6** 송, 상평창常平倉을 설치함. ▶동로마제국, 베네치아Benezia 상인에게 특권을 부여함. ▶러시아정교회 성립.
993 (3326) 계사	12	**2** 개경 · 서경 및 12목에 상평창을 설치함. **8** 주 · 부 · 군 · 현 역로驛路의 공수시지公須柴地(땔감 채취처)를 정함. **10** 양인良人으로 하였던 노비를 다시 천민으로 함. **윤10** 거란의 제1차 침입: 대도수大道秀, 안융진安戎鎭에서 거란군을 격파함. 서희徐熙, 거란의 소손녕蕭遜寧과 담판하여 강동6주를 확보함.	**2** 송, 심관원審官院을 설치함. **윤10** 송, 군현을 10도로 나눔. ▶인도, 델리Delhi를 건설함.
994 (3327) 갑오	13	**2** 거란 연호 통화統和를 사용함. **6** 거란의 침입에 대비하여 송에 원군을 요청했으나 거절당함: 국교 단절. ▶서희, 여진을 물리치고 장흥진長興鎭 · 귀화진歸化鎭 · 곽주郭州 · 귀주龜州에 성을 쌓음.	**1** 송 이순李順, 청두成都를 공격하여 함락함. **3** 송, 조보충趙保忠을 생포함. **5** 송 이계은李繼恩, 청두成都를 회복하고 이순李順을 처형함.
995 (3328) 을미	14	**1** 관제를 개정함: 6부 상서尙書의 칭호를 정함. **7** 개주開州를 개성부開城府로 고침. **9** 전국을 10도 · 128주 · 449현 · 7진鎭으로 구획함. ▶개경에 비서성秘書省을 설치함.	**5** 일본, 후지와라藤原道長가 집권함. ▶스웨덴 왕국 일어남.

연대	고려	우리 나라	다른 나라
996 (3329) 병신	성종 15	**4** 건원중보乾元重寶를 주조함: 최초의 금속화폐. ▶서희徐熙, 선주宣州·맹주孟州에 축성. ▶각 주 사심관事審官 인원수를 정함.	**9** 송, 이계천李繼遷의 반군을 토벌함. ▶교황 그레고리Gregory 5세, 로마에서 오토Otto 3세에게 대관함.
997 (3330) 정유	16	**8** 성종, 동경東京에 행차함. **10** 성종 사망: 목종穆宗 즉위. 천추태후千秋太后가 섭정함.	**1** 송, 전국을 15로路로 나누고 전운사轉運使를 설치함. **12** 송, 이계천李繼遷이 항복해 옴.
998 (3331) 무술	목종 1	**7** 서희徐熙 사망. **10** 서경西京을 호경鎬京으로 개칭함. **12** 문무 양반 및 군인의 전시과田柴科를 개정함. 대창서大倉署를 설치함.	**5** 일본, 전염병이 유행함. ▶신성로마제국 오토Otto 3세, 이탈리아에 원정함.
999 (3332) 기해	2	**7** 태후 원찰로 진관사眞觀寺를 창건함. **10** 일본 도요미도道要彌刀가 항복해 옴. ▶시독侍讀·시강학사侍講學士를 둠.	**6** 송, 조빈曹彬 사망. **7** 송, 한림시독학사翰林侍讀學士를 설치함. **10** 송 진종眞宗, 거란의 침입을 친히 막음.
1000 (3333) 경자	3	**10** 숭교사崇教寺 창건. ▶덕주德州에 성을 쌓음.	**1** 송, 거란이 철군함. **11** 교황 실베스테르Silvester 2세, 헝가리 스테판Stephan에게 왕호王號를 내림. ▶이 무렵, 송이 나침반과 화약을 발명함.
1001 (3334) 신축	4	**11** 한언공韓彦恭을 문하시중에 임명함. ▶평로진平虜鎭과 영풍진永豊鎭에 성을 쌓음.	**6** 송, 《구경九經》을 전국 학교에 배포함. **9** 송 이계천李繼遷, 반란 일으킴. **10** 송, 거란이 침입해 옴.
1002 (3335) 임인	5	**5** 6위衛의 군영軍營을 새로 설치함. **7** 한언공韓彦恭, 화폐 전용과 베 사용 금지의 폐단을 상소함. 거란에 사신 보내 〈지리도地理圖〉를 전함.	**3** 송 이계천李繼遷, 영주靈州를 함락함: 서하西夏의 기초를 세움. ▶신성로마제국, 하인리히Heinrich 2세가 즉위함.
1003 (3336) 계묘	6	▶덕주德州·가주嘉州·위화威化·광화光化 등 4성을 쌓음. ▶김치양金致陽, 우복야겸삼사사右僕射兼三司事가 됨.	**4** 송 왕계충王繼忠, 거란과의 전투에서 패하여 체포됨.
1004 (3337) 갑진	7	**3** 과거제도를 개정함. **6** 한언공韓彦恭 사망. **11** 목종, 서경西京에 행차함.	**9** 송, 거란이 대거 침입해 옴. **12** 송 진종, 친히 거란 정벌에 나섬: 거란, 전연 淵의 맹盟 맺고 철병함. ▶ 송, 이계천李繼遷 사망: 아들 이덕명李德明이 대를 이음. ▶신성로마제국 하인리히Heinrich 2세, 북이탈리아 정복하고 이탈리아 왕에 오름.

연 대	고려	우 리 나 라	다 른 나 라
1005 (3338) 을사	8	**1** 동여진이 등주登州(함남 안변安邊)에 침입해 옴. **3** 외관으로 12절도 · 4도호 · 동서북계 방어진사防禦鎭使 · 현령縣令 · 진장鎭將만을 둠. ▶송의 문인 주저周佇가 항복해 옴: 예빈주부禮賓主簿에 임명.	**1** 송, 국신사國信使를 설치함. **7** 송, 거란에 세폐歲幣를 보냄. **8** 일본, 송宋의 상인이 와서 교역을 청함.
1006 (3339) 병오	9	**2** 빈민에게 곡식을 나누어 줌. ▶법주사法住寺 철당간과 범종을 조성함. ▶등주登州 · 용진진龍津鎭 · 구성龜城에 성을 쌓음.	**2** 송, 각 주에 상평창常平倉을 설치함. ▶일본, 《일승요결一乘要決》을 편찬함.
1007 (3340) 정미	10	**2** 진관사眞觀寺9층탑을 건립함. **7** 흥화진興化鎭 · 익령현翼嶺縣 · 울진현蔚珍縣에 성을 쌓음. **10** 탐라 해중에 화산 분출로 산이 생김. 전공지田拱之, 탐라국 〈화산도火山圖〉를 그림.	**3** 거란, 요서遼西에 중경中京을 설치함. **7** 송, 여용연黎龍延을 교지군왕交趾郡王에 봉함.
1008 (3341) 무신	11	**10** 목종, 서경西京을 순행함. 통주通州와 등주登州에 성을 쌓음.	**11** 송, 공자孔子에게 현성문선왕玄聖文宣王 시호를 올림. ▶송, 《광운廣韻》을 편찬함.
1009 (3342) 기유	12	**1** 천추전千秋殿에 화재 일어남. **2** 김치양金致陽, 정변을 꾀함: 서북면순검사西北面巡檢使 강조康兆, 김치양 일파를 처단함. 목종 폐하고 현종顯宗을 옹립함(강조의 정변). 목종 시해됨. 중추원을 폐하고 중대성中臺省을 설치함. **3** 개성의 나성羅城 축조공사를 시작함. **5** 성종의 딸을 왕비로 삼음.	**4** 송 정위丁謂, 〈봉선상서도封禪祥瑞圖〉를 바침. **12** 송, 제거제과制擧諸科를 폐지함.
1010 (3343) 경술	현종 1	**윤2** 연등회燃燈會를 부활시킴. **5** 거란이 강조康兆의 정변을 구실로 고려 침략을 꾀함. **10** 강조康兆, 30만군으로 통주通州에서 거란의 침입에 대비함. **11** 거란의 제2차 침입: 강조康兆, 거란군에 잡혀 죽임을 당함. 팔관회八關會를 부활시킴. **12** 양규楊規, 곽주郭州에서 거란군을 대파함. ▶법언法言, 평양성에서 거란군과 싸우다 전사함. ▶〈대장경大藏經〉을 간행하여 대구 부인사符仁寺에 보관함.	**2** 송, 교주交州 장군 이공온李公蘊이 왕을 살해하고 조공해 옴: 그를 교지군왕交趾郡王에 봉함. 이공온李公蘊, 수도를 하노이Hanoi에 정하고 이조李朝를 세움.

연대	고려	우리나라	다른나라
1011 (3344) 신해	현종 2	**1** 거란에게 개경을 점령당함: 현종, 나주로 피난함. 양규楊規, 거란군을 격파하고 여러 성을 수복함: 양규 · 김숙흥金叔興 등 전사. **2** 현종, 김은부金殷傅의 딸을 왕비로 삼음. 개경으로 환도함. **3** 중대성을 폐하고 중추원을 다시 설치함. **8** 왕성을 보수하고 서경에 황성皇城을 쌓음. **12** 하공진河拱辰, 거란에 강화 교섭차 갔다가 죽임을 당함. ▶《초조대장경初雕大藏經》 조판을 시작함.	**10** 송, 회령관會靈觀을 짓고 오악五嶽에 제사 지냄. ▶신성로마제국 하인리히Heinrich 2세, 폴란드와 전투 벌임.
1012 (3345) 임자	3	**1** 12주 절도사節度使를 폐지하고 5도호부 · 75목 안무사安撫使를 둠. **6** 거란이 강동江東 6주 반환을 요구해 옴. **8** 거란에게 강동江東 6주를 반환함. 전공지田拱之, 거란에 사신으로 가서 고려 왕의 친조親朝가 불가능함을 통고함. **12** 중광사重光寺 창건.	**6** 송, 숨은 선비 임통林通에게 금전과 비단을 하사함. **9** 송, 왕흠약王欽若 · 진요수陳堯叟 · 정위丁謂 등이 정사에 참여함.
1013 (3346) 계축	4	**3** 거란이 청천강 이북의 6성을 요구해 옴. **9** 최항崔沆을 감수국사監修國史, 김심언金審彦을 수국사修國史로 하여 《국사國史》를 편찬케 함. **11** 문무 양반과 궁원宮院의 수세액을 정함.	**1** 송, 내신內臣의 출사出使 공사公事 관여를 금함. **7** 송, 농기세農器稅를 폐지함. **8** 송, 왕흠약王欽若 등이 《책부원구冊府元龜》를 편찬함.
1014 (3347) 갑인	5	**1** 왕궁 복구를 완료함. **9** 거란이 6성의 반환을 또 요구해 옴. **10** 정신용鄭神勇, 흥화진興化鎭에서 거란군을 대파함. **11** 상장군 김훈金訓과 최질崔質 등이 반란 일으킴. 어사대를 금오대金吾臺로, 3사를 도정서都正署로 고침.	**1** 송, 응천부應天府를 남경南京으로 함. **6** 송, 왕흠약王欽若을 해임함. ▶신성로마제국 하인리히Heinrich 2세, 이탈리아에 원정함: 로마에서 제위에 오름. ▶동로마제국, 불가리아를 격파함.
1015 (3348) 을묘	6	**1** 거란이 흥화진興化鎭과 통주通州에 침입해 옴. **3** 김훈金訓 · 최질崔質 등 반란자를 처형함. **4** 6성의 반환을 요구하는 거란의 사신을 잡아 가둠. **7** 금오대를 사헌대司憲臺로 고침. **9** 흥화진과 영주성寧州城에 침입한 거란군을 격퇴함: 정신용鄭神勇 · 고적여高積餘 전사.	**3** 일본, 전염병이 유행함. **9** 송, 티베트의 하주夏州 정벌 요청을 거절함. ▶노르웨이, 다시 국내 통일됨.

연 대	고려	우 리 나 라	다 른 나 라
1016 (3349) 병진	7	**1** 곽주郭州에 침입한 거란군을 격퇴함. ▶봉선홍경사奉先弘慶寺 창건. 송宋 연호를 다시 사용함.	**1** 일본 후지와라藤原道長, 섭정에 오름. **8** 송 조위曺偉, 티베트를 격파함. **9** 송, 정위丁謂를 파면함.
1017 (3350) 정사	8	**1** 집을 사찰로 하는 것과 부녀자가 승려 되는 것을 금함. 김은부金殷傅 사망. **8** 흥화진興化鎭에 침입해 온 거란군을 격파함. **12** 고구려 · 백제 · 신라의 왕릉을 보수함. ▶안소광安紹光 사망.	**8** 송 왕흠약王欽若, 다시 재상이 됨. ▶송, 부모 버리고 승려 되는 것을 금함.
1018 (3351) 무오	9	**2** 안무사를 폐지하고 4도호부 · 8목 · 56지주군사知州郡事 · 28진장鎭將 · 20현령을 둠. **4** 지종智宗 사망. **9** 김심언金審彦 사망. **12** 거란 소배압蕭排押의 제3차 침입: 강감찬姜邯贊, 흥화진에서 거란군을 대파함. ▶경기京畿 지역을 설정함.	**2** 송,《고려여진풍토조공사의高麗女眞風土朝貢事儀》를 완성함. **4** 송, 사찰 건립을 금함.
1019 (3352) 기미	10	**1** 거란군이 개경에 육박해 옴. **2** 강감찬姜邯贊, 거란군을 귀주龜州에서 격멸시킴: 귀주대첩龜州大捷. **3** 문인위文仁渭 · 김보인金輔仁 사망. **7** 여진을 피하여 도망한 우산국于山國(울릉도) 사람들을 귀환시킴.	**6** 송, 왕흠약王欽若을 파면함: 구준寇準이 재상에 오름. **8** 송 도성道誠,《석씨요람釋氏要覽》을 편찬함.
1020 (3353) 경신	11	**5** 거란과 화친함. **8** 신라인 최치원崔致遠을 내사령內史令에 추증하고 문묘文廟에 모심. **9** 현화사玄化寺 종과 7층석탑을 조성함. ▶면군급고법免軍給告法을 실시함.	**4** 송,《사시찬요四時纂要》와《제민요술齊民要術》를 간행함. **7** 송 구준寇準, 좌천당함: 정위丁謂와 이적李迪이 재상이 됨. ▶교황 베네딕트Benedict 8세, 독일을 방문함.
1021 (3354) 신유	12	**3** 철리국鐵利國(만주 지역 퉁구스계 부족) 사신이 조공해옴. 윤징고尹徵古 사망. **5** 흥국사興國寺 석탑을 건립함. **7** 사찰에서 술을 제조하는 것을 금함. **8** 현종, 현화사玄化寺에 행차함: 창사비創寺碑에 글씨를 씀. **10** 아들이 죄를 범한 경우에 공음전功蔭田은 손자에게 주도록 함. **11** 강민첨姜民瞻 사망.	**11** 송 왕흠약王欽若, 좌천당함. ▶신성로마제국 하인리히Heinrich 2세, 제3차 이탈리아 원정: 노르만인Norman의 지원을 받아 그리스인과 전투 벌임.

연대	고려	우리 나라	다른 나라
1022 (3355) 임술	현종 13	**1** 신라인 설총薛聰을 홍유후弘儒侯에 봉하고 문묘文廟에 모심. **4** 다시 거란 연호를 사용함. **5** 한조韓祚, 송에서 건흥력乾興曆과 불경佛經을 가지고 옴.	**4** 송, 구준寇準과 이적李迪이 좌천됨. ▶송, 한전법限田法을 시행함. ▶동로마제국, 아르메니아Armenia를 병합함.
1023 (3356) 계해	14	**2** 신라인 최치원을 문창후文昌侯에 추봉함. **윤9** 여러 주·현 의창義倉의 수렴법을 정하여 조세를 징수함. **12** 사헌대司憲臺를 어사대御史臺로 고침. 동계 요덕진耀德鎭에 성을 쌓음.	**1** 송, 계치사計置司를 설치함. **윤9** 송, 구준寇準 사망. **11** 송, 익주益州에 교자무交子務를 설치함: 지폐 발행의 기원.
1024 (3357) 갑자	15	**5** 송에서 항복해 온 주저周佇 사망. **6** 최항崔沆 사망. **9** 대식국大食國(아라비아) 상인 100여명이 특산물을 가지고 무역하러 옴. **12** 아들 없이 죽은 군인의 처에게 구분전口分田을 지급함. 개경을 확장하여 5부·35방·314리로 함.	**2** 일본, 교토京都에 화재 발생함. **8** 송 인종仁宗, 국자감國子監에 행차하여 공자상孔子像을 배알함. ▶신성로마제국, 작센Sachsen 왕조가 단절됨. 콘라드Konrad 2세 즉위.
1025 (3358) 을축	16	**1** 여진 추장 야고가耶古伽·모일라毛逸羅 등이 조공하고 관직을 받음. **7** 거돈사居頓寺 원공국사승묘탑비圓空國師勝妙塔碑를 건립함. ▶목감양마법牧監養馬法을 제정함.	**11** 송, 왕흠약王欽若 사망: 장지백張知白, 재상이 됨. ▶잉글랜드 및 덴마크 왕 크누드Knud, 크리스트교로 개종함.
1026 (3359) 병인	17	**윤5** 거란이 동북 여진을 치려고 길을 빌려줄 것을 요청했으나 거절함. ▶지채문智蔡文 사망.	**3** 송, 권농사勸農司를 폐지함. **5** 거란, 위구르를 공격하다가 패퇴함. ▶신성로마제국 콘라드Konrad 2세, 이탈리아에 원정함: 밀라노Milano에서 이탈리아 왕위에 오름.
1027 (3360) 정묘	18	**8** 송의 이문통李文通 일행이 서적 597책을 바침. ▶혜일사慧日寺 창건.	**2** 송, 서역승 법길상法吉祥이 와서 범서梵書를 바침. ▶신성로마제국 콘라드Konrad 2세, 로마에서 황제 대관식을 가짐.
1028 (3361) 무진	19	**2** 승려의 역마驛馬 이용을 단속함. **5** 동여진이 평해平海에 침입해 옴. **7** 현종顯宗 비 원성왕후元成王后 및 김경렴金慶廉 사망. ▶묘향산妙香山 안심사安心寺 창건.	**2** 송, 장지백張知白 사망. **5** 송 이원호李元昊, 위구르Uighur를 공격하여 간저우甘州를 빼앗음. ▶잉글랜드 크누드Knud, 노르웨이에 침입함.

연대	고려	우리 나라	다른 나라
1029 (3362) 기사	20	**1** 천추태후千秋太后 사망. **8** 개경의 나성羅城을 완성함. **8** 대연림大延琳, 랴오양遼陽에서 흥료국興遼國을 세움: 연호 천경天慶(천흥天興) 사용.	**윤2** 송, 제거제과制擧諸科를 다시 설치함. **10** 거란, 대연림大延琳의 흥료국興遼國 군사를 공격함.
1030 (3363) 경오	21	**1** 흥료국興遼國 사신이 와서 구원을 요청함. **4** 철리국鐵利國에서 조공해 옴. **9** 흥료국 멸망으로 거란과의 국교를 회복함. 영덕진寧德鎭에 성을 쌓음.	**8** 송, 해염통상법海鹽通商法을 시행함. ▶송, 처음으로 무과武科를 실시함. 위구르Uighur가 항복해 옴.
1031 (3364) 신미	22	**2** 무술에 능한 문신을 무관에 임명함. **5** 현종 사망: 덕종德宗 즉위. **8** 강감찬姜邯贊 사망. **10** 김행공金行恭을 거란에 보내 압록강鴨綠江 다리의 철거를 요구함. **윤10** 국자감시國子監試를 신설함. **11** 거란에 대한 하정사賀正使를 철폐함.	**2** 송, 군현의 직전職田을 다시 설치함. **7** 송, 공도보孔道輔를 거란에 파견함. ▶사라센제국, 서칼리프西Caliph 왕조 멸망.
1032 (3365) 임신	덕종 1	**1** 거란 사신의 입국을 거절함. **2** 철리국鐵利國 사신을 맞아 통교함. **3** 왕가도王可道 · 황주량黃周亮, 《7대실록七代實錄》을 편찬함. **8** 법경法鏡, 국사國師가 됨.	**7** 송, 국자감國子監의 강관講官을 등용함. **11** 송 이원호(경종景宗), 서하西夏를 세움.
1033 (3366) 계유	2	**1** 철리국鐵利國에서 조공해 옴. **8** 북쪽 국경에 천리장성千里長城 축조 시작함. **12** 문무 각 품의 노차상우례路次相遇禮를 정함.	**3** 송, 유태후劉太后 사망: 인종仁宗이 친정함. ▶서하, 독발령禿髮令을 내림.
1034 (3367) 갑술	3	**4** 양반 · 군인 · 한인閑人의 전시과田柴科를 개정함. **5** 왕가도王可道 사망. **9** 덕종 사망: 정종靖宗 즉위. **11** 팔관회八關會를 개최함.	**5** 거란 흥종興宗, 모후 숙씨肅氏를 유폐함. **10** 서하 이원호李元昊, 송의 환경環慶에 침입함. ▶독일, 부르군트Burgund 왕국을 병합함.
1035 (3368) 을해	정종 1	**5** 거란이 국교 회복을 요청해 옴. **7** 왕의 생일을 장령절長齡節이라 함. **9** 서북계 송령松嶺에 장성을 축조함.	**11** 송, 5대五代 및 각국의 자손을 채용함. **12** 티베트, 서하의 이원호李元昊 군을 격파함.
1036 (3369) 병자	2	**1** 각 도에 심찰사審察使를 파견함. **2** 모든 관리에게 녹패祿牌를 줌. **5** 아들 4명 중 1명이 승려 되는 것을 허용함. **7** 채충순蔡忠順 사망. **11** 동서대비원東西大悲院을 개수함.	**3** 송, 관직에서 물러난 관리의 봉급을 정함. **7** 송, 태종정사太宗正司를 설치함. **10** 거란, 진사進士를 시험으로 뽑음.

연대	고려	우리 나라	다른 나라
1037 (3370) 정축	정종 3	**9** 거란과 국교를 회복하기로 결정함. ▶동서 여진인들이 특산물을 바침. 박충숙朴忠淑 사망.	**3** 송, 천장각시강天章閣侍講을 설치함. ▶투그릴 베크Tughrill Beg, 셀주크 튀르크Seljuk Türks를 세움.
1038 (3371) 무인	4	**4** 유소柳韶 사망. **8** 거란의 연호를 사용함. **11** 거란의 동경 회례사回禮使가 옴.	**10** 서하 이원호李元昊, 황제를 칭함. ▶송, 백관의 붕당朋黨을 경계함.
1039 (3372) 기묘	5	**2** 정종, 연등회燃燈會를 맞아 봉은사奉恩寺에 행차함. 유선庾先을 거란에 보내 압록강 동쪽 성의 철거를 요청함. **9** 동계 정변진靜邊鎭에 성을 쌓음. ▶천자수모법賤者隨母法을 제정함.	**6** 송, 서하 이원호李元昊의 성姓과 관작官爵을 박탈함. ▶신성로마제국 하인리히Heinrich 3세, 독일 왕 및 동로마제국 황제에 오름.
1040 (3373) 경진	6	**2** 도량형度量衡을 통일시킴. **8** 서북지방 주 · 진에 《김해병서金海兵書》를 배포함. **10** 동북면병마사 박원작朴元綽, 수질구궁노繡質九弓弩를 제조하여 바침. **11** 아라비아 상인들이 무역하러 옴.	**1** 서하, 송宋에 침입하여 연주延州를 공격함. **3** 송 한기韓琦 · 범중엄范仲淹, 산시陝西 지방을 위무함. **6** 일본, 장원정지령莊園停止令을 내림.
1041 (3374) 신사	7	**1** 지방 주 · 현의 공물 액수를 규정함. **4** 회경전會慶殿에서 장경도량藏經道場을 개최함. **9** 7품 이상의 관리 자손을 군사로 모집하던 것을 폐지함. 북계北界에 천리장성千里長城 축조를 계속함.	**8** 서하, 풍주豐州를 함락함. **10** 송, 한기韓琦와 범중엄范仲淹을 경략안무초토사經略按撫招討使에 임명함. **12** 송, 의창義倉을 설립함. ▶송 필승畢昇, 활자活字를 발명함.
1042 (3375) 임오	8	**1** 서북면병마사, 압록강 동쪽 청색진淸塞鎭(평북 희천熙川)에 이르는 가옥들을 조사하여 보고함. **2** 최호崔顥, 《한서漢書》와 《당서唐書》를 간행하여 올림. **6** 서눌徐訥 사망. **12** 황보유의皇甫兪義 사망.	**1** 송, 각염법榷鹽法(소금전매법)을 시행함. **2** 송, 의용군義勇軍을 설치함. **5** 송, 대명부大名府를 북경北京이라 함. **윤9** 서하, 위주渭州에 침입함: 송 한기韓琦 · 범중엄范仲淹, 서하를 공격함.
1043 (3376) 계미	9	**3** 회경전會慶殿에서 백좌도량百座道場 을 개최함. **12** 탐라국耽羅國이 조공해 옴. ▶황주량黃周亮 사망.	**1** 송, 서하가 화의를 요청해 옴. **2** 송, 사문학四門學을 설치함. **10** 송, 마감법磨勘法을 다시 정함. **11** 송, 음자법蔭子法을 다시 정함. ▶세르비아, 동로마제국에서 독립함.

연대	고려	우리 나라	다른 나라
1044 (3377) 갑신	10	2 예성강禮成江의 병선 180척으로 서북면 주·진에 군량미를 운반함. 10 장주長州·정주定州·원흥진元興鎭에 성을 쌓음: 천리장성(고려장성) 완성. 12 사망한 뒤에는 빌린 곡식을 징수하지 못하게 함.	6 거란, 처음으로 국사國史를 편찬함. 11 거란, 5경과 6부를 정함. 12 송, 이원호李元昊를 서하西夏 왕에 봉함. ▶송, 철판인쇄를 시작함. ▶미얀마, 파간Pagan 왕조 성립.
1045 (3378) 을유	11	2 문관과 무관 성묘일을 정함. 임진臨津과 교원課橋院을 자제사慈濟寺로 고침. 4 비서성秘書省에서, 《예기정의禮記正義》와 《모시정의毛詩正義》를 간행함. 5역五逆·5적五賊·불충不忠·불효不孝·향鄕·부곡部曲·악공樂工·잡류雜類 자손에게 과거 응시를 불허함.	1 송, 범중엄范仲淹을 파면함. 2 송, 마감법磨勘法과 음자법蔭子法을 폐지함. 3 송, 한기韓琦를 파면함. 5 송, 전운판관轉運判官을 폐지함.
1046 (3379) 병술	12	2 백성의 입사법立嗣法(적자와 서자의 구분)을 제정함. 5 정종 사망: 문종文宗 즉위. 6 동해·남해 연안에 성보城堡와 농장農場을 설치하여 해적에 대비함. 10 회경전會慶殿에서 소재도량消災道場을 개최함.	10 송, 후난湖南의 반란군을 침. ▶신성로마 하인리히Heinrich 3세, 이탈리아에 원정하여 교황 클레멘스Clemens 2세로부터 제관을 받음.
1047 (3380) 정해	문종 1	2 구분전口分田을 개정함. 6 왕사王師 결응決凝을 국사國師로 삼음. 최충崔沖, 율령을 교정함. 7 대번병마사大番兵馬使를 행영병마사行營兵馬使로 고침. ▶황보영皇甫穎 사망.	11 송, 왕측王則의 반란 일어남. ▶이 무렵, 서하西夏가 문자文字를 창제함.
1048 (3381) 무자	2	1 유배인에게 노부모를 직접 봉양할 수 있게 함. 12 각 도 관역공수館驛公須의 조세 정함.	▶서하, 이원호李元昊 사망: 아들 이양조李諒祚(의종毅宗)가 뒤를 이음.
1049 (3382) 기축	3	5 양반의 공음전시법功蔭田柴法을 제정함. 6 동서대비원東西大悲院에서 병들고 굶는 자를 구제함. 11 일본이 쓰시마섬對馬島에서 폭풍으로 표류한 고려인 20여명을 돌려보냄. ▶노비로서 3회 도망한 자는 얼굴에 낙인烙印하여 본주인에게 다시 돌려보내게 함.	9 송 농지고濃智高, 반란 일으킴. 10 거란, 서하西夏를 공격함. ▶송, 정밀한 생체해부도生體解剖圖를 그림. ▶영국, 웨스트민스터Westminster 사원寺院을 건립함.

연 대	고려	우 리 나 라	다 른 나 라
1050 (3383) 경인	문종 4	**9** 동북면병마녹사 문양렬文揚烈, 추자도楸子島에서 해적을 대파함. **11** 손재면역법損災免役法과 답험손실법踏驗損實法을 정함.	**11** 송, 외척外戚의 2부府 임관을 금함. **윤11** 송, 아악雅樂을 다시 정함.
1051 (3384) 신묘	5	**1** 문종, 진관사眞觀寺에 행차함: 새로 간행한 《화엄경華嚴經》과 《반야경般若經》을 이곳으로 옮기게 함. **4** 광인관廣仁館에 구류된 동여진 추장 아구阿骨 등을 돌려보냄. **8** 귀주龜州와 창주昌州에 침입한 여진인을 격파함. **12** 향직鄕職의 전형과 임명 절차를 정함.	**6** 송, 상서로운 동물의 진상을 금함. **10** 송, 문언박文彦博을 파면함. 방적龐籍을 재상에 임명함. ▶일본, 아베安倍賴時의 반란 일어남: 젠구넨前九年의 난.
1052 (3385) 임진	6	**2** 황성皇城 서쪽에 사직단社稷壇을 신축함. **3** 여러 역서曆書를 새로 제작함. **6** 동여진 고지문高之問이 삼척三陟에 침입해 옴.	**5** 송 농지고濃智高, 광저우廣州를 함락함. 범중엄范仲淹 사망. ▶신성로마제국 하인리히Heinrich 3세, 헝가리 정복하여 제국 본토로 삼음.
1053 (3386) 계사	7	**2** 탐라국耽羅國에서 조공해 옴. **4** 결응決凝 사망. **7** 이자연李子淵, 문하시랑평장사에 오름. **8** 개경에 제방堤防을 쌓음.	**1** 송 적청狄青, 농지고濃智高를 격파하고 난을 평정함: 5월 추밀사樞密使에 오름. ▶일본, 호도鳳凰堂를 건립함.
1054 (3387) 갑오	8	**3** 토지를 비옥도에 따라상 · 중 · 하 3품으로 구분함. **12** 동궁 시위공자侍衛公子 및 시위급사侍衛給使를 설치함. ▶문종, 양주 삼천사三川寺의 대지국사비大智國師碑 비문을 지음. ▶정현鼎賢 사망.	▶이조李朝, 국호를 대월大越로 바꿈. ▶크리스트교가 로마Roma와 콘스탄티노플Constantinople의 동 · 서로 분리됨. 그리스 정교회 성립.
1055 (3388) 을미	9	**3** 선덕진宣德鎭에 신성新城을 쌓고 성황신사城隍神祠를 설치함. **7** 최충崔沖, 문헌공도文憲公徒를 세움: 12공도 성립.	**3** 송, 공자를 연성공衍聖公에 봉함. ▶셀주크 튀르크Seljuk Turks, 바그다드Baghdad에 입성하여 서아시아의 지배자가 됨.
1056 (3389) 병신	10	**2** 흥왕사興王寺 창건공사를 시작함. **7** 동로병마사 김단金旦, 동여진을 격파함. **8** 각 주 · 목 · 군 · 현에 무문사撫問使를 파견함.	**8** 일본, 아베安倍賴時가 처형당함. 송, 적청狄青이 파면당함. ▶모로코, 무라비트Murabit 왕조 성립.

연대	고려	우리나라	다른나라
1057 (3390) 정유	11	**4** 거란이 송령松嶺 동북쪽에 토지를 개간하고 암자 설치한 것에 대해 항의함. **7** 송에서 귀화한 장완張琬을 태사감후太史監侯에 임명함. **8** 큰 배를 만들어 송에 왕래하고자 함. ▶귀향하여 폐단 일으키는 사심관事審官을 처벌함.	**2** 송 구양수歐陽修, 지공거知貢擧가 되어 신체문新體文을 억제함. **3** 송, 적청狄靑 사망. **8** 송, 광혜창廣惠倉을 설치함. ▶신성로마제국, 하인리히Heinrich 4세 즉위.
1058 (3391) 무술.	12	**2** 안서도호부의 염주鹽州(황해도 연안延安)와 안주安州에서 바친 무기 제작용 철을 흥왕사興王寺 건립에 사용함. **4** 조복朝服을 정함. **5** 해린海麟을 국사에, 난원爛圓을 왕사에 임명함. **7** 관부에서 회수하였던 어장·선박·노비를 경창원景倉院에 반환함. ▶15세 이상 60세 이하의 질병 없는 자로 사면기광군四面奇光軍을 설치함.	▶송, 서하西夏에 대장경大藏經을 전달함. 왕안석王安石이 여러 부문의 개혁을 상소함. ▶셀주크 튀르크Seljuk Türks 왕, 압바스Abbas 왕조 칼리프Caliph의 보호자로서 술탄Sultan의 칭호를 받음.
1059 (3392) 기해	13	**2** 양주楊州에서 양전量田을 시행함. **3** 동북면 여러 주의 민전民田을 균등하게 정함. **8** 아들이 3명 이상이면 1명이 승려가 되는 것을 허락함.	**2** 송, 각다법榷茶法(차茶의 전매법專賣法)을 정함. **7** 송, 궁녀宮女를 해방시킴.
1060 (3393) 경자	14	**1** 천제석도량天帝釋道場을 개설함. **11** 팔관회八關會를 개최함. **12** 회경전會慶殿 부속 건물에 화재 발생함. ▶문종, 칠장사七長寺 혜소국사탑비慧炤國師塔碑 글씨를 씀.	**5** 송 왕안석王安石, 탁지판관度支判官이 됨. 일본, 고후쿠사興福寺 불탐. **6** 거란, 국자감國子監을 설치함. **7** 송, 《신당서新唐書》를 편찬함. ▶프랑스, 필리프Philippe 1세 즉위.
1061 (3394) 신축	15	**6** 내사령을 중서령中書令으로 고침. **12** 내사문하성을 중서문하성中書門下省으로 고침.	**6** 송 사마광司馬光, 지간원知諫院이 됨. **윤8** 송 구양수歐陽修, 참지정사參知政事가 됨. **10** 송, 서하에 송 의관 착용을 허가함.
1062 (3395) 임인	16	**3** 공시봉미법貢試封彌法을 시행함. 개성부를 다시 설치하고 경기 여러 지방을 관장케 함. 호경鎬京을 다시 서경西京으로 고침. 각 주·현의 향리鄕吏가 승려 되는 것을 제한함. ▶평로진平虜鎭에 침입한 여진을 격파함.	**9** 일본, 젠구넨前九年의 난을 평정함. **10** 송, 제로諸路에 금품을 주고 상평창常平倉의 미곡 운반을 돕게 함.

연대	고려	우리 나라	다른 나라
1063 (3396) 계묘	문종 17	**3** 탐라국耽羅國의 새 성주 두량豆良이 내조來朝함. **3** 거란이 대장경大藏經을 보내옴. **8** 국자감國子監의 규율과 직제를 강화함: 성적 미달자를 퇴출시키기로 함. ▶김원정金元鼎 사망.	**7** 거란, 황제의 숙부 야율중원耶律重元이 반란 모의하다 처형됨. ▶이탈리아, 피사Pisa 대성당을 건립하기 시작함.
1064 (3397) 갑진	18	**2** 예성강禮成江의 선박 100여척으로 1년에 6차에 걸쳐 서북면의 주 · 진에 군량미를 운반케 함. **3** 황룡사皇龍寺9층탑을 개수함. 회경전會慶殿에 인왕도량仁王道場을 개설함. **윤5** 군반씨족軍班氏族의 적장籍帳을 개정함. **7** 각 도에 선마사選馬使를 보내 군마軍馬를 뽑음. ▶안찰사按察使를 도부서都部署로 고침.	**9** 송, 무과武科를 다시 실시함. **11** 송, 산시陝西 지방의 장정을 뽑아 의용군義勇軍을 편성함. **12** 송, 티베트의 목정木征이 항복을 청해 옴.
1065 (3398) 을사	19	**3** 계지사종戒持寺鐘을 주성함. **5** 왕자 후煦(의천義天), 승려가 됨. **6** 복시覆試를 폐지함.	**4** 송, 복왕濮王에 대한 전례典禮를 의함. ▶영국, 웨스트민스터Westminster 사원寺院을 재건함.
1066 (3399) 병오	20	**1** 금후 3년간 전국의 도살을 금함. **2** 운흥창雲興倉이 불탐. **4** 지방 장관으로 하여금 권농사勸農使를 겸하게 함. **6** 공물貢物을 소가죽과 소뿔 대신 베로 바치게 함.	**1** 거란, 국호를 다시 요遼로 고침. ▶영국, 노르망디공Normandie公 윌리엄William 즉위: 노르만Norman 왕조 성립.
1067 (3400) 정미	21	**1** 개경에 흥왕사興王寺를 완공하고 연등회燃燈會를 개최함. **6** 안란창安瀾倉의 미곡을 삭북朔北으로 운송하여 군량미로 충당케 함. **12** 양주楊州를 남경南京으로 고치고 고을 주민을 강제로 이주시킴. ▶왕총지王寵之 · 해린海麟 사망.	**3** 송, 구양수歐陽脩를 파면함. **9** 송 왕안석王安石, 한림학사가 됨. ▶사라센제국, 바그다드Baghdad에 대학을 세움.
1068 (3401) 무신	22	**1** 양자계호법養子繼戶法을 제정함. **7** 송宋의 사신이 와서 국교 재개 의사를 전함. **9** 남경南京에 신궁新宮을 건립함. 최충崔忠 사망. **10** 개가한 어머니 상복식喪服式 정함.	**4** 송, 왕안석王安石을 중용함. ▶요, 《대장경大藏經》을 간행함. ▶영국, 아일랜드 북부지방의 반란을 진압함.

연대	고려	우리나라	다른나라
1069 (3402) 기유	23	**3** 향리鄕吏들의 무산관계武散官階 규정을 제정함. **7** 양전보수법量田步數法을 제정함. **10** 군인전시과軍人田柴科의 체립遞立 및 자손 없는 연로층의 구분전口分田을 정함. 수질구궁노繡質九弓弩의 사격 연습을 실시함. ▶청평산淸平山(경기도 장단長湍)에 보현원普賢院을 건립함.	**2** 일본, 장원莊園을 혁파함. **7** 송, 균수법均輸法을 시행함. **9** 송, 청묘법靑苗法을 시행함. **윤10** 일본, 기록소記錄所를 설치함.
1070 (3403) 경술	24	**6** 흥왕사興王寺 주위에 성을 쌓음. **8** 송宋에서 또다시 국교 재개를 제의해 옴. **11** 개경 주변 네 곳에 숯을 보관하는 창고를 세움.	**8** 송, 서하西夏의 침입을 받음. **9** 송, 사마광司馬光을 파면함. **11** 송, 왕안석王安石이 재상이 됨. 보갑법保甲法과 모역법募役法을 시행함.
1071 (3404) 신해	25	**3** 김제金悌를 송宋에 사신으로 보내 국교를 회복함. 송에 금은세공품·옷감·인삼·잣 등 여러 가지 물품을 수출함. **6** 군역軍役을 피하여 도망하는 군인들이 많이 생김.	**2** 송, 과거법科擧法을 개정함. **9** 송 구양수歐陽脩, 관직에서 은퇴함. ▶셀주크 튀르크Seljuk Türks, 동로마제국 황제를 생포함. 예루살렘Jerusalem을 정복하고, 순례하는 크리스트교도를 박해함.
1072 (3405) 임자	26	**1** 요遼의 사신 야율직耶律直이 내조함. **2** 예복禮服 제도를 다시 정함. **7** 교위 거신巨身이 반란 꾀하다 죽임을 당함. **11** 요의 사신 야율직耶律直이 와서 3년에 한 번씩 교빙하기로 약조함. **12** 요왕遼王이 불장경佛藏經을 보내옴.	**3** 송, 시역법市易法을 시행함. **5** 송, 보마법保馬法을 시행함. **8** 송, 방전균세법方田均稅法을 시행함. 구양수歐陽脩 사망. **9** 일본, 도량형度量衡을 제정함. ▶노르만인Norman, 사라센제국으로부터 시칠리아Sicilia를 빼앗음: 나폴리Napoli 왕국 건설.
1073 (3406) 계축	27	**1** 자식 없는 자의 공음전功蔭田을 사위·조카·양자養子·의자義子의 순으로 물려받게 함. **2** 여진의 여러 주가 귀순해 옴. **4** 동·서·북 장성長城 밖에 둔전屯田을 설치함. **7** 동여진의 11개 촌이 귀순해 옴. **9** 귀순해 온 동여진의 촌을 11개 주로 고쳐 편입시킴. **11** 팔관회八關會에서 〈포구락抛毬樂〉을 연주함.	**4** 송, 율학律學을 설치함. **5** 송, 면행법免行法을 시행함. **6** 송, 군기감軍器監을 설치함. 주돈이周敦頤 사망. **10** 송 왕소王韶, 티베트의 4개 성을 빼앗음. ▶교황 그레고리Gregory 7세 즉위.

연 대	고려	우 리 나 라	다 른 나 라
1074 (3407) 갑인	문종 28	**8** 김양감金良鑑, 사신으로 송에 가서 도서圖書를 조사함: 이때부터 송 입국로를 등주登州에서 명주明州(지금의 닝보寧波)로 바꿈. ▶원흥진元興鎭·용주龍州·위주渭州에 성을 쌓음.	**4** 송, 신법新法을 일시 폐지했다가 다시 시행함. 왕안석王安石을 파면함: 한락韓絡을 재상에 임명. **7** 송, 수실법手實法을 시행함. ▶로마교회, 승직의 매매를 금하고 대처승을 파문함.
1075 (3408) 을묘	29	**1** 최유선崔惟善 사망. **4** 혁련정赫連挺, 《균여전均如傳》을 지음. **7** 지중추원사 유홍柳洪, 요遼의 사신과 함께 압록강 동쪽의 국경을 조사하여 확정함.	**2** 송 왕안석王安石, 재상에 복직함. **6** 송, 한기韓琦 사망. **7** 송, 하동河東을 요에 할양함. ▶대월, 과거제도를 시행함. ▶영국, 노르만Norman 귀족의 반란 일어남.
1076 (3409) 병진	30	**8** 최사량崔思諒, 요遼에 사신으로 가서 정융진定戎鎭 밖에 있는 암자의 철거를 요청함. **9** 수질구궁노繡質九弓弩 사격 연습을 실시함. **12** 과거 급제자에 대한 급전제給田制를 정함. 양반의 전시과田柴科를 고치고(경정전시과更定田柴科), 관제를 개혁하여 녹과祿科를 정함. 위구소衛衢所를 설치함.	**1** 송, 교지交趾에게 옹주邕州가 함락됨. **2** 송, 곽규郭逵를 안남초토사安南招討使에 임명함. **10** 송, 왕안석王安石을 파면함. ▶셀주크 튀르크Seljuk Türks, 예루살렘Jerusalem을 정복함. ▶신성로마제국 하인리히Heinrich 4세, 그레고리Gregory 7세를 폐함: 교황, 황제를 파문함.
1077 (3410) 정사	31	**2** 연등회燃燈會에서 교방敎坊의 초영楚英이 〈왕모대가무王母隊歌舞〉를 연주함. **3** 《금자 화엄경金字華嚴經》을 흥왕사興王寺에 옮기게 함. **8** 송宋 사신의 왕래 편의를 위해 홍주洪州 소대현蘇大縣(충남 태안泰安)에 안흥정安興亭을 건립함. ▶기인선상법其人選上法을 제정함.	**2** 송, 왕소王韶를 파면함. **11** 요 야율을신耶律乙辛, 태자 준濬을 살해함. ▶신성로마제국 하인리히Heinrich 4세, 이탈리아 카노사에 와서 3일간 교황 그레고리Gregory 7세에게 사죄함: 카노사Canossa의 굴욕.
1078 (3411) 무오	32	**7** 흥왕사금탑興王寺金塔을 완공함. **9** 일본이 태풍에 표류되었던 제주도민 18명을 돌려보냄. **12** 송宋의 제도에 따라 치황색 옷과 담황색 옷의 착용을 금함.	**9** 송 여공저呂公著, 추밀원사樞密院事에 오름. **12** 송, 대리시옥大理寺獄을 설치함. 유서劉恕 사망.
1079 (3412) 기미	33	**4** 귀화한 여진인을 영남지방으로 옮겨 거주케 함. **5** 서여진이 평로관平虜關에 침입해 옴. **7** 송宋에서 의관醫官과 약재藥材를 보내옴.	**2** 송, 정이程頤를 소환, 파면함. **8** 송 소식蘇軾, 좌천당함. ▶사라센제국, 신력新曆을 제정함.

연대	고려	우리 나라	다른 나라
1080 (3413) 경신	34	**3** 유홍柳洪·박인량朴寅亮, 송에 가서 지난해 의관과 약재를 보내준 데 대하여 사의를 표함. **6** 흥왕사금탑興王寺金塔을 지키는 석탑을 건립함. **12** 중서시랑 문정文正과 지중추사 최석崔奭 등이 보기步騎 3만으로 정주성定州城 밖의 여진을 토벌함. ▶이복 자매와 혼인하여 출생한 자의 관직 등용을 금함.	**6** 송, 관제官制를 세밀히 정함. **9** 송 여공저呂公著, 추밀부사樞密副使가 됨. ▶교황 그레고리Gregory 7세, 신성로마제국 하인리히Heinrich 4세를 다시 파문함.
1081 (3414) 신유	35	**4** 최사제崔思齊를 송에 파견함. **8** 서경西京의 궁궐을 수리함. **11** 이정공李靖恭, 참지정사수국사에 올라《국사國史》를 편찬함.	**4** 송, 제방堤防을 축조함. **5** 서하, 왕 병상秉常을 유폐함. **7** 송 이헌李憲, 서하西夏를 공격하다 패퇴함.
1082 (3415) 임술	36	**5** 동여진에서 조공해 옴. **11** 쓰시마도주對馬島主가 사신 보내 토산물을 바침. ▶남원 만복사萬福寺 창건.	**9** 서하, 송의 영락성永樂城을 함락함. ▶송 소식蘇軾,〈적벽부赤壁賦〉를 지음. ▶동로마제국, 베네치아Benezia 상인에게 상권을 부여함.
1083 (3416) 계해	순종 1	**2** 신하들에게 녹패祿牌를 내림. **3** 개국사開國寺에 송의 대장경大藏經을 안치함. **7** 문종 사망: 순종順宗 즉위. **10** 순종 사망: 선종宣宗 즉위. ▶진사進士 이하의 과거는 3년에 1회씩 실시하도록 함.	**윤6** 송, 서하西夏가 수호를 청해 옴. **9** 일본, 고산넨後三年의 난 일어남. **10** 송, 맹가孟軻를 추국공鄒國公에 봉함. **11** 송, 증공曾鞏 사망.
1084 (3417) 갑자	선종 1	**6** 동여진이 홍해興海 모산진毋山津 농장을 약탈함. 일본 상인들이 수은을 가지고 옴. **8** 왕의 생일을 천원절天元節이라 함. **11** 건명고乾明庫의 베로 변방 군인들의 군복을 제작함.	**1** 송, 서하가 난주蘭州에 침입함. **12** 송 사마광司馬光,《자치통감資治通鑑》을 편찬함. ▶교황 클레멘스Clemens 3세, 하인리히Heinrich 4세를 신성로마제국 황제로 함.
1085 (3418) 을축	2	**2** 송의 제도에 따라 왕의 행차 때《인왕반야경仁王般若經》을 앞세우게 함. **4** 의천義天, 송에 건너감. **12** 통도사通度寺 주변에 국장생표國長生標를 세움. ▶법천사지광국사현묘탑비法泉寺智光國師玄妙塔碑를 건립함.	**3** 송, 신종神宗 사망: 철종哲宗 즉위. 태후 고씨高氏가 섭정함. **5** 송, 정호程顥·왕규王珪 사망. **7** 송, 보갑법保甲法을 폐지함. ▶송, 시역법市易法과 보마법保馬法을 폐지함.

연 대	고려	우 리 나 라	다 른 나 라
1086 (3419) 병인	선종 3	**2** 최충崔沖 · 김원충金元沖 · 최기안崔奇顔 등을 종묘宗廟에 배향함. **6** 의천義天, 송에서 돌아와 흥왕사興王寺에 교장도감敎藏都監을 설치함: 송 · 요 · 일본으로부터 서적을 구입하여 《속장경續藏經》을 편찬함. ▶이자연李子淵 사망.	**윤2** 송, 사마광司馬光이 재상에 오름. 청묘법青苗法과 모역법募役法을 폐지함. **4** 송, 왕안석王安石 사망. **9** 송, 사마광司馬光 사망. ▶영국, 토지측량부土地測量簿를 완성함.
1087 (3420) 정묘	4	**2** 《초조대장경初雕大藏經》 조판을 완성함. 선종, 흥왕사興王寺에 행차하여 대장경大藏經 완성을 경축함. **4** 선종, 귀법사歸法寺에 행차하여 대장경 완성을 경축함.	**1** 송, 과거科擧에서 왕안석王安石의 경의經義와 자설字說을 금함. **4** 송, 제과制科를 복구함. **12** 일본, 고산넨後三年의 난을 평정함.
1088 (3421) 무진	5	**2** 요에서 압록강 연안에 무역소를 두려 함: 이안李顔을 귀주에 보내 대비시킴. **3** 전성氈城(함북 온성穩城)에 제천단祭天壇을 설치함. **9** 김선석金先錫을 요에 보내 압록강 무역소 철폐를 요구함.	**3** 송, 한강韓絳 사망. **4** 송 여공저呂公著, 재상에 오름. ▶이탈리아, 볼로냐Bologna 대학 창립.
1089 (3422) 기사	6	**3** 회경전會慶殿에서 《인왕경仁王經》을 강론함. **8** 국학國學을 수리함. **12** 개가한 어머니의 복제를 개정함.	**2** 송, 여공저呂公著 사망. **4** 송, 과거科擧에서 경의經義와 시부詩賦로 인재를 뽑고 명법과明法科를 폐지함.
1090 (3423) 경오	7	**8** 의천義天, 《신편제종교장총록新編諸宗敎藏總錄》을 편찬함. **10** 선종, 삼각산三角山에 행차함. **12** 송에서 《문원영화집文苑英華集》을 보내옴.	**3** 송 한충언韓忠彦, 동지추밀원사同知樞密院事에 오름. ▶신성로마제국 하인리히Heinrich 4세, 이탈리아에 원정함. ▶영국, 런던탑을 건립함.
1091 (3424) 신미	8	**1** 서북면병마사 유홍柳洪, 전투용 수레를 제작하여 귀주龜州에 보관함. **6** 이자의李資義, 송에 서적을 전함. **8** 군인들에게 사격 연습을 실시함. **9** 국자감 벽에 72현의 초상을 그림. ▶노단盧旦 사망.	**2** 송 소철蘇轍, 상서우승尙書右丞에 오름. **6** 송, 한림학사 소식蘇軾을 파면함. **7** 송, 해염사解鹽使를 부활시킴.
1092 (3425) 임신	9	**2** 탐라국耽羅國 성주 의인懿仁이 공물을 진상함. 최사량崔思諒 사망. **6** 견불사見佛寺에서 천태종天台宗의 예참법禮懺法을 행함. **11** 오복상피식五服相避式을 제정함.	**9** 송 소식蘇軾, 병부상서兵部尙書가 됨. ▶셀주크 투르크Seljuk Türks가 분열됨.

연대	고려	우리 나라	다른 나라
1093 (3426) 계유	10	**5** 홍호사弘護寺 창건. **6** 박원작朴元綽이 만든 천균노千鈞弩로 사격 연습을 실시함. **7** 연평도延坪島에서 송과 왜의 해적선을 나포함. 광인관廣仁館에 봉선고奉先庫를 설치함. **8** 송의 조하식朝賀式에 의거하여 백관의 하례식賀禮式을 개정함. **9** 선종, 인예태후仁睿太后의 반혼전返魂殿에서 소상제小祥祭를 지냄. ▶문정文正 사망.	**7** 송, 범순인范純仁을 재상에 임명함. **9** 송, 태후 고씨高氏 사망. **10** 송 철종, 친정 시작. ▶영국, 캔터베리Canterbury에 상인조합이 성립됨.
1094 (3427) 갑술	11	**2** 지방에 감창사監倉使를 파견함. **5** 선종 사망: 헌종獻宗 즉위. **6** 송의 서우徐祐 일행이 와서 헌종의 즉위를 축하함.	**4** 송, 소식蘇軾을 좌천시키고 범순인范純仁을 파면함: 장돈章惇을 재상에 임명함. **8** 송, 모역법募役法을 다시 시행함.
1095 (3428) 을해	헌종 1	**4** 이자의李資義, 반란 꾀하다 처형됨. **5** 태후, 현화사玄化寺에서 선종의 소상제小祥祭를 지냄. **8** 황룡사皇龍寺9층탑을 보수함. **10** 중추원을 추밀원樞密院으로 고침. 헌종, 숙종肅宗에게 선위함.	**2** 송, 보갑법保甲法을 다시 시행 함. **11** 교황 우르바누스Urbanus 2세, 클레르몽Clermont 공의회에서 성지 회복을 선언함: 십자군전쟁十字軍戰爭 결의. ▶포르투갈 왕국 성립.
1096 (3429) 병자	숙종 1	**7** 김위제金謂磾, 왕에게 남경南京으로의 천도를 건의함. 문덕전文德殿 소장의 문서를 문덕전·장녕전長寧殿·어서방御書房·비서각秘書閣에 나누어 보관케 함. **8** 동여진 추장들을 통해 변방 정세를 탐문함. 무반武班들에게 사격 연습을 실시함. **9** 《고금록古今錄》의 저자 박인량朴寅亮 사망. **12** 소현昭顯 사망. ▶의천義天, 《속장경續藏經》을 완성하여 부인사符仁寺에 보관함.	**1** 송, 한충언韓忠彦이 퇴임함. **2** 송, 여진女眞의 완안부完顏部를 공략함. **10** 송, 서하의 침입을 받음. ▶교황 우르바누스Urbanus 2세, 제1회 십자군전쟁十字軍戰爭 일으킴: 고드프루와Godfroy가 대장이 되어 예루살렘으로 향함. ▶이탈리아, 제노바Jenova 공화국 성립.
1097 (3430) 정축	2	**2** 개성 국청사國淸寺 창건. **윤2** 전왕 헌종 사망. **6** 이정공李靖恭, 흥왕사興王寺 비문을 지음. **7** 병마사 김한충金漢忠, 진한현鎭漢縣에 침입한 동여진 선박을 격퇴함. **12** 처음으로 주전관鑄錢官을 둠: 주전도감鑄錢都監 설치. ▶의천義天, 《대각국사문집大覺國師文集》 편찬.	**2** 송, 범순인范純仁 등을 영남嶺南에 유배 보냄. **4** 송, 여대방呂大防 사망. **5** 송, 문언박文彦博 사망. **11** 송, 시역무市易務를 부활시킴. ▶십자군十字軍, 동로마제국 황제에게 충성을 맹세함.

연 대	고려	우 리 나 라	다 른 나 라
1098 (3431) 무인	숙종 3	**3** 태자부太子府를 설치함. 해인사海印寺에서 《대방광불화엄경大方廣佛華嚴經》을 판각함. **7** 장온서掌醞署를 양온서良醞署로 고침: 술 제조 업무 담당.	**1** 송, 셴양咸陽에서 진秦의 전국새傳國璽를 발견함. **10** 송, 서하西夏의 침입을 받음. ▶십자군十字軍, 안티오키아Antiochia를 함락함.
1099 (3432) 기묘	4	**4** 숙종, 연영전延英殿에 나아가 문서를 검열함. 주·부·군·현에 둔전屯田 5결의 경작을 허가함. **6** 윤관尹瓘, 송에서 《자치통감資治通鑑》을 구해옴. **윤9** 숙종, 양주楊州에 행차하여 남경南京 건설 예정지의 위치를 살핌. 승가사僧伽寺에서 재齋 올림. ▶이정공李靖恭 사망.	**3** 요, 송에 서하西夏와의 통호 허락을 청함. **7** 십자군十字軍, 예루살렘Jerusalem을 회복함: 예루살렘 왕국 건설 **11** 송, 요의 서하西夏와의 통호를 허가함.
1100 (3433) 경진	5	**5** 요遼에서 불경佛經을 바침. **7** 회경전會慶殿에서 인왕도량仁王道場을 개최함. **8** 개경의 화재로 관부와 민가가 불탐.	**1** 송, 철종 사망: 휘종徽宗 즉위. 태후 향씨向氏가 섭정함. **2** 송 한충언韓忠彦, 재상이 됨. **7** 송 휘종, 친정親政 시작.
1101 (3434) 신사	6	**2** 숙종, 중광전重光殿에 나아가 서적을 열람함. **3** 국자감에 서적포書籍鋪를 설치함. **4** 숙종, 일월사日月寺에 행차하여 《금자묘법연화경金字妙法蓮華經》 간행을 축하함. **6** 처음으로 은병銀甁을 주조함. 북방 변경의 긴장사태로 서경과 개경 군사의 부역 동원을 금지함. **9** 남경개창도감南京開創都監을 설치함. **10** 남경南京의 신궁新宮 공사에 착수함. 의천義天 사망.	**1** 송, 태후 향씨向氏 및 범순인范純仁 사망. 요, 도종道宗 사망: 천조제天祚帝 즉위. **2** 송 장돈章惇, 좌천당함. **11** 송, 채경蔡京을 불러들임. ▶송, 소식蘇軾 사망. ▶영국, 노르망디공Normandie公의 침입을 받음.
1102 (3435) 임오	7	**3** 남경南京의 구획을 확정함. **9** 서경西京에 화천별감貨泉別監을 보내 상업과 화폐 유통을 장려함. **10** 숙종, 북숭산北崇山 신호사神護寺에서 오백나한재五百羅漢齋를 개최함. 기자사箕子祠를 건립함. **12** 해동통보海東通寶를 주조하여 양반과 군인에게 나누어 줌.	**5** 송, 한충언韓忠彦을 해임함. **7** 송, 채경蔡京을 재상에 임명함: 당쟁黨爭의 격화. ▶헝가리, 달마티아Dalmatia를 점령함. ▶폴란드, 국내 통일을 이룸.

연대	고려	우리 나라	다른 나라
1103 (3436) 계미	8	**7** 여진 완안부完顏部에 납치되었던 고려인 의사醫師가 귀국하여 여진의 침략 기도를 알림. **8** 대장군 고문개高文蓋, 반란 꾀하다 발각되어 유배됨. **9** 최사추崔思諏, 문하시중에 오름.	**3** 송, 염초법鹽鈔法을 개정함. **4** 송, 사마광司馬光의 초상을 파괴함. **9** 송, 주州·진鎭에 당인黨人의 비를 건립함. ▶송 손목孫穆, 《계림유사鷄林類事》를 편찬함.
1104 (3437) 갑신	9	**1** 임간林幹에게 여진을 치게 함. **2** 임간林幹, 정주성定州城에서 여진에게 패배함. 윤관尹瓘을 서북면행영병마도통西北面行營兵馬都統에 임명함. **3** 윤관尹瓘, 여진과 화의 맺음. **5** 남경南京의 궁궐을 준공함. **7** 유신柳伸 사망. **12** 윤관尹瓘의 건의로 별무반別武班을 설치함.	**5** 송, 경서북로京西北路에 교자소交子所를 설치함. **6** 송, 왕안석王安石을 공자묘孔子廟에 배향함. **11** 송, 과거제도를 폐지함. ▶영국, 노르망디Normandie에 침입함.
1105 (3438) 을유	10	**8** 동명성제사東明聖帝祠에 제사 지냄. **10** 숙종 사망: 예종睿宗 즉위. **12** 오연총吳延寵, 동계행영병마사에 오름. 대령궁大寧宮에 제사 지냄. ▶탐라국耽羅國을 폐하고 군郡으로 함. 정문鄭文 사망.	**3** 송, 강례국講禮局을 설치함. 서하西夏의 침입을 받음. ▶송, 황정견黃廷堅 사망. ▶신성로마제국 하인리히Heinrich 4세, 양위를 강요당함.
1106 (3439) 병술	예종 1	**3** 《해동비록海東秘錄》을 완성함. 황룡사皇龍寺와 황룡사9층탑을 중수함. **8** 예종, 봉은사奉恩寺에서 태조 영정을 배알함. **10** 숙종 어진을 국청사國清寺로 옮겨 안치함. **11** 윤관尹瓘, 오연총吳延寵과 함께 신기군神騎軍과 신보군神步軍을 검열함.	**2** 송, 채경蔡京을 파면함: 조정지趙挺之를 재상에 임명함. **3** 송, 서하西夏와 화의함. ▶신성로마제국, 하인리히Heinrich 4세 사망: 하인리히Heinrich 5세 즉위.
1107 (3440) 정해	2	**1** 담진曇眞을 왕사王師로 삼음. **2** 각 도에 안무사按撫使를 파견함. **9** 최홍사崔弘嗣, 서경西京에 궁궐을 건립할 것을 건의함. **윤10** 여진 토벌군을 일으킴: 윤관尹瓘을 원수, 오연총吳延寵을 부원수에 임명함. **12** 윤관尹瓘, 동북면 여진을 정벌함.	**1** 송 채경蔡京, 다시 재상에 오름. **3** 송, 팔행취사과八行取士科를 설치함. **9** 송, 정이程頤 사망. ▶송, 미불米芾 사망.

연대	고려	우리 나라	다른 나라
1108 (3441) 무자	예종 3	**1** 이자겸李資謙의 둘째딸을 왕비로 삼음. 윤관尹瓘·오연총吳延寵, 병항甁項에서 여진군에게 포위당함: 병마녹사 척준경拓俊京이 구원함. **3** 윤관尹瓘, 북계北界에 9성을 쌓음. **5** 오연총吳延寵, 웅주성雄州城에 침입한 여진을 격퇴함. **7** 윤관尹瓘, 여진을 다시 정벌함. **8** 전국에 점군사點軍使 보내 군사를 모집함.	**2** 송 섭몽득葉夢得, 붕당朋黨의 폐를 논함. **5** 송 동관童寬, 조주洮州를 회복함. **6** 프랑스, 루이Louis 6세 즉위. **12** 송, 여러 주州의 만족蠻族이 내부해 옴.
1109 (3442) 기축	4	**3** 여진이 길주성吉州城을 포위함. **4** 오연총吳延寵, 길주성吉州城 포위한 여진을 격퇴함. **5** 오연총吳延寵, 공험진公嶮鎭에서 패함: 윤관尹瓘이 구원함. 개경에 전염병이 유행함: 구제도감救濟都監 설치. **6** 여진이 사신을 보내 9성을 돌려줄 것을 간청함. **7** 9성을 여진에게 돌려줌. 국학國學에 7재七齋를 설치함.	**6** 송, 채경蔡京을 파면함: 하집중何執中을 재상에 임명함. **8** 송, 한충언韓忠彦 사망. **11** 송,《예서禮書》를 편찬함. ▶영국, 안셀무스Anselmus 사망.
1110 (3443) 경인	5	**5** 최홍사崔弘嗣, 윤관尹瓘과 오연총吳延寵의 패전의 죄를 탄핵함. **9** 제술과製述科·명경과明經科 등 과거科擧 과목을 정함. 남명문南明門 앞에서 신기군神騎軍·신보군神步軍·정노군精弩軍·도탕반군跳盪班軍을 사열함. **12** 윤관尹瓘, 수태보문하시중守太保門下侍中에 오름.	**5** 송, 사학詞學 겸 무과茂科를 설치함. **6** 송, 장상영張商英을 재상에 임명함. **7** 송, 방전균세법方田均稅法을 일시 파함. **8** 송, 필요 없는 관리를 대폭 정비함. ▶독일 헨리Henry 5세, 이탈리아 원정에 오름.
1111 (3444) 신묘	6	**3** 노인 및 절부節義·의부義夫·효자孝子 등을 초빙하여 연회를 열어 줌. **5** 윤관尹瓘 사망. **8** 전주田主·전호佃戶의 전수분급률田收分給率을 제정함. ▶금산사金山寺 혜덕왕사진응탑비慧德王師眞應塔碑 건립.	**4** 송, 수령권농출척법守令勸農黜陟法을 제정하여 시행함. **8** 송, 장상영張商英을 파직함: 파면하였던 채경蔡京을 다시 등용함. **9** 송, 연경燕京(지금의 베이징北京) 회복을 위한 봉기 일어남. ▶신성로마제국 하인리히Heinrich 5세, 교황 파스칼리스Paschalis 2세에게 승직서임권僧職敍任權을 요구함.

연대	고려	우리 나라	다른 나라
1112 (3445) 임진	7	**1** 홍관洪灌을 동북면병마사에, 최홍정崔弘正을 서북면병마사에 임명함. **2** 혜민국惠民局을 설치함. **8** 속리사俗離寺 주지 정 (문종의 아들)과 상서우승 김인석金仁碩의 반란 음모를 적발함: 정을 거제현에 유배 보냄. ▶문관文冠 사망.	**2** 송, 소철蘇轍 사망. **4** 송, 방전균세법을 다시 시행함. **9** 송, 관직 명칭을 고쳐 정함. ▶교황 파스칼리스Paschalis 2세, 빈Wien 종교회의에서 하인리히Heinrich 5세를 파문함. ▶캄보디아, 앙코르와트Angkor Wat 사원 착공.
1113 (3446) 계사	8	**윤4** 여진, 9성을 되돌려준 것에 사례하고 말 · 금 등을 진상함. **8** 예의상정소禮儀詳定所를 설치함. **11** 김연金緣 · 박승중朴昇中, 《시정책요時政策要》를 찬진함. 경천사敬天寺 창건.	**1** 송, 왕안석王安石을 추봉함. **3** 송, 예제국禮制局을 설치함. **12** 송, 도경道經과 선경仙經을 구함. 여진의 아구다阿骨打, 황제 칭호인 도발극렬都勃極烈이라 자칭함.
1114 (3447) 갑오	9	**3** 담진曇眞을 국사에, 낙진樂眞을 왕사에 임명함. **6** 안직숭安稷崇, 송의 악기 · 보결譜訣 바침. **10** 요遼에서 여진 아구다阿骨打의 거병 사실을 알려 옴. **11** 함원전含元殿에서 송의 신악新樂을 검열함. ▶낙진樂眞 사망.	**1** 송, 도계道階 26계를 둠. **10** 여진, 요의 영강주寧江州를 공취함. **11** 여진, 혼동강混同江에서 요의 군사를 격파함.
1115 (3448) 을미	10	**2** 최사추崔思諏 사망. **8** 요에서 금金을 협공할 것을 요청해 옴: 척준경拓俊京 · 김부식金富軾 · 김부일金富佾 등이 반대함. **10** 예종, 6도의 신기군神騎軍을 검열함. ▶예종, 〈만년사萬年詞〉를 지음.	**1** 여진 아구다阿骨打, 황제를 칭함: 금金 건국. **9** 금, 요의 황룡부黃龍府를 점령함. **11** 금, 요의 군사를 격파함.
1116 (3449) 병신	11	**1** 천수사天壽寺 창건. 발해 유민 고영창高永昌이 랴오양遼陽에서 대원국大元國을 세움: 5월까지 존속하면서 연호로 융기隆基(응순應順)를 사용. **4** 예의상정소禮儀詳定所, 의복제도 제정. **5** 창제倉制를 개정함. 요의 연호를 폐하고 간지干支만 사용함. 오연총吳延寵 사망. **6** 왕자지王字之 · 문공미文公美, 송에서 대성아악大晟雅樂을 들여옴. **8** 금金이 내원성來遠城과 포주성抱州城을 함락함. 청연각淸燕閣을 설치함. **11** 보문각寶文閣을 설치함.	**4** 금, 대원국大元國의 고영창高永昌을 죽이고 요의 동경東京 주 · 현을 약탈함. 송, 하집중何執中 사망. **10** 송, 서하西夏의 침입을 받음.

연대	고려	우리 나라	다른 나라
1117 (3450) 정유	예종 12	**3** 요의 내원성來遠城과 포주성抱州城을 수복하여 의주義州를 둠. **6** 궁궐 내에 천장각天章閣을 설치함. **8** 김황원金黃元 사망.	**2** 송, 대리국大理國이 조공해 옴. **8** 요, 원군怨軍을 설치함. **12** 송, 동관童貫에게 추밀원樞密院을 통괄케 함.
1118 (3451) 무술	13	**4** 안화사安和寺를 중수함: 송의 휘종徽宗이 '능인지전能仁之殿' 편액 보내옴. **윤9** 금金의 침입에 대비하여 군사를 모집함.	**2** 송, 마정馬政을 금金에 보내 요遼 협공을 꾀함. ▶프랑스 드파양de Payens, 템플기사단temple騎士團을 창설함.
1119 (3452) 기해	14	**1** 영은관迎恩館에 화재 발생함. **7** 국학國學에 양현고養賢庫를 설치함. 조순거曺舜擧를 금金에 사신으로 보냄. **10** 건명전乾明殿에 화재 발생함.	**1** 송, 사원寺院을 고쳐 도교道教 사원인 궁관宮觀을 세움. **8** 금 희윤希尹, 여진문자女眞文字를 창제함.
1120 (3453) 경자	15	**5** 송宋에서 보낸 불골佛骨을 궁궐에 맞아들임. **8** 예종, 장생전長生殿에서 연회를 베풀고 〈수성명사壽星明詞〉를 지어 악공樂工에게 부르게 함. **10** 예종, 〈도이장가悼二將歌〉를 지음.	**5** 금, 요遼의 상경上京을 공략함. **9** 송, 금金이 요 공격에 대해 상의해 옴: 마정馬政을 금에 파견함. **10** 송, 방랍方臘의 난 일어남.
1121 (3454) 신축	16	**5** 관리들의 과도한 징세와 폭압을 금함. **6** 박경인朴景仁 사망. **11** 주·진의 장상將相과 장교將校의 녹봉祿俸을 정함.	**2** 송, 방전균세법方田均稅法·주현학州縣學·삼사법三舍法을 폐지함. **4** 송 동관童貫, 방랍方臘을 생포함. **9** 송, 환관에게 민전民田을 통괄케 함.
1122 (3455) 임인	17	▶예종 때. 화국畵局을 설치함. 〈벌곡조伐谷鳥〉 지음. **4** 예종 사망: 인종仁宗 즉위. **5** 이자겸李資謙, 중서령에 올라 집권함. **9** 《예종실록》을 찬수케 함. **12** 한안인韓安仁, 이자겸李資謙을 제거하려다 죽임을 당함. ▶왕자지王字之·최홍사崔弘嗣 사망.	**3** 금, 요의 서경西京을 취함. **5** 송 동관童貫, 요를 공격하다 패퇴함. **12** 금, 요의 연경燕京(지금의 베이징北京)을 취함. ▶신성로마제국 하인리히Heinrich 5세, 교황의 승직서임권僧職敍任權과 승정僧正의 자유선거를 인정함: 보름스Worms 협약.
1123 (3456) 계묘	인종 1	**1** 이자량李資諒 사망. **6** 송의 서긍徐兢이 고려에 옴. **10** 회경전會慶殿에서 백고좌도량百高座道場을 개최함. **12** 학식學式을 상정詳定함.	**4** 금, 연주燕州·역주易州·탁주涿州 등을 송에 할양함. 요 천조제天祚帝, 운중雲中으로 도주함. **7** 금, 태조太祖 사망: 태종太宗 즉위.

연대	고려	우리 나라	다른 나라
1124 (3457) 갑진	2	**7** 이자겸李自謙을 조선국공朝鮮國公에 봉함. 이령李寧이 그린 〈예성강도禮成江圖〉가 송宋으로부터 높은 평가를 받음. **8** 이자겸李自謙의 제3녀를 왕비로 삼음. **1** 서하, 금金에게 복속함.	**7** 요 천조제, 음산陰山으로 달아남. ▶송 서긍徐兢, 《고려도경高麗圖經》을 저술함.
1125 (3458) 을사	3	**1** 이자겸李自謙의 제4녀를 왕비로 삼음. **4** 이자현李資玄 사망. **5** 진숙陳淑, 금金에 사신으로 감: 금, 신하 칭하지 않는다고 국서 접수 거절. **8** 인종, 서경西京에 행차함. ▶각 신분의 자손에 대한 과거 응시 및 관직 수여 규례를 제정함. ▶영통사靈通寺 대각국사탑비大覺國師塔碑 및 반야사般若寺 원경왕사비元景王師碑를 건립함.	**1** 금 태종, 요의 천조제天祚帝를 사로잡음: 요遼 멸망. **7** 일본, 검약령儉約令을 공포함. **10** 금, 송宋을 침공함. **12** 송 휘종, 흠종欽宗에게 양위함. ▶금, 병제兵制를 개혁함.
1126 (3459) 병오	4	**2** 김찬金粲·최탁崔卓, 이자겸李自謙을 제거하려다 죽임을 당함. 이자겸李自謙, 반란을 일으킴(이자겸의 난): 궁궐을 불태우고 왕을 자신의 집으로 옮기게 함. 김수웅金守雄, 직사관直史館으로서 《국사國史》를 숨겨 보존함. **5** 인종, 척준경拓俊京을 시켜 이자겸李自謙을 잡아 유배 보냄. **6** 인종, 이자겸李自謙의 딸인 두 왕비를 폐하고 임원개任元凱의 딸을 새 왕비로 맞이함. **12** 금金에 사신 보내 요동이 고구려의 옛 땅임을 주장함. 이자겸李自謙 사망.	**1** 송 이강李綱, 금金의 대규모 공격을 막음. **2** 송, 이강李綱을 파면하고 금金에게 사죄함. **9** 금, 송의 변경汴京(지금의 카이펑開封)을 함락함. 송 흠종, 금에 항복함: 송宋 멸망.
1127 (3460) 정미	5	**3** 정지상鄭知常 등, 척준경拓俊京·최식崔湜 등을 탄핵하여 유배 보냄. 유신지교維新之敎 15조를 반포함. **10** 이자겸李自謙 일파의 토지와 재물을 원주인에게 돌려줌. **12** 김인존金仁存 사망.	**3** 금, 장방창張邦昌을 세워 초제楚帝라 함. **4** 금, 송 휘종과 흠종을 잡아 철군함: 정강靖康의 변. **5** 송 조구趙構(고종高宗), 난징南京에서 즉위함: 남송南宋 건국.
1128 (3461) 무신	6	**4** 원효元曉·의상義湘·도선道詵을 추증함. **8** 인종, 묘청妙淸·백수한白壽翰의 건의로 서경西京을 순행함. **11** 서경 임원역林原驛에 새 궁궐을 조성함.	**1** 금, 동경東京에 침입함. **11** 금, 처음으로 국사國史를 편찬함. **12** 남송 유예劉豫, 금에게 항복함.

연 대	고려	우 리 나 라	다 른 나 라
1129 (3462) 기유	인종 7	**2** 묘청妙淸 일파가 칭제건원稱帝建元을 주장함: 고려의 자주성 표방. 서경西京에 대화궁大華宮을 세움. **4** 불골佛骨을 대안사大安寺에서 맞아 인덕궁仁德宮에 안치함. **10** 동북 양계兩界에 관리를 보내 병기와 군사를 점검함. **11** 서적소書籍所를 설치함. 금에 사신을 파견하여 서표誓表를 보냄.	**2** 남송 고종, 항저우杭州로 피난함. **7** 남송, 항저우를 임안부臨安府로 고치고 수도로 삼음. **9** 금, 난징南京을 점령함. **12** 금, 임안臨安(지금의 항저우杭州)을 점령함. 남송 고종, 바다로 피신함.
1130 (3463) 경술	8	**3** 금, 고려 경내에 들어온 여진인의 송환을 요구함. **4** 송의 사신이 와서 고려 사신의 입조入朝를 중지케 함. **11** 청평사문수원중수비淸平寺文殊院重修碑를 건립함: 탄연坦然이 비문을 씀. **12** 액호도감額號都監을 설치함. ▶곽여郭輿 사망.	**1** 남송 고종, 온주溫州로 피신함. **4** 남송 한세충韓世忠, 강중江中에서 금金의 군사를 파함. **5** 남송 악비岳飛, 정안靜安에서 금金의 군사를 파함. **9** 금, 유예劉豫를 제제齊帝로 삼음. **10** 남송 진회秦檜, 금에서 돌아옴. ▶신성로마제국, 황제당皇帝黨과 교황당敎皇黨의 대립이 격화됨. ▶이탈리아 로저Roger 2세, 시칠리아Sicilia 왕국을 건설함.
1131 (3464) 신해	9	**3** 노장老莊의 학을 금함. 동서대비원東西大悲院과 제위보濟危寶를 수리하여 백성을 치료하게 함. **5** 평민들이 비단옷 입는 것과 말 타는 것, 종들이 가죽띠 매는 것을 금함. **8** 서경西京에 임원궁성林原宮城을 쌓고 궁중에 팔성당八聖堂을 둠.	**1** 남송, 장준張浚과 악비岳飛로 하여금 금金의 군사를 막게 함. **8** 남송 진회秦檜, 재상이 됨. **10** 남송 오개吳价 · 오린吳璘 등, 화상원和尙原에서 금의 군사를 대파함.
1132 (3465) 임자	10	**1** 개경開京과 서경西京의 궁궐을 수리함. **2** 묘청妙淸 · 정지상鄭知常, 서경 천도를 건의함. 인종, 서경西京에 행차함. **3** 서경西京에서 기병과 보병을 검열함. **4** 김부일金富佾 사망. **7** 개경인들이 자연재해에 의한 곡식값 폭등으로 굶주림. **8** 임원개任元凱, 묘청妙淸 일파를 처형할 것을 건의함. **11** 인종, 묘청妙淸의 건의로 혁신의 교서 내림.	**1** 남송 고종, 임안臨安(지금의 항저우杭州)에 행차함. **8** 남송, 진회秦檜를 파면함. **12** 남송, 후난湖南 지방에 월춘전月椿錢을 부과함. ▶야율대석耶律大石, 서요西遼를 세움.

연 대	고려	우 리 나 라	다 른 나 라
1133 (3466) 계축	11	**1** 무학武學의 취사取士 및 재호齋號를 폐지함. **2** 원자 철徹을 태자에 책봉함. **6** 처첩妻妾을 버린 자를 조사해서 처벌하게 함. **12** 이중李仲 등, 묘청妙淸 등을 추방할 것을 상소함.	**6** 남송 악비岳飛, 강광江廣의 도적을 평정함. **10** 남송 이성李成, 경서京西의 여러 군郡을 점령함. **11** 금 올출兀朮, 화상원和尙原을 함락함. ▶교황 이노센트Inocentius 2세, 로타르Lothar 2세를 신성로마제국 황제에 대관함.
1134 (3467) 갑인	12	**1** 묘청妙淸이 삼중대통지누각원사三重大統知漏刻院事에 오름. 적전籍田 제사에 처음으로 대성악大晟樂을 사용함. **3** 인종, 서경西京의 대화궁大和宮으로 거처를 옮김. **5** 임완林完, 묘청妙淸을 죽일 것을 상소함. **7** 홍주洪州 소태현蘇泰縣에 하도河道를 팜. **9** 김부식金富軾, 서경으로 천도하는 것에 극력 반대함. **10** 공원시법貢院試法을 제정, 시행함. **12** 황주첨黃周瞻, 또다시 칭제건원稱帝建元을 건의함.	**3** 남송 오개吳玠·오린吳璘 등, 선인관仙人關에서 금의 올출兀朮 군사를 격파함. **10** 남송 한세충韓世忠, 대의大儀에서 금金의 군사를 대파함. ▶남송, 대장경大藏經을 간행함.
1135 (3468) 을묘	13	**1** 묘청妙淸 등, 서경에서 반란 일으킴(묘청의 난): 국호를 대위大爲, 연호를 천개天開라 함. 김부식金富軾 등, 반란군을 공격하여 정지상鄭知常과 백수한白壽翰 등 주모자를 죽임. 반란군, 묘청妙淸을 죽이고 항복함. 조광趙匡 등, 다시 반란 일으킴. **2** 김부식金富軾, 군대로 서경을 포위함. **6** 공工·상商·악樂에 종사하는 자의 자손은 유공자라도 벼슬을 못 하게 함.	**1** 금, 태종 사망: 희종熙宗 즉위. **5** 송 휘종, 유배지 금金에서 사망. **6** 남송 악비岳飛, 호상湖湘 지방을 평정함. **11** 금 호사호胡沙虎, 몽골蒙古을 토벌함.
1136 (3469) 병진	14	**2** 서경西京이 정부군에게 함락됨. 조광趙匡 자살. **3** 개경 안팎의 사찰을 수리함. **4** 서경의 관료 수를 줄임. 경기 4도를 없애고 6현縣을 둠. **9** 궁중에서 백고좌도량 의식을 개최함. **10** 김부의金富儀 사망.	**7** 남송, 정씨학程氏學을 금함. **8** 남송 악비岳飛, 채주蔡州를 회복함: 10월 중위안中原 회복을 건의함. ▶영국 스테판Stephan, 〈옥스퍼드Oxford 헌장〉을 선포함.

연대	고려	우리 나라	다른 나라
1137 (3470) 정사	인종 15	**10** 인종, 개경에 돌아옴. **윤10** 백고좌도량百高座道場을 개설함. **11** 이공의李公儀 사망.	**3** 남송, 왕륜王倫을 봉영자궁사奉迎梓宮使로 삼아 금에 보냄. **11** 금, 유예劉豫를 폐함.
1138 (3471) 무오	16	**4** 인종, 흥왕사興王寺에 행차함. **5** 전각殿閣 이름들을 고치고 액호額號 내림. **10** 인종, 신궁新宮에 들어옴. **12** 서경西京의 관리 수를 늘임.	**2** 남송, 임안臨安(지금의 항저우杭州)으로 수도를 옮김. **3** 남송 진회秦檜, 재상이 됨. **8** 금, 관제를 반포함. **11** 남송 호전胡銓, 금金과의 화의를 반대하다 좌천됨.
1139 (3472) 기미	17	**2** 궁궐을 준공함. 사면령을 내림. **3** 최사전崔思全 사망. **10** 명인전明仁殿에서 불정도량佛頂道場을 개최함.	**1** 남송, 금金과 화의를 맺음. **6** 남송, 오개吳玠 사망.
1140 (3473) 경신	18	**2** 김약온金若溫 사망. **6** 악인樂人의 자손은 유공자有功者라도 관직에 오를 수 없게 함. **7** 집주관執奏官을 폐하고 내시별감內侍別監을 감원함.	**1** 남송, 이강李綱 사망. **5** 남송 오린吳璘 · 유기劉錡, 금의 군사를 격파함. **7** 남송 악비岳飛, 금의 군사를 주선진朱仙鎭에서 대파함.
1141 (3474) 신유	19	**7** 명주도감창사溟州道監倉使, 울릉도를 조사하게 하고 그곳의 과실나무를 바침. ▶문공유文公裕, 보현사창사비普賢寺創寺碑의 비문을 씀. 징엄澄儼 사망.	**10** 남송 진회秦檜, 악비岳飛를 투옥시킴. **11** 남송, 금과 화의하고 신하를 칭함. **12** 남송, 금에 영토를 할양하고 악비岳飛를 죽임.
1142 (3475) 임술	20	**3** 김부식金富軾, 문하시중에서 물러남. **7** 금의 연호 황통皇統을 사용함. **11** 전국에 어사御史를 보내 주 · 현의 관리를 감찰함. **12** 봉은사奉恩寺 중수를 끝냄. ▶김인규金仁揆 사망.	**4** 금, 남송의 고종을 대송황제大宋皇帝에 책봉함. **8** 남송, 태후 위씨韋氏가 금에서 돌아옴. **9** 남송, 진회秦檜를 위국공魏國公에 봉함.
1143 (3476) 계해	21	**5** 연덕궁延德宮이 불탐. **12** 최자성崔滋盛 사망. ▶천녕川寧 등 6현에 감무監務를, 일선一善 등 7현에 현령縣令을 둠.	**1** 남송, 악비岳飛의 집에 태학太學을 설치함. **7** 남송, 태학太學에 석경石經(경전을 새긴 비석)을 세움. **12** 남송, 문서를 다루는 삼관三館을 다시 설치함.

연대	고려	우리 나라	다른 나라
1144 (3477) 갑자	22	**2** 척준경拓俊京 사망. **5** 김돈중金敦中, 문화시중이 됨. ▶서경西京 및 동서 주 · 진에 입사入仕하는 군인의 잡역을 면제함. ▶학일學一 사망.	**4** 남송, 야사野史를 금함. **12** 남송 왕륜王倫, 사신으로 금에 갔다 피살됨.
1145 (3478) 을축	23	**2** 서경西京의 대동문大同門이 불탐. **5** 수문전修文殿에서 소재도량消災道場을 개최함. **10** 탄연坦然을 왕사로 삼음. **12** 김부식金富軾, 《삼국사기三國史記》를 편찬함. ▶이지저李之氐 사망. **7** 남송, 장준張浚을 연주連州로 추방함.	▶남송, 모든 군郡의 잡세雜稅를 감해 줌.
1146 (3479) 병인	24	**2** 인종 사망: 의종毅宗 즉위. 무언誣言(꾸며 만든 말)에 따라 벽골제碧骨堤의 둑을 헐어버림. **12** 이듬해부터 연등회燃燈會를 1월 15일에 열기로 함. ▶권적權適 · 한유충韓惟忠 사망.	**1** 남송, 적전籍田의 예를 시행함. **9** 남송, 유예劉豫 사망. **12** 금, 서요西遼에 사신을 보냄: 서요, 사신을 죽임.
1147 (3480) 정묘	의종 1	**1** 서경인 이숙李淑 등, 금과 결탁하여 반란 꾀하다 발각됨: 7월 처형됨. **4** 의종, 제석원帝釋院에 행차함. **8** 과거에서 승보시陞補試(생원을 뽑던 시험)를 시행함.	**12** 금, 몽골蒙古과 화의함. ▶몽골 추장 오라熬羅, 원제元帝를 자칭함: 천흥天興 연호 사용. ▶제2회 십자군전쟁 일어남.
1148 (3481) 무진	2	**1** 수문전修文殿에서 제석도량帝釋道場을 개최함. **3** 최성崔誠 등의 상소로 내시內侍와 환관宦官 7인을 추방함. **10** 이심李深 등, 송나라 사람과 모의하여 《고려지도高麗地圖》를 남송의 진회秦檜에게 바치려다 죽임을 당함.	**1** 남송, 주희朱熹를 등용함. **6** 금, 적고내迪古乃가 재상에 오름. **10** 금, 올출兀朮 사망. **11** 남송, 호전胡銓을 해남海南에 유배 보냄. ▶십자군十字軍, 다마스쿠스Damascus를 포위함. ▶아프가니스탄, 이슬람계 고르Ghor 왕조 일어남.
1149 (3482) 기사	3	**8** 5군軍을 고쳐 3군軍으로 함. **9** 윤언이尹彦頤 사망. **10** 옥룡사玉龍寺에 도선대사비道禪大師碑를 세움.	**5** 금 적고내迪古乃, 태보太保에 오름: 12월 희종을 살해하고 해릉왕海陵王에 즉위함. ▶십자군十字軍, 원정에 실패하고 성지聖地에서 돌아옴.

연대	고려	우리 나라	다른 나라
1150 (3483) 경오	의종 4	**1** 금金의 사신이 와서 자국의 왕이 교체되었음을 알림. **9** 의종, 남경南京에 행차함. 북원北園에 구장毬場을 건립함. ▶수주樹州를 안남도호부安南都護府로 고침.	**1** 남송 시전施全, 진회秦檜를 해치려다 살해됨. **4** 금 해릉왕海陵王, 종실宗室을 많이 죽임. ▶영국, 《아더왕Arthur王 이야기》가 완성됨.
1151 (3484) 신미	5	**2** 김부식金富軾 사망. **3** 정습명鄭襲明 사망. **4** 의종, 침향목沈香木으로 관음상을 조각하여 내전에 모심. 환관 정함鄭諴을 권지합문지후權知閤門祗侯로 함. **5** 정서鄭敍, 동래東萊로 유배당함: 〈정과정곡鄭瓜亭曲〉을 지음. **6** 《책부원구冊府元龜》를 교정시킴. **12** 보문각寶文閣에 문첩소文牒所를 설치함: 공문 작성 및 교열 담당.	**3** 금, 연경燕京(지금의 베이징北京)에 궁궐을 세움. **8** 남송, 한세충韓世忠州 사망. ▶남송, 여러 주州에 혜민국惠民局을 설치함. ▶영국 헨리Henry, 노르망디공Normandie公이 됨.
1152 (3485) 임신	6	**3** 승려 자손은 7품직에 한하도록 함. **4** 만수정萬壽亭과 상춘정賞春亭을 건립함. 간관諫官들이 왕의 격구擊毬 놀이를 간하여 말림. ▶홍주洪州(홍성洪城)에서 농민반란 일어남.	**5** 남송, 샹양襄陽에 홍수 발생함. **12** 금, 소덕황후昭德皇后 자살. ▶아일랜드 교회가 교황에게 종속됨. ▶신성로마제국, 프리드리히Friedrich 1세가 즉위함.
1153 (3486) 계유	7	**3** 보제사普濟寺에서 오백나한재五百羅漢齋를 개최함. **4** 문무 양반에게 산직散職을 더하고 전시田柴를 내림. **11** 귀법사歸法寺에서 팔관회를 개최함. **12** 이인실李仁實 사망. ▶교웅敎雄 사망.	**3** 금, 연경燕京(지금의 베이징北京)에 천도하여 중도中都라 하고 카이펑開封을 남경南京이라 함. **5** 남송, 죄인의 재산 사적私籍을 금함. ▶영국 헨리Henry, 왕위 상속자가 됨.
1154 (3487) 갑술	8	**5** 과거제도를 개정함. 개경 동쪽에서 군사를 사열함. **9** 서경 중흥사重興寺를 중건함. **10** 홍주洪州(홍성洪城) 소태현蘇泰縣의 하구河渠를 개통함.	**5** 금, 교초고交鈔庫를 설치함. ▶신성로마제국 프리드리히Friedrich 1세, 이탈리아에 원정함: 로마에서 교황으로부터 대관됨.
1155 (3488) 을해	9	**1** 연등회燃燈會를 개최함. **12** 완산完山(전주全州)에서 농민반란 일어남. 유필庾弼 사망.	**10** 남송, 진회秦檜 사망. **12** 남송, 장준張浚의 관작을 복구시킴.

연대	고려	우리 나라	다른 나라
1156 (3489) 병자	10	**4** 의종, 흥왕사興王寺에 행차함. 금·은으로 글자 찍은《화엄경華嚴經》이 완성됨. **9** 임원후任元厚 사망. **10** 김존중金存中 사망.	**5** 송 흠종, 금金에서 사망. **7** 일본, 호겐保元의 난 일어남. **10** 남송 장준張浚, 또 좌천당함. ▶오스트리아Austria 공국 성립.
1157 (3490) 정축	11	**1** 왕제 익양후翼陽侯의 집을 빼앗아 이궁離宮을 건립함. **4** 개경에 태평정太平亭과 양이정養怡亭을 건립함. **5** 명주도감창사溟州道監倉使 김유립金柔立, 울릉도를 답사함. **10** 의종, 궁궐을 떠나 환관 정함鄭諴의 사저 경명궁慶明宮으로 옮김.	**6** 남송 탕사퇴湯思退, 재상에 오름. **10** 일본, 신제新制 25조를 반포함. ▶신성로마제국, 폴란드를 정복함. ▶러시아, 모스크바Mosckva를 건설함.
1158 (3491) 무인	12	**3** 묘청妙淸의 난에 참여하여 노비가 된 자들을 해방시킴. **6** 의종, 대신들에게 정함鄭諴의 관직 임명에 서명할 것을 명령함. **7** 신숙申淑, 정함鄭諴을 축출할 것을 상소함. **9** 백주白州에 별궁別宮을 건립함.	**7** 금 이통李通, 참지정사參知政事에 오름. **10** 금, 변궁汴宮을 건립함. **11** 남송 주희朱熹, 관직을 사퇴함. ▶신성로마제국, 이탈리아에 원정하여 밀라노Milano 등지를 정복함.
1159 (3492) 기묘	13	**2** 의종, 김존중金存中의 옛집으로 옮김. 신숙申淑, 관직을 사퇴하고 고향으로 돌아감. **11** 목감장牧監場에 축마요식畜馬料式(사육하는 표준)을 정함. 탄연坦然 사망. ▶왕충王沖 사망.	**2** 금, 남송 침입을 준비함. **12** 일본, 헤이지平治의 난 일어남: 다이라平清盛가 집권함.
1160 (3493) 경진	14	**7** 신숙申淑 사망. **10** 구정毬庭에서 승려 3만명을 3일간 대접함. ▶최함崔諴 사망.	**8** 남송, 하윤중賀允中을 금에 보냄. **12** 남송, 탕사퇴湯思退를 파면함. 회자會子(약속어음)를 사용함.
1161 (3494) 신사	15	**3** 동계 선덕진宣德鎭의 병고兵庫 300여 칸이 불탐. **10** 함음현咸陰縣의 자화子和 등, 정서鄭敍의 처 임씨任氏를 무고함: 함음현이 부곡部曲으로 강등됨. **11**《국조예악상정의문國朝禮樂詳定儀文》을 상정함.	**7** 금, 변경汴京(지금의 카이펑開封)으로 천도함. **9** 금, 남송을 침공함. **11** 남송 우윤문虞允文, 금의 군사를 채석采石에서 격파함. 금, 해릉왕海陵王 피살: 세종世宗 즉위. ▶교황 알렉산더Alexander 3세, 로마를 버리고 도망함.

연대	고려	우리나라	다른나라
1162 (3495) 임오	의종 16	5 이천伊川·동주東州·선주宣州 등지에서 대규모 민란 일어남. 6 개경에서 폭동 일으킨 군사가 영평문永平門을 부수고 시외로 진출함. 8 최윤의崔允儀 사망.	윤2 남송, 유기劉錡 사망. 12 금, 또다시 양회兩淮·산시陝西 지방 공취를 기도함. ▶남송, 정초鄭樵 사망. ▶영국 베케트Becket, 캔터베리Canterbury의 대주교大主教가 됨.
1163 (3496) 계미	17	2 의종, 천수사天壽寺·홍원사洪圓寺에 행차하였다가 술에 취해 유숙함. 8 좌정언 문극겸文克謙, 환관 백선연白善淵과 술사術士들을 탄핵하다 좌천당함. ▶정주靜州 압록강 연안의 섬에 들어가 살던 금나라 사람들을 축출하고 둔전屯田을 설치함.	4 남송, 여조겸呂祖謙을 관직에 등용함. 11 남송, 금과의 화의 득실을 논함. 12 남송, 탕사퇴湯思退와 장준張浚을 재상에 임명함. ▶프랑스, 파리의 노트르담Notre Dame 대성당 건축을 시작함.
1164 (3497) 갑신	18	2 악공樂工으로서 본업 버리고 다른 직업을 택한 자를 본업으로 돌아가게 함. 3 조동희趙冬曦를 남송에 보내 유동기鍮銅器를 전함. 7 관리들의 근무 성적을 고과考課함. ▶의종, 인지재仁智齋에 행차하여 밤중까지 잔치를 벌이자 무신들이 분노함.	8 남송, 장준張浚 사망. 10 금,군사들이 회하淮河를 건넘. 11 남송, 탕사퇴湯思退 사망. ▶금, 여진문자女眞文字로 경사經史를 번역함. ▶대월大越, 나라 이름을 안남安南으로 고침. ▶영국, 교회를 국권의 아래에 두는 법규를 제정함.
1165 (3498) 을유	19	3 금金의 군대가 인주麟州와 정주靜州에 침입하여 방수장防守將을 잡아감. 4 의종, 관란사觀瀾寺에 행차하여 예성강禮成江에서 뱃놀이함. ▶연흥전延興殿을 짓기 시작함.	2 남송, 금金과 화의하고 세공歲貢을 보냄. 12 남송, 홍괄洪适을 재상에 임명함. ▶동로마제국, 베네치아와 교전. ▶교황 알렉산더 3세, 로마로 돌아옴.
1166 (3499) 병술	20	4 현화사玄化寺 동쪽에 청녕재淸寧齋를 신축함. 환관 백선연白善淵, 의종의 나이에 맞추어 동불과 관음상을 40구씩 조성함. 10 구정毬庭에서 승려 3만명에게 음식을 대접함.	6 남송, 제거시박사提擧市舶司를 폐지함. 12 남송, 제국용사制國用司를 설치함. 섭옹葉顒과 위기魏杞를 재상에 임명함. ▶신성로마제국 프리드리히Friedrich 1세, 이탈리아에 원정함.

연대	고려	우리 나라	다른 나라
1167 (3500) 정해	21	**3~4** 의종, 중미정衆美亭과 만춘정萬春亭에서 유흥을 즐김. **8** 의종, 남경南京에 행차함. **10** 의종, 용흥사龍興寺에 행차함. ▶김영석金永錫 사망.	**2** 일본 다이라平淸盛, 태정대신太政大臣이 됨. **11** 남송, 섭옹葉顒과 위기魏杞를 파면함. ▶이탈리아, 롬바르디아Lombardia 도시 동맹으로 신성로마제국에 대항함. ▶영국, 옥스퍼드Oxford 대학 설립.
1168 (3501) 무자	22	**3** 의종, 서경西京에 행차함. 신령6조新令六條를 반포함. **4** 의종, 부벽루浮碧樓에서 신기군神騎軍의 농마희弄馬戱를 관람함. **11** 탐라안무사 조동희趙冬曦, 양수良守 등의 농민 반란을 평정함.	**2** 남송, 장불張芾을 재상에 임명함. **10** 남송, 진준경陳俊卿을 재상에 임명함. ▶신성로마제국 프리드리히Friedrich 1세, 내분을 평정함.
1169 (3502) 기축	23	**1** 선경전宣慶殿에서 소재도량消災道場을 개최함. **2** 별궁 신축 위하여 별공別貢을 거둠. **7** 대간臺諫들이 왕의 바깥 행차가 너무 빈번함을 간언함.	**1** 남송, 양회兩淮지방에 둔전屯田을 설치함. **11** 남송, 우윤문虞允文을 재상에 임명함. 악비岳飛 묘廟를 악주鄂州에 세움. ▶이집트, 아이유브Ayyūb 왕조 성립.
1170 (3503) 경인	24	**5** 의종, 대관전大觀殿에서 연회 베풀고 몸소 악장樂章을 지음. **8** 의종, 보현원普賢院에 행차함. 정중부鄭仲夫·이의방李義方·이고李高·이소응李紹膺 등, 정변 일으켜 무신정권을 세움(무신의 난): 김돈중金敦中·한뢰韓賴 등 피살. **7** 금에서 순문사詢問使를 보냄. **9** 정중부鄭仲夫 등, 의종을 추방하고 명종明宗 세움. 의종은 거제도로, 태자는 진도로 유배됨.	**5** 남송, 진준경陳俊卿이 퇴임함. **윤5** 남송, 범성대范成大를 금국기청사金國祈請使에 임명함. **12** 영국, 성직자 베케트Backet가 순교함. ▶프랑스, 파리Paris 대학 설립.
1171 (3504) 신묘	명종 1	**1** 이고李高, 반란 꾀하다 이의방李義方에게 제거됨. **4** 내시장군 채원蔡元, 조정의 대신들을 죽이려다 피살됨. **10** 궁궐 전각殿閣이 모두 불탐.	**9** 남송 주희朱熹, 사창社倉을 설립함. ▶영국, 아일랜드를 정벌함. ▶이집트, 파티마Patima 왕조 멸망.

연대	고려	우리 나라	다른 나라
1172 (3505) 임진	명종 2	**1** 정중부鄭仲夫, 서북면병마사가 됨. **6** 56개 현에 각각 감무監務를 파견함. 창주昌州 · 성주成州 · 철주鐵州 등 서북면에서 민란 일어남. **12** 명인전明仁殿에서 불정도량佛頂道場을 개최함.	**2** 남송, 좌우복야左右僕射를 좌우승상左右丞相으로 고침. **11** 금, 금은갱야세金銀坑冶稅를 폐지함. ▶남송, 《통감강목通鑑綱目》을 편찬함. ▶영국 헨리Henry 2세, 예루살렘 순례하고 베케트Becket 순교 사죄 받음.
1173 (3506) 계사	3	**4** 평두량도감平斗量都監을 설치함. **8** 동북면병마사 김보당金甫當, 의종을 복위시키려 난을 일으킴: 계사癸巳의 난. **9** 김보당金甫當, 처형당함. **10** 이의민李義旼, 의종을 경주에서 시해함. 3경 · 4도호 · 8목 이하 군 · 현 · 관 · 역의 문신 대신 무인을 임용함.	**5** 금, 여진인이 중국식 성姓을 쓰는 것을 금함. **10** 금, 회령부會寧府를 상경上京으로 고침. ▶인도,고르Ghor 왕조가 가즈니Ghazni 왕조를 축출함. ▶유럽에 최초의 국제적 대규모 은행이 설립됨.
1174 (3507) 갑오	4	**1** 중흥사重興寺 등의 승려 2천여명이 이의방李義方을 치려다 실패함. **3** 이의방李義方의 딸을 태자 비로 삼음. **9** 서경 유수 조위총趙位寵, 반란 일으킴: 서북면의 40여 성이 호응함. **10** 윤인첨尹鱗瞻을 보내 조위총趙位寵을 치게 함. **12** 이의방李義方, 피살됨. 정중부鄭仲夫, 문하시중이 됨. ▶최유청崔惟淸 사망.	**1** 남송, 이천조李天祚를 안남왕安南王에 봉함. **2** 남송, 우윤문虞允文 사망. **11** 남송 섭형葉衡, 우승상右丞相 겸 추밀사樞密使가 됨. ▶영국, 캔터베리Canterbury 성당을 재건함. ▶신성로마제국, 이탈리아에 원정함.
1175 (3508) 을미	5	**5** 삼소三蘇에 궁궐을 짓게 함. **6** 관군이 연주漣州를 함락하고 서경西京을 포위함. **8** 개경의 하급 관리들이 남도의 농민반란군과 정변을 계획하다 처형당함. **10** 조위총趙位寵, 10여성을 들어 금金에 귀부할 것을 청함. **11** 보제사普濟寺 중수. **12** 명종, 정중부鄭仲夫에게 궤장几杖을 하사함.	**8** 남송, 탕방언湯邦彦을 금국신의사金國申議使에 임명함. **9** 남송, 섭형葉衡을 파면함. ▶남송 주희朱熹, 《근사록近思錄》을 지음.

연대	고려	우리 나라	다른 나라
1176 (3509) 병신	6	**1** 천민 망이亡伊·망소이亡所伊, 공주公州 명학소鳴鶴所에서 반란 일으킴.: 망이·망소이의 난 **6** 망이·망소이의 반란군을 회유하기 위해 명학소鳴鶴所를 충순현忠順縣으로 승격시킴. 윤인첨尹鱗瞻, 서경을 함락하고 조위총趙位寵을 살해함. **9** 노약순盧若純 등, 망이亡伊의 반란군을 이용하여 정변을 꾀하다 실패함. ▶윤인첨尹鱗瞻 사망.	**4** 금, 외부학外府學 및 경부여진학京府女眞學을 설치함. **6** 남송 주희朱熹, 백록동서원白鹿洞書院의 중건을 건의함. ▶동로마제국, 셀주크 튀르크Seljuk Türks와 교전함.
1177 (3510) 정유	7	**1** 망이亡伊·망소이亡所伊 등 항복함. **3** 망이亡伊, 다시 반란 일으킴: 4월 공주公州와 아산牙山을 점령함. **5** 서경西京에서 민란 일어남. 충순현忠順縣을 다시 명학소鳴鶴所로 격하시킴. **7** 정세유鄭世猷, 망이 반란군을 토벌함. **9** 이의민李義旼에게 서경의 반란군을 정벌하게 함. **10** 궁궐도감과 시장이 화재로 불탐.	**2** 남송, 효종孝宗이 태학太學과 무학武學을 시찰함. 주희朱熹가 《사서집주四書集注》를 편찬함. **3** 금, 허베이河北 지방 및 산둥山東 지방의 조세를 면해 줌. ▶신성로마제국 프리드리히Friedrich 1세, 교황 알렉산더Alexander 3세와 베네치아Benezia에서 화의함.
1178 (3511) 무술	8	**1** 이의민李義旼, 서경西京의 민란을 진압함. 각 도에 찰방사察訪使를 파견함. **2** 서북면 반란군이 새로 부임하는 서경유수판관 박인택朴仁澤을 살해함. **4** 서경의 관제官制·녹봉祿俸·공해전公廨田을 개정함. **10** 서북면병마사 박제검朴齊儉, 서북면을 평정함. ▶삭방도朔方道를 명주도溟州道와 춘주도春州道로 분리함.	**1** 남송 진량陳亮, 현실 정세를 논함. **3** 남송 사호史浩, 우승상右丞相에 임명됨. **윤6** 일본, 신제新制 17조를 반포함. **11** 남송, 우승상에 사호史浩 대신 조웅趙雄을 임명함. ▶신성로마제국 프리드리히Friedrich 1세, 부르군트Burgund 왕관을 받음.
1179 (3512) 기해	9	**1** 서경西京 지방에 민란이 재발함. **4** 천령전千齡殿을 건립함. 이부李富, 서경 반란군의 유종遺種을 살해함. **6** 종린宗璘 사망. **9** 경대승慶大升, 정중부鄭仲夫·정균鄭筠·송유인宋有仁 등을 죽이고 집권함. 도방都房을 설치함. **11** 최충렬崔忠烈, 왕에게 팔관회八關會 경비의 폐해를 상소함.	**7** 남송, 풍저창豊儲倉을 설치함. **11** 일본 다이라平淸盛, 법황法皇을 유폐시킴. ▶남송 주희朱熹, 현실 정세를 직언함. ▶동로마제국, 베네치아Benezia의 통상 특권을 갱신함.

연 대	고려	우 리 나 라	다 른 나 라
1180 (3513) 경자	명종 10	**1** 개경開京에 폭동 일어남. 무신들이 사병私兵을 두기 시작함. **10** 봉은사奉恩寺 중수. **11** 강안전康安殿을 건립함. ▶만어사萬魚寺 창건. 이소응李紹膺 사망.	**8** 일본 미나모토源頼朝 등, 군사를 일으킴. ▶남송, 육구령陸九齡 사망. ▶프랑스, 필리프Philippe 2세 즉위.
1181 (3514) 신축	11	**1** 백성들이 사경원寫經院을 불태움. 문리산관文吏散官의 연한제年限制를 제정함. **3** 한신충韓信忠 등, 반란 꾀하다 유배당함. **4** 이의민李義旼, 칭병하고 경주로 돌아감. **7** 개경의 상인들이 쌀에 모래와 겨를 섞어서 파는 부정행위를 자행함.	**7** 남송, 여조겸呂祖謙 사망. **8** 남송 왕회王淮, 재상이 됨. **12** 남송, 주희朱熹의 사창법社倉法을 시행함.
1182 (3515) 임인	12	**2** 관성管城(옥천沃川)에서 민란 일어남. **3** 기두旗頭·죽동竹同 등, 전주全州에서 난 일으킴: 4월에 평정됨. **9** 목친전穆親殿과 여정궁麗正宮을 건립함.	**9** 남송 주희朱熹, 강남제형江南提刑에 임명되었으나 사양함. ▶일본, 제국추토사諸國追討使를 정지시킴.
1183 (3516) 계묘	13	**5** 중방重房, 문신의 감원을 건의함. **7** 경대승慶大升 사망. **8** 도방都房을 해체함. ▶공예태후恭睿太后·충희沖曦·이공승李公升 사망.	**3** 남송 이도李燾, 《속자치통감장편續資治通鑑長篇》을 올림. **6** 남송, 도학道學을 금함.
1184 (3517) 갑진	14	**1** 문무 관직의 녹봉을 감함. **2** 이의민李義旼, 개경에 올라와 실권을 장악함. **5** 금金의 제전사祭奠使가 옴. **11** 팔관회八關會를 개최함. ▶최우청崔遇淸 사망.	**2** 일본, 이치노다니一谷 싸움 일어남. **3** 금 세종, 회령會寧에 행차하여 조세를 면해 줌. **10** 일본 미나모토源頼朝, 가마쿠라鎌倉에 공문소公文所와 문주소問注所를 설치함.
1185 (3518) 을사	15	**3** 명종, 〈소상팔경도瀟湘八景圖〉를 그림. 쓰시마도주對馬島主가 다이라씨平氏의 난을 피하여 망명해 옴. **6** 환관 최동수崔東秀 등, 동류수東流水에 머리를 감고 모여 앉아 술을 마심: 유두음流頭飮. **8** 판적고版籍庫가 불탐.	**3** 일본, 단노우라壇の浦 싸움 일어남: 다이라씨平氏 멸망. **4** 금 세종, 연경燕京(지금의 베이징北京)으로 귀환함. **11** 일본 미나모토源頼朝, 가마쿠라鎌倉에 막부幕府를 설립함.

연대	고려	우리 나라	다른 나라
1186 (3519) 병오	16	**1** 장언대張彦大, 반란 꾀하다 처형됨. **8** 좌창左倉이 비어 다른 관부의 것을 빌려 녹봉을 줌. **10** 무관을 내시원內侍院 및 다방茶房에 예속시킴. **12** 무관이 춘추관春秋館 관직을 겸함. ▶최세보崔世輔, 《국사國史》를 편수함. 최여해崔汝諧 사망.	**5** 남송, 처사 곽옹郭雍에게 이정선생頤正先生의 호를 내림. **12** 남송, 진준경陳俊卿 사망. ▶인도, 가즈니Ghazni 왕조 멸망. ▶불가리아, 동로마제국의 지배에서 벗어남.
1187 (3520) 정미	17	**1** 추밀원樞密院이 불탐. **2** 선경전宣慶殿에서 소재도량消災道場을 개최함. **5** 개경에 전염병이 유행함. **7** 조원정曹元正, 반란 꾀하다 처형됨. **9** 서북면 귀화소歸化所에 있던 도적 수백 명이 탈출하여 노략질함.	**2** 남송 주필대周必大, 재상이 됨. **12** 금, 남송 의복을 모방하는 것을 금함. 남송, 곽옹郭雍 사망. ▶남송 주희朱熹, 《소학장구小學章句》를 저술함.
1188 (3521) 무신	18	**2** 악공樂工으로 다른 일에 종사한 자를 본업으로 돌아가게 함. **3** 5도 안찰사按察使로 하여금 관리들을 감찰케 함. **10** 명종, 외제석원外帝釋院에 행차함: 중단되었던 군사의 열병을 시작함.	**1** 남송, 보궐습유補闕拾遺 관직을 다시 설치함. **5** 남송, 왕회王淮를 파면함. **6** 남송 주희朱熹, 병부낭관兵部郎官이 되었으나 곧 사직함.
1189 (3522) 기유	19	**3** 금金의 세종 죽음에 봉위사奉慰使를 파견함. **6** 대창大倉에서 일어난 화재로 곡식이 모두 불탐. **9** 문극겸文克謙 사망.	**1** 금, 세종 사망: 장종章宗 즉위. **2** 남송 효종, 광종光宗에게 전위함. **3** 남송, 보궐습유 관직을 폐지함. ▶남송 주희朱熹, 《소학장구혹문小學章句或問》을 저술함. ▶제3회 십자군전쟁十字軍戰爭 일어남.
1190 (3523) 경술	20	**1** 경주지방에 민란이 발생함. **9** 경령전景靈殿에서 중양절重陽節 행사를 개최함. **12** 중랑장 강순의姜純義를 남로착적병마사南路捉賊兵馬使에 임명함. ▶지눌知訥, 〈정혜결사문定慧結社文〉을 발표함. 수선사修禪社를 결성함.	**3** 금, 제거制擧 및 굉사과宏詞科를 설치함. **10** 일본, 도다이사東大寺를 재건함. **11** 남송, 안남安南에서 조공해 옴. ▶미얀마, 스리랑카의 불교가 전래함. ▶독일, 독일기사단을 창설함.

연 대	고려	우 리 나 라	다 른 나 라
1191 (3524) 신해	명 종 21	**1** 이지명李知命 사망. **8** 청주淸州에 홍수 발생함. **9** 외방역군外方役軍을 3번으로 나눔. ▶노탁유盧卓儒 사망.	**1** 일본, 공문소公文所를 정소政所로 고침. **7** 일본 에이사이榮西, 남송에서 귀국하면서 임제선臨濟禪을 전래함. ▶신성로마제국, 이탈리아를 정벌함.
1192 (3525) 임자	22	**4** 정국검鄭國儉 · 최선崔詵 등, 《자치통감資治通鑑》을 교열하여 인쇄함. **8** 송宋의 상인이 와서 《태평어람太平御覽》을 바침. **10** 염신약廉信若 사망. **12** 지칭智偁 사망.	**윤2** 남송, 새로운 사찰의 건립을 금함. **7** 일본 미나모토源賴朝, 정이대장군征夷大將軍에 오름. **11** 남송, 육구연陸九淵 사망. ▶영국 리처드Richard 1세, 아라비아 살라딘Saladin과 회합 후 귀국 도중 오스트리아에서 유폐됨.
1193 (3526) 계축	23	**2** 운문雲門(지금의 청도淸道 지역)의 김사미金沙彌와 초전草田(지금의 울산蔚山 지역)의 효심孝心 등이 반란 일으킴. **7** 대장군 김존걸金存傑과 이지순李至純에게 반란군을 공격케 함: 이지순이 적과 내통하자 김존걸 자살함. **11** 최인崔仁을 남로착적병마사南路捉賊兵馬使에 임명하여 경상도 반란군을 진압케 함.	**3** 금, 금지禁地에서의 경작을 완화함. 서지국胥持國을 재상에 임명함. **7** 일본, 남송의 화폐 통용을 정지시킴. ▶남송, 범성대范成大 사망. ▶인도, 고르Ghor 왕조가 델리Delhi를 함락하고 벵골Bengal을 공략함.
1194 (3527) 갑인	24	**2** 김사미金沙彌, 관군에게 항복을 청하였으나 참살됨. 명주溟州의 농민 반란군이 관군을 격파함. **4** 효심孝心의 반란군이 관군과 밀양密陽에서 격전 벌임. **8** 반란군이 항복을 청함. **9** 이광정李光挺 사망. **12** 효심孝心, 관군에게 사로잡힘.	**8** 남송, 주희朱熹를 시강侍講에, 조여우趙汝愚를 우승상右丞相에 임명함. ▶독일 하인리히Heinrich 6세, 이탈리아에 원정하여 시칠리아Sicilia 왕위에 오름. ▶셀주크 튀르크Seljuk Türks, 분열되어 사실상 멸망함.
1195 (3528) 을묘	25	**3** 지방관과 권세가들의 백성들에 대한 수탈이 심해짐. **8** 상주에 공검제恭儉堤를 축조함. 중흥사탑重興寺塔이 파손됨. **9** 공사간의 묵은 부채를 면제하여 줌.	**2** 남송 조여우趙汝愚, 파면당함: 11월 영주永州에 유배됨. **3** 일본, 도다이사東大寺 재건 공양을 올림. ▶사라센제국, 이슬람교도가 마드리드Madrid를 점령함.

연대	고려	우리나라	다른나라
1196 (3529) 병진	26	**4** 최충헌崔忠獻, 이의민李義旼을 살해하고 정권을 잡음: 최씨 무신정권 성립. **5** 최충헌, 봉사封事 10조를 올림. **7** 유공권柳公權 사망. **8** 명종, 연경궁延慶宮으로 옮김. **11** 두경승杜景升, 중서령이 됨.	**1** 남송 조여우趙汝愚, 유배지에서 사망함. **8** 남송, 위학僞學을 금함. **12** 남송, 주희朱熹의 관작을 삭탈함.
1197 (3530) 정사	27	▶명종 때, 임춘林椿이 〈공방전孔方傳〉과 〈국순전麴醇傳〉을 지음. **9** 최충헌, 명종을 폐하고 신종神宗을 세움: 자신은 대국상장군大國上將軍이 됨. **10** 최충헌, 딸을 태자비로 삼으려 한 동생 최충수崔忠粹를 살해함. **11** 두경승杜景升 사망. ▶안동부를 안동도호부로 고침.	**8** 금, 서지국胥持國을 해임함. **12** 남송, 위학僞學의 적기籍記를 작성함. ▶신성로마제국 하인리히Heinrich 6세, 이탈리아 원정 도중 메시나Messina에서 사망함.
1198 (3531) 무오	신종 1	**1** 산천비보도감山川裨補都監을 설치함. **5** 천민 만적萬積 등이 개경에서 난을 계획하다 발각되어 처형당함: 만적의 난.	**5** 남송, 한탁주韓侂胄를 예국공豫國公에 봉함. **10** 금, 승안보화承安寶貨를 주조함.
1199 (3532) 기미	2	**2** 수공업자들의 복두幞頭 사용을 금함. 명주溟州와 동경東京에서 민란 일어남. **6** 최충헌崔忠獻, 문관과 무관의 인사권을 장악함. 수양장도감輸養帳都監 및 오가도감五家都監을 설치함. **7** 송에서 고려 상인의 동전 무역을 금함. **8** 황주목사 김준거金俊琚, 최충헌崔忠獻을 제거하려다 죽임을 당함.	**1** 일본, 미나모토源賴朝 사망. **9** 남송, 한탁주韓侂胄를 평원군왕平原君王에 봉함. ▶인도, 벵골Bengal을 정복함. ▶영국 리처드Richard 1세, 프랑스 원정 도중 사망함: 존왕John王 즉위.
1200 (3533) 경신	3	**4** 정방의鄭方義, 진주에서 난을 일으킴. **5** 밀성密城(지금의 밀양密陽 지역) 관노 50여 명이 운문雲門의 반란군에 합류함. **12** 최충헌崔忠獻, 자택에 도방都房 설치함. 최대의崔大義, 경주에서 반란 일으킴. ▶지눌知訥, 송광사松廣寺로 옮김: 조계종曹溪宗 성립.	**3** 남송, 주희朱熹 사망. **9** 남송 여조태呂祖泰, 한탁주韓侂胄 처형을 상소함. **10** 남송, 한탁주韓侂胄를 태부太傅에 올림. ▶신성로마제국, 노르망디Normandie 침입에 실패함.
1201 (3534) 신유	4	**3** 정방의鄭方義의 난을 평정함. **6** 최충헌崔忠獻, 겸이병부상서어사대부兼吏兵部尙書御史大夫가 됨. **12** 민식閔湜 사망.	**3** 남송, 임안臨安(지금의 항저우杭州)에 큰 화재 발생함. ▶금, 〈태화율령泰和律令〉을 제정함.

연대	고려	우리 나라	다른 나라
1202 (3535) 임술	신종 5	**3** 최충헌崔忠獻, 자기 집에서 문관과 무관의 인사를 처리함. 전왕 명종 사망. **10** 탐라耽羅에서 민란 일어남. 경주 별초군別抄軍이 폭동 일으킴. **12** 탐라민란을 평정함. 패좌孛佐 등, 경주지역에서 민란 일으켜 울진·운문 반란군과 함께 주·군을 침범함.	**2** 남송, 위학僞學 금지령을 완화함. **12** 남송 한탁주韓侂冑, 태사太師가 됨. ▶일본, 미나모토源賴家가 정이대장군征夷大將軍이 됨. 겐닌사建仁寺 창건. ▶제4회 십자군전쟁十字軍戰爭 일어남.
1203 (3536) 계해	6	**7** 춘주春州를 안양도호부安陽都護府로 고침. 경주민란을 진압하고 주모자 패좌孛佐를 참수함. **8** 태백산太白山에서 봉기한 아지阿之를 사로잡음. **9** 영주 부석사浮石寺와 대구 부인사符仁寺의 승려들이 난을 꾀하다 섬으로 유배됨. ▶정국검鄭國儉 사망.	**5** 남송 진자강陳自强, 재상이 됨. **7** 남송, 전함을 만들고 수군水軍을 설치함. **9** 일본 호조北條時政, 미나모토源賴朝를 폐함.
1204 (3537) 갑자	7	**1** 신종, 희종熙宗에게 선위하고 사망함. **6** 경상도를 상진안동도尙晋安東道로, 동경유수를 지경주사知慶州事로 격하시킴. **7** 장군 이광실李光實 등 30여명을 유배 보냄.	**1** 남송 한탁주韓侂冑, 금金 정벌을 논의함. **12** 남송, 재상에게 국용사國用使를 겸하게 함. 주필대周必大 사망. ▶십자군, 콘스탄티노플Constantinople을 함락함: 라틴Latin 제국 수립.
1205 (3538) 을축	희종 1	**1** 최충헌崔忠獻에게 내장전內莊田 100결을 하사함. **5** 이인로李仁老·이규보李奎報, 각각 〈정기亭記〉를 지음. **12** 최충헌崔忠獻, 진강군개국후晉康郡開國侯에 오름.	**3** 일본, 《신고금화가집新古今和家集》을 편찬함. **7** 남송 한탁주韓侂冑, 평장군국사平章軍國事에 올라 북벌을 도모함. **윤7** 일본, 호조北條義時가 집권함.
1206 (3539) 병인	2	**1** 최충헌崔忠獻에게 부府를 세워주기 위해 도감都監을 설치함. **3** 최충헌崔忠獻을 진강후晉康侯에 봉하고 흥녕부興寧府를 개설하여 줌. **4** 금金에서 책봉사冊封使를 보냄.	**1** 서하西夏, 이안전李安全이 자립함. ▶몽골 칭기즈칸Chingiz Khan(성길사한成吉思汗)이 국가 건설함. ▶아이바크Aibak, 인도에 이슬람 왕조를 건설함: 노예왕조.
1207 (3540) 정묘	3	**1** 중방重房과 장군방將軍房에서 기양도량祈禳道場을 개최함. **5** 최충헌崔忠獻, 생질 박진재朴晋材를 유배 보냄.	**1** 남송 오희吳曦, 촉왕蜀王을 자칭함: 2월 처형됨. **11** 남송 사미원史彌遠, 한탁주韓侂冑를 죽임: 12월 동지추밀同知樞密에 오름.

연 대	고려	우 리 나 라	다 른 나 라
1208 (3541) 무진	4	**6** 이규보李奎報, 직한림直翰林이 됨. **10** 희종, 최충헌崔忠獻 집에 행차하여 격구擊毬를 즐김. 진휼도감賑恤都監을 다시 설치함.	**3** 남송, 금과 화의하고 한탁주韓侂冑의 목을 베어 보냄. **10** 남송 사미원史彌遠, 재상에 오름. ▶신성로마제국, 필리프왕Pilippe王 피살.
1209 (3542) 기사	5	**2** 연등회燃燈會를 개최함. **3** 희종, 최충헌崔忠獻 집으로 옮겨감. **4** 최충헌, 교정도감敎定都監을 설치함. **10** 희종, 묘통사妙通寺에 행차하여 마리지천도량摩利支天道場을 개최함. **11** 희종, 연경궁延慶宮으로 돌아옴.	**5** 서하 이안전李安全, 몽골에 항복함. **12** 위구르Uighur, 몽골에 항복함. ▶교황 이노센트Inocentius 3세, 오토Otto 4세를 신성로마제국 황제에 즉위시킴. 프란체스코Francesco 교단을 인정함. ▶영국, 존왕John王이 승직서임권僧職敍任權으로 교황 이노센트Inocentius 3세와 대립하다가 파문당함. 케임브리지Cambridge 대학 설립.
1210 (3543) 경오	6	**3** 지눌知訥 사망. **8** 법운사法雲寺에서 인왕도량仁王道場을 개최함. **12** 태자 숙璹(강종)을 강화에서 불러옴.	**8** 서하, 금의 가주葭州를 침공함. **12** 몽골, 금의 서북변을 침공함.
1211 (3544) 신미	7	**5** 김양기金良器, 금에 사신으로 가다 몽골군에게 피살됨. **12** 희종을 폐위함: 강종康宗 즉위. ▶요세了世, 백련사白蓮社를 결성함. 최당崔讜 사망.	**4** 몽골, 금의 화의 요청을 거부함. **8** 몽골, 금에 침입하여 서경西京을 점령함. ▶몽골, 서요西遼를 멸함.
1212 (3545) 임신	강종 1	**1** 흥녕부興寧府를 진강부晉康府로 고침. **7** 원자 진瞋을 세자에 책봉함. ▶진각국사眞覺國師, 화방사花芳寺를 창건함. 임유任濡 사망.	**3** 서하, 금을 공격함. **5** 몽골, 금의 선덕부宣德府를 취함. ▶소년십자군少年十字軍, 원정에 올랐으나 실패함.
1213 (3546) 계유	2	**2** 봉은사奉恩寺에서 연등회燃燈會를 개최함. **6** 지겸至謙을 왕사王師로 삼음. **8** 강종 사망: 고종高宗 즉위.	**3** 금, 거란인 엘뤼류커耶律留哥가 요왕遼王을 칭함. **8** 금 호사호胡沙虎, 선종宣宗을 옹립함. ▶영국 존왕John王, 교황 이노센트Inocentius 3세에게 굴복함: 국토를 교황의 봉토封土로 바침.
1214 (3547) 갑술	고종 1	**1** 왕의 생일을 경운절慶雲節이라 함. **5** 고종, 혼당魂堂에 행차하여 사우제四虞祭를 지냄.	**4** 금, 몽골과 화친함. **5** 금, 변경汴京(카이펑開封)으로 천도함. **9** 몽골, 연경燕京(베이징北京)을 공격함.

연 대	고려	우 리 나 라	다 른 나 라
1215 (3548) 을해	고종 2	**4** 선경전宣慶殿에서 소재도량消災道場을 개최함. **5** 최충헌崔忠獻, 이규보李奎報를 우정언지제고右正言知制誥에 등용함. **8** 최충헌崔忠獻, 전왕 희종을 강화도 교동喬桐으로 옮김. 지눌知訥의 《간화결의론看話決疑論》을 편찬함. ▶각훈覺訓, 《해동고승전海東高僧傳》을 지음.	**5** 몽골, 연경燕京(베이징北京)을 함락하고 황하黃河 이북을 점령함. **6** 영국 존왕John王, 마그나 카르타 Magna Carta (대헌장大憲章)에 서명함. **10** 서하, 금의 임조臨洮(딩시定西) 점령함. ▶금 포선만노蒲鮮萬奴, 랴우둥遼東에서 동진東眞을 세움. ▶인도, 고르Ghor 왕조 멸망. ▶도미니코회Dominico會 창설.
1216 (3549) 병자	3	**8** 거란의 유민遺民이 몽골蒙古에 쫓겨 서북면에 침입해 옴. **9** 김취려金就礪, 연주延州에서 거란군을 대파함. **10** 거란군에 의해 보현사普賢寺가 불탐. **12** 거란군이 황주黃州에 침입해 옴.	**4** 요 엘뤼류커耶律留哥, 몽골에 항복함. **10** 몽골, 동관潼關을 공취함. ▶영국, 존왕John王 사망: 헨리Henry 3세 즉위.
1217 (3550) 정축	4	**1** 흥왕사興王寺 등의 승려들이 최충헌崔忠獻을 해하려다 실패함. **3** 5군軍, 태조탄太祖灘에서 거란병에게 대패함. **5** 김취려金就礪, 제천堤川에서 거란군을 대파함. 최광수崔光秀, 서경西京에서 반란 일으켰다가 피살됨.	**4** 금, 남송을 침공함. **12** 몽골, 서하西夏를 공격함: 서하 신종神宗, 서량西凉으로 도망함. ▶제5회 십자군전쟁十字軍戰爭 일어남.
1218 (3551) 무인	5	**1** 김덕명金德明, 〈신찬력新撰曆〉 제작. **9** 조충趙沖 등, 거란군을 강동성으로 축출함: 강동성전투江東城戰鬪. **12** 몽골 장군 합진哈眞이 동진東眞 군대와 함께 거란을 친다고 군량미를 요구해 옴: 고려와 몽골의 첫 접촉.	**5** 금 장유張柔, 몽골에 항복함. **8** 몽골, 금을 공격하여 여러 주州를 빼앗음. **12** 남송, 금의 화의 요청을 거절함.
1219 (3552) 기묘	6	**1** 조충趙沖 · 김취려金就礪, 몽골 · 동진東眞과 함께 강동성江東城을 함락함. **2** 동진인들이 의주에서 고려어를 배움. **9** 최충헌崔忠獻 사망: 아들 최우崔瑀가 집권함. **12** 경주를 다시 동경유수東京留守로 고침.	**1** 금, 남송을 공격함. **6** 남송, 조양棗陽에서 금의 군사를 격파함. **9** 몽골 칭기즈칸Chingiz Khan(성길사한成吉思汗), 터키를 공격함.

연대	고려	우리 나라	다른 나라
1220 (3553) 경진	7	**2** 금의 장수 우가하亐哥下가 의주義州에서 반란 일으킨 한순韓恂을 잡아 보내옴. **3** 이인로李仁老 사망. **4** 김취려金就礪 등을 의주義州에 보내 백성을 위무시킴. **9** 몽골 사신이 와서 공물貢物을 독촉함. 조충趙沖 사망.	**7** 금, 몽골蒙古에 화의를 청함. **9** 송 · 서하 연합군, 금金을 공격하였으나 실패함.
1221 (3554) 신사	8	**5** 최우崔瑀가 진강후晋康侯를 물려받음. **8** 몽골 사신 저고여著古與가 공물을 요구해 옴. **9** 승형承洞 사망. **윤12** 대신들이 최우崔瑀의 집에서 몽골 방비책을 논의함.	**5** 일본, 소규承久의 난 일어남. **10** 몽골 무가리木華黎, 서하西夏를 공격함. **윤12** 남송, 몽골蒙古에 사신 보냄.
1222 (3555) 임오	9	**1** 몽골에 대비하여 선주宣州 · 화주和州 · 철관鐵關에 성을 쌓음. **7** 정주靜州에 침입한 동진東眞 군대를 격파함. 한순韓恂의 잔당이 또다시 동진 군사를 끌어들여 의주에 침입해 옴.	**2** 금, 남송을 침공함. **10** 몽골 무가리木華黎, 금의 하중河中을 취함. **12** 몽골, 인도에 육박함. ▶헝가리 안드레아스Andreas 2세, 〈황금칙서黃金勅書〉를 발표함.
1223 (3556) 계미	10	**1** 융기도감戎器都監을 설치함. **5** 서북면병마사 김희제金希磾, 의주에 침입한 금의 군대를 격퇴함. 왜구가 금주金州(김해金海 지역)에 침입해 옴. **7** 개경에 나성羅城을 쌓음. **8** 거란 침입 때 불탄 보현사장육소상普賢寺丈六塑像을 조성함. **10** 황태후를 대황태후大皇太后로 함. ▶이 무렵, 탐라耽羅의 명칭을 제주濟州로 바꿈.	**3** 몽골 무가리木華黎, 해주解州에서 사망. **12** 몽골 수부타이速不臺, 킵차크Kipchak를 멸함. ▶서하, 남러시아를 공략함.
1224 (3557) 갑신	11	**1** 동진東眞에서 사신을 보내 시장 개설을 청함. **7** 대장군 이극인李克仁, 최우崔瑀를 살해하려다 피살됨. **11** 몽골 사신 저고여著古與가 함신진咸新鎭에 옴. ▶금金의 연호 사용을 중지함. ▶이공로李公老 사망.	**6** 일본, 호조北條泰時가 집권함. **10** 서하, 금金과 화의함. ▶몽골, 남러시아 제후를 칼카Khalka에서 격파함. 오고타이한국Ogotai汗國 성립. ▶이탈리아, 나폴리Napoli 대학 설립.

연 대	고려	우 리 나 라	다 른 나 라
1225 (3558) 을유	고종 12	**1** 몽골 사신 저고여著古與가 본국으로 돌아가다 압록강 연안에서 피살됨: 몽골, 고려를 의심하여 절교를 선언함. **6** 최우崔瑀, 자기 집에 정방政房을 설치함. 동진인東眞人 주한周漢이 여진소자女眞小字를 전해옴. **8** 권응경權應經, 〈왜형도倭形圖〉를 그림. **10** 저상전儲祥殿·봉원전奉元殿·함원전含元殿·목친전睦親殿에 화재 발생함.	**1** 남송 사미원史彌遠, 제왕濟王 횡竑을 시해함. **2** 남송 이전李全, 반란 일으킴. **6** 남송, 사미원史彌遠을 위국공魏國公에 봉함. **12** 몽골, 서하西夏에 침입함. ▶안남, 이조李朝 멸망: 진조陳朝 성립. ▶이탈리아, 베네치아Benezia에 독일인 상관商館을 설치함.
1226 (3559) 병술	13	**1** 서북면병마사 김희제金希磾, 금의 우가하于哥下 군사를 격파함. 거제현령 진용갑陳龍甲, 거제에 침입한 왜구를 격퇴함. **5** 조영수趙永綏, 서경에서 반란 꾀하다 처형됨. **6** 왜구가 금주金州(지금의 김해金海)에 침입해 옴. ▶《어의촬요御醫撮要》를 간행함.	**3** 몽골, 이전李全 반군을 청주靑州에서 포위함. **8** 금, 익정원益政院을 설치함. ▶이탈리아, 프란체스코Francesco 사망.
1227 (3560) 정해	14	**3** 최우崔瑀, 김희제金希磾 등을 살해함. **5** 경상도 웅신현熊神縣에 침입한 왜구를 격퇴함: 일본, 국서 보내 변방 침략을 사죄하고 통상을 청함. **윤5** 신기군神騎軍 출신 인걸仁傑의 지휘하에 농민반란군이 개경에서 활동함. **9**《명종실록明宗實錄》을 편찬함.	**5** 남송 이전李全, 몽골에 항복함. **6** 몽골, 서하西夏를 멸함. **10** 몽골, 칭기즈칸Chingiz Khan 사망. ▶몽골, 차가타이 한국Chaghatai汗國이 성립됨. ▶신성로마제국 프리드리히Friedrich 2세, 십자군전쟁에 협조하지 않다가 교황에게 파문당함.
1228 (3561) 무자	15	**7** 동진東眞 군사 1천여명이 장평진長平鎭에 주둔함. **8** 문관과 무관 4품 이상에게 변방 방비책을 물음. 최우崔瑀, 사전私田 700여 결을 제위諸衛 및 교위방校尉房에 속하게 함. **12** 왕규王珪 사망.	**8** 금 진화상陳和尙, 대창원大昌原에서 몽골 군사를 대파함. ▶독일, 처음으로 금화金貨를 발행함. ▶제6회 십자군전쟁十字軍戰爭 일어남: 예루살렘 점령.
1229 (3562) 기축	16	**4** 삼사三司의 문장고文張庫가 불탐. **5** 동진東眞 군대가 화주和州에 침입해 옴. **7** 지겸至謙 사망. **11** 최우崔瑀, 가병家兵을 사열함.	**8** 몽골, 태종太宗 즉위. **12** 몽골, 산부算賦를 정함. ▶교황 그레고리Gregory 9세, 종교재판소를 설치함.

연대	고려	우리 나라	다른 나라
1230 (3563) 경인	17	**1** 금의琴儀 사망. **8** 최향崔珦(최우崔瑀의 동생), 홍주洪州에서 난 일으키다 잡혀 옥사함. **11** 이규보李奎報, 전라도 위도蝟島에 유배됨.	**2** 몽골, 십로과세소十路課稅所를 세움. **8** 몽골 세탄체史天澤, 위주衛州를 취함. **11** 일본, 장원莊園 설립을 금함. ▶신성로마 프리드리히Friedrich 2세, 교황과 화해하여 파문이 풀림.
1231 (3564) 신묘	18	**7** 최우崔瑀의 부인 정씨鄭氏 사망: 왕후의 예로 장사지냄. **8** 살리타撒禮塔의 몽골군이 고려에 침입해옴: 제1차 침입. **10** 박서朴犀, 귀주龜州에서 몽골군과 전투 벌임. **11** 몽골, 개경에 육박해 옴. **12** 몽골과 강화함.	**1** 남송, 이전李全을 처형함. **5** 남송 조범趙范, 회안淮安을 회복함. **8** 몽골, 예류추싸이耶律楚材를 중서령中書令으로 함. **10** 몽골, 촉蜀의 여러 군郡이 항복해 옴.
1232 (3565) 임진	19	**1** 몽골 살리타撒禮塔가 다루가치達魯花赤 72명을 두고 철군함. 충주 노비들이 반란 일으킴: 9월 평정. **6** 강화江華로 천도함. **7** 서북지방의 다루가치를 축출함. **12** 김윤후金允侯, 처인성處仁城(지금의 용인龍仁 지역)에서 2차로 침입한 살리타撒禮塔를 사살함. ▶부인사符仁寺의 《초조대장경初雕大藏經》이 몽골군에 의해 불탐.	**1** 몽골 스부타이速不臺, 연경燕京(지금의 베이징北京)을 포위함. **8** 일본, 〈정영식목貞永式目〉을 제정함. **10** 몽골, 튜루이拖雷 사망. **12** 몽골 · 남송, 금金 정벌을 논의함.
1233 (3566) 계사	20	**4** 몽골이 왕이 내조할 것을 요구해 옴. **5** 병마사 이자성李子晟, 경주의 민란을 평정함. **6** 서경인 홍복원洪福源과 필현보畢賢甫 등이 반란 꾀함. **12** 최우, 서경을 공격하여 필현보를 처형함. 홍복원, 랴오양遼陽으로 달아남.	**6** 몽골, 변경汴京(지금의 카이펑開封)을 함락함. **9** 몽골, 동진東眞을 멸함. **10** 남송 맹공孟珙, 몽골 군사와 함께 채주蔡州를 포위함. ▶동진, 포선만노蒲鮮萬奴 사망.
1234 (3567) 갑오	21	**1** 강화도에 궁궐과 관부를 조성함. **6** 혜심慧諶 사망. **10** 최우崔瑀를 진양후晋陽侯에 봉함. ▶최윤의崔允儀의 《고금상정예문古今詳定禮文》 50권이 세계 최초의 금속활자로 간행됨.	**1** 몽골, 남송과 함께 금을 멸함. **6** 일본, 염불종念佛宗을 금함.

연 대	고려	우 리 나 라	다 른 나 라
1235 (3568) 을미	고종 22	**2** 태조신太祖神을 남경南京의 새 궁궐에 옮겨 모심. **윤7** 탕구唐古의 몽골군 침입: 제3차 침입. **9** 몽골군이 경주에까지 침입해 옴. **10** 야별초夜別抄 군대가 지평砥平에서 몽골군을 격파함. **12** 최우崔瑀, 강화 연안에 성을 쌓음. 김인경金仁鏡 사망.	**1** 남송, 정불程芾을 몽골통호사蒙古通好使에 임명함. **2** 몽골 태종, 카라코룸和林에 수도를 건설함. ▶신성로마제국, 제국평화령帝國平和令을 반포함.
1236 (3569) 병신	23	**6** 몽골군이 서북면 여러 성과 황주黃州 · 신주信州 · 안주安州 등 3주를 장악함. 각 도에 산성방호도감山城防護都監을 파견함. **8** 몽골군이 남경南京과 평택 · 아산 등지에 둔전屯田을 조성함. **10** 강화에 대장도감大藏都監을 두고 대장경大藏經 판각을 시작함.	**1** 몽골, 처음으로 교초交鈔(지폐)를 사용함. **3** 몽골 바투拔都, 동유럽에 원정함. **10** 남송, 진일경陳日煚을 안남왕安南王에 봉함.
1237 (3570) 정유	24	**8** 강화에 외성外城을 쌓음. 전왕 희종 사망. 김경손金慶孫, 초적草賊 이연년李延年의 난을 진압함. **12** 최우崔瑀의 발원으로 《금강반야바라밀경金剛般若波羅密經》을 조판함.	**2** 남송 주희朱熹, 《통감강목通鑑綱目》을 강론함. 몽골, 역령驛令을 제정함. ▶몽골 바투拔都, 모스크바Moskva를 점령함.
1238 (3571) 무술	25	**윤4** 몽골군에 의해 황룡사皇龍寺 9층탑과 장육상丈六像이 불탐. **5** 조현습趙玄習 · 이원우李元祐 등, 군사 2천여명을 거느리고 몽골에 항복함. **12** 김보정金寶鼎이 몽골에 철병을 요구함.	**10** 몽골, 연경燕京(베이징北京)에 대극서원大極書院을 세움. ▶사라센제국, 그라나다Granada 왕국을 건설함.
1239 (3572) 기해	26	**4** 몽골군이 철수함: 몽골 사신이 고려 왕의 친조親朝를 요구함. **8** 몽골, 고려 왕의 친조를 독촉함.	**1** 남송 사숭지史嵩之, 재상이 됨. **3** 남송 맹공孟珙, 몽골 군사를 공격해 상양襄陽을 회복함. ▶교황 그레고리Gregory 9세, 신성로마 제국 프리드리히Friedrich 2세를 파문함.
1240 (3573) 경자	27	**4** 조수趙脩 · 김성보金成寶 등을 몽골에 보냄. **9** 신안공新安公 전佺, 몽골 사신과 함께 와서 왕의 친조親朝를 권유함. **12** 송언기宋彦琦 등을 몽골에 보냄. ▶최우崔瑀의 아들 최만전崔萬全과 최만종崔萬宗이 고리대금高利貸金으로 경상도민을 착취하여 원성이 높아짐.	**2** 남송 맹공孟珙, 쓰촨四川 지방에 둔전屯田을 조성함. ▶몽골 바투拔都, 키예프Kiev 공국을 점령함. ▶프랑스, 노트르담Notre Dame 대성당을 완성함.

연대	고려	우리 나라	다른 나라
1241 (3574) 신축	28	**4** 왕의 조카 영녕공永寧公 준綧을 왕자로 칭하고 몽골에 보내 뚤루게禿魯花(질자質子: 볼모)로 삼음. **9** 이규보李奎報 사망. 《동국이상국집東國李相國集》 간행.	**1** 몽골, 태종 사망: 태후가 황제를 자칭하고 집권함. **7** 몽골, 색목인色目人의 징세청부제徵稅請負制를 시행함. ▶몽골, 북유럽 제후諸侯 연합군을 격파함. ▶독일, 한자동맹Hansa同盟 성립.
1242 (3575) 임인	29	**9** 각 주·현에 심검사審檢使를 파견함. **10** 최우崔瑀에게 식읍食邑을 더 주고 공公으로 올려줌.	**1** 남송 맹공孟珙, 촉에 침입한 몽골 군사를 방어함. **7** 몽골, 회수淮水를 건너 남송에 침입함.
1243 (3576) 계묘	30	**2** 각 도에 순검사巡檢使 및 권농사勸農使를 보냄. **5** 단오 때의 그네뛰기 및 고취鼓吹놀이 하는 것을 금함. **6** 국학國學을 보수하고 양현고養賢庫에 쌀 300곡을 비축함. ▶강화 흥국사興國寺 창건.	**2** 남송, 여개余玠를 사천제치사四川制置使로 삼음. ▶몽골 바투拔都, 킵차크 한국Kipchak汗國을 세움.
1244 (3577) 갑진	31	**2** 최우崔瑀, 가면인잡희假面人雜戱를 관람함. **8** 강안전康安殿을 다시 지음. ▶이왕진李王眞 사망.	**3** 몽골, 야율초재耶律楚材 사망. **12** 남송, 맹공孟珙이 강릉부를 다스림. 범종范鐘과 두범杜範이 재상에 오름. ▶이탈리아, 로마Rome 대학이 설립됨. 혼인식에 성직자聖職者를 입회시키도록 함.
1245 (3578) 을사	32	**3** 고종, 건성사乾聖寺와 복진사福震寺에 행차함. **5** 최우崔瑀, 종실 사공司空 이상 및 재추宰樞를 초대하여 연회를 베풂. **10** 신안공新安公 전佺을 몽골에 보냄. ▶강화 선원사禪源寺 창건. ▶요세了世 사망.	**4** 남송, 두범杜範 사망. ▶몽골, 벵골Bengal 지방 동북면에 침입함. 회서淮西를 공략함. ▶교황 이노센트Inocentius 4세, 리용Lyon 종교회의에서 프리드리히Friedrich 2세를 폐위한다고 공식 선언함.
1246 (3579) 병오	33	**5** 단오 때의 남녀 그네뛰기 및 고취鼓吹놀이를 금함. 권형윤權衡允을 울릉도 안무사按撫使로 삼음. **7** 최종준崔宗峻 사망. ▶왕해王諧 사망.	**7** 몽골, 정종定宗(귀유貴由) 즉위. **9** 남송 가사도賈似道, 경호제치사京湖制置使가 됨. 맹공孟珙 사망. **12** 남송, 사숭지史嵩之가 퇴임함.

연 대	고려	우 리 나 라	다 른 나 라
1247 (3580) 정미	고종 34	**3** 동진인東眞人의 무단 월경을 금함. **6** 최우崔瑀, 서자 최항崔沆(최만전崔萬全)을 호부상서로 삼음. **7** 몽골 아모간阿母侃이 홍복원洪福源과 함께 염주鹽州(황해도 연안延安)에 침입함. 안서대도호부安西大都護府의 해주海州를 목牧으로 함.	**4** 남송 조규趙葵, 추밀사樞密使에 오름. ▶몽골, 교황 사절 칼피니Carpini가 입국함. ▶교황 이노센트Inocentius 4세, 네덜란드 윌리엄William으로 독일 왕을 칭하게 함.
1248 (3581) 무신	35	**3** 북계北界 여러 성의 민호民戶를 섬으로 보내 방어 업무를 하게 함. 최항崔沆, 추밀원주지사에 오름. **10** 양반에게 개경을 윤번輪番으로 지키게 함.	**3** 몽골, 정종 사망: 황후가 황제를 자칭하고 집권함. ▶제7회 십자군전쟁十字軍戰爭 일어남: 프랑스 루이Louis 9세가 지휘.
1249 (3582) 기유	36	**6** 안전安戩을 몽골에 보냄. **8** 몽골에서 고려 왕이 강화江華에서 나와 친조할 것을 강요해 옴. **9** 별초군別抄軍, 동계東界에 침입한 동진東眞 군대를 격파함. **11** 최우崔瑀 사망: 아들 최항崔沆이 정권을 장악함.	**9** 남송, 내외 상서上書를 엄히 제한하고 유익한 내용을 정선하게 함. **12** 일본, 겐조사建長寺 창건.
1250 (3583) 경술	37	**1** 승천부昇天府(개풍군開豊郡)에 궁궐을 지음. **3** 북계北界의 주민들을 서경 · 경기와 서해도西海道(황해도)에 옮겨 살게 함. **6** 몽골 사신이 출륙의 상황을 조사함. **8** 강도江都에 중성中城을 축조함. ▶〈한림별곡翰林別曲〉 지음.	**3** 남송 가사도賈似道, 양회제치대사兩淮制置大使가 됨. ▶프랑스 루이Louis 9세, 사라센인에 생포되었다가 화의하고 석방됨. ▶이집트, 아이유브Ayyubid 왕조 멸망: 마물루크Mamuluk 왕조 일어남.
1251 (3584) 신해	38	**3** 최항崔沆, 계모 대씨大氏를 죽임. **6** 몽골이 홍복원洪福源을 고려군민장관高麗軍民長官으로 삼음. 정업원淨業院을 세우고 승려들을 머물게 함. **9** 제2차대장경판(팔만대장경八萬大藏經) 조판 완성: 해인사海印寺에 현존. **10** 몽골이 고려 왕의 친조와 개경 환도를 촉구함. **윤10** 이자성李子晟 사망.	**6** 몽골, 헌종憲宗 즉위. **7** 몽골, 쿠빌라이Khubilai(홀필렬忽必烈)에게 한남漢南을 관할시킴. **11** 몽골, 서역승 나마那摩를 국사國師로 삼음.

연 대	고려	우 리 나 라	다 른 나 라
1252 (3585) 임자	39	**5** 승천부昇天府에 성城을 축조함. **7** 여러 산성에 방호별감防護別監을 파견함. **8** 충실도감充實都監을 두고 한인閑人과 백정白丁을 점검하여 군대에 충원함. **10** 서경유수西京留守를 둠. ▶옥천사임자명반자玉泉寺壬子銘飯子를 제작함.	**6** 몽골, 한지漢地를 종친宗親들에게 나누어 줌. **8** 몽골 쿠빌라이Khubilai(홀필렬忽必烈), 대리국大理國을 정벌함. ▶몽골, 호구조사를 실시함.
1253 (3586) 계축	40	**7** 몽골의 야굴也窟 군대가 침입해 옴. **8** 몽골군이 양산성椋山城과 동주산성東州山城을 함락하고 전주全州에 이름: 삼별초三別抄 군대가 격퇴함. **11** 고종, 출륙하여 승천부昇天府 궁궐에서 몽골 야굴也窟의 사자使者와 회견함. **12** 몽골군이 지릉智陵(명종 능)을 도굴함.	**4** 일본 니치렌日蓮, 법화종法華宗을 창시함. **7** 남송, 여개余玠 사망. **12** 몽골 쿠빌라이Khubilai(홀필렬忽必烈), 대리국大理國을 멸하고 티베트의 항복을 받음.
1254 (3587) 갑인	41	**1** 몽골에 사신으로 갔다 변절한 이현李玄을 처단함. 몽골군이 충주忠州를 공격하다 실패하고 철군함. **4** 충주를 국원경國原京으로 승격시킴. **7** 몽골의 가랄타이車羅大 군대가 대규모로 침입해 옴. **10** 상주산성尙州山城에서 몽골군을 격퇴함. 최린崔璘, 가랄타이車羅大의 진중에 들어가 철군을 요구함. ▶최자崔滋의 《보한집補閑集》을 간행함.	**1** 몽골 쿠빌라이Khubilai(홀필렬忽必烈), 요슈姚樞를 기용함. **4** 일본, 남송에 가는 배를 연 5척으로 제한함. **11** 몽골 쿠빌라이Khubilai(홀필렬忽必烈), 염희헌廉希憲을 경조선무사京兆宣撫使로 삼음. ▶독일, 라인Rhein 도시동맹 성립.
1255 (3588) 을묘	42	**3** 도굴당한 지릉智陵을 수축함. **6** 몽골 가랄타이車羅大군대가 또 침입해 옴. **8** 몽골군이 승천부昇天府에 이름. **10** 충주에서 몽골군을 격파함. **12** 최항崔沆, 중서령에 오름.	**2** 몽골 쿠빌라이Khubilai(홀필렬忽必烈), 휴헹許衡을 경조제학京兆提學으로 삼음. ▶노르웨이, 스톡홀름Stockholm을 건설함.
1256 (3589) 병진	43	**1** 수군水軍을 남하시켜 몽골군을 막게 함. **3** 이광李廣·송군비宋君斐, 입암산성笠巖山城에서 몽골군을 격파함. 주·현의 공한지空閑址를 경작케 하고 강화에 둔전屯田을 설치함. **9** 화의가 성립되어 몽골의 가랄타이車羅大 군대가 철수함. **12** 유민들에게 토지를 나누어 줌.	**5** 남송 문천상文天祥, 진사에 급제함. **7** 남송 정원봉程元鳳, 재상에 오름. **9** 몽골, 카이펑開封에 성을 쌓음. ▶독일, 황제 없는 대공위시대大空位時代가 시작됨.

연대	고려	우리 나라	다른 나라
1257 (3590) 정사	고종 44	**4** 안열安悅, 원주에서 농민반란 일으킴. **윤4** 최항崔沆 사망: 아들 최의崔竩가 집권함. **6** 몽골의 가랄타이車羅大 군대가 남경南京과 직산稷山에 침입해 옴. **8** 김식金軾을 몽골 진영에 보내 태자의 친조를 약속함. **9** 급전도감給田都監을 설치함.	**1** 남송 가사도賈似道, 지추밀원사知樞密院事가 됨. 몽골, 샹양襄陽을 공격함. **8** 몽골 헌종, 남송 정벌 길에 오름. ▶타이, 수코타이Sukhotai 왕조 성립. ▶프랑스, 소르본느Sorbonne 대학 설립.
1258 (3591) 무오	45	**3** 유경柳璥 · 김준金俊 등, 최의崔竩를 살해함: 최씨 무신정권 끝나고 왕정복고. **4** 최의崔竩의 재산을 관리와 양반들에게 분배함. **6** 몽골군이 평주平州(지금의 황해도 평산平山)에 진주함. **7** 홍복원洪福源, 몽골에게 살해됨. **10** 몽골 진영에 철군을 요구함. **12** 몽골이 영흥永興 지방에 쌍성총관부雙城摠管府를 설치함.	**2** 몽골 훌라구旭烈兀, 서역 여러 나라를 평정함. **4** 남송, 정원봉程元鳳을 파면함: 정대전丁大全이 재상에 오름. **9** 몽골, 검문劍門에 침입함. ▶몽골, 바그다드를 점령함: 아바스Abas 왕조 멸망.
1259 (3592) 기미	46	**1** 최자崔滋 · 김보정金寶鼎, 출륙 환도를 주장함. **2** 강화 마니산摩尼山에 이궁離宮을 세움. **3** 강화의 피난민에게 육지로 나가 농사짓게 함. **4** 태자 전倎, 몽골에 가서 항복의 뜻을 전함. **6** 고종 사망. 강화 내성 · 외성을 헐어냄. **11** 개경에 궁궐을 세움.	**2** 몽골 우량캐다이兀良哈臺, 담주潭州를 포위함. **7** 몽골 헌종, 합주合州의 진중에서 사망함. **9** 몽골 쿠빌라이Khubilai(홀필렬忽必烈), 악주鄂州를 포위함. **윤11** 남송, 몽골에 화의를 청함.
1260 (3593) 경신	원종 1	**2** 관민에게 개경에 집을 짓게 함. **4** 태자 전倎, 몽골에서 돌아와 즉위함: 원종元宗. **7** 왕자 심諶을 태자로 책봉함. 최자崔滋 사망. **8** 몽골이 다루가치達魯花赤를 폐지함. ▶이인로李仁老의 《파한집破閑集》을 간행함.	**3** 몽골 쿠빌라이(세조世祖), 카이핑開平에서 즉위함: 관제를 정함. **4** 몽골, 아릭부가阿里不哥가 카라코룸和林에서 따로 즉위함. **12** 몽골, 티베트승 파스파八思巴를 국사로 삼음. ▶몽골 왕실보王實甫, 〈서상기西廂記〉를 지음.

연 대	고려	우 리 나 라	다 른 나 라
1261 (3594) 신유	2	**3** 동서학당東西學堂을 설치함. **7** 압록강 서쪽에 몽골과의 교역장을 설치함. **9** 몽골이 랴오양遼陽에 안무고려군민총관부按撫高麗軍民摠管府를 설치함.	**5** 몽골 세탄체史天澤, 재상이 됨. **10** 몽골 세조, 아릭부가阿里不哥를 파하고 북방을 평정함. ▶니케아Nicaea제국, 미카엘Michael 8세가 콘스탄티노플을 회복하고 라틴제국을 멸함.
1262 (3595) 임술	3	**6** 몽골이 파사부婆娑府의 둔전병屯田兵을 압록강 서쪽으로 이주시킴. **9** 몽골 사신이 매와 구리 2만근을 요구해 옴. **10** 미륵사彌勒寺와 공신당功臣堂 보수함.	**8** 몽골 세탄체史天澤, 지난濟南을 함락함. **9** 몽골 아츄阿朮, 정남도원수征南都元帥에 오름. ▶노르웨이, 그린란드Greenland와 아이슬란드Iceland를 점령함.
1263 (3596) 계해	4	**2** 왜구가 금주金州에 침입해 옴. **3** 몽골이 홍다구洪茶丘로 하여금 항복한 고려 군민을 총관하게 함. **4** 일본에 해적을 금하도록 요구함. **12** 동주도를 교주도交州道로, 명주도를 강릉도江陵道로 고침.	**1** 몽골, 요슈姚樞를 재상에 임명함. **2** 남송, 공전公田을 매수하고 한전限田을 실시함. **6** 몽골, 리엔히켄廉希憲을 등용함. ▶영국 헨리Henry 3세, 제후와 항쟁하여 내란 일어남.
1264 (3597) 갑자	5	**5** 몽골 사신이 왕의 친조를 요구해 옴. **10** 원종, 연경燕京(베이징北京)에 가서 몽골의 세조世祖를 만나봄. **12** 원종, 몽골에서 돌아옴. 행종도감行從都監을 설치함.	**8** 몽골, 연경燕京(베이징北京)을 중도中都라 함. **10** 남송, 이종理宗 사망: 탁종度宗 즉위. ▶영국 몽포르Montfort, 헨리Henry 3세를 격파함.
1265 (3598) 을축	6	**1** 김준金俊, 문하시중이 됨. **7** 안홍민安洪敏, 삼별초三別抄 군대를 거느리고 남해안에 침입한 왜구를 방어함. **10** 김준金俊을 해양후海陽侯에 봉함.	**4** 남송, 가사도賈似道를 위국공魏國公에 봉함. **6** 남송, 강만리江萬里를 참정에 임명함. **9** 몽골, 안동安童을 재상에 임명함. **12** 일본, 《속고금화가집續古今和家集》을 편찬함. ▶영국, 최초로 의회가 열림.
1266 (3599) 병인	7	**2** 몽골이 심주瀋州를 설치하고 항복해 온 고려의 백성들을 살게 함. **11** 몽골 흑적黑的이 일본 안내를 요구함: 12월 추밀원부사 송군비宋君斐가 안내.	**1** 남송, 강만리江萬里를 파면함. **7** 일본 호조北條泰時, 장군 무네타카宗尊親王를 폐함. ▶인도 발반Balban, 노예왕조의 군주가 됨.

연 대	고려	우 리 나 라	다 른 나 라
1267 (3600) 정묘	원종 8	**1** 송군비宋君斐, 몽골 사신 흑적黑的과 함께 일본에서 돌아옴. **8** 몽골 흑적黑的이 일본과의 통호 조서를 전함. **10** 감수국사 이장용李藏用에게 신종 · 희종 · 강종 3대 실록을 편수케 함.	**12** 남송 여문환呂文煥, 지양양부知襄陽府가 됨. 몽골 아츄阿朮, 남송에 침입함. ▶플로렌스Florence의 교황당, 황제당을 격파함.
1268 (3601) 무진	9	**1** 이장용李藏用, 문하시중이 됨. **3** 개경에 출배도감出排都監을 설치함. **8** 몽골에 전함戰艦 건조 상황을 알림. **12** 임연林衍, 김준金俊을 제거함. 반부潘阜, 몽골 흑적黑的과 함께 일본에 감.	**2** 일본, 몽골 사신을 물리침. **9** 몽골 아츄阿朮, 샹양襄陽을 포위함: 여문환呂文煥, 이를 물리침. **11** 남송, 의역법義役法을 시행함.
1269 (3602) 기사	10	**2** 전민변정도감田民辨正都監을 설치함. **6** 임연林衍, 원종을 폐하고 안경공安慶公 창淐을 세움. **7** 임연林衍, 교정별감敎定別監이 됨. **10** 최탄崔坦 · 한신韓愼, 임연 제거를 꾀함. **11** 원종, 몽골의 도움으로 복위함.	**2** 몽골, 파스파八思巴가 만든 몽골문자를 사용함. **12** 남송, 여문덕呂文德 사망. ▶몽골, 파스파八思巴를 대보법왕大寶法王으로 삼음.
1270 (3603) 경오	11	**2** 임연林衍 사망: 아들 임유무林惟茂가 교정별감敎定別監으로 실권 장악. 몽골이 서경에 동녕부東寧府를 설치함. **5** 임유무林惟茂, 반란 꾀하다 처형됨. 조정이 강화에서 개경으로 환도함. **6** 배중손裵仲孫 · 김통정金通精 등 삼별초三別抄, 승화후承化侯 온溫을 추대하고 대몽 항쟁 벌임. **8** 삼별초군, 진도珍島로 들어감.	**1** 몽골, 리엔히켄廉希憲을 파면함. **3** 몽골, 휴헹許衡을 중서좌승中書左丞에 임명함. **10** 남송, 범문호范文虎를 보내 샹양襄陽을 구하게 함. ▶제8회 십자군전쟁十字軍戰爭 일어남: 프랑스 루이Louis 9세가 튀니지Tunisie에서 병사하여 십자군이 중도에 귀환함.
1271 (3604) 신미	12	**1** 삼별초군, 진도에서 관군을 격파함. **2** 경기 8현을 관리들에게 녹과전祿科田으로 지급함. **3** 몽골의 흔도欣都가 봉주鳳州(황해도 봉산鳳山)에 경략사經略司를 두고 군사를 머물게 함. **5** 김방경金方慶, 진도를 함락함: 승화후承化侯 온溫을 살해함. 배중손裵仲孫 전사. 김통정金通精 등 삼별초, 탐라耽羅로 들어감.	**5** 남송, 몽골이 침입해 옴. **11** 몽골, 국호를 원元으로 고침. **12** 남송, 사적士籍을 설치함. ▶이탈리아 마르코 폴로Marco Polo, 동방 여행 위해 베네치아Benezia를 출발함.

연대	고려	우리 나라	다른 나라
1272 (3605) 임신	13	**2** 전함병량도감戰艦兵糧都監을 설치함. 세자가 원元에서 변발辮髮과 호복胡服 차림으로 귀국함. **5** 삼별초三別抄, 경상도 · 전라도 연해지방을 공격함. **6** 삼별초三別抄, 탐라耽羅를 근거지로 삼아 재기함. ▶안방열安邦悅 · 이장용李藏用 사망.	**1** 원, 행중서성行中書省을 설치함. **5** 남송, 상양襄陽을 구원함. **11** 원, 유정劉整을 연왕燕王에 봉함. ▶원, 연경燕京을 대도大都라 함. ▶영국 에드워드Edward 왕자, 성지 탈환을 포기함: 십자군전쟁 끝남. ▶이탈리아 볼사게노, 제사기製絲機를 발명함.
1273 (3606) 계유	14	**2** 김방경金方慶, 원군과 함께 탐라耽羅의 삼별초三別抄를 공격함. **4** 삼별초군三別抄軍 평정됨: 김통정金通精 자살. **윤6** 제주에 탐라총관부가 설치됨. 김방경金方慶, 문하시중에 오름.	**2** 원, 회회포回回砲로 상양襄陽을 공격함: 남송 여문환呂文煥 항복. **7** 원, 휴헹許衡을 파면함. ▶신성로마제국, 합스부르크Habsburg 왕조 성립: 대공위시대大空位時代 끝남. ▶이탈리아 아퀴나스Aquinas, 《신학대전神學大典》을 완성함.
1274 (3607) 갑술	15	**1** 원元에서 전함戰艦 300척을 만들 것을 요구해 옴. **3** 결혼도감結婚都監을 설치함. **5** 세자가 원의 제국대장공주齊國大長公主와 혼인함. 원의 일본 정벌군 1만 5천 명이 도착함. **6** 원종 사망: 8월 충렬왕忠烈王 즉위. **10** 김방경金方慶, 원의 장수 흔도忻都와 제1차 일본 정벌을 시도하였으나 실패함.	**1** 원, 바얀伯顔을 좌승상에 임명함. **7** 남송, 탁종 사망: 공제恭帝 즉위. 태후가 섭정함. **8** 원 세탄체史天澤 · 바얀伯顔, 남송을 공격함. **10** 일본, 원의 제1차 일본 정벌군을 격퇴함: 분에이文永의 역役. **12** 남송, 전국에 근왕병勤王兵을 모집함. ▶성직자의 법의法衣를 흑색으로 정함. ▶이탈리아, 아퀴나스Aquinas 사망.
1275 (3608) 을해	충렬왕 1	**6** 백색 옷을 금하고 청색 옷을 입게 함. **7** 군기조성도감軍器造成都監을 설치함. **10** 원에 처녀 보내려고 나라 안의 혼인을 금지시킴. **12** 반전색盤纏色을 설치함. ▶국자감國子監을 국학國學으로 개칭함. 응방鷹坊을 설치함. ▶탐라耽羅 명칭을 다시 씀.	**1** 남송 범문호范文虎, 원에 항복함. **2** 남송 문천상文天祥, 근왕병勤王兵을 모집함. **10** 남송, 가사도賈似道 피살. ▶이탈리아 마르코 폴로Marco Polo, 원에 도착하여 세조를 알현함.

연대	고려	우리나라	다른나라
1276 (3609) 병자	충렬왕 2	**1** 원의 간섭으로 선지宣旨를 왕지王旨로, 짐朕을 고孤로, 사赦를 유宥로, 주奏를 정呈으로 고침. **윤4** 차자색箚子色을 설치함. **5** 통문관通文館을 설치함. ▶안찰사按擦使를 안렴사按廉使로 고침.	**3** 원 바얀伯顔, 남송 임안臨安(항저우杭州)을 함락함: 공제를 납치함. **5** 남송 문천상文天祥, 푸저우福州에서 단종端宗을 옹립함. **11** 남송 장세걸張世傑, 단종을 모시고 차오저우潮州로 피신함. ▶영국 에드워드Edward 1세, 웨일스Wales를 잉글랜드에 병합시킴.
1277 (3610) 정축	3	**2** 농무도감農務都監을 설치함. **5** 유경柳璥, 《고종실록高宗實錄》을 편찬함. **12** 원이 홍다구洪茶丘를 정동도원수征東都元帥로 삼음.	**8** 남송, 문천상文天祥 군사가 원에게 궤멸당함. **11** 남송 장세걸張世傑, 단종을 수산秀山으로 피신시킴. **12** 원, 미얀마를 토벌함.
1278 (3611) 무인	4	**2** 김방경金方慶, 유배당함: 10월에 다시 등용됨. 원나라 복장을 입고 머리는 개체開剃(머리의 가장자리를 깎고 뒷머리는 땋음)하게 함. **5** 인흥사仁興寺에서 《역대연표歷代年表》를 간행함. **12** 녹과전綠科田을 고쳐서 지급함.	**4** 남송, 단종 사망: 위왕衛王(병昺) 즉위. **6** 남송 위왕, 야산厓山 섬으로 옮김. **11** 남송 문천상文天祥, 원元 군사에게 체포됨.
1279 (3612) 기묘	5	**2** 사패전賜牌田을 녹과전綠科田에 충당하지 못하게 함. **3** 도병마사都兵馬使를 도평의사都評議使로 고침. **9** 원에서 전함 900척을 만들 것을 요구해옴. **11** 관리에게 지급하였던 노비를 환수하여 도관都官에 지급함.	**2** 원, 남송 장세걸張世傑 군사를 야산厓山 섬에서 궤멸시킴: 남송 멸망. **7** 일본, 원元 사신을 살해함. **12** 원, 숙위宿衛를 더 설치함.
1280 (3613) 경진	6	**6** 새 궁궐 응경궁膺慶宮을 완성함. **8** 충렬왕, 원에 가서 일본 정벌 방책을 설명함. **11** 조인규趙仁規를 원에 보내 일본 정벌 준비가 완료되었음을 알림. 일본 정벌 위한 정동행성征東行省을 설치함. **12** 김방경金方慶을 고려군 도원수都元帥로 하여 제2차 일본 정벌군을 편성함.	**8** 원, 요수姚樞 사망. **10** 원, 일본정벌군의 부서를 정함. **11** 원 곽수경郭守敬, 〈수시력授時曆〉을 제작함. ▶원, 파스파八思巴 사망.

연대	고려	우리 나라	다른 나라
1281 (3614) 신사	7	**2** 인물추고도감人物推考都監을 회문사會問司로 고침. **5** 김방경金方慶, 원의 흔도忻都 군대와 함께 제2차 일본 정벌에 나섬: 8월 폭풍으로 실패하고 돌아옴.	**3** 원, 휴행許衡 사망. **윤7** 일본, 원의 제2차 일본 정벌군을 격퇴함:고안弘安의 역役. **윤8** 원, 강남호구세江南戶口稅를 정함.
1282 (3615) 임오	8	**1** 원이 정동행성征東行省을 폐지함. **6** 은병銀甁의 절미가折米價를 정함. **11** 합포合浦(지금의 마산馬山)를 회원현會原縣으로 고침. 백문절白文節 사망.	**12** 원, 강남江南 쌀을 운반하기 위해 해운海運을 시작함. 문천상文天祥 피살. 일본, 엔가쿠사圓覺寺 창건.
1283 (3616) 계미	9	**3** 제3차 일본 정벌 준비로 군량미를 저축함. 랴오양遼陽과 베이징北京에 있는 유민들을 데려옴. 일연一然을 국사國師로 삼음. **4** 사심관事審官을 폐지함. **9** 천자수모법賤者隨母法을 시행함.	**4** 원, 일본 정벌을 명함. **6** 원, 관리의 녹봉祿俸을 올려 지급함. **11** 원, 미얀마를 정벌함.
1284 (3617) 갑신	10	**4** 충렬왕, 세자 · 공주와 함께 원에 감. **6** 감수국사 원부元傅 · 허공許珙 · 한강韓康 · 이인복李仁復 등, 《고금록古今錄》을 편찬함. **9** 충렬왕 환국.	**6** 일본, 호조北條貞時가 집권함. **11** 원, 초법鈔法을 시행함. ▶영국, 스코틀랜드에 〈길드조례guild條例〉를 시행함.
1285 (3618) 을유	11	**3** 사패전賜牌田 중 본 주인이 있는 토지를 돌려줌. **10** 지방에 계점사計點使와 별감別監을 파견함. **12** 원에서 전장箭匠 10명을 보냄. ▶일연一然, 《삼국유사三國遺事》를 완성함.	**2** 원, 규조소規措所를 설치함. **5** 원, 안남安南을 정벌함. ▶영국, 스코틀랜드를 정벌함.
1286 (3619) 병술	12	**1** 원에서 일본 정벌 중지 조서 보내옴. **11** 오양우吳良遇에게 《국사國史》를 편찬케 함. ▶곽예郭預 사망.	**1** 원, 일본 정벌을 포기함. **2** 원, 한인漢人의 병기 소지를 금함. **7** 원, 성원대부省院臺部의 관속官屬을 정함.
1287 (3620) 정해	13	**2** 원부元傅 사망. **3** 합포合浦(지금의 마산馬山)에 있던 원의 군대가 철수함. **4** 원의 화폐 지원보초至元寶鈔를 씀. ▶이승휴李承休, 《제왕운기帝王韻紀》를 지음. 《사대실록四代實錄》을 편찬함. 이존비李尊庇 사망.	**윤2** 원, 상서성尙書省과 국자감國子監을 설치함. **3** 원, 지원보초至元寶鈔 화폐를 사용함. **4** 원, 내안乃顔의 반란 일어남. ▶미얀마 파간Pagan 왕조, 원元에 멸망당함.

연대	고려	우리 나라	다른 나라
1288 (3621) 무자	충렬왕 14	**2** 마축자장별감馬畜滋長別監을 설치함. **3** 소금전매제를 실시함. **4** 원에서 군사 5천명과 군량미를 요구해 옴. ▶전민변정도감田民辨正都監을 다시 설치함.	**2** 원, 남송의 고궁故宮을 사찰로 삼음. **9** 원, 징리사徵理司를 설치함.
1289 (3622) 기축	15	**3** 내방고內房庫를 설치하고 각 도에 권농사勸農使를 파견함. 원의 요구로 쌀 6만여석을 보냄. **4** 안향安珦, 원의 유학제거儒學提擧가 됨. **7** 일연一然 사망. **윤10** 《금자대장경金字大藏經》을 완성함. ▶유경柳璥 사망.	**1** 원, 회통하會通河를 개통함. **6** 원, 카이두海都가 카라코룸和林에 쳐들어옴. **7** 원 세조, 카이두海都를 정벌함. ▶영국, 스코틀랜드를 지배하에 둠.
1290 (3623) 경인	16	**1** 원의 반란군 잔당인 합단군哈丹軍이 동북면에 침입해 옴. **3** 동녕부東寧府를 폐지함. 안향安珦, 원에서 주자서朱子書 베끼고 주자朱子 초상을 그려옴. **11** 《국사國史》와 각종 서적을 강화로 옮겨 보관케 함. **12** 합단군哈丹軍이 화주和州에 침입해 쌍성雙城을 함락함: 충렬왕, 강화로 피난.	**11** 원, 만호부萬戶部를 더 설치하고 강남지역을 지키게 함. ▶인도, 노예왕조 멸망: 할지Khalji 왕조 성립. ▶포르투갈, 리스본Lisbon 대학 설립.
1291 (3624) 신묘	17	**1** 합단군哈丹軍이 원주에 침입해 옴: 원충갑元沖甲 등이 격파. **5** 원군과 연기燕岐에서 합단군을 격파함. **7** 상서성尙書省 폐하고 중서성中書省을 다시 둠. **8** 허공許珙 사망. ▶홍다구洪茶丘 사망.	**2** 원, 징리사徵理司를 폐지함. **5** 원, 상서성尙書省을 중서성中書省에 편입시킴. ▶스위스, 3개 주州가 동맹하여 연방聯邦을 결성함.
1292 (3625) 임진	18	**1** 충렬왕, 개경으로 환도함. 선대의 실록을 강화 선원사禪源寺로 옮김. **7** 염세별감鹽稅別監을 경상 · 전라 · 충청 각도에 파견하여 소금세를 징수함. ▶충지沖止 · 나유羅裕 사망.	**1** 원, 혜하惠河 개통. **2** 원, 자바Java를 정벌함. **윤6** 원, 안남安南이 조공해 옴. ▶이탈리아 단테Dante, 〈신생新生〉을 지음.
1293 (3626) 계사	19	**1** 경상도 하급관리들이 안렴사를 살해함. **3** 첨의사사를 도첨의사사都僉議使司로 개칭함. **8** 원이 또다시 일본을 치려고 파두아波豆兒를 보내 배 만드는 일을 감독함.	**1** 원, 불필요한 관리를 정리함. **4** 일본, 가마쿠라鎌倉에 지진이 발생함. **9** 원, 안남安南이 조공해 옴.

연대	고려	우리 나라	다른 나라
1294 (3627) 갑오	20	**5** 원에 탐라耽羅를 돌려줄 것을 청함: 원군이 탐라에서 철수함. **11** 탐라耽羅의 왕자와 성주에게 예물禮物을 내림.	**1** 원, 세조 사망: 4월 성종成宗 즉위. ▶영국, 베이컨Bacon 사망.
1295 (3628) 을미	21	**1** 원에서 몽골문자를 가르칠 교수를 보내옴. **3** 동수국사同修國史 임익任翊 등에게 원 세조의 사적事蹟을 편찬케 함. 원에서 탐라耽羅의 말을 가져감. **윤4** 탐라耽羅의 명칭을 제주濟州로 함. **7** 염세별감鹽稅別監을 경상도와 전라도에 보내 소금세를 징수함.	**윤4** 원, 관리선발법을 개정함. **5** 원, 강남江南의 현縣을 주州로 함. ▶영국 에드워드Edward 1세, 모범의회를 소집함. ▶이탈리아, 마르코 폴로Marco Polo가 귀국함.
1296 (3629) 병신	22	**2** 원에서 단사관斷事官을 보내 탐라耽羅의 말을 구역별로 처리함. **3** 경사교수도감經史敎授都監을 설치함. 원의 사신이 와서 관역館驛을 정리함. **7** 김원상金元祥, 〈태평곡太平曲〉을 지음. **11** 세자, 원의 보탑실련공주寶塔實憐公主와 혼인함.	**8** 원, 강남江南의 은결隱結을 조사함. ▶영국 에드워드Edward 1세, 스코틀랜드를 정복함. ▶프랑스 필리프Philippe 4세, 교회 재산 과세 문제로 교황과 다툼.
1297 (3630) 정유	23	**4** 원이 랴오양遼陽의 고려인 포로와 유민을 돌려보냄. **5** 왕비 제국대장공주齊國大長公主 사망. **10** 충렬왕, 조인규趙仁規를 원에 보내 전위傳位를 청함.	**3** 일본, 덕정령德政令을 반포함. **10** 원, 카이두海都를 격파함. **12** 원, 여러 왕과 부마駙馬의 민전民田 탈취를 금함.
1298 (3631) 무술	24	**1** 충선왕忠宣王 즉위: 충렬왕, 태상왕太上王이 됨. 전농사典農司와 유비창有備倉을 설치함. **4** 정방政房을 폐지함. **5** 관제를 개혁함. 보탑실련공주寶塔實憐公主가 조비趙妃를 질투하여 원에 무고함: 조비와 아버지 조인규趙仁規를 옥에 가둠. **8** 충선왕, 퇴위하고 원元으로 감: 충렬왕 복위. **12** 관제를 복구시킴. ▶정가신鄭可臣 사망.	**2** 원, 장구사張九思를 재상으로 삼음. 전국 토목공사를 중지함. **3** 원, 양회兩淮 토지를 몽골 군사에게 지급함. ▶영국 에드워드Edward 1세, 웨일스Wales를 격파함.

연대	고려	우리 나라	다른 나라
1299 (3632) 기해	충렬왕 25	**4** 조인규趙仁規를 안서安西에 유배 보냄. **6** 백립白笠과 백색 옷 착용을 금함. **10** 원에서 활리길사闊里吉思를 파견하여 왕과 함께 국사를 관리케 함.	**7** 원, 강남江南 승려들이 전호佃戶 50만을 편입시킴. ▶오스만Osman 1세, 소아시아에서 오스만 튀르크Osman Türks를 세움: 제1대 술탄Sultan이 됨. ▶이탈리아 마르코 폴로Marco Polo, 《동방견문록東方見聞錄》을 완성함.
1300 (3633) 경자	26	**4** 충렬왕, 원에 감: 윤8월에 귀국. **5** 원에 동녀童女를 보냄. **8** 김방경金方慶 사망. **10** 원의 활리길사闊里吉思가 고려의 노비법奴婢法을 개혁하려 함: 왕이 이를 막음. 이승휴李承休 사망. ▶김방경신도비金方慶神道碑를 건립함.	**5** 원, 미얀마를 토벌함. **8** 원, 음서蔭敍의 격을 고침.
1301 (3634) 신축	27	**3** 원에서 파견된 활리길사闊里吉思를 해임함. **5** 원과 명칭이 같은 관직명을 모두 바꿈. **6** 전민변정도감田民辨正都監을 다시 설치함.	**1** 원, 정동행성征東行省을 폐지함. ▶신성로마제국, 라인Rhein 관세를 폐지함. ▶프랑스 필리프Philippe 4세, 교황 보니파티우스Bonifatius 8세와 승직서임권僧織敍任權을 다툼.
1302 (3635) 임인	28	**1** 전민변정도감田民辨正都監에 의해 양인良人이 된 노비를 다시 본 주인에게 돌려 줌. **2** 설공검薛公儉 사망. **5** 원에 탐라총관부 폐지를 청함. **11** 동지밀직사사 유보俞甫, 합포合浦(지금의 마산馬山)에 출진함.	**3** 원, 서남이西南夷의 반란을 평정함. ▶프랑스 필리프Philippe 4세, 성직자 · 귀족 · 시민 대표로 삼부회三部會를 소집함. ▶이탈리아, 조야가 현재와 같은 모양의 나침반羅針盤을 만들었다고 함.
1303 (3636) 계묘	29	**2** 원나라 사람들이 돈과 비단을 가지고 와서 대장경大藏經을 필사해 감. **윤5** 김문정金文鼎, 원에서 선성십철宣聖十哲의 상을 가지고 옴. **9** 충렬왕, 전왕(충선왕)의 귀국을 막으려고 원元에 감. 홍자번洪子藩을 중찬中贊에 임명함. **11** 고려에 왔던 원의 왕약王約이 《고려지高麗志》 4권을 지음. ▶채인규蔡仁揆 · 한강韓康 사망.	**2** 원, 김이상金履祥 사망. **3** 원, 운남분성雲南分省을 파함. ▶교황 보니파티우스Bonifatius 8세, 프랑스 필리프Philippe 4세에게 체포되어 죽임을 당함: 아나니Anagni의 굴욕.

연 대	고려	우 리 나 라	다 른 나 라
1304 (3637) 갑진	30	**2** 황포黃布와 황산黃傘을 다시 사용함. **3** 외오문자畏吾文字의 옥 일어남. **5** 국학國學에 섬학전贍學錢을 설치함. **6** 국학에 대성전大成殿을 세움. **8** 원元에 사는 고려인을 송환케 함. ▶홍간洪侃 사망.	**10** 원, 해산海山을 회령왕懷寧王으로 삼음. ▶영국 에드워드Edward 1세, 스코틀랜드를 정복함.
1305 (3638) 을사	31	**3** 강경룡康慶龍, 자신의 집에서 서당을 운영함. 왕유소王惟紹를 원에 파견함. **4** 충렬왕, 소경紹瓊으로부터 보살계菩薩戒를 받음. **12** 원에 사경승寫經僧 100명을 선발해 보냄. 조인규趙仁規, 원에서 방면됨.	**2** 원, 천수만녕사天壽萬寧寺 건립. **4** 원, 교사郊祀의 예를 제정함. ▶프랑스 필리프Philippe 4세, 플랑드르Flandre의 독립을 승인함.
1306 (3639) 병오	32	**4** 연등회에서 기악백희伎樂百戲를 베풂. **7** 한희유韓希愈 사망. **8** 홍자번洪子藩, 원에서 사망. **9** 안향安珦 사망. ▶왕유소王惟紹, 충렬왕 부자를 이간시킴.	**1** 원, 강남江南 백운종白雲宗의 도승록사都僧錄司를 폐지함. **5** 원, 《원조비사元朝秘史》를 완성함.
1307 (3640) 정미	33	**3** 전왕(충선왕), 충렬왕을 경수사慶壽寺로 옮기고 국정을 장악함. **4** 왕유소王惟紹 등을 처형함. **9** 13~16세의 처녀가 국가의 허락 없이 혼인하는 것을 금함. **12** 윤기尹頎, 《선대실록先代實錄》을 원元에 보냄. ▶노영魯英, 〈석가여래내영도釋迦如來來迎圖〉를 그림.	**1** 원, 성종 사망: 황후가 집정. **9** 원, 무종武宗 즉위. ▶프랑스 필리프Philippe 4세, 영토 내의 템플기사단temple騎士團을 잡아 재판함.
1308 (3641) 무신	34	**4** 조인규趙仁規 사망. **5** 원이 충선왕을 심양왕瀋陽王에 봉함. **7** 충렬왕 사망: 8월 충선왕 즉위. **9** 각 궁과 내관內官의 이름을 고침. 궁주宮主를 옹주翁主로 격하시킴. **10** 원에서 보낸 충렬왕 어진을 영진전靈眞殿에 봉안함. **윤11** 외종형제外從兄弟의 통혼을 금함. ▶태사국太史局과 사천대司天臺를 통합하여 서운관書雲觀을 설치함. 〈쌍화점雙花店〉을 지음.	**11** 원, 전국의 둔전屯田을 조사함. **윤11** 원, 한북漢北을 평정함. ▶원 주종문朱宗文, 《몽골자운蒙古字韻》을 편찬함. ▶이탈리아 단테Dante, 〈신곡神曲〉(지옥편)을 지음.

연대	고려	우리 나라	다른 나라
1309 (3642) 기유	충선왕 1	**2** 각염법榷鹽法(소금전매제)을 제정함. **4** 밀직密直과 중방重房을 복구함. **8** 수도 5부의 민가에 기와지붕을 장려함. ▶최성지崔誠之, 원의 〈시력법時曆法〉을 배워옴. 안축安軸, 〈어부가漁父歌〉를 지음.	**6** 원, 승려에게 세금을 징수함. **8** 원, 상서성尙書省을 다시 설치함. **9** 원, 지대은초至大銀鈔 화폐를 사용함. **10** 프랑스 필리프Philippe 4세, 교황 클레멘스Clemens 5세를 아비뇽Avignon으로 강제로 옮김: 아비뇽의 유수幽囚.
1310 (3643) 경술	2	**4** 원에서 충선왕을 심왕瀋王에 봉함. **5** 세자 감鑑 등을 처형함. **7** 원에서 보탑실련공주寶塔實憐公主를 한국장공주韓國長公主에 봉함. **8** 여러 사司 및 주·군의 명칭을 개정함. ▶김지숙金之淑·이행검李行儉 사망.	**10** 원, 중도中都에 성을 쌓음. **11** 원, 대도유수大都留守 아르슬란阿兒思蘭을 살해함. ▶원, 오고타이한국Ogotai汗國 멸망. ▶신성로마제국 헨리Henry 7세, 이탈리아에 원정함.
1311 (3644) 신해	3	**1** 쇄권별감刷卷別監을 각 도에 보내 지방관이 축낸 관부 재물을 변상시킴. **3** 원에 환관을 바침. **4** 군인을 선발하는 선군選軍 부서를 다시 설치함. **7** 은화銀貨를 주조한 한탄韓坦을 처형함. **9** 흥천사興天寺 창건. **10** 관리들을 선양瀋陽에 보내 고려인들을 송환케 함. **11** 《원종실록》을 편찬함. ▶인후印侯·권단權呾 사망.	**1** 원, 무종 사망. 상서성尙書省을 폐지함. **3** 원, 인종仁宗 즉위. ▶남인도 판디야Pandya의 수도 마두라Madura가 이슬람교도에게 점령됨. ▶비엔나Wienna 공의회 개최.
1312 (3645) 임자	4	**1** 연경궁延慶宮 공사에 양광도·서해도의 주민 1천여명을 동원함. **6** 원이 고려에 행성行省을 설치하지 않기로 함. **8** 쇄권별감刷卷別監을 각 도에 보내 지방관들이 축낸 관부 재물을 변상시킴. **9** 승인추고도감僧人推考都監을 설치함: 승려들의 난잡한 행동 단속. **11** 향리鄕吏 자제들이 하급 장교에 오르는 것을 금함.	**12** 원, 이맹李孟이 물러나고 장규張珪가 재상에 오름. ▶독일 하인리히Heinrich 7세, 로마에서 신성로마제국 황제에 오름. ▶교황 클레멘스Clemens 5세, 템플기사단temple騎士團을 폐지함.

연대	고려	우리 나라	다른 나라
1313 (3646) 계축	5	**2** 설경성薛景成 사망. **3** 충선왕, 충숙왕忠肅王에게 왕위를 물려줌. **11** 정오丁午를 국통國統에, 혼구混丘를 왕사에 임명함. ▶조서趙瑞 사망.	**6** 원, 주돈이周敦頤와 주희朱熹를 공자묘孔子廟에 배향함. **11** 원, 처음으로 과거科擧를 시행함. ▶이탈리아 단테Dante, 〈신곡神曲〉(연옥편煉獄篇)을 지음. ▶교황 클레멘스Clemens 5세, 처음으로 면죄부免罪符를 발매함.
1314 (3647) 갑인	충숙왕 1	**1** 민지閔漬·권황權滉 등, 태조 이래의 실록實錄을 간략하게 편찬함. **2** 5도에 순방계정사巡訪計定使를 보내 조세액을 정함. **윤3** 상왕上王(충선왕), 연경燕京(베이징北京)에 만권당萬卷堂을 설치함: 이제현李齊賢 등 학자들과 경사經史 연구. **12** 양광충청주도를 양광도楊廣道로, 경상진합주도를 경상도慶尙道로, 교주도를 회양도淮陽道로 개칭함.	**9** 원, 티무다르鐵木迭兒가 대신에 오름. **12** 원, 관리와 백성의 거복車服(수레와 의복)에 대한 제도를 정함. ▶ 프랑스, 템플기사단temple騎士團이 해체됨.
1315 (3648) 을묘	2	**1** 동당東堂 과거科擧를 응거시應擧試로, 지공거知貢擧를 고시관考試官으로 개칭함. 조칙詔勅을 내려 신분에 따라 복색을 달리함. **12** 계국대장공주薊國大長公主(충선왕비) 사망.	**1** 원, 백성들의 고통을 조사케 함. **3** 원, 진사進士를 몽골인·색목인·한인·남인으로 나눔. **7** 원 채오구蔡五九, 반란 일으키다 처형됨. **11** 원, 무종의 아들 화세날和世 을 주왕周王으로 삼아 원난雲南 지방으로 출진시킴.
1316 (3649) 병진	3	**3** 식목도감式目都監에서 각 도에 사람을 파견하여 지방관을 단속함. 상왕(충선왕), 심왕瀋王의 위를 세자 고暠에게 전하고 태위왕太尉王이 됨. **7** 충숙왕, 원의 역린진팔랄공주亦燐眞八剌公主와 혼인함. **8** 각 지방에 순포巡鋪 33개소를 두고 소요 일으킨 민중을 진압함.	**3** 원, 곽수경郭守敬 사망. **10** 원 조맹부趙孟頫, 한림학사翰林學士 승지丞旨가 됨. **11** 원 주왕周王, 한금산漢金山의 음陰으로 피신함. ▶일본, 호조北條高時가 집권함.

연대	고려	우리 나라	다른 나라
1317 (3650) 정사	충숙왕 4	**3** 원의 사신이 군기소軍器所 및 강화江華의 군기軍器를 검열함. **4** 민지閔漬 등, 《본조편년강목本朝編年綱目》을 찬진함. **8** 성균관成均館의 9재九齋 삭시朔試를 매월 초하루에 실시하기로 함.	**2** 원, 군·현에 의창義倉을 설치함. **6** 원, 티무다르鐵木迭兒가 사임함: 아산阿散이 뒤를 이어 재상에 오름. ▶영국, 독일 상인의 특권을 한자동맹Hansa同盟에 국한시킴.
1318 (3651) 무오	5	**2** 제주에서 민란이 발생함: 송영宋英을 보내 안무. **4** 사심관事審官을 완전히 폐지함. **5** 제폐사목소除弊事目所를 설치함. **6** 제폐사목소除弊事目所를 찰리변위도감察理辨違都監으로 개칭하였다가 폐지함. 제주민란을 평정함.	**2** 원, 금자불경金字佛經을 베낌. **6** 원, 술사術士 조자옥趙子玉이 반란을 일으키다 처형됨. **10** 원, 강남江南의 다세茶稅를 늘임. ▶러시아, 모스크바Moskva로 천도함.
1319 (3652) 기미	6	**3** 상왕(충선왕), 신하에게 《행록行錄》을 짓게 함. **6** 안향安珦을 문묘에 모심. **9** 사심관事審官의 인민전토人民田土를 몰수함. ▶만항萬恒 사망.	**4** 원, 티무다르鐵木迭兒를 태자태사太子太師에 임명함. **12** 원, 태자가 정사에 참여함. ▶스웨덴 마그누스Magnus 왕, 노르웨이 왕을 겸함.
1320 (3653) 경신	7	**8** 감시監試를 거자시擧子試로 고침. **12** 원이 상왕(충선왕)을 티베트로 유배 보냄. 정방政房을 다시 설치함. ▶화자거집전민추고도감火者據執田民推考都監을 두고 환관宦官들이 강탈한 토지와 인민을 조사함. ▶박경량朴景亮, 유배길의 상왕(충선왕)을 모시고 가다 자살함.	**1** 원, 인종 사망: 3월 영종英宗 즉위. **2** 원, 강남江南의 백운승白雲僧을 환속시킴. ▶인도, 할지Khalji 왕조 멸망하고 투글루크Tughluq 왕조 일어남. ▶폴란드, 통일왕국을 세움.
1321 (3654) 신유	8	**3** 찰리변위도감察理辨違都監을 다시 설치함. **9** 이진李瑱 사망. **10** 상왕(충선왕), 유배지인 티베트에 도착함. **12** 백원항白元恒, 원에 가서 상왕(충선왕)을 귀국시켜 줄 것을 요청함. ▶최해崔瀣, 원의 과거에 급제하여 개주판관蓋州判官에 오름. ▶김순金恂·원충갑元沖甲 사망.	**6** 원, 시정時政에 대하여 망언하지 말 것을 엄명함. **12** 일본, 기록소記錄所를 다시 설치함. ▶차가타이 한국Chaghatai汗國, 동서로 분열됨. ▶이탈리아, 단테Dante가 〈신곡神曲〉(천국편天國篇)을 완성함. 단테Dante 사망.

연대	고려	우리 나라	다른 나라
1322 (3655) 임술	9	**3** 충숙왕, 원에서 심왕瀋王의 참소로 국왕의 인印을 빼앗김. **9** 권한공權漢功 등, 백관을 모아 심왕瀋王을 세울 것을 의결하여 중서성中書省에 상소함: 실행 안 됨. ▶토산현土山縣을 상원군祥原郡, 중화현을 중화군中和郡으로 승격시킴. ▶혼구混丘 사망.	**1** 원, 공자孔子 자손을 우대함. **6** 원, 조맹부趙孟頫 사망. **7** 원, 티무다르鐵木迭兒 사망. ▶신성로마제국 루드비히Ludwig 4세, 오스트리아 프리드리히Friedrich 3세를 파하고 사로잡음.
1323 (3656) 계해	10	**2** 원이 상왕(충선왕)을 타사마朶思麻로 옮김: 이제현李齊賢, 상왕을 모시고 따라감. **3** 민지閔漬 · 최성지崔誠之 등, 원에 상왕을 귀국시켜 줄 것을 요청함. **6** 왜구가 추자도楸子島에 침입하여 약탈하고 군산 앞바다에서 조운선漕運船을 공략함. **11** 상왕(충선왕), 소환되어 연경燕京에 도착함. ▶개국사開國寺 중건. 〈관무량수경변상도觀無量壽經變相圖〉 및 〈양류관음상도楊柳觀音像圖〉 완성.	**2** 원, 〈대원통제大元通制〉를 반포함. **4** 원, 조역법助役法을 시행함. **8** 원 철실鐵失, 영종英宗을 시해하고 태정제泰定帝(진종眞宗)를 옹립함: 10월 처형당함.
1324 (3657) 갑자	11	**1** 원에서 충숙왕의 환국을 허락하고 국왕의 인印을 돌려줌. **8** 충숙왕, 원의 조국장공주曹國長公主와 혼인함. ▶안축安軸, 원의 과거에 급제하여 개주판관에 오름.	**1** 원, 토브티무르圖帖睦爾를 소환하여 회왕懷王에 봉함. **9** 일본, 세이주正中의 난 일어남. ▶이탈리아, 마르코 폴로Marco Polo 사망. ▶독일, 교황이 왕위계승 분쟁에 간섭하여 루드비히Ludwig 4세를 파문함.
1325 (3658) 을축	12	**5** 충숙왕, 원에서 환국함. 상왕(충선왕), 원에서 사망. **10** 조국장공주曹國長公主(충숙왕비) 사망. 평양에 기자사箕子祠와 숭인전崇仁殿을 세움. **12** 예문춘추관藝文春秋館을 예문관과 춘추관으로 분리함. ▶향리의 관리 진출을 제한함. ▶박전지朴全之 · 조연수趙延壽 사망.	**1** 원, 토브티무르圖帖睦爾를 난징南京으로 보냄. **6** 원, 대신의 군무겸령軍務兼領을 고침. ▶아라비아 여행가 이븐 바투타Ibn Battutah, 이집트 · 아라비아 · 인도 · 중국 등을 순방함. ▶오스트리아 프리드리히Friedrich 3세, 왕위 사퇴를 조건으로 석방됨.

연 대	고려	우 리 나 라	다 른 나 라
1326 (3659) 병인	충숙왕 13	**7** 민지閔漬 사망. **9** 민지閔漬의 《본조편년강목本朝編年綱目》을 간행함. ▶성사달成士達, 개성 연복사종演福寺鐘에 글씨를 새김.	**4** 원, 기내畿內 및 산둥山東 · 허베이河北 지방에 심한 기근이 발생함. 서역승의 역마驛馬 이용을 금함. **7** 원, 황하가 범람하여 제방이 무너짐. ▶영국, 에드워드Edward 2세 왕후 이사벨라Isabella가 왕을 감금함. ▶폴란드, 독일기사단과 전투 벌임.
1327 (3660) 정묘	14	**5** 충숙왕, 심왕瀋王에게 선위하려 함: 한종유韓宗愈 등의 반대로 실현되지 않음. **11** 정승 최석崔碩 등을 1등공신으로 하여 토지와 노비를 내림. ▶성불사成佛寺 응진전應眞殿 건립. ▶김개물金開物 · 김이金怡 · 자안子安 사망. ▶이 무렵, 서역 승려 지공指空이 옴. 묘향산妙香山 만세루萬歲樓 앞에 다보탑多寶塔을 조성함.	**4** 원, 도적이 무종의 신주神主를 훔쳐 감. ▶영국 의회, 에드워드Edward 2세를 폐위시킴: 에드워드Edward 3세 즉위. 이사벨라Isabella 집권. ▶신성로마제국, 이탈리아에 원정함.
1328 (3661) 무진	15	**2** 세자를 원에 보내 숙위케 함. **7** 원이 심왕瀋王 일파의 참소를 믿고 매려買驢 등을 고려에 보내 충숙왕을 문책함. 지공指空, 연복정延福亭에서 설법함. **12** 반전도감盤纏都監을 설치함: 세공歲貢 담당.	**7** 원, 태정제泰定帝 사망. **8** 원 천순제天順帝, 상도上都에서 즉위함. **10** 원, 토브티무르圖帖睦爾의 군사가 상도를 함락함: 천순제가 행방불명됨. ▶프랑스, 찰스Charles 4세 사망: 카페Capet 왕조 단절. 발로와Valois 왕조 시작.
1329 (3662) 기사	16	**3** 도적이 금마군金馬郡(지금의 익산益山)의 마한조馬韓祖 무강왕릉武康王陵을 도굴함. **6** 유청신柳淸臣, 원에서 사망. **9** 매관매직의 부정행위가 성행함. **10** 광흥창廣興倉에서 관리들에게 녹봉을 지급하는 제도가 문란해짐. 김지경金之鏡을 원에 보내 세자 정禎에게 전위傳位할 것을 청함.	**1** 원 명종明宗, 카라코룸和林에서 즉위함. **8** 원 연첩목아燕帖木兒, 명종을 폐하고 문종文宗을 세움. 명종 사망.

연대	고려	우리 나라	다른 나라
1330 (3663) 경오	17	**2** 원에서 충숙왕을 퇴위시키고 충혜왕忠惠王을 책봉함. **3** 충혜왕, 원의 덕녕공주德寧公主와 혼인함. **윤7** 상왕(충숙왕), 원나라로 감. **12** 처음으로 거자시擧子試 시험을 실시함. 김태현金台鉉 · 최성지崔誠之 사망. ▶정승을 중찬中贊으로, 평리評理를 참리參理로, 고시관을 지공거知貢擧로 고침. ▶안축安軸, 〈관동별곡關東別曲〉과 〈죽계별곡竹溪別曲〉을 지음.	**3** 원, 운남왕雲南王 독견禿堅의 반란을 평정함: 원난의 난 ▶오스만 튀르크Osman Türks, 유럽에 침입하여 니케아Nicaea를 점령함. ▶영국 에드워드Edward 3세, 이사벨라Isabella를 유폐시킴: 친정 시작.
1331 (3664) 신미	충혜왕 1	**4** 은병銀甁 대신 소은병을 새로 만들어 유통시킴. **7** 각 도에 염세별감鹽稅別監을 보냄. **8** 경기의 사급전賜給田을 없애고 녹과전祿科田에 충당함. **9** 《원종실록》을 간행함. ▶이학도감吏學都監을 설치함.	**4** 원, 윈난雲南을 평정함. **8** 일본, 겐코元弘의 난 일어남. **9** 원, 윈난雲南의 난이 재발함: 10월에 평정함. ▶원, 《경세육전經世六典》을 편찬함. ▶독일, 슈바벤Schwaben 도시동맹이 결성됨.
1332 (3665) 임신	충숙왕 복위 1	**1** 권세가들이 양인良人을 노비로 만드는 현상이 늘어남. **2** 상왕(충숙왕)이 복위함. 충혜왕, 원으로 감. **3** 원에서 군기軍器를 검열함. 김지경金之鏡 옥사. **4** 행저行邸의 비용이 부족하여 백관과 부자들에게 징세함.	**4** 원 월로첩목아月魯帖木兒, 반란 꾀하다 처형당함. **5** 원, 음사陰祠에 가봉加封함을 금함. **8** 원, 문종 사망. **10** 원, 영종寧宗 즉위: 11월 사망.
1333 (3666) 계유	2	**4** 충숙왕, 원의 경화공주慶華公主와 함께 귀국함. **6** 이곡李穀, 원의 과거에 급제하여 한림국사원翰林國史院 검열관이 됨. ▶공주公州를 목牧으로 승격시킴.	**5** 일본, 가마쿠라막부鎌倉幕府 멸망. **6** 원, 순제順帝 즉위. **10** 일본, 기록소記錄所와 잡소결단소雜訴決斷所를 설치함. ▶영국 에드워드Edward 3세, 스코틀랜드를 지배함.
1334 (3667) 갑술	3	**7** 계림부鷄林府에서 〈백화도량전집정주해 부록찬주白花道場傳集程註解 附錄纂註〉를 새로 간행함.	**1** 일본, 지폐를 발행함. **3** 원, 심한 가뭄으로 굶주리는 사람들이 다수 발생함. **5** 일본, 덕정령德政令을 반포함.

연대	고려	우리 나라	다른 나라
1335 (3668) 을해	충숙왕복위 4	3 원이 고려 여인을 잉첩媵妾(시첩侍妾: 시중드는 첩)으로 뽑는 것을 금함. 4 매관매직의 폐해가 성해짐. 11 충숙왕, 이름 도燾를 만卍으로 고침. 윤12 이곡李穀, 원나라의 동녀童女 요구 금지를 요청함.	7 원 바얀伯顔, 황후를 시해함. 10 일본 아시카가足利尊氏, 반란 일으킴. 11 원, 과거제도를 폐지함.
1336 (3669) 병자	5	3 충선왕 때 지급한 공신전功臣田을 거두어 본 주인에게 돌려줌. 전왕(충혜왕)에게 재물을 바치고 양인良人이 된 자를 다시 천인賤人으로 함. 12 원, 전왕(충혜왕)을 돌려보냄.	8 일본 아시카가足利尊氏, 고묘光明를 옹립함. 12 일본, 남북조시대 시작. ▶영국 에드워드Edward 3세, 양모羊毛 수출을 금지시킴.
1337 (3670) 정축	6	5 원충元忠 사망. 9 전왕(충혜왕), 주위의 무리를 거느리고 자주 밖으로 미행함. 12 원에서 병기兵器를 거두지 않도록 하고 기마騎馬를 허락함. ▶원선지元善之 · 윤신걸尹莘傑 사망.	1 원, 광둥 주광경朱光卿과 허난 봉호棒胡 등이 거병하였다가 패배함. 3 원, 한인漢人과 남인南人의 병기 소지를 금함. ▶원, 원정군이 도나우강을 건넘. ▶영국 · 프랑스, 왕위계승 분쟁으로 백년전쟁 일으킴.
1338 (3671) 무인	7	6 금주령禁酒令을 내림. 7 원에서 불경 필사에 쓸 고급 용지를 요구함. ▶흥왕사興王寺 중수. 황주 서쪽 지역을 철화현鐵和縣으로 하고 감무를 배치함. ▶이언충李彦沖 · 충감沖鑑 사망.	5 원, 군 · 현 관리의 공과를 검증함. 8 일본 아시카가足利尊氏, 정이대장군征夷大將軍이 됨: 무로마치막부室町幕府 성립. ▶신성로마제국, 선거후選擧侯가 교황의 대관식 없이 황제 선출 선언함.
1339 (3672) 기묘	8	3 충숙왕 사망. 5 전왕(충혜왕), 원의 집사성執事省에 뇌물을 주고 복위를 꾀함. 개인적 고리대금 기관인 보흥고寶興庫를 설치함. 8 조적曺頔 등, 심왕瀋王 고暠를 왕으로 옹립하려다 처형됨. 11 원이 전왕을 본국으로 압송해 감.	6 원, 팅저우汀州에 홍수 발생함. 10 원 바얀伯顔, 대승상에 오름: 담왕郯王을 죽임. ▶일본 기타바다케北畠親房, 《진노쇼도키神皇正統記》를 지음.
1340 (3673) 경진	충혜왕복위 1	3 원이 형부刑部에 가두었던 충혜왕을 석방하고 복위케 함. 4 충혜왕 환국. 이조년李兆年, 정당문학政堂文學에 오름. 6 최해崔瀣 사망. ▶채홍철蔡洪哲 · 최안도崔安道 · 해원海圓 사망.	2 원, 바얀伯顔을 처형함. 12 원, 다시 과거제도를 시행함. ▶영국, 슬로이스Sluys 해전에서 프랑스 함대를 격파함.

연대	고려	우리 나라	다른 나라
1341 (3674) 신사	2	**2** 환관 고용보高龍普를 완산군完山君에 봉함. **5** 원에서 왕의 동생 강릉대군江陵大君(뒤의 공민왕)을 입조入朝케 함. **12** 이조년李兆年, 왕의 방탕함을 간하고 사직함. ▶태고사太古寺 창건.	**4** 원, 호광湖廣 · 산둥山東 지방 등지에서 반란 일어남. **12** 일본, 무역선 덴류사선天龍寺船을 원에 보낼 계획을 세움. ▶영국, 상원제와 하원제가 시작됨.
1342 (3675) 임오	3	**2** 의성고義成庫 · 덕천고德泉庫 · 보흥고寶興庫의 베 4만 8천필로 시장을 개설함. **3** 이인복李仁復, 원의 제과制科에 급제함. **6** 윤석尹碩 등에게 공신功臣 호칭 내리고 토지와 노비를 지급함. **7** 우탁禹倬 사망. ▶이제현李齊賢, 《역옹패설櫟翁稗說》을 지음.	**1** 원, 금구하金口河를 개통함. **3** 원, 다퉁大同에 기근이 발생함. **4** 일본, 5산10찰五山十刹을 둠. ▶스코틀랜드 다비드David 3세, 귀국하여 즉위함. ▶이탈리아 페트라르카Petraca, 서사시 〈아프리카Africa〉를 지음.
1343 (3676) 계미	4	**3** 직세職稅와 선세船稅를 징수함. **5** 원에서 사신 보내 송 · 요 · 금 3국의 사적을 구함. 이조년李兆年 사망. **6** 기인제도其人制度를 다시 실시함. **10** 남경南京에 신궁新宮을 건축함. 관리들에게 준 경기의 토지를 몰수하여 유비창有備倉에 소속시킴. **11** 원이 충혜왕을 압송해 감. 전민추쇄도감田民推刷都監을 두고 토지와 백성의 통제를 강화함. ▶방신우方臣祐 · 윤선좌尹宣佐 사망.	**1** 원, 랴오양遼陽에서 반란 일어남. **3** 원, 탈탈脫脫에게 《송사宋史》 · 《요사遼史》 · 《금사金史》를 편찬토록 함. **9** 이탈리아, 피사Pisa 대학 설립.
1344 (3677) 갑신	5	**1** 충혜왕, 원에서 사망함. **2** 충목왕忠穆王, 원에서 즉위함: 4월 귀국. **5** 보흥고寶興庫와 응방鷹坊 · 내승內乘을 폐지함. **8** 신궁新宮을 헐고 숭문관崇文館을 설립함. **9** 이제현李齊賢의 《익재난고益齋亂藁》를 간행함. **12** 정방政房을 폐지함: 관리 임명은 전리사典理司와 군부사軍簿司에서 맡도록 함.	**1** 원, 수령출척법守令黜陟法을 제정함. **5** 원, 탈탈脫脫을 파면함: 아르도阿魯圖를 우승상으로 함. **11** 원, 조[粟]를 상납한 자를 관리에 임명함. ▶원, 《금사金史》를 완성함.
1345 (3678) 을유	충목왕 1	**1** 정방政房을 다시 둠. **5** 단오 때 척석희擲石戲(돌싸움놀이)를 금함. **7** 심왕瀋王 고暠 사망. **8** 경기 토지의 직전職田을 고루 나누어 줌. **12** 정동행성征東行省 관리들이 역참 말을 마구 이용하는 것을 금함. 허종許悰 사망.	**9** 원, 사신을 전국에 보내 각 지역을 순행시킴. ▶원, 《지정조격至正條格》을 편찬함. 《요사遼史》와 《송사宋史》를 완성함.

연 대	고려	우 리 나 라	다 른 나 라
1346 (3679) 병술	충목왕 2	**6** 개성 연복사종演福寺鐘 완성. **10** 이제현李齊賢 등에게 《편년강목編年綱目》을 중수시키고, 충선왕 · 충렬왕 · 충숙왕 3조의 실록實錄을 편찬케 함. 보우普愚, 원에 유학함. 권보權溥 사망.	**5** 원, 산시陝西 지방에 기근이 심해짐. 금주령을 내림. ▶원, 이븐 바투타 Ibn Battutah가 대도大都(베이징北京)에 도착함. ▶영국, 크레시Crecy 싸움에서 프랑스군을 격파함.
1347 (3680) 정해	3	**2** 정치도감整治都監에서 각 도의 토지를 정비함. **3** 원의 기황후奇皇后 족제族弟 기삼만奇三萬이 투옥되었다 옥사함. **7** 원에서 사신을 보내 기삼만奇三萬의 사인을 조사함. **10** 해아도감孩兒都監을 설치함.	**11** 원, 연강沿江 군사들이 봉기함. ▶인도, 데칸Deccan지방에 바흐마니Bahmani 왕국 성립. ▶유럽에 페스트(흑사병黑死病)가 유행함.
1348 (3681) 무자	4	**2** 진제도감賑濟都監을 두고 빈민을 구휼함. **6** 안축安軸 사망. **10** 왕의 병이 위중하여 덕녕공주德寧公主가 서무를 결재함. **12** 충목왕 사망. ▶김륜金倫 · 윤석尹碩 · 전영보全英甫 사망. ▶이 무렵, 〈사모곡思母曲〉 · 〈만전춘滿殿春〉 · 〈정석가鄭石歌〉 · 〈이상곡履霜曲〉 · 〈동동動動〉 · 〈처용가處容歌〉 · 〈거사련居士戀〉 등 고려가요 나옴.	**2** 원, 행도수감行都水監을 설치함. **4** 독일, 프라하Praha 대학 설립. **11** 원 방국진方國珍, 군사 일으킴. ▶영국, 페스트 유행으로 인구가 반감함.
1349 (3682) 기축	충정왕 1	**2** 안집별감安集別監을 각 도에 파견함. **7** 충정왕忠定王, 원에서 돌아와 즉위함. **8** 정치도감整治都監을 폐지함. **10** 강릉대군江陵大君(뒤의 공민왕), 원에서 노국공주魯國公主와 혼인함. 농민들의 소요를 무마하기 위해 각 도에 찰방별감察訪別監을 파견함. 권한공權漢功 사망. ▶왕후王煦 사망.	**9** 일본 아시카가足利基, 관동관령關東管領에 오름. **10** 원, 황태자에게 한인漢人의 문자를 배우게 함 ▶영국, 오컴Occam 사망.
1350 (3683) 경인	2	**2** 왜구가 고성固城 · 거제巨濟 등지에 침입해 옴: 합포천호合浦千戶 최선崔禪이 격파함. **4** 왜구가 순천부順天府에 침입하여 조운선漕運船을 약탈함. **6** 왜구가 합포合浦(지금의 마산馬山 지역)에 침입해 옴. ▶왜구의 침범으로 인하여 진도현珍島縣을 육지로 옮김. ▶이 무렵, 〈서경별곡西京別曲〉 · 〈청산별곡靑山別曲〉 · 〈가시리〉 등 나옴.	**11** 원, 초법鈔法을 개정함. **12** 원 방국진方國珍, 온주溫州를 치고 세력을 확대함. ▶타이, 아유타야Ayutthaya 왕조 성립. ▶이탈리아 보카치오Boccaccio, 〈데카메론Decameron〉을 완성함.

연대	고려	우리 나라	다른 나라
1351 (3684) 신묘	3	**1** 이곡李穀 사망. **10** 원이 충정왕을 퇴위시키고 공민왕恭愍王을 추대함. **11** 남해에 왜구가 침입해 옴. **12** 공민왕, 원에서 귀국하여 즉위함.	**4** 원, 황하의 옛 하도河道를 개통시킴. **5** 원 유복통劉福通 · 서수휘徐壽輝 등, 홍건紅巾의 난 일으킴. **10** 원 서수휘徐壽輝, 기수蘄水에서 황제를 칭함.
1352 (3685) 임진	공민왕 1	**1** 예의추정도감禮儀推正都監을 설치함. 이연종李衍宗의 간언으로 변발辮髮을 금함. **2** 정방政房을 폐지함. **3** 전왕(충정왕), 강화에서 사망함. 왜구가 강화도 부근 서해안에 출몰함. **4** 연등회燃燈會에서 화산잡희火山雜戲를 행함. **9** 조일신趙日新, 반란 일으킴: 10월 처형됨. ▶공민왕의 작품으로 전하는 〈천산대렵도天山大獵圖〉와 〈이어도鯉魚圖〉가 완성됨.	**1** 원 서수휘徐壽輝, 한양漢陽을 함락함. **2** 원 곽자흥郭子興, 군사를 일으킴: 3월 호주濠州를 함락함. **3** 원 태불화泰不花, 방국진方國珍과 싸우다 패사함. **7** 원 서수휘徐壽輝, 항저우杭州를 함락함. **8** 원 탈탈脫脫, 쉬저우徐州를 함락함. **11** 원 조균용趙均用, 호주濠州에서 황제를 칭함.
1353 (3686) 계사	2	**3** 원의 단사관斷事官이 조일신趙日新 잔당을 처형함. **7** 궁궐에서 견우직녀제를 지냄. **10** 왜구를 격멸한 경상도 도순문사와 병사兵士들에게 포상함. **11** 전민별감田民別監을 양광도 · 전라도 · 경상도에 파견함. **12** 쇄권도감刷卷都監을 설치함.	**5** 원 장사성張士誠, 고우高郵에서 스스로 성왕誠王이라 칭함. **9** 일본, 고코곤後光嚴 왕이 교토에 들어감. **12** 원 주원장朱元璋, 저주滁州에서 군사 일으킴. ▶오스만 튀르크Osman Türks, 유럽에 침입함.
1354 (3687) 갑오	3	**3** 이색李穡, 원의 전시殿試에 등과함. **6** 한종유韓宗愈 사망. **7** 유탁柳濯 · 염제신廉悌臣 등, 원의 장사성張士誠의 반란 진압차 군사 2천여명을 거느리고 출정함. **8** 최해의 《졸고천백拙藁千百》을 간행함.	**9** 원, 터그터托克托에게 장사성張士誠을 치게 함. **12** 원, 하마哈麻의 참언으로 터그터托克托의 관직을 삭탈함. ▶원, 황공망黃公望 사망.
1355 (3688) 을미	4	**1** 최해의 《동인지문東人之文》을 간행함. **2** 전라도안렴사 정지상鄭之詳, 행패 부리던 원의 사신을 징벌함. **3** 왜구가 전라도에 침입해 옴. **5** 의성창義成倉을 내방고內房庫로 함. **11** 전주를 부곡部曲으로 함. ▶복구復丘 사망.	**2** 원 유복통劉福通, 한림아韓林兒를 송제宋帝로 추대함. **4** 원 하마哈麻, 재상에 오름. **11** 원, 관군이 유복통을 대파함. **12** 원 하마, 터그터托克托를 살해함. ▶아라비아 이븐 바투타Ibn Battutah, 《여행기旅行記》를 완성함.

연대	고려	우리 나라	다른 나라
1356 (3689) 병신	공민왕 5	**4** 보우普愚를 왕사로 삼음. **5** 공민왕, 배원정책을 시행함: 기철奇轍 · 권겸權謙 · 노일盧一 등 친원파를 처형함. 원의 내정간섭 기관인 정동행중서성이문소征東行中書省理問所를 폐지함. 쌍성雙城 및 압록강 건너의 8참站을 공격함. **6** 원의 연호를 폐지함. 인당印璫, 압록강 건너 파사부婆娑府 등을 격파함. **7** 유인우柳仁雨, 쌍성雙城 및 함주咸州 이북의 여러 성을 수복함. ▶이색李穡, 〈산대잡극山臺雜劇〉을 지음. ▶구영검具榮儉 · 인당印璫 사망.	**1** 원 하마哈麻, 처형됨. **7** 원 주원장朱元璋, 오국공吳國公이라 칭함. **9** 영국, 흑태자黑太子 에드워드Edward가 프랑스 왕 존John 2세를 생포함: 포아티에Poitier 싸움. ▶원 장사성張士城, 항저우杭州를 함락함. ▶독일, 〈황금문서黃金文書〉를 발표함: 교황의 승인 없이 황제 선출.
1357 (3690) 정유	6	**2** 한양漢陽에 궁궐을 짓기로 결정함. **9** 왜구가 흥천사興天寺에 침입하여 충선왕 및 한국공주韓國公主의 영정을 탈취해 감. 염철별감鹽鐵別監을 지방에 파견함. **10** 3년상을 시행케 함.	**2** 원, 한림아韓林兒 군사를 격파함. **5** 원 주원장朱元璋, 영국寧國 등을 함락시킴. **9** 원, 장사성張士城이 항복함. **12** 원 명옥진明玉珍, 청두成都를 함락하고 촉蜀 지역을 점령함.
1358 (3691) 무술	7	**3** 개경에 외성外城을 쌓음. **4** 최영崔瑩, 양광도 · 전라도의 왜구체복사倭寇體覆使가 됨. **5** 왜구가 강화도 교동喬桐에 침입하여 방화함. ▶채하중蔡河中, 역모 혐의로 처형됨.	**4** 일본, 아시카가足利尊氏 사망. **5** 원, 유복통劉福通 · 한림아韓林兒 군사가 변량汴梁 공격하고 근거지로 삼음. **12** 원, 홍건적紅巾賊이 상도上都를 점령함. ▶프랑스, 자크리Jacquerie의 농민반란 일어남.
1359 (3692) 기해	8	**5** 원의 방국진方國珍이 특산물을 보내옴: 7월 장사성張士城도 보내옴. **12** 홍건적紅巾賊이 침입하여 서경西京을 함락함(제1차 침입).	**10** 원 진우량陳友諒, 서수휘徐壽輝를 물리치고 한왕漢王이라 칭함.
1360 (3693) 경자	9	**1** 홍건적紅巾賊을 격퇴하고 서경西京을 수복함. **2** 이방실李芳實 · 안우安祐 등, 홍건적紅巾賊을 격파함. **3** 홍건적紅巾賊이 서해도에 침입해 옴. **5** 이승휴李丞休의 《제왕운기帝王韻紀》를 간행함. **10** 공민왕, 임진현臨津縣 백악白岳의 신궁新宮으로 옮김. ▶설손偰遜 · 안진安震 사망.	**5** 원, 한왕 진우량陳友諒이 서수휘徐壽輝를 살해하고 황제를 칭함. ▶영국 · 프랑스, 브레티니Bretigny의 화약 맺음: 백년전쟁 일시 휴전. ▶동차카타이 한국東Chaghatai汗國, 서차카타이 한국을 멸함.

연 대	고려	우 리 나 라	다 른 나 라
1361 (3694) 신축	10	**3** 공민왕, 백악白岳으로부터 환도함. **10** 홍건적紅巾賊이 10만군으로 삭주朔州 · 이성泥城에 침입해 옴(제2차 침입). **11** 이성계李成桂, 홍건적紅巾賊을 대파함. **12** 홍건적紅巾賊이 개경을 함락함: 공민왕, 복주福州(지금의 안동安東)로 피난함. ▶나옹懶翁, 보현사普賢寺를 중참함. ▶〈소악부小樂府〉를 완성함. ▶김영후金永煦 · 환조桓祖(이성계李成桂의 아버지) 사망.	**8** 원 주원장朱元璋, 강주江州에서 승리함: 진우량陳友諒, 우창武昌으로 달아남. **12** 일본, 남군南軍이 교토京都에 진입함. ▶덴마크, 한자동맹Hansa同盟 함대를 격파함.
1362 (3695) 임인	11	**1** 정세운鄭世雲 · 안우安祐 등, 홍건적紅巾賊을 대파함. 개경을 수복함. 김용金鏞, 왕명을 거짓 꾸며 정세운鄭世雲을 죽임. **2** 김용金鏞, 안우安祐와 이방실李芳實을 살해함. **4** 복주福州를 안동대도호부로 함. **8** 탐라 목호牧胡들이 반란 일으킴. ▶금살도감禁殺都監을 설치함.	**3** 원 명옥진明玉珍, 윈난雲南을 함락함: 5월 농촉왕隴蜀王을 자칭함. ▶이집트, 카이로에 술탄Sultan 핫산Hassan의 모스크mosque(최고 예배소)를 건립함.
1363 (3696) 계묘	12	**2** 공민왕, 흥왕사興王寺에 행차함. **윤3** 김용金鏞 등, 흥왕사興王寺 행궁行宮을 범함(흥왕사의 변): 최영崔瑩 등이 소탕함. **4** 김용金鏞, 유배되었다가 처형됨. 왜선 200여척이 강화도 교동喬桐에 침입해 옴. **5** 원에서 덕흥군德興君(충숙왕의 동생)을 왕으로 세우려 함: 경천흥慶千興을 도원수로 서북면에 보내 이에 대비함. **12** 덕흥군, 고려 왕 되고자 요동에 옴. ▶문익점文益漸, 원에서 목화씨를 가져옴. ▶이제현李齊賢의 《익재집益齋集》과 《익재난고益齋亂藁》를 간행함.	**1** 원, 명옥진明玉珍이 청두成都에서 스스로 황제를 칭하고 국호를 하夏라 함. 여진呂珍이 유복통劉福通을 살해함. **7** 원, 진우량陳友諒이 주원장朱元璋에게 패사함: 아들 진리陳理가 계승. 장사성張士城이 오왕吳王을 칭함.
1364 (3697) 갑진	13	**1** 최유崔濡, 원의 군사 1만명으로 덕흥군德興君을 받들고 의주를 포위함: 이성계李成桂, 정주靜州에서 이를 대파함. 여진의 삼선三善 · 삼개三介 등이 침입해 옴. **2** 이성계李成桂, 여진의 침입을 물리치고 화주和州 · 함주咸州 지방을 수복함. **5** 이암李嵒 사망. **6** 전라도에 왜인만호부倭人萬戶府를 설치함. **10** 원에서 최유崔濡를 잡아 보냄: 11월 처형.	**1** 원 주원장朱元璋, 자립하여 오왕吳王을 칭함: 3월 관제를 정함. **2** 원 진리陳理, 오吳에 항복함. **4** 원 포라티무르 羅帖木兒, 거병하여 궁궐을 침범함. **5** 일본, 《논어집해論語集解》를 펴냄. ▶터키, 동로마제국에 침입하여 콘스탄티노플Constantinople을 고립시킴.

연 대	고려	우 리 나 라	다 른 나 라
1365 (3698) 을사	공민왕 14	**1** 원에 사신 보내 덕흥군德興君의 압송을 요구함. **2** 왕비 노국공주魯國公主 사망. **4** 공민왕, 노국공주魯國公主 초상을 그림. **5** 신돈辛旽을 사부師傅로 삼고 국정에 참여하게 함. **7** 신돈辛旽을 진평후眞平侯에 봉함. **12** 신돈辛旽, 영도첨의사사사領都僉議使司事가 되어 집권함.	**3** 원, 태자가 거병하여 포라티무르孛羅帖木兒를 토벌함. ▶터키가 아드라아노플Adrianople로 천도함. ▶오스트리아, 빈Wien 대학 설립.
1366 (3699) 병오	15	**4** 정추鄭樞, 신돈辛旽의 비행을 탄핵함. **5** 전민변정도감田民辨正都監을 설치함: 신돈辛旽이 판사判事가 되어 개혁을 시행함. 왜구가 강화도 교동喬桐에 주둔하며 약탈함. **11** 김일金逸을 일본에 보내 왜구 근절을 요구함. ▶원송수元松壽 · 이공수李公遂 사망.	**3** 하, 명옥진明玉珍 사망: 아들 명승明昇이 황제를 칭함. **9** 오, 장사성張士城을 쳐서 호주湖州 지역을 취함. **12** 원, 한림아韓林兒 사망. ▶영국 의회, 교황에 대한 공납을 영구히 거부하기로 함. ▶독일, 하이델베르크Heidelberg 대학 설립.
1367 (3700) 정미	16	**4** 신돈辛旽, 왕에게 서경西京 천도를 건의함: 공민왕, 신돈에게 서경의 지세를 살피게 함. **5** 국학國學을 다시 설치함. **7** 이제현李齊賢 사망. **8** 천희千禧를 국사로, 선현禪顯을 왕사로 삼음. **10** 경천흥慶千興 등, 신돈辛旽 제거를 모의하다 발각되어 유배됨. 원의 나하추納哈出가 사신 통해 말을 보냄. **12** 이색李穡, 성균관 대사성大司成에 오름. ▶호복胡服 착용을 금함.	**9** 오 주원장朱元璋, 장사성張士城을 생포함. **10** 오, 서달徐達 등을 보내 북벌北伐을 단행함. **12** 오, 방국진方國珍을 항복시키고 산둥전투山東戰鬪에서 승리함.
1368 (3701) 무신	17	**2** 국자감시國子監試를 폐지함. **9** 명明과의 수교를 의논함. 신돈辛旽, 유숙柳淑과 김달상金達祥을 살해하고 세력을 강화함. **11** 장자온張子溫, 명의 태조太祖에게 사신으로 감.	**1** 오 주원장朱元璋, 명明을 세움. **2** 명, 금릉金陵을 남경南京, 카이펑開封을 북경北京이라 함. **4** 명 서달徐達 · 상우춘常遇春, 원 군사를 대파함. **8** 원 순제, 카이펑開封으로 달아남. 명 서달徐達, 대도大都에 입성함: 원 멸망. 북원北元 성립.

연대	고려	우리 나라	다른 나라
1369 (3702) 기유	18	**4** 명에서 사신을 보내옴. **5** 원의 연호를 폐지함. **6** 관제를 개정함. **8** 만호萬戶와 천호千戶를 서경 · 의주 · 강계 등지에 배치함. **10** 북원北元에서 황금불상을 바침. **12** 이성계李成桂, 동녕부東寧府를 공격함: 북원과 절교하기로 함.	**1** 명, 왜구가 산동山東지방에 침입함. **6** 명 상우춘常遇春, 원군元軍을 대파함. 원 순제, 카라코룸和林으로 도망함. **7** 명, 상우춘常遇春 사망. ▶티무르Timour, 중앙아시아에 티무르 제국을 건설함.
1370 (3703) 경술	19	**2** 왜구가 내포內浦와 선주宣州에 침입해 옴. 원의 나하추納哈出가 사신 보내 방물方物을 바침. **5** 명의 대통력大統曆을 들여옴. **7** 명의 연호 홍무洪武를 사용함. **8** 복색服色을 개정하기로 함. 이성계李成桂, 동녕부東寧府를 공격함. **11** 이성계李成桂, 요성遼城을 공격하여 항복받음. **12** 공민왕, 보평청報平廳을 시찰함.	**1** 명, 서달徐達 · 이문충李文忠으로 하여금 북벌케 함. **4** 명, 왕자 및 종손從孫 9인을 왕에 봉함. 원 순제, 응창應昌에서 사망함. **11** 명, 공신功臣을 봉함. ▶티무르제국, 사마르칸드Samarkand에 수도 정함. ▶독일 한자동맹Hansa同盟, 슈트랄준트Stralsund 화약으로 덴마크와 화의함.
1371 (3704) 신해	20	**2** 여진의 이지란李之蘭이 항복해 옴. **5** 이인복李仁復 · 이색李穡, 《본조금경록本朝金鏡錄》을 증수함. **7** 신돈辛旽, 수원에 유배되었다 처형됨. 왜구가 예성강禮城江에 침입하여 병선 40척을 불사름. **12** 응방鷹坊을 폐지함. ▶유탁柳濯 · 이존오李存吾 사망.	**1** 명, 탕화湯和 · 부우덕傅友德에게 하夏의 명승明昇을 치게 함. **6** 명, 하夏를 멸하고 촉蜀을 평정함: 요동지방 장악. ▶명, 해금령海禁令을 내림. ▶영국, 에드워드Edward 3세의 넷째아들이 카스틸라Castilla 왕위에 오름.
1372 (3705) 임자	21	**1** 원의 나하추納哈出 등이 강계江界 등지에 침입해 옴. **2** 조인벽趙仁璧, 가주적家州賊을 평정함. **3** 왜구가 순천順天과 장흥에 침입해 옴. **4** 제주에 민란 일어남: 6월에 평정. 안우경安遇慶 사망. **6** 관제를 개혁함. 왜구가 안변安邊과 성주成州에 침입해 옴: 이성계李成桂를 원수元帥로 삼아 대비함. **9** 구정毬庭에서 태묘악太廟樂을 익히게 함. **10** 자제위子弟衛를 설치함. **11** 응방鷹坊을 다시 둠.	**1** 명 진리陳理, 명승明昇을 고려高麗로 쫓아냄. **2** 명, 다마사茶馬司를 설치함. 안남安南의 진숙명陳叔明이 왕을 시해하고 자립함. **12** 명, 왕위王褘 피살. ▶프랑스, 라로셸Larochelle 해전에서 영국군을 격파함. ▶덴마크, 한자동맹Hansa同盟에 상업적 특권을 부여함.

연대	고려	우리 나라	다른 나라
1373 (3706) 계축	공민왕 22	**6** 왜구가 한양에 침입하여 약탈함. **7** 왜구가 강화도 교동喬桐과 서강西江에 침입해 옴. **8** 의용좌우군義勇左右軍을 설치함. 동·서 강창江倉에 성을 쌓음. **9** 왜구가 해주에 침입하여 목사를 살해함. **10** 최영, 6도 도순찰사都巡察使가 됨. **윤11** 도총도감都摠都監을 설치함.	**2** 명, 과거제도를 정지하고 어진 인재를 찾아 씀. **3** 명 서달徐達, 산시山西 지방과 베이핑北平을 지킴. **6** 명, 경사성京師城을 축조함. **윤11** 명, 대명률大明律을 정함.
1374 (3707) 갑인	23	**2** 정비鄭庇 등을 명에 보내 육로로 조견朝見할 것을 요청함. **4** 명에서 탐라耽羅의 말 2천필을 요구해 옴. 이인복李仁復 사망. **8** 말을 바치지 않은 탐라耽羅를 평정함: 제주濟州 명칭 확정. **9** 환관 최만생崔萬生, 공민왕을 시해함: 우왕禑王 즉위. 최만생과 홍륜洪倫 처형함. **11** 김흥경金興慶, 비리로 처형됨. **12** 백문보白文寶 사망.	**1** 명, 오정吳禎에게 왜구를 방비케 함. **5** 명, 〈대명일력大明日曆〉을 완성함. **7** 명 이문충李文忠, 고주高州를 쳐서 빼앗음. **11** 명, 복제를 정함. ▶프랑스, 영국과 3년간의 화의를 체결함. ▶이탈리아, 페트라르카Petrarca 사망.
1375 (3708) 을묘	우왕 1	**1** 서연書筵을 설치함. 전녹생田祿生과 이무방李茂方을 사부師傅로 삼음. **2** 상평제용고常平濟用庫를 설치함. **5** 후지藤經光가 거느린 왜인 다수가 항복해 옴: 7월 해상으로 도망함. 이후 왜구의 폐해가 극심해짐. **9** 최공철崔公哲, 모반하다 200여명을 이끌고 압록강을 건너 달아남. **11** 제주에서 민란 일어남. ▶경한景閑·전녹생 사망.	**1** 명, 전국에 사학社學을 설립함. **3** 명, 대명보초大明寶鈔를 발행함. **10** 원의 나하추納哈出가 랴오둥遼東을 공격하다 패함. ▶이탈리아, 보카치오Boccaccio 사망.
1376 (3709) 병진	2	**1** 군사에게 첨설직添設職을 내림. **3** 조민수曺敏修, 진주에서 왜구를 격퇴함. **5** 제주민란 주도자 김중광金仲光 등 13명을 처형함. 혜근惠勤 사망. **7** 왜구가 공주를 함락함. 최영崔瑩, 홍산鴻山에서 왜구를 대파함: 홍산대첩. **9** 왜구가 전주를 함락함. **윤9** 왜구로 인해 조운漕運을 중지함. ▶ 부석사浮石寺 무량수전無量壽殿 재건.	**1** 명, 탕화湯和에게 옌안延安을 지키게 함. **6** 명, 행성行省을 승선포정사사承宣布政使司로 고침. ▶영국, 흑태자黑太子 에드워드Edward 사망. ▶독일, 슈바벤Schwaben 도시동맹 내용을 경신함. ▶교황 그레고리Gregory 11세, 아비뇽Avignon 교황청을 폐함.

연대	고려	우리 나라	다른 나라
1377 (3710) 정사	3	**2** 북원北元에서 책봉사를 보내옴: 북원의 연호 선광宣光을 사용함. **3** 교동과 강화의 사전을 없앰. 북원에 사신을 보내 책명冊命에 감사함. **5** 왜구로 인해 도읍지를 옮기려고 철원鐵原의 지세를 조사함. 이성계李成桂는 지리산에서, 박위朴葳는 황산하黃山河에서 왜구를 격파함. **7** 북원北元에서 사신 보내 정료위定遼衛 협공을 요청해 옴. **9** 정몽주鄭夢周, 일본에 사신으로 가 왜구의 근절을 요청함. **10** 최무선崔茂宣의 건의로 화통도감火㷁都監을 설치함: 화약火藥과 화포火砲 제작. ▶세계 최초의 금속활자본 《직지심체요절直指心體要節》(직지심경)을 인쇄함.	**4** 명 등유鄧愈, 티베트를 평정함. **7** 명, 통정사사通政使司를 설치함. **11** 명, 등유鄧愈 사망. ▶교황 그레고리Gregory 11세, 로마로 돌아옴: 아비뇽Avignon의 유수幽囚 끝남. ▶신성로마제국, 남독일 도시전쟁이 시작됨.
1378 (3711) 무오	4	**3** 좌소조성도감左蘇造成都監을 설치함: 백악산白岳山에 궁궐 축조 임무. 찬성사 목인길睦仁吉, 수군에게 화포 훈련을 실시함. **4** 최영崔瑩 · 이성계李成桂, 승천부昇天府에서 왜구를 격파함. **5** 개경의 쌀값이 폭등함: 베 1필에 쌀 3되. **9** 명明의 연호 홍무洪武를 다시 사용함. **10** 명明에 하정사賀正使와 사은사謝恩使를 보냄. **12** 요동의 고가노高家奴가 군사 4만을 거느리고 항복해 옴.	**1** 명, 왕자 5인을 왕에 봉함. **11** 명 양중명楊仲明, 남만南蠻의 반란을 평정함. ▶로마 교회, 로마Roma와 아비뇽Avignon으로 분리됨. ▶영국 위클리프Wycliffe, 교황의 지상권至上權을공박함.
1379 (3712) 기미	5	**2** 일본에서 승려 호인法印을 보내 토산물을 바침. 도읍지 이전 계획을 중지함. **5** 왜구가 진주晋州 · 풍천豊川의 관아와 민가를 불태움. **윤5** 일본해도포착관日本海盜捕捉官 박거사朴居士, 왜구와의 전투에서 대패함. **8** 우인열禹仁烈 · 배극렴裵克廉, 사주泗州에서 왜구를 격파함. 《나옹화상어록懶翁和尙語錄》을 간행함. **9** 해인사海印寺 소장 역대 실록을 득익사得益寺로 이전함.	**1** 명, 목영沐英이 조주번洮州番을 격파함. 정옥丁玉이 송주번松州番을 격파함. **11** 명, 대령大寧을 평정함. **12** 명, 원의 유신 백안자중白顔自中을 초빙함: 응하지 않고 자살. ▶영국, 인두세人頭稅를 과함: 프랑스와 스코틀랜드에 대한 전비 조달 목적. ▶이탈리아, 베네치아Benezia와 제노바Jenova 간에 전쟁 일어남.

연대	고려	우리 나라	다른 나라
1380 (3713) 경신	우왕 6	**4** 최영崔瑩, 해도도통사海道道統使를 겸함. **6** 우왕이 보평청報平廳에서 정사를 봄. **8** 나세羅世 · 최무선崔茂宣, 화포를 사용하여 진포鎭浦(지금의 서천舒川 지역)에서 왜구를 격파함. **9** 이성계, 운봉雲峰에서 왜구를 대파함. **12** 성사달成士達 사망. ▶경복흥慶復興 · 조돈趙暾 사망.	**1** 명, 호유용胡惟庸이 반란 꾀하다 처형당함. 중서성을 폐지함. 대도독부를 오군도독부五軍都督府로 고침. **9** 명, 사보관四輔官을 설치함. ▶티무르Timur제국, 페르시아를 정벌함. ▶이탈리아, 베네치아Benezia가 제노바Jenova 해군을 전멸시킴.
1381 (3714) 신유	7	**2** 이인임李仁任, 문하시중이 됨. **4** 전민변위도감田民辨僞都監을 설치함. **7** 보문사普門寺 소장의 역사서를 충주 개천사開天寺로 옮겨 보관함. **8** 개경의 물가가 올라 경시서京市署에서 물가를 조절함.	**1** 명, 서달徐達 등에게 북원北元 군대를 치게 함. 부역적賦役籍을 정함. **12** 명 부우덕傅友德, 북원 군사를 백석강白石江에서 대파: 북원 양왕梁王 자살. ▶영국, 와트 타일러Wat Tyler의 농민반란으로 런던이 점령당함. ▶이탈리아, 베네치아가 제노바Jenova를 누르고 해상상업권을 확립함.
1382 (3715) 임술	8	**1** 요동 호발도胡拔都가 의주를 약탈함. **2** 반전색盤纏色을 설치함. **4** 양수척楊水尺들이 경상도 영해寧海에서 난을 일으킴. **5** 합주陜州(지금의 합천陜川 지역)의 사노비들이 난을 일으킴. **9** 남경南京으로 도읍지를 옮김. **12** 정지鄭地, 진포鎭浦(지금의 서천舒川 지역)에서 왜구를 격파함. ▶보우普愚 · 염제신廉悌臣 · 천희千熙 · 정추鄭樞 사망.	**1** 명, 윈난雲南을 평정함. **4** 명, 금의위錦衣衛를 설치함. **8** 명, 과거제도를 다시 둠. **10** 명, 도찰원都察院 관제를 개정함. **11** 명, 전각대학사殿閣大學士를 설치함.
1383 (3716) 계해	9	**2** 개경으로 환도함. **3** 조민수曺敏修, 문하시중이 됨. **5** 정지鄭地, 남해에서 왜구를 대파함. **6** 충주 개천사開川寺의 역사서를 안성 칠장사七長寺로 옮김. **10** 사사전寺社田 · 사급전賜給田 · 구분전口分田을 국가에 소속시킴 **12** 진헌반전색進獻盤纏色을 설치함.	**2** 명, 전국의 학교에서 인재를 선발함. **3** 명, 목영沐英 군사가 윈난雲南에 주둔함. 부우덕傅友德 군사가 북원을 대파하고 귀환함. ▶영국 위클리프Wycliffe, 성서를 영어로 번역함.

연대	고려	우리 나라	다른 나라
1384 (3717) 갑자	10	**9** 최영崔瑩을 문하시중에, 이성계李成桂를 수문하시중에 임명함. **10** 명의 정료위定遼衛에서 압록강 개시開市를 요청해 옴. **윤10** 수창궁壽昌宮을 건립함. **12** 이성계李成桂, 동북면도원수가 됨. 무예도감武藝都監을 설치하고 군사훈련을 강화함. 추징색追徵色을 설치하여 군·현의 조세를 받아들임. ▶한수韓脩 사망.	**1** 명 탕화湯和, 왜구를 격퇴함. **3** 명, 이문충李文忠 사망. **7** 명, 내관內官의 외부 사무 관여를 금함. ▶영국, 위클리프Wycliffe 사망. ▶프랑스, 네덜란드의 여러 주州를 획득함.
1385 (3718) 을축	11	**5** 윤호尹虎·조반趙胖, 명에 사신으로 가 공민왕의 시호와 우왕의 책봉을 요청함: 9월에 승인받음. **9** 이성계李成桂, 함주咸州에서 왜구를 대파함. 이달충李達衷 사망. **11** 경상도 도순문사 박위朴葳, 왜구를 대파함.	**2** 명, 서달徐達 사망. **3** 명, 한림원翰林院에 진사進士를 뽑아들임. **9** 명, 길주만吉州蠻의 반란 일어남:초왕楚王 정楨과 탕화湯和에게 반란을 평정하게 함. **12** 명, 미얀마의 선위사宣慰使가 사윤발思倫發의 반란을 평정함. ▶영국, 스코틀랜드에 침입함.
1386 (3719) 병인	12	**2** 정몽주鄭夢周, 명에 사신으로 가서 세공歲貢을 줄여줄 것을 요청함. **4** 김속명金續命 사망. **8** 명에 사신 보내 세공歲貢을 줄여준 것에 사의를 표함. 국사 이외에 승려의 승마를 금함. ▶김유金庾·윤환尹桓 사망.	**1** 명, 양로령養老令을 행함. **7** 명, 시무時務에 밝은 선비들을 등용함. 일본, 오산五山의 반열을 정하고 난센사南禪寺를 그 첫째로 함. **12** 명, 풍승馮勝에게 변방을 지키게 함.
1387 (3720) 정묘	13	**1** 관리의 녹봉을 감함. **4** 왜구를 막기 위해 기선군騎船軍을 편성하여 예성강禮成江에 배치함. **6** 우왕, 황금 불상을 조성함. 관복을 명의 제도에 따르도록 함. **8** 정지鄭地, 일본 쓰시마섬對馬島과 이키섬壹岐島 정벌을 건의함. **11** 사전私田에서 반조半租를 거두어 군량미에 충당함.	**1** 명, 풍승馮勝과 부우덕傅友德에게 원의 나하추納哈出를 치게 함. **6** 명, 원의 나하추納哈出를 공격하여 항복받음. **9** 명, 상세商稅를 부과함. **11** 명, 탕화湯和에게 왜구를 막게 함. ▶명, 《어린도책魚鱗圖冊》을 작성함.

연대	고려	우리 나라	다른 나라
1388 (3721) 무진	우왕 14	**1** 최영崔瑩, 다시 문하시중이 됨. 전민변정도감田民辨正都監을 설치함. 임견미林堅味와 염흥방廉興邦을 처형함. **3** 명明이 철령위鐵嶺衛 설치를 통고해 옴: 고려가 이에 반발하여 요동정벌군을 편성함. 명의 연호 사용을 금하고 관복을 원의 제도로 환원시킴. **4** 최영崔瑩을 8도도통사에, 조민수曺敏修를 좌군도통사에, 이성계李成桂를 우군도통사에 임명하여 명 정벌을 개시함. **5** 이성계李成桂, 위화도회군威化島回軍으로 실권을 장악함. **6** 이성계李成桂, 우왕 폐하고 창왕昌王을 세움. 호복胡服 금하고 명의 의복을 따름. **7** 조준趙浚, 사전私田 정리를 건의함. **8** 안렴사按廉使를 도관찰출척사都觀察黜陟使로 고침. **9** 정방政房을 상서사尙瑞司로 고침. **10** 급전도감給田都監을 설치함. **12** 전법판서 조인옥趙仁沃, 사찰의 토지 몰수와 불교 영향 제한을 주장함. 최영崔瑩, 처형당함. ▶이인임李仁任 사망.	**3** 명 목영沐英, 사윤발思倫發을 파함. **4** 명 남옥藍玉, 북원 왕 티코우스티무르脫古思帖木兒를 격파함. **9** 명 목영沐英, 조주만趙州蠻의 반란을 진압함. **10** 명, 북원 예소우다르也速迭兒 왕을 시해함. ▶영국 리처드Richard 2세, 영국 의회와 대립함. ▶신성로마제국, 남독일 도시전쟁이 다시 일어남. ▶독일, 독일기사단이 스위스 도시동맹군에게 패배함. 쾰른Köln 대학 설립.
1389 (3722) 기사	창왕 1 공양왕 1	**2** 경상도 도원수 박위朴葳, 왜구의 근거지 쓰시마섬對馬島 정벌에서 왜선 300여 척을 격파함. **4** 조준趙浚 · 이성계李成桂 등, 사전 정리를 주장함: 우현보禹賢寶 · 이색李穡 등이 반대하여 사전개혁 논쟁이 격화됨. **8** 조준趙浚, 사전私田의 폐해를 논함. 주 · 군에 의창義倉을 설치함. **11** 이성계李成桂, 창왕을 폐하고 공양왕恭讓王을 세움. **12** 우왕과 창왕을 시해함. 이색李穡 부자를 파면하고 조민수曺敏修를 서인庶人으로 함. 관제官制를 개혁함: 전리사典理司는 이조로, 군부사軍簿司는 병조로, 판도사版圖司는 호조로 고침. 화장火葬을 금함. ▶식영암息影庵, 〈정시자전丁侍者傳〉을 지음.	**1** 명, 대종정원大宗正院을 종인부宗人府로 고침. **2** 명 하득충夏得忠, 반란 일으켰다 처형당함. ▶명, 《화이역어華夷譯語》를 편찬함. ▶티무르Timur제국, 동차카타이한국東Chagatai汗國을 멸함. ▶신성로마제국, 남독일 도시전쟁이 끝남.

연대	고려	우리나라	다른나라
1390 (3723) 경오	2	**1** 조민수曺敏修 · 권근權近, 유배당함. **2** 대간면계법臺諫面啓法을 폐지함. **5** 윤이尹彛 · 이초李初의 옥 일어남. 이색李穡, 투옥됨: 11월 석방. **6** 사대부가의 가묘제家廟制를 장려함. **9** 한양으로 천도함. 사전私田 정리 위해 공사 토지문서를 불태움. **12** 군자시軍資寺를 설치함. ▶권근權近, 《입학도설入學圖說》을 지음. ▶변안열邊安烈 · 조민수曺敏修 사망.	**1** 명, 진왕晋王 강棡과 연왕燕王 체棣에게 북벌을 명함. **윤3** 일본, 도키土岐康行의 난을 평정함. **4** 명, 담왕潭王 재梓 자살. ▶일본, 도지사等持寺를 10찰의 첫째로 함.
1391 (3724) 신미	3	**1** 각 도의 부 · 목에 유학교수관儒學敎授官을 둠. 이성계李成桂, 삼군도총제사에 오름. 신의왕후神懿王后 한씨(이성계李成桂의 정비) 사망. **2** 한양에서 환도함. 서강에 풍저창豊儲倉과 광흥창廣興倉을 설치함. **5** 과전법科田法을 제정함. **10** 정도전鄭道傳, 나주에 유배됨. 정지鄭地 사망. **12** 아악서雅樂署를 설치함.	**4** 명, 왕자 10인을 왕에 봉함. **8** 명, 황태자에게 산시陝西지방을 순무케 함. **12** 일본, 메이도쿠明德의 난 일어남. ▶북원, 명에 항복함. ▶터키, 동로마제국 군사를 격파함.
1392 (3725) 임신	4 **조선** 태조 1	**1** 서적원書籍院에서 활자로 서적을 인쇄함. **2** 노비결송법奴婢訣訟法을 제정함. **4** 정몽주, 개성 선죽교善竹橋에서 이방원李芳遠이 보낸 조영규趙英珪에게 피살됨. **7** 태조 이성계李成桂, 수창궁壽昌宮에서 즉위함: 고려 멸망. 조선 건국. 문무 백관제도를 제정함. **8** 개국공신을 정함. 이숭인李崇仁 사망. **9** 실록 초고인 사초史草를 쓰기 시작함. 각 도에 안렴사를 파견함. 혼수混脩 사망. **10** 공부상정도감貢賦詳定都監에서 새로운 공물법을 제정함. **12** 노비법을 개정하여 부당하게 노비가 된 자를 양인良人으로 환원시킴. **윤12** 배극렴裵克廉 사망. ▶권근權近의 〈상대별곡霜臺別曲〉, 이방원李芳遠의 〈하여가何如歌〉, 정몽주鄭夢周의 〈단심가丹心歌〉 나옴.	**4** 명, 황태자 표標 사망. 여진 유엘루티무르月 帖木兒가 반란 일으켰다 남옥藍玉에게 피살됨. **9** 명, 윤문允炆을 황태손으로 함. 방효유方孝儒를 한중교수漢中敎授에 임명함. **윤10** 일본, 남조南朝의 고카메야마後龜山가 북조北朝의 고코마스後小松왕에게 양위함: 남북조 통일. ▶명, 경덕진景德鎭에 관요官窯를 설치함. ▶독일, 노브고로트Novgorod 왕국과 상업협정을 맺음. 에르푸르트Erfurt 대학 설립.

연 대	조선	우 리 나 라	다 른 나 라
1393 (3726) 계유	태조 2	**2** 국호를 조선朝鮮으로 정함. 태조, 계룡산鷄龍山에 가서 도읍지의 지세를 살핌. **8** 경기 지역에 양전量田을 실시함. **9** 안렴사按廉使를 폐지하고 관찰출척사觀察黜陟使를 파견함. 중방重房을 폐지함. 삼군총제부를 의흥삼군부義興三軍府로 개칭함. 사역원司譯院을 설치함. **11** 각 도의 계수관界首官을 정함. **12** 계룡산 신도新都 공사를 중지함: 도읍지를 다시 조사시킴. ▶정도전鄭道傳, 〈납씨가納氏歌〉·〈문덕곡文德曲〉·〈정동방곡靖東方曲〉 지음. ▶윤소종尹紹宗·조인벽趙仁璧 사망.	**2** 명, 남옥藍玉 피살. **3** 명, 진왕晋王 강棡과 연왕燕王 체棣에게 산시山西 지방과 베이핑北平의 군사를 절제시킴. **8** 일본, 난센사南禪寺가 불탐. ▶명, 전국의 토지를 측량함. ▶티무르Timur제국, 일 한국Il汗國을 멸망시킴. ▶영국, 교황 칙서勅書의 전달을 금함.
1394 (3727) 갑술	3	**4** 공양왕 부자 및 왕씨王氏들을 살해함. **5** 정도전鄭道傳, 《조선경국전朝鮮經國典》·《불씨잡변佛氏雜辨》 지음. **8** 도읍지를 한양으로 정하고, 신도궁궐조성도감新都宮闕造成都監을 설치함. **10** 한양으로 천도함. **11** 한학漢學과 몽학蒙學을 설치함. ▶정도전鄭道傳, 〈신도가新都歌〉 지음. ▶명의 사신 황영기黃永奇가 이성계를 이인임李仁任의 후손으로 잘못 말함: 이후 종계변무宗系辨誣 문제 계속됨. ▶윤사덕尹師德·황보림皇甫琳 사망.	**1** 명, 전국의 식량을 거두어 빈민들에게 나누어 줌. **3** 명, 공부工部에서 병기를 보관케 함. **8** 명, 수리시설을 정비함. **11** 명, 부우덕傅友德을 처형함. **12** 일본 아시카가足利義滿, 태정대신이 됨.
1395 (3728) 을해	4	**1** 사직단社稷壇을 세움. 정도전鄭道傳 등, 《고려사高麗史》를 편찬함. **2** 예문춘추관藝文春秋館을 설치함. 《대명률직해大明律直解》를 간행함. **4** 전제田制를 개혁함. 최무선崔茂宣 사망. **6** 한양부를 한성부漢城府, 개성부를 개성유후사開城留後司, 양광도楊廣道를 충청도, 서해도를 풍해도豊海道, 교주도交州道를 강원도로 고침. 정도전鄭道傳, 《경제문감經濟文鑑》을 지음. **9** 《개국원종공신녹권開國原從功臣錄券》을 내림. **윤9** 도성축성도감都城築城都監을 설치함. **10** 권근權近 등, 《천상열차분야지도天象列次分野之圖》를 석각함. 경복궁景福宮 완공. **12** 노비변정도감奴婢辨整都監을 설치함. ▶조영규趙英珪 사망.	**1** 명, 목춘沐春·월주越州의 반란을 토벌함. **2** 명, 풍승馮勝을 처형함. **8** 명, 양문楊文 등으로 하여금 용주龍州의 토호 조종수趙宗壽를 치게 함. **9** 명, 《황명조훈皇明祖訓》을 발표함. ▶일본, 왜구를 잡아 명에 보냄. ▶티무르Timur제국, 킵차크 한국Kipchak汗國을 정복함.

연대	조선	우리 나라	다른 나라
1396 (3729) 병자	5	**4** 한성부漢城府의 5부 이름을 정함. **5** 이색李穡 사망. **8** 신덕왕후神德王后 강씨康氏 사망. **9** 도성都城 축조공사를 완료함. **12** 김사형金士衡 등, 왜구 근거지인 쓰시마섬對馬島과 이키섬壹岐島을 공격함. ▶명에서 정도전鄭道傳의 〈하정표전문賀正表箋文〉 내용이 불손하다고 문제 일으킴. ▶한성漢城에 동빙고東氷庫와 서빙고西氷庫를 설치함.	**2** 명, 연왕燕王 체棣에게 변방을 순찰케 함. **3** 명, 연왕燕王 체棣가 몽골 군사를 대파함. ▶오스만 튀르크Osman Türks, 니코폴리스Nicopolis 전투에서 승리함: 발칸반도 제패. ▶영국 리처드Richard 2세, 프랑스 왕녀 이사벨라Isabella와 혼인하여 화해함.
1397 (3730) 정축	6	**4** 한성漢城에 흥인지문興仁之門(동대문)을 건립함. **5** 각 도 병마절도사를 폐지하고, 각 진鎭에 첨절제사僉節制使를 둠. **6** 명의 부당한 요구에 반발하여 요동정벌계획을 추진함. **8** 제생원濟生院을 설치함. **9** 흥천사興天寺에 토지 1천결을 하사함. **10** 가례도감嘉禮都監을 설치함. 정총鄭摠, 사신으로 명에 갔다가 표전문表箋文 내용이 트집 잡혀 처형당함. **12** 조준趙浚 등, 《경제육전經濟六典》을 지음. ▶나세羅世 · 성여완成汝完 사망.	**4** 일본 아시카가足利義滿, 긴가쿠사金閣寺를 창건함. **5** 명, 초왕楚王 정禎과 상왕湘王 백柏에게 길주만吉州蠻을 치게 함. 〈대명률大明律〉을 반포함. **9** 명, 평면만平緬蠻 도간맹刀幹孟이 반란 일으켜 선위사 사윤발思倫發을 축출함. ▶덴마크, 칼마르Kalmar 연맹을 조직하여 북유럽 3국을 통합함.
1398 (3731) 무인	7	**2** 한성에 숭례문崇禮門(남대문)을 건립함. **5** 유비고有備庫와 요물고料物庫를 설치함. 강화 선원사禪源寺의 〈고려대장경판〉을 해인사로 옮김. **윤5** 경루更漏를 종루에 둠: 우리나라 최초의 물시계. **6** 조준趙浚 등, 〈향약제생집성방鄕藥濟生集成方〉을 편찬함. 문익점文益漸 사망. **7** 성균관成均館에 문묘文廟와 명륜당明倫堂을 건립함. 양현고養賢庫를 설치함. 전국에 양전量田을 실시함. **8** 제1차 왕자의 난 발생: 무안대군撫安大君(방번芳蕃) · 의안대군宜安大君(방석芳碩) · 정도전鄭道傳 · 남은南誾 등 피살. **9** 태조, 정종定宗에게 선위함. 왕자의 난 때 이방원李芳遠을 도운 관리들을 정사공신定社功臣에 녹훈함. ▶박위朴葳 사망.	**윤5** 명, 태조太祖 사망: 혜제惠帝 즉위. **6** 명 방효유方孝儒, 한림원 시강侍講이 됨. **7** 명, 주왕周王 숙橚을 폐함. ▶일본, 3관령管領 · 4직職 · 7두頭의 직제를 정함. ▶티무르Timur제국, 인도에 침입하여 델리Delhi를 약탈함. ▶영국, 아일랜드Ireland에 원정함.

연 대	조선	우 리 나 라	다 른 나 라
1399 (3732) 기묘	정종 1	**1** 명의 연호 건문建文을 사용함. 한성에 궁궐과 외성을 신축함. **3** 노비변정도감奴婢辨正都監을 폐지함. 문신들을 집현전集賢殿에 모이게 함. 승려의 민가 출입을 금함. 개경으로 다시 천도함. **5** 《향약제생집성방鄕藥濟生集成方》을 간행함. **8** 행대감찰行臺監察을 각 도에 파견함. **10** 조례상정도감條例詳定都監을 설치함. 설장수偰長壽 사망. **11** 종친宗親 · 훈신勳臣에게 각 도의 군사를 나누어 맡게 함. ▶한성에 5부학당을 설치함. ▶김사형金士衡, 명에서 지도를 가지고 옴.	**1** 명, 《태조실록》을 편찬함. **2** 명, 관제를 고침. **7** 명, 연왕燕王 체棣가 군사 일으켜 정난靖難의 사師라 칭함. **8** 명, 연왕燕王을 치다가 패함. **11** 일본, 오치大內義弘의 반란 일어남: 오에이應永의 난. ▶영국, 헨리 4세 즉위: 랭커스터Lancaster 왕조 시작.
1400 (3733) 경진	2	**1** 집현전集賢殿을 보문각寶文閣으로 고침. 제2차 왕자의 난 일어남: 회안대군懷安大君(방간芳幹)을 토산兎山에 유배 보냄. 박포朴苞 등을 처형함. **2** 이방원李芳遠을 왕세제로 삼음. **3** 처음으로 선잠단先蠶壇을 두고 제사 지냄. **4** 사병私兵을 혁파함. 도평의사사를 의정부議政府로, 중추원을 삼군부三軍府로 고침. **6** 노비변정도감奴婢辨正都監을 다시 설치함. **11** 정종, 태종太宗(이방원李芳遠)에게 선위함. **12** 사고史庫로 쓰던 수창궁壽昌宮이 불타 사고를 중추원中樞院으로 옮김.	**4** 명 이경륭李景隆, 연燕 군사에게 대패함. **8** 명 성용盛庸, 연왕燕王을 파하고 덕주德州를 회복함: 12월 연왕의 군대를 동창東昌에서 격파함. ▶명, 나관중羅貫中 사망. ▶안남의 진陳왕조가 멸망함. ▶영국, 초서Chaucer 사망.
1401 (3734) 신사	태종 1	**1** 도관찰출척사都觀察黜陟使를 안렴사按廉使로 고침. 노비변정도감奴婢辨正都監을 폐지함. **2** 좌명공신佐命功臣에게 교서와 녹권을 내림. **윤3** 문과고강법文科考講法을 제정함. **4** 사섬서司贍署를 설치함: 저화楮貨 관장. **5** 공부상정도감貢賦詳定都監을 두고 공부貢賦의 액을 정함. 백색 옷을 입지 못하게 함. 7 내부시內府寺를 내자시內資寺로 고치고, 문하부門下府를 의정부에 병합함. 신문고申聞鼓를 처음 설치함. ▶명에 사신으로 갔던 임사영林士英이 〈대통력大統曆〉을 전해옴. ▶심덕부沈德符 · 조반趙胖 사망.	**3** 명 성용盛庸, 협하夾河에서 연燕의 군사를 대파함. **5** 일본, 명과 통교함. **12** 명, 연왕燕王의 대대적 침입을 받음. ▶티무르Timur제국, 바그다드를 침공하여 약탈함. ▶영국 의회, 위클리프Wycliffe의 신도에 대한 화형火刑을 결의함. ▶프랑스, 바르셀로나Barcelona 은행 설립.

연대	조선	우리 나라	다른 나라
1402 (3735) 임오	2	**1** 무과武科를 처음 실시함. 관리의 녹봉에 저화楮貨를 병용하여 지급함. **2** 공신전功臣田과 사사전寺社田에 대한 수세의 법을 정함. **4** 이지란李之蘭 사망. **6** 사고史庫를 중추원中樞院에서 상의원尙衣院으로 옮김. 하륜河崙 등에게 《편년한국사編年韓國史》를 편찬케 함. **7** 관리의 고적출척법考績黜陟法을 시행함. **8** 호패법號牌法을 실시함. **11** 안변부사 조사의趙思義, 반란 일으킴: 12월 처형됨. ▶이회李薈 · 김사형金士衡 등, 세계지도인 《혼일강리역대국도지도混一疆理歷代國都地圖》를 제작함. ▶박순朴淳 사망.	**6** 명, 연燕 군사에게 난징南京이 점령당함: 혜제 사망. 연왕(성조成祖) 즉위. 방효유方孝儒가 처형당함. **9** 일본, 명의 국서國書를 받음. **10** 명, 《태조실록》을 증수함. ▶보헤미아 후스Hus, 프라하Praha 대학 총장이 되어 종교개혁을 시작함. ▶오스만 튀르크Osman Türks, 바야지트Bayazit 1세가 앙카라Ankara 전투에서 티무르Timur제국 군사에게 사로잡힘.
1403 (3736) 계미	3	**2** 주자소鑄字所를 설치하고 조선 최초의 동활자인 계미자癸未字를 주조함. **4** 명의 사신이 고명誥命 · 인장印章 · 조칙詔勅을 가지고 옴. 곽충보郭忠輔 · 성석용成石瑢 사망. **6** 의성고義成庫를 내자시內資寺로 고침. 덕천고德泉庫를 파하고 내섬시內贍寺를 둠. **8** 권근權近 등, 《동국사략東國史略》을 편찬함. **10** 일본 사신이 왜구에게 납치된 조선인 130명을 송환해옴. ▶우인열禹仁烈 사망.	**1** 명, 베이핑北平을 베이징北京으로 개칭함. **윤11** 명, 호태순胡太巡을 안남왕安南王에 봉함. ▶신성로마제국, 후스Hus를 프라하Praha 대학에서 몰아냄.
1404 (3737) 갑신	4	**3** 오도리吾都里 여진 추장에게 상호군 · 대호군 등 명예직을 주어 회유함. **4** 의정부, 각 도의 호구 및 전답의 수를 올림. **6** 노비를 사사로이 주고받는 것을 금함. **7** 세자봉숭도감世子封崇都監을 설치함. 최운해崔雲海 사망. **9** 경복궁景福宮 증축공사를 끝냄. **10** 한성으로 다시 천도하기로 함. **12** 조운흘趙云仡 사망.	**3** 명, 처음으로 진사를 뽑아 한림원翰林院 서길사庶吉士로 함. **4** 명, 고치高熾를 황태자로 하고, 고후高煦를 한왕漢王에, 고수高燧를 초왕楚王에 봉함. **6** 명, 안극티무르安克帖木兒를 충순왕忠順王에 봉함. ▶일본, 명의 감합부勘合符(입국확인서)를 받음: 감합무역勘合貿易의 시작.

연 대	조선	우 리 나 라	다 른 나 라
1405 (3738) 을유	태종 5	**1** 의정부議政府 서무를 6조에 귀속시킴. **3** 예조禮曹에서 6조의 직무를 상정함. **4** 노비전계문자奴婢傳繼文字의 법을 정함. **6** 조준趙浚 사망. **9** 무학無學 사망. **10** 개성에서 한성으로 다시 천도함. 한성에 창덕궁昌德宮을 건립함. **11** 사찰의 노비 수를 제한함. 남편이 죽은 뒤 3년 안에 재가하는 것을 금함. ▶권근權近의 《예기천견록禮記淺見錄》을 간행함.	**2** 명, 안극티무르安克帖木兒 사망. **5** 명, 타타르Tatar를 합병함. **6** 명, 환관 정화鄭和가 남해南海 원정 길에 오름. ▶몽골의 티무르가 명 정벌 중 사망함: 제국 분열. 오스만 튀르크Osman Türks 재건.
1406 (3739) 병술	6	**2** 전선법銓選法과 추증법追贈法을 제정함. **3** 선禪·교敎 양종의 사찰을 정비함: 242개만 남기고 토지와 노비의 수를 한정함. **4** 공처노비결절公處奴婢決折의 법을 제정함. **5** 경보慶補 사망. **6** 향교의 학생 수와 토지 액수를 정함. **7** 둔전연호미법屯田煙戶米法을 제정함. 박석명朴錫命 사망. **10** 이숭인李崇仁의 《도은집陶隱集》을 간행함. ▶모화관慕華館을 건립함.	**3** 명, 성경盛京(선양瀋陽)의 개원開原과 광녕廣寧에 마시馬市를 개설함. **7** 명, 주능朱能과 장보張輔에게 안남安南을 치도록 함. **10** 명, 주능朱能 사망. **12** 명 장보張輔, 안남安南을 대파함. ▶아라비아, 역사학자 이븐 할둔Ibn Khaldun 사망.
1407 (3740) 정해	7	**1** 백관의 녹과를 개정함. 인보제隣保制를 실시함. **2** 한성에 문묘文廟를 중건함. **4** 군정사목軍政事目을 제정함. 한성부, 5부의 다리 및 거리 이름을 지음. **6** 둔전연호미법屯田煙戶米法을 폐지함. **7** 김사형金士衡 사망. **9** 낙동강을 경계로 하여 경상도를 좌도와 우도로 나눔. **11** 《화이역어華夷譯語》를 편찬함.	**3** 명, 서역승 하리마哈里麻를 대보법왕大寶法王에 봉함. **5** 명 장보張輔, 안남왕安南王 부자를 사로잡음. **6** 명, 안남安南을 교지交趾로 개칭하고 교지포정사交趾布政司를 설치함. **9** 일본, 교토京都에 지구전地口錢을 부과함.
1408 (3741) 무자	8	**1** 제주에 감목관監牧官을 설치함. **3** 충청도 수영水營에서 왜선 23척을 격퇴함. 전국 병선 수를 613척으로 늘임. **4** 진헌색進獻色을 설치함: 명에 보낼 처녀 징집. **5** 태조 사망. **8** 공처노비의 신공身貢 액수를 정함. **9** 양주에 태조의 건원릉健元陵을 조성함. **10** 왜노비倭奴婢의 매매를 금함. ▶평양의 기자묘箕子墓를 보수함.	**5** 일본, 아시카가足利義滿 사망. **6** 명 장보張輔, 안남에서 개선함. **8** 교지, 명의 지배에 항거함. **12** 명, 연해의 왜구들을 체포함. ▶명, 정화鄭和가 제2차 남해 원정길에 오름. 《영락대전永樂大典》을 완성함. ▶프랑스, 두 교황의 대립에 중립을 선언함.

연 대	조선	우 리 나 라	다 른 나 라
1409 (3742) 기축	9	**1** 의약활인법醫藥活人法을 제정함. **2** 신덕왕후神德王后의 정릉貞陵을 조성함. 권근權近 사망. **윤4** 아악서雅樂署와 전악서典樂署의 관품을 정함. **8** 삼군진무소三軍鎭撫所를 설치함: 곧 의흥부義興府로 개칭. **9** 노비진고법奴婢陳古法을 제정함. 예조에서 역대 실록實錄 수찬의 법을 정함. **10** 11도에 도절제사都節制使를 둠. 공신전功臣田의 전급법傳給法을 제정함. **12** 둔전屯田을 다시 둠. 봉상시奉常寺를 혁파함.	**1** 명, 차茶를 엄히 금지함. **5** 명, 오이라트Oirat의 마흐무드馬哈木를 순녕왕順寧王에, 태평太平을 현의왕賢義王에, 파독라把禿羅를 안락왕安樂王에 봉함. **11** 명 장보張輔, 안남安南을 파함. ▶독일, 라이프치히Leipzig 대학 설립. ▶피사Pisa 종교회의, 그레고리Gregory 12세 및 베네딕트Benedict 13세를 폐위시키고 알렉산더Alexander 5세를 선임함.
1410 (3743) 경인	10	**1** 《태조실록》 편찬을 시작함. **2** 시전市廛을 정함. 주자소鑄字所로 하여금 서적을 인쇄케 함. **3** 민무구閔無咎 · 민무질閔無疾 형제, 종친간의 이간을 꾀하다 처형당함. **4** 경원부慶源府를 경성鏡城으로 옮김. **7** 저화통법楮貨通法을 다시 정함. 베를 현물화폐로 다시 유통시킴. **8** 의례상정소儀禮詳定所를 설치함. 해인사海印寺에 대장경 간행을 명함. ▶전주에 경기전慶基殿을 건립함.	**2** 명 성조成祖, 오논강Onon江에서 타타르Tatar에 대승함. **5** 명, 악낙하鄂諾河에서 타타르Tatar를 대파함. ▶폴란드, 탄넨베르크Tannenberg에서 독일기사단을 격파함.
1411 (3744) 신묘	11	**1** 저화楮貨의 통용을 철저히 하도록 함. **2** 윤사수尹思修 사망. **3** 원단圓壇의 제의를 정함. **6** 문서응봉사文書應奉司를 승문원承文院으로 고침. **8** 경상도와 전라도에 창고를 증설함. **9** 가례색嘉禮色을 설치함. 종묘宗廟의 제례祭禮를 정함. **11** 5부학당을 송宋의 제도에 의거하여 운영함. **12** 동북면 지방의 양전量田을 실시함. **윤12** 개거도감開渠都監을 설치함: 한성의 청계천 등 수로공사 담당. ▶현등사懸燈寺 중건.	**1** 명, 장보張輔에게 교지交趾를 다시 정벌케 함. **2** 명, 회통하會通河를 준설함. **7** 명 장보張輔, 교지交趾를 대파함. **9** 일본, 명의 사신을 물리쳐 보냄. **10** 명, 합밀哈密의 투리티무르兎力帖木兒를 충의왕忠義王에 봉함. ▶신성로마제국, 지기스문트Sigismund 황제 즉위: 헝가리왕을 겸함.

연대	조선	우리나라	다른나라
1412 (3745) 임진	태종 12	**2** 별사전別賜田의 세습을 폐지함. 한성의 개천開川 준설공사를 완료함. **4** 경복궁 경회루慶會樓를 건립함. **5** 종친의 반서班序와 반록班祿을 정함. 창덕궁 돈화문敦化門을 건립함. **6** 단군檀君과 기자箕子를 사전祀典에 올림. **7** 의흥부義興府를 폐지함: 병조兵曹에서 군정을 관장하게 함. **8** 충주사고 책을 춘추관春秋館으로 옮김. **10** 함경도 지방에서 금을 채취함. **11** 조운법漕運法을 시행함. **12** 상서上書·장신狀申·소식消息을 상언上言·계본啓本·계목啓目으로 고침. ▶권근權近의 《동국사략東國史略》을 간행함. ▶정안왕후定安王后·이거이李居易 사망.	**8** 명, 변방 군대에게 참호塹濠를 보수하게 함. **11** 명 양영楊榮, 간쑤甘肅 지방을 경영함. ▶명 정화鄭和, 제3차 남해 원정 길에 오름: 아프리카 동해안까지 항해함. ▶로마 교회, 면죄부免罪符 판매 비난한 보헤미아Bohemia의 후스Hus를 파문함.
1413 (3746) 계사	13	**1** 동서 양계兩界의 양전量田을 실시함. **2** 《원육전元六典》과 《속육전續六典》을 간행함. 평양성을 축조함. **3** 《태조실록》을 완성함. **4** 제비諸妃 및 제사諸祀의 제도를 정함. 한성에 종루를 세우고 옛종을 걸어놓음. **7** 수군水軍에 만호와 천호의 제도를 정함. **9** 노비중분법奴婢中分法과 호패법號牌法을 제정함. **10** 각 도 군·현의 칭호를 개정함. 전라도 해안지방에 제주도 귤나무를 옮겨 심음. **12** 호패號牌를 패용하기 시작함.	**2** 명, 구이저우貴州에 포정사布政司를 설치함. **5** 명, 사죄납속례死罪納贖例를 정함. **7** 명, 아루타이阿魯台를 화령왕和寧王에 봉함. ▶인도, 투글루Tughluq 왕조 멸망.
1414 (3747) 갑오	14	**1** 돈령부敦寧府를 설치함. 비첩婢妾 소생에 대한 한품속신법限品贖身法을 제정함. **3** 무과에 삼장통고법三場通考法을 적용함. **4** 노비변정도감奴婢辨整都監을 설치함: 10월에 폐지. **5** 노비사목奴婢事目을 제정함. **7** 명륜당明倫堂에서 처음 백일장을 실시함. 신륵사神勒寺 소장의 대장경을 일본에 기증함. 조영무趙英茂 사망. **8** 하륜河崙에게 《고려사》를 개수시킴. **10** 사역원司譯院에서 일본어를 학습시킴.	**2** 명 성조成祖, 오이라트Oirat 원정차 출병함. **3** 명 장보張輔, 교지交趾를 평정함. **6** 명 성조, 오이라트Oirat를 대파함: 8월에 귀환함. **11** 명, 《사서오경四書五經》을 찬수함. ▶인도, 사이드Sayyid 왕조 성립. ▶로마 교회, 콘스탄츠공의회Konstanz公議會 개최: 교회 분열 방지, 교회 개혁, 이단異端 배제에 합의함.

연 대	조선	우 리 나 라	다 른 나 라
1415 (3748) 을미	15	**1** 녹과祿科를 상정함. **3** 보충군補充軍을 처음 둠. 설미수偰眉壽 사망. **4** 공장상고수세법工匠商賈收稅法을 제정함. 화통군火筒軍을 400명 증원하여 1천명으로 함. **7** 조지소造紙所를 설치함. **8** 김제金堤 벽골제碧骨堤를 중수함. **10** 맥전조세법麥田租稅法을 정함. **11** 군정봉족軍丁奉足의 수를 정함. **12** 각 역의 이수里數를 조사하여 표지를 세움. ▶서얼차대법庶孼差待法이 시행됨.	**1** 명, 오이라트Oirat의 마흐무드馬哈木가 사신 보내 조공함. **4** 명, 장보張輔에게 교지交趾를 지키게 함. **5** 명, 장쑤성江蘇省의 청강포淸江浦를 개통시킴. ▶영국, 아젱쿠르Agincourt 싸움에서 프랑스군을 대파함. ▶포르투갈, 아프리카 서안을 시험 탐험함. ▶로마 교회, 종교개혁자 후스Hus를 화형火刑에 처함.
1416 (3749) 병신	16	**1** 조관朝官의 관복제도를 정함. **4** 하륜河崙의 《동국약운東國略韻》을 간행함. **6** 호패법號牌法을 폐지함. **8** 도첩제度牒制를 실시함. 각 도의 공물을 상정함. **9** 영길도永吉道를 함길도咸吉道로 고치고 도의 소재지를 영흥永興에서 함흥咸興으로 옮김. **11** 하륜河崙 사망.	**3** 명, 오이라트Oirat를 격파함. **8** 일본, 우에스기上杉氏憲의 반란 일어남. **9** 명, 어사御史에게 순찰을 명함. **11** 명, 장보張輔를 소환함. ▶명 정화鄭和, 제4차 남해 원정 길에 오름. ▶신성로마제국 지기스문트Sigismund 황제, 영국에 가서 프랑스와의 화의를 조정함. ▶이탈리아, 어음을 사용하기 시작함.
1417 (3750) 정유	17	**1** 각 도에 잠소蠶所를 설치함. **4** 이천우李天祐 사망. **5** 각 도 관찰사에게 금광과 은광의 채굴과 제련을 독려케 함. **윤5** 조온趙溫 사망. **6** 원종공신전原從功臣田은 공신이 사망한 뒤 군자軍資에 속하게 함. **7** 《제왕운기帝王韻紀》와 《향약구급방鄕藥救急方》을 간행함. **8** 군기감軍器監 내에 화약고를 설치함. 경원부慶源府를 다시 설치함. **11** 승려의 역사役事를 금함. 풍해도豊海道를 황해도黃海道로 고침. **12** 행대감찰行臺監察을 각 도에 파견함. 서운관書雲觀 소장의 참서를 불태움.	**1** 일본, 우에스기上杉氏憲의 반란을 평정함. **2** 명, 곡왕谷王 혜穗를 폐하여 서인으로 함. 이빈李彬이 교지交趾를 평정함. **3** 명, 성조成祖가 북방 순시에 오름. 한왕 고후高煦를 낙안주樂安州로 옮김. ▶명, 《성리대전性理大典》을 반포함. ▶영국, 다시 프랑스를 공격함. ▶로마 교회, 교황에 마르티누스Martinus 5세를 선출함: 교회 분열 종식.

연대	조선	우리나라	다른나라
1418 (3751) 무술	태종 18	**1** 백관에게 사모紗帽를 쓰게 함. **5** 서연書筵과 숙위사宿衛司를 폐지함. 정구鄭矩 사망. **6** 세자 양녕대군讓寧大君을 폐하고 충녕대군忠寧大君을 책봉함. **7** 개성 경덕궁敬德宮에 북량정北凉亭을 건립함. **8** 태종, 충녕대군忠寧大君(세종世宗)에게 왕위를 전해 줌. 화통火㷁과 완구碗口를 시험 제작함. **9** 창덕궁 인정전仁政殿을 건립함. 세종, 창덕궁昌德宮으로 옮김. **10** 처음으로 경연經筵을 실시함. **11** 《중수태조실록》을 완성함. 강상인姜尙仁·심온沈溫, 참형당함. ▶개성에 목청전穆淸殿을 건립함.	**1** 교지交趾, 명의 지배에 대항하여 또다시 반란을 일으킴. **5** 명, 《중수태조실록》을 완성함. ▶프랑스, 부르고뉴Bourgogne의 장Jean이 파리에 들어가 아르마냐크파Armagnac派를 학살함. ▶독일, 한자동맹Hansa同盟의 통일적인 법령을 제정함.
1419 (3752) 기해	세종 1	**4** 길재吉再 사망. **5** 봉화령烽火令을 정함. 왜선 50척이 비인현庇仁縣(충남 서천군 비인면)에 침입해 옴. **6** 삼군도체찰사 이종무李從茂, 왜구의 근거지 쓰시마섬對馬島을 정벌함. **9** 제주에 양전量田을 시행함. 정종定宗 사망. **11** 사찰의 노비를 폐지함. **12** 남재南在 사망. ▶〈오륜가五倫歌〉·〈연형제곡宴兄弟曲〉·〈유림가儒林歌〉 지음.	**6** 명 유강劉江, 랴오둥遼東에서 왜구를 격파함. **7** 명 정화鄭和, 남해 원정에서 귀환함. ▶프랑스, 부르고뉴Bourgogne의 장Jean이 찰스Charles 황태자에게 암살당함. ▶신성로마제국, 후스당Hus黨이 프라그Prague(프라하Praha)에서 봉기함: 후스전쟁.
1420 (3753) 경자	2	**1** 호군방護軍房을 폐지함. 개풍군에 정종定宗의 후릉厚陵을 조성함. **윤1** 향리鄕吏 면역免役의 법을 제정함. **2** 강무장講武場을 설치함. **3** 집현전集賢殿을 확대 개편함: 사司를 설치하고 영전사領殿事·대제학大提學 등의 녹관을 둠. 경상도·전라도·충청도 수군도절제사를 폐지하고 병마절도사에 예속시킴. **8** 함경도·평안도·황해도에 관원 보내 금을 채굴케 함. **9** 원경왕후元敬王后의 헌릉獻陵을 조성함. **10** 경연청經筵廳을 설치함. 경자자庚子字를 주조함.	**2** 명, 산둥山東 지방의 요부妖婦 당새아唐賽兒가 반란 일으켰다 진압됨. **10** 명 이빈李彬, 교지交趾의 여리黎利를 격파함. **11** 명, 천도계획을 세움. ▶영국 헨리Henry 5세, 프랑스 왕녀 캐서린Catherine과 혼인하여 프랑스 왕위계승권을 인정받음: 트로와Troyes 조약.

연대	조선	우리 나라	다른 나라
1421 (3754) 신축	3	**1** 변계량卞季良 등, 《고려사高麗史》를 개수하여 올림. 일본 사신의 내왕로를 정함. **3** 주자소鑄字所에서 인쇄법을 개정하고 서적을 사들임. 회안대군懷安大君 사망. **8** 외가에서 키우던 왕자와 공주를 궁궐 안에서 키우도록 함. **10** 예조에서 책왕세자의冊王世子儀에 대한 절차를 상주함. 원자 향珦을 세자에 책봉함. 종묘 영녕전永寧殿을 완성함. **12** 세자, 처음으로 서연書筵을 개설함.	**1** 명, 난징南京에서 베이징北京으로 천도함. 정화鄭和가 제5차 남해南海 원정 길에 오름. ▶영국, 하원에서 처음으로 영어를 사용함.
1422 (3755) 임인	4	**2** 성문도감城門都監을 설치함. 종곡법種穀法을 실시함. **5** 박은朴訔 사망. 전왕 태종 사망. **7** 재인才人과 화척禾尺의 이동을 금하고 모두 본거지로 돌려보냄. **8** 육전수찬색六典修撰色을 설치함. **9** 태종의 헌릉獻陵을 조성함. **11** 호군방護軍房을 폐지함. **윤12** 각 도에 진제소賑濟所를 설치함.	**1** 명, 이빈李彬 사망. **3** 명, 타타르Tatar 아루타이阿魯台의 침입을 흥화興和에서 격파함. **8** 명 정화鄭和, 남해南海 원정에서 귀환함.
1423 (3756) 계묘	5	**1** 강도 · 절도범에 대한 자자법刺字法을 정함. 성석린成石璘 사망. **2** 한성 남산南山에 봉화대烽火臺를 축조함. **3** 일본 사신과 상인이 내왕하는 통행로를 제한함. **9** 금속화폐인 조선통보朝鮮通寶를 주조함. **10** 사찰 창건을 엄금함. 재인才人과 화척禾尺을 백정白丁으로 개칭함.	**5** 명 맹현孟賢, 반란 꾀하다 처형당함. **8** 명 성조成祖, 다시 타타르Tatar를 정벌함. **10** 명, 오이라트Oirat 예센也先의 항복을 받고 충숙왕에 봉함.
1424 (3757) 갑진	6	**2** 경상도 · 전라도에 주전소鑄錢所를 설치함. **4** 호적을 정비함. 사찰을 선禪 · 교敎 양종 36사로 통합하고 승록사僧錄司를 폐지함. **7** 귀화인에게 3년간의 조세와 10년간의 부역을 면제할 것을 규정함. **8** 유관柳觀 등, 《수교고려사讐校高麗史》를 편찬함. **10** 예장도감禮葬都監을 설치함. **11** 변계량卞季良에게 《지지地誌》를 편찬케 함. 조지소造紙所에서 종이를 만들어 올림. ▶구리로 만든 물시계를 주조하여 경복궁景福宮에 설치함.	**7** 명 성조成祖, 타타르Tatar 정벌 중 사망함: 8월 인종仁宗 즉위. ▶명 정화鄭和, 제6차 남해 원정길에 오름. ▶터키, 콘스탄티노플Constantinople을 제외한 전 동로마제국 영토를 점령함.

연대	조선	우리 나라	다른 나라
1425 (3758) 을사	세종 7	**1** 신백정新白丁의 정역定役을 정함. **2** 처음으로 동전銅錢을 사용함. **4** 저화楮貨를 금하고 동전銅錢만 사용하게 함. 변계량卞季良, 〈화산별곡華山別曲〉을 지음. **6** 권근權近의 《입학도설入學圖說》을 간행함. 각 사司 노비의 신공수납법身貢受納法을 제정함. 이종무李宗茂 사망. **7** 왕지王旨를 교지敎旨로 개칭함. **8** 전문수납錢文受納의 법을 제정함. 경기도 남양南陽에서 발견한 경석磬石으로 악기를 제작함. **9** 평양에 단군사당檀君祠堂을 건립함. ▶조견趙狷 사망.	**1** 명, 홍문각弘文閣을 설치함. **5** 명, 인종 사망: 6월 선종宣宗 즉위. **윤6** 과거법科擧法을 다시 정함. **8** 명, 순무관巡撫官을 처음으로 실시함.
1426 (3759) 병오	8	**2** 화주和州를 영흥대도호부永興大都護府로 승격시킴. 방화법防火法을 제정함. **4** 가산몰관家産沒官의 법을 폐지함. 사신이 가져온 태평소太平簫를 군자감軍資監에서 제조하여 전습케 함. **5** 각 도의 국둔전國屯田과 관둔전官屯田을 폐지함. 유정현柳廷顯 사망. **6** 수성금화도감修城禁火都監을 설치함. 함경도 유민과 한성부 노비의 폭동 일어남. **8** 《정종실록》을 편찬함. **11** 삼국 시조始祖의 사당祠堂을 세움.	**1** 명, 전국의 군오軍伍를 정리함. **2** 명, 왕통王通에게 교지交趾의 여리黎利를 치게 함. **6** 일본, 사카모토坂本의 바샤쿠馬借가 교토京都에 난입함. **8** 명, 고후高煦의 반란을 평정함. **11** 명 왕통王通, 여리黎利에게 패함. ▶네덜란드, 반 에이크Van Eyck 사망.
1427 (3760) 정미	9	**2** 관둔전官屯田을 다시 설치함. **4** 야인野人(여진女眞)이 수도에 들어와 하례하는 인원수를 제한함. **5** 박연朴堧, 새로 만든 석경石磬 12매를 만들어 바침. **8** 강화江華에 목장을 설치함. **9** 형조와 사헌부의 소관 업무를 고침. 여자는 14세 이상, 남자는 20세 내외에 성혼케 함. **10** 경기도 · 황해도 · 강원도의 강무장講武場을 폐지함. **11** 우마재살금지법牛馬宰殺禁止法과 신백정평민잡처령新白丁平民雜處令을 공포함.	**4** 명 왕통王通, 교지交趾와 화의함. **7** 명, 관리와 군인이 쌀을 내고 속죄하는 것을 허용함. 일본, 아카마츠赤松滿祐의 반란 일어남. **11** 명, 교지交趾의 독립을 승인하고 포정사布政司를 폐지함. ▶신성로마제국, 미에스Mies 싸움에서 후스당Hus黨이 지그스문트Sigismund 황제를 격파함.

연대	조선	우리 나라	다른 나라
1428 (3761) 무신	10	**1** 향악鄕樂을 제사에 사용하지 못하게 함. **2** 구족오복九族五服의 제도를 개정함. 쓰시마섬對馬島에 대한 사미賜米를 200석으로 결정함. **3** 내관內官 및 궁관宮官의 제도를 정함. **윤4** 정초鄭招 등에게 《속육전續六典》을 개수케 함. 군적軍籍을 6년마다 고치기로 함. 한성부 인구가 10만3328명으로 조사됨. **5** 호구戶口의 법규와 격식을 정함. **9** 신백정을 평민처럼 갑사甲士로 뽑음.. **10** 결부제結負制를 정함. **12** 영변대도호부寧邊大都護府를 설치함.	**1** 일본, 아시카가足利義持 사망. **2** 명, 《제훈帝訓》을 편찬함. **윤4** 명, 왕통王通 등을 투옥함. **8** 명 선종, 변방을 순시하여 오랑캐烏梁海 무리를 격파함. ▶영국, 프랑스의 오를레앙Orleans을 공격함. ▶이탈리아, 마사치오Masaccio 사망.
1429 (3762) 기유	11	**1** 경수소警守所를 다시 둠. **2** 주종소鑄鐘所를 설치하고 편종編鐘을 주성함. **4** 가묘제례家廟祭禮의 법을 정함. 경복궁 사정전思政殿을 개수함. **5** 정초鄭招, 《농사직설農事直說》을 지음. **6** 단오의 척석희擲石戲(돌싸움놀이)를 금하고 석척군石擲軍을 폐지함. **10** 양전경차관量田敬差官을 경상도와 충청도에 파견함. **12** 통신사 박서생朴瑞生, 귀국하여 일본의 국정을 보고함.	**4** 명, 황복黃福과 진선陳瑄將에게 조운漕運을 경략케 함. **6** 명, 처음으로 초관鈔關을 설치함. ▶일본, 아시카가足利義教가 쇼군將軍이 됨. ▶프랑스 잔 다르크Jeanne d'Arc, 오를레앙Orleans에서 영국군을 격파함.
1430 (3763) 경술	12	**4** 변계량卞季良 사망. **5** 유배형의 종류와 거리를 규정함. 배 건조에 쇠못(철정鐵釘)을 사용함. **7** 각 도에 공법貢法의 타당성을 물음. 악학제조 유사눌柳思訥, 새로 만든 조회악기朝會樂器 및 가자架子를 제작함. **9** 집현전集賢殿에 주척周尺을 연구케 함. 각 도 감사監司에게 수차水車 이용한 관개를 권장케 함. 도성에 출입하는 승려에게 인신첩자印信帖子를 발급함. **11** 열조列朝의 어진을 새로 지은 선원전璿源殿에 봉안함. **12** 상복사詳覆司를 설치함. **윤12** 동궁내관東宮內官 제도를 정함. 〈아악보雅樂譜〉를 완성함.	**6** 명, 개평위開平衛를 독석獨石으로 옮김. **10** 명 선종, 세마림洗馬林에서 군대를 사열함. **11** 일본, 부채상각법負債償却法을 제정함. ▶명 정화鄭和, 제7차 남해 원정 길에 오름. ▶프랑스 잔 다르크Jeanne d'Arc, 부르고뉴Bourgogne 군사에게 잡혀 영국군에 인계됨

연대	조선	우리나라	다른나라
1431 (3764) 신해	세종 13	**1** 대소 신민의 가사제家舍制를 정함. **3** 《태종실록》을 편찬함. 각 도에 방호소防護所를 두고 유이민을 단속함. **4** 승사僧舍 이외에서의 연등燃燈을 금함. 《태조실록》·《정종실록》·《태종실록》을 충주사고에 봉안함. **5** 4품 이상을 대부大夫, 5품 이하를 사士라 함. **8** 이직李稷 사망. **11** 노중례盧重禮 등, 《향약채취월령鄕藥採取月令》을 간행함.	**6** 명, 여리黎利에게 안남安南의 국사를 위임함. ▶프랑스 잔 다르크Jeanne d'Arc, 영국군에게 화형당함. ▶후스당Hus黨, 지그스문트Sigismund 황제의 군대를 격파함. ▶바젤Basel 종교회의 개최: 평화 재현과 교회 개혁을 논의함.
1432 (3765) 임자	14	**1** 맹사성孟思誠 등, 《신찬팔도지리지 新撰八道地理志》와 《세종실록지리지世宗實錄地理志》를 편찬함. 일본 객인客人의 상경로를 지정함. **3** 삼군도총제三軍都摠制를 폐지하고 판중추원判中樞院을 설치함. 7 부령富寧에 영북진寧北鎭과 경성도호부鏡城都護府를 설치함. **10** 왕의 신보信寶와 행보行寶를 주조함. 경기지역 전답의 양전量田을 실시함. **12** 강계절제사 박초朴礎, 여연군閭延郡에 침입한 여진 기병 400여명을 격퇴함. 사수색四水色을 다시 설치함. ▶북방 연대煙臺에 신포信砲와 소화포小火砲를 비치함.	**6** 명, 전국 주州·부府·군郡의 창고를 수리함. 《관잠官箴》을 편찬하여 백관을 훈계함. **8** 일본, 견명사遣明使를 보냄. ▶포르투갈, 북대서양의 아조레스Azores 섬을 발견함.
1433 (3766) 계축	15	**1** 황희黃喜 등이 개수한 《신찬경제속육전新撰經濟續六典》을 주자소鑄字所에서 간행함. 동전으로 일본 상인과 거래하는 자에 대한 형률刑律을 제정함. **3** 제악祭樂에 쓰이는 관복제도를 상정함. **4** 최윤덕崔潤德, 압록강 유역의 여진 이만주李滿住를 토벌하고 4군을 설치함. **5** 유관柳寬 사망. **6** 이천李蕆 등, 혼천의渾天儀를 제작함. 유효통俞孝通·노중례盧重禮 등, 《향약집성방鄕藥集成方》을 편찬함. 자성군慈城郡을 설치함. ▶1발에 2-4개의 화살을 발사할 수 있는 화포전火砲箭을 발명함. ▶기화己和 사망.	**3** 명, 예부禮部에서 진사進士에게 연회를 베풀어 줌. **5** 일본, 감합무역勘合貿易을 재개함. **8** 명, 불필요한 관리를 정리함. **윤8** 명, 서역에서 기린을 공물로 바침. ▶포르투갈, 리스본Lisbon으로 수도를 옮김.

연대	조선	우리 나라	다른 나라
1434 (3767) 갑인	16	**3** 노중례盧重禮 등, 《태산요록胎産要錄》을 편찬함. 광화문光化門에 새 종을 걸어 놓음. **6** 설순偰循 등, 《삼강행실도三綱行實圖》를 편찬함. 장영실蔣英實, 자격루自擊漏(물시계)를 제작함. 주자소鑄字所에서 《노걸대老乞大》와 《박통사朴通事》를 간행함. 정초鄭招 사망. **7** 이천李蕆, 동활자 갑인자甲寅字를 주조함. **9** 공신도감功臣都監을 충훈사忠勳司로 고침. **10** 장영실蔣英實, 앙부일구仰釜日晷를 제작함. 회령會寧을 도호부로 승격시킴.	**4** 안남왕 安南王여리黎利 사망. **8** 오이라트Oirat의 터간脫歡이 아루타이阿魯台를 습격하여 살해함. **10** 명, 선덕전宣德錢을 주조함. ▶신성로마제국 지그스문트 Sigismund 황제, 로마에서 대관식 올림.
1435 (3768) 을묘	17	**1** 여진 기병 2,700여명이 여연군에 침입해 옴. **2** 1품에서 서인庶人까지의 혼례의식을 정함. 화약고를 지음. **7** 경성에 200호, 길주에 300호를 이주시킴. **9** 주자소鑄字所를 경복궁景福宮 안으로 옮김. 함길도에 목화를 심게 함. **10** 마패馬牌를 새로 주조함. 설순偰循 사망. **11** 상정소詳定所를 폐지함. 〈보태평保太平〉 지음. ▶김자지金自知 · 우희열禹希烈 사망.	**1** 명, 광세鑛稅를 중지하고 세초稅鈔를 감함. **9** 명, 선종 사망: 영종英宗 즉위. **10** 명, 전국 위소衛所에 학교를 세움. **12** 명, 아루타이阿魯台의 유민流民이 침입해 옴. ▶명, 정화鄭和 사망.
1436 (3769) 병진	18	**2** 화원에게 함길도 · 평안도 · 황해도 산천형세를 그려오게 함. 경성군을 부로 승격시킴. **3** 윤회尹淮 사망. **4** 권제權踶, 《동국연대가東國年代歌》를 지음. **5** 공법절목貢法節目을 제정함. 사수색四水色을 수성전선색修城典船色으로 고침. 사직단社稷壇의 신패神牌를 홍무예제洪武禮制에 맞추어 개조함. **윤6** 공법상정소貢法詳定所를 설치함. **10** 염장관鹽場官을 폐지함. **12** 납활자 병진자丙辰字를 제작함.	**5** 명, 처음으로 제독학교관提督學校官을 설치함. **8** 명, 금화은金花銀을 시행함: 전부田賦 은납제. **9** 명, 여리黎利의 아들 인麟을 안남왕安南王에 봉함. ▶후스당Hus黨, 지그스문트 Sigismund 황제와 화해함.
1437 (3770) 정사	19	**1** 울산을 도호부로 승격시킴. **4** 일성정시의日星定時儀를 제작함. **6** 충훈사忠勳司에서 개국공신開國功臣 · 정사공신定社功臣 · 좌명공신佐命功臣의 등록謄錄을 찬진함. 승려 입적의 제도를 폐지함. **7** 공법貢法을 실시함: 8월에 폐지. 신백정新白丁이 다른 곳으로 이주하는 것을 금함. **9** 이천李蕆, 압록강변의 여진을 정벌함. **10** 김종서金宗瑞, 여진을 정벌하고 경원慶源 · 경흥慶興 등에 6진을 설치함.	**1** 일본 오치大內持世, 규슈九州를 평정함. **5** 명, 왕기王驥에게 간쑤甘肅 지방을 경략시킴. ▶티무르Timur 제국, 울르그베그 Ulugbek의 천문표天文表를 완성함. ▶신성로마제국, 지기스문트 Sigismund 황제 사망.

연대	조선	우리나라	다른나라
1438 (3771) 무오	세종 20	**1** 장영실蔣英實, 흠경각欽敬閣을 설치하고 천체를 관측함. **2** 일본인들을 삼포三浦에 고루 나누어 머물게 함. 박돈지朴敦之가 일본에서 가져온 지도를 도화원圖畵院에 명하여 모사模寫토록 함. **5** 권채權採 사망. **7** 공법貢法을 경상도·전라도에 실시함. **10** 개성유후사開城留後司를 개성부로 강등시킴. 홍여방洪汝方·맹사성孟思誠 사망. ▶제주까지 역참망驛站網을 확대함.	**4** 명, 다퉁大同에 마시馬市를 열고 오이라트Oirat와 무역함. **8** 일본, 아시카가足利持氏의 난을 토벌함: 에이교永享의 난. **11** 명, 과중한 부역으로 도망한 장인 4천명을 체포함.
1439 (3772) 기미	21	**1** 강화도의 왜닥나무를 태안·진도·남해·하동 등지에 심어 종이의 원료를 확보하도록 함. **4** 경차관敬差官을 쓰시마섬對馬島에 파견하여 일본의 무역선 크기와 인원수를 제한한다고 통고함. **7** 전주全州와 성주星州에 사고史庫를 설치함. 평안도와 함경도에 유학교수관儒學敎授官을 배치함. 변방 방비책을 수립함. **8** 공험진公嶮鎭 및 윤관尹瓘의 9성 소재지를 탐지케 함. **9** 향교鄕校를 모두 소학小學으로 고침. 심도원沈道源 사망. **10** 여진족의 상경을 제한함. **12** 허조許稠 사망.	**2** 일본, 아시카가足利持氏 자살. **5** 명 목앙沐昂, 녹천鹿川에서 반란 일으킨 사임발思任發을 토벌함. ▶로마 교회, 피렌체Firenze 종교회의에서 동·서 교회의 통합을 선언함. ▶프랑스, 오를레앙Orleans 법령을 반포함.
1440 (3773) 경신	22	**1** 혼인 연령을 남 16세, 여 14세 이상으로 정함. 전라도 금산錦山에서 금·은·구리·납의 산지를 발견함. **3** 이숙번李叔蕃 사망. **5** 경상도와 전라도에 공법貢法을 시행함. **6** 유사눌柳思訥 사망. **7** 제사제도第舍制度를 품계品階에 따라 한정시킴. **8** 신륵사神勒寺 중수. **9** 경상도 주민 1천여명이 신문고申聞鼓를 쳐서 공법貢法 폐지를 요구함. **11** 종성군鍾城郡을 수주愁州로 옮기고, 온성군穩城郡을 신설함. 안순安純 사망.	**3** 일본, 아시카가足利持氏의 아들이 반란 일으킴. **6** 명, 승려 2만여명에게 도첩度牒을 발급함. **11** 명, 승려 양행상楊行祥이 건문제建文帝라 사칭하다 잡혀 옥사함. ▶이탈리아, 피렌체Firenze에 플라톤 아카데미를 설립함.

연대	조선	우리나라	다른나라
1441 (3774) 신유	23	**1** 온성군과 종성군을 도호부로 승격시킴. 쓰시마도주對馬島主가 법화경法華經을 구해감. **3** 평안도에 행성行城을 완공함. 기리고차記里鼓車(거리측정장치가 붙은 수레)를 만들어 지도 실측에 사용함. 군량미를 방출하여 빈민을 구제케 함. **5** 충청도에 공법을 시행함. 경상·충청·전라 3도 주민 1600호를 함경도에 이주시킴. **8** 장영실蔣英實·이천李蕆 등, 세계 최초로 측우기測雨器를 제작함. **9** 온성부의 행성行城을 완공함. **10** 처음으로 화초火鞘를 만들어 함경도와 평안도에 배치함.	**1** 명, 장귀蔣貴와 왕기王驥에게 사임발思任發의 반란을 진압케 함. **6** 일본, 가기츠嘉吉의 반난 일어남. **9** 일본, 덕정조목德政條目을 반포함. **12** 명 왕기王驥 등, 사임발思任發을 파함: 사임발, 맹양孟養으로 달아남. ▶포르투갈, 흑인 노예무역을 시작함.
1442 (3775) 임술	24	**2** 중창한 사찰의 철훼법撤毁法을 제정함. **5** 측우測雨의 제도를 상세히 규정함. 여연군閭延郡과 자성군慈城郡 등에 목책 세우고 만호萬戶를 배치하여 방비케 함. **6** 종친宗親이 이李 씨 성을 가진 자와 혼인함을 금함. **8** 신개申槩 등, 《고려사》를 찬진함. **11** 왜선의 무역제도를 개정함. ▶안견安堅, 안평대군安平大君의 초상을 그림.	**6** 명, 초굉焦宏을 시켜 왜구를 막게 함. **11** 명, 태감太監 왕진王振이 전권을 장악함. **11** 명, 오이라트Oirat에서 사신을 보내 조공해 옴. ▶프랑스, 영국으로부터 가스코뉴Gascogne를 탈환함.
1443 (3776) 계해	25	**2** 쓰시마도주對馬島主와 계해약조癸亥約條를 체결하여 세견선歲遣船을 50척으로 정함. 문과강경절목文科講經節目을 제정함. 절도범에 대한 처벌 규정을 강화함. **4** 세자에게 정무를 섭정케 함. **5** 경흥군慶興郡을 도호부로 승격시킴. **6** 내의원內醫院을 설치함. 회령會寧에 행성行城을 쌓음. **9** 온성穩城과 종성鍾城에 행성行城을 쌓음. **10** 행보行寶를 시명지보施名之寶로, 신보信寶를 소신지보昭信之寶로 개칭함. **11** 전제상정소田制詳定所를 설치함. **12** 훈민정음訓民正音을 창제함: 집현전集賢殿 학사 정인지鄭麟趾·성삼문成三問·신숙주申叔舟 등 참여. 언문청諺文廳(정음청正音廳)을 설치함.	**6** 명 왕진王振, 유구劉球를 살해하고 설선薛瑄을 하옥시킴. **5** 명, 왕기王驥 등을 보내 녹천麓川의 만족蠻族을 침. ▶일본 아시카가足利義政, 쇼군將軍에 오름.

연대	조선	우리 나라	다른 나라
1444 (3777) 갑자	세종 26	**1** 양전산계법量田算計法과 자자법刺字法 제정함. **2** 최만리崔萬理 등, 훈민정음 창제에 반대하는 상소를 올림. 진사시進士試를 폐지함. **4** 성달생成達生 사망. **6** 경무법頃畝法을 고쳐 결부속파제結負束把制를 다시 시행함. **10** 집현전集賢殿에 《오례의주五禮儀註》를 상정시킴. **11** 전분6등법 및 연분9등법을 제정함. ▶이천李蕆, 철제 화포를 주조함. ▶《칠정산내외편七政算內外篇》·《중수대명력重修大明曆》 등을 간행함.	**1** 명 주용朱勇, 오랑캐를 토벌함. **윤7** 명, 푸젠福建과 저장浙江의 은장銀場을 개설함. ▶터키 무라트Murat 2세, 헝가리군을 격파함. ▶신성로마제국, 스위스 도시동맹군을 격파함: 성 야콥St. Jacob의 싸움. ▶폴란드, 무정부상태가 시작됨.
1445 (3778) 을축	27	**3** 정인지鄭麟趾, 《치평요람治平要覽》 편찬. 화포공장工匠을 장려하는 방책을 수립함. **4** 권제權踶 등, 《용비어천가龍飛御天歌》를 편찬함. 권제權踶 사망. **5** 궁궐 안에 사포국司砲局을 설치함. **6** 일본의 무역선 수를 다시 제한함. **8** 의염색義鹽色을 설치함. 감련관監鍊官을 각 도에 파견하여 화포를 주조시킴. **10** 노중례盧重禮 등, 《의방유취醫方類聚》를 편찬함. 최만리崔萬理 사망. **11** 역대 실록을 춘추관 · 충주사고 · 전주사고 · 성주사고에 나누어 보관함. **12** 최윤덕崔潤德 사망.	**1** 명 왕영王永, 왕진王振의 죄상을 말하다 죽임을 당함. ▶이탈리아 안젤리코Angelico, 〈수태고지受胎告知〉를 완성함. ▶포르투갈, 아프리카 최서단의 베르데곶Verde串을 발견함.
1446 (3779) 병인	28	**1** 야인野人에 대한 사급賜給 법식을 제정함. 신개申槪 사망. **3** 소헌왕후昭憲王后 심씨 사망. **5** 의염색을 폐지하고 전운색轉運色을 설치함. **6** 집현전에서 공법貢法의 폐단을 논함. **7** 수양대군首陽大君, 《석보상절釋譜詳節》을 편찬함. **9** 훈민정음訓民正音을 반포함. 전운선轉運船에 싣는 석수石數를 정함. **10** 공문서에 훈민정음을 사용하도록 함. 새 영조척營造尺으로 말斗과 되 등 도량형의 제도를 정함. 봉화군烽火軍 배치를 개정함. **12** 이과吏科에 훈민정음訓民正音을 부과함. ▶《훈민정음訓民正音》 해례본解例本을 간행함.	**1** 명, 왕진王振 등에게 금의위세직錦衣衛世職을 부여함: 환관宦官의 세습 시작. **3** 명, 푸젠福建 은장銀場의 도적을 토벌함. ▶스위스, 독일로부터 독립함. ▶포르투갈, 《알폰소 법전Alfonso 法典》을 완성함.

연대	조선	우리 나라	다른 나라
1447 (3780) 정묘	29	1 평안도 벽동碧潼 등지에 행성行城을 쌓음. 2《용비어천가龍飛御天歌》의 주해註解를 완성함. 화포火砲를 제작함. 다방茶房을 사존원司尊院으로 고침. 4 안견安堅, 〈몽유도원도夢遊桃源圖〉를 그림. 조말생趙末生 사망. 윤4 부녀자들이 사찰에 가는 것을 금함. 6 악가樂歌의 제도를 정함. 7 세종, 《월인천강지곡月印千江之曲》을 지음. 일본과 야인野人의 진헌물進獻物 정가를 엄격히 시행함. 8 숭례문崇禮門을 개축함. 9 신숙주申叔舟 등, 《동국정운東國正韻》 및 《사성통고四聲通攷》를 편찬함. 10 최항崔恒 등이 주석한 《용비어천가龍飛御天歌》를 간행함. 11 박안신朴安臣 사망.	3 명, 사주위沙州衛의 무리를 산둥山東 지방으로 옮김. 6 명, 장보張輔의 벼슬을 삭탈함. ▶명 영종, 오이라트Oirat를 정벌함. ▶영국, 한자동맹Hansa同盟의 특권을 없앰. ▶교황 니콜라스Nicolas 5세 즉위: 그리스 학자를 로마에 초청하여 고전을 연구케 하고 인문주의를 보급시킴.
1448 (3781) 무진	30	1 군사를 5번番으로 나눔. 3 세손강서원世孫講書院을 설치함. 김문金汶 사망. 4 원손 홍위弘暐(단종端宗)를 세손에 봉함. 5 대구에 사창社倉을 설치함. 성억成抑 사망. 7 궁궐 안에 내불당內佛堂을 세움: 성균관과 4부학당 학생들이 반대하여 동맹 휴학. 회령과 갑산에 행성行城을, 경원과 경흥에 읍성邑城을 쌓음. 9《총통등록銃筒謄錄》을 각 도에 배포함. ▶제주에 관덕정觀德亭을 건립함.	3 명, 또다시 왕기王驥에게 녹천麓川의 만족蠻族을 정벌케 함. 5 명, 동전 사용을 금함. 일본, 사민士民의 집회를 금함. 8 명 등무칠鄧茂七, 푸젠福建에서 반란 일으켜 민왕閩王이라 칭함. ▶신성로마제국, 교황에게 굴복함: 바젤Basel 종교회의 내용이 백지화됨.
1449 (3782) 기사	31	1 각 품계의 가사제家舍制를 상정함. 평안도 이산군理山郡에서 위원군渭原郡에 걸쳐 행성行城을 쌓음: 도민 1만3987명 동원. 7 부거현富居縣을 부령부富寧府로 승격 시킴: 동북 6진 완성. 8 각 도의 각색군액各色軍額을 정함. 충청·전라·경상도의 잡색군雜色軍을 점검함: 유사시 수령이 직접 인솔하여 방위케 함. 12《석보상절釋譜詳節》과 《월인천강지곡月印千江之曲》을 간행함.	2 명 왕기王驥, 녹천麓川의 만족蠻族을 격파함. 8 명 영종, 오이라트Oirat의 예센也先에게 잡힘: 토목土木의 변變. 9 명, 대종代宗 즉위. 10 명 우겸于謙, 수도까지 침입한 예센也先의 군대를 격퇴함.

연대	조선	우리 나라	다른 나라
1450 (3783) 경오	세종 32	**1** 양성지梁誠之, 국방 강화 위한 비변10책備邊十策을 건의함. **윤1** 의주에 읍성을 쌓고 행성을 축조함. **2** 세종 사망: 문종文宗 즉위. **3** 《동국병감東國兵鑑》을 완성함. **5** 공물貢物 대납을 금함. **6** 세종의 영릉英陵을 축조함. **7** 동활자 경오자庚午字를 주조함. 원자(단종端宗)를 세자에 책봉함. 평안도를 좌도와 우도로 나눔. **9** 각 도에 염초도회소焰硝都會所를 설치하고 화약을 생산함. **10** 안평대군安平大君, 서법판본書法板本을 올림. 각 도의 도회都會를 정함. **12** 전국지도 작성 위해 각 군·현 간의 거리를 조사함.	**5** 명, 오이라트Oirat를 선부宣府에서 격파함: 오이라트, 명에 화의를 청함. **8** 명 영종, 오이라트Oirat에서 돌아옴. ▶독일 구텐베르크Gutenberg, 활판인쇄술(금속활자)을 발명함. ▶프랑스, 영국군을 공격하여 노르망디Normandie를 회복함. ▶동로마제국, 플레톤Pleton 사망.
1451 (3784) 신미	문종 1	**1** 국방 위해 군사 2만 3486명을 더 늘임. **2** 함길도 안변安邊에 둔전屯田을 설치함. **3** 화차火車를 제작하여 군기감軍器監과 의주 등 양계兩界에 배치함. **5** 정척鄭陟, 《양계지도兩界地圖》를 제작함. 진관사津寬寺에 수륙사水陸社를 건립함. **6** 문종, 《진법陣法》을 지음. **8** 김종서金宗瑞 등, 《고려사》를 개찬함. **11** 승려의 궁성 출입을 금지함. 이천李蕆 사망.	▶오이라트Oirat 예센也先, 터터부카脫脫不花 왕을 살해함. ▶인도, 로디Lodi 왕조 성립. ▶프랑스, 영국군을 파하고 기엔느Guienne를 획득함. ▶교황의 지시에 의해 영국에 글라스고Glasgow 대학을 설립함.
1452 (3785) 임신	2	**2** 김종서金宗瑞 등, 《고려사절요高麗史節要》를 편찬함. 《세종실록》 편찬에 착수함. 황희黃喜 사망. **3** 노중례盧重禮 사망. **4** 《동국정운東國正韻》을 과거시험 과목으로 신설함. 안숭선安崇善 사망. **5** 문종 사망: 단종端宗 즉위. 수양대군首陽大君, 《역대병요歷代兵要》를 편찬함. **6** 경연관經延官에게 가례家禮·상례喪禮를 진강하게 함. 정몽주鄭夢周를 왕씨묘에 배향함. **11** 정음청正音廳을 폐지함.	**5** 명, 견심見深을 폐하고 견제見濟를 황태자로 함. 황하黃河에 사만제沙灣堤를 축조함. **11** 명, 모든 장수를 다퉁大同의 선부宣府에서 수비케 함. **12** 명, 병부상서 우겸于謙의 건의로 단영團營을 설치함. ▶신성로마제국, 로마에서 교황 니콜라스Nikolas 5세로부터 가관加冠됨: 로마에서의 마지막 대관식.

연대	조선	우리 나라	다른 나라
1453 (3786) 계유	단종 1	**1** 《문종실록》 편찬에 착수함. **4** 하연河演 사망. **6** 박연朴堧, 《세종어제악보世宗御製樂譜》를 편찬함. **10** 수양대군, 김종서金宗瑞 · 황보인皇甫仁 등을 살해하고 정권을 장악함: 계유정난癸酉靖難. 안평대군安平大君, 강화에 압송되었다가 사사됨. 이징옥李澄玉, 종성에서 난을 일으켜 대금大金 황제라 칭하다 처형됨. 양성지梁誠之, 《조선도도朝鮮都圖》와 《팔도각도八道各圖》를 편찬함. ▶이현로李賢老 · 민신閔伸 · 이명민李命敏, 수양대군首陽大君 일파에게 살해됨. ▶일본 승려 도안道安이 일본과 유구국琉球國의 지도를 가지고 옴.	**4** 명, 생원에게 곡물을 내고 국자감國子監에 입학케 함. **5** 터키, 콘스탄티노플Constantinople을 함락함: 동로마제국 멸망. **11** 명, 태자 견제見濟 사망. ▶오이라트Oirat의 에센也先, 자립하여 대원천성가한大元天聖可汗이라 칭함. ▶프랑스, 카스티옹Castillon 싸움에서 영국군을 파함: 백년전쟁 끝남.
1454 (3787) 갑술	2	**1** 충훈사를 충훈부忠勳府로 고침. **2** 양성지梁誠之, 《황극치평도皇極治平圖》를 편찬함. **3** 《세종실록》을 완성함. **7** 감사겸목監司兼牧의 제를 폐함. **9** 양잠도회養蠶都會를 폐함. **10** 삼수군三手郡을 폐하고 만호萬戶를 둠. **12** 문관과 무관의 일상복과 흉배를 정함.	**8** 명, 양경兩京의 과초課鈔를 감함. **10** 오이라트 아르阿剌, 에센也先을 살해하고 전왕의 아들 마르카르麻兒可兒를 세움. **12** 일본 아시카가足利成氏, 우에스키上杉憲忠를 살해함. ▶독일기사단, 폴란드와 전투를 재개함.
1455 (3788) 을해	세조 1	**2** 《홍무정운역훈洪武正韻譯訓》을 완성함. **윤6** 단종, 세조世祖(수양대군首陽大君)에게 전위하고 상왕上王이 됨. 전라도 조운선漕運船이 안흥량安興梁에서 자주 침몰하자 육지로의 운반책을 강구함. **7** 그림을 잘 이해하는 사인士人으로 도화원 별좌別坐를 삼게 함. **8** 6조직계제六曹直啓制를 부활시킴. 양성지梁誠之, 《지리지地理志》를 편찬함. **9** 세조, 정권 수립에 공헌한 자들을 좌익공신佐翼功臣에 녹훈함. 전국의 군인들을 익군翼軍으로 편성함. **11** 《문종실록》을 완성함. ▶《사성통고四聲通攷》를 간행함.	**4** 명, 타타르Tatar에서 조공해 옴. **6** 명, 주자朱子와 정이程頤의 후손을 세습박사로 우대함. **11** 명, 방영方瑛에게 호광湖廣의 반군을 진압케 함. ▶영국, 랭커스터가Lancaster家와 요크가York家 사이에 왕위 쟁탈전 일어남: 장미전쟁. ▶독일 구텐베르크Gutenberg, 금속활자로 성서를 인쇄함. ▶이탈리아, 기베르티Ghiberti 사망.

연대	조선	우리 나라	다른 나라
1456 (3789) 병자	세조 2	**1** 이석형李石亨 · 변효문卞孝文, 《완산별곡完山別曲》을 편찬함. **2** 강원 · 함길 · 평안 · 황해 4도의 군정軍丁 · 한량閑良 명단을 작성하여 등록함. **6** 성삼문成三問 · 박팽년朴彭年 · 하위지河緯地 · 이개李塏 · 유응부兪應孚 · 유성원柳誠源 등 사육신, 단종 복위 꾀하다 처형됨. 집현전集賢殿과 경연經筵을 폐지함. 김문기金文起 · 성승成勝, 처형당함. 김시습金時習 등 생육신生六臣, 벼슬을 버리고 은둔함. **8** 배담裵湛, 《무경武經》을 편찬함.	**11** 명, 경태景泰 연간 이전의 포부逋賦를 감함. **12** 명 방영方瑛, 호광湖廣의 반군을 대파함. ▶헝가리, 터키군을 벨그라드Belgrad에서 격파함. ▶터키, 아테네Athenae를 침공함.
1457 (3790) 정축	3	**1** 원구서 丘署를 설치함. **3** 각 지역 군사를 5위에 나누어 소속시킴. **6** 단종을 노산군魯山君으로 강등하여 강원도 영월로 유배 보냄. **7** 각 도의 역승驛丞을 폐지함. **9** 역로驛路의 소관을 개정하여 찰방察訪을 신설함. 세자 장暲(덕종德宗) 사망. **10** 단종 사망. 금성대군金城大君 사사됨. 지방 익군翼軍을 폐하고 진관鎭管을 정비함.	**1** 명, 석정石亨이 영종을 복위시킴. 우겸于謙이 처형당함. **2** 명, 단영團營을 폐지함. **3** 명, 견심見深을 다시 황태자에 봉함. 타타르Tatar의 침입 받음. **4** 일본, 에도성江戶城을 쌓음.
1458 (3791) 무인	4	**1** 태조 · 태종 · 세종 · 문종의 《국조보감國朝寶鑑》을 완성함. **3** 박연朴堧 사망. **7** 새로 만든 발병부發兵符를 각 도에 보냄. 아악서雅樂署를 전악서典樂署에 합침. **9** 최항崔恒, 《동국통감東國通鑑》을 찬수함. **10** 세조, 〈훈사십장訓辭十章〉을 지음.	**4** 명, 순무관巡撫官을 다시 둠. **8** 명, 《대명일통지大明一統志》를 편찬케 함. ▶스페인, 멘도사Mendoza 사망.
1459 (3792) 기묘	5	**1** 자성군과 운산군을 폐지함. 서북 4군을 폐하고 여진 추장들에게 도만호 벼슬을 줌. 서강徐岡, 《잠서주해蠶書註解》 지음. **2** 호패법號牌法을 시행함. **3** 함길도도체찰사 신숙주申叔舟, 회령의 여진족을 회유함. 한량閑良을 대상으로 호익위護翼衛(후의 평로위平虜衛)를 편성함. **6** 경상도 청송靑松을 도호부로 승격시킴. **9** 공사 노비로 장용대壯勇隊를 편성함. **10** 양성지梁誠之, 《잠서蠶書》를 지음.	**1** 명 석표石彪, 타타르 패래孛來의 침입을 격파함. **4** 명 방영方瑛, 동묘東苗를 격파함. **8** 일본, 교토京都에 신관新關을 설치함. **10** 명, 석정石亨을 투옥함. ▶세르비아Serbia, 터키의 속국이 됨.

연대	조선	우리 나라	다른 나라
1460 (3793) 경진	6	**1** 회령會寧에 침입한 여진을 격퇴함. **2** 여진족이 종성 · 부령 · 경성 등지에 침입해 옴. 경기와 하삼도下三道 역을 개편하고 찰방察訪을 둠. **5** 주자소鑄字所를 교서관校書館에 합속시킴. **7** 《경국대전經國大典》 호전戶典을 편찬함. **8** 신숙주申叔舟 등, 두만강 밖 모련위毛憐衛의 여진족을 정벌함. **9** 성균관成均館에 9재九齋를 설치함. **11** 강원도의 강무장講武場을 파하고 백성들이 농사를 짓게 함. **윤11** 전라도에서 조운선漕運船 104척을 만듦. ▶밀양 영남루嶺南樓를 복구함. ▶안숭효安崇孝 · 기건奇虔 사망.	**2** 명, 석형石亨과 석표石彪를 처형함. **7** 영국, 노잠프턴Northampton 전투에서 랭커스터가Lancaster家가 패배함. **8** 명, 타타르Tatar 패래孛來와 모리해毛里孩의 침입을 받음. **12** 영국, 웨이크필드Wakefield 전투에서 요크가York家가 패배함. ▶터키, 그리스의 전 영토를 점령함. ▶포르투갈, 엔리케Henrique 사망.
1461 (3794) 신사	7	**1** 공물 대납을 금함. 각 도에 둔전을 설치함. **3** 최항崔恒 등, 《잠서蠶書》를 언해함. 신숙주申叔舟 등, 《북정록北征錄》을 편찬함. **4** 공처노비정안公處奴婢正案을 완성함. **6** 간경도감刊經都監을 설치함. 평안도 · 강원도 · 황해도의 이주 호수를 정함. **7** 《경국대전經國大典》 형전刑典을 편찬함. **10** 조운선漕運船을 병선으로 쓸 수 있게 개조함. 승니僧尼의 호패법號牌法을 제정함. ▶강맹경姜孟卿 · 서강徐岡 사망.	**6** 명, 타타르Tatar의 패래孛來가 하서지방에 침입해 옴. **7** 명, 조길상曹吉祥의 반란을 평정함. ▶영국 에드워드Edward 4세, 랭커스터가Lancaster家를 멸함: 요크York 왕조 성립. ▶프랑스, 루이Louis 11세 즉위.
1462 (3795) 임오	8	**3** 경시서京市署 영슈을 다시 둠. **6** 각 읍에 병기를 나누어 만들게 함. **8** 각 역에 역승驛丞을 더 둠. **9** 양녕대군讓寧大君 사망. **10** 세조, 《능엄경楞嚴經》을 번역함. 흥천사종興天寺鐘을 주성함. 호패법號牌法 규정을 고침. ▶안맹담安孟聃 · 김구金鉤 사망.	**5** 명 안표顔彪, 광시廣西의 요족猺族을 격파함. **10** 일본, 장량제丈量制를 실시함. ▶러시아, 이반Ivan 3세 즉위. ▶터키, 보스니아Bosnia와 와라키아Walachia를 점령함.
1463 (3796) 계미	9	**1** 호패사목號牌事目 20조를 제정함. **5** 양성지梁誠之 등에게 본국 지도를 수찬케 함. **7** 양성지梁誠之 · 노사신盧思愼 등, 《오륜록五倫錄》을 편찬함. **11** 홍문관弘文館을 설치함. 정척鄭陟 등, 《동국지도東國地圖》를 편찬함. **12** 〈정대업定大業〉 · 〈보태평保太平〉을 완성함. ▶노숙동盧叔仝 · 윤사로尹師路 사망.	**4** 명, 이번李蕃과 한기韓祺 등을 살해함. ▶터키, 베네치아Benezia와 해전을 벌임. ▶이탈리아, 베네치아Benezia에 유럽 최초의 공공도서관을 설립함.

연대	조선	우리 나라	다른 나라
1464 (3797) 갑신	세조 10	**1** 종묘宗廟 제사에 새로 만든 〈정대업定大業〉과 〈보태평保太平〉을 사용함. **2** 김수온金守溫, 《금강경金剛經》을 언해함. **5** 세조, 원각사圓覺寺 건립을 명함. **7** 교서관校書館에서 간행한 《삼갑전법三甲戰法》을 장수將帥들에게 나누어 줌. **8** 양성지梁誠之, 군정10책軍政十策을 건의함. 안지安止 사망. **9** 9재九齋의 학규學規를 제정함. 각 도에 군적사軍籍使를 파견함. **10** 전국의 공물을 상정함. 강희안姜希顔 사망. **11** 전폐箭幣를 주조함. **12** 오대산 상원사上院寺를 중수함. ▶김담金淡 사망.	**1** 명, 영종 사망: 유언으로 궁비宮妃의 순장을 금함. **2** 명, 단영團營을 다시 설치함. **7** 명, 황장皇莊을 설치함. ▶영국, 랭커스터가Lancaster家의 최후 반란을 진압함. ▶프랑스, 제후들이 루이Louis 11세에 대항하여 공익동맹公益同盟을 결성함. ▶독일, 로마에 인쇄소를 설립함.
1465 (3798) 을유	11	**1** 원각사종圓覺寺鐘을 주성함. 도첩度牒 없는 승려를 군적에 편입시킴. 권람權擥 사망. **2** 전라도에서 양전量田을 다시 실시함. **4** 봉석주奉石柱 · 김처의金處義 등, 반란 일으켰다 처형당함. 원각사圓覺寺 완공. **6** 명에서 《지리대전地理大典》을 구해오게 함. **11** 백문천적白文賤籍을 금하고 호패사목號牌事目을 개정함. **12** 김종직金宗直, 《경상도지리지》를 편찬함. 제사공사계품諸司公事啓稟의 법을 정함. 동활자 을유자乙酉字를 주조함. ▶이순지李純之 사망.	**1** 명, 납속제納粟制를 실시하여 군량에 대비함. 장보張輔와 한옹韓雍이 광시廣西의 적을 대등협大藤峽에서 격파함. **3** 명, 형주荊州와 양주襄州에서 반란 일어남. ▶영국 헨리Henry 6세, 체포되어 런던탑에 유폐됨.
1466 (3799) 병술	12	**1** 5위진무소五衛鎭撫所를 5위도총부五衛都摠府로 고침. **윤3** 오대산에서 문과 및 무과를 실시함. **4** 서거정徐居正, 《마의서馬醫書》를 편찬함. **5** 박중손朴仲孫 사망. **8** 과전법科田法 폐하고 직전법職田法 실시함. **11** 양성지梁誠之, 서적에 관한 10조를 진언함. 삼포三浦 거주 왜인의 수가 증가함: 제포薺浦 1200명, 부산포富山浦 330명, 염포鹽浦 120명. ▶소격전昭格殿을 소격서昭格署로, 교서관校書館을 전교서典校署로 개칭함.	**3** 명 이진李震, 정주靖州의 묘족苗族을 격파함. ▶터키, 코냐Konya를 점령함: 소아시아 정복 완결. ▶이탈리아, 도나텔로Donatello 사망. ▶독일기사단, 폴란드와 토른Thorn 조약을 체결함: 서프러시아는 폴란드 영토, 동프러시아는 독일 영토로 함.

연대	조선	우리나라	다른나라
1467 (3800) 정해	13	**1** 양성지梁誠之, 《해동성씨록海東姓氏錄》을 편찬함. 노비변정원奴婢辨定院을 장례원掌隸院으로 고침. **2** 학조學祖, 유점사楡岾寺를 중창함. 유자환柳子煥 사망. **3** 규형窺衡(원근 측량기구) 및 인지의印地儀(고도 측량기구)를 제작함. 잡색군雜色軍을 설치함. **4** 응방鷹坊을 폐지함. 사옹방을 사옹원司饔院으로 개칭함. 원각사圓覺寺10층탑 건립. **5** 이시애李施愛, 함경도에서 반란 일으킴: 8월 관군에게 잡혀 죽음. 신면申沔, 이시애李施愛 난에 종군하다 전사함. 황수신黃守身 사망. **9** 함길도를 남북으로 나눔. 강순康純, 압록강 방면의 여진을 정벌하고 이만주李滿住 부자를 살해함. 신정수공법新定收貢法을 반포함. ▶조석문曺錫文 · 노사신盧思愼, 《북정록北征錄》을 편찬하여 올림.	**1** 명, 타타르Tatar 모리해毛里孩의 조공을 허락함. **8** 명, 《영종실록》을 완성함. ▶명, 진주여진津州女眞을 정벌함. ▶일본, 오닌應仁의 난 일어남: 전국시대 시작.
1468 (3801) 무자	14	**1** 평안도를 동 · 서 · 중 3도로 나눔. **4** 보신각普信閣 대종을 주성함. 각 도에서 신백정新白丁 중심의 반란 일어남. **6** 세조, 군적사목軍籍事目을 정함. **9** 세조 사망: 사전에 예종睿宗에게 전위함. 신숙주申叔舟 · 한명회韓明澮 등, 원상院相으로서 조정 업무를 총괄함. **10** 남이南怡 · 강순康純 등, 반역으로 몰려 처형됨. ▶남양주에 세조의 광릉光陵을 조성함.	**3** 명, 황족 · 훈공자의 민전民田 점탈을 금함. **6** 명, 간쑤성甘肅省 개성開城의 추장 만준滿俊이 반란 일으킴: 11월 진압. ▶독일, 구텐베르크Gutenberg 사망.
1469 (3802) 기축	예종 1	**1** 박원형朴元亨 사망. **3** 삼포三浦에서의 사무역을 금함. **4** 민수閔粹의 사옥史獄 일어남. **5** 상아로 만든 새 표신標信을 사용함. **6** 남양주 봉선사奉先寺 중창. 세계지도인 《천하도天下圖》를 작성함. 둔전屯田의 민간인 경작을 허가함. **7** 《무정보감武定寶鑑》을 완성함. **9** 최항崔恒 · 김국광金國光 등, 《경국대전經國大典》을 완성하여 올림. **11** 예종 사망: 성종成宗 즉위. **12** 군적을 개정함. 호패법號牌法을 폐지함.	**11** 명, 한옹韓雍을 기용하여 양광兩廣을 통치케 함. ▶영국 말로리Malory, 〈아서왕Arthur王의 죽음〉을 지음. ▶아라곤Aragon 왕 페르난도Fernando, 카스틸라Castilla 왕녀 이사벨Isabel과 혼인함.

연대	조선	우리 나라	다른 나라
1470 (3803) 경인	성종 1	**1** 공안貢案을 개정함. **2** 화장火葬의 풍습을 금함. 예종의 창릉昌陵을 조성함. **3** 철장도회鐵場都會를 다시 둠. **4** 직전세職田稅를 관수관급제官收官給制로 함. **5** 염초焰硝 사용을 엄금함. **7** 《경국대전經國大典》 이전吏典과 병전兵典의 관제를 시행함. **9** 구치관具致寬 사망. **10** 《경국대전經國大典》 교정을 완료함. **12** 각 도에 잠실蠶室을 1개씩 설치함.	**2** 타타르Tatar의 모리해毛里孩가 달연가한韃延可汗이 됨. **3** 명, 주영朱永과 왕월王越 등을 연수延綏에 보내 변방의 외적을 막게 함. **11** 명, 형주荊州와 양주襄州의 유민이 다시 봉기함. ▶영국 워릭공Warick公, 헨리Henry 6세를 복위시킴: 에드워드Edward 4세, 프랑스로 망명함.
1471 (3804) 신묘	2	**1** 고양에 덕종의 경릉敬陵을 조성함. **3** 5도의 경차관敬差官을 폐지함. 왜인 응접의 절목節目 5조를 정함. **4** 강원 · 함경 · 평안 · 황해 4도에서 양전量田을 시행함. **6** 외가쪽 6촌 이내와의 혼인을 금함. 도성의 염불소念佛所를 폐지함. **11** 개화법改火法을 개정함. **12** 간경도감刊經都監을 폐지함. 《세조실록》을 편찬함. ▶신숙주申叔舟, 《해동제국기海東諸國記》를 지음.	**1** 명, 조량장운법漕糧長運法을 제정함. **2** 명, 주장九江과 쑤저우蘇州의 초관鈔關을 다시 설치함. ▶영국 에드워드Edward 4세, 국내에 상륙하여 왕위를 회복함: 워릭공Warick公 피살, 헨리Henry 6세 옥사.
1472 (3805) 임진	3	**1** 내수사內需司의 장리소長利所 560개 중 325개소를 혁파함. 사치를 금하는 절목節目 11개조를 정함. **2** 구월산의 삼성당三聖堂에 제사 지냄. **3** 최경崔涇 · 안귀생安貴生 등, 소헌왕후 · 세조 · 예종의 영정을 그림: 7월에 작위 받음. 의학醫學 장려책 10조를 제정함. **4** 이석형李石亨 등, 《대학연의집략大學衍義輯略》을 편찬함. 삼봉도三峰島(울릉도)에 숨어 들어간 부역 도피자를 돌려보냄. **5** 춘추관春秋館, 《예종실록》을 편찬하여 올림. **8** 전세감납법田稅減納法을 고침. ▶인수대비仁粹大妃의 발원으로 《법화경언해》 · 《능엄경언해》 · 《원각경언해》 등을 간행함. ▶정극인丁克仁, 〈불우헌곡不憂軒曲〉을 지음. ▶강계江界 인풍루仁風樓를 건립함.	**2** 명, 산시山西 · 산시陝西 · 허난河南 지방에서 다음 해의 조세를 미리 받음. **7** 명, 저장浙江의 홍수 발생함: 2만 8460명 사망. **11** 명, 형주荊州와 양주襄州의 반란을 평정함. ▶인도, 동물병원을 설립함. ▶이탈리아, 알베르티Alberti 사망. ▶교황청, 성프란체스코聖Francesco 50년 기념제 위해 면죄부免罪符를 다수 발행함.

연대	조선	우리 나라	다른 나라
1473 (3806) 계사	4	**3** 유생儒生의 군역軍役을 면제해 줌. **4** 보병의 연재법鍊才法을 제정함. 재인과 백정의 안업금제安業禁制를 엄수케 함. **5** 저화楮貨의 통용책을 논의함. **6** 경기수군절도사를 설치함. 문서에 초서 쓰는 것을 금함. 《예종실록》을 편찬함. **8** 전주사고에 실록을 봉안함. 양반 집안 부녀자가 승려 되는 것을 금함. **10** 왜구 침입에 대비하여 해안의 방비를 강화함.	**9** 명 왕월王越, 타타르Tatar의 침입을 격파함. ▶프랑스 루이Louis 11세, 제후와 싸워 승리함. ▶브란덴부르크Brandenburg, 장자상속법을 제정함: 상속 토지의 분할을 금함.
1474 (3807) 갑오	5	**1** 경상도 · 전라도에 당목면唐木綿을 경작케 함. 야인野人의 상경하는 인원수를 제한함. **4** 최항崔恒 사망. **6** 내금위內禁衛 출신의 만호萬戶 서용敍用 우대법을 정함. **11** 《국조오례의國朝五禮儀》를 완성함. 서거정徐居正의 《동인시화東人詩話》를 간행함. 삼포三浦의 왜인이 경계 밖에 집 짓는 것을 금함. **11** 여진 기병騎兵 3000여명의 침입을 격퇴함.	**1** 명, 타타르Tatar를 막기 위해 왕월王越에게 연수延綏 · 간쑤甘肅 · 닝샤寧夏를 지키게 함. **6** 명, 군사 4만을 동원하여 변방의 담장을 축조함. ▶이탈리아 토스카넬리Toscanelli, 《세계지도》를 제작함. ▶카스틸라Castilla의 이사벨Isabel이 왕위에 오름.
1475 (3808) 을미	6	**1** 부산의 사염장私鹽場을 폐지함. 박비朴非, 제지법을 창안함. **4** 함경도 · 평안도 · 황해도에 목화를 심게 함. **5** 봉화사목烽火事目을 정함. 대소 인원의 가사제家舍制를 강화함. **6** 신숙주申叔舟 사망. **9** 각 도 군현의 군정軍丁 수를 정함. 인수대비仁粹大妃, 《내훈內訓》을 간행함. **12** 장용대壯勇隊를 장용위壯勇衛로 고치고 장번제도長番制度를 폐지함.	**4** 명, 《송원통감강목宋元通鑑綱目》을 완성함. **8** 명, 통혜하通惠河를 준설함. 일본, 명에서 동전 · 감합부勘合符 · 서적을 구함. **12** 명, 허난河南의 은광을 폐쇄함. ▶터키, 크림Crim 반도를 정복함.
1476 (3809) 병신	7	**4** 각 수참水站에 전토田土를 지급함. **5** 원상院相을 폐지함. **6** 젊고 총명한 문신에게 사가독서賜暇讀書를 시행함. **7** 종鐘 주조를 정지시킴. **8** 숙의淑儀 윤씨를 왕비로 삼음. **10** 영흥인 김자주金自周가 〈삼봉도도三峰島圖〉를 그림. 왜인이 가져온 금의 사무역을 허가함. **12** 노사신盧思愼, 《삼국사절요三國史節要》를 편찬함.	**5** 명, 형주荊州와 양주襄州의 유민을 위무함. **9** 일본 아시카가足利義政, 동서 양군 화합을 도모함. **11** 명 상로商輅 등, 《자치통감강목資治通鑑綱目》을 올림. ▶교황 식스투스Sixtus 4세, '면죄부免罪符는 정죄인淨罪人의 영혼에도 효력 있음' 의 교의敎義를 확정함.

연 대	조선	우 리 나 라	다 른 나 라
1477 (3810) 정유	성종 8	**2** 이석형李石亨 사망. **윤2** 친잠제도親蠶制度를 정함. **5** 한계희韓繼禧 등, 《의서유취醫書類聚》를 간행함. **6** 유구국琉球國에서 사신이 옴. **7** 주와 부에 사관史官을 두기로 함. 부녀자의 개가 금지를 의논함. **8** 조석문曺錫文 사망. **10** 성균관成均館 유생 외출 때 청의단령靑衣團領(깃이 둥근 푸른색의 옷)을 착용케 함. ▶성균관成均館에서는 대사大射를, 지방에서는 향사례鄕射禮를 행하도록 함.	**1** 명, 서창西廠을 설치함: 태감太監 왕직汪直에게 맡게 함. 프랑스, 낭시Nancy 싸움에서 부르고뉴Bourgogne 샤를르를 패사시킴: 부르고뉴 영토가 프랑스에 귀속됨. **6** 명, 상로商輅를 파면함. **11** 일본, 오닌應仁의 난을 평정함. ▶독일, 튀빙겐Tubingen 대학 설립.
1478 (3811) 무술	9	**1** 예문관藝文館의 참외관參外官을 병설케 함. **2** 의녀권과醫女勸課의 조건을 정함. 온성과 유원진 간에 행성을 축조함. 김질金礩 사망. **5** 임사홍任士洪·유자광柳子光, 도승지 현석규玄錫圭 일파를 비방하다 유배당함. **8** 수도의 화공畵工에게 회회청回回靑 사용법을 전수케 함. **9** 구변국久邊國 이획李獲의 사신이 옴. **10** 《향약집성방鄕藥集成方》을 반포함. **11** 서거정徐居正, 《동문선東文選》을 편찬함. 정인지鄭麟趾 사망. ▶창덕궁昌德宮 후원에 선잠단先蠶壇을 축조함.	**3** 명, 랴오둥遼東 지방에 마시馬市를 개설함. **6** 명 왕직汪直, 요동지방을 순무함. ▶터키, 알바니아를 침공함. ▶이탈리아, 메디치가Medici家의 독재체제를 확립함. ▶모스크바 공국 이반Ivan 3세, 노브고로트Novgorod왕국을 정복함.
1479 (3812) 기해	10	**1** 노성군魯城君 이준李浚 사망. **6** 왕비 윤씨를 폐함(폐비 윤씨). 10~16세 처녀의 금혼령禁婚令을 내림. **윤10** 명의 사신이 와서 건주여진建州女眞 정벌 위한 군사 협조를 요청해 옴. **11** 윤필상尹弼商을 도원수로 삼아 여진을 정벌케 함.	**4** 일본 렌뇨蓮如, 혼간사本願寺를 재건함. ▶카스틸라 페르난도Fernando, 아라곤Aragon을 병합하여 스페인 왕국 세움. ▶터키, 알바니아를 정복함.
1480 (3813) 경자	11	**1** 명에 사신 보내 건주여진建州女眞 정벌의 첩보를 알림. **2** 삼포三浦 거주 왜인의 수가 증가하여 폐단이 일어남. **4** 지방 향교鄕校에 학전學田을 지급함. **5** 성균관成均館 유생들이 사찰 건립에 반대함. **10** 회령會寧 고령진高嶺鎭에 행성行城을 쌓음. **11** 정로위定虜衛 설치하고 절목節目을 제정함.	**2** 명 왕월王越, 타타르Tatar를 위령성威寧城에서 격파함. **6** 명, 권력가의 민전民田 침식을 금함. ▶스페인, 종교재판소를 설치함. ▶모스크바 공국 이반Ivan 3세, 킵차크한국Kipchak汗國을 멸함.

연대	조선	우리 나라	다른 나라
1481 (3814) 신축	12	**1** 단송도감斷訟都監을 별도로 세움. **3** 〈언문삼강행실諺文三綱行實〉과 〈열녀도烈女圖〉를 반포함. **4** 서거정徐居正 등, 《동국여지승람東國輿地勝覽》을 편찬함. **6** 의주 지방에 성을 쌓아 국방 태세를 강화함. 김수온金守溫 사망. **8** 왜인으로부터 후추 종자를 구함. ▶유윤겸柳允謙, 《두시언해杜詩諺解》 간행. ▶정극인丁克仁 사망.	**4** 명 왕직汪直 · 왕월王越 등, 타타르Tatar의 침입을 격퇴함. **11** 명, 태창太倉의 은銀 3분의 1을 내고內庫로 들여옴. ▶프랑스, 프로방스Provence 지방을 병합함.
1482 (3815) 임인	13	**2** 유도소留都所 억제 절목節目을 정함. **6** 양성지梁誠之 사망. **7** 노사신盧思愼 등에게 《강목신증綱目新增》을 편찬케 함. **8** 폐비 윤씨에게 사약을 내림. **11** 내수사內需司에 고리대업을 허용함.	**2** 명, 서창西廠을 혁파함. **4** 명 합상哈商, 신장新疆의 합밀성哈密城을 회복함. **6** 명 하교신何喬新, 연수延綏에 침입한 타타르Tatar를 격퇴함. ▶스페인, 그라나다Granada 왕국을 정복하기 시작함.
1483 (3816) 계묘	14	**2** 왕자 융㦕을 세자에 봉함. 강희맹姜希孟 사망. **3** 세조비 정희왕후貞熹王后(대왕대비 윤씨) 사망. **7** 서거정徐居正에게 《연주시격聯珠詩格》과 《황산곡집黃山谷集》을 한글로 번역하게 함. 금주령을 폐지함. **8** 동반의 공석에 서반을 채용케 함. **9** 여진족이 올 때는 영안도永安道(함경도)를 경유케 함. **12** 양현고養賢庫를 다시 설치함. ▶강희맹姜希孟의 《촌담해이村談解頤》 간행.	**5** 일본, 명에 동전을 요청함. **6** 명, 다퉁大同에 침입한 타타르Tatar에 패퇴함. **8** 명, 왕직汪直과 왕월王越을 파면함. ▶영국 에드워드Edward 5세, 런던탑에서 피살: 리처드Richard 3세 즉위.
1484 (3817) 갑진	15	**1** 남도 지역의 백성을 황해도와 평안도에 이주시킴. **2** 전교서典校署를 다시 교서관校書館으로 고침. **3** 이봉李封, 《본국여지도本國輿地圖》를 찬진함. **6** 《진서陣書》를 간행하여 무신에게 배포함. **8** 성임成任 사망. **9** 한성에 창경궁昌慶宮을 건립함. **11** 서거정徐居正, 《동국통감東國通鑑》을 편찬함. 여진인이 만포滿浦에 와서 무역을 간청함. **12** 성균관成均館에 학전學田을 지급함.	**10** 명, 윈난雲南 · 위안장沅江 등지의 금은광 채굴을 금함. **11** 일본, 교토京都에 농민 봉기 일어남.

연대	조선	우리나라	다른나라
1485 (3818) 을사	성종 16	**2** 상인들의 왜인과의 무역을 허가함. 분선공감分繕工監을 선결도감繕缺都監으로 개칭함. **7** 서거정徐居正 등, 《신편동국통감新編東國通鑑》을 편찬함. **11** 경기수군절도사를 폐지함.	**1** 명, 여러 신하들의 직언을 구함. ▶영국 리처드Richard 3세, 보스워스Bosworth 전투에서 랭커스터계Lancaster系에게 패사함: 장미전쟁 끝남. 헨리Henry 7세 즉위: 튜더Tudor 왕조 시작.
1486 (3819) 병오	17	**4** 양계兩界의 수령은 문관과 무관이 교대로 취임케 함. **5** 효령대군孝寧大君 사망. **6** 군적軍籍을 고치게 함. **8** 일본 승려 도겐等堅이 와서 대장경을 구함. **9** 함경도에 장성長城을 쌓음. **10** 경상도에 제포성薺浦城을 쌓음.	▶명, 산시陝西 · 허난河南 등 재해지역의 세금을 면하여 줌. ▶미얀마, 퉁구Toungoo 왕조 시작. ▶영국, 랭커스터가Lancaster家의 헨리Henry 7세가 요크가York家의 엘리자베스와 혼인함.
1487 (3820) 정미	18	**1** 각 도의 경작이 가능한 넓은 토지에 둔전屯田을 둠. 정창손鄭昌孫 사망. **2** 《신찬동국여지승람新撰東國輿地勝覽》을 간행함. **4** 장순효張舜孝, 《식료찬요食療撰要》를 간행함. **8** 경상도 각 포浦에 석보石堡를 쌓음. **11** 한명회韓明澮 사망.	**8** 명, 헌종憲宗 사망: 효종孝宗 즉위. **10** 명, 승려의 봉호封號를 삭탈함. ▶이탈리아 보티첼리Botticelli, 〈비너스Venus의 탄생〉을 완성함.
1488 (3821) 무신	19	**1** 경상도 · 전라도 · 충청도의 주민을 온성穩城 지방으로 이주시킴. **윤1** 원각사圓覺寺를 중창함. **4** 각 도의 군적軍籍이 이룩됨. **5** 유향소留鄕所를 다시 설치함. **8** 최보崔溥, 수차水車를 제작함. **12** 월산대군月山大君 · 서거정徐居正 사망. ▶최보崔溥, 《표해록漂海錄》을 지음.	**1** 포르투갈 바르톨로뮤 디아스 Bartholomeu Diaz, 아프리카 남단의 희망봉希望峰을 발견함. ▶명, 균요법均徭法을 시행함. ▶독일, 슈바벤Shuwaben 동맹 성립.
1489 (3822) 기유	20	**1** 김방金方의 고변사건 일어남. **2** 경상도 · 충청도 포구浦口의 성들을 15자 높이로 쌓음. 정난종鄭蘭宗 사망. **3** 의서습독관醫書習讀官 장려의 제도를 정함. 이말李末이 만든 격수기계激水機械(양수기)를 경기지방에서 시험함. **5** 윤호尹壕 등, 《신찬구급간이방新撰救急簡易方》을 편찬함. **8** 공사천선두안公私賤宣頭案의 결점을 고침. 일본 승려 게이닌惠仁이 대장경을 요청해 옴. **10** 어유소魚有沼 사망.	**3** 일본, 아시카가足利義尙 사망. **12** 명, 우겸于謙에게 충민忠愍의 시호를 내림. ▶프랑스, 비용Villon 사망. ▶베네치아Benezia, 터키로부터 키프로스Cyprus섬을 빼앗음.

연대	조선	우리 나라	다른 나라
1490 (3823) 경술	21	**1** 도첩度牒 없는 승려를 군인에 충원함. **4** 부석사浮石寺 조사당祖師堂을 중수함. **5** 울산에 염포성鹽浦城을 쌓음. **6** 거제에 조라포성助羅浦城을 쌓음. 금주령을 해제함. **9** 남해에 평산포성平山浦城을 쌓음. **10** 순천順天에 전라좌수영을 설치함.	**1** 일본, 아시카가足利義政 사망. ▶멕시코, 아스텍족Aztec族이 최초로 상수도를 완성함. ▶이탈리아 레오나르도 다빈치 Leonardo da Vinci, 온도계溫度計를 발명함.
1491 (3824) 신해	22	**1** 제기祭器를 개조함. **2** 노처녀의 혼인 비용을 관부에서 내줌. **3** 김중보金仲寶, 주사朱砂로 수은을 제조함. 사찰의 전세를 관부에서 수급케 함. **10** 도원수 허종許琮, 두만강 방면의 여진을 정벌함.	▶명, 호구 911만 3400, 인구 5328만 1100여명에 달함. ▶헝가리, 왕국의 상속권을 합스부르크가Habsburg家에게 양보함.
1492 (3825) 임자	23	**2** 도첩제度牒制를 중지함. 공사 천인賤人 소생을 보충대에 소속시킴. **6** 이극균李克均, 편전片箭을 새로 제작함. **7** 《대전속록大典續錄》을 편찬함. **8** 김종직金宗直 사망. ▶남효온南孝溫 사망.	**10** 명, 염법鹽法을 고침. **11** 명, 기근으로 납속納粟을 정지함. ▶이탈리아 콜럼버스Columbus, 아메리카를 발견함: 스페인의 후원 받음. ▶그라나다Granada왕국, 스페인의 침공으로 멸망함.
1493 (3826) 계축	24	**2** 성종, 적전籍田을 친히 경작함. 허저許詆, 《의방요록醫方要錄》을 편찬함. **3** 김시습金時習 사망. **8** 성현成俔 등, 《악학궤범樂學軌範》을 완성함. **9** 시명지보施命之寶를 새로 제작함. ▶《사문유취事文類聚》를 간행함.	**3** 이탈리아 콜럼버스Columbus, 스페인에 귀환함. **5** 교황 알렉산더Alexander 6세, 대서양상에 스페인과 포르투갈의 경계를 정함. **8** 이탈리아 콜럼버스Columbus, 제2차 항해 출발: 프에르토 리코Puerto Rico 발견.
1494 (3827) 갑인	25	**1** 내농소內農所를 폐함. **2** 삼포三浦 왜인의 농경지에 과세함. **3** 쌀값 폭등으로 전국 빈민들이 봉기함. **4** 문소전文昭殿을 수리함. 유호인兪好仁 사망. **5** 보인솔정保人率丁을 다시 둠. **7** 벽동진성碧潼鎭城을 축조함. **8** 강목교정청綱目校正廳을 다시 둠. **12** 성종 사망: 연산군燕山君 즉위. ▶구리로 소간의小簡儀를 주조함.	**3** 명, 구이저우貴州의 묘족苗族을 평정함. **7** 명 서관徐貫, 소호蘇湖의 수리시설을 관리함. ▶명, 나관중羅貫中의 《삼국지연의三國志演義》를 간행함. ▶프랑스, 이탈리아에 원정하여 나폴리Napoli 왕국을 침공함. ▶스페인, 포르투갈과 새 영토 분할 협정을 체결함. ▶이탈리아 콜럼버스Columbus, 자메이카Jamaica섬을 발견함.

연대	조선	우리 나라	다른 나라
1495 (3828) 을묘	연산군 1	**4** 성종의 선릉宣陵을 조성함. **5** 김일손金馹孫, 이로운 일과 해로운 일 26조를 개진함. **6** 각 도에 암행어사暗行御史를 파견함. 유생들의 반대를 무릅쓰고 불경을 간행함. 이극배李克培 사망. **10** 성현成俔, 《종묘조천의宗廟祧遷儀》를 편찬함.	**1** 명 유령劉寧, 양주涼州에서 타타르Tatar를 격파함. **11** 명 유령劉寧, 합밀성哈密城을 탈환함. ▶교황 · 신성로마제국 · 스페인 · 베네치아, 동맹하여 프랑스에 대항함.
1496 (3829) 병진	2	**1** 종묘宗廟의 제도를 정함. **2** 전안田案의 절목節目을 고치게 함. **4** 흥유억불興儒抑佛을 명함. **12** 창덕궁昌德宮 숭문당崇文堂을 희정당熙政堂으로 고침.	**4** 명 주경周經, 호부상서가 되어 호부를 개혁함. **12** 명 서규徐珪, 동창東廠을 개혁하려다 파면됨.
1497 (3830) 정사	3	**1** 부산 거주 왜인들의 불법어로를 금함. **3** 왜구들이 녹도鹿島에 침입하여 만호萬戶를 살해함. 손순효孫舜孝 사망. **5** 연산군 생모 폐비 윤씨에 대한 존호尊號를 올림. **6** 문신에 대한 사가독서賜暇讀書를 다시 실시함. 대간臺諫들의 사직辭職이 70여회에 이름. **11** 이극균李克均, 《경상우도지도慶尙右道地圖》를 제작함. ▶이종준李宗準, 《태을자금단방太乙紫金丹方》을 지음. ▶전익경全益慶, 수차水車를 제작함. ▶서얼에게 의과醫科 응시를 허용함.	**3** 명, 《대명회전大明會典》 편찬을 명함. **4** 명, 타타르Tatar의 침입 받음. **10** 명, 왕월王越에게 삼변三邊의 군무를 맡김. ▶이탈리아, 레오나르도 다빈치Leonardo da Vinci가 〈최후의 만찬〉을 완성함. 캐벗Cabot이 아메리카 본토를 발견함. ▶모스크바 공국 이반Ivan 4세, 농민들의 자유 이동을 허가함. ▶스칸디나비아 동맹 결성.
1498 (3831) 무오	4	**2** 세조 · 예종 · 성종의 《국조보감國朝寶鑑》을 편찬함. 상평창常平倉을 설치함. **4** 영안도永安道를 함경도咸鏡道로 개칭함. **5** 호적식년戶籍式年을 개정함. **7** 유자광柳子光 등의 무고로 김일손金馹孫 · 권오복權五福 등은 처형되고, 김종직金宗直은 부관참시剖棺斬屍됨: 무오사화戊午史(士)禍. **9** 노사신盧思愼 사망. **10** 김종직金宗直의 문집을 불태움. ▶조위曺偉, 〈만분가萬憤歌〉를 지음.	**5** 포르투갈 바스쿠 다가마Vasco da Gama, 희망봉希望峯 돌아 인도항로 발견하고 캘리컷Calicut(현 코지코드Kozhikode)에 도착함. **7** 명 왕월王越, 타타르Tatar를 하란산賀蘭山에서 격파함. ▶이탈리아 콜럼버스Columbus, 제3차 항해 출발: 남아메리카 본토에 도달함. ▶이탈리아, 도미니쿠스파Dominicus派의 종교개혁자 사보나롤라Savonarola를 화형에 처함.

연 대	조선	우 리 나 라	다 른 나 라
1499 (3832) 기미	5	**1** 구리와 철의 사무역을 허용함. **2** 《성종실록》을 편찬함. **3** 《구급이해방救急易解方》을 간행함. 흉년으로 종학宗學과 외방향교外方鄕校를 모두 쉬게 하고, 급하지 않은 부역을 중지함. **9** 평안도 및 함경도 삼수군三手郡에 사민입실책徙民入實策을 정함.	**5** 명, 공자묘孔子廟가 불탐. ▶프랑스, 이탈리아에 침입하여 밀라노Milano를 점령함. ▶이탈리아 아메리고 베스푸치Amerigo Vespucci, 제1차 항해 출발. ▶스위스, 신성로마제국으로부터 독립함.
1500 (3833) 경신	6	**1** 압록강과 두만강 부근에 쌓은 장성의 지도를 작성함. **3** 비융사備戎司를 설치하고 갑주甲冑를 제조함. **7** 성현成俔 등에게 《역대명감歷代明鑑》을 찬수시킴. **9** 홍귀달洪貴達 등, 《속국조보감續國朝寶鑑》을 편찬함. **11** 비융사備戎司, 새로 만든 갑주를 올림. 과부 재가를 금함. 어세겸魚世謙 사망.	**2** 명, 법령을 개정함. ▶명, 타타르Tatar가 다퉁大同에 침입함. ▶일본, 교토京都 대화재로 2만여호가 소실됨. ▶티무르Timur 제국, 우즈베크인Uzbek에게 멸망함. ▶포르투갈 카브랄Cabral, 브라질 해안에 상륙함. ▶로마 교회, 교황청에서 예수 탄생 기념제로 면죄부免罪符를 발매함.
1501 (3834) 신유	7	**1** 《해동제국기》에 유구국琉球國의 자연 · 인물 · 풍속에 관한 내용을 추가함. **4** 공안상정청貢案詳定廳을 설치함. **윤7** 성준成俊 · 이극균李克均 등, 《서북제번기西北諸蕃記》와 《서북지도西北地圖》를 편찬함. **8** 월강척후제越江斥候制(압록강 건너 여진족의 적정을 살핌)를 복구함. **10** 성현成俔 · 임사홍任士洪, 《동국여지승람東國與地勝覽》 수정을 완료함.	**4** 명, 타타르Tatar의 침입으로 닝샤寧夏가 함락됨. **5** 일본, 니치렌日蓮 · 정토淨土 양종이 대립함. **7** 명, 왕식王軾에게 묘족苗族 미로米魯의 난을 진압케 함. ▶이탈리아 아메리고 베스푸치Amerigo Vespucci, 제2차 항해 출발: 브라질 해안을 답사함.
1502 (3835) 임술	8	**1** 명으로부터 염직染織을 배워옴. **3** 김익경金益慶이 만든 수차水車를 경기도와 충청도에서 시험 사용함. **5** 신승선愼承善 사망. **6** 갑산甲山에 행영行營을 설치하여 북방 경비를 강화함. **7** 함경도에 사창社倉을 설치함. **8** 상평창常平倉을 경외京外에 설치함. **10** 한치형韓致亨 사망. **11** 윤대輪對를 5일에 1회로 함.	**7** 명 왕식王軾, 묘족苗族의 미로米魯를 살해함. **11** 명, 여적黎賊의 난 일어남. **12** 명, 《대명회전大明會典》을 완성함. ▶페르시아 이스마일Ismail, 사파비Safavid 왕조를 일으킴. ▶이탈리아 콜럼버스Columbus, 제4차 항해 출발: 온두라스Honduras를 발견함.

연대	조선	우리 나라	다른 나라
1503 (3836) 계해	연산군 9	**1** 승려의 도성都城 출입을 금함. **2** 진제장賑濟場을 설치하여 빈민을 구제함. 이극돈李克墩 사망. **3** 삼포三浦에 거류하는 왜인이 급증함: 제포薺浦에만 400호 2천여명. **5** 김감불金甘佛·김검동金儉同, 연철을 질산으로 녹여 은 제조법을 창안함. 《임신최요방妊娠最要方》을 간행함. 윤효손尹孝孫 사망. **11** 경복궁景福宮과 창덕궁昌德宮 담 아래 인가를 철거함.	**5** 명, 형부시랑 번영樊瑩에게 윈난雲南 지방을 순시케 함. **9** 명, 호부戶部에서 염법鹽法에 대해 논의함. ▶터키, 베네치아Benezia와 조약을 체결함: 전쟁 종식. ▶스페인 페르난도Fernando, 나폴리Napoli를 정복함. ▶이탈리아 아메리고 베스푸치Amerigo Vespucci, 제3차 항해 출발.
1504 (3837) 갑자	10	**1** 성현成俔 사망. **3** 폐비 윤씨의 묘를 회릉懷陵으로 고치고, 제헌왕후齊獻王后의 시호를 올림. **4** 정여창鄭汝昌 사망. **윤4** 경연經筵을 폐함. 이극균李克均·윤필상尹弼商 사사됨. **6** 박은朴誾·홍귀달洪貴達 처형됨. **7** 언문諺文의 교수와 학습을 금함. 성균관成均館을 유흥 장소로 이용함. **9** 비융사備戎司를 폐지함. 한강에 부교浮橋를 가설함. **10** 김굉필金宏弼 등 처형됨: 갑자사화甲子士禍. **12** 이두吏讀 사용을 금함. 시혜청施惠廳을 설치함. 원각사圓覺寺를 폐함.	**6** 타타르Tatar, 명의 다퉁大同에 침입하여 정우鄭瑀 등을 살해함. **9** 명, 기거주起居注를 다시 설치함. **10** 일본, 덕정령德政令을 반포함. ▶명, 윈난雲南의 은장銀場을 폐지함. ▶인도 바베르Baber, 카불Kabul을 침략함. ▶스페인, 프랑스군을 격파하고 나폴리Napoli를 병합함.
1505 (3838) 을축	11	**1** 관리들에게 신언패愼言牌(말을 삼가는 표시의 패)를 차게 함. 경연관經筵官을 진독관進讀官으로 고쳐 타관이 겸직케 함. **2** 당직청當直廳을 밀위密威로 고침. **5** 허침許琛 사망. **6** 뇌영원蕾英院을 두고 가흥청假興淸(예비 기생)들이 있게 함. **7** 관부의 문서와 《동국여지승람東國輿地勝覽》 등 서책을 개인이 소장하지 못하게 함. **9** 장악원掌樂院을 연방원聯芳院으로 고침. 궁인宮人의 호를 정함. **11** 종학宗學을 폐함. 중국 제도를 본떠 문무 관리가 猪저(돼지)·鹿녹(사슴)·鵝아(거위)·雁안(기러기)을 수놓은 흉배를 착용케 함. **12** 사사전寺社田 폐지. 세화歲畫를 정지시킴.	**5** 명, 효종 사망: 무종武宗 즉위. **7** 일본, 교토京都에 혼오도리盆踊(남녀들의 윤무輪舞)가 유행함. **10** 타타르Tatar, 명의 간쑤甘肅 지방에 침입함. ▶이탈리아 미켈란젤로Michelangelo, 교황 율리우스Julius 2세의 초대를 받음. ▶포르투갈, 초대 인도 총독에 알메이다Almeida를 임명함: 인도 서안에 카나놀Kananol 등 도시 건설하고 사라센인Saracen과의 동양무역권을 빼앗음.

연대	조선	우리나라	다른나라
1506 (3839) 병인	중종 1	**2** 도성 밖 금표禁標의 한계를 정함. **4** 사간원司諫院을 폐지함. **5** 진독관進讀官을 폐지함. **7** 관상감觀象監을 사력서司曆署로 고침. **8** 채청여사採靑女使와 채응견사採鷹犬使를 전국에 파견함. 대제학을 폐지함. 연산군의 비행을 비방하는 괘서사건이 자주 발생함. **9** 박원종朴元宗 등, 연산군을 폐하고 중종中宗을 옹립함: 중종반정中宗反正. 우림위羽林衛를 다시 둠. 언문청諺文廳을 폐지함. 경연관經筵官을 다시 설치함. **11** 연산군, 유배지 강화 교동喬桐에서 병사함. **12** 4학四學을 수리하고 교학敎學 관직을 다시 둠.	**7** 일본, 잇코一向 종도宗徒의 난 일어남. **10** 명 한문韓文 등, 환관 유근劉瑾의 죄를 상소함. ▶독일, 프랑크푸르트Frankfurt 대학 설립. ▶이탈리아 레오나르도 다빈치 Leonardo da Vinci, 〈모나리자 Mona Lisa〉를 완성함. 콜럼버스 Columbes 사망. ▶교황 율리우스Julius 2세, 성베드로聖Pietro 사원 개축을 시작함.
1507 (3840) 정묘	2	**1** 박원종朴元宗과 유자광柳子光 등을 죽이려 했다는 혐의로 박경朴耕 등에 대한 옥사 일어남. **4** 유자광柳子光 등 유배됨. **8** 이과李顆 등이 논공행상에 불만 품고 반란을 꾀하여 옥사 일어남. 함경도에 창고를 설치함. **11** 승과僧科를 폐지하고 양종兩宗 도회소都會所를 철폐함.	**3** 명 유근劉瑾, 거짓 조서 꾸며 한문韓文 등을 간당으로 조정에 게시함. **5** 명, 4만명에게 승려의 도첩度牒을 줌. ▶독일 발트제뮐러Waldseemüller, 《세계지리서설世界地理序說》에서 신대륙을 처음으로 '아메리카'라고 명명함.
1508 (3841) 무진	3	**2** 홍문관弘文館, 월과月課 · 춘추관시春秋館試 · 사가독서賜暇讀書 · 전경專經의 법을 시행함. **5** 대자사大慈寺를 중수함. **10** 사가독서당賜暇讀書堂을 다시 설치함. 8도에 암행어사暗行御使를 파견함. **11** 폐조수교廢朝受敎의 법을 반포함.	**6** 명 유근劉瑾, 조관朝官 300여명을 하옥시킴. **8** 명, 벌미법罰米法을 제정함. ▶이탈리아 미켈란젤로Michelangelo, 로마 시스티나Sistina 성당 벽화를 그리기 시작함.
1509 (3842) 기사	4	**1** 왜구가 가덕도加德島에 침입하여 약탈함. **2** 변방에 이주한 죄인 가족을 모두 함경도 5진鎭으로 옮기게 함. **3** 도첩度牒 없는 승려의 환속충군법還俗充軍法을 시행함. **4** 암행어사暗行御使를 각 도에 보냄. **5** 해운판관海運判官을 다시 둠. **8** 군적軍籍을 다시 작성함. **9** 《연산군일기》를 완성함.	**9** 명, 타타르Tatar가 연수延綏 지방에 침입함. ▶영국, 헨리Henry 7세 사망: 헨리 Henry 8세 즉위. ▶포르투갈, 인도양을 제패함. ▶네덜란드 에라스무스Erasmus, 《우신예찬愚神禮讚》을 발표함.

연대	조선	우리 나라	다른 나라
1510 (3843) 경오	중종 5	**3** 폐지한 사사전寺社田을 향교에 귀속시킴. **4** 삼포왜란三浦倭亂 발발: 황형黃衡 · 유담년柳聃年 등이 평정하고 이후 일본과의 관계를 단절함. 유생들이 배불을 선언하고 정릉사貞陵寺를 불태움. 박원종朴元宗 사망. **5** 왜변으로 독서당讀書堂을 일시 폐함. **6** 안골포安骨浦에 침입한 왜구를 격퇴함. **7** 절도자의 단근형斷筋刑(손의 힘줄을 끊던 형벌)을 폐지함. **9** 세화歲畵를 전례에 따라 제작하도록 함. **12** 독서당讀書堂을 다시 둠. ▶안변安邊 등지에 연대煙臺를 설치함.	**4** 명, 안화왕安化王 치번寘鐇의 반란을 평정함. **5** 명 무종, 대경법왕大慶法王이라 칭함. **8** 명, 유근劉瑾을 처형함. **10** 명, 양호楊虎 등 유적流賊들이 봉기함. ▶포르투갈, 인도의 고아Goa를 점령함. ▶미얀마, 퉁구시Toungoo市를 건설함.
1511 (3844) 신미	6	**2** 해안 경비 강화 위해 경상도 다대포영多大浦營을 서평포西平浦로 옮김. 여진 침입에 대비해 함경도에 봉화대를 증설함. **3** 처음으로 남악男樂을 사용함. 유숭조柳崇祖, 〈세목십잠細目十箴〉과 〈성리학연원촬요性理學淵源撮要〉를 올리고 조광조趙光祖를 천거함. 방어청防禦廳을 폐지하고 소관 업무를 무비사武備司로 이관함. **4** 악학도감樂學都監을 폐지함. 공정비각孔庭碑閣을 세움. **7** 종학宗學을 다시 설치함. **8** 홍문관弘文館, 《천하여지도天下輿地圖》를 찬진함. **10** 진휼청賑恤廳을 설치함. **12** 가덕도加德島에 침입한 왜구를 격파함.	**2** 명, 강서江西의 적들이 봉기함. **8** 명 육완陸完, 변방의 적을 평정함. ▶포르투갈, 수마트라Sumatra와 자바Java를 발견하고 멜라카Melaca 및 스리랑카Sri Lanka를 점령함. ▶스페인 벨라스케스Velazquez, 쿠바Cuba를 정복함. ▶교황 율리우스Julius 2세, 캄브레Cambrai 동맹에서 탈퇴함: 스페인 · 베네치아와 신성동맹 맺고 프랑스에 대항함.
1512 (3845) 임신	7	**2** 동 · 서 진휼청賑恤廳과 동 · 서 활인서活人署를 다시 설치함. 유숭조柳崇祖 사망. **윤5**《오례의주五禮儀註》를 간행함. **5** 역승驛丞을 다시 둠. **6** 평안도 변경 방어를 위해 정로위定虜衛를 조직함. 유자광柳子光 사망. **9** 일본과 임신약조壬申約條를 체결함: 세견선歲遣船 및 세사미歲賜米를 줄임. **12** 유순정柳順汀 사망. ▶신사임당申師任堂, 〈추초군접도秋草群蝶圖〉를 그림.	**윤5** 명 팽택彭澤, 허난河南의 적을 토벌함. **8** 명 육완陸完, 낭산狼山의 적을 토벌함. ▶영국 · 신성로마제국, 신성동맹에 가담함. ▶프랑스, 라벤나Ravenna 전투에서 신성동맹군을 격파함. ▶이탈리아, 미켈란젤로Michelangelo가 시스티나Sistine 성당벽화를 완성함. 아메리고 베스푸치Amerigo Vespucci 사망.

연대	조선	우리 나라	다른 나라
1513 (3846) 계유	8	**1** 중종, 선농제先農祭 올리고 적전籍田을 친히 경작함. 홍문관弘文館, 《효변괘변도爻變卦變圖》를 찬진함. **2** 황형黃衡, 《함경도지도》를 찬진함. **3** 각 도 사찰의 중창을 금함. **7** 찬집청撰集廳을 일시 파함. 성희안成希顔 사망. **10** 박영문朴英文·신윤무辛允武 등, 정변 꾀하다 처형당함. **11** 공천정안公賤正案을 위하여 추쇄도감推刷都監을 설치함. 《삼국사기》와 《삼국유사》를 다시 간행함.	**4** 명, 영왕寧王 신호宸濠가 서원을 세우고 이궁離宮이라 참칭함. ▶스페인, 황태자 발보아Balboa가 파나마Panama 해협을 거쳐 태평양을 발견함. ▶교황 레오Leo 10세, 성베드로聖Petro 사원 건립 위해 면죄부免罪符를 판매함. ▶이탈리아 마키아벨리Machiavelli, 《군주론君主論》을 발표함.
1514 (3847) 갑술	9	**1** 경상도의 한량閑良을 뽑아 경관군京官軍과 교대시킴. **3** 사찰의 재건을 금함. 젊은 승려를 군인으로 충당하여 군액을 확보함. **6** 신용개申用漑, 《속삼강행실續三綱行實》을 지어 올림. **9** 쓰시마도주對馬島主가 세견선歲遣船 수를 2배로 늘릴 것과 3년 동안 밀린 세사미歲賜米 지급을 요청해 옴. **10** 지변사知邊事 문신과 무신에게 변방 방비책을 올리게 함. **11** 청백리의 자손을 널리 임용케 함. 일본에서 구리 밀수입을 엄히 단속함. **12** 성균관 존경각尊經閣의 화재로 책들이 불탐.	**1** 명, 건청궁乾淸宮에 화재 발생함: 12월에 재건. **5** 명, 팽택彭澤에게 합밀哈密을 통치하게 함. **7** 명, 타타르Tatar 소왕자가 다퉁大同과 선부宣府에 침입하여 관용 말을 약탈함. ▶영국, 농경지·방목지 의 공동 이용을 억제하는 엔클로저Enclosure 반대 폭동 일어남. ▶이탈리아, 브라만테Bramante 사망.
1515 (3848) 을해	10	**2** 입거청入居廳을 설치함. **3** 장경왕후章敬王后 윤씨 사망. **6** 외사관外史官을 설치함. 저화楮貨와 동전을 같이 사용하는 문제를 논의함. **7** 저화행용절목楮貨行用節目을 제정함. **8** 박상朴祥, 단경왕후端敬王后 신씨(중종의 제1계비)를 복위시켜 줄 것을 상소함: 대간臺諫에서 반대. **11** 조광조趙光祖, 박상朴祥의 죄를 논한 대간臺諫의 파직을 주장하여 물러나게 함. 동활자 을해자乙亥字를 주조함.	**1** 명, 타타르Tatar 소왕자가 조하천潮河川에 침입하여 약탈함. ▶영국, 엔클로저Enclosure 제한법을 공포함. ▶프랑스, 밀라노Milano를 격파하고 스위스와 평화조약을 체결함. ▶포르투갈, 제2대 인도 총독 알부케르케Albuquerque 사망.

연 대	조선	우 리 나 라	다 른 나 라
1516 (3849) 병자	중종 11	**1** 주자도감鑄字都監을 설치하고 동활자 병자자丙子字를 주조함. 평안도와 함경도에 목화와 메밀의 재배를 장려함. **4** 추포麤布(거친 베) 사용을 금함. 율문감교청律文勘校廳을 다시 둠. **5** 성균관成均館 및 4학四學의 유생이 아닌 자의 등용을 불허함. **6** 내수사內需司의 장리長利 및 기신재忌辰齋를 폐함. **10** 진휼청賑恤廳을 설치함. **11** 사찰의 노비와 토지를 공용으로 함. **12** 승려의 국역國役 회피를 막기 위해 《경국대전經國大典》 도첩승度牒僧 조항을 삭제함.	**4** 명, 안남安南의 진고陳暠가 군사 일으켜 내란 일어남. **8** 명, 타타르Tatar의 침입으로 인명과 가축이 피해 입음. ▶영국 토마스 모어Thomas More, 《유토피아Utopia》를 지음. ▶이탈리아 라파엘로Raffaello, 시스티나Sistina 성당 성모상을 완성함.
1517 (3850) 정축	12	**1** 농사와 양잠 장려의 조서를 내림. 조광조趙光祖, 이학理學의 장려를 건의함. **2** 윤지임尹之任의 딸을 중종의 계비繼妃로 삼음. **3** 김안국金安國, 향리에서 《여씨향약呂氏鄕約》을 간행하여 반포함. **4** 축성사築城司를 임시로 둠. **6** 김안국金安國 등, 《소학小學》을 한글로 번역함. 축성사築城司를 비변사備邊司로 개칭함. **7** 여씨향약呂氏鄕約을 전국에 시행케 함. **9** 정몽주鄭夢周를 문묘에 모심. **11** 최세진崔世珍, 《사성통해四聲通解》를 지어 올림. ▶안처성安處誠 · 이우李堣 사망.	**8** 명, 포르투갈 사절이 광둥廣東에 옴. **9** 명 무종, 스스로 군사를 통할함. **10** 독일 루터Luther, 교황의 면죄부免罪府 판매에 반대하고 95개조의 반박문을 발표함: 종교개혁宗敎改革의 발단. ▶터키 셀림Selim 1세, 맘루크Mamluk 왕조를 멸하고 이집트를 점령함.
1518 (3851) 무인	13	**3** 조광조趙光祖, 인재 등용 위한 현량과賢良科 실시를 건의함. **4** 남곤南袞에게 음사淫詞 · 석교釋敎에 관한 어구가 있는 악장樂章을 다시 만들게 함. **5** 한성 등 전국에 지진이 발생함. **7** 신용개申用漑 등, 《속동문선續東文選》을 편찬함. **9** 소격서昭格署를 혁파하고 소장 그림을 도화서圖畵署에 이관함. **11** 조신曺伸, 《이륜행실도二倫行實圖》를 편찬함. ▶《정속正俗》 · 《농서農書》 · 《잠서蠶書》 등을 한글로 번역하여 간행함.	**1** 명, 무종이 북정 위해 선부宣府에 행차함. 포르투갈에서 조공해 옴. **9** 명 왕수인王守仁, 강서江西의 적을 평정함. ▶스위스 츠빙글리Zwingli, 종교개혁宗敎改革을 주창함. ▶포르투갈, 스리랑카Sri Lanka를 점령함.

연대	조선	우리 나라	다른 나라
1519 (3852) 기묘	14	**4** 현량과賢良科를 실시함: 김식金湜 등 28명 발탁. 유옥柳沃 사망. **5** 경상도와 전라도를 좌·우로 나눔. 조광조趙光祖, 대사헌大司憲이 됨. **7** 중종, 서점의 설치를 명함. 향약鄕約을 전국에 실시함. 소격서昭格署 및 사찰에 있는 놋그릇을 수거하여 활자를 주조케 함. **8** 무학武學을 설치함. **10** 전국에 암행어사를 보내 전곡錢穀을 조사하게 함. 신용개申用漑 사망. **11** 조광조趙光祖, 능주綾州(지금의 화순和順 지역)에 유배당함. **12** 기묘사화己卯士禍 일어남: 조광조趙光祖 등 사사됨. 현량과賢良科를 폐지함. ▶김정국金正國, 《경민편警民編》을 지음.	**6** 명 왕수인王守仁, 영왕寧王 신호宸濠의 반란을 진압함. ▶포르투갈 마젤란Magellan, 세계 일주 항해를 시작함. ▶신성로마제국, 카알Karl 5세 즉위. ▶이탈리아, 레오나르도 다빈치Leonardo da Vinci 사망. ▶스페인 코르테스Cortez, 멕시코를 공략함.
1520 (3853) 경진	15	**1** 혁파한 관원을 복구시킴. 향약鄕約을 널리 장려함. **3** 제주의 공한지空閑地에 둔전屯田을 설치함. **5** 비변사備邊司를 다시 둠. **8** 여악女樂을 다시 둠. **윤8** 경상도의 조세 운반을 위해 충주에 가흥창可興倉을 설치함. 제주에 진제장賑濟場을 설치함. **10** 서후徐厚, 강노强弩와 극적궁克敵弓을 제작함. **11** 의주성義州城 축조. 골육상송骨肉相訟을 금함. **12** 황형黃衡 사망. ▶최세진崔世珍, 《번역노걸대飜譯老乞大》·《번역박통사飜譯朴通事》·《노박집람老朴輯覽》 등을 편찬함.	**1** 일본, 교토京都에 농민 봉기 일어남. **2** 일본, 덕정령德政令을 반포함. **7** 명, 타타르Tatar가 다퉁大同에 침입함. ▶포르투갈 마젤란Magellan, 남아메리카 남단(지금의 마젤란 해협)을 통과함. ▶이탈리아, 라파엘로Raffaello 사망. ▶교황 레오Leo 10세, 루터Luther를 파문함: 루터, 파문장破門狀을 불태움.
1521 (3854) 신사	16	**1** 서후徐厚, 편조전鞭條箭을 제작함. **3** 제주의 정의현旌義縣과 대정현大靜縣에 군량미 마련 위해 둔전屯田을 설치함. **6** 정순왕후定順王后 송씨(단종의 정비) 사망. **8** 쓰시마도주對馬島主에게 임신약조壬申約條를 철저히 준수토록 통고함. **10** 송사련宋祀連의 무고로 안처겸安處謙·안당安瑭 등 처형됨: 신사무옥辛巳誣獄. ▶신세림申世霖, 〈영모도翎毛圖〉를 완성함. ▶김정金淨 등 사사됨.	**3** 명, 무종 사망: 4월 세종世宗 즉위. **4** 포르투갈 마젤란Magellan, 항해 중 필리핀에서 피살됨. 독일, 보름스Worms 의회에서 신교를 금지하고 루터Luther를 이단으로 결정함. **8** 스페인 코르테스Cortez, 멕시코를 정복함: 아즈테Aztec 문명 말살.

연대	조선	우리 나라	다른 나라
1522 (3855) 임오	중종 17	**2** 말斗과 되升를 새로 만들어 사용함. **3** 군기시軍器寺, 서후徐厚가 창안한 벽력포霹靂砲를 제작함. **4** 병사兵使의 수사水使 겸직을 중지함. **5** 추자도楸子島에 왜변 일어남. **6** 비변사備邊司를 설치함. **12** 소격서昭格署를 다시 설치함.	▶포르투갈, 마젤란Magellan 일행이 귀환함: 최초의 세계 일주. ▶독일, 루터Luther의 《신약성서新約聖書》제1판을 간행함. 기사전쟁騎士戰爭 일어남. 로이힐린Reuchlin 사망.
1523 (3856) 계미	18	**1** 군적軍籍을 고쳐 작성함. **2** 중종, 적전籍田을 경작함. 김전金詮 사망. **4** 암행어사를 전국에 파견함. **5** 여연군과 무창군의 형세도를 작성함. **9** 쓰시마섬對馬島의 세견선歲遣船을 5척 늘여 30척으로 함. **10** 《소학언해小學諺解》를 편찬하여 보급함.	**2** 명 유간兪諫, 허난河南과 산둥山東 지방의 적을 평정함. **4** 일본, 견명사遣明使 간에 통상특권 다툼이 일어남: 닝보寧波의 난. ▶프랑스, 이탈리아에 침입하여 밀라노Milano를 탈환함. ▶스웨덴, 덴마크로부터 독립함.
1524 (3857) 갑신	19	**1** 압록강 유역의 여진족을 축출함. 이함李函 등, 허공교虛空橋에서 여진에게 패함. **2** 중종 15년 이후의 《춘추관일기春秋館日記》를 찬술함. **4** 상평창常平倉에서 물가 조절을 시도함. **11** 김안로金安老, 탄핵받아 유배됨.	**1** 일본 호조北條氏綱, 에도성江戶城을 공략함. **8** 명, 다퉁大同에서 군란 일어남. 독일, 농민전쟁 일어남. ▶독일 루터Luther, 최초의 《찬송가집》을 출간함.
1525 (3858) 을유	20	**1** 《의방유취醫方類聚》를 간행함. 박세거朴世擧 등, 《간이벽온방簡易辟瘟方》을 한글 번역본으로 간행함. **3** 유세창柳世昌 · 윤탕빙尹湯聘 등, 반란 꾀하다 처형됨. **5** 갓笠의 형식을 고쳐 정함. **8** 전라도의 양전量田을 다시 실시함. **9** 전라도에 왜변倭變 일어남. **10** 이순李純, 관천기목륜觀天器目輪을 제작함.	**1** 명, 간쑤甘肅 지방에 침입한 타타르군Tatar軍을 격파함. **12** 명, 《대례집의大禮集議》를 완성함. ▶스페인, 신성로마제국과 연합하여 프랑스군을 격파하고 프랑스와Francois 1세를 생포함: 파비아Pavia 전투.
1526 (3859) 병술	21	**5** 간의혼상簡儀渾象을 새로 제작함. **7** 서후徐厚, 《군문요람軍門要覽》을 지음. **9** 관상감觀象監에 명하여 동지에 후기관候氣管을 시험케 함. 변방 장수가 첩을 데리고 부임하는 것을 금함. **10** 《역대군신도상歷代群臣圖像》을 간행함. 유담년柳聃年 사망. ▶이현보李賢輔의 어머니 권씨, 〈선반가宣飯歌〉를 지음.	**2** 명, 유사구임법有司久任法을 제정함. **4** 일본 이마가와今川氏親, 《가명목록假名目錄》을 작성함. **12** 일본, 덕정령德政令을 반포함. ▶명, 축윤명祝允明 사망. ▶페르가나Fergana의 바베르Baber가 인도 델리Delhi를 점령하고 무굴Mughul 제국을 세움.

연 대	조선	우 리 나 라	다 른 나 라
1527 (3860) 정해	22	**3** 동궁東宮에 작서灼鼠의 변 일어남: 쥐를 태워 동궁東宮(뒤의 인종)을 저주함. 남곤南袞 사망. **4** 최세진崔世珍, 《훈몽자회訓蒙字會》를 지음. 경빈박씨敬嬪朴氏와 복성군福成君을 유배보냄. **7** 경복궁景福宮을 보수함. **12** 중추원에 약방을 두고 약재를 무역함. ▶소세량蘇世良 사망.	**5** 명 왕수인王守仁, 전주田州의 만족蠻族을 항복시킴. ▶영국 헨리Henry 8세, 왕후와의 이혼 문제로 교황과 대립함. ▶신성로마제국, 로마에 침공하여 약탈함. ▶이탈리아, 마키아벨리Machiavelli 사망.
1528 (3861) 무자	23	**1** 만포첨사 심사손沈思遜이 여진족에게 살해됨. **2** 예조禮曹에서 매년 한성에 오는 여진족의 수를 조사해 올림. **4** 《진서陣書》·《병정兵政》·《병장설兵將說》 등을 간행함. **8** 의복과 음식의 사치를 금함. 새로 온 관리를 모욕하는 자는 제서유위율制書有違律로 다스리게 함. ▶고형산高荊山 사망.	**6** 명, 《명륜대전明倫大典》을 반포함. **7** 명 왕수인王守仁, 양광兩廣의 만족蠻族을 평정함. 영국·프랑스, 신성로마제국의 카알Karl 5세에 선전포고함. **9** 제노바Jenova, 프랑스로부터 독립함. **11** 명, 왕수인王守仁 사망. ▶독일, 아우구스부르크Augusburg 상인들이 베네수엘라의 식민화를 꾀함. ▶유럽에 코코아 종자가 들어옴.
1529 (3862) 기축	24	**4** 하삼도의 조운에 개인 선박을 이용함. **6** 진하겸성절사進賀兼聖節使에 종계변무宗系辨誣 문서를 보냄. **10** 명에 간 사신이 종계宗系 개정의 약속 받고 돌아옴. 비변사備邊司, 긴박한 큰 사건은 의정부와 의논하고 일반적인 것은 병조와 의논하여 처리하기로 함.	**4** 스페인, 프랑스와 캄브레Cambrai 조약을 체결하고 화의함. **10** 명, 외척의 세봉世封을 없앰. ▶신성로마제국, 제2회 슈파이에르Speyer 의회에서 신교도에 항의함: 프로테스탄트Protestant라는 명칭의 기원.
1530 (3863) 경인	25	**2** 산양보山羊堡에서 변란 일으킨 여진족을 축출함. **4** 상의원尙衣院에 서양 세면포細綿布의 무역을 허가함. **8** 이행李荇 등, 《신증동국여지승람新增東國輿地勝覽》을 찬진함. 정현왕후貞顯王后 윤씨(성종의 계비) 사망. **10** 제주도에 표류해 온 유구국琉球國 사람들로부터 이모작二毛作 벼종자를 얻음. **11** 심정沈貞·성세창成世昌 등 유배됨. **12** 장례원掌隷院 노비문서가 화재로 불탐. ▶박상朴祥 사망.	**3** 일본, 견명선遣明船을 부활시킴. **6** 신성로마제국, 아우구스부르크Augusburg 회의에서 멜란히톤Melanchiton 신앙 체계를 부정하고 신교 배척을 결의함. **11** 명, 공자孔子를 지성선사至聖先師로 추증함. **12** 일본, 덕정령德政令을 반포함. ▶무굴Mughul 제국, 바베르Baber 사망. ▶폴란드 코페르니쿠스Copernicus, 지동설地動說을 제창함.

연대	조선	우리 나라	다른 나라
1531 (3864) 신묘	중종 26	**5** 가뭄으로 인한 재해가 극심해짐. **7** 무신의 초선抄選을 중지함. **11** 심정沈貞, 작서灼鼠의 변에 연루되어 사사됨. 이유청李惟淸 사망. ▶〈독서당계회도讀書堂契會圖〉를 완성함.	**10** 스위스 츠빙글리Zwingli, 카펠Kappel 전투에서 전사함. ▶신성로마제국, 슈말칼텐Schmalkalden 동맹을 결성함. ▶포르투갈에 종교재판소를 설치함.
1532 (3865) 임진	27	**1** 청백리를 포상하고 그 자손을 등용함. **2** 군기軍器와 화포火砲에 밝은 자를 군기시軍器寺에 등용함. **3** 이종익李宗翼, 작서灼鼠의 변 내막과 김안로金安老를 비방하는 상소 올렸다 처형당함. **9** 최세진崔世珍, 한글로 번역한《여훈女訓》을 간행함. **10** 관리의 녹봉을 감해 빈민 구제에 충당함.	**8** 일본, 혼간사本源寺 불탐. **7** 로마 교회, 뉘른베르크Nürnberg 종교회의에서 신교의 자유를 허락함. ▶스페인 피사로Pizarro, 페루를 정복함: 잉카Inca 제국 멸망. 잉카 문명 말살.
1533 (3866) 계사	28	**5** 경빈박씨敬嬪朴氏 · 복성군福成君, 사사당함. **6** 서점 설치 문제를 논의함. 이항李沆, 유배지에서 사망함. **10** 사신이 명에서 돌아와 종계宗系 개정한《대명회전大明會典》을 바침. **12** 이자李耔 사망. ▶김구金絿의 〈화전별곡花田別曲〉, 송순宋純의 〈면앙정가俛仰亭歌〉 나옴.	**3** 일본 기자와木澤長政, 호케法華 종도宗徒를 이끌고 잇코一向 종도를 격파함. **10** 명, 다퉁大同의 병란 발생함: 총병관 이근李瑾 피살. ▶모스크바 공국, 이반Ivan 4세 즉위: 차르tsar(황제)의 칭호를 사용함.
1534 (3867) 갑오	29	**2** 명에 사람 보내 이두석泥豆錫 · 역청瀝靑 · 백철白鐵의 조작법과 훈금술燻金術을 배워오게 함. **6** 김안로金安老 · 허항許沆,《시정기時政記》를 수정함. **9** 보루각報漏閣을 개조하여 창덕궁昌德宮에 물시계를 설치함. **11** 관복을 명의 제도에 따라 개정함. 이행李荇 사망. ▶김구金絿 사망.	**2** 명, 다퉁大同의 병란을 평정함. **6** 명, 난징의 태묘太廟가 불탐. **8** 스페인 로욜라Loyola, 파리에서 예수회를 창설함. ▶영국 헨리Henry 8세, 수장령首長令을 발포함: 교황으로부터의 독립 선언. ▶독일 루터Luther, 성서 번역을 끝냄.
1535 (3868) 을미	30	**3** 김안로金安老와 심정沈貞 등을 비방한 진우陳宇는 처형되고 장옥張玉 등은 유배됨. **4** 의정부 건물이 화재로 전소함. **6** 역승驛丞을 폐하고 찰방察訪 체제로 전환함. **7** 종학宗學을 다시 설치함. **8** 태안 안흥량安興梁의 운하공사를 시작함.	**3** 명, 랴오둥군의 반란 일어남. **7** 영국 모어More, 수장령首長令에 반대하다 처형됨. ▶터키, 프랑스와 공수동맹 맺고 특혜무역을 허용함.

연대	조선	우리 나라	다른 나라
1536 (3869) 병신	31	**4** 흥천사종興天寺鐘을 숭례문崇禮門으로, 원각사종圓覺寺鐘을 흥인지문興仁之門으로 옮김. **5** 찬집청撰集廳을 설치하고 권선징악의 서적을 편찬케 함. 전국에 암행어사를 파견함. **8** 이사균李思鈞 사망. ▶최세진崔世珍의 《운회옥편韻會玉篇》을 간행함.	**5** 명, 원나라 때 세운 궁중의 불전을 파괴함. **7** 일본, 덴분호케天文法華의 난 일어남. ▶스위스 칼뱅Calvin, 프랑스에서 제네바로 망명하여 종교개혁을 창도함. ▶네덜란드, 에라스무스Erasmus 사망.
1537 (3870) 정유	32	**1** 모화관慕華館에 영조문迎詔門을 건립함. **2** 도성 안 신설 사찰과 무당 집을 폐함. **5** 정광필鄭光弼, 유배당함. **7** 안흥량安興梁의 의항蟻項 굴착을 완료함. **10** 윤원로尹元老·윤원형尹元衡 형제, 김안로金安老의 상소로 유배당함: 김안로, 문정왕후文定王后 폐위를 기도하다 사사됨.	**2** 명, 안남安南의 여령黎寧이 사신 보내 막등용莫登庸의 난 진압을 호소함. **6** 명, 제농濟農이 선부宣府에 침입해 옴. ▶덴마크, 루터파Luther派를 국교로 삼음. ▶포르투갈, 중국 마카오Macao에 진출하기 시작함. ▶스페인 코르테스Cortez, 남캘리포니아를 발견함.
1538 (3871) 무술	33	**2** 기묘사화 관련자들을 등용함. **4** 여진족이 무창군茂昌郡 일대에 거주하는 것을 통제함. **7** 김안국金安國, 《촌가구급방村家救急方》을 지음. **9** 《동국여지승람東國輿地勝覽》에 실린 사찰 이외는 모두 폐쇄함. **11** 성주사고星州史庫 불탐. **12** 정광필鄭光弼 사망.	**3** 명 모박온毛泊溫, 안남安南의 막등용莫登庸을 토벌하다 패배함. ▶스위스 칼뱅Calvin, 제네바에서 추방됨. ▶스페인 발디비아Valdivia, 남아메리카 서해안을 탐험함. ▶터키, 프레베사Prevesa 전투에서 스페인·베네치아·교황의 연합함대를 격파함.
1539 (3872) 기해	34	**1** 일본 상인의 밀무역을 금함. **4** 영조문을 영은문迎恩門으로 개칭함. **6** 등록된 사찰 이외는 수리와 신설을 금함. **7** 권벌權橃을 명에 보내 종계 개정을 요청함. 최세진, 《이문속집집람吏文續集輯覽》을 지음. **8** 사수삼복死囚三覆의 법을 다시 시행함. 김안국金安國의 《이륜행실도언해》를 백관에게 나누어 줌. **11** 상평창常平倉의 법을 다시 시행함.	**4** 일본, 명에 감합부勘合符를 요청함. **5** 영국 헨리Henry 8세, 교회의 금제禁制 6개 조령을 공포함. **7** 일본, 덕정령德政令을 정지함. **윤7** 명, 랴오군의 반란이 다시 일으킴. ▶신성로마제국, 신교를 허용함. ▶스페인, 쿠바를 합병함.

연대	조선	우리 나라	다른 나라
1540 (3873) 경자	중종 35	**4** 실록청實錄廳, 역대 실록의 등사를 끝내고 성주사고星州史庫에 다시 보관함. **6** 도박을 엄금함. **7** 명에 가는 사신이 은을 가지고 가서 사무역하는 것을 금함. **11** 한리과漢吏科를 다시 설치함. **12** 전라도에 도적이 성행함.	**8** 명, 경덕진景德鎭의 도공陶工들이 홍수와 기근으로 식량을 약탈함. **9** 명 유천화劉天和, 제농濟農의 군을 격파함. ▶교황 바오로Paulus 3세, 로욜라Loyola의 예수회를 공인함.
1541 (3874) 신축	36	**5** 진휼청賑恤廳을 다시 설치함. 주세붕周世鵬, 풍기군수가 됨. 김정국金正國 사망. **6** 김안국金安國, 태지苔紙(이끼를 섞어 만든 종이)를 처음으로 제조함. **11** 각 아문衙門 및 외방각관外方各官의 주고酒庫를 폐지함. 명화적明火賊이 도성에 횡행함. **12** 교서관敎書館, 《우마양저염병치료방牛馬羊猪染病治療方》을 간행함. 여진족에 대비하여 비변사備邊司를 확충하고 의정부 3대신이 비변사 제조提調를 겸하게 함. ▶박세무朴世茂, 《동몽선습童蒙先習》을 지음. ▶주세붕周世鵬, 〈도동곡道東曲〉·〈엄연곡儼然曲〉·〈육현가六賢歌〉·〈태평곡太平曲〉 등을 지음.	**4** 명, 안남安南에서 막등용莫登庸을 항복시킴: 안남도통사사安南都統使司 설치. **7** 일본, 포르투갈 선박이 표류해 옴. **8** 영국 헨리Henry 8세, 아일랜드 왕 및 교회 수장이 됨. ▶터키, 헝가리와 알제리를 정복함. ▶스위스 칼뱅Calvin, 제네바에 돌아와 종교개혁운동을 전개함.
1542 (3875) 임인	37	**2** 최세진崔世珍 사망. **4** 유희진柳希軫, 《대동시림大東詩林》·《대동연주시격大東聯珠詩格》 등을 지음. **5** 《분문온역이해방分門瘟疫易解方》을 간행함. **8** 주세붕周世鵬, 영주 순흥順興 백운동白雲洞에 안향安珦의 사묘祠廟인 문성묘文成廟를 세움.	**6** 명, 타타르Tatar의 엄답한俺答汗이 산시山西 지방에 침입해 옴. **10** 명, 궁비宮婢의 변란 일어남. ▶스페인, 선교사 사비에르Xavier가 인도 고아Goa에 도착함. ▶로마 교회, 종교재판제도를 확립함. ▶영국, 아일랜드 왕국 성립.
1543 (3876) 계묘	38	**1** 근정청斤正廳, 《대전후속록大典後續錄》을 완성함. 동궁이 화재로 불탐. **2** 대사간 구수담具壽聃이 대윤大尹과 소윤小尹의 파벌을 진언함. **11** 김안국金安國 사망. ▶주세붕周世鵬, 영주 순흥順興에 백운동서원白雲洞書院을 세움: 서원書院의 시초. ▶황진이黃眞伊, 〈동짓달……〉 시조 지음.	**8** 일본, 포르투갈 선박이 다네가섬種子島에 표착: 철포와 화약 전함. **10** 명, 타안朶顔이 침입함. ▶네덜란드 베살리우스Vesalius, 《인체의 구조》를 저술함: 해부학의 창시. ▶폴란드, 코페르니쿠스Copernicus 사망.

연 대	조선	우 리 나 라	다 른 나 라
1544 (3877) 갑진	39	**1** 전라도 · 경상도 · 충청도의 죄인을 변방에 강제로 이주시킴. **4** 왜구가 고성 사량진蛇梁鎭에 침입해 옴. **5** 사신 외의 일본인 입국을 금함. **8** 전라도 · 경상도 · 충청도의 한량閑良을 적발하기 위해 어사출동사목御使出動事目을 제정함. **11** 중종 사망: 인종仁宗 즉위. ▶서경덕徐敬德, 〈이기설理氣說〉 · 〈원리기原理氣〉 등을 저술함.	**10** 명, 타타르Tatar 침입으로 수도에 비상령을 내림. **11** 일본, 포르투갈 선박이 규슈九州 사쓰마薩摩에 와서 무역을 요구함. ▶명, 북경성北京城의 외성을 축조함. ▶일본, 무명옷이 일반에게 보급되기 시작함.
1545 (3878) 을사	인종 1	**6** 현량과賢良科를 다시 설치함: 8월에 다시 혁파. 조광조趙光祖의 관직을 복구함. **7** 인종 사망: 명종明宗 즉위. 문정왕후文定王后가 섭정함. 원상院相을 둠. 이언적李彦迪, 《소학언해小學諺解》를 간행함. **8** 윤임尹任 등 사사됨: 을사사화乙巳士禍. ▶이황李滉, 〈낙빈가樂貧歌〉와 〈환산별곡還山別曲〉을 지음. ▶김인후金麟厚, 〈자연가自然歌〉를 지음.	**2** 영국, 스코틀랜드군과의 전투에서 패배함. **11** 신성로마제국, 터키와 아드리아노플Adrianople 휴전조약을 체결함. ▶스페인, 남아메리카의 포토시Potosi 은광을 발견함. ▶로마 교회, 트리엔트Trient 공의회를 소집함: 교황 지상권至上權 재확인.
1546 (3879) 병오	명종 1	**1** 윤결尹潔, 《유구국풍속기琉球國風俗記》를 지음. **2** 유대용柳大容, 《유구풍토기琉球風土記》를 지음. 충청도 · 전라도 · 경상도에서 정기적 장시場市 열림. **4** 제주 표류인 박손朴孫 등이 전해온 수차를 각 도에 나누어 줌. **7** 임백령林百齡 · 서경덕徐敬德 사망. **11** 홍문관弘文館, 《심학도설心學圖說》과 《대학도설大學圖說》을 찬진함.	**2** 독일, 루터Luther 사망. **3** 명, 쓰촨四川의 백초만白草蠻이 반란 일으킴. **9** 명, 엄답한俺答汗이 닝샤寧夏에 침입함. ▶독일, 슈말칼덴Schmalkalden 전쟁 일어남: 종교전쟁
1547 (3880) 정미	2	**2** 원상院相을 폐지함. 쓰시마도주對馬島主와 수호조약 개정함: 정미약조丁未約條. **7** 성균관과 4학에 토지와 노비를 내림. **8** 동 · 서 진제장賑濟場을 폐지함. **9** 양재역벽서사건良才驛壁書事件으로 봉성군鳳城君 · 송인수宋麟壽 등 사사당함: 벽서壁書의 옥(정미사화丁未士禍). **윤9** 공신회맹제功臣會盟祭를 개최함. **10** 윤임尹任의 《추안推案》을 간행함. **12** 윤원로尹元老 사사됨.	**1** 모스크바 공국 이반Ivan 4세, 러시아 황제가 됨. **4** 명, 타타르Tatar의 입공入貢 요구를 거절함. ▶스페인, 코르테스Cortez 사망.

연대	조선	우리 나라	다른 나라
1548 (3881) 무신	명종 3	**1** 상평창常平倉을 열고 동·서 진제장賑濟場을 다시 둠. **2** 안명세安名世를 죽이고 그의 〈을사넌시정기乙巳年時政記〉를 개정함. **3** 권벌權橃 사망. **4** 전국의 말斗을 통일시킴. **7** 윤결尹潔, 안명세安名世를 변명하다 처형됨. **10** 《속무정보감續武定寶鑑》을 완성함.	**8** 명, 타타르Tatar의 엄답한俺答汗이 다퉁大同에 침입함. ▶신성로마제국, 아우구스부르크Augusburg 회의에서 신·구교파의 융화를 시도함. ▶스페인, 페루를 완전히 지배하에 둠.
1549 (3882) 기유	4	**1** 홍언필洪彦弼 사망. **4** 이홍윤李洪胤의 옥 일어남: 5월 유정柳貞이 연루되어 장살당함. **9** 이상좌李上佐, 중종의 익선관본翼善冠本 어진을 그림. **11** 정업원淨業院 터에 인수궁仁壽宮을 건립함.	**7** 명, 왜구가 절동浙東에 침입함. 스페인 사비에르Xavier, 일본 가고시마鹿兒島에 와서 크리스트교를 전파함. ▶영국, 통일령統一令을 내림.
1550 (3883) 경술	5	**1** 당상관堂上官 이하의 시종 인원수를 제한함. **2** 백운동서원白雲洞書院에 소수서원紹修書院의 편액을 하사함: 사액서원賜額書院의 시초. 김순고金舜皐, 처음으로 제작한 윤선輪船을 조운漕運에 이용할 것을 청함. **7** 구수담具壽聃 사사됨. **10** 《중종실록》과 《인종실록》을 편찬함. **11** 《황달학질치료방黃疸瘧疾治療方》을 간행함. **12** 선禪·교敎 양종을 다시 둠. ▶이현보李賢輔, 〈어부사漁父詞〉를 지음. ▶주세붕周世鵬, 황해도 해주海州에 수양서원首陽書院 세움. ▶어득강魚得江 사망. ▶한성에 황사현상 발생함.	**3** 영국, 프랑스 및 스코틀랜드와 브로뉴Boulogne에서 화의함: 프랑스, 영국으로부터 브로뉴를 획득함. **8** 명, 타타르Tatar 엄답한俺答汗이 수도에까지 육박함: 경술庚戌의 변. ▶일본, 포르투갈 선박이 히라토平戶에 내항함. ▶네덜란드, 종교재판소를 설치함. ▶러시아, 제국회의帝國會議를 소집함.
1551 (3884) 신해	6	**1** 양사兩司 및 홍문관弘文館·성균관成均館 유생들이 선禪·교敎 양종 혁파를 상소함. **2** 양계兩界에 감군어사監軍御使를 보내기로 함. **5** 서점을 설치함. **6** 보우普雨를 판선종사도대선사判禪宗事都大禪師 봉은사奉恩寺 주지에 임명함. 양종 선과禪科를 다시 두고 승려들에게 도첩度牒을 줌. **8** 권세가 소유의 둔전屯田을 본주인에게 반환함. ▶신사임당申師任堂 사망.	**1** 제2차 트리엔트Trient 종교회의를 개최함. **3** 명, 마시馬市를 다퉁大同과 선부宣府에 개설함. **9** 일본, 오치大內義隆 피살. ▶프랑스, 칙령을 내려 신교를 금함. ▶터키, 헝가리에 침공함.

연대	조선	우리 나라	다른 나라
1552 (3885) 임자	7	**2** 새로 승려가 되는 것을 금함. **3** 소수서원紹修書院에 서적을 하사함. **4** 선과禪科를 설치함. 이기李芑 사망. **7** 군적도감軍籍都監을 설치함. 종경교정청鐘磬校正廳을 설치하고 악관樂官을 명에 보냄. **8** 시경승試經僧 400여명에게 도첩을 발급함.	**4** 명, 왜구가 저장浙江에 침입해 옴. **9** 명, 마시馬市를 철폐함. **12** 스페인, 사비에르Xavier 사망. ▶명, 구영仇英 사망. ▶타타르Tatar, 카라코룸和林을 정벌함.
1553 (3886) 계축	8	**2** 명종, 선농제先農祭를 올리고 적전籍田을 경작함. **윤3** 양민이 천녀賤女를 정처로 삼음을 금함. **5** 제주에서 왜변 일어남. **7** 문정왕후文定王后의 섭정 끝남: 명종 친정. **8** 《국조보감속집國朝寶鑑續集》을 편찬함. **9** 윤선輪船을 새로 만들어 시험 운행함. **10** 영천 정몽주鄭夢周의 구거지에 임고서원臨皐書院을 세움. 양첩자良妾子에 한해 그 손자부터 문과 및 무과 응시를 허용함. **11** 이언적李彦迪 사망.	**윤3** 명, 왜구를 규합하여 연해에 침입한 해적 왕직王直의 군을 격파함. **7** 명, 타타르Tatar의 엄답한俺答汗이 침입해 옴. **8** 영국, 구교파 사교司教가 체포되고 신교파 사교가 돌아옴. ▶프랑스, 라블레Rabelais 사망. ▶포르투갈, 명의 마카오Macao에 침입하여 점령을 시작함.
1554 (3887) 갑인	9	**4** 어숙권魚叔權, 《고사촬요攷事撮要》를 지음. **6** 비변사備邊司 설치: 군국기무 문무 합의체. **7** 주세붕周世鵬 사망. **8** 당상관堂上官의 사가독서를 처음 실시함. **9** 경복궁景福宮을 중창함. 동궁을 조성함. **12** 신잠申潛 사망. ▶《구황촬요救荒撮要》를 편찬함. ▶김인후金麟厚, 《백련초해百聯抄解》를 지음. ▶박세무朴世茂 사망.	**3** 명, 전법錢法을 개정함. **5** 명, 장경張經에게 왜구를 치게 함. **11** 영국, 로마 카톨릭을 복구함. ▶브라질, 상파울루São Paulo를 건설함. ▶무굴 제국, 델리Delhi를 정복함.
1555 (3888) 을묘	10	**1** 안위安瑋 · 민전閔荃 등, 《경국대전주해經國大典註解》를 완성함. **5** 전라도 달량포達梁浦에 왜선 70여척이 침입해 옴: 을묘왜변乙卯倭變. 전라도 승려로 승군을 조직하여 왜변에 대처함. 이윤경李潤慶, 영암에서 왜구를 격파함. **6** 제주도와 전라도에 침입한 왜선을 격파함. 이현보李賢輔 사망. **7** 각 도의 감군어사監軍御史를 폐함. **11** 신광한申光漢 사망. ▶양사언楊士彦의 《남정기南征記》, 이이李珥의 《자경문自警文》 나옴.	**5** 명 장경張經, 왜구를 격파함. **7** 명, 왜구가 난징南京에 침입하여 안정문安定門을 불태움 **9** 신성로마제국, 아우구스부르크Augusburg 회의에서 루터파Luther派 신교를 공인함. ▶일본, 포르투갈인이 포술砲術을 전함. ▶영국, 신교도를 박해함.

연 대	조선	우 리 나 라	다 른 나 라
1556 (3889) 병진	명종 11	**1** 경기수군절제사의 영營을 남양南陽 화량진花梁鎭에 설치함. **2** 왜구 침입에 대비하여 무과를 실시함. **6** 제주목사 김수문金秀文, 왜선 5척을 불태우고 130여명을 살해함. 이황李滉, 《주자서절요朱子書節要》를 완성함. 백광홍白光弘, 〈관서별곡關西別曲〉을 지음. **8** 공천추쇄도감公賤推刷都監을 설치함. **10** 폐사의 종으로 총통銃筒을 주조함. 황해도 연안延安에 성을 쌓음. ▶이황李滉, 안동에 예안향약禮安鄕約을 세움. 백광홍白光弘 사망.	**1** 명, 산시성陝西省에 지진 발생함: 83만명 사망. **6** 명 유대유俞大猷, 황푸黃浦에서 왜구를 격파함. **7** 스페인, 로욜라Loyola 사망. ▶무굴Mughul 제국, 악바르Akbar 즉위. ▶신성로마, 합스부르크가Habsburg家가 양분됨. ▶러시아, 아스트라칸한국Astrakhan汗國을 병합하여 볼가강Volga江 유역을 점유함. ▶네덜란드, 스페인령이 됨.
1557 (3890) 정사	12	**2** 승려의 잡역을 면제해 줌. 쓰시마도주對馬島主의 세견선 5척을 증가시킴. **4** 황해도에 민란 일어남. **5** 도첩度牒 있는 승려의 부역을 금함. **7** 제주목사와 전라감사등에게 왜구 방어 위한 무기와 봉화烽火 준비를 명함. **12** 단경왕후端敬王后 신씨(중종 비) 사망.	**11** 명, 왜구를 주산舟山에서 격파함. 호종헌胡宗憲이 해적 왕직王直을 살해함. ▶명, 포르투갈인의 마카오Macao 거주를 허락함. ▶러시아, 리보니아Livonia 전쟁으로 발트해Balt海 진출을 꾀함.
1558 (3891) 무오	13	**3** 왜구 방어 위해 쓰시마섬對馬島에 2년간의 세사미歲賜米를 줌. **4** 《대전원전大典元典》·《대전속전大典續典》·《대전속집大典續集》 등을 간행함. **6** 심연원沈連源 사망. **윤7** 추쇄도감推刷都監을 설치하여 도망간 공노비를 적발함. **8** 함경도·평안도 이외의 각 도 병마평사兵馬評事를 폐지함. ▶권문해權文海, 《대동운부군옥大東韻府群玉》을 편찬함.	**7** 일본, 교토京都에 지구전地口錢을 부과함. 네덜란드 에그몬드Egmond, 그레이브린Gravelines 전투에서 프랑스군을 대파함. **8** 명, 간쑤甘肅 지방에 타타르Tatar의 3만 기병騎兵이 침입해 옴. ▶영국 그레샴Gresham, 〈그레샴의 법칙〉(악화가 양화를 구축한다)을 발표함.
1559 (3892) 기미	14	**1** 평안도의 수령을 무신으로 바꿈. **3** 황해도에 임꺽정林巨正의 난 일어남. **4** 임꺽정林巨正 무리가 개성 포도관을 죽임. **5** 압록강에 수은어사搜銀御使를 파견함. **11** 모든 궁가宮家의 원당을 폐지함. ▶이황李滉과 기대승奇大升 간에 사단칠정四端七情에 관한 서신 왕래가 시작됨.	**2** 명, 파도아把都兒의 군이 수도에까지 육박함. **4** 프랑스, 스페인·영국과 캄브레Cambrai 조약을 체결하고 이탈리아 전쟁을 종식시킴. **5** 영국, 통일령統一令을 반포함: 영국 국교 확립.

연대	조선	우리 나라	다른 나라
1560 (3893) 경신	15	**1** 김인후金麟厚 사망. **7** 나쁜 쌀 제조자 단속법을 다시 시행함. **9** 임꺽정林巨正 일당이 한성에까지 침입함. 김인후金麟厚의 《백련초해百聯抄解》를 간행함. **11** 임꺽정의 동료 서림徐林을 체포함. **12** 임꺽정의 형 가도치加都致를 체포함. ▶정철鄭澈, 〈성산별곡星山別曲〉을 지음. ▶이황李滉, 예안에 도산서당陶山書堂 세움.	**1** 일본, 교토京都에 크리스트교 포교를 허락함. **4** 독일, 멜란히톤Melanchiton 사망. **7** 명 유한劉漢, 풍주豊州에서 엄답한俺答汗을 격파함. ▶명, 일조편법一條鞭法을 시행함. ▶영국, 그레샴Gresham의 건의에 따라 화폐를 통일함. ▶스페인, 마드리드Madrid를 수도로 정함.
1561 (3894) 신유	16	**7** 나주 토호 김응란金應蘭과 김언림金彦林 등이 난을 일으킴. **10** 이정李楨, 경주에 서악서원西岳書院을 세우고 설총薛聰 · 김유신金庾信 · 최치원 崔致遠 등을 제사 지냄. ▶이지함李之菡, 《토정비결土亭秘訣》을 지음.	**6** 명, 산시山西 · 산시陝西 지방에 지진이 발생함. **10** 명, 민경閩慶의 유민이 봉기함. ▶신성로마제국, 폴란드가 독일기사단 영토 대부분을 영유함: 독일기사단 국가 멸망.
1562 (3895) 임술	17	**1** 임꺽정, 체포되어 처형됨:난이 진압됨. **9** 보우普雨, 판선종사도대선사를 그만둠: 12월 다시 임명됨. **11** 왜구 침입에 대비하여 전함과 병기를 정비토록 각 도에 명함. 소세양蘇世讓 사망.	**3** 프랑스, 신교도와 카톨릭교도 사이에 위그노Huguenot 전쟁 일어남. **7** 일본, 포르투갈인을 위해 교회를 건립함. **8** 명, 《영락대전永樂大典》을 중수함.
1563 (3896) 계해	18	**1** 윤원형尹元衡, 영의정에 오름. **5** 명에 사신을 보내 종계宗系 개정을 요청함. **9** 명이 종계宗系 개정을 허락하여 《대명회전大明會典》에 기록된 왕계王系를 바로 고쳐서 기록함. **10** 이량李樑 일파를 유배 보냄. **11** 흥인지문과 숭례문의 종을 내수사內壽司에 보내 사찰에 돌려줌.	**4** 명 척계광戚繼光 · 유대유兪大猷, 푸젠福建에서 왜구를 대파하고 흥화興化를 회복함. **10** 명, 파도아把都兒의 군이 수도에 육박함. ▶영국, 국교를 실행하는 39개조를 공포함.
1564 (3897) 갑자	19	**윤2** 상진尙震 사망. **7** 수령의 임면을 엄정히 하도록 함. **10** 충청도 음성陰城에서 동광銅鑛을 채굴하여 제련함. **12** 성수침成守琛 사망. ▶휴정休靜의 《선가귀감禪家龜鑑》을 간행함. ▶이정李楨, 전남 순천에 옥천서원玉川書院을 세우고 김굉필金宏弼을 제사 지냄: 호남지방 최초의 서원.	**2** 이탈리아, 미켈란젤로Michelangelo 사망. **5** 프랑스, 칼뱅Calvin 사망. **6** 명 척계광戚繼光, 광둥廣東 해풍海豊에서 왜구를 대파함. ▶인도 악바르Akbar, 곤드와나 Gondwana 왕국을 복속시킴.

연대	조선	우리 나라	다른 나라
1565 (3898) 을축	명 종 20	**4** 문정왕후文定王后 사망. **5** 유생들이 보우普雨 처단을 상소함. **6** 제주목사가 유배 온 보우普雨를 살해함. **7** 문정왕후文定王后의 태릉泰陵 조성함. **8** 윤원형尹元衡, 관작을 삭탈당하고 향리에서 사망함. **12** 을사사화 이후의 죄인을 사면함. ▶이황李滉의 〈도산12곡陶山十二曲〉, 황진이黃眞伊의 〈청산리 벽계수야……〉 나옴. ▶ 조식曺植의 《남명집南冥集》, 조운흘趙云仡의 《삼한시귀감三韓詩龜鑑》 편찬.	**5** 터키, 몰타Malta를 공격하다 실패함. **12** 명, 백련교계白蓮教系의 채백관採伯貫이 봉기함. ▶일본, 수도 내의 선교사를 추방함. ▶스페인, 필리핀 정복을 시작함. ▶브라질, 리우데자네이루Rio de Janeiro를 건설함. ▶인도, 비자야나가르Vijayanagar 왕국 멸망: 남인도의 혼란 시작.
1566 (3899) 병인	21	**1** 개성 유생들이 송악산사松岳山祠를 불태움. **3** 왜인에게 동철취련법銅鐵吹錬法을 전수함. **4** 함경도 단천端川 은광을 복구함. **7** 함양의 남계서원藍溪書院에 사액함.	**2** 명 유대유兪大猷, 광둥廣東 산적을 토벌함. **4** 명, 타타르Tatar의 엄답한俺答汗이 랴오둥遼東에 침입함. ▶스페인, 종교재판소를 설립함. ▶포르투갈, 마카오Macao를 건설함.
1567 (3900) 정묘	22	**6** 명종 사망. **7** 선조宣祖 즉위: 명종 비 인순왕후仁順王后가 수렴청정함. **9** 명종의 강릉康陵을 조성함. ▶차천로車天輅, 〈강촌별곡江村別曲〉을 지음. 최보崔溥의 《금남집錦南集》을 간행함. ▶이 무렵, 어숙권魚叔權이 《패관잡기稗官雜記》를 지음.	**8** 일본, 나가사키항長崎港에 포르투갈 선박이 들어옴. **9** 명, 타타르Tatar의 엄답한俺答汗이 산시山西 지방에 침입함. ▶스코틀랜드 메리Mary 여왕, 남편을 죽이고 보스웰Bothwell과 혼인함. ▶스페인, 네덜란드 반란을 진압함.
1568 (3901) 무진	선 조 1	**1** 양계에 순무어사巡撫御使를 설치함. **2** 선조, 친정 시작. **4** 공무역을 일정 기간 정지하고 사무역을 엄금함. 조광조趙光祖에게 영의정을 추증함. 《명종실록明宗實錄》 편찬 위해 실록청實錄廳을 설치함. **8** 이황李滉, 대사헌에서 사임함. **9** 남곤南袞의 관작을 삭탈함. 현량과賢良科를 다시 둠. **12** 이황李滉, 《성학십도聖學十圖》 지음. ▶임억령林億齡 사망.	**9** 일본 오다織田信長, 아시카가足利義昭를 받들고 입경함. **11** 명 마방馬芳, 파도아把都兒 군을 안자산鞍子山에서 격파함. ▶일본, 교토에 에이로쿠사永祿寺를 건립함. ▶스코틀랜드 메리Mary 여왕, 영국으로 달아났다 감금됨. ▶네덜란드, 스페인으로부터의 독립전쟁 일으킴.

연 대	조선	우 리 나 라	다 른 나 라
1569 (3902) 기사	2	**3** 이황李滉, 우찬성을 사직하고 향리로 돌아감. **6** 김개金鎧, 사류망담士類妄談의 비리를 논하다 관작을 삭탈당함: 8월 사망. **8** 이이李珥, 《동호문답東湖問答》을 지음.	**8** 명, 광둥廣東 해적 증일본曾一本을 처형함. ▶무굴Mughul 제국, 라지푸트족Rajput族을 정벌함. ▶영국, 구교도의 반란 일어남. ▶폴란드 왕국 성립.
1570 (3903) 경오	3	**4** 성균관 유생들이 김굉필金宏弼 · 정여창鄭汝昌 · 조광조趙光祖 · 이언적李彦迪 등의 문묘文廟 향사享祀를 상소함. **5** 김굉필金宏弼 등이 지은 《국조유선록國朝儒先錄》을 간행함. **6** 흉년으로 관리의 녹봉을 감함. **11** 정공도감正供都監을 설치함. **12** 이황李滉 사망. ▶청주에 신항서원莘巷書院을 세우고 이색李穡 등을 향사享祀함. 정몽주鄭夢周를 모신 숭양서원崇陽書院에 사액함.	**2** 명, 경영총독京營總督을 철폐하고 삼대영三大營을 분설함. **10** 명, 타타르Tatar 엄답한俺答汗의 아들 파한나길把漢那吉이 항복해 옴. ▶일본, 유리 제조법이 전래됨. ▶프랑스, 생제르맹St. Germain 화의 통해 신앙의 자유를 부여함. ▶영국 드레이크Drake, 제1차 항해 출발.
1571 (3904) 신미	4	**3** 이량李樑 사망. **4** 《명종실록》을 간행함: 5월 전주사고 봉안. **11** 착호군捉虎軍을 편성하여 한성에 출몰한 백호를 잡음. ▶이이李珥, 서원향약西原鄕約을 세움. ▶이정李楨 사망.	**3** 명, 타타르Tatar와 화의하고 엄답한俺答汗을 순의왕順義王에 봉함. 일본, 나가사키항長崎港을 개항함. ▶스페인, 레판토Lepanto 해전에서 오스만 제국을 격파함:지중해 해상권 장악. 필리핀에 마닐라를 건설함.
1572 (3905) 임신	5	**1** 조식曺植 사망. **7** 이준경李浚慶 사망: 당파 폐단을 유언으로 남김. **8** 《촌가구급방村家救急方》을 간행함. **9** 정공도감正供都監을 폐지함. **11** 《금보琴譜》를 간행함. 기대승奇大升 사망. ▶이이李珥와 성혼成渾 사이에 사단칠정四端七情에 관한 서신 왕래가 시작됨. ▶경주에 옥산서원玉山書院 세우고 이언적李彦迪을 향사함.	**6** 명, 신종神宗 즉위. **8** 프랑스, 성바르텔레미St. Barthelesmy 대학살사건 일어남: 콜리니Coligny 등 위그노Huguenot 피살. **12** 명 장거정張居正, 《제감도설帝鑑圖說》을 찬진함. ▶신성로마제국, 신앙의 자유를 공포함. ▶스코틀랜드, 녹스Knox 사망. ▶로마 교회, 아메리카에 전도함.
1573 (3906) 계유	6	**7** 이이李珥, 상소 올리고 직제학에서 사임함. **8** 군적軍籍을 고쳐 민간인에 소동 일어남. **11** 성주 천곡서원川谷書院에 사액함. **12** 경주 옥산서원玉山書院에 사액함. 교서관, 《여씨향약언해呂氏鄕藥諺解》를 간행함. ▶동활자 계유자癸酉字를 주조함. ▶오상吳祥 · 이택李澤 사망.	**7** 일본 오다織田信長, 무로마치 막부室町幕府를 멸함. **11** 명, 장주고성법章奏考成法 제정. **12** 명 척계광戚繼光, 타안朶顔의 장독長禿 침입을 격퇴함. ▶무굴 제국, 구자라트Gujarat 정복. ▶터키, 키프로스Kypros섬을 획득함.

연 대	조선	우 리 나 라	다 른 나 라
1574 (3907) 갑술	선조 7	**1** 이이李珥, 〈만언봉사萬言封事〉를 올림. 안동에 도산서원陶山書院을 세우고 이황李滉을 향사享祀함. **2** 향약鄕約 시행을 정지함. **3** 관둔전 점유한 사대부의 관직을 몰수함. **7** 김효원金孝元, 이조전랑에 임명됨. **12** 10가작통제十家作統制를 실시함.	**4** 명, 내외관의 구임법久任法을 제정함. **9** 일본 오다織田信長, 나가시마長島 농민 봉기를 진압함. ▶무굴 제국, 벵골Bengal을 정복함. ▶포르투갈, 앙골라에 식민지 개척을 시작함. 상파울루를 발견함.
1575 (3908) 을해	8	**1** 인순왕후仁順王后(명종 비) 사망. **7** 심의겸沈義謙과 김효원金孝元 사이에 동인東人·서인西人의 당파 생김. **9** 이이李珥, 《성학집요聖學輯要》를 올림. **12** 상복喪服 규정 변경을 둘러싸고 관리들 사이에 논쟁 일어남. ▶도산서원陶山書院에 사액함.	**3** 일본 오다織田信長, 덕정령德政令을 반포함: 5월 다케다武田勝頼를 격파함. **6** 명, 항저우杭州·닝보寧波 등지에 해일 일어나 수해 입음. ▶스페인, 명의 광둥廣東에 상륙함. ▶네덜란드, 라이덴Leiden 대학 설립.
1576 (3909) 병자	9	**7** 명의 연해에 표류했던 제주도민 22명이 귀환함. **12** 이이李珥, 《맹자언해孟子諺解》를 편찬함. ▶평양 대동문大同門을 중건함.	**2** 일본 오다織田信長, 아즈치성安土城으로 옮김. ▶명, 일조편법一條鞭法을 정비함. ▶덴마크 티코브라에Tycho Brahe, 천문대 세우고 천체를 관측함.
1577 (3910) 정축	10	**3** 대원군사손세습大院君嗣孫世襲 제도를 정함. **5** 유희춘柳希春 사망. **8** 운봉현감 박광옥朴光玉, 남원에 황산대첩비荒山大捷碑를 건립함. **11** 《조보朝報》를 발행하여 배포함. **12** 이이李珥, 《격몽요결擊蒙要訣》을 지음: 석담石潭에서 향약회집법鄕約會集法 및 사창社倉을 의논하여 실시함.	**2** 명, 광둥廣東 나방羅旁의 요족搖族 반란을 평정함. **10** 일본 도요토미豊臣秀吉, 명明에 출정함. **11** 영국 드레이크Drake, 제2차 항해 출발. ▶스페인, 루손Luzon섬을 점령함. ▶프랑스, 프와티에Poitier 칙령으로 신앙의 자유를 부여함.
1578 (3911) 무인	11	**4** 경상도 군사들이 잡역에 항의하여 폭동 일으킴. 이이李珥, 사직하고 귀향함. **7** 이지함李之菡 사망. **8** 15세 미만 소년까지 군적軍籍에 등록하는 부정행위가 자행됨: 황구첨정黃口簽丁. **10** 진도에 사는 이수李銖의 뇌물을 받은 윤두수尹斗壽·윤은수尹銀壽·윤현尹晛을 탄핵함: 이수진도미옥사건李銖珍島米獄事件. **11** 국가기밀이 누설된다 하여 《조보朝報》 발행을 금함. ▶남효온南孝溫의 《추강집 秋江集》을 간행함.	**7** 일본, 명 상인이 와서 교역함. ▶명, 전국의 호구와 토지를 조사함. 포르투갈인에게 광둥무역廣東貿易을 허가함. ▶러시아, 우랄Ural 산맥을 넘어 시베리아에 진출함. ▶캄보디아, 시암Siam(타이Thailand)에 침입함. ▶영국, 네덜란드와 동맹을 체결함.

연대	조선	우리 나라	다른 나라
1579 (3912) 기묘	12	**3** 사헌부司憲府, 동·서 사류의 시비를 논함. 이이李珥, 《소학집주小學集註》를 완성함. **5** 이이李珥, 동·서 사류의 대립을 논함. 백인걸白仁傑, 동·서 분당分黨을 규탄함. 성운成雲 사망. **6** 전라도의 홍수로 큰 피해 입음. **11** 백인걸白仁傑 사망.	**1** 명, 전국 서원書院을 폐하고 관청으로 씀. ▶무굴Mughul 제국, 종교령宗敎令을 반포함. 영국인이 처음 인도에 옴. ▶네덜란드, 북부 7주가 유트레히트Utrecht 동맹을 맺어 스페인에 대항함.
1580 (3913) 경진	13	**2** 허엽許曄 사망. **5** 윤두수尹斗壽, 《기자실기箕子實記》를 지음. **10** 임시분대臨時分臺의 법을 시행하여 각 기관의 불법행위를 감시함. **11** 동활자 경진자庚辰字를 주조함. **12** 이이李珥, 대사간에 오름. ▶정철鄭澈, 〈관동별곡關東別曲〉과 〈훈민가訓民歌〉를 지음.	**4** 명 이성량李成梁, 왕오탑王烏塔의 침입을 격퇴함. **7** 명, 유대유兪大猷 사망. ▶명, 이탈리아 선교사 마테오 리치Matteo Ricci가 마카오Macao에 상륙함. ▶프랑스 몽테뉴Montaigne, 《수상록隨想錄》 제1·2권을 펴냄. ▶스페인, 포르투갈을 병합함.
1581 (3914) 신사	14	**4** 황해도에 기근 심하여 군자창軍資倉의 쌀 1만 섬을 보냄. 구황절목救荒節目을 정하고 전국에 상평창常平倉을 설치함. **5** 이이李珥, 공안貢案 개정을 주장함. **11** 이이李珥, 《경연일기經筵日記》를 완성함.	**5** 명, 민간에 종마種馬를 매매함. ▶네덜란드, 스페인에서 독립함. ▶러시아, 농민이주권을 축소하고 농노제農奴制를 강화함. 성서를 러시아어로 번역함.
1582 (3915) 임오	15	**7** 이이李珥, 《학교규범學校規範》·《학교사목學校事目》·《소아수지小兒須知》 등을 찬진함. **9** 이이李珥, 봉사封事 올려 시폐를 논하고 공안貢案 개정을 건의함. ▶백광훈白光勳 사망.	**2** 타타르Tatar, 순의왕順義王 엄답한俺答汗 사망. ▶교황 그레고리Gregory 13세, 역법을 개정하여 그레고리력Gregory曆을 채택함.
1583 (3916) 계미	16	**1** 번호藩胡가 난을 일으켜 경원부慶源府 성을 함락시킴. **2** 신립申砬·신상절申尙節, 여진을 격파함. 이이李珥, 〈시무6조時務六條〉를 올림. **4** 이이李珥, 10만 양병을 건의함. **6** 송응개宋應漑·박근원朴謹元·허균許筠 등, 이이李珥를 공격하다 유배됨: 계미삼찬癸未三竄. 이지李墀, 승자총통勝字銃筒을 제작함. ▶송순宋純·최경창崔慶昌 사망.	**윤2** 타타르Tatar, 엄답한俺答汗의 아들 걸경합乞慶哈이 순의왕順義王을 계승함. **5** 명, 건주여진建州女眞의 부장 누르하치奴兒哈赤가 군사 일으켜 랴오둥遼東에 침입함. ▶영국, 에든버러Edinburgh 대학이 설립됨. ▶신성로마제국, 쾰른Koln전쟁 일어남. ▶이탈리아 갈릴레이Galilei, 진자振子의 동시성同時性을 발견함.

연대	조선	우리 나라	다른 나라
1584 (3917) 갑신	선조 17	**1** 이이李珥 사망. **5** 황정욱黃廷彧, 명에 종계변무宗系辨誣 주청사로 감: 《대명회전大明會典》의 수정된 조선 관계 기록 등본을 가져옴. ▶파주에서 곽사원郭嗣源의 제송사건堤訟事件이 일어남. ▶이우李堣의 《송재집松齋集》, 황준량黃俊良의 《금계집錦溪集》을 간행함. ▶양사언楊士彦 사망.	**4** 명 유정劉綎, 농천隴川의 적을 평정함. 일본 도쿠가와德川家康, 도요토미豊臣秀吉 군을 격파함. ▶영국 롤리Raleigh, 아메리카 버지니아에 식민지 개척을 시작함. ▶신성로마제국, 슈트라츠부르크Strasburg 교회 논쟁 일어남: 구교의 우위 확보.
1585 (3918) 을유	18	**1** 교정청敎正廳을 설치하여 《경서훈해經書訓解》를 교정함. **4** 월강교통매매越江交通賣買를 금함. **8** 심의겸沈義謙을 파면함. **12** 회령會寧에 침입한 여진족을 섬멸함. 단종 능에 사묘祠廟를 세움. ▶경기 수영水營에서 전선戰船을 건조함.	**7** 일본 도요토미豊臣秀吉, 관백關伯이 됨. **12** 명, 누르하치奴兒哈赤의 침공으로 영토 일부를 빼앗김. 타타르Tatar, 순의왕順義王 걸경합乞慶哈 사망. ▶일본, 소년사절이 로마 교황을 알현함. ▶무굴Mughul 제국, 아프가니스탄을 병합함.
1586 (3919) 병술	19	**1** 각 도에 향교제독관鄕校提督官을 둠. **7** 구봉령具鳳齡 사망. **10** 조헌趙憲, 인재 양성이 부진함을 거론하고 적극적인 인재 양성을 상소함. 강상수은어사江上搜銀御使를 둠. ▶휴정休靜, 《선교석禪敎釋》과 《선문촬요禪門撮要》를 지음.	**12** 일본 도요토미豊臣秀吉, 태정대신太政大臣이 됨. ▶영국 롤리Ralelgh, 아메리카 대륙으로부터 감자와 담배를 들여옴. ▶무굴Mughul 제국, 카슈미르Kashmir를 정복함.
1587 (3920) 정해	20	**2** 녹도鹿島 · 가리포加里浦 · 흥양興陽에 왜구가 침입해 옴. **3** 왜구 방비 강화책으로 암행어사를 남쪽 지방에 파견함. **8** 여진 기병이 함경도 갑산에 침입해 옴. **9** 이순신李舜臣, 함경도 경흥慶興의 녹둔도鹿屯島에 침입한 여진족을 격퇴함. 심의겸沈義謙 사망. **10** 전 병사 이지李墀, 승자총통勝字銃筒을 창제한 공으로 병조판서에 추증됨. **11** 북병사 이일李鎰, 두만강 이북의 여진족을 소탕함. **12** 위화도威化島에 몰래 들어와 사는 명나라 사람들을 추방함.	**3** 타타르Tatar, 걸경합乞慶哈의 아들 차력극撦力克이 순의왕順義王이 됨. **6** 일본 도요토미豊臣秀吉, 선교사 추방령을 선포함. ▶명, 이탈리아 선교사 마테오 리치Matteo Ricci가 난징南京에 도착함. ▶영국, 악화惡貨의 유통을 금지시킴.

연대	조선	우리 나라	다른 나라
1588 (3921) 무자	21	**1** 조헌趙憲, 일본과의 외교 단절 주장함. **3** 이일李鎰, 제승방략制勝方略 시행을 건의함. **5** 선조, 종묘宗廟에 종계宗系 개정을 고하는 제사 지냄. **9** 정유길鄭惟吉 사망. **12** 일본 사신 겐소玄蘇가 통신사를 보낼 것을 요청해 옴. ▶정철鄭澈, 〈사미인곡思美人曲〉과 〈속미인곡續美人曲〉을 지음. ▶황주黃州에 백록동서원白鹿洞書院을 세워 주희朱熹를 향사함. ▶허봉許篈 사망.	**5** 일본 도요토미豊臣秀吉, 나가사키長崎를 회수하고 크리스트교도를 추방함: 7월 해적금지령을 내림. ▶명, 누르하치奴兒哈赤에게 만주의 전 지역을 빼앗김. ▶영국 드레이크Drake, 스페인의 무적함대無敵艦隊를 격파함: 스페인으로부터 제해권制海權을 빼앗음. ▶프랑스, 삼부회三部會를 소집함. 몽테뉴Montaigne의 《수상록隧想錄》 제3권을 간행함.
1589 (3922) 기축	22	**5** 조헌趙憲, 현실을 비판하다 유배당함. **6** 일본 사신 겐소玄蘇가 다시 입국함. **7** 경상도 · 전라도 · 충청도의 방어 위해 수사 · 병사 · 군수 등을 선별 배치함. 박순朴淳 사망. **9** 일본에 통신사를 보내기로 의결함. **10** 정여립鄭汝立 모반사건으로 정여립 · 이발李潑 · 최영경崔永慶 등 동인이 다수 투옥됨:기축옥사己丑獄事. **12** 이순신李舜臣, 정읍현감이 됨. ▶허난설헌許蘭雪軒 사망.	**1** 명, 유여국劉汝國의 난 일어남. **4** 명, 승려 이원랑李圓郎의 난 일어남. **11** 일본, 교토京都의 교회를 불태움. ▶프랑스, 앙리Henri 3세 피살: 발로와Valois 왕조 단절되고 부르봉Bourbon 왕조 시작됨. ▶러시아, 러시아 정교가 그리스 정교로부터 독립함. ▶이탈리아 갈릴레이Galilei, 피사Pisa의 사탑斜塔에서 낙체落體의 법칙을 실험함.
1590 (3923) 경인	23	**3** 일본 통신사로 정사 황윤길黃允吉, 부사 김성일金誠一, 서장관 허성許筬 등을 파견함. **4** 노수신盧守愼 사망. **7** 정개청鄭介清, 정여립鄭汝立 모반사건에 연루되어 유배 도중 사망함. **9** 최영경崔永慶, 옥사함. **8** 정여립鄭汝立 모반사건 진압자에게 평난공신平難功臣의 칭호를 줌. **11** 황윤길黃允吉, 일본 도요토미豊臣秀吉의 답서를 받음. 동인이 남인과 북인으로 나뉨. ▶휴정休靜, 《선종귀감禪宗龜鑑》 · 《심법요훈心法要訓》 지음. ▶윤두수尹斗壽, 《평양지平壤誌》를 지음.	**3** 프랑스 앙리Henri 4세, 이브리Ivry에서 마옌Mayennes 군대를 격파함. **6** 명, 칭하이青海의 부장 화낙적火落赤이 서부지역에 침입함. 일본, 서양 인쇄술이 전래됨. **7** 일본 도요토미豊臣秀吉, 호조北條氏直의 항복 받고 국내 통일을 이룸. **8** 일본 도쿠가와德川家康, 에도성江戶城으로 들어감. ▶독일, 루르Ruhr 지방에서 석탄을 발견함.

연대	조선	우리 나라	다른 나라
1591 (3924) 신묘	선조 24	**1** 통신사 황윤길黃允吉 등이 일본 사신과 함께 부산포에 도착함. **2** 이순신李舜臣, 전라좌수사가 됨. 군사들에게 철환鐵丸 쏘기를 훈련시킴. **3** 선조, 일본에 갔던 통신사의 귀환 보고를 받음: 황윤길黃允吉은 일본의 조선 침략 가능성을, 김성일金誠一은 이와 반대되는 보고를 함. **4** 이산해李山海, 〈황조통기皇朝統記〉를 찬진함. **10** 명에 일본 정세를 알림. 정언신鄭彦信 사망. **11** 권문해權文海 사망.	**1** 명, 누르하치奴兒哈赤가 압록강 유역의 무리를 규합함. **5** 일본, 명에 사신을 보내 침략할 계획임을 통고함. **8** 일본, 스페인령 루손Luzon섬에 조공을 촉구함. **11** 명, 랴오둥총병관 이성량李成梁을 파면함. ▶스페인, 아라곤Aragon의 반란 일어남.
1592 (3925) 임진	25	**4** 일본군 21만이 조선에 침입해 옴: 임진왜란壬辰倭亂 발발. 동래성東萊城이 함락됨: 송상현宋象賢 동래부사 전사. 이일李鎰, 상주에서 패배함. 신립申砬, 충주에서 패하고 남한강에 투신 자결함. 선조, 한성을 떠나 피란길에 오름. **5** 일본군이 한성을 점령함. 전라좌수사 이순신李舜臣, 옥포해전玉浦海戰에서 왜선 26척을 격파함. 사천해전泗川海戰에서 거북선을 처음 사용함. 경복궁景福宮·창덕궁昌德宮·창경궁昌慶宮·문묘文廟 불탐. **6** 이순신李舜臣, 당포해전唐浦海戰에서 왜선 20여척을 격파함. 일본군이 평양을 함락함. 선조, 의주義州로 피란함. 명 지원군이 압록강을 건너옴. **7** 이순신李舜臣, 한산도대첩閑山島大捷으로 제해권을 장악함. 휴정休靜, 묘향산妙香山에서 승군을 일으킴. 곽재우郭再祐, 경상도 의령에서 의병 일으켜 일본군을 격파함. 임해군臨海君·순화군順和君, 함경도 회령에서 일본군에게 사로잡힘. **8** 조헌趙憲·영규靈圭·고경명高敬命 등, 금산전투錦山戰鬪에서 전사함. 명의 심유경沈惟敬이 평양에서 일본군과 화친교섭을 시작함. **9** 이순신李舜臣, 부산포해전에서 일본군을 대파함. **10** 진주목사 김시민金時敏, 진주성싸움에서 대승함. **12** 명의 이여송李如松 원군이 압록강을 건너옴. ▶이장손李長孫, 비격진천뢰飛擊震天雷를 발명함. ▶서양식 화포인 불랑기佛狼機를 제작함. ▶이원익李元翼의 〈고공답주인가雇工答主人歌〉, 정철鄭澈의 〈장진주사將進酒辭〉 나옴. ▶왜란으로 불국사佛國寺·화엄사華嚴寺 등이 불탐. ▶이양원李陽元 사망.	**3** 명, 타타르Tatar의 발배哱拜가 닝사寧夏에서 난 일으킴: 9월에 평정. **4** 일본, 군사 21만 동원하여 조선을 침공함. **9** 프랑스, 몽테뉴Montaigne 사망. ▶무굴Mughul 제국, 신드Sind지방을 정복함. ▶영국, 스코틀랜드에 장로파교회가 성립됨. ▶이탈리아, 남부 바닷가에서 화산재에 묻혔있던 폼페이Pompei 유적을 발견함. ▶스웨덴, 요한Johan 3세 사망: 폴란드 지그문트Gygmunt 3세가 스웨덴 왕을 겸함. ▶교황 클레멘스Clemens 8세 즉위.

연 대	조선	우 리 나 라	다 른 나 라
1593 (3926) 계사	26	**1** 조 · 명 연합군, 평양을 수복함. 벽제관碧蹄館 싸움에서 일본군에게 패배함. **2** 권율權慄, 행주산성幸州山城에서 일본군을 대파함. **3** 처영處英, 권율權慄 지휘하에 독산성禿山城에서 일본군을 격파함. 명의 심유경沈惟敬이 한성에서 고니시小西行長와 강화 교섭을 재개함. **6** 일본군이 진주성晋州城을 다시 공격함: 창의사 김천일金千鎰 전사. 논개論介 순국. **7** 내장산內藏山에 대피시킨 역대 실록을 전주부로 옮김. 전주사고全州史庫 도서를 해주에 안치함. 일본군이 붙잡아 간 두 왕자를 돌려보냄. **8** 일본군과 명군이 철수하기 시작함. 이순신李舜臣, 3도수군통제사 되어 본영을 여수에서 한산도閑山島로 옮김. **10** 선조, 한성으로 돌아옴: 옛 월산대군月山大君 댁을 행궁行宮으로 함. **11** 유성룡柳成龍, 영의정에 오름. **12** 남원南原의 교룡산성蛟龍山城, 장흥長興의 수인산성修仁山城, 장성長城의 입암산성笠巖山城 등을 수축함. 정철鄭澈 사망.	**2** 영국, 국교에 귀의하지 않은 자에 대한 추방령을 의회에서 결의함. **7** 프랑스 앙리Henri 4세, 구교로 개종함. **9** 여진의 누르하치奴兒哈赤, 쑹화강宋花江 상류까지 세력을 뻗침. ▶신성로마제국, 터키와 전쟁 일으킴. ▶네덜란드, 기니Gainea의 황금 해안에 도달함.
1594 (3927) 갑오	27	**1** 전쟁의 여파로 전국적으로 극심한 기근이 발생함. 공안貢案을 상정시킴. **2** 훈련도감訓鍊都監을 설치함. **3** 이순신李舜臣, 고성 당항포唐項浦에서 일본군을 대파함. **4** 승병장 유정惟政, 울산 서생포西生浦에서 왜장 가토加藤淸正와 담판함. **8** 춘추관에 임진왜란 이후의 일기를 찬수케 함. **9** 역대 실록을 해주에서 묘향산으로 옮김. 계의병繼義兵을 편성함.	▶일본 도요토미豊臣秀吉, 후지미성伏見城을 쌓음. ▶영국 셰익스피어Shakespeare, 〈로미오와 줄리엣Romeo and Julirt〉을 지음. ▶프랑스 앙리Henri 4세, 파리에 입성함.
1595 (3928) 을미	28	**3** 병조, 무신에게 《기효신서紀效新書》를 학습케 함. 명의 훈련교사 12명을 각 도에 보냄. **7** 대도호부에 무학武學을 두어 군사를 양성함. 중요하지 않은 서원書院을 철폐함. **8** 건주위 여진 추장 누르하치奴兒哈赤가 화친 내왕할 것을 제의해 옴. ▶ 황해도 해주의 동종銅鐘을 주성함.	**1** 프랑스, 스페인에 선전포고함. **9** 명 달운達雲, 간쑤甘肅지방에 침입한 칭하이靑海의 부장 영소복永邵卜을 격퇴함. ▶네덜란드인이 희망봉希望峯 돌아 샴Siam(타이Thailand)에 도달함.

연대	조선	우리 나라	다른 나라
1596 (3929) 병신	선조 29	**3** 세조 어진을 종묘宗廟에 봉안함. **4** 깨진 종을 회수하여 대포를 제작함. **6** 일본군이 종묘宗廟를 불태움. **7** 홍산에서 이몽학李夢鶴의 난 일어남: 홍가신洪可臣, 난을 진압함. **8** 김덕령金德齡 옥사. **윤8** 통신사 황신黃愼 및 명 책봉사 등이 일본에 도착함: 도요토미豊臣秀吉가 책봉 받지 않아 9월에 귀국함.	**9** 일본 도요토미豊臣秀吉, 명의 책봉冊封에 반발하여 조선 재침을 명령함. ▶명 이시진李時珍, 《본초강목本草綱目》을 완성함. ▶무굴 제국 악바르Akbar, 북인도를 통일함. ▶영국 셰익스피어Shakespeare, 〈베니스Venice의 상인〉을 지음. 드레이크Drake 사망.
1597 (3930) 정유	30	**1** 20만의 일본군이 다시 침입해 옴: 정유재란丁酉再亂. **2** 이순신李舜臣, 무고로 하옥됨. 원균元均, 3도수군통제사가 됨. **7** 원균, 칠천해전漆川海戰에서 대패하고 전사함: 이순신李舜臣, 다시 3도수군통제사가 됨. **8** 일본군이 남원성南原城을 함락함. **9** 이순신李舜臣, 명량대첩鳴梁大捷에서 왜선 30척을 격파함. **10** 이순신李舜臣 함대가 고하도古下島를 본영으로 삼음.	**3** 명 양호楊鎬, 조선의 군무를 경략함. **7** 명 양응룡楊應龍, 파주播州에서 반란 일으킴. ▶영국, 아일랜드가 반란 일으킴. ▶신성로마제국의 한자동맹Hansa同盟이 영국 상인을 추방함.
1598 (3931) 무술	31	**2** 명 제독 진린陳璘이 수군水軍을 거느리고 조선에 옴. **6** 성혼成渾 사망. **9** 명의 유정劉綎이 순천順天의 고니시小西行長 군대를 공격함. 일본군이 도요토미豊臣秀吉의 유언에 따라 철수를 개시함. **11** 이순신李舜臣, 남해 노량露梁에서 철수하는 일본 수군을 대파하고 전사함. ▶이순신李舜臣의 《난중일기亂中日記》, 박인로朴仁老의 〈태평사太平詞〉 나옴.	**4** 명 이여송李如松, 토묵특土默特의 침입을 막다가 전사함. 프랑스, 낭트 칙령Nantes勅令을 발표함: 신앙의 자유 허용. **8** 일본, 도요토미豊臣秀吉 사망. **9** 스웨덴 카알Karl 9세, 폴란드 지그문트Zygmunt 3세를 격파함.
1599 (3932) 기해	32	**1** 각지의 병마를 철수시킴. 명에 사은사 한응인韓應寅을 보냄. **4** 명의 군대가 대부분 철수함. **7** 권율權慄 사망. **8** 여수에 진남관鎭南館을 건립함. 의관의 제도를 복구하고 흑색의 단령團領을 사용케 함. ▶윤계선尹繼善, 《달천몽유록達川夢遊錄》을 지음. 한성 숭례문 밖에 남관왕묘南關王廟를 세움.	**2** 명, 전후의 재정난 타개 위해 환관을 전국에 파견함. **3** 명 이화룡李化龍, 양응룡楊應龍의 반란군을 공격함. 여진의 누르하치奴兒哈赤, 만주문자를 창제함. ▶영국, 아일랜드 반란을 평정함. 스펜서Spenser 사망.

연대	조선	우리 나라	다른 나라
1600 (3933) 경자	33	**1** 공명첩空名帖(성명을 적지 않은 백지 임명장)을 발급하여 군비를 보충함. **9** 명군이 철수를 완료함. 이정암李廷馣 사망. **10** 각 역驛을 다시 설치함. **12** 의병장 강항姜沆, 포로로 일본에 압송되었다가 귀국함. ▶한호韓濩, 〈행주승전비幸州勝戰碑〉 비문을 씀.	**6** 명, 반군 양응룡楊應龍이 자살함: 반주潘州가 평정됨. 이탈리아 선교사 마테오 리치Matteo Ricci가 베이징北京에 들어옴. **9** 일본, 세키하라關原의 전쟁 일어남: 도쿠가와, 도요토미가家를 제압함. **12** 영국, 동인도회사를 설립함. ▶안남 완씨阮氏, 순화順化에서 거병하여 안남을 양분함.
1601 (3934) 신축	34	**1** 녹봉 지급함. 묘향산 보현사普賢寺 실록을 영변부寧邊府로 옮김. 이일李鎰 사망. **3** 3도수군통제사영을 거제도로 옮김. **4** 윤두수尹斗壽 사망. **6** 둔전屯田의 사설을 금함. 쓰시마도주對馬島主 소오宗義智가 사신을 보내 수호할 것을 요청해 옴. **8** 허준許浚, 《언해두창집요諺解痘瘡集要》를 편찬함. **9** 윤대輪對를 다시 시행함. ▶박인로朴仁老, 〈조홍시가早紅柿歌〉 지음.	**2** 일본 도쿠가와德川家康, 공신功臣을 봉함. **8** 명 이성량李成梁, 다시 랴오둥遼東에 나아가 지킴. ▶명, 마테오 리치Matteo Ricci가 베이징北京에 교회를 설립함. ▶영국, 아일랜드의 반란을 진압함. ▶포르투갈, 오스트레일리아를 발견함.
1602 (3935) 임인	35	**2** 여진이 종성鍾城에 침입해 옴. **3** 종묘 제사의 제물을 옛 제도로 복구함. **7** 성균관 문묘와 대성전을 중수함. **11** 정곤수鄭崑壽 사망. **12** 김명원金命元 사망. ▶명나라 신종神宗의 권유로 관왕묘關王廟(서울 동묘東廟)를 건립함.	**2** 명, 심일관沈一貫에게 폐정을 시정하는 조서를 짓게 함. ▶명, 마테오 리치Matteo Ricci가 명에서 〈곤여만국전도坤輿萬國全圖〉를 편찬함. ▶네덜란드, 동인도회사 설립. 스리랑카Sri Lanka에 상륙함.
1603 (3936) 계묘	36	**1** 경재소京在所를 폐지함. **3** 중강中江에 시장을 개설함. **6** 이광정李光庭, 명에서 마테오 리치Matteo Ricci의 〈곤여만국전도坤輿萬國全圖〉를 가져옴. **7** 염세를 부과함. **11** 김우옹金宇顒 사망. **10** 사노비를 군사로 차출함을 금함.	**2** 일본 도쿠가와德川家康, 에도막부江戸幕府를 개설함. **3** 영국, 엘리자베스Elizabeth 1세 사망: 4월 제임스James 1세 즉위. 스튜어트Stuart 왕조 시작. ▶여진 누르하치奴兒哈赤, 흥경興京으로 옮김. ▶영국 셰익스피어Shakespeare, 〈햄릿Hamlet〉을 지음.
1604 (3937) 갑진	37	**1** 휴정休靜 사망. **4** 구사맹具思孟 사망. **6** 유정惟政, 쓰시마섬對馬島에 가서 일본 정세를 살핌. **12** 전란으로 없어진 서적을 수집함.	**윤9** 명 온진蘊軫, 반란 일으킴. ▶영국 셰익스피어Shakespeare, 〈오델로Othello〉를 지음. ▶프랑스, 동인도회사 설립. 캐나다에 식민지 건설을 시작함.

연대	조선	우리 나라	다른 나라
1605 (3938) 을사	선조 38	**4** 호성원종공신扈聖原從功臣 녹권을 내림. 파발제擺撥制를 실시함. 유정惟政, 일본에서 포로 3천여명 데리고 귀국함. **6** 속오군束伍軍으로 군사를 보충함. **10** 정탁鄭琢 사망. ▶박인로朴仁老, 〈선상탄船上歎〉을 지음. ▶한호韓濩 사망.	**4** 명, 온진蘊鈔을 처형함. ▶무굴Mughul 제국, 악바르Akbar 사망: 자한기르Jahangir 즉위. ▶영국 셰익스피어Shakespeare, 〈리어왕Lear王〉과 〈맥베드Macbeth〉를 지음. ▶스페인 세르반테스Cervantes, 〈돈키호테Don Quixote〉를 지음.
1606 (3939) 병오	39	**4** 역대 실록實錄을 간행하여 춘추관 · 묘향산 · 태백산 · 오대산 사고에 보관함. 한성의 문묘와 명륜당을 중건함. **6** 문묘낙서文廟落書의 옥 일어남: 성균관에 조정 고관 비난하는 낙서한 사건. **7** 통영에 세병관洗兵館을 건립함. **11** 쓰시마도주對馬島主가 도쿠가와德川家康의 서신과 왜란 때 왕릉王陵을 범한 2명을 보냄. ▶나대용羅大用, 창선 船을 건조함.	**3** 일본, 에도성江戶城을 증축함. ▶여진 누르하치奴兒哈赤, 한汗의 호를 받음. ▶네덜란드, 지브롤터Gibralter에서 스페인 함대를 격파함.
1607 (3940) 정미	40	**1** 교서관, 《무경칠서武經七書》를 간행함. **5** 유성룡柳成龍 사망. **6** 부산에 왜관倭館 건축을 착수함. **7** 회답겸쇄환사回答兼刷還使 여우길呂祐吉, 일본에서 1,240명의 포로를 데리고 귀국함. ▶창덕궁昌德宮 돈화문敦化門을 중건함. ▶허균許筠, 〈홍길동전洪吉童傳〉을 지음. ▶황정욱黃廷彧 · 이정李楨(화가) 사망.	**3** 스웨덴 카알Karl 9세, 스웨덴 왕에 대관됨. **4** 타타르Tatar, 순의왕順義王 차력극撦力克 사망. **5** 영국, 북아메리카에 제임스 타운Jamestown을 건설함. ▶명 서광계徐光啓, 유클리드Euclid의 《기하원본幾何原本》을 한역함.
1608 (3941) 무신	41	**2** 선조 사망: 광해군光海君 즉위. 임해군臨海君을 유배 보내고 유영경柳永慶을 파면함. **4** 《조보朝報》 내용을 외부로 유출하지 못하게 함. **5** 종묘宗廟를 중건함. **9** 유영경柳永慶을 사사함. ▶선혜청宣惠廳을 설치하고, 처음으로 경기도에 대동법大同法을 실시함. ▶허준許浚의 《언해태산집요諺解胎産集要》를 간행함. ▶연성대첩비延城大捷碑를 건립함.	**5** 독일, 신교도동맹을 결성함. **9** 명, 무정武定의 난을 평정함. **12** 명, 타안朶顔의 침입으로 수도에 계엄을 실시함. ▶프랑스, 캐나다에 퀘벡Quebec을 건설함.

연대	조선	우리 나라	다른 나라
1609 (3942) 기유	광해군 1	**3** 비변사備邊司, 서북의 방비를 엄히 함. **4** 임해군臨海君, 살해당함. **6** 명의 책봉사冊封使가 옴. 일본과 기유약조己酉約條를 체결함: 국교를 재개하고 삼포三浦를 다시 개항함. **8** 이산해李山海 사망. **10** 창덕궁昌德宮을 중건함. ▶오운吳雲의 《동사찬요東史纂要》를 간행함. ▶강계江界에 경현서원景賢書院을 건립함: 이언적李彦迪 향사. ▶이우李瑀 사망.	**4** 스페인, 네덜란드와 12년간의 휴전 조약을 체결함. **6** 영국, 프랑스 · 네덜란드와 12년간의 동맹을 맺음. **7** 독일, 구교도동맹 성립. 영국 허드슨Hudson, 허드슨강을 발견함. 네덜란드 그로티우스Grotius, 〈해양자유론海洋自由論〉을 발표함. **12** 네덜란드, 일본에 상관商館 개설. ▶독일 케플러Kepler, 《신천문학新天文學》을 지음. ▶이탈리아 갈릴레이Galilei, 천체망원경을 발명함.
1610 (3943) 경술	2	**2** 대토지 소유자들이 대동법에 반대함. **8** 허준許浚, 《동의보감東醫寶鑑》을 완성함. **9** 김굉필 · 정여창 · 조광조 · 이언적 · 이황을 문묘文廟에 배향함. **11** 장만張晩, 여진족 거주 지역의 〈산천지리도山川地理圖〉를 작성함. ▶양덕수梁德壽, 《양금신보梁琴新譜》를 편찬함. ▶유정惟政 · 매창梅窓 사망.	**5** 명, 허난河南의 적이 난을 일으킴. ▶프랑스, 루이Louis 13세 즉위. ▶이탈리아, 갈릴레이Galilei가 목성 위성을 발견함. 마테오 리치Matteo Ricci 사망. ▶네덜란드, 처음으로 유럽에 차茶를 들여옴.
1611 (3944) 신해	3	**3** 정인홍鄭仁弘, 〈회퇴변척소晦退辨斥疏〉를 올림: 청금록靑襟錄(유적儒籍)에서 삭제당함. **10** 광해군, 창덕궁昌德宮으로 옮김. 정릉동 행궁行宮을 경운궁慶雲宮이라 함. **12** 광해군, 경운궁慶雲宮으로 옮김. 허균許筠, 《성소부부고惺所覆瓿稿》를 편찬함. ▶박인로朴仁老, 〈사제곡莎堤曲〉과 〈누항사陋巷詞〉를 지음. ▶변이중邊以中 사망.	**5** 명, 동림東林 · 비동림의 당쟁이 격화됨. **6** 일본, 가토加藤淸正 사망. **7** 일본, 포르투갈인의 통상을 허가함. ▶무굴Mughul 제국, 영국의 상관商館 설치를 승인함. ▶영국, 성서聖書 번역을 완료함.
1612 (3945) 임자	4	**1** 호패청號牌廳에서 호패절목을 제정함. **2** 김직재金直哉의 옥 일어남. **4** 평양 기자사箕子祠에 전감殿監을 둠. 권필權韠 사망. ▶장경세張慶世, 〈강호연군가江湖戀君歌〉를 지음. ▶휴정休靜의 《청허당집淸虛堂集》, 유정惟政의 《사명당집四溟堂集》을 간행함.	**3** 일본, 교토京都 천주교당을 파괴하고 포교를 엄금함. ▶여진 누르하치奴兒哈赤, 오라국烏喇國을 공격함. ▶터키, 오스트리아를 공격함.

연대	조선	우리 나라	다른 나라
1613 (3946) 계축	광해군 5	**4** 박응서朴應犀 등 7명이 영창대군永昌大君 추대 혐의로 처형됨: 칠서七庶의 옥獄. **5** 영창대군永昌大君을 서인庶人으로 함. **6** 김제남金悌男 사사됨. **7** 영창대군을 강화도로 유배 보냄: 계축옥사癸丑獄事. **10** 이덕형李德馨 사망.	**1** 여진 누르하치奴爾哈赤, 오라국烏喇國을 멸함. **2** 러시아, 로마노프Romanov 즉위: 로마노프 왕조 성립. **9** 영국, 일본에 상관商館을 개설함. **12** 일본, 전국에 크리스트교 금지령을 선포함.
1614 (3947) 갑인	6	**2** 영창대군永昌大君, 강화부사 정항鄭沆에게 살해됨. **7** 서쪽 변방 방비 대비해 대포를 주조함. 무주의 적상산성赤裳山城에 사고史庫를 세움. 이수광李睟光, 《지봉유설芝峰類說》을 지음. 《속삼강행실도續三綱行實圖》가 완성됨. **12** 창덕궁昌德宮 안에 보루각報漏閣을 세움. 전등사傳燈寺 대웅전이 소실됨.	**2** 프랑스 콩데Conde, 내란 일으킴. **11** 일본 도쿠가와德川家康, 오사카大阪 토벌군을 일으킴. ▶프랑스, 최후의 삼부회三部會를 소집함. ▶덴마크, 동인도회사東印度會社를 설립함. ▶네덜란드 스필벨건, 세계 일주 항해 출발: 마젤란Magellan 해협을 거쳐 말래카Malacca 군도에 도착함.
1615 (3948) 을묘	7	**4** 광해군, 창덕궁昌德宮으로 옮김. **7** 《동국지리지東國地理志》 저자 한백겸韓百謙 사망. **9** 홍이상洪履祥 사망. **11** 능창대군綾昌大君, 강화도 교동喬桐에서 살해됨. ▶파주에 자운서원紫雲書院을 세우고 이이李珥를 향사함. ▶일본으로부터 고추가 전래됨. ▶허준許浚 · 차천로車天輅 · 홍가신洪可臣 · 선수善修 사망.	**5** 일본, 도요토미가豊臣家 멸망. **8** 프랑스, 제2차 내란 일어남. ▶여진, 처음으로 만주에 8기八旗 군제를 정함. ▶영국, 금은화 수출을 금지함. ▶신성로마제국, 터키와 조약을 체결함. ▶네덜란드, 포르투갈로부터 말래카Malacca 군도를 획득함.
1616 (3949) 병진	8	**2** 창경궁昌慶宮 홍화문弘化門 · 명정전明政殿 · 명정문明政門을 건립함. **3** 인경궁仁慶宮의 터를 인왕산仁王山 기슭에 정함. **5** 보루각 개축 위한 보루각도감報漏閣都監을 설치함. 해주목사 최기崔沂, 형장 남용으로 체포됨: 6월에 옥사. **8** 윤근수尹根壽 사망. **11** 조식曺植을 향사享祀한 백운서원白雲書院에 사액함. **12** 윤선도尹善道, 이이첨李爾瞻을 탄핵함: 모함 받아 경원慶源에 유배됨. ▶일본으로부터 담배가 전래됨.	**1** 여진 누르하치奴兒哈赤, 후금後金을 세움. **4** 일본, 도쿠가와德川家康 사망. 영국, 셰익스피어Shakespeare 사망. **5** 프랑스, 콩데Conde의 반란을 진압함. ▶이탈리아 갈릴레이Galilei, 종교재판에 회부됨. ▶네덜란드 루벤스Rubens, 〈최후의 심판〉을 그림. ▶스페인, 세르반테스Cervanres 사망.

연대	조선	우리 나라	다른 나라
1617 (3950) 정사	9	**2** 강화사고江華史庫에 화재 발생함. **3** 황신黃愼 사망. **4** 곽재우郭再祐 사망. **5** 선수도감繕修都監을 영건도감營建都監으로 개칭함. **8** 《선조실록》을 간행함. ▶황신黃愼의 《일본왕환일기日本往還日記》를 간행함. ▶윤선도尹善道, 〈견회요遣懷謠〉와 〈우후요雨後謠〉를 지음.	**2** 러시아 · 스웨덴, 스톨보보Stolbovo 강화조약을 체결함. **6** 스페인 합스부르크가Habsburg家, 오스트리아와 왕위 계승 협정을 체결함. ▶명, 전국에 심각한 기근이 발생함. ▶영국 · 프랑스, 통상 협정을 체결함.
1618 (3951) 무오	10	**1** 인목대비仁穆大妃의 호를 삭탈하고 서궁西宮이라 칭함. **윤4** 명에서 후금後金을 치기 위한 군사 지원을 요청해 옴. **5** 이항복李恒福 사망. **6** 성천成川에 강선루降仙樓를 건립함. **7** 후금後金 공격 위해 강홍립姜弘立을 도원수로 하여 1만명을 요동에 파견하기로 결정함. **8** 허균許筠, 역모에 몰려 처형됨. ▶강항姜沆 사망.	**4** 후금後金, 명을 정벌하여 푸순撫順을 빼앗음. 명 양호楊鎬, 랴오둥遼東 지방을 경략함. **8** 일본, 나가사키長崎와 히라도平戶를 외국 선박 무역항으로 정함. ▶신성로마제국, 신 · 구 교파간의 30년전쟁 일어남. ▶브란덴부르크Brandenburg, 프로이센Preussen을 합병함.
1619 (3952) 기미	11	**3** 명군이 부차富車에서 후금에 대패함:도원수 강홍립姜弘立은 후금에 항복하고 김응하金應河는 전사함. **4** 호조戶曹, 은광 개발과 동전 주조를 건의함. **7** 후금後金에서 국서를 보내 동맹東盟을 요구해 옴. ▶박인로朴仁老, 〈독락당獨樂堂〉을 지음. ▶선수善修의 《부휴당집浮休堂集》을 간행함.	**3** 후금後金, 살이허薩爾滸에서 명의 군대를 대파함. ▶명, 〈서유기西遊記〉 · 〈금병매金甁梅〉 등의 소설 이루어짐. ▶네덜란드, 인도네시아에 바타비아Batavia(현 자카르타Jakarta)를 건설하고 총독을 둠. ▶아메리카, 제임스 타운Jamestown에서 최초의 식민지회의를 개최함. 흑인 노예무역이 시작됨.
1620 (3953) 경신	12	**1** 정구鄭逑 사망. **3** 광해군, 동적전東籍田에서 친히 경작함. **5** 농사와 국방의 분리를 명함. **7** 후금後金이 포로를 송환함: 강홍립姜弘立 · 김경서金景瑞 등 10여명은 제외. **11** 경덕궁慶德宮(경희궁慶熙宮)을 중건함. **12** 여수에 이순신대첩비를 건립함.	**7** 명, 신종 사망: 광종光宗 즉위. **9** 명, 광종 폭사: 희종熹宗 즉위. ▶영국, 청교도淸教徒들이 메이플라워Mayflower호로 북아메리카에 상륙함.

연대	조선	우리나라	다른나라
1621 (3954) 신유	광해군 13	**2** 비변사備邊司에 후금 방비에 만전을 기하도록 명함. **윤2** 유몽인柳夢寅, 《어우야담於于野譚》을 지음. **3** 《조보朝報》를 왜인에게 팔아 넘기는 것을 엄히 단속함. **7** 명의 모문룡毛文龍이 국경을 넘어와 서북진에 주둔함. **12** 후금의 군대가 도강하여 명의 모문룡 군대를 습격함.	**2** 후금, 선양瀋陽과 랴오양遼陽을 빼앗음. ▶아메리카, 면화 경작법이 버지니아Virginia에 들어옴. ▶네덜란드, 일본 히라도平戶에 상관商館을 설치함.
1622 (3955) 임술	14	**1** 후금의 침략에 대비하여 승군을 모집케 함. **2** 각 고을의 관노비들이 대부분 도망함. **11** 가도椵島를 명의 모문룡毛文龍에게 피난처로 제공함. ▶김장생金長生, 〈사단칠정변四端七情辨〉을 지음.	**2** 후금, 랴오양遼陽으로 천도함. **5** 명, 산둥山東 지방의 백련교도白蓮敎徒가 반란 일으킴. **8** 일본, 나가사키長崎의 크리스트교도를 처형함. ▶명, 네덜란드가 마카오Macao를 공략함.
1623 (3956) 계해	인조 1	**3** 김류金瑬·이귀李貴 등, 광해군을 폐하고 인조를 추대함: 인조반정仁祖反正. 이이첨李爾瞻·박엽朴燁 등 처형됨. 인목대비仁穆大妃 복위. 실화로 창덕궁과 창경궁 등이 불탐. **4** 정인홍鄭仁弘, 처형당함. **8** 유몽인柳夢寅 피살됨. **9** 강원도·충청도·전라도에 대동청大同廳을 설치함. ▶경주 서악서원西嶽書院에 사액함.	**1** 명, 네덜란드인이 평후도澎湖島를 점령함. **11** 영국, 일본 히라도平戶의 상관商館을 폐쇄함. ▶네덜란드, 페르시아와 통상조약을 체결함. ▶영국, 서인도제도에 식민지 개척을 시작함.
1624 (3957) 갑자	2	**1** 부원수 이괄李适, 논공행상에 불만 품고 반란 일으킴. 기자헌奇自獻 사사당함. **2** 인조, 공주로 피난함. 관군이 안현鞍峴에서 이괄 반란군을 격파함. 반란군 이수백李守白 등이 이괄을 살해함. 인조, 한성에 돌아옴. **3** 대동법大同法을 실시하고 모든 현물 공납貢納을 금지시킴. **4** 명의 모문룡毛文龍 군대가 함흥부로 들어감. **11** 강원도에 대동법大同法을 실시함. 평양성 수축공사를 완료함. **12** 8도도총섭 각성覺性, 승군을 지휘하여 남한산성南漢山城을 쌓음. ▶총융청總戎廳과 어영청御營廳을 설치함.	**3** 일본, 스페인 상선의 내항을 금지함. 포르투갈인에게 철수를 명함. **8** 프랑스, 리슐리외Richelieu가 재상이 되어 절대정치를 실시함. 베르사유Versailles 궁전 착공. ▶네덜란드, 타이완臺灣을 점령함. 아메리카에 뉴 암스테르담New Amsterdam(현 뉴욕New York)을 건설함.

연 대	조선	우 리 나 라	다 른 나 라
1625 (3958) 을축	3	**1** 소현세자昭顯世子를 세자에 책봉함. **2** 이원익李元翼, 대동법 시행 정지를 건의함. **3** 지뢰포地雷砲를 만들어 서북지방 요새에 비치함. **7** 전국에 호패법號牌法 실시를 공포함. **10** 인조, 서북인 등용의 교지를 내림. 동전을 유통시켜 재정 부족 보충을 시도함. **11** 서얼의 과거 응시를 허용함.	**2** 일본, 안남安南과 수교함. **3** 후금後金, 선양瀋陽으로 천도함. 덴마크, 신교측에 가담하여 30년전쟁에 참전함. **8** 명, 전국의 서원을 철폐함. ▶명, 경교유행비景教流行碑를 발굴함. ▶네덜란드 그로티우스Grotius, 《전쟁과 평화의 법》을 저술함.
1626 (3959) 병인	4	**1** 전국에 호패법을 시행함. 이시발李時發 사망. **3** 호패를 차지 않은 자에 대한 통제를 강화함. **8** 호패 감찰어사監察御使를 각 도에 파견함. **11** 남한산성에 수어청守禦廳을 둠. ▶강우성康遇聖, 일본어 교과서《첩해신어捷解新語》를 지음. ▶법주사法住寺 팔상전捌相殿과 성균관成均館 존경각尊經閣을 중건함.	**1** 명,《삼조요전三朝要典》을 간행함. **2** 명 원숭환袁崇煥, 후금 공격을 서양 대포를 사용하여 물리침. **7** 후금後金, 태조太祖 사망: 9월 태종太宗 즉위. ▶영국, 베이컨Bacon 사망.
1627 (3960) 정묘	5	**1** 후금後金이 3만의 병력으로 침입해 옴: 정묘호란丁卯胡亂. 인조, 강화도로 피란함. 이원익李元翼을 도체찰사, 김류金瑬를 부체찰사에 임명하여 후금에 대비함. **2** 유도대장 김상용金尙容, 수도 방어에 실패함: 백성들이 선혜청과 호조에 방화함. **3** 후금後金과 화약을 맺음. **4** 인조, 강화도에서 환도함. **7** 강홍립姜弘立 사망. **10** 이인거李仁居, 강원도 횡성에서 반란 일으켰다 처형당함.	**5** 후금後金, 명의 진저우錦州를 포위함. **8** 명, 희종 사망: 의종毅宗 즉위. **10** 일본, 네덜란드 국서를 물리침. ▶무굴 제국, 왕위계승전쟁이 일어남. ▶신성로마제국, 터키와 협약을 체결함.
1628 (3961) 무진	6	**1** 유효립柳孝立 등이 반란 꾀하다 처형당함. **2** 명의 연호 숭정崇禎을 사용함. **7** 남이공南以恭, 동전의 유통을 건의함. **10** 명의 모문룡毛文龍 군대가 의주에 침입해옴. **12** 이수광李睟光 사망. ▶강화도에 마니산사고摩尼山史庫를 설치함. ▶안공安玒,《가례부췌家禮附贅》를 편찬함. ▶네덜란드인 벨테브레이Weltevree(박연朴淵) 일행 3명이 제주도에 표착함. ▶유성룡柳成龍의《징비록懲毖錄》을 간행함. ▶신흠申欽 · 조존성趙存性 사망.	**5** 명,《삼조요전三朝要典》을 폐기함. **6** 영국, 제3의회에서 권리청원權利請願을 제출함. **12** 명, 유적流賊이 대규모로 일어남. ▶영국 하비Harvey, 혈액 순환의 법칙을 발견함. ▶네덜란드, 자바Java와 말래카Malacca군도를 점령함.

연대	조선	우리 나라	다른 나라
1629 (3962) 기사	인조 7	**2** 김경현金景賢의 역모 고발사건 일어남. 강화도 교동현을 부府로 승격시키고 경기수사를 둠. 황해도에 명화적明火賊이 횡행함. **11** 양경홍梁景鴻, 후금과 내통하여 역모 꾸미다 발각됨. 장만張晩 사망. **12** 일본과의 무역을 허용함. ▶조익趙翼, 《학교절목學校節目》을 지음. ▶기대승奇大升의 《고봉집高峰集》을 간행함.	**3** 명, 이탈리아인 롱고바르디Longobardi(용화민龍華民)에게 천체를 관측시킴. 양력洋曆이 사용되기 시작됨. 신성로마제국, 종교복구령을 내림. **5** 신성로마제국, 덴마크와 뤼벡Lübeck 조약을 체결하여 화의함. **6** 명 원숭환袁崇煥, 모문룡毛文龍을 잡아 처형함.
1630 (3963) 경오	8	**1** 이이李珥의 《격몽요결擊蒙要訣》을 간행함. **3** 수군에 속한 노비들을 다시 호조에 소속시켜 신공身貢을 징수함. 명의 유흥치劉興治 군대가 의주성에 침입하여 노략질함. **7** 명과의 교역로를 등주登州로 결정함. ▶신흠申欽의 《상촌집象村集》을 간행함. ▶무감武監을 설치함.	**5** 일본, 크리스트교 서적 수입을 금함. **9** 독일, 케플러Kepler 사망. ▶스웨덴 구스타프Gustav 2세, 영토 확장과 신교도 원조 위해 독일에 침입함. ▶아메리카, 보스턴Boston 건설.
1631 (3964) 신미	9	**3** 의주성 침입한 명 유흥치劉興治가 피살됨. **5** 《삼강행실三綱行實》을 전국에 반포함. **7** 정두원鄭斗源, 명에서 천리경千里鏡 · 자명종自鳴鐘 · 서양포西洋砲를 가져옴. **8** 김장생金長生 사망. **12** 강화에 행궁行宮을 건립함. ▶송상인宋象仁 사망.	**6** 명, 이자성李自成의 반란 일어남. **윤11** 명, 공유덕孔有德의 반란 일어남. ▶프랑스, 최초의 신문 〈가제트 드 프랑스Gazette de France〉를 발간함.
1632 (3965) 임신	10	**2** 병조판서 김시양金時讓, 후금의 침략에 대비하여 안주와 황주의 방어 대책을 수립함. **6** 인목대비仁穆大妃 사망. ▶정철鄭澈의 《송강집松江集》, 권필權韠의 《석주집石州集》을 간행함. 금강산 표훈사表訓寺에 휴정대사비休靜大師碑를 건립함.	**11** 스웨덴 구스타프Gustav 2세, 독일과의 뤼첸Lutzen 전투에서 전사함. ▶무굴Mughul 제국, 타지마할묘Taj Mahal廟를 조성하기 시작함. ▶러시아, 이르쿠츠크Irkutsk 건설.
1633 (3966) 계유	11	**1** 척화斥和를 명하고 후금의 침입에 대비함. 묘향산사고를 적상산사고로 옮김. **2** 최명길崔鳴吉, 후금과의 화의 폐기를 반대함. 이귀李貴 사망. **10** 경상도에서 염초를 대량 생산함. **11** 상평청에서 상평통보常平通寶를 주조함. ▶유성룡柳成龍의 《서애집西厓集》, 이수광李睟光의 《지봉집》을 간행함.	**6** 이탈리아 갈릴레이Galilei, 종교재판에서 지동설地動說 포기를 강요당함. **5** 명 공유덕孔有德, 후금에 항복함. **7** 후금, 뤼순旅順을 점령함. **10** 명, 서광계徐光啓 사망. 영국, 벵골만Bengal灣에서 식민 활동을 시작함.

연대	조선	우리 나라	다른 나라
1634 (3967) 갑술	12	**1** 이원익李元翼 사망. **3** 화폐의 가치를 면포로 정함. **5** 《광해군일기》를 편찬함. **7** 책보도감冊寶都監을 옥책도감玉冊都監으로 개칭함. **8** 삼남지방에 양전量田을 실시함. **11** 처음으로 상평통보常平通寶를 사용함. 장령 강학년姜鶴年, 간언하다 파면됨. ▶박인로朴仁老, 〈오륜가五倫歌〉를 지음. ▶논산에 돈암서원遯巖書院을 세우고 김장생金長生을 향사享祀함.	**4** 후금, 수도 선양瀋陽을 성경盛京이라 함. **7** 후금, 선화宣化까지 육박함. **10** 영국, 처음으로 선박세를 입법화함. ▶명, 이자성李自成 반군이 진주陳州를 함락함. 독일인 아담 샬 Adam Schall이 《숭정역서崇禎曆書》를 지음.
1635 (3968) 을해	13	**1** 해주와 수원에서 동전을 주조함. 의주에 백마산성白馬山城을 수축함. **4** 이정구李廷龜 사망. **5** 최명길崔鳴吉, 상평청常平廳 폐지를 건의함. **7** 용전사의用錢事宜 6개조를 제정함. ▶인열왕후仁烈王后(인조 비) 사망.	**1** 프랑스 리슐리외Richelieu, 아카데미를 설립함. **5** 일본, 외국 선박의 입항을 나가사키長崎로 제한함. 일본인의 해외 도항 및 귀국을 금함.
1636 (3969) 병자	14	**1** 오윤겸吳允謙 사망. **2** 후금의 국서 접수를 거절함. 홍익한洪翼漢, 후금 사신 용골대龍骨大 를 처형할 것을 상소함. **3** 이시백李時白, 남한산성 수어사가 됨. **11** 최명길崔鳴吉, 청과의 단교가 잘못임을 상소함. **12** 청의 태종太宗이 12만 군사를 이끌고 침입해 옴: 병자호란丙子胡亂. 인조, 남한산성으로 피란함: 청군이 남한산성을 포위함.	**3** 명 이자성李自成, 산시陝西 지방에 침입함. **4** 후금, 국호를 청淸으로 고침. **7** 청, 베이징北京에 육박함. **10** 아메리카, 하버드Havard 대학 설립. ▶명, 동기창董其昌 사망. ▶포르투갈, 스리랑카를 점령함. ▶네덜란드 렘브란트Rembrandt, 〈다나에Danae〉를 그림.
1637 (3970) 정축	15	**1** 각 도 근왕병勤王兵이 청군에 패함. 강화도가 청군에 함락됨. 인조, 삼전도三田渡에서 청의 태종에게 항복함. 김상용金尙容 자결. **2** 인조, 한성으로 돌아옴. **3** 홍익한洪翼漢, 청의 선양瀋陽에 끌려가 살해됨. 충주 · 청주 등지에서 석유황을 채굴하여 제련함. **4** 세자 일행이 볼모로 선양瀋陽에 끌려감. 윤집尹集 · 오달제吳達濟 등, 청에 끌려가 살해됨. **5** 명 연호 폐지하고 청 연호 사용함.	**2** 영국, 스코틀랜드인이 영국 국교의 예배의식에 반대하여 소요 일으킴. **10** 명 이자성李自成, 쓰촨四川에 진입함. 일본, 시마바라島原의 난 일어남: 크리스트교 탄압에 항거. ▶명 송응성宋應星, 《천공개물天工開物》을 간행함. ▶프랑스 데카르트Descartes, 《방법론서설方法論序說》을 발표함.

연대	조선	우리 나라	다른 나라
1638 (3971) 무인	인조 16	**3** 장유張維 사망. **7** 서경제도署經制度를 폐지함. **9** 김육金堉, 대동법大同法 시행을 건의함. **10** 봉림대군鳳林大君, 청 황제의 서정西征에 따라감. **12** 조창원趙昌遠의 딸을 왕비로 책봉함. ▶《기묘록己卯錄》을 간행함. ▶목대흠睦大欽 사망.	**7** 청, 이번원理藩院·도찰원都察院·팔아문八衙門의 관제를 정함. **10** 명 홍승주洪承疇, 이자성李自成 반군을 격파함. ▶터키, 이라크를 합병함. ▶프랑스 데카르트Descartes, 해석기하학解析幾何學을 창시함. ▶네덜란드, 얀센Jansen 사망.
1639 (3972) 기묘	17	**2** 진휼청을 선혜청宣惠廳에 소속시킴. **4**《구황촬요救荒撮要》를 전국에 배포함. **12** 김상헌金尙憲, 청을 도와 명을 치는 것이 불가함을 상소함. 삼전도비三田渡碑를 건립함. 남한산성南漢山城에 백제 시조 사당을 세움. ▶《산성일기山城日記》를 지음. ▶도리사桃李寺 아도화상비阿道和尙碑를 건립함.	**7** 일본, 포르투갈 선박의 내항을 금함: 쇄국 완성. **10** 명,《흠정보민사사전서欽定保民四事全書》를 완성함. ▶영국, 인도의 마드라스Madras(지금의 첸나이Chennai)를 무역항으로 함. ▶네덜란드, 스페인 해군을 다운스Dawns에서 격파함.
1640 (3973) 경진	18	**3** 소현세자, 청의 선양瀋陽에서 돌아옴. **4** 호란 때 없어진 실록을 편찬함. **8** 윤방尹昉 사망. **12** 김상헌金尙憲, 척화론斥和論을 주장하다 청나라에 잡혀감. ▶김종직의《점필재집佔畢齋集》을 간행함.	**6** 일본, 내항한 포르투갈의 선박을 불태움. ▶포르투갈 브라간자Braganza 왕조, 스페인으로부터 독립을 선언함. ▶네덜란드, 루벤스Rubens 사망.
1641 (3974) 신사	19	**5**《선조수정실록》을 찬수하기 위해 개인이 소지한 사료와 야사를 수집함. **6** 정온鄭蘊 사망. **7** 광해군, 유배지 제주도에서 사망함. **9** 소현세자, 이완李浣·임경업林慶業 등과 함께 청의 금주성錦州城 공격에 참가함.	**1** 명 이자성李自成, 허난河南을 함락하고 복왕福王을 살해함. **10** 영국, 아일랜드에서 구교도의 반란 일어남. 캔터베리Cantebury 대주교가 런던탑에 감금됨.
1642 (3975) 임오	20	**1** 서경제도署經制度를 복구함. **11** 최명길崔鳴吉, 청나라에서 구속됨. 임경업林慶業, 금교金郊에서 탈출함. **12** 신익성申翊聖 등 5명이 청에 압송됨. 박인로朴仁老 사망. ▶송시열宋時烈·윤휴尹鑴, 이기설理氣說에 대해 논쟁함. ▶윤선도尹善道,〈산중신곡山中新曲〉·〈일모요日暮謠〉·〈조로요朝露謠〉·〈야심요夜深謠〉 등 지음.	**1** 이탈리아, 갈릴레이Galilei 사망. **8** 영국, 청교도혁명清教徒革命 일어남. **9** 명 이자성李自成, 카이펑開封을 점령함. ▶청, 한인 군사를 8기旗로 나눔 ▶영국 홉스Hobbes,〈시민론市民論〉을 지음. ▶프랑스, 리슐리외Richelieu 사망. ▶네덜란드 타스만Tasman, 뉴질랜드를 발견함.

연대	조선	우리 나라	다른 나라
1643 (3976) 계미	21	**2** 신익성申翊聖 등 5명이 청에서 석방됨: 4월 최명길崔鳴吉·김상헌金尙憲 귀환. **5** 김시양金時讓 사망. **6** 강석기姜碩期 사망. **9** 청 태종의 죽음 알리는 고애사告哀使가 옴: 인평대군麟坪大君, 사신으로 청에 감. **12** 장유張維의《계곡집谿谷集》을 간행함. ▶윤선도尹善道,〈기세탄饑歲嘆〉을 지음. ▶윤의립尹毅立 사망.	**5** 프랑스, 루이Louis 14세 즉위: 마자랭Mazarin이 재상에 오름. **8** 청, 태종 사망: 세조世祖 즉위. **10** 명 이자성李自成, 시안西安과 옌안延安을 점령함. ▶이탈리아 토리첼리Torricelli, 기압계를 발명함. ▶러시아, 탐험대가 헤이룽강黑龍江 상류에 도달함.
1644 (3977) 갑신	22	**3** 좌의정 심기원沈器遠 등, 역모 꾀하다 처형됨. **4** 허임許任,《침구경험방鍼灸經驗方》을 저술함. **8** 서원의 폐단이 많아 설립을 통제함. 신익성申翊聖 사망. **9** 김육金堉, 차車로 곡식을 운반하고 상점에서 화폐를 사용하는 방책을 올림. ▶김육金堉, 청의 연경燕京(베이징北京)에서〈시헌력時憲曆〉을 들여옴.《유원총보類苑叢寶》를 저술함.	**1** 명 이자성李自成, 시안西安에서 황제를 칭함. 스웨덴, 덴마크에 선전포고함. **3** 명 이자성李自成, 베이징北京을 함락함: 의종 자살. 명明 멸망. **4** 청, 산하이관山海關에서 이자성李自成을 파함. **5** 복왕 유숭由崧, 난징南京에서 즉위함: 남명南明 성립. **7** 영국, 크롬웰Cromwell의 의회군이 왕당군을 격파함. **9** 청, 베이징北京을 수도로 정함.
1645 (3978) 을유	23	**1** 소현세자昭顯世子, 베이징北京에서 독일인 신부 아담 샬Adam Schall로부터 천문·산학·천주교에 관한 서적과 여지구輿地球·천주상天主像을 가지고 옴. 장현광張顯光의《역학도설易學圖說》을 간행함. **3** 운미선運米船을 도별로 정함. **4** 소현세자昭顯世子 사망: 윤6월 봉림대군이 세자로 책봉됨. **6** 회령會寧에서 국경무역을 행함. **9** 서얼허통법庶孼許通法을 공포함.	**5** 청, 난징南京을 함락하고 남명南明의 복왕福王을 사로잡음. **6** 청, 변발령辮髮令을 내림. **윤6** 남명南明, 당왕唐王 율건聿鍵이 푸저우福州에서 황제를 칭함. **8** 네덜란드, 그로티우스Grotius 사망. **9** 청, 명의 이자성李自成이 자살함. ▶인도, 영국에게 벵골Bengal 무역 특권을 부여함.
1646 (3979) 병술	24	**1** 김세렴金世濂 사망. **2** 김장생金長生의《의례문해疑禮問解》간행. **3** 소현세자昭顯世子비 강빈姜嬪 사사됨. **4** 유탁柳濯, 반란 꾀하다 처형됨. **6** 이기영李奇英에게 아담 샬Adam Schall의 시헌력법을 학습케 함. 임경업林慶業, 청에서 돌아와 처형됨. **7** 이시방李時昉, 대동법 확대를 주장함. **9** 중강·경원에서 국경무역을 행함.	**2** 청, 처음으로 과거를 시행함. **5** 영국 찰스Charles 1세, 스코틀랜드에 항복함. **8** 청, 정주汀州에서 남명南明의 당왕唐王을 체포함. 명의 정지룡鄭芝龍이 청에 항복함: 아들 정성공鄭成功이 항전. 영국, 청교도혁명 끝남. **11** 남명南明 계왕桂王, 자오칭肇慶에서 황제를 칭함.

연 대	조선	우 리 나 라	다 른 나 라
1647 (3980) 정해	인조 25	**2** 홍주원洪柱元, 청에서 〈시헌력時憲曆〉을 가지고 옴. **윤3** 최명길崔鳴吉 사망. **6** 이식李植 사망. **5** 소현세자昭顯世子의 세 아들을 제주도에 유배보냄: 신생辛生의 옥. **8** 김해에 가락국수로왕릉비駕洛國首露王陵碑를 건립함. **11** 창덕궁 대조전大造殿 · 선정전宣政殿 · 희정전熙政殿 등 중건. 인조, 창덕궁으로 옮김.	**1** 청, 자오칭肇慶을 함락함: 남명南明 계왕桂王, 평러平樂로 달아남. 영국 찰스Charles 1세, 스코틀랜드 의회에 유폐됨. **2** 청, 평러平樂를 공격함: 남명南明 계왕桂王, 전주全州로 달아남. **6** 일본, 포르투갈 선박이 나가사키長崎에 와서 통상을 요구함: 8월 이를 거절하고 돌려보냄.
1648 (3981) 무자	26	**3** 송인룡宋仁龍을 청에 보내 서양 역법을 배워오게 함. 김류金瑬 사망. **5** 진휼청賑恤廳을 상평청常平廳으로 개칭함. **7** 이경석李景奭, 《연한요람燕閑要覽》을 바침. **8** 세손 책례도감册禮都監을 설치함.	**10** 유럽, 베스트팔렌Westfalen 조약 성립: 30년전쟁 끝남. ▶프랑스, 프롱드Fronde의 난 일어남. 〈파스칼Pascal의 원리〉가 발표됨.
1649 (3982) 기축	27	**2** 송인룡宋仁龍, 청에서 아담 샬Adam Schall로부터 역법曆法을 배움. **5** 인조 사망: 효종孝宗 즉위. **10** 《선조수정실록》을 편찬함. **11** 김육金堉, 충청도에 대동법大同法을 실시할 것을 건의함. 관상감觀象監, 청의 역서曆書에 따라 역법曆法을 고침.	**1** 영국, 찰스Charles 1세 처형: 5월 공화정 수립. **5** 청, 공유덕孔有德 · 경중명耿仲明 · 상가희尙可喜를 왕에 봉함. ▶러시아 하바로프Khabarov, 헤이룽강黑龍江 지방을 탐험함.
1650 (3983) 경인	효종 1	**1** 김육金堉, 대동법大同法의 전국 실시를 주장함: 김집金集 일파가 극력 반대함. **5** 수차水車를 개성 · 강화 등지에 배분함. **6** 청 화폐를 수입하여 평양 · 안주 등지에서 시험 유통함. **12** 화엄사華嚴寺를 선종 대가람으로 정함. ▶파주의 파산서원坡山書院과 자운서원紫雲書院에 사액함.	**1** 남명南明 계왕桂王, 우저우梧州로 달아남. **9** 남명南明 정성공鄭成功, 아모이Amoy(샤먼廈門)에 근거함. 영국 크롬웰Cromwell 군, 스코틀랜드 군을 격파함. ▶영국, 차茶가 처음으로 수입됨. ▶프랑스, 데카르트Descartes 사망.
1651 (3984) 신묘	2	**3** 평안도와 황해도에 금속화폐를 유통시킴. **6** 부묘祔廟의 예禮에도 악장樂章을 지어 쓰기로 함. **8** 호서지방에 대동법大同法을 시행함. **12** 김자점金自點 처형됨. ▶윤선도尹善道, 〈어부사시사漁父四時詞〉를 지음. ▶《탐라지耽羅志》를 간행함.	**2** 청, 자오칭肇慶 · 우저우梧州 등지를 함락함. **9** 영국 크롬웰, 찰스 2세 군사를 파함: 10월 항해조례航海條例 발표. **12** 남명南明 계왕桂王, 광남廣南으로 달아남. ▶영국 홉스Hobbes, 〈리바이어던Leviathan〉을 발표함.

연대	조선	우리 나라	다른 나라
1652 (3985) 임진	3	**1** 승군僧軍을 각 도에 배정함. **2** 경가 대동미大同米를 화폐로 대납케 함. **3** 청에서 시헌력법時憲曆法을 배워오게 함. **6** 어영군禦營軍 설치. 김상헌金尙憲 사망. ▶홍만종洪萬宗, 《시화총림詩話叢林》을 편찬함. ▶윤선도尹善道, 〈몽천요夢天謠〉를 지음.	**2** 남명南明 손가망孫可望, 계왕桂王을 안륭소安隆所로 옮김. 북부 독일 신교동맹, 스웨덴과 동맹을 체결함. **6** 영국, 네덜란드에 선전포고함. **10** 남명 손가망, 청두成都에 주둔함. **11** 네덜란드, 희망봉希望峯에 식민지를 개척하기 시작함.
1653 (3986) 계사	4	**1** 시헌력時憲曆을 채택함. **4** 홍청도洪淸道를 충청도로 개칭함. **5** 석지형石志珩, 《오행귀감五行龜鑑》을 찬진함. **7** 《인조실록》을 완성함. **8** 네덜란드인 하멜Hamel 일행이 제주도에 표착함. **10** 상주尙州 등지에서 민란 일어남.	**3** 청, 남명南明의 손가망孫可望을 보경寶慶에서 격파함. **6** 일본, 궁성이 불탐. ▶인도, 타지마할묘Taj Mahal廟를 완성함. ▶영국 크롬웰Cromwell, 호민관護民官이 되어 독재정치를 실시함. ▶프랑스, 프롱드Fronde의 난 끝남.
1654 (3987) 갑오	5	**2** 청에서 조총병鳥銃兵 지원을 요청해 옴. **3** 충청도에 《대동사목大同事目》을 나누어줌. **7** 변급邊岌, 헤이룽강黑龍江에서 러시아군을 격파함: 나선정벌羅禪征伐. 김홍욱金弘郁, 강빈姜嬪을 옹호하다 처형됨. **8** 경상도에 속오군급보법束伍軍給保法을 시행함. **11** 강화사각江華史閣이 불탐.	**4** 네덜란드, 영국과 웨스터민스터Westminster 조약을 맺음: 항해조례航海條例 승인. **6** 포르투갈, 네덜란드 소유의 브라질을 빼앗음. **10** 청, 편심호구법編審戶口法을 시행함. ▶청, 남명南明의 정성공鄭成功을 소환함: 정성공, 이에 불응함.
1655 (3988) 을미	6	**1** 추쇄도감推刷都監을 두고 노비를 붙잡아 강화도를 방비케 함. **3** 조익趙翼 사망. **8** 능마아청能麽兒廳을 설치하고 무관들에게 군사학을 강의함. **11** 공주목사 신속申洬, 《농가집성農家集成》을 간행함.	**3** 청, 양광兩廣 지역을 평정함. **5** 영국, 스페인과 싸워 자메이카섬을 점령함. **7** 스웨덴, 폴란드에 침입함: 8월 바르샤바Warszawa 점령. **10** 독일, 베를린에서 처음으로 신문을 발행함.
1656 (3989) 병신	7	**3** 효종, 붕당朋黨의 폐단을 탄식함. **5** 서변徐忭의 옥 일어남. **윤5** 김집金集 사망. **7** 《내훈內訓》과 《경민편警民篇》을 반포함. ▶이삼평李參平(일본에 간 도공陶工) 사망. ▶유형원柳馨遠, 《동국여지지東國輿地誌》편찬.	**2** 남명南明 이정국李定國, 계왕桂王을 받들고 윈난雲南으로 달아남. 스페인, 영국에 선전포고함. **9** 네덜란드, 포르투갈로부터 스리랑카Sri Lanka를 빼앗음. ▶영국, 런던에 오페라opera 극장을 개설함.

연대	조선	우리 나라	다른 나라
1657 (3990) 정유	효종 8	**5** 최유지崔攸之, 천문관측기구를 제작함. **7** 김육金堉, 전라도에 대동법大同法을 실시할 것을 건의함. 서필원徐必遠, 서원書院 폐단을 논하다 파면됨. **8** 송시열宋時烈, 시정時政 18조를 상소함. 진휼청賑恤廳을 설치함. **9** 《선조수정실록》을 완성함. 서원書院과 향현사鄕賢祠의 개인 설립을 금함. **11** 실록을 태백산太白山에 봉안케 함.	**1** 일본, 에도성江戶城에 화재 발생함. **3** 영국 의회, 크롬웰Cromwell에게 왕위를 대관하려 함: 크롬웰, 이를 거절함. 프랑스, 영국과 파리 조약을 체결하여 스페인에 대항함. **8** 남명南明 정성공鄭成功, 대주부臺州府를 공격함. **11** 청, 남명南明의 손가망孫可望이 항복해 옴.
1658 (3991) 무술	9	**3** 청에서 또 러시아 정벌 위한 원병을 요구함. **5** 제2차 나선정벌羅禪征伐 출정. 인평대군麟坪大君 사망. **9** 김육金堉 사망. **11** 혼례와 장례에 사치를 금함. **12** 송시열宋時烈, 이황李滉의 〈사단칠정이기四端七情理氣의 논論〉을 올림.	**6** 영국·프랑스 동맹군, 스페인 군을 격파함. **8** 스웨덴, 덴마크를 공격하여 코펜하겐을 포위함. **9** 영국, 크롬웰Cromwell 사망: 아들 리처드Richard 크롬웰이 계승함. ▶러시아, 네르친스크Nerchinsk에 성을 쌓음.
1659 (3992) 기해	10	**2** 유계兪棨, 군정軍政의 폐단을 상소함. **3** 이순신李舜臣의 비碑를 남해 전소戰所에 세움. 김장생金長生의 《가례집람家禮輯覽》을 간행함. 쓰시마도주對馬島主가 왜관을 부산으로 옮겨줄 것을 요청함. **윤3** 동래 왜관의 대일본 무역을 단속함. **5** 효종 사망: 현종顯宗 즉위. 자의대비慈懿大妃(인조의 계비) 복제服制를 송시열宋時烈·송준길宋浚吉의 의견대로 기년제朞年制(1년)로 정함.	**2** 남명南明 계왕桂王, 청의 군사에 패하여 미얀마로 달아남. **7** 남명南明 정성공鄭成功, 난징南京을 공격함. **11** 프랑스, 스페인과 피레네Pyreness 조약을 체결하고 화의함. ▶일본, 명의 주지유朱之瑜 등이 귀화해 옴. ▶영국, 의회를 해산함. 리처드 크롬웰Richard Cromwell이 사직함.
1660 (3993) 경자	현종 1	**3** 윤휴尹鑴·허목許穆 등, 자의대비慈懿大妃 복제를 3년으로 할 것을 주장함: 남인과 서인 간에 예론禮論 시비 시작됨. **4** 윤선도尹善道, 예론禮論 문제로 삼수三手로 유배됨. **5** 현종, 기년제朞年制(1년) 복제를 채택함. 이시백李時白 사망. **7** 전라도 산간 군에 대동법大同法을 실시함. **11** 신속申洬, 《구황촬요救荒撮要》 찬진. 공명첩空名帖과 영직첩影職帖을 대량 발급함. ▶강화에 선원각璿源閣을 건립함.	**3** 청, 도통都統·참령參領·좌령佐領 등을 둠. **5** 스웨덴·폴란드·브란덴부르크, 올리바Oliva 조약을 체결함: 프로이센Preussen이 폴란드 지배에서 벗어남. ▶영국, 찰스Charles 2세 즉위함: 왕정복고王政復古. ▶스페인, 벨라스케스Velazquez 사망.

연 대	조선	우 리 나 라	다 른 나 라
1661 (3994) 신축	2	**1** 성내의 자수慈壽 · 인수仁壽 두 비구니 사찰을 폐지하고 어린 승려는 환속케 함. **2** 강계江界의 소현서원紹賢書院에 성혼成渾을 배향함. **4** 조경趙絅, 윤선도尹善道의 상소문을 불태우게 한 자를 책하는 상소문을 올렸다가 파면됨. **5** 송시열宋時烈, 의례의 시말을 논함. **윤7** 비변사備邊司에서 담당하던 진휼 사무를 진휼청賑恤廳에서 맡게 함. **8** 《효종실록》을 편찬함. ▶신속申洬 · 명조明照 사망.	**1** 청, 세조 사망: 성조聖祖(강희제康熙帝) 즉위. **6** 포르투갈, 영국에 봄베이Bombay(지금의 뭄바이Mumbai)를 양도함. **8** 영국의 조정으로 포르투갈은 브라질을, 네덜란드는 스리랑카를 차지함. **10** 남명南明 정성공鄭成功, 타이완臺灣에 웅거함. **12** 청 오삼계吳三桂, 군대 이끌고 미얀마에 진입함. ▶프랑스 루이Louis 14세, 친정 시작: 콜베르Colbert 등용. 마자랭Mazarin 사망. ▶이탈리아 말피기Malpighi, 모세혈관을 발견함.
1662 (3995) 임인	3	**2** 현종, 창덕궁으로 옮김. 남해 노량의 이순신李舜臣 사우에 사액함. **5** 전라도 전주 · 익산 등지에 관개시설 만들어 수리면적을 늘임. **8** 경기 좌우 균전사均田使를 임명함. ▶김명국金明國, 〈금니산수도金泥山水圖〉를 그림.	**4** 청 오삼계吳三桂, 계왕桂王을 시해함: 남명南明 멸망. **5** 남명南明 정성공鄭成功, 타이완臺灣에서 사망함. **10** 청, 윈난雲南을 평정함. **12** 청, 주 · 부 · 현에 공아문公衙門 설치. ▶영국, 통일령統一令이 통과됨. 〈보일Boyle의 법칙〉이 발표됨.
1663 (3996) 계묘	4	**3** 호남대동청湖南大同廳을 설치함. **8** 제언사堤堰司, 양관量官에게 각 도의 관개시설을 점검시킴. **9** 소를 죽인 자는 살인자와 동일하게 처벌하도록 함. **12** 경기도 양전量田을 완료함.	**8** 청, 과거에 팔고문八股文 문체 사용을 정지함. **10** 청 경계무耿繼茂, 아모이Amoy 점령하고 정경鄭經(정성공鄭成功 아들)을 추방함. ▶영국, 기니Guinea 해안에 원정함.
1664 (3997) 갑진	5	**1** 균전청均田廳을 폐지함. **2** 서필원徐必遠, 송시열宋時烈을 배척하는 상소문 올림. 유계兪棨 사망. **3** 최유지崔攸之가 만든 혼천의渾天儀를 개조함. **6** 원두표元斗杓 사망.	**3** 남명南明의 정경鄭經이 타이완臺灣에 근거함. ▶프랑스, 동인도회사를 재건함. ▶영국, 뉴 암스테르담New Amsterdam을 점령하고 뉴욕New York이라 개칭함.
1665 (3998) 을사	6	**1** 남한산성南漢山城에 화재 발생함: 화약 1만5천 근이 불탐. **7** 함경도 지방에 양전量田을 실시함. **12** 전라도 산간의 대동법大同法을 중지함. ▶이현보李賢輔의 《농암문집聾巖文集》을 간행함.	**2** 청, 타이에서 조공해 옴. **3** 청, 과거科擧에 다시 팔고문八股文을 사용함. ▶영국, 런던에 페스트가 유행함. 후크Hooke가 자신이 만든 현미경으로 세포를 발견함.

연대	조선	우 리 나 라	다 른 나 라
1666 (3999) 병오	현종 7	**3** 경상도 유생들이 상복고증喪服考證 16조를 올림: 송시열宋時烈의 복제가 잘못된 것이라고 논함. **9** 노비의 신역가身役價를 쌀로 징수함. **10** 전라도에 있던 하멜Hamel 등 7명이 일본으로 탈출함. 전라도 산간 군에 대동법大同法을 다시 실시함. **12** 왜관倭館에 거류하는 왜인들의 민간 내왕을 엄히 단속함.	**5** 청, 여유희黎維禧를 안남왕安南王에 봉함. **8** 청 오삼계吳三桂, 토추土酋의 난을 평정함. **10** 네덜란드 · 브란덴부르크 · 부룬스빅 · 덴마크, 4국동맹을 체결함. ▶영국 뉴턴Newton, 광학光學 및 우주 중력에 관한 법칙을 발견함.
1667 (4000) 정미	8	**윤4** 정수사淨水寺 법당을 중창함. 동래의 왜관倭館이 불탐. **5** 노비의 신공身貢을 반 필씩 감함. **7** 함경도에 양전量田을 실시함. 윤선도尹善道, 유배에서 풀려남. **11** 노인과 여자의 전가정배법全家定配法을 제정함. ▶유계兪棨의 《여사제강麗史提綱》 간행.	**7** 청 성조, 친정 시작: 은관恩款 17조를 반포함. 영국, 브레다Breda 조약을 맺어 프랑스 · 네덜란드 · 덴마크와 화의함. ▶영국 밀턴Milton, 〈실락원失樂園〉을 발표함. ▶폴란드, 프로이센Preussen 독립을 승인함.
1668 (4001) 무신	9	**1** 거제도에서 동광을 발견함. **3** 여자 노비의 신공身貢을 반 필씩 감함. **4** 경상도 밀양 동광에서 구리를 제련함. **8** 김우명金佑明, 동활자 실록자實錄字를 주조함. 성균관成均館에 경서교정청經書校正廳을 설치함. **11** 송준길宋浚吉, 〈태극음양도太極陰陽圖〉를 올림. **12** 정초청精抄廳을 설치하여 병조의 군사 행정권을 강화함. ▶조속趙涑 사망.	**1** 영국 · 스웨덴 · 네덜란드, 삼국동맹을 맺어 프랑스에 대항함. **2** 스페인, 포르투갈 독립을 승인함. **5** 프랑스, 아헨Aachen 조약을 맺어 삼국동맹과 화의함. **12** 청, 서양인 남회인南懷仁이 시정의 폐단을 상소함. ▶영국, 인도의 봄베이Bombay(뭄바이 Mumbai)를 동인도회사에 양도함. ▶네덜란드 하멜Hamel, 《조선표류조난기朝鮮漂流遭難記》를 지음.
1669 (4002) 기유	10	**1** 송시열宋時烈의 건의로 동성同姓간의 혼인을 금함. 공사천公私賤 중 양처良妻 소생은 모역母役을 따르게 함. **2** 충청도 안흥安興에 남창과 북창을 설치함: 조운선漕運船의 파선 사고 방지책. **10** 송이영宋以穎 · 이민철李敏哲, 선기옥형璿璣玉衡을 제작함. **11** 소결청疏決廳을 설치함. ▶전국 호구조사: 134만 2074호, 516만 4524명으로 집계됨.	**3** 청, 서양인 남회인南懷仁을 흠천감부欽天監府에 임명함. **8** 청, 천주교를 엄금함. **11** 청, 건청궁乾淸宮을 건립함. ▶프랑스, 라 살La Salle이 북아메리카의 나이아가라Niagara 폭포를 발견함. 파스칼Pascal의 《팡세 Pensees》를 간행함. ▶네덜란드, 렘브란트Rembrandt 사망.

연대	조선	우리 나라	다른 나라
1670 (4003) 경술	11	**3** 세자의 관례 행함. 경상감영이 불탐. **7** 제주목사, 제주도에 표류해온 중국인을 돌려보냄. **12** 고려 태조의 능을 개수하고 수직군守直軍을 둠. ▶김만중金萬重의 《서포만필西浦漫筆》, 유형원柳馨遠의 《반계수록磻溪隨錄》 이루어짐. ▶강우성康遇聖의 《첩해신어捷解新語》를 간행함.	**5** 영국 · 프랑스, 도버Dover 밀약을 맺음. **8** 청, 내삼원內三院을 내각으로 고침. ▶스페인, 영국과 마드리드 조약을 체결하여 식민지 경계선을 정함. ▶러시아, 스텐카 라친Stenka Razin의 농민 반란 진압됨. ▶영국, 휘그Whig 및 토리Tory 정당이 창립됨.
1671 (4004) 신해	12	**1** 관리와 사대부의 백색 옷을 금하고 흑색 옷을 입게 함. **2** 현종, 경덕궁慶德宮(경희궁慶熙宮)으로 옮김: 4월 창덕궁昌德宮으로 돌아옴. **3** 버려진 아이의 수양법收養法을 제정함. **6** 경기도와 충청도에 민란이 일어남. 윤선도尹善道 · 서필원徐必遠 사망. **12** 회령과 경원에 시장을 개설함. ▶권벌權橃의 《충재집沖齋集》, 김상헌金尙憲의 《청음집淸陰集》을 간행함.	**1** 청, 각 아문의 통사通事를 폐지함. **4** 신성로마제국, 헝가리의 반란을 진압함. **6** 청, 정남왕靖南王 경계무耿繼茂의 아들 경정충耿精忠에게 작위를 세습시킴. **12** 스페인 · 네덜란드, 공수동맹을 체결함. ▶영국 밀턴Milton, 〈복락원復樂園〉을 발표함.
1672 (4005) 임자	13	**1** 권시權諰 사망. **9** 비변사備邊司, 5가작통사목五家作統事目을 올림. **10** 수어청守禦廳에서 주조한 실록자 11만 여자를 교서관校書館으로 옮김. 동래 왜관에 화재 발생함. 윤문거尹文擧 사망. **12** 송준길宋浚吉 사망.	**3** 영국, 네덜란드에 선전포고함. **5** 프랑스, 네덜란드를 침공함. **6** 청, 성유16조聖諭十六條를 반포함. ▶프랑스 동인도회사, 인도의 퐁디셰리Pondicherry를 점령함.
1673 (4006) 계축	14	**3** 춘당대春塘臺 문과를 실시함. **7** 가죽 제품의 북경 무역을 다시 허가함. 허적許積, 영의정에 오름. **10** 왜관의 초량草梁 이설을 허가함. **12** 남구만南九萬, 북도 관방關方의 변통變通을 건의함. 유형원柳馨遠 사망. ▶임유후任有後의 《목동문답가牧童問答歌》 · 《만휴집萬休集》, 이항李恒의 《일재집一齋集》을 간행함. ▶충청도 연산連山에 성삼문유허비成三問遺墟碑를 건립함.	**2** 프랑스, 몰리에르Moliere 사망. **3** 영국, 심사율審査律을 제정함. **5** 일본, 영국 선박이 나가사키長崎에 와서 통상을 요구함. **7** 네덜란드, 영국 · 프랑스 동맹군을 격파함. **11** 청 오삼계吳三桂 등, 삼번三藩의 난 일으킴.

연대	조선	우리 나라	다른 나라
1674 (4007) 갑인	현종 15	**2** 인선왕후仁宣王后(효종孝宗 비) 사망. **6** 권근權近의 《양촌집陽村集》을 간행함. 이완李浣 사망. **7** 대비의 복제 문제로 예론禮論이 재개됨: 기년제朞年制(1년) 채택. 홍문관弘文館, 《천하지도天下地圖》를 찬진함. **8** 현종 사망: 숙종肅宗 즉위. **9** 진주 유생들이 송시열宋時烈의 예론禮論에 반대하는 상소문을 올림. **10** 성균관成均館 유생들이 송시열宋時烈의 예론禮論을 지지하는 상소문을 올림. **12** 기해년(1659년)에 기년제朞年制(1년)를 주장했던 신하들의 죄를 추궁하고 송시열宋時烈의 관직을 삭탈함.	**1** 청 오삼계吳三桂, 창사長沙와 악주鄂州를 점령함. **2** 영국 · 네덜란드, 웨스트민스터Westminster 조약을 체결함: 네덜란드 해상권 쇠퇴. **3** 청, 경정충耿精忠의 반란 일어남. **7** 청 남회인南懷仁, 화포를 만듦. **12** 청 왕보신王輔臣, 오삼계吳三桂에게 내부해 옴. ▶인도, 마라타족Maratha族의 시바지Shivaji가 독립을 선언함: 마라타 왕국 성립. ▶영국, 밀턴Milton 사망.
1675 (4008) 을묘	숙종 1	**1** 송시열宋時烈, 덕원德源에 유배됨. **2** 윤휴尹鑴 등, 북벌론北伐論을 주장함. **3** 허목許穆, 〈심학도心學圖〉를 찬진함. **4** 정초청精抄廳을 폐지하고 다시 병조에 소속시킴. **8** 윤휴尹鑴의 건의로 복제를 3년으로 함. **9** 비변사備邊司, 5가작통법五家作統法 실시를 주장함. ▶송주석宋疇錫, 유배가사 〈북관곡北關曲〉을 지음.	**1** 청, 경정충耿精忠 · 오삼계吳三桂 연합군이 연주延州에 침입함. **3** 청, 몽골의 차카르察哈爾가 반란 일으킴. ▶영국, 그리니치Greenich 천문대를 설립함. ▶프랑스, 지중해에서 스페인 해군을 격파함. ▶덴마크 뢰머Romer, 빛의 속도를 측정함.
1676 (4009) 병진	2	**1** 박세당朴世堂, 《색경穡經》을 펴냄. **4** 개성의 대흥산성大興山城과 개성부성開城府城 공사를 완료함. **8** 평안도 용강龍岡에 황룡산성黃龍山城 축조함. **11** 처경處瓊의 옥사 일어남. 양예수楊禮壽의 《의림촬요醫林撮要》, 강우성康遇聖의 《첩해신어捷解新語》를 간행함.	**1** 프랑스, 지중해에서 네덜란드와 스페인 함대를 격파함. **2** 청, 상지신尙之信의 반란 발생. **6** 청, 왕보신王輔臣이 항복해 옴. 덴마크 · 네덜란드 연합함대, 스웨덴 함대를 격파함. **10** 청, 반란 일으켰던 경정충耿精忠이 항복해 옴.
1677 (4010) 정사	3	**3** 호패법號牌法을 시행함. **9** 《현종실록》을 편찬함. 정치화鄭致和 사망. **10** 상방무역尙方貿易을 폐지함. **11** 을지문덕乙支文德 사우에 사액함. **12** 호포법戶布法 시행을 논의함. ▶박세화朴世華, 《박통사언해朴通事諺解》를 편찬함. ▶경상도에 대동법大同法을 실시함.	**2** 영국, 네덜란드와 동맹함. **5** 청, 상지신尙之信이 항복해 옴. **10** 청, 남서방南書房을 설치함. ▶터키, 러시아와 전쟁 일으킴. ▶네덜란드, 스피노자Spinoza 사망.

연 대	조선	우 리 나 라	다 른 나 라
1678 (4011) 무오	4	**1** 상평통보常平通寶를 주조함. **4** 공사천公私賤 중 양처良妻의 소생은 부역父役을 따르게 함. 금속화폐의 전국 유통을 선포함. 공명첩空名帖을 폐지함. **5** 왜관倭館 건물을 준공함. **9** 각 사司에 속한 노비 면천免賤의 한계를 정함. ▶홍만종洪萬宗, 《순오지旬五志》를 지음. ▶박두세朴斗世의 〈요로원야화기要路院夜話記〉 이루어짐.	**5** 청 오삼계吳三桂, 황제를 칭함. **8** 청, 오삼계吳三桂 사망: 손자 세번世璠이 계승. 프랑스, 스페인 · 네덜란드와 나이메헨Nijmegen 조약을 체결하고 종전함. ▶영국 버니언Bunyan, 〈천로역정天路歷程〉을 발표함. ▶네덜란드 호이겐스Huygens, 빛의 파동설을 발표함.
1679 (4012) 기미	5	**2** 강화에 돈대墩臺를 축조함. 낭원군朗原君, 《선원보략璿源譜略》을 편찬함. **3** 이민철李敏哲, 수차水車를 제작함. 송상민宋尙敏, 예론禮論의 시말을 상소하다 옥사함. **6** 허목許穆, 허적許積을 논핵함: 남인간 반목.	**2** 프랑스, 신성로마제국과 화의함. **5** 영국, 인신보호령을 제정함. **6** 청, 후난湖南 · 광시廣西 지방을 평정함. **9** 청, 전제錢制를 제정함. ▶영국, 홉스Hobbes 사망.
1680 (4013) 경신	6	**2** 외방外方의 화폐 주조를 금함. 상평통보와 은의 교환 비율 조절하여 화폐 유통을 촉진함. **4** 남인 대신 서인이 정권을 장악함: 경신환국庚申換局. 허견許堅 등, 복선군福善君 추대를 도모하다 처형당함. **5** 허적許積 · 윤휴尹鑴 등 사사됨. 송시열宋時烈 석방됨. 5가작통법과 호패법을 폐지함. **10** 인경왕후仁敬王后(숙종 비) 사망. ▶송준길宋浚吉의 《동춘당집同春堂集》을 간행함.	**8** 청 상지신尙之信, 사사됨. ▶터키 · 러시아, 바크치세라이 조약을 체결함. ▶영국 동인도회사, 청나라와 무역을 시작함. ▶프랑스, 퀘벡에서 미시시피강 하구까지 식민지를 건설함. ▶독일 라이프니츠Leibniz, 미분법微分法을 창안함.
1681 (4014) 신유	7	**1** 어영청御營廳, 구리와 주석朱錫을 수집하여 화폐를 주조함. 강백년姜栢年 사망. **4** 아역군역兒役軍役의 연한을 정함. **7** 정초청精抄廳을 다시 설치함. **8** 교정청教正廳, 《선원록璿源錄》 각판을 완성함. **9** 남해에 이순신충렬묘비를 건립함. 송시열宋時烈, 《심경석의心經釋疑》를 찬진함.	**1** 청, 정경鄭經 사망: 아들 정극鄭克이 뒤를 이음. **2** 청, 해금령海禁令을 해제함. **11** 청, 오세번吳世璠 자살: 삼번三藩의 난 종식. ▶프랑스, 라인강Rhein江 연안의 도시를 점령함.
1682 (4015) 임술	8	**1** 악기조성청樂器造成廳을 설치함. **3** 훈련별대訓鍊別隊와 정초군精抄軍을 합해 금위영禁衛營을 설치함. **4** 홍문관, 《농가12월도》 편찬. 허목許穆 사망. **8** 서북인이 고위직에 오름을 허용함. **11** 전라도 감영에서 화폐를 주조함. **12** 공명첩空名帖을 발행함: 재정난 타개 목적.	**1** 청, 경정충耿精忠을 살해함. **4** 청, 상정尙貞을 유구국琉球國 왕에 봉함. ▶청, 고염무顧炎武 사망. ▶터키 · 오스트리아, 전쟁 벌임. ▶아메리카, 필라델피아Philadelphia를 건설함.

연대	조선	우리 나라	다른 나라
1683 (4016) 계해	숙종 9	**1** 제언사堤堰司 당상堂上을 두어 관개수리사업을 관장케 함. **3** 《개수현종실록》을 완성함. 송시열宋時烈, 봉조하奉朝賀(고위직을 지낸 관리에게 준 명예직)가 됨. **4** 서인, 남인 숙청을 둘러싸고 강경파인 노론老論과 온건파인 소론少論으로 나뉨. **12** 명성왕후明聖王后(현종顯宗 비) 사망. ▶이민철李敏哲, 수차水車를 만들어 보급함.	**1** 청, 여유정黎維楨을 안남왕安南王에 봉함. **6** 청 시랑施琅, 타이완臺灣을 정벌함: 국내 통일 완성. **7** 터키, 비엔나Wienna를 공격함. **9** 삭소니아 · 독일 · 폴란드, 터키를 공격해 비엔나Wienna를 구함. 프랑스, 콜베르Colbert 사망. **12** 스페인, 프랑스에 선전포고함.
1684 (4017) 갑자	10	**3** 예조판서 이단하李端夏, 사창절목社倉節目을 제정함: 4월 《선묘보감宣廟寶鑑》을 지음. **7** 부석사浮石寺 목조삼존불상을 조성함. 이민서李敏敍, 강화지도江華地圖를 제작함. **9** 김석주金錫胄 사망. **12** 청의 관보官報를 번역하여 외국의 정보를 수집함.	**1** 청, 타이완臺灣 펑후도澎湖島에 진수병鎭守兵을 둠. **3** 일본, 선명력宣明曆을 폐지함. **4** 프랑스, 룩셈부르크를 점령함. **6** 청, 타이에서 공물을 바침. **12** 타이, 프랑스에 사신을 보냄. ▶프랑스, 코르네유Corneille 사망.
1685 (4018) 을축	11	**1** 지패紙牌를 목각木角으로 바꾸게 함. 종각鐘閣이 불탐. **6** 황당선荒唐船(이국선異國船)이 섬에 자주 출몰함. **9** 호패號牌를 위조하는 자는 사형에 처하게 함. **12** 삼금범죄제蔘禁犯罪制를 제정함.	**6** 일본, 마카오 선박을 추방함. **10** 프랑스 루이Louis 14세, 낭트칙령Nantes勅令을 폐지함: 다수의 신교도가 국외로 망명함. ▶영국 동인도회사, 벵골Bengal 군과 교전함. ▶독일 라이프니츠Leihniz, 적분법積分法을 창안함.
1686 (4019) 병인	12	**1** 월경채삼금단절목越境採蔘禁斷節目을 정함. **7** 이징명李徵明, 왕이 여인 총애하는 것을 간언함. **11** 솔잎 먹는 법을 민간에 주지시킴. **12** 우의정 이단하李端夏, 사창社倉의 5가지 이로운 점을 상소함.	**7** 영국 · 브란덴부르크 · 스페인 · 스웨덴, 아우구스부르크 동맹을 맺어 프랑스에 대항함. **9** 청, 러시아가 통교를 청함. ▶영국, 인도에 캘커타Calcutta(콜카타Kolkata)를 건설함. ▶러시아, 터키에 선전포고함.
1687 (4020) 정묘	13	**3** 신만申曼, 《단촌신방丹村新方》을 편찬함. 무당들을 활인서活人署 근처로 쫓아냄. 김만기金萬基 사망. **8** 금위영禁衛營을 폐함. **9** 각 군문軍門에 육화진법六花陣法을 배우게 함. **12** 숙종, 탕평책蕩平策을 준수할 것을 명함.	**7** 청, 러시아 사절 골로빈Golovin이 옴. **9** 베네치아, 아테네를 포격함: 파르테논Parthenon 신전 폭파됨. ▶무굴 제국, 골콘다Golkonda 왕국을 병합함: 최대 판도 형성. ▶영국 뉴턴Newton, 〈만유인력萬有引力의 법칙〉을 발견함.

연 대	조선	우 리 나 라	다 른 나 라
1688 (4021) 무진	14	**3** 평안도에 1년 한도로 화폐를 주조하게 함. **5** 이민철李敏哲, 선기옥형璿璣玉衡을 개수함. **8** 숙원장씨淑媛張氏, 소의昭儀로 승진되어 왕자(경종景宗)를 출산함. ▶청제중수비菁堤重修碑와 명량대첩비鳴梁大捷碑를 건립함.	**7** 청, 우창武昌의 병란을 진압함. ▶청, 서양인 남회인南懷仁 사망. ▶일본, 청 선박의 나가사키長崎 입항수를 70척으로 제한함. ▶영국, 명예혁명名譽革命 일어남. 버니언Bunyan 사망.
1689 (4022) 기사	15	**1** 소의장씨昭儀張氏, 희빈禧嬪이 됨. **2** 세자 책봉 문제로 노론이 실각하고 남인이 집권함: 기사환국己巳換局. **3** 이단하李端夏 사망. **윤3** 김수항金壽恒 사사됨. **6** 송시열宋時烈 사사됨. **7** 인현왕후仁顯王后 민씨를 폐함. **12** 천민종모제賤民從母制를 폐지함. ▶김만중金萬重, 〈구운몽九雲夢〉과 〈사씨남정기謝氏南征記〉를 지음. ▶홍여하洪汝河 사망.	**5** 신성로마제국, 영국 · 네덜란드와 대프랑스 동맹을 체결함. **12** 청 · 러시아, 네르친스크Nerchinsk 조약을 체결함: 헤이룽강黑龍江으로 국경선을 정함. ▶영국, 권리장전權利章典을 발표함. ▶영국 · 프랑스, 아메리카에서 식민지전쟁을 시작함.
1690 (4023) 경오	16	**1** 광주廣州에 진관鎭管과 영장營將을 다시 둠. **5** 처음으로 춘방관春坊官을 임명함. **6** 원자를 세자에 책봉함. **10** 희빈장씨禧嬪張氏를 왕비에 책봉함. **11** 빈민 구호 위해 공명첩空名帖 2만장을 각 도에 팔기로 함. 호적법을 시행하고 지패紙牌를 목패木牌로 바꿈.	**4** 청, 《대청회전大淸會典》을 완성함. **8** 청, 갈이단한噶爾丹汗의 침입을 격퇴함. ▶영국 로크Rocke, 〈인간오성론人間悟性論〉을 발표함. ▶네덜란드, 호이겐스Huygens의 《광학개론光學槪論》을 펴냄.
1691 (4024) 신미	17	**4** 청의 사신이 조총鳥銃을 구하자 제공함. **12** 삼남 · 서북 지방의 인재를 고루 등용함. 관리영管理營을 설치함. 사육신死六臣에게 관작과 시호를 내림. ▶숙종, 〈훈민정음후서訓民正音後序〉를 지음.	**1** 청, 장가구張家口와 다퉁大同에 파병하여 갈이단한噶爾丹汗의 침입에 대비함. **4** 영국, 몬스에서 프랑스군 격파함. ▶신성로마제국, 터키군을 격파함.
1692 (4025) 임신	18	**4** 김만중金萬重 사망. **6** 민정중閔鼎重 사망. **8** 총융청摠戎廳에서 화폐를 주조함.	**5** 영국 · 네덜란드, 프랑스 해군을 격파함: 라 호그La Hogue의 전투. ▶청, 화기영火器營을 설치함.
1693 (4026) 계유	19	**7** 주전 업무를 호조에서 담당케 하고 개인적으로 화폐 만드는 자는 교수형에 처하기로 함. **12** 조사석趙師錫 사망. ▶안용복安龍福, 울릉도와 독도의 조선 영유권을 일본에게 확인시킴.	**6** 영국 · 네덜란드 해군, 프랑스 해군에게 패함: 라고스Lagos 해전. **9** 청, 유구국琉球國 왕이 조공해 옴. ▶네덜란드, 인도의 퐁디셰리Pondicherry를 점령함.

연 대	조선	우 리 나 라	다 른 나 라
1694 (4027) 갑술	숙종 20	**3** 남인이 몰락하고 노론이 집권함: 갑술환국甲戌換局. **4** 폐비 민씨를 복위시키고 왕비 장씨를 다시 희빈禧嬪으로 강등시킴. **7** 민암閔黯 사사됨. **8** 일본 사신에게 왜인의 울릉도 출입을 금하도록 요구함. **9** 한성 방위 위해 문수산성文殊山城을 쌓고 통진通津을 부府로 승격시킴.	**1** 일본, 음란물 출판을 금함. ▶청, 러시아 사절이 옴. ▶영국, 휘그당Whig黨 내각 성립: 성당내각의 시초. 잉글랜드 은행 설립. 출판물 검열을 폐지함. ▶프랑스, 스페인에 침입함.
1695 (4028) 을해	21	**2** 박세채朴世采 사망. **6** 일본 사신에게 죽도竹島는 울릉도의 별명임을 통고함. 서원을 함부로 세우는 것을 금함. **12** 유기된 아이들의 수양법을 제정함.	▶청, 황종희黃宗羲 사망. ▶터키, 신성로마제국 및 베네치아 군대를 격파함. ▶프랑스, 출판의 자유를 허용함. ▶네덜란드, 호이겐스Huygens 사망.
1696 (4029) 병자	22	**1** 종묘宗廟 악장樂章을 바르게 고침. **9** 화양동서원華陽洞書院에 사액함. ▶안용복安龍福, 독도獨島에 온 일본인을 추방한 후 일본에 갔다 와서 취조받음.	▶영국, 프랑스 해군을 격파하고 지중해를 제압함. ▶네덜란드, 자바Java에서 처음으로 커피를 재배함.
1697 (4030) 정축	23	**1** 장길산張吉山의 농민군이 봉기함. **2** 쓰시마도주對馬島主가 왜인의 울릉도 왕래가 금지되었음을 통보해 옴. **4** 처음 《성학집요聖學輯要》를 강론함.	**9** 라이스봐이크Ryswick 화약 체결: 아우구스부르크Augusburg 동맹 전쟁 끝남. ▶러시아, 캄차카Kamchaka를 점령함.
1698 (4031) 무인	24	**11** 노산군魯山君 묘호를 단종으로 함. ▶《신전자초방新傳煮硝方》과 《수교집록受敎輯錄》을 간행함.	**5** 청, 광둥廣東의 해관海關 세액을 감함. ▶프랑스 · 영국, 스페인 분할에 대하여 협정함.
1699 (4032) 기묘	25	**2** 영월이 부로 승격됨. **3** 단종의 장릉莊陵을 봉함. **6** 최석정崔錫鼎의 요청에 의해 《국조보감國朝寶鑑》 속편을 편찬함. **7** 숙종, 서북인을 관리에 임용할 것을 명함. 장릉개수도감莊陵改修都監을 설치함. **9** 형벌을 함부로 함을 금함. 낭원군朗原君 사망.	**1** 터키, 러시아 · 오스트리아 · 폴란드 · 베네치아와 칼로비츠Karlowitz 휴전협정을 체결함. ▶청, 영국에 광둥무역廣東貿易 허가. ▶프랑스, 루이지애나에 식민지 건설을 시작함. 라신Racine 사망. ▶러시아, 근위병제近衛兵制를 폐함: 유럽식 군대로 개편.
1700 (4033) 경진	26	**1** 삼남지방 양전절목量田節目을 정함. **7** 권탁權倬이 설계한 수차水車와 윤선輪船을 완성함. **8** 《선원보략璿源寶略》을 완성함. 일본에 인삼 밀수출을 금함. ▶동활자 초주한구자初鑄韓構字를 주조함.	**8** 스웨덴, 덴마크를 공격함. **9** 청, 언로言路를 개방하고 사치를 경계함. **11** 스웨덴, 나르바Narva 전투에서 러시아군을 격파함: 북방전쟁.

연 대	조선	우 리 나 라	다 른 나 라
1701 (4034) 신사	27	**1** 성균관成均館 안에 계성사啓聖祠를 세움. **4** 청나라 사람이 압록강鴨綠江을 측량함. **5** 강화지도江華地圖를 찬진함. **8** 인현왕후仁顯王后 민씨 사망. **10** 장희빈張禧嬪, 인현왕후仁顯王后를 저주한 사실이 발각되어 처형됨: 무고誣蠱의 옥.	**1** 신성로마제국, 프로이센Preussen 왕국 성립. ▶스페인, 왕위계승전쟁 일어남. ▶미국, 예일Yale 대학 설립.
1702 (4035) 임오	28	**4** 백두산白頭山에 화산이 폭발함. **5** 삼척 영장 이준명李浚明, 울릉도에서 돌아와 도형圖形과 토산물을 바침.	**1** 러시아, 스웨덴군을 격파함. ▶청, 만사동萬斯同 사망. ▶영국 · 프랑스, 식민지 전쟁 벌임.
1703 (4036) 계미	29	**1** 금위영禁衛營을 폐지함: 2월에 다시 설치. **4** 박세당朴世堂 사망. **9** 이정청釐正廳을 설치함. ▶《청어노걸대淸語老乞大》와 《팔세아八歲兒》를 간행함. ▶사문난적론斯文亂賊論이 제기됨.	**5** 스웨덴, 폴란드군을 격파함. **10** 청, 후난湖南 홍묘紅苗의 난을 평정함. ▶러시아, 상트페테르부르크Sankt Peterburg(레닌그라드Leningrad)를 건설함.
1704 (4037) 갑신	30	**1** 조군漕軍의 제도를 고침. **6** 서원 설치를 금함. 윤두서尹斗緖, 〈송하처사도松下處士圖〉와 〈산수도山水圖〉 그림. **8** 해서지방의 대동법大同法 시행절목을 정함. **11** 《노산군일기》를 《단종대왕실록》으로 고치고 〈부록〉을 찬집함. **12** 대보단大報壇을 완성함. ▶이형상李衡祥, 《남환박물南宦博物》 지음.	**6** 청, 염약거閻若璩 사망. **9** 청, 황하黃河의 수원水源을 탐사함. ▶청, 전례문제典禮問題 일어남. ▶영국, 지브롤터Gibraltar를 점령함. 뉴턴Newton의 《광학光學》을 출판함. 로크Rocke 사망.
1705 (4038) 을유	31	**3** 숙종, 대보단大報壇에서 명의 신종神宗을 제사 지냄. 홍만종洪萬宗, 《역대총목歷代總目》을 편찬함. **윤4** 금보개조도감金寶改造都監을 설치함. **6** 울릉도에 탐사대를 보냄. **10** 숙종, 선위의 뜻을 밝힘. **12** 이정청釐整廳을 폐지하고 그 문서를 비변사備邊司에 이관함.	**11** 청, 러시아 사절이 와서 무역을 요구함. 한림원翰林院에서 외국어를 배우게 함. ▶영국, 제2의회에서 휘그당이 다수를 차지함. 헬리Halley가 혜성을 발견함. 뉴커먼Newcomen이 대기증기기관大氣蒸氣機關을 제작함.
1706 (4039) 병술	32	**1** 이이명李頤命, 《요계관방도遼薊關防圖》를 편찬함. **6** 임부林溥, 동궁 모해설로 심문 받음. **10** 청으로부터 《칠정력七政曆》을 수입하고 편술관 7명을 차출함. ▶김덕함金德諴의 《성옹유고醒翁遺稿》를 간행함.	**2** 스웨덴, 러시아군 및 작센Sachsen 군을 격파함. **6** 일본, 보자은寶子銀을 주조함. **9** 스웨덴, 알트란시테트Altranstädt 조약을 체결하여 작센Sachsen과 화의함.

연 대	조선	우 리 나 라	다 른 나 라
1707 (4040) 정해	숙종 33	**1** 임부林溥 처형됨. **2** 아산 이순신李舜臣 사당에 '현충顯忠'의 시호를 내림. **4** 홍역이 전국에 만연함. 형장刑杖을 일절 금함. **10**《동국여지승람》 시문을 초록케 함.	**5** 영국, 잉글랜드와 스코틀랜드를 합병함: 대영제국 성립. ▶무굴 제국, 아우랑제브Aurangzeb 사망: 왕위계승전쟁 일어남. ▶러시아, 러시아 문자를 개량함. ▶신성로마제국, 나폴리Napoli를 정복함.
1708 (4041) 무자	34	**4** 김창협金昌協 사망. **8** 불랑기佛狼機(서양식 대포)를 만들게 함. **10** 서운관書雲館, 〈건상도乾象圖〉·〈곤여도坤輿圖〉 병풍을 만들어 올림. 장흥長興에서 민란 일어남. **12** 황해도에 대동법大同法을 실시함: 대동법이 전국에 실시됨.	**6** 청, 《청문감淸文鑑》을 편찬함. **7** 스웨덴, 러시아군을 격파함. **11** 청, 직군왕直郡王의 작위를 빼앗음. ▶러시아, 전국을 8개의 정치구로 나눔.
1709 (4042) 기축	35	**1** 숙종, 노론·소론 양당의 폐단을 지적함. **5** 서인庶人의 상례喪禮에 대한 제한을 엄수케 함. **6** 관청에서 상인과 통역관에게 은화銀貨를 빌려주는 것을 금함. ▶의주義州에 강감찬姜邯贊 사당을 건립함.	**7** 스웨덴 카알Karl 12세, 러시아군에 패하여 터키로 도망함. ▶청, 《연감유함淵鑑類函》을 완성함. ▶독일, 아메리카에 식민지 개척을 시작함.
1710 (4043) 경인	36	**3** 최석정崔錫鼎의 관직을 삭탈하고 그가 지은 《예기유편禮記類篇》을 불태움. **7** 병거兵車·배외갑背嵬甲·마찰도麻札刀를 시험 제조함. **10** 안정기安鼎基가 설계한 차車를 만들어 각 군문에 비치케 함. ▶조성기趙聖期의 《졸수재집拙修齋集》, 김창협金昌協의 《농암집農巖集》 간행. 홍만선洪萬選, 《산림경제山林經濟》를 편찬함.	**8** 영국, 휘그당Whig黨 물러나고 토리당Tory黨이 집권함. **11** 청, 업주전호業主佃戶의 감면을 정함. 터키, 러시아에 선전포고함. ▶청, 《강희자전康熙字典》 편찬을 명함. ▶인도, 시크교도Sikh敎徒 의 반란 일어남. ▶프랑스, 베르사유Veraailes 궁전을 완공함.
1711 (4044) 신묘	37	**2** 황해도에 친기위親騎衛를 설치함. **3** 남구만南九萬 사망. **6** 내사옥內司獄을 폐지함. **10** 수령을 잘못 천거한 자에 대한 파직 조목을 시행함. **12** 비변사備邊司, 양역변통절목良役變通節目을 올림. 박진희朴震禧의 《두창경험방痘瘡經驗方》을 간행함. ▶유계兪棨의 《가례원류家禮源流》, 박세채朴世采의 《삼례의三禮儀》를 간행함.	**2** 일본, 조선 사절에 대한 접대 간소화법을 정함. **3** 청, 독무督撫의 백성 수탈을 경계함. **5** 청, 《패문운부佩文韻府》를 편찬함. 장옥서張玉書 사망. **7** 러시아, 터키와 프루트Pruth 조약을 체결하고 아조프Azov를 반환함.

연대	조선	우리 나라	다른 나라
1712 (4045) 임진	38	**1** 서원書院의 신설을 금함. **2** 청이 백두산 경계 조사 문서를 보냄. **5** 청의 목극등穆克登과 함께 백두산정계비白頭山定界碑를 세움. 북한산성北漢山城에 경리청經理廳을 설치함. **10** 북한산성 축조공사를 완료함. ▶김창업金昌業의 《노가재연행록老稼齋燕行錄》을 간행함.	**1** 네덜란드, 유트레히트Utrecht에서 평화회담이 시작됨. **7** 프랑스, 영국과 유트레히트 가조약을 맺고 휴전함. **10** 청, 황태자를 폐하고 함안궁咸安宮에 가둠. ▶청, 러시아에 사신을 보냄.
1713 (4046) 계사	39	**4** 비변사備邊司, 8도의 구관당상勾管堂上을 차출하고 유사당상有司堂上 4인에게 2도씩 겸찰케 함. 숙종의 초상을 그림: 진재해秦再奚는 원유관본을, 김진여金振汝와 장태흥張泰興은 익선관본을 그림. **8** 승려들을 동원하여 동래 금정산성金井山城을 지키게 함. **10** 북도친기대北道親騎隊를 정병精兵으로 개편함. ▶이형상李衡祥, 《악학습령樂學拾零》(병와가곡집瓶窩歌曲集)을 지음.	**4** 유럽, 유트레히트Utrecht 조약 성립: 스페인 계승전쟁 끝남. **11** 청, 과거제도를 일부 개정함. ▶아메리카, 유트레히트 조약으로 프랑스령 아카디아 · 뉴펀들랜드 · 허드슨만이 영국에 양도됨. ▶러시아, 상트페테르부르크Sankt Peterburg(레닌그라드Leningrad)로 천도함.
1714 (4047) 갑오	40	**1** 윤증尹拯 사망. **2** 숭례문崇禮門에 괘서사건掛書事件 발생함. **7** 강원도의 군보단속절목軍保團束節目을 강구함. **9** 이현석李玄錫, 《명사강목明史綱目》 찬진. **12** 김상현金象鉉의 무고소사건誣告疏事件이 발생함. ▶윤두서尹斗緖, 〈노승동자도老僧童子圖〉를 그림.	**3** 청 왕홍서王鴻緖, 《명사열전明史列傳》을 지음. **9** 신성로마제국, 바덴Baden 조약 맺어 프랑스와 화의함. ▶영국, 조지George 1세 즉위: 하노버Hanover 왕조 시작. ▶독일, 파렌하이트Farenheit가 수은온도계(화씨)를 발명함. 라이프니츠Leibniz의 《양자론量子論》을 출간함.
1715 (4048) 을미	41	**2** 구리로 만든 말斗을 만들어 8도에 보냄. **3** 훈련도감 장교 오중한吳重漢이 성능이 좋은 새 모양의 활을 제작함. **4** 허원許遠, 청으로부터 역서曆書 · 자명종自鳴鐘 및 측산測算 기구를 가져옴. **11** 최석정崔錫鼎 사망. **12** 윤선거尹宣擧의 《가례원류家禮源流》 발문跋文으로 붕당이 격화됨. ▶홍만선洪萬選 사망.	**1** 일본, 나가사키長崎의 청 및 네덜란드 무역선을 제한함. **7** 청, 합밀哈密에 둔전병을 설치함. ▶일본 아라이新井白石, 《서양기문西洋紀聞》을 저술함. ▶영국 · 프로이센, 스웨덴에 선전포고함. ▶프로이센, 스웨덴으로부터 스트랄존드 해협을 빼앗음.

연 대	조선	우 리 나 라	다 른 나 라
1716 (4049) 병신	숙종 42	1 경원에 시장을 개설함. 각 도에 민호民戶와 군역軍役의 구관당상勾管堂上을 둠. 윤3 남원에 사당을 세우고 임진왜란 때 전사한 명 장수를 제사 지냄. 8 숙종, 윤선거尹宣擧의 문집을 없애도록 함: 노론의 승리. ▶남원에 관왕묘關王廟를 건립함. ▶성천成川 강선루降仙樓가 불탐.	10 청, 사창社倉을 설립케 함. ▶청 장정옥張廷玉, 《강희자전康熙字典》을 편찬함. ▶독일, 라이프니츠Leibniz 사망. ▶오스트리아, 베네치아와 연합하여 터키를 격파함: 페테르와르 전투. ▶러시아, 중앙아시아에 원정함.
1717 (4050) 정유	43	2 전국에 전염병과 기근이 심해짐. 5 황해도 감사, 연안에 황당선荒唐船(이국선異國船)의 출몰이 빈번함을 보고함. 윤선거尹宣擧 · 윤증尹拯 부자의 관작을 몰수함. 7 송시열宋時烈의 《주자대전朱子大全》을 간행함. ▶김춘택金春澤 사망.	1 영국 · 프랑스 · 네덜란드, 스페인과 스웨덴에 대항하여 삼국동맹을 결성함. 4 청, 크리스트교 포교를 금함. 8 오스트리아, 터키군을 격파함. ▶포르투갈, 마타판Matapan 해전에서 터키군을 격파함.
1718 (4051) 무술	44	1 계속된 흉년으로 세입이 감소하여 호조의 경비가 고갈됨. 4 사사당한 소현세자昭顯世子 비 강빈姜嬪의 위호를 회복함. 8 사옹원司饔院 번조소燔造所를 양근楊根(지금의 양평) 우천강牛川江 상류로 옮김. 10 양전量田에 쓰는 자[尺]의 길이를 통일시킴. 마천령摩天嶺 간로間路를 막고 산 중턱 이상에서의 화전火田을 금함. ▶조령산성鳥嶺山城을 수축함. ▶유상기俞相基의 《계사유윤왕복서癸巳俞尹往復書》를 간행함.	1 청, 티베트 정벌군이 출발함. 2 일본, 밀무역한 청의 선박을 격퇴함. 12 청 황태자, 군사를 거느리고 티베트로 떠남. ▶일본, 측천의測天儀를 설치함. ▶신성로마제국, 삼국동맹에 가입함:4국동맹 형성. ▶영국, 스페인과 전쟁 벌임. ▶프랑스, 아메리카에 뉴올리언스New Orleans를 건설함.
1719 (4052) 기해	45	1 책문후시柵門後市를 열지 못하게 함. 2 천안의 윤대흥尹大興이 족징族徵(친척에게 군포세를 물림)에 항의하여 자살함. 청의 사신에게 화약합제법火藥合劑法을 초록하여 줌. 6 정선의 정암사淨巖寺 수마노탑水瑪瑙塔을 중건함. 7 삼남지방에 균전사均田使를 보냄. ▶서종태徐宗泰 · 이택李澤 사망.	2 청, 중국 전도인 《황여전람도皇輿全覽圖》가 완성됨. 4 프랑스, 스페인에 침입함. 11 영국, 스웨덴과 화의함. ▶청, 러시아 사절 이스마로프가 베이징北京에 도착함. ▶러시아, 최초로 농민 인구수를 조사함. ▶영국 디포Defoe, 〈로빈슨 크루소 Robinson Crusoe〉를 발표함.

연대	조선	우리 나라	다른 나라
1720 (4053) 경자	46	**1** 통신사 홍치중洪致中, 일본에서 돌아와 일본 정세를 보고함. **2** 한성의 여무구축령女巫驅逐令을 중지함. **6** 숙종 사망: 경종景宗 즉위. **10** 삼남지방의 양전量田을 완료함. ▶〈인현왕후전仁顯王后傳〉 이루어짐. ▶전국 호구조사: 156만 3800호, 680만 808명으로 집계됨.	**2** 프로이센, 스웨덴과 스톡홀름 조약을 맺고 화의함. **8** 청 악종기岳鍾琪 등, 티베트를 평정함. ▶일본, 종교 외의 서양 서적 구입을 허용함. ▶사르디니아Sardinia 왕국 성립.
1721 (4054) 신축	경종 1	**2** 가뭄 피해를 막기 위해 이앙법移秧法(모내기)을 금함. **5** 조문명趙文命, 붕당의 폐해를 논함. **6** 연복절목練服節目을 다시 제정함. 황주읍성黃州邑城 개축공사를 완료함. **8** 연잉군延礽君(영조)을 세제世弟에 책봉함. 노비의 속오군束伍軍 편성을 폐지함. **10** 세제에게 대리청정케 하였다가 취소함. **12** 김일경金一鏡 등, 김창집金昌集 · 이건명李健命 · 조태채趙泰采 · 이이명李頤命등 노론 4대신을 탄핵함. ▶경성鏡城에 윤관尹瓘의 원수대비元帥臺碑를 건립함. ▶권상하權尙夏 · 김창업金昌業 사망.	**3** 프랑스 · 스페인, 혼인동맹을 체결함. **5** 청, 주일관朱一貫이 타이완臺灣에서 군사 일으킴: 6월 진압. **6** 영국 · 프랑스 · 스페인, 공수동맹을 체결함. **8** 러시아 · 스웨덴, 니스타드Nystadt 조약을 체결함: 북방전쟁 끝남. ▶미얀마, 크리스트교가 전래됨. ▶영국, 월폴Walpole 내각 성립: 책임내각제의 시초. ▶프랑스, 와토Watteau 사망.
1722 (4055) 임인	2	**1** 환관 박상검朴尙儉 등, 세제世弟를 모해하려다 처형됨. **3** 목호룡睦虎龍, 왕을 해하려는 세력이 있다고 밀고하여 옥사를 일으킴. **4** 이이명李頤命 사사됨. **5** 김창집金昌集 사사됨. **6** 목호룡睦虎龍, 부사공신扶社功臣이 됨. **8** 윤선거尹宣擧와 윤증尹拯 부자의 관작을 회복함. 이건명李健命 처형됨. **9** 백시구白時耉 처형됨. **10** 흉년으로 각 도의 전세율을 고침. ▶고하도高下島에 이순신李舜臣 유허비를 세움. ▶조태채趙泰采 사사됨.	**9** 일본, 새로운 토지의 개발을 장려함. **12** 일본, 출판령出版令을 제정함. **11** 청, 성조 사망: 세종世宗(옹정제擁正帝) 즉위. ▶페르시아, 아프가니스탄에 항복함. ▶러시아, 페르시아에 침입함: 흑해黑海 진출 기도. 왕위계승령을 발포하여 황후를 후계자로 함.
1723 (4056) 계묘	3	**5** 수총기水銃器(서양식 소화기)를 만들게 함. **6** 신라 시조의 묘호를 숭덕崇德으로 정함. **10** 관상감觀象監, 문신종問辰鐘(서양식 시계)을 제작함. 남구만南九萬의 《약천집藥泉集》을 간행함.	**3** 청, 티베트 주둔 군대를 철수함. **12** 청, 크리스트교를 다시 금함: 선교사를 마카오로 추방. ▶러시아, 페르시아로부터 카스피해Caspi海 남안을 빼앗음.

연 대	조선	우 리 나 라	다 른 나 라
1724 (4057) 갑진	경종 4	**1** 이희조李喜朝, 유배지에서 사망함. **2** 주전鑄錢을 중지시킴. **3** 지방 서원書院의 토지를 회수하고 양인良人 장정을 해당 고을에 소속시킴. **8** 경종 사망: 영조英祖 즉위. **12** 김일경金一鏡 · 목호룡睦虎龍 처형됨.	**2** 청, 칭하이靑海를 평정하고 라싸Lasa에 주장대신駐藏大臣을 둠. 스웨덴 · 러시아, 스톡홀름 조약을 체결함. **6** 일본, 검약령儉約令을 발포함. **10** 청, 광둥廣東에 선교사를 둠. ▶러시아, 인두세人頭稅를 실시함.
1725 (4058) 을사	영조 1	**1** 영조, 붕당의 폐해를 지적하고 탕평책蕩平策을 실시함. 압슬壓膝(무릎 위에 하던 고문) 형벌을 폐지함. **3** 경종 때 탄핵받은 노론 4대신의 관작을 회복함. 경종 때 옥사 집행한 소론 4대신을 축출함. **5** 전결田結을 개인적으로 사용한 수령에 대한 금고법禁錮法을 제정함. **10** 《열조어필列朝御筆》을 완성함. **12** 박지번朴枝蕃, 새 모양의 천보총千步銃을 제작함. ▶육상궁毓祥宮을 건립함.	**5** 일본, 아라이新井白石 사망. **6** 오스트리아 · 스페인, 빈Wien 조약을 체결함. **9** 영국 · 프랑스 · 프로이센, 하노버Honover 조약을 체결함. **11** 스페인, 오스트리아와 혼인밀약을 맺음. ▶청, 《고금도서집성古今圖書集成》을 편찬함. ▶러시아, 표트르Pyotr 대제 사망.
1726 (4059) 병오	2	**1** 경종 때 죄 없이 죽은 이들의 자손을 대우함. 각 지방의 저수지를 개축함. **4** 태묘太廟를 개수함. **10** 영조, 붕당 · 사치 · 음주를 금하는 계서戒書를 반포함. 공경사서公卿士庶의 길복吉服을 청색 옷으로 함. **11** 사충서원四忠書院에 사액함. **12** 전국 호구조사: 161만 4588호, 699만 4400명으로 집계됨. ▶온성穩城에 신립장군청변비申砬將軍淸邊碑를 건립함.	**4** 영국, 해군이 발트해Balt海에 진입함. **8** 러시아, 빈Wien 동맹에 가입함. **10** 청, 악종기岳鍾琪를 청두成都에 보내 묘족苗族의 침입에 대비케 함. 오스트리아 · 프로이센, 브스테르하우젠Wusterhausen 조약을 체결함. ▶영국 스위프트Swift, 〈걸리버여행기Guliver's Travel〉를 발표함.
1727 (4060) 정미	3	**3** 장물贓物에 관한 법을 엄히 함. **윤3** 세미歲米를 늘리려고 곡식을 물에 불리는 것을 엄금함. **5** 도성의 금표禁標를 개정함. **6** 원양 어로를 금함. **7** 당파심이 강한 신하들을 파면함: 정미환국丁未換局. **8** 전라도 각지에서 민란이 일어남. **9** 《숙종실록》의 내용을 보완하고 《현종실록》을 다시 편찬키로 함.	**2** 스페인, 지브롤터Gibraltar를 포위함. **3** 영국, 뉴턴Newton 사망. **7** 청 · 러시아, 캬흐타Kyakhta 조약을 체결함. **10** 청, 티베트에서 반란 일어남. ▶일본, 감자를 재배하기 시작함. ▶영국, 프랑스 · 오스트리아 · 네덜란드와 파리에서 가평화조약을 체결함.

연대	조선	우리 나라	다른 나라
1728 (4061) 무신	4	**1** 서소문西小門에 괘서사건掛書事件 발생함. **3** 이인좌李麟佐 등, 밀풍군密豊君을 추대하여 반란 일으킴(무신란戊申亂): 도순무사 오명항吳命恒이 토벌함. **4** 무신란戊申亂을 진압한 공로자에게 분무공신奮武功臣을 녹훈함. **5** 100여명을 상대로 싸울 수 있는 철차鐵車를 제작함. **6** 서원書院의 원액院額을 불허함. **9** 오명항吳命恒 사망. **10** 조태억趙泰億 사망. ▶《숙종실록》을 편찬함. ▶정상기鄭尙驥, 《동국지도東國地圖》 제작. ▶김천택金天澤의 《청구영언靑丘永言》, 조태억趙泰億의 《겸재집謙齋集》을 간행함.	**1** 청, 안남왕安南王에게 변경의 경계를 정하게 함. **3** 영국 · 스페인, 팔드가 조약을 맺고 화의함. **5** 청, 티베트의 반란을 평정함. **윤7** 청, 쌀의 수출을 금지함. ▶영국, 《체임버스백과사전 Chamber's Cyclopaedia》을 편찬함. ▶덴마크 출신 베링Bering이 베링해협을 발견함.
1729 (4062) 기유	5	**1** 정액定額 외의 궁방전宮房田과 둔전屯田에 과세함. **5** 산 중턱 이상에서의 화전火田을 금함. **6** 5가작통법五家作統法 및 이정법里定法을 개정하여 백성들에 대한 통제를 강화함. **8** 이종백李宗白, 《경연고사經筵故事》를 찬진함. **11** 안변安邊의 동광 채취를 금함. **12** 사형수에 대해 삼복三覆을 시행함.	**1** 청, 구이저우貴州를 평정함. **3** 청, 부이단傅爾丹과 악종기岳鍾琪에게 갈이단噶爾丹의 책령策零을 치게 함. ▶청, 영국과 무역을 시작함. ▶영국, 스페인 · 프랑스와 세빌라Sevilla 조약을 맺어 지브롤터Gibraltar를 점유함.
1730 (4063) 경술	6	**1** 여천군驪川君(이증李增), 청에 사은사로 다녀와 새로운 역서曆書를 바침. **5** 《숙묘보감肅廟寶鑑》을 완성함. 창경궁昌慶宮 49칸이 불탐. **9** 송진명宋眞明, 《백두산지도》를 제작함. **12** 황해도에 민란이 일어남. ▶의겸義謙, 운흥사괘불雲興寺掛佛을 제작함.	**5** 청, 샹장湘江 총독 이위李衛가 항저우杭州의 천주교당을 파괴함. ▶신성로마제국 카알Karl 6세, 세빌라Sevilla 조약에 분개하여 밀라노Milano에 출병함.
1731 (4064) 신해	7	**3** 공사천법公私賤法을 정하여 남자는 부역父役을, 여자는 모역母役을 따르게 함. **4** 무장이 수레 타는 것을 금함. **5** 처음으로 비국제언당상備局堤堰堂上을 차출함. **9** 홍이포紅夷砲를 새로 제작함. **10** 주전소鑄錢所 분소를 설립함.	**1** 스페인, 세빌라Sevilla 조약을 폐기함. **3** 영국 · 네덜란드, 빈Wien 조약에 참여함. **4** 영국, 디포Defoe 사망. **6** 청, 갈이단噶爾丹의 책령策零에게 대패함. ▶스웨덴, 동인도회사 설립.

연대	조선	우리 나라	다른 나라
1732 (4065) 임자	영조 8	**2** 청에서《만년력萬年曆》을 들여옴.《경종실록》을 완성함. **3** 윤증尹拯의《명재유고明齋遺稿》를 간행함. 7 삼남지방의 기름진 밭에 담배 재배하는 것을 금함. **8** 선기옥형璿璣玉衡을 제작함. ▶조문명趙文命 사망.	**윤5** 청, 타이완臺灣의 대갑大甲 번란藩亂을 평정함. ▶청, 군기처軍機處를 설치함. ▶일본, 관서지방의 병충해로 기근 발생함. ▶아메리카, 13주 식민지가 성립됨.
1733 (4066) 계축	9	**1** 금주령을 내림. **3** 평안도에서 농업을 포기하고 상업에 종사하는 백성이 증가함. **8** 국문할 때 낙형烙刑(불로 지짐)을 금함. **10** 평양 중성中城을 축조함. **11**《퇴도언행록退陶言行錄》을 간행함. **12** 혼인 때의 납폐納幣는 오례의五禮儀에 따르도록 함. ▶이형상李衡祥 사망.	**1** 일본, 쌀값 폭등으로 에도江戶에서 폭동 일어남. **3** 청, 각 성省에 서원書院을 세움. ▶영국 케이Kay, 방직기紡織機를 개량함. ▶프랑스·스페인·사르디니아, 오스트리아 및 러시아와 폴란드 계승전쟁 벌임.
1734 (4067) 갑인	10	**1** 비변사備邊司 당상을 8도 구관당상勾管堂上으로 임명함. 문관과 무관에 속한 기생들을 방면함. **5** 흉년으로 감한 공물가貢物價를 환원함. **6** 전주부성全州府城 공사를 완료함. **8** 돈으로 받던 일부 대동미大同米와 군포軍布를 무명으로 징수함. **9** 어전기御前旗를 홍색으로 고침. ▶이인상李麟祥의〈한거도閑居圖〉, 정선鄭敾의〈금강전도金剛全圖〉가 이루어짐.	**2** 청, 여유우黎維祐를 안남왕安南王에 봉함. **5** 스페인, 비톤드 전투에서 오스트리아군을 격파함. **6** 프랑스·사르디니아 연합군, 오스트리아군을 격파함. **8** 청, 갈이단噶爾丹의 책령策零이 화의를 청해 옴. ▶영국·러시아, 통상조약 체결함. ▶프랑스 볼테르Voltaire,《철학서간哲學書簡》을 펴냄.
1735 (4068) 을묘	11	**1** 관상감관 안중태安重泰, 연경燕京(베이징北京)에 가서 역서曆書를 구입해 옴. **5** 충청도를 공홍도公洪道로, 전라도를 전광도全光道로, 강원도를 강춘도江春道로 고침:도에서 역적이 나온 일을 징계. **10** 관서수미삼분법關西收米三分法을 제정함. **12** 무명으로 대동미大同米를 받던 것을 돈과 무명으로 절반씩 받음. 청과의 무역에서 비단 수입이 증가함. ▶조영석趙榮祏, 세조 어진御眞을 모사하라는 명령에 불응하여 투옥됨.	**8** 청, 세종 사망: 고종高宗(건륭제乾隆帝) 즉위. **10** 프랑스, 오스트리아와 빈Wien 평화조약을 체결함: 폴란드 계승전쟁 끝남. **12** 청,《찬수명사纂修明史》를 편찬함. ▶독일 바하Bach,〈이탈리아협주곡〉을 작곡함. ▶스웨덴 린네Linne,《식물분류植物分類》를 펴냄.

연대	조선	우리 나라	다른 나라
1736 (4069) 병진	12	**1** 원자를 세자로 책봉함: 사도세자思悼世子. **3** 충청도와 전라도의 전세미田稅米를 병선으로 운반하게 함. **8** 정제두鄭齊斗 사망. **11** 종신宗臣과 대신大臣 간의 노상상견례路上相見禮를 정함. **12** 난전亂廛의 상품을 현장에서 압수하는 것을 금함. ▶이인상李麟祥, 〈은선대隱仙臺〉와 〈옥류동玉流洞〉을 그림. ▶이시항李時恒 · 민진원閔鎭遠 사망.	**5** 일본, 금은화를 고쳐 주조함. 스페인, 빈Wien 평화조약을 승인함. **6** 일본, 청의 무역선 수를 감함. **10** 청, 네덜란드 상세商稅를 감해 줌. ▶청, 팔기八旗의 정전井田을 폐지하고 둔전屯田을 설치함. ▶터키, 러시아 및 오스트리아와 전쟁 벌임.
1737 (4070) 정사	13	**1** 공인貢人들이 납부하지 않은 세액을 면제해 줌. **5** 몽학총민청蒙學聰敏廳을 설치함: 몽골어 강습기관. **6** 《어제내훈御製內訓》을 배포함. **8** 영조, 공경公卿 이하에게 붕당의 폐단을 경계함. **10** 유수원柳壽垣, 《우서迂書》를 지음. **11** 예안禮安에 석빙고石氷庫를 건조함. ▶고시언高時彦, 〈소대풍요昭代風謠〉를 지음.	**2** 청, 귀화성歸化城을 쌓음. 여유위黎維禕를 안남왕安南王에 봉함. ▶독일, 괴팅겐Göttingen 대학 설립. ▶러시아, 터키로부터 크림Crim반도와 아조프Azof를 탈취함. ▶스웨덴 린네Linne, 《자연의 체계》를 발표함.
1738 (4071) 무오	14	**1** 영조, 권농령을 내림. 전광도를 전라도로, 강춘도를 강원도로 환원시킴. **8** 백색 옷을 금하고 청색 옷을 입게 함. **10** 평안도 병영에서 《무비지武備志》를 간행함. **12** 향음주례鄕飮酒禮를 엄수케 함. ▶이인상李麟祥, 〈한림수석도寒林樹石圖〉를 그림.	▶페르시아, 아프가니스탄을 정복함. ▶프랑스, 오스트리아와 빈Wien 조약의 확정 조약을 체결함: 국사조칙國事詔勅을 승인함. ▶이탈리아, 폼페이Pompei 유적 발굴을 시작함.
1739 (4072) 기미	15	**1** 경기도 광주의 군사로 등록된 사노비는 상전上典이 소유할 수 없게 규정함. **2** 청에서 간행된 《명사조선전明史朝鮮傳》을 들여옴. 조취총鳥嘴銃을 시험 발사함. **3** 전주 경기전慶基殿에 비를 세움. **7** 개성교수開城敎授를 다시 둠. **9** 경기병京騎兵을 폐지함. 노론파 관리를 다시 등용함. ▶이인상李麟祥, 〈수하한담도樹下閑談圖〉를 그림.	**8** 청, 《명사明史》를 완성함. **9** 오스트리아 · 터키, 베오그라드Beograd 평화조약을 맺음. **10** 영국 · 스페인, 식민지전쟁을 개시함. 러시아 · 터키, 콘스탄티노플Constantinople 조약을 체결함. ▶영국 흄Hume, 〈인성론人性論〉을 발표함.

연대	조선	우리 나라	다른 나라
1740 (4073) 경신	영조 16	**2** 각 지방의 도량형 기구를 통일시킴. **4** 세종 때의 포백척布帛尺을 본떠 만든 자尺를 전국에 보급함. **5** 이광좌李光佐 사망. **6** 은점에서 세금으로 내는 연鉛은 군영軍營에, 은銀은 호조戶曹에 바치게 함. **윤6** 전라좌수사 전운상田雲祥이 고안한 해골선海鶻船을 제작함.	**10** 오스트리아 왕위계승전쟁 일어남. **11** 청, 《대청율령大淸律令》과 《대청일통지大淸一統志》를 완성함. **12** 프로이센, 슐레지엔Schlesien에 침입함.
1741 (4074) 신유	17	**3** 윤순尹淳 사망. **4** 개인의 서원書院 설립을 금하고 숙종 40년(1714년) 이후 세운 향현사鄕賢祠와 영당影堂 170여개소를 철폐함. **5** 처음으로 한림권점법翰林圈點法을 시행함. **8** 유생들이 서원書院 철폐에 항의함: 성균관成均館 유생들, 동맹휴학함. **9** 이최대李最大의 《몽어노걸대蒙語老乞大》를 간행함.	**1** 청, 원 · 명 이후의 저서를 찾아내게 함. **4** 프로이센, 모르비츠 전투에서 오스트리아군을 격파함. **5** 프랑스 · 스페인 · 바이에른, 동맹하여 오스트리아에 대항함. **8** 러시아, 스웨덴과 전쟁 벌임. **12** 청, 《몽골율령蒙古律令》을 편찬함.
1742 (4075) 임술	18	**3** 반수교泮水橋에 탕평비蕩平碑를 세움. **4** 전국에 전염병이 만연함. **8** 영조, 《악학궤범樂學軌範》 서문을 지음. 《병장도설兵將圖說》을 간행함. 상여가 나갈 때 염불하는 것을 금함. **11** 양역사정청良役査正廳을 다시 설치함. 〈천문도天文圖〉 및 〈오층윤도五層輪圖〉를 모방하여 완성함.	**6** 프로이센, 고츠지츠Ghotusitz 전투에서 오스트리아군을 격파함: 브레슬라우Breslau 조약 맺고 휴전. **7** 청, 강남 판미販米의 해외 반출을 금함. 오스트리아, 프로이센과 베를린 조약을 맺음: 슐레지엔Schlesien 전쟁 끝남.
1743 (4076) 계해	19	**4** 상채청償債廳을 폐지함. **윤4** 영조, 반궁泮宮(성균관과 문묘)에서 대사례大射禮를 행함. **7** 강화 외성外城을 개축하다 예산 부족으로 중단함. 《양역실총良役實摠》을 반포함.	**4** 청, 구전법區田法을 시행함. 영국, 데팅겐Dettingen 전투에서 프랑스군을 격파함. **12** 청, 경사오성京師五城에 평조국平糶局을 설치함.
1744 (4077) 갑자	20	**1** 세자빈에 혜빈홍씨惠嬪洪氏를 책봉함. **7** 전가사변법全家徙邊法(죄인의 전 가족을 변방으로 보냄)을 제정함. 벽돌 제조법을 도입하여 벽돌을 생산함. **11** 《속대전續大典》을 완성함. ▶김두량金斗樑이 〈월야산수도月夜山水圖〉를, 심사정沈師正이 〈맹호도猛虎圖〉를 그림.	**6** 청, 삼교당三敎堂 설치를 금함. ▶일본, 간다神田에 천문대를 설치함. ▶영국 · 프랑스, 제1차 식민지전쟁 일으킴. ▶프로이센, 보헤미아Bohemia에 침입함: 제2차 슐레지엔Schlesien 전쟁.

연 대	조선	우 리 나 라	다 른 나 라
1745 (4078) 을축	21	**1** 심리사審理使를 8도에 파견하여 억울한 죄수를 재심함. **3** 창덕궁昌德宮 인정문仁政門을 중건함. **4** 구택규具宅奎, 《관방지도關防地圖》를 찬진함. 양근楊根(지금의 양평)과 여주驪州의 지방민을 조세미 운반 위한 한강 준설공사에 동원함. 이의현李宜顯 사망. **5** 악기조성청樂器造成廳에서 악기를 만들어 올림. **7** 양역良役에서 군포軍布 2필을 1필로 감함. 오광운吳光運 사망.	**5** 프랑스, 폰테노아 전투에서 영국 · 오스트리아 연합군을 격파함. **9** 청, 불법 형구刑具의 사용을 금함. **10** 영국, 스위프트Swift 사망. **11** 청, 갈이단噶爾丹의 책령策零 사망. **12** 프로이센, 드레스덴Dresden 화약을 체결하여 슐레지엔의 영유권을 확보함.
1746 (4079) 병인	22	**4** 원경하元景夏 · 이유신李裕身, 《폐사군도廢四郡圖》를 그려 올리고 폐지한 4군의 복구를 건의함. 《속대전續大典》을 활자본으로 간행함. 비단의 무역을 금함. **9** 고려 두문동杜門洞 72충신의 제사를 명함. **10** 이재李縡 사망. ▶이광사李匡師, 〈고사간화도高士看畫圖〉를 그림.	**2** 프랑스, 브뤼셀을 점령함. **3** 청, 민간인의 산하이관山海關 출경을 금함. **6** 청, 후난湖南에 사곡총창社穀總倉을 설립함. **윤9** 일본, 나가사키長崎에서의 무역을 제한함. **10** 프랑스, 영국으로부터 인도의 마드라스Madras(지금의 첸나이Chennai)를 빼앗음. ▶미국, 프린스턴Princeton 대학 설립.
1747 (4080) 정묘	23	**1** 공홍도公洪道를 다시 충청도로 고침. 해주성海州城을 쌓음. 심사정沈師正, 〈강상야박도江上夜泊圖〉를 그림. **5** 경리청經理廳을 총융청摠戎廳에 합침. 영남지방 7개 읍의 전세田稅를 다시 화폐로 받음. **8** 호남지방에서 양전量田을 실시함. **9** 박성원朴性源, 《화동정음통석운고華東正音通釋韻考》(약칭 정음통석正音通釋) 를 편찬함. ▶정철鄭澈의 《송강가사松江歌辭》를 간행함.	**2** 청 장광사張廣泗, 사라분莎羅奔의 반란을 토벌함. **5** 프로이센 · 스웨덴, 스톡홀름 조약을 체결함. **7** 러시아, 네덜란드와 상트페테르부르크Sankt Peterburg 조약을 체결함: 12월 영국과도 체결함. ▶아프가니스탄, 페르시아로부터 독립함.
1748 (4081) 무진	24	**6** 조현명趙顯命, 《양역사정良役査正》을 찬진함. **윤7** 세검정洗劍亭을 건립함. **9** 《무원록無冤錄》을 중간하여 반포함. **12** 정석오鄭錫五, 동지사冬至使로 청에 가다 사망함. ▶현문항玄文恒의 《동문유해同文類解》를 간행함.	**10** 오스트리아 왕위계승전쟁 끝남: 아헨Aachen 조약 체결. **12** 청, 장광사張廣泗를 살해함. ▶영국 흄Hume, 《인간오성론집人間悟性論集》을 펴냄. ▶프랑스 몽테스키외Montesquieu, 〈법의 정신〉을 발표함.

연대	조선	우리 나라	다른 나라
1749 (4082) 기사	영조 25	**1** 영조, 세자에게 대리청정을 명함. **8** 강세황姜世晃, 〈산수도山水圖〉를 그림. **9** 박문수朴文秀, 《탁지정례度支定例》를 간행함. **11** 조관빈趙觀彬, 《속병장도설續兵將圖說》을 편찬함. **12** 운각芸閣에서 《국혼정례國婚定例》를 간행함. ▶최북崔北, 〈도담삼봉도島潭三峰圖〉를 그림.	**1** 청 악종기岳鍾琪, 사라분莎羅奔의 항복받고 금천金川을 평정함. **9** 청, 몽골 유목지의 사유를 금함. ▶영국, 프랑스로부터 마드리드Madrid를 회복함. ▶프랑스 뷔퐁Buffon, 《박물지博物誌》 제1권을 출간함. ▶미국 프랭클린Franklin, 피뢰침을 발명함.
1750 (4083) 경오	26	**5** 영조, 창경궁昌慶宮 홍화문弘化門에서 백성들로부터 양역변통良役變通(양역 폐단에 대한 개선책)에 대한 의견을 들음. 수어사守禦使를 광주유수로, 총융사摠戎使를 경기병사로 함. **7** 균역청均役廳 설치: 균역법均役法을 시행함. ▶신경준申景濬, 《훈민정음언해訓民正音諺解》를 지음.	**1** 일본, 농민들의 집단 상소를 금함. **10** 청, 티베트의 반란을 진압함. ▶청, 봉금령封禁令을 내림. ▶영국, 러시아 · 오스트리아 동맹에 가입함. ▶독일, 바하Bach 사망.
1751 (4084) 신미	27	**1** 한원진韓元震 사망. **5** 조현명趙顯命, 《균역변통문답均役變通問答》을 찬진함. **윤5** 정선鄭敾, 〈인왕제색도仁王霽色圖〉 그림. **6** 홍계희洪啓禧, 《균역변통사의均役變通事宜》를 찬진함. ▶이중환李重煥, 《택리지擇里志》를 지음.	**2** 일본, 교토京都에 지진 일어남. **6** 청, 미얀마 사신이 옴. ▶프랑스 디드로Diderot, 《백과전서》 제1권을 간행함. ▶영국 클라이브Clive, 인도의 알코트를 점령함.
1752 (4085) 임신	28	**4** 일본과의 인삼 무역을 엄히 단속함. 조현명趙顯命 사망. **7** 무늬 있는 비단을 금함. ▶진주 촉석루矗石樓를 건립함. 월정사月精寺 대웅전을 중건함. ▶광주 번조소燔造所를 분원리로 옮김. ▶이중환李重煥 사망.	**8** 청 악종기岳鍾琪, 창왕蒼旺의 반란을 진압함. **9** 청, 포르투갈 사절이 옴. ▶미얀마, 알라웅파야Alaungpaya 왕조 성립. ▶영국, 본국과 식민지에서 그레고리력Gregory曆을 사용함.
1753 (4086) 계유	29	**1** 장산곶 이북지방의 세미를 금납제로 함. **9** 김약로金若魯 사망. **12** 전국 호구조사: 177만 2749호, 728만 8736명으로 집계됨. ▶구윤명具允明의 《궁원식례宮園式例》를 간행함.	**6** 청, 만주 관리의 외성 거주를 금함. ▶영국, 대영박물관을 설립함. 버클리Berkeley 사망. ▶네덜란드 동인도회사, 자바Java를 점령함.

연대	조선	우리 나라	다른 나라
1754 (4087) 갑술	30	**2** 과거장에 서적 휴대와 시종 동행을 금함. **4** 황구첨정黃口簽丁이 성행함. **윤4** 안국빈安國賓 등, 《누주통의漏籌通義》를 편찬함. ▶이인상李麟祥, 〈송하독좌도松下獨坐圖〉를 그림.	**4** 청 악종기岳鍾琪, 전사함. **6** 아메리카, 영국의 식민지 대표들이 올버니Albany 회의에서 식민지 연합안을 부결시킴. ▶미국, 콜럼비아Columbia 대학 설립.
1755 (4088) 을해	31	**2** 나주에서 괘서사건掛書事件이 발생함: 윤지尹志 등 처형됨. **4** 영조, 《어제대훈御製大訓》을 반포함. **5** 심정연沈鼎衍, 토역정시討逆庭試의 답안지 변서사건으로 처형됨. **11** 김재로金在魯, 《천의소감闡義昭鑑》을 편찬함. 죽령 아래 5개 현의 전세를 화폐로 징수함. ▶김수장金壽長, 《해동가요海東歌謠》 편찬.	**2** 프랑스, 몽테스키외Montesguieu 사망. **5** 프로이센 · 터키, 대오스트리아 동맹을 체결함. ▶영국 · 프랑스, 아메리카 식민지 전쟁 일으킴. ▶프랑스 루소Rousseau, 〈인간불평등기원론〉을 발표함. ▶러시아, 모스크바Moskva 대학 설립.
1756 (4089) 병자	32	**1** 가체加髢(부녀자들이 머리에 큰머리를 얹는 일)를 금하고 족두리를 쓰게 함. **4** 박문수朴文秀 사망. **7** 전국에 금주령을 내림. ▶신경준申景濬, 《강계지疆界誌》를 지음. ▶심사정沈師正, 〈쌍치도雙雉圖〉를 그림.	**1** 영국 · 프로이센, 웨스트민스터Westminster 협정을 체결함. **5** 영국 · 프랑스, 인도에서 식민지 전쟁 일으킴. 프랑스 · 오스트리아, 베르사유Versailles 조약을 체결함.
1757 (4090) 정축	33	**2** 노총각과 노처녀에게 쌀과 돈을 주어 혼인시킴. 정성왕후貞聖王后(영조 비) 사망. **3** 인원왕후仁元王后(숙종 계비) 사망. **7** 《어제고금연대귀감御製古今年代龜鑑》을 간행하여 사고史庫에 비치함. **11** 《계주윤음戒酒綸音》을 반포함. **12** 당하관에게 녹포綠袍를 입게 함. ▶경기도 고양에 서오릉西五陵을 조성함. ▶박성원朴聖源 사망.	**5** 프로이센, 프라그Prague 전투에서 오스트리아군을 격파함. **12** 청, 보갑법保甲法을 제정함. ▶청, 외국무역을 광둥廣東에 한정시킴. ▶영국 클라이브Clive, 플라시Plassey 전투에서 프랑스 · 벵골 연합군을 격파함.
1758 (4091) 무인	34	**1** 영조, 권농령을 내림. 청에서의 청포靑布 수입을 금하고 청색 물들인 목면으로 대용케 함. **5** 《국조상례보편國朝喪禮補編》을 간행함. **6** 《열성지장통기列聖誌狀通紀》를 간행함. **8** 충청도 진전陳田의 개량을 명함. ▶해서지방과 관동지방의 천주교를 엄금함.	**6** 프로이센, 프랑스군을 격파함: 8월 러시아군 격파. **8** 청, 곽집점霍集占의 난을 토벌함. ▶프랑스 케네Quesnay, 〈경제표經濟表〉를 발표함.

연 대	조선	우 리 나 라	다 른 나 라
1759 (4092) 기묘	영 조 35	**6** 김한구金漢耉의 딸을 왕비로 삼음. **10** 준천절목濬川節目 상정함. 구선복具善復, 〈준천도濬川圖〉를 제작하여 올림. 김재로金在魯 사망. **12** 전국 호구조사: 165만 4248호, 679만 6690명으로 집계됨. ▶이이李珥의 《성학집요聖學輯要》를 간행함. ▶정선鄭敾 사망.	**4** 독일, 헨델Handel 사망. **9** 영국, 퀘벡Qüebec 전투에서 프랑스군을 격파함. **10** 청, 투르키스탄Turkistan을 정복함. **12** 청, 주단과 면견(고치)의 수출을 금함.
1760 (4093) 경진	36	**4** 영조, 오간수문五間水門의 준설공사에 행차함. **6** 관개시설 없는 논에 이앙법移秧法을 금지함. 《일성록日省錄》 기록을 시작함. **7** 영조, 경희궁慶熙宮으로 옮김. ▶김홍도金弘道, 〈신선도神仙圖〉와 〈영모도翎毛圖〉를 그림. ▶이인상李麟祥 사망.	**2** 청, 네팔을 멸하고 톈산남로天山南路를 관할함. **8** 프로이센, 라이프니츠Leibniz 전투에서 오스트리아군을 격파함. **9** 영국, 몬트리올Montreal을 함락하고 캐나다를 지배함. ▶스웨덴, 농민반란 일어남.
1761 (4094) 신사	37	**1** 죄인의 부모 · 형제 · 처를 잡아 가두는 악법을 폐지함. **4** 세자, 몰래 관서지방에 갔다 옴. **5** 대사성 서명응徐命膺, 세자의 관서지방 밀행에 대해 논박함. **8** 노비에 대한 상전上典의 형벌을 금함. ▶권상하權尙夏의 《한수재집寒水齋集》을 간행함. ▶영의정 이천보李天輔, 좌의정 이후李 , 우의정 민백상閔百祥이 사도세자의 관서지방 밀행에 책임지고 자결함. ▶윤봉조尹鳳朝 · 조영석趙榮祏 사망.	**8** 프로이센, 오스트리아 · 러시아 연합군과 10월까지 대치함. **10** 영국, 피트Pitt 내각이 총사직함. **12** 영국, 스페인과 나폴리Napoli에 선전포고함. ▶영국, 인도의 프랑스령 퐁디세리Pondicherry를 점령함.
1762 (4095) 임오	38	**2** 참서비기讖書秘記를 보관케 함. **5** 나경언羅景彦, 세자의 비행을 상소하다 처형됨. **윤5** 세자, 서인庶人으로 강등되었다 뒤주 속에 갇혀 죽음. 세자의 위호를 회복하고 사도思悼 시호를 내림. **7** 각 도의 향전鄕戰을 금함. **8** 홍봉한洪鳳漢, 〈사도세자시말思悼世子始末〉의 기록을 청함. **9** 금주령을 어긴 범법자는 사형에 처함.	**7** 영국, 스페인으로부터 아바나Havana를 빼앗음. 러시아, 왕후 예카테리나Ekaterina가 표트르Pyotr 3세를 폐하고 즉위함. **10** 청, 명서明瑞를 이리伊犁 장군에 임명함. ▶프랑스 루소Rousseau, 〈사회계약론社會契約論〉 · 〈민약론民約論〉 · 〈에밀Emile〉 등을 발표함.

연대	조선	우리 나라	다른 나라
1763 (4096) 계미	39	**4** 고려왕릉 · 단군릉 · 기자묘와 신라 · 고구려 · 백제의 시조릉을 보수함. **5**《어제경세문답御製經世問答》을 간행함. **11** 부녀자의 가체加髢를 다시 허용함. **12** 이익李瀷 사망. ▶김수장金壽長, 《해동가요海東歌謠》를 수정 보완하여 편찬함. ▶조엄趙曮, 통신사로 쓰시마섬對馬島에 갔다가 고구마 종자를 들여옴: 강필리姜必履, 고구마 재배를 장려함. ▶김두량金斗樑 사망.	**2** 청, 펑톈奉天(지금의 선양瀋陽)의 해금령海禁令을 해제함. 영국, 프랑스 · 스페인과 파리 조약을 체결함. 프로이센 · 오스트리아 · 작센, 후베르투스부르크 Hubertusburg 화약을 체결함: 7년전쟁 끝남. **9** 청, 과포다둔전科布多屯田을 설치함. ▶영국, 파리 조약에 의해 프랑스령 서인도제도를 반환함.
1764 (4097) 갑신	40	**1** 충량과忠良科를 시행함. **6** 청과의 밀무역을 막기 위해 함경도 단천端川 이북에서의 화폐 사용을 금함. **9** 북도감시어사北道監市御使를 파견함. **10** 장례원掌隷院을 폐지함. 상인들의 상품 매점행위를 통제함. ▶김인겸金仁謙의 《일동장유가日東壯遊歌》, 송계연월옹松桂烟月翁의 《고금가곡古今歌曲》을 간행함.	**4** 프로이센 · 러시아, 폴란드에 관해 협정함. **11** 청, 《대청일통지大淸一統志》를 중수함. ▶영국, 설탕조례를 제정함. 하그리브스Hargreaves가 다축방적기를 발명함. ▶프랑스, 아메리카에 세인트루이스Saint Louis를 건설함.
1765 (4098) 을유	41	**2** 영조, 《백행원百行源》을 편찬함. **4** 홍계희洪啓禧 등, 《해동악장海東樂章》을 편찬함. **9** 혼인에서 당파를 가리지 못하게 함. 4년 전 불탄 묘향산 보현사普賢寺를 복구함. **10** 장례원掌隷院에서 관장하던 노비 사무를 형조刑曹에 이관함. **12** 홍대용洪大容, 《연행록燕行錄》을 지음. ▶《청어노걸대언해淸語老乞大諺解》와 《박통사언해朴通事諺解》를 간행함. ▶최북崔北, 〈송음관폭도松陰觀瀑圖〉를 그림.	**2** 청, 이리伊犁에 혜원성惠遠城을 축조함. **3** 영국, 인지조례印紙條例를 제정함. **10** 아메리카, 뉴욕에서 식민지 대표회의가 열림. ▶청, 미얀마에 침입함. ▶무굴Mughul 제국, 영국 동인도회사에 벵골Bengal을 양도함. ▶영국 와트Watt, 증기기관을 개량함.
1766 (4099) 병술	42	**1** 영조, 권농령勸農令을 내림. **2** 각 도의 은결隱結을 조사함. **8** 진연례進宴禮를 행함. ▶안향安珦의 《회헌실기晦軒實記》를 간행함. ▶강세황姜世晃, 자화상自畵像을 그림. ▶이정보李鼎輔 · 윤두서尹斗緖 사망.	**3** 영국, 식민지에 부과했던 인지조례印紙條例를 폐기함. **6** 청, 금천金川에서 반란이 일어남. **10** 영국, 소피트小Pitt 내각 성립. **12** 청, 《대청회전大淸會典》을 중수함.

연대	조선	우리 나라	다른 나라
1767 (4100) 정해	영조 43	**2** 영조, 친경의親耕儀를 행함. 제주祭酒 사용을 허가함. **3** 영조, 채상례採桑禮를 행함. **6** 백색 옷과 연한색 옷 착용을 금함. **7** 갑산甲山에 단壇과 각閣을 설치하고 백두산에 제사 지냄. **10** 유척기俞拓基 사망. ▶전주 풍남문豊南門을 건립함. ▶박성원朴性源 사망.	**6** 영국, 타운센드Townshend 조례를 제정함: 아메리카에 수입되는 유리 · 종이 · 차에 과세. ▶인도 · 영국, 마이소르Mysore 전쟁 일으킴. ▶프랑스 케네Quesnay, 〈중농주의〉를 발표함. ▶스페인, 예수회를 추방함.
1768 (4101) 무자	44	**1** 개인이 소 잡는 것을 금함. **7** 청천강 수로水路에 대한 현지조사를 실시함. **8** 서지수徐志修 사망. **12** 이억성李億成의 《몽어유해蒙語類解》를 간행함. ▶김윤겸金允謙, 〈금강산화첩金剛山畵帖〉을 그림. ▶최북崔北 사망.	**2** 청 명서明瑞, 미얀마의 전투에서 전사함. **8** 아메리카, 뉴욕에서 영국 제품 수입 반대 동맹을 결성함. ▶영국, 쿡Cook이 남태평양을 탐험함. 아크라이트Arkwright가 수력방적기 를 발명함. ▶러시아, 터키와 전쟁 벌임.
1769 (4102) 기축	45	**3** 국혼國婚에 주단 사용을 금함. **4** 《북도개시정례北道開市定例》를 간행하여 준수케 함. **12** 각 도의 은점을 폐지함. ▶해인사海印寺 대적광전을 재건함. ▶심사정沈師正 · 진재해秦再奚 · 윤봉오尹鳳五 · 홍상한洪象漢 사망.	**2** 청, 서양 선박의 유황 적재 금지를 해제함. ▶영국 쿡Cook, 뉴질랜드에 도착함. ▶프랑스, 코르시카Corsica를 병합함. ▶러시아, 터키군을 격파함.
1770 (4103) 경인	46	**1** 정철鄭澈의 《훈민가訓民歌》를 간행하여 보급함. **5** 세종 때의 측우기를 제조함. **8** 《동국문헌비고東國文獻備考》를 편찬함. ▶풍기대風旗臺를 석대石臺로 개량하여 창덕궁昌德宮과 경희궁慶熙宮에 설치함. ▶신경준申景濬, 《도로고道路考》를 편찬함. ▶김홍도金弘道, 동궁東宮인 정조 초상을 그림. ▶이지억李之億 · 윤급尹汲 사망.	**3** 아메리카, 보스턴 학살사건 일어남: 영국군 철수 요구. 영국, 차茶 이외의 수입세를 폐지함. ▶영국 쿡Cook, 오스트레일리아를 탐험함. ▶프랑스, 동인도회사를 해체함. ▶러시아, 터키에 침입하여 연전연승함.
1771 (4104) 신묘	47	**1** 전국의 제방을 수축함. **4** 북경 무역에 대한 제한을 엄수케 함. **10** 전주에 조경묘肇慶廟 건립. 홍계희洪啓禧 사망. **11** 신문고申聞鼓를 다시 설치함. **12** 전국 호구조사: 168만 9046호, 701만 6370명으로 집계됨.	**3** 일본 스기다杉田玄白, 《인신내경도人身內景圖》를 번역함. ▶영국, 《백과전서》를 간행함. 쿡Cook이 탐험 끝내고 귀환함. ▶러시아, 크림Krym 반도를 점령함.

연 대	조선	우 리 나 라	다 른 나 라
1772 (4105) 임진	48	**1** 《의례문해疑禮問解》를 불태움. **2** 궁궐 안의 《임진일기壬辰日記》가 유실됨. **3** 이현석李玄錫의 《명사강목明史綱目》을 간행함. **8** 동색금혼패同色禁婚牌를 집집마다 걸게 함. **12** 갑인자甲寅字를 개주하여 임진자壬辰字 15만자를 주조함. ▶서명응徐命膺, 《계몽도설啓蒙圖說》을 편찬함. ▶김응환金應煥, 김홍도金弘道에게 〈금강전도金剛全圖〉를 그려 줌.	**2** 일본, 에도江戶에 화재 발생. **7** 영국 쿡Cook, 제2차 탐험 항해 출발: 태평양의 여러 섬을 발견함. **8** 러시아 · 오스트리아 · 프로이센, 폴란드 분할 점령을 시행함. ▶영국, 《모닝 포스트Morning Post》 신문을 창간함.
1773 (4106) 계사	49	**1** 변상벽卞相璧 · 신한평申漢枰 · 김홍도金弘道 · 김후신金厚臣 · 김관신金觀臣 등, 영조의 초상을 그림. 무관 자식에게도 문과 응시 자격을 줌. **6** 한성 청계천 둑의 석축을 시작함. **11** 총융청總戎廳에서 조화포 · 일화봉 등 새로운 포탄을 만들어 실제 사격으로 실험함. **12** 인평대군麟坪大君의 《연행록燕行錄》을 간행함. ▶남유용南有容 · 유언술俞彦述 사망.	**2** 청, 사고전서관四庫全書館 개설: 기균紀昀을 책임자에 임명. **12** 미국, 보스턴 차Boston茶 사건 일어남 ▶교황 클레멘스Clemens 14세, 예수회 해산을 포고함. ▶러시아, 푸가초프Pugachov 농민반란 일어남.
1774 (4107) 갑오	50	**3** 역노공驛奴貢 · 사노공寺奴貢 · 무녀포巫女布를 탕감해줌. **4** 첩 자식의 상속권을 인정함. **5** 신광수申光洙, 《관서악부關西樂府》를 지음. **6** 가야 시조 수로왕首露王에게 제사 지냄. **10** 청으로부터의 관모 수입을 금지함. ▶천은사泉隱寺를 재건함. ▶이형상李衡祥의 《병와문집甁窩文集》을 간행함.	**3** 영국 의회, 보스턴Boston 항만조례를 통과시킴. **9** 청 서혁덕徐赫德, 산둥山東 지방 왕륜王倫의 난을 격파함. 아메리카, 13주 대표가 필라델피아Philadelphia에서 대륙회의를 개최함. ▶프랑스, 케네Quesnay 사망. ▶독일 괴테Goethe, 〈젊은 베르테르Werthers의 슬픔〉을 발표함.
1775 (4108) 을미	51	**1** 소년少年들을 군역軍役 대상자로 뽑는 현상이 빈발함. 삼남지방에서 환곡還穀 대신 돈으로 징수하는 폐단이 심해짐. **10** 폐지한 4군의 복구 문제를 논의함. **12** 세손에게 정사를 대행시킴. ▶이헌길李獻吉, 《마진방痲疹方》을 편찬함. ▶조영진趙榮進 · 신광수申光洙 사망.	**5** 아메리카, 필라델피아에서 제2회 대륙회의를 개최함. **6** 청, 광시廣西 상인의 출국과 무역을 금함. 아메리카 워싱턴Washington, 식민지군 총사령관이 됨. **7** 아메리카, 보스턴이 영국군에 포위됨: 렉싱턴Lexington에서 영국군과 충돌.

연대	조선	우리 나라	다른 나라
1776 (4109) 병신	영조 52	**3** 영조 사망: 정조正祖 즉위. 사도세자思悼世子를 장헌세자莊獻世子로 추존함. **5**《조보朝報》를 활자로 인쇄할 것을 논의함. **6** 원당願堂의 폐를 없애게 함. 홍국영洪國榮, 도승지가 되어 세도 부림: 세도정치勢道政治의 시작. **7**《열성어제列聖御製》를 간행함. 홍인한洪麟漢·정후겸鄭厚謙 사사됨. **9** 궁방宮房의 전세를 호조에서 징수하기로 함. 경모궁景慕宮을 다시 건립함. 규장각奎章閣 건물을 완성함.	**1** 청, 금천金川의 난을 평정함. **3** 영국 스미스Smith, 〈국부론國富論〉을 발표함. **6** 영국 쿡Cook, 제3차 탐험 항해 출발. **7** 미국, 독립을 선언함. **8** 영국, 흄Hume 사망. **12** 미국, 볼티모어Baltimore에서 대륙회의를 개최함.
1777 (4110) 정유	정조 1	**3** 김치인金致仁,《명의록名義錄》을 지음.《선원보략璿源譜略》을 간행하여 규장각奎章閣에 보관함. 서류소통절목庶類疏通節目을 정함. **6** 비변사備邊司, 모세사목帽稅事目을 올림. **8** 갑인자甲寅字를 고쳐 정유자丁酉字를 주조함. **9** 악기 제조 위해 악기도감樂器都監을 설치함. **11** 숙위소宿衛所를 설치함. **12** 교서관校書館을 규장외각奎章外閣으로 고침. ▶홍양호洪良浩,《북새기략北塞記略》을 지음. ▶조엄趙曮·이광사李匡師 사망.	**3** 미국, 필라델피아Philadelphia에서 대표자회의를 개최함. **10** 미국 독립군, 영국군을 격파함. **11** 미국, 대륙회의에서 연합규약을 가결함. 국호를 아메리카합중국United States of America으로 함. 국기國旗로 성조기星條旗를 제정함. ▶프랑스, 네케르Necker가 재무총감이 되어 개혁을 추진함. 라부아지에Lavoisier가 공기의 성분을 분석하는 데 성공함.
1778 (4111) 무술	2	**1**《흠휼전칙欽恤典則》을 간행함. **2** 노비추쇄관奴婢推刷官을 폐지함. 호위扈衛 3청廳을 1청으로 함. **4** 김종수金鍾秀,《경연고사經筵故事》를 찬진함. **6** 홍국영洪國榮 누이가 원빈元嬪이 됨. **7** 박제가朴齊家,《북학의北學議》를 지음. 공충도公忠道를 홍충도洪忠道로 개칭함. **9** 각 군문軍門에서 시취試取하는 기예技藝의 명칭을 통일함. 제주도 출입을 금함. **12** 홍봉한洪鳳漢 사망. ▶안정복安鼎福,《동사강목東史綱目》을 완성함. ▶금강산 표훈사表訓寺를 복구함.	**1** 프랑스, 미국 독립을 승인함. **2** 미국, 프랑스와 공수동맹 및 통상조약을 맺음. **5** 프랑스, 볼테르Voltaire 사망. **6** 일본, 러시아 선박이 홋카이도北海島에 와서 통상할 것을 요구함. **7** 오스트리아·프로이센, 바이에른Bayern 계승전쟁 벌임. 프랑스, 루소Rousseau 사망. ▶타이, 정소鄭昭가 왕위에 올라 방콕으로 천도함. ▶스웨덴, 린네Linne 사망.

연 대	조선	우 리 나 라	다 른 나 라
1779 (4112) 기해	3	**1** 내시교관內侍敎官을 폐함. **3** 내각검서관內閣檢書官을 설치함. **9** 홍국영洪國榮, 정계政界 은퇴를 결행함. ▶영도사永導寺를 옮겨 짓고 개운사開運寺로 개칭함. ▶서명응徐命膺, 《규장운서奎章韻書》를 편찬함. ▶이벽李檗, 《성교요지聖敎要旨》를 지음.	**2** 영국 쿡Cook, 하와이에서 원주민에게 피살됨. **5** 오스트리아 · 프로이센, 테센의 화약을 맺음: 바이에른Bayern 계승 전쟁 끝남. **6** 스페인, 영국에 선전포고함. ▶영국 크롬프턴Crompton, 뮬mule 방적기를 제작함.
1780 (4113) 경자	4	**2** 홍국영洪國榮, 왕비를 독살하려다 발각되어 향리로 쫓겨남. **4** 송광사松廣寺 국사전國師殿의 〈16국사영정〉을 완성함. **5** 안변安邊에서 동광을 개발하고 동점銅店을 설치함. ▶《백중력百中曆》을 간행함: 대통력법大統曆法과 시헌력법時憲曆法을 함께 수록. ▶박지원朴趾源, 《열하일기熱河日記》를 지음.	**3** 러시아 예카테리나Ekaterina 2세, 해상의 무장중립을 제창함. **11** 오스트리아, 마리아 테레지아 Maria Theresia 사망. ▶인도, 영국과 제2차 마이소르 Mysore 전쟁 벌임. ▶오스트리아 하이든Hyden, 〈장난감 교향곡〉을 작곡함.
1781 (4114) 신축	5	**1** 이문원摛文院을 국별장청局別將廳에 옮겨 설치함. **5** 신경준申景濬 사망. **7** 《영조실록》과 《경종개수실록》을 편찬함. **9** 김홍도金弘道, 희우정喜雨亭에서 익선관翼善冠에 곤룡포袞龍袍 입은 정조의 초상을 그림. 공주 마곡사麻谷寺 대법당에 화재 일어남. **11** 관부와 부호들에 의해 전황錢荒(돈이 아주 귀한 상태)이 발생함. ▶서명응徐命膺, 《국조보감國朝寶鑑》 편찬. ▶박일원朴一源, 《추관지秋官志》 편찬.	**3** 영국 허셜Herschel, 천왕성天王星을 발견함. **4** 청 아계阿桂, 간쑤성甘肅省에서 일어난 회교도回敎徒의 반란을 평정함. **10** 미국, 요크타운Yorktown에서 영국군을 대파함. ▶프랑스, 튀르고Turgot 사망. ▶독일, 칸트Kant가 〈순수이성비판純粹理性批判〉을 발표함. 실러Schiller가 〈군도群盜〉를 발표함.
1782 (4115) 임인	6	**2** 《문헌비고文獻備考》 수정에 착수함. **4** 표착한 외국 선박에 대한 문정問情 사례를 정함. **8** 강원도를 원춘도原春道라 개칭함. ▶서운관書雲館에 명하여 《천세력千歲曆》을 만들게 함. ▶옥천사玉泉寺 동종을 주성함. ▶정창순鄭昌順, 《송도지松都誌》를 편찬함. ▶한성 노량鷺梁에 사육신 묘비를 세움.	**1** 청, 《사고전서四庫全書》를 완성함. **3** 영국 의회, 대미국 평화법을 통과시킴. **4** 청, 《개역요금원삼사改譯遼金元三史》를 편찬함. **11** 영국, 파리 가조약을 체결함. ▶타이, 차크리Chakri 왕조 성립. ▶네덜란드, 미국 독립을 승인함.

연대	조선	우리 나라	다른 나라
1783 (4116) 계묘	정조 7	**1** 승려의 도성 입성을 금함. **2** 사재감司宰監을 다시 둠. **4** 종부시宗簿寺, 《선원계보기략璿源系譜記略》과 《왕비세보王妃世譜》를 간행하여 올림. 홍양호洪良浩, 수레와 벽돌 만드는 방법을 보급시킬 것을 건의함. **10** 이승훈李承薰, 사신을 따라 중국 베이징北京에 감. **11** 《자휼전칙字恤典則》을 반포함. ▶홍대용洪大容 사망.	**1** 청, 진강신하鎭江新河를 개통함. **4** 러시아, 크림Krym반도를 병합함. **9** 영국, 미국과 파리 조약을 맺고 미국 독립을 승인함. 프랑스 및 스페인과 베르사유Versailles 평화조약을 체결함. ▶프랑스, 몽골피에Montgolfier가 경기구輕氣球를 발명함. 달랑베르d'Alembert 사망.
1784 (4117) 갑진	8	**2** 이승훈李承薰, 청의 베이징北京에서 포르투갈 그라몽Grammont 신부로부터 세례 받음: 3월 천주교 관련 서적을 가지고 돌아옴. **3** 이벽李檗 · 권철신權哲身 · 권일신權日身 등, 이승훈李承薰으로부터 세례 받음. **6** 《규장각지奎章閣志》 · 《홍문관지弘文館志》 · 《대전통편大典通編》 등을 편찬함. **9** 유의양柳義養, 《춘방지春坊志》를 지음. **12** 김홍도金弘道, 〈단원도檀園圖〉를 그림. ▶유득공柳得恭의 《발해고渤海考》, 조현범趙顯範의 《강남악부江南樂府》를 편찬함.	**4** 청, 오로목제烏魯木齊에 보갑법保甲法을 시행함. **5** 청 아계阿桂, 간쑤성甘肅省에서 일어난 회교도回敎徒의 반란을 평정함. **8** 영국 의회, 인도 법안을 의결함. **7** 프랑스, 디드로Diderot 사망. **9** 미국, 필라델피아에서 처음으로 일간신문을 발행함. ▶청, 미국 선박이 처음으로 광둥廣東에 내항함. ▶인도, 제2회 마이소르Mysore 전쟁 끝남.
1785 (4118) 을사	9	**1** 《일성록日省錄》을 수정 편찬함. 한성의 김범우金範禹 집에 천주교회를 세움. **2** 의승義僧의 번전番錢(군포軍布 대신 바치던 돈)을 개정함. 마곡사麻谷寺 대광보전大光寶殿을 중창함. 제주도 삼성묘三聖廟에 사액함. **3** 서학西學의 옥 일어남: 천주교도들이 다수 처형됨. **4** 유하원柳河源, 서양 서적의 수입을 금지할 것을 주장함. **5** 무신이 내시와 교통하는 것을 금함. **7** 무예청武藝廳을 장용위將勇衛로 고침. **9** 《대전통편大典通編》을 완성함. ▶간평일구簡平日晷 · 혼개일구渾蓋日晷 등 해시계를 제작함.	**3** 영국, 《The Daily Universal Register》(The London Times의 전신) 를 창간함. **7** 프로이센, 독일 제후연맹을 결성함. **9** 프랑스, 미국과 통상조약을 체결함. **10** 청, 만주어 번역관을 둠. **12** 청, 《요 · 금 · 원 삼사三史》 국어해國語解를 편찬함. ▶영국 카트라이트Cartwright, 역직기力織機 를 발명함. ▶프랑스 블랑샤르Blanchard, 기구氣球로 영국~프랑스 해협 횡단에 성공함.

연대	조선	우리 나라	다른 나라
1786 (4119) 병오	10	**1** 청에 가는 사신들의 개인적 교제와 서적 구입을 금함. **3** 신도薪島에서 물고기 잡는 청인들을 축출함. **4**《갱장록羹墻錄》을 완성함. **8** 정극인丁克仁의 《불우헌집不憂軒集》을 간행함. 강동현江東縣의 단군묘檀君墓를 개수함. ▶임성주任聖周 사망.	**9** 영국 · 프랑스. 통상조약을 체결함. **12** 청. 정화鄭華를 타이 왕에 봉함. 타이완臺灣에서 임상문林爽文 등이 반란 일으킴. ▶일본, 러시아 선박이 홋카이도北海島에 옴. ▶독일, 본Bonn 대학 설립.
1787 (4120) 정미	11	**3** 양반 족보에 이름을 올리고 군역軍役 피하는 현상이 늘어남. 구리와 은의 개인 채광을 금함. **5** 프랑스 함대 페루즈Perouse 일행이 제주도를 측량하고 울릉도에 접근함: 이후 서양 함대의 출몰이 빈번해짐. 책문후시柵門後市를 금함.《문원보불文苑黼黻》을 간행함. **8** 함경도 장진長津을 부府로 승격시킴. 규장각奎章閣,《춘저록春邸錄》을 편찬함. **10**《승문원등록承文院謄錄》을 간행함. **12** 서명응徐命膺 · 조경趙璥 사망. ▶구윤명具允明의 《전율통보典律通補》, 박성원朴性源의《정음통석正音通釋》을 간행함. ▶황경원黃景源 사망.	**2** 프랑스, 명사회名士會를 소집함:5월에 해산. **5** 청 윤덕희尹德禧, 묘족苗族의 반란을 평정함. 미국, 필라델피아 Philadelphia 제헌회의에서 합중국 헌법을 제정함. **8** 청 복강안福康安, 타이완臺灣 반란을 평정함. **9** 미국, 연방 헌법안을 작성함. ▶프랑스, 러시아와 통상조약을 체결함. ▶오스트리아 모차르트Mozart, 〈돈조반니Don Giovanni〉를 작곡함.
1788 (4121) 무신	12	**1** 암행어사의 군관 대동을 금함. 개성상인들이 종이를 밀무역하는 것과 한성의 난전亂廛을 엄히 단속함. 조운선漕運船 · 수참선水站船의 건조와 보수의 연한을 정함. **2** 각 도에 〈송금절목松禁節目〉을 내림. **6** 우정규禹禎圭, 《경제야언經濟野言》을 편찬하여 올림. **7** 장용영壯勇營, 〈신정향군절목新定鄕軍節目〉을 올림. 밀양密陽에 표충사表忠祠를 세움: 휴정休靜 · 유정惟政 · 영규靈圭 제향. **8** 이경명李景溟, 서학西學 폐단을 상소함. 서학西學 관계 서적을 불사름. **9**《동문휘고同文彙考》를 간행함. **10** 부녀자의 가체를 금함. 전국 호구조사: 172만 8948호, 730만 1748명으로 집계됨. ▶이 무렵, 노론 내에 시파時派 · 벽파僻派의 대립이 생김.	**1** 일본, 교토京都에 화재 발생하여 궁성이 불탐. **4** 미국, 헌법이 비준됨. **6** 청 손사의孫士毅, 안남安南에서 승리하고 여유기黎維祈를 왕으로 세움. **8** 영국 · 네덜란드 · 프로이센, 삼국 동맹을 체결함. **9** 프랑스, 전국에서 농민 봉기가 발생함. ▶영국, 오스트레일리아의 시드니 Sydney에 식민지를 건설함. ▶독일 칸트Kant, 〈실천이성비판實踐理性批判〉을 발표함.

연대	조선	우리나라	다른나라
1789 (4122) 기유	정조 13	**2** 비변사備邊司, 과금사목科禁事目을 올림. **5** 3도통어사를 교동부喬桐府에 다시 둠. **6** 규장각奎章閣, 《해동읍지海東邑誌》 편찬을 시작함: 미완성으로 그침. **7** 영우원永祐園(사도세자思悼世子의 묘)을 수원으로 옮기기로 결정함. 수원 읍치를 팔달산八達山으로 옮김. **8** 천문수학서 《신법중성기新法中星記》와 《신법누주통의新法漏籌通義》를 간행함. **12** 비변사備邊司, 주교사舟橋司 설치의 규정에 대해 건의함. 이의봉李義鳳, 《고금석림古今釋林》과 《나려이두羅麗吏讀》를 편찬함. ▶한강에 주교舟橋를 가설함. ▶강세황姜世晃, 〈피금정도披襟亭圖〉를 그림.	**4** 미국, 신정부가 수립됨: 워싱턴Washinton이 초대 대통령에 취임함. **5** 프랑스, 삼부회三部會 소집: 특권계급과 제3세력 충돌. **6** 프랑스, 제3세력이 따로 국민회의를 구성하고 헌법 제정 전까지 해산하지 않을 것을 결의함: 테니스 코트의 결의. **7** 프랑스, 대혁명 일어남: 바스티유Bastille 감옥이 습격당함. **8** 청, 안남 완문혜阮文惠가 조공해 옴: 그를 안남왕에 봉함. 프랑스 입헌회의, 봉건제를 폐지함. 인권선언을 채택함.
1790 (4123) 경술	14	**3** 정약용丁若鏞, 충청도 해미현海美縣에 유배됨. **4** 이덕무李德懋, 《무예도보통지武藝圖譜通志》를 간행함. **5** 윤유일尹有一, 중국 베이징北京교회에 밀서를 보내 신부神父 파견을 요청함. **10** 수원 용주사龍珠寺 창건(현 화성시華城市). ▶서호수徐浩修, 《연행기燕行記》를 편찬함.	**1** 프랑스, 종신서약제終身誓約制 및 승니원僧尼院 폐지를 결의함. **5** 일본, 주자학 외의 학문을 금함. **9** 미국, 인디언 전쟁 일어남. ▶영국, 아크라이트Arkwright가 증기기관 방적기를 발명함. 스미스Smith 사망. ▶미국, 프랭클린Franklin 사망.
1791 (4124) 신해	15	**1** 박필관朴弼寬의 격쟁사건擊錚事件 일어남. **2** 신해통공辛亥通共(일반 상인의 상업활동 보장)을 공포함. **3** 구윤명具允明, 《무원록언해無冤錄諺解》를 펴냄. **4** 황윤석黃胤錫, 《자모변字母辨》과 《화음방언자의해華音方言字義解》를 편찬함. 차천로車天輅의 《오산집五山集》을 간행함. **5** 운각芸閣에서 《차문절공유사車文節公遺事》를 간행함. **7** 안정복安鼎福 사망. **11** 진산珍山의 천주교도 윤지충尹持忠이 모친상을 당하여 신주神主를 불사르고 천주교 의식으로 장례를 치른 진산사건珍山事件으로 권상연權尙然 등과 함께 처형됨: 신해박해辛亥迫害. ▶서명선徐命善 · 김이안金履安 사망.	**4** 프랑스, 미라보Mirabeau 사망. **5** 폴란드, 신헌법을 공포함. **7** 청, 청문학교淸文學校를 설치함. 오스트리아, 터키와 강화조약을 체결함. **9** 프랑스 루이Louis 16세, 국외로 탈출하려다 체포됨. **10** 청, 러시아의 개시 요구에 응함. 일본, 의학관醫學館을 관립으로 설치함. 프랑스, 입법회의를 구성함. ▶프랑스, 미터법을 제정함. ▶오스트리아, 모차르트Mozart 사망.

연대	조선	우리 나라	다른 나라
1792 (4125) 임자	16	**3** 가야 시조 수로왕릉首露王陵의 제사 의례를 정함. 이덕무李德懋, 《규장전운奎章全韻》을 수정 편찬함. **6** 내각內閣에서 목활자본을 만듦: 생생자生生字. **9** 고려 왕릉을 개수함. **10** 수원에 궐리사闕里祠를 세움(현 오산시). 베이징北京 주교 구베아Gouvea가 로마 교황에게 조선교회가 창설된 사실을 보고함. ▶정약용丁若鏞, 기중기機重機를 발명함. ▶오재순吳載純 사망.	**4** 프랑스, 오스트리아에 선전포고함. **5** 청, 안남왕安南王에게 정기적 조공을 요구함. 러시아, 폴란드를 침공함. **8** 프로이센 · 오스트리아, 프랑스를 공격함. **9** 일본, 러시아 사절이 홋카이도北海島에 내항하여 통상을 요구함. 프랑스, 왕정을 폐지하고 공화정을 수립함.
1793 (4126) 계축	17	**1** 주교사舟橋司에서 〈주교절목舟橋節目〉을 올림. 이덕무李德懋 사망. **4** 장연長淵의 대청도大靑島와 소청도小靑島 이주 및 경작을 허용함. **6** 광물 매장량이 많을 경우에만 상점을 설치토록 허용함. **7** 수원부 마병馬兵을 장별대壯別隊로 개칭함. **10** 백색 신발 착용을 금함. 호조, 〈양향이정절목糧餉釐正節目〉을 올림. 장용영壯勇營 군병의 요패腰牌 규정을 제정함. **12** 《육영성휘育英姓彙》를 완성함.	**1** 청, 완광찬阮光纘을 안남왕安南王에 봉함. 프랑스, 루이Louis 16세를 처형함. **2** 영국 · 오스트리아 · 프로이센 · 네덜란드 · 스페인 등, 제1회 대프랑스 동맹을 결성함. **6** 프랑스, 지롱드당Gironde黨 몰락: 자코뱅당Jacobin黨 독재가 시작됨. **10** 프랑스, 마리 앙트와네트Marie Antoinette와 지롱드당 당원을 처형함: 공포정치 시작. **11** 영국, 동인도회사의 특허 조례를 고치고 총독권을 강화함.
1794 (4127) 갑인	18	**1** 화성華城을 축조하기 시작함. **3** 금강산 유점사楡岾寺를 중건함. **5** 임적任適의 《노은집老隱集》을 간행함. **6** 울릉도 토산물을 조사하고 지도를 제작케 함. **9** 《광해군일기》를 수정 간행키로 함. **11** 조운선漕運船의 적재량을 감함. **12** 《주서백선朱書百選》을 편찬함. 청 신부 주문모周文謨가 몰래 입국하여 한성에 잠입함. ▶휴정休靜 · 유정惟政 · 처영處英의 영정을 해남 대흥사大興寺에 모심. ▶홍양호洪良浩, 《해동명신록海東名臣錄》을 지음.	**1** 일본, 에도江戶에 화재 발생함. **4** 프랑스, 당통Danton을 처형함. **7** 프랑스, 테르미도르Thermidor 반동 일어남: 로베스피에르Robespierre가 처형되고 공포정치가 끝남. **10** 청, 네덜란드 사절이 옴. **11** 러시아군, 폴란드의 바르샤바Warszawa에 입성함. ▶페르시아 아가 모하마드 칸Agha Muhammad Khan, 잔드Zand 왕조를 멸하고 국내 통일을 완성함: 카자르Qajar 왕조 전성기. ▶프랑스, 라부아지에Lavoisier 사망.

연 대	조선	우 리 나 라	다 른 나 라
1795 (4128) 을묘	정조 19	**2** 관개 위한 수차水車를 시험 제작함. **3** 화성華城으로 직접 연결되는 발참撥站을 설치함. **5** 천주교도 김시삼金始三의 밀고로 주문모周文謨 입국 사실이 발각됨: 주문모는 피신하고 그 안내자 지황池璜 · 최인길崔仁吉 · 윤유일尹有一 등은 처형됨. **7** 이승훈李承薰, 예산현에 유배됨. **8** 수어청守禦廳을 폐지하고 광주부廣州府를 광주유수로 승격시킴. **9** 《이충무공전서李忠武公全書》를 간행함. ▶혜경궁惠慶宮 홍씨, 〈한중록閑中錄〉을 지음. ▶이희평李羲平, 〈화성일기華城日記〉를 지음.	**1** 청, 고종 양위: 인종仁宗 즉위. **윤2** 청, 구이저우貴州 묘족苗族의 반란 일어남. **8** 프랑스, 국민공회에서 신헌법을 제정함. **9** 영국, 희망봉希望峰을 점령함. **10** 프랑스, 국민공회를 해산함: 총재정부를 수립함. 폴란드, 오스트리아 · 프로이센 · 러시아에 의하여 분할됨. **12** 청, 영국 사절이 옴.
1796 (4129) 병진	20	**3** 군장軍裝의 사치를 금함. 생생자生生字를 본으로 하여 정리자整理字를 주조함. **8** 《어정규장전운御定奎章全韻》 반포. 임자도荏子島의 말 목장을 경작지로 개간함. **11** 《화성성역의궤華城城役儀軌》를 완성함. ▶《증정문헌비고增訂文獻備考》와 《누판고鏤板考》를 완성함. ▶이덕무李德懋의 《아정유고雅亭遺稿》, 김인후金麟厚의 《하서집河西集》, 성주덕成周德의 《국조역상고國朝曆象考》를 간행함.	**1** 청, 백련교도白蓮敎徒의 난 일어남. **3** 프랑스 나폴레옹Napoleon, 이탈리아 원정군 사령관이 됨. **5** 사르디니아, 프랑스에 영토를 할양하고 화의함. **11** 프랑스 나폴레옹Napoleon, 오스트리아군을 격파함. ▶영국, 네덜란드로부터 스리랑카Sri Lanka를 얻음. 제너Jenner가 종두법을 발견함.
1797 (4130) 정사	21	**2** 해서수군절도영, 전선을 보수함. **3** 부여 고란사皐蘭寺 중창. **6** 서유구徐有榘의 《향례합편鄕禮合編》을 간행함. **윤6** 제주도 대정현大靜縣에 표착한 유구국琉球國 사람 7명을 돌려보냄. **7** 주자소鑄字所에서 이병모李秉模의 《오륜행실도五倫行實圖》를 간행함. **9** 영국의 북태평양 탐험선 프로비던스Providence 호가 부산 용당포龍塘浦에 표착함. **12** 천수경千壽慶, 《풍요속선風謠續選》을 간행함. ▶이긍익李肯翊, 《연려실기술燃藜室記述》을 지음. ▶구윤명具允明 사망.	**3** 미국, 애덤스Adams 대통령 취임. **5** 청, 후난湖南의 삼청병三廳兵을 다시 둠. 프랑스, 베네치아Benezia를 병합함. **10** 일본, 《관정력寬政曆》을 발간함. 프랑스, 오스트리아와 캄포 포르미오Campo Formio 화약 맺고 화의함. **12** 프랑스 나폴레옹Napoleon, 파리에 개선함.

연대	조선	우리 나라	다른 나라
1798 (4131) 무오	22	**4** 수원 현륭원顯隆園 동구에 만년제萬年堤를 쌓음. **5** 서학西學 탄압책을 논의함. **10** 정약용丁若鏞, 《마과회통麻科會通》을 지음. **11** 전선과 조운선을 통용시킴. **12** 홍낙성洪樂性 사망. ▶서유문徐有聞, 《무오연행록戊午燕行錄》을 지음. ▶홍인모洪仁謨의 《호남병자창의록湖南丙子倡義錄》, 권문해權文海의 《대동운부군옥大東韻府群玉》을 간행함. ▶위백규魏伯珪 사망.	**2** 프랑스, 나폴레옹Napoleon 군이 로마를 점령하고 로마 공화국을 세움. **3** 스위스, 프랑스 지배하에 헬베티아Helvetia 공화국이 성립됨. **6** 프랑스, 나폴레옹Napoleon 군이 이집트 알렉산드리아를 점령함. **8** 프랑스, 아부키르만Aboukir灣 해전에서 넬슨Nelson의 영국 함대에게 패함. **9** 터키, 프랑스에 선전포고함. **12** 영국 맬서스Malthus, 〈인구론人口論〉을 발표함. ▶독일 베토벤Beethoven, 〈비창悲愴 소나타Sonata〉를 작곡함.
1799 (4132) 기미	23	**1** 채제공蔡濟恭 · 김종수金鍾秀 사망. **2** 성 밖에 있는 민전民田을 사서 가난한 백성의 장례를 치르게 함. 유일有一 사망. **3** 박지원朴趾源, 《과농소초課農小抄》를 지음. **4** 강명길康命吉, 《제중신편濟衆新編》을 지음. **7** 최초로 안경眼鏡이 전래됨. **10** 정조, 《아송雅頌》을 편찬함. **12** 규장각奎章閣에서 《홍재전서弘齋全書》를 편찬하여 올림. ▶서호수徐浩修 사망.	**1** 청, 전 황제 고종 사망. 프랑스, 나폴리Napoli에 침입하여 파르테노페아Parthenopea 공화국을 세움. **3** 오스트리아, 프랑스에 선전포고함. **11** 프랑스 나폴레옹Napoleon, 쿠데타 일으킴: 12월 통령정부統領政府를 세우고 제1통령이 됨. ▶인도, 마이소르Mysore 왕국 멸망. ▶영국, 제2회 대프랑스 동맹을 결성함. ▶이탈리아 볼타Volta, 전지電池를 발명함. ▶미국, 워싱턴Washington 사망.
1800 (4133) 경신	24	**1** 서얼허통법庶孽許通法을 시행함. **4** 내섬시內贍寺를 파하여 의영고義盈庫에 편입시킴. **윤4** 주자소를 의장고儀仗庫로 옮김. **6** 정조 사망. **7** 순조純祖 즉위: 정순왕후貞純王后(영조 계비)가 수렴청정함. ▶양대박梁大樸, 《양대사마실기梁大司馬實記》를 간행함. ▶건봉사乾鳳寺에 사명대사기적비四溟大師紀蹟碑를 건립함. ▶정약용丁若鏞 · 이건순李建淳 등, 전도단체 경신회庚申會를 조직함.	**3** 일본, 쇼헤이한 학문소昌平坂學問所를 개설함: 도쿄대학의 전신. **윤4** 일본 이노伊能忠敬, 홋카이도北海島를 측량함. **6** 프랑스, 나폴레옹Napoleon 군이 마랭고Marengo 전투에서 오스트리아 군을 격파함. **7** 청, 백련교주白蓮敎主 유지협劉之協이 피살됨. **11** 미국, 제퍼슨Jefferson이 대통령에 당선됨. 워싱턴Washington에서 제1회 의회를 개최함: 워싱턴을 수도로 정함.

연대	조선	우리 나라	다른 나라
1801 (4134) 신유	순조 1	**1** 홍국영洪國營의 관직을 삭탈함. 천주교를 엄금하고 5가작통법을 실시함. 공노비를 폐지함. **2** 천주교도 권철신權哲身 · 이승훈李承熏 · 이가환李家煥 등 처형됨: 신유박해. **3** 청의 신부 주문모周文謨가 자수함: 4월 처형됨. **4** 수원 화령전華寧殿을 건립함. 《선원보략璿源譜略》 증수를 완료함. **9** 황사영백서사건黃嗣永帛書事件 일어남. **10** 정약종丁若鍾, 《성교전서聖敎全書》 집필 중 순교함. **11** 정약용丁若鏞, 강진康津으로 유배됨. 황사영黃嗣永, 처형됨. ▶채제공蔡濟恭의 관작을 추탈함. ▶이의봉李義鳳 사망.	**1** 청, 구이저우貴州에서 묘족苗族의 반란 일어남. 영국, 아일랜드를 병합하여 왕국을 세움. **3** 일본 이노伊能忠敬, 간토지방關東地方을 측량함. 러시아, 파벨Pavel 1세 피살: 알렉산드르Alexandre 1세가 즉위함. **11** 청, 백련교도白蓮敎徒의 난이 점차 평정됨. ▶독일, 리터Ritter가 자외선을 발견함. 베토벤Beethoven이 〈피아노소나타 제14번〉과 〈바이올린소나타 제15번〉을 작곡함. 노발리스Novalis 사망. ▶오스트리아 하이든Hyden, 〈사계四季〉를 작곡함.
1802 (4135) 임술	2	**1** 장용영壯勇營을 폐지함. 홍양호洪良浩 사망. **3** 필리핀 루손Lozon섬 선원船員 5명이 제주도에 표류해 옴. **6** 선천권점宣薦圈點의 옛법을 다시 씀. 김건서金健瑞, 《증정교린지增正交隣志》를 편찬함. **7** 청의 베이징北京 구베아Gouvea 주교가 조선 교회의 사정을 프랑스에 전달함. **10** 김조순金祖淳의 딸을 왕비로 삼음. 심환지沈煥之 사망. ▶이가환李嘉煥 등, 《물보物譜》를 편찬함. ▶서유린徐有隣 · 서유대徐有大 · 이기양李基讓 사망.	**1** 프랑스, 시살파인Cisalpine 공화국을 이탈리아 공화국으로 함: 나폴레옹Napoleon이 대통령이 됨. **3** 영국, 마카오Macao 진출을 시도함. 프랑스 · 스페인 · 바타비아와 아미앵Amiens 조약을 체결함. **8** 프랑스 나폴레옹Napoleon, 종신 대통령이 됨. ▶베트남 구엔 푹안阮福映, 안남安南을 통일함: 구엔Nguyen 왕조 성립.
1803 (4136) 계해	3	**2** 제주도 공마貢馬의 수를 정함. **윤2** 사고史庫의 실록을 포쇄함. **5** 수원에 대황교大皇橋를 건설함. 군자감軍資監을 개혁함. **11** 사직社稷의 악기고樂器庫에 화재 발생함. **12** 순조, 친정 시작. 창덕궁昌德宮 선정전宣政殿과 인정전仁政殿에 화재 발생함. 개성 청석동靑石洞에 성을 쌓음. ▶장혼張混, 《아희원람兒戱原覽》을 편찬함. ▶김만중金萬重의 《구운몽九雲夢》을 간행함.	**2** 프랑스, 영국에게 몰타Malta에서 철수할 것을 요구함. **4** 미국, 프랑스로부터 루이지애나Louisiana를 구입함. **5** 영국, 대프랑스 전쟁을 재개함. **9** 베트남 구엔 푹안阮福映, 청으로부터 책봉 받음: 국호를 베트남Vietnam으로 정함.

연 대	조선	우 리 나 라	다 른 나 라
1804 (4137) 갑자	4	**3** 평양에 화재 발생함: 숭녕전崇寧殿 · 숭인전崇仁殿 및 민가 5천여호가 불탐. 강원도에 화재가 나서 삼척 · 강릉 · 양양 · 고성 · 통천까지 번짐. **5** 거창 구연서원龜淵書院에서 성팽년成彭年의 《석곡문집石谷文集》을 간행함. **6** 한성의 홍수로 민가 550여호가 유실됨. **8** 개성에 청석진靑石鎭을 설치함. **9** 성삼문成三問의 별사別祠를 건립함. **12** 사창제社倉制를 시험적으로 실시함. 창덕궁昌德宮 인정전仁政殿과 인정문仁政門을 중수함.	**2** 독일, 칸트Kant 사망. **3** 프랑스, 《나폴레옹 법전Napoleon法典》을 반포함. **5** 프랑스 나폴레옹Napoleon, 황제에 즉위함: 제1제정. **9** 일본, 러시아 사절이 나가사키長崎에 내항하여 무역을 요구함. **10** 청, 전대흔錢大昕 사망. ▶아라비아, 와하브Wahhab 왕국 성립: 사우디아라비아의 전신. ▶독일 베토벤Beethoven, 〈영웅〉을 작곡함.
1805 (4138) 을축	5	**1** 정순왕후貞順王后(대왕대비大王大妃 김씨) 사망: 김조순金祖淳이 집권함. 안동 김씨의 세도정치가 시작됨. **4** 경상도의 사창社倉을 철폐함. 강희맹姜希孟의 《사숙재집私淑齋集》을 간행함. **8** 《정조실록》을 완성함. **10** 문순득文順得 · 김옥문金玉文 등, 필리핀 루손Lozon섬에 표류하였다가 귀국함. 박지원朴趾源 사망. **11** 평안도 월경자를 엄히 조사함. **12** 《선조보감先朝寶鑑》을 편찬케 함. ▶혜경궁惠慶宮 홍씨의 《한중록閑中錄》, 이종휘李鍾徽의 《수산집修山集》을 간행함. ▶박제가朴齊家 사망.	**4** 영국 · 러시아 · 오스트리아, 제3회 대프랑스 동맹을 결성함. **5** 프랑스 나폴레옹Napoleon, 이탈리아 왕을 겸함. **6** 프랑스, 제노바Jenova를 병합함. **10** 영국 넬슨Nelson, 트라팔가Trafalgar 해전에서 프랑스 함대를 격파함. **12** 프랑스 나폴레옹Napoleon, 아우스테를리츠Austerlitz 전투에서 오스트리아 · 러시아 연합군을 격파함. ▶독일, 실러Schiller 사망.
1806 (4139) 병인	6	**3** 신헌조申獻朝 등, 벽파僻派의 영수였던 심환지沈煥之를 탄핵하여 벼슬을 추탈케 함. 제주도에 표착한 청인들을 돌려보냄. **6** 김관주金觀柱의 관직을 추탈함. **10** 호조戶曹와 선혜청宣惠廳이 번갈아 주전케 함. 이긍익李肯翊 사망. **11** 정동유鄭東愈, 《주영편晝永編》을 지음. **12** 각 도에서 개인의 금 채굴과 상점 개설을 허가함: 금광업 발달.	**7** 프랑스, 나폴레옹Napoleon의 지원하에 라인Rhein 연방이 성립됨. **8** 신성로마제국 소멸. **9** 러시아인이 사할린Sakhalin을 침범함. **10** 프랑스, 예나Jena · 아우어슈테트Auerstadt 전투에서 프로이센 군을 격파함. **11** 프랑스 나폴레옹Napoleon, 대륙봉쇄령大陸封鎖令을 공포함. ▶영국 스코스비, 그린란드 동쪽 해안을 탐험함. 소 피트小 Pitt 사망.

연대	조선	우리 나라	다른 나라
1807 (4140) 정묘	순조 7	**1** 울산 병영을 경주로 옮김. **2** 박준원朴準源 사망. **4** 자모산성慈母山城 화약고가 폭발함. **7** 쓰시마섬對馬島에 통신사를 보내달라는 일본의 요구를 거절하자 왜관의 왜인 110명이 난동 벌임. **8** 유구국琉球國 사람 99명이 제주도에 표착함. **10** 화폐를 새로 주조함. ▶정구鄭逑의 《한강언행록寒岡言行錄》을 간행함.	**7** 프랑스 · 러시아 · 독일, 틸지트Tilsit 조약을 체결함. **8** 프랑스, 웨스트팔리아Westfalia 왕국을 세움. ▶독일, 농민해방령을 공포함: 슈타인Stein의 농업 개혁정치 시작. 헤겔Hegel이 《정신현상학》을 지음. 피히테Fichte가 〈독일 국민에게 고함〉을 발표함. 베토벤Beethoven이 〈운명〉을 작곡함. ▶미국 풀턴Fulten, 증기선을 발명함.
1808 (4141) 무진	8	**1** 함경도 북청北靑과 단천端川에서 폭동 일어남. **2** 평안도에서의 개인 금광 채굴을 금함. 북도의 인재를 등용할 것을 명함. **4** 쓰시마도주對馬島主가 에도江戶 대신 쓰시마섬對馬島으로 통신사를 보내줄 것을 청함. **8** 역관을 쓰시마섬對馬島에 보내 통신사 파견 지점 문제를 논의케 함. **9** 대사간 이심도李審度, 상소하여 시파 · 벽파의 근원을 논함. **12** 동래 금정산성金井山城의 개축공사를 끝냄. ▶심상규沈象奎 · 서영보徐榮輔 등, 《만기요람萬機要覽》을 편찬함. ▶정동유鄭東愈 · 조진관趙鎭觀 사망.	**1** 미국, 노예 수입을 금함. **2** 일본 마이야間宮林藏, 사할린Sakhalin 탐험차 출국함. **5** 프랑스, 스페인 왕 페르디난도 1세를 폐함: 6월 나폴리의 조세프를 스페인 왕에 옹립함. **8** 영국, 포르투갈에 침입하여 프랑스와 반도전쟁을 일으킴. **9** 영국, 청의 마카오Macao 포대를 점령함: 양광兩廣 총독 오웅광吳熊光의 항의로 철수함. ▶독일 괴테Goethe, 〈파우스트Faust〉 제1부를 발표함.
1809 (4142) 기사	9	**4** 거북선과 해골선을 옛 방법으로 복구함. **5** 강계부에 방군둔전법防軍屯田法을 시행함. 유생의 징전徵錢을 일절 금함. **6** 표류해 온 필리핀 루손섬 사람을 본국으로 송환함. 경강상인과 미곡상의 농간으로 쌀값이 폭등함:쌀값의 앙등을 막기 위해 미곡상과 부자들의 곡식 저장을 금함. **11** 쓰시마도주對馬島主와의 조약을 고침. **12** 정묘년(1807년)에 주조한 화폐를 유통시킴.	**2** 청, 아모이Amoy의 포대를 증축함. **4** 오스트리아, 프랑스에 선전포고함. **5** 청, 광둥廣東의 호시장정互市章程을 제정함. 프랑스 나폴레옹Napoleon, 교황령을 병합하고 교황을 유폐함. **7** 오스트리아 메테르니히Metternich, 수상에 오름. **9** 러시아, 핀란드를 병합함. **10** 프랑스 · 오스트리아. 쉔부른Schönbrunn 화약을 체결함. ▶라틴아메리카, 각국의 독립운동 발발. ▶독일, 베를린Berlin 대학 설립. ▶오스트리아, 하이든Hyden 사망.

연대	조선	우리 나라	다른 나라
1810 (4143) 경오	10	**1** 일본의 에도江戶 대신 쓰시마섬對馬島에 통신사를 보내기로 결정함. **3** 인삼의 개인 재배를 금함. **7** 대간臺諫이 평복으로 다님을 금함. **10** 안변安邊의 석왕사釋王寺를 중수함. **11** 일본과 통신사 파견에 관한 〈통신사절목通信使節目〉을 정함. **12** 경상도 관찰사에게 명하여 이현일李玄逸의 문집을 간행한 자를 처벌하고 문집文集은 불태우게 함. ▶이규경李圭景, 《오주연문장전산고五洲衍文長箋散稿》를 저술함. ▶정약용丁若鏞, 《아방강역고我邦疆域考》(강역고)를 저술함.	**1** 청, 광둥廣東의 한인漢人 군사를 증원함. **4** 프랑스 나폴레옹Napoleon, 오스트리아 황녀 마리 루이즈Marie Louise와 혼인함. **5** 일본, 영국 선박이 내항함. **7** 네덜란드, 프랑스에 병합됨. **8** 청, 광둥廣東 수사제독水師提督을 증설함. ▶일본, 외국 선박에 대한 경계를 명함.
1811 (4144) 신미	11	**2** 의주부윤 조흥진趙興鎭, 위화도威化島 개간을 건의함. 곡산부谷山府 백성 박대성朴大成 등이 폭동 일으킴. **3** 평양 숭인전崇仁殿에서 기자箕子에 제사 지냄. 예문관藝文館에 화재 발생하여 역대 실록이 불탐. **윤3** 통신사 김이교金履喬 등, 쓰시마섬對馬島에서 돌아옴: 마지막 통신사. **9** 역법曆法을 개정함. **12** 홍경래洪景來의 난 일어남: 평안도 가산嘉山 군수를 살해함. 관군, 박천博川에서 반란군을 격파함: 반란군이 정주성定州城으로 퇴각함. ▶방우정方禹鼎, 《서정일기西征日記》와 《진중일기陣中日記》를 지음.	**3** 영국, 기계 파괴운동 일어남. 자바Java를 정복함. **5** 청, 크리스트교 절대 금지의 조서를 내림. 일본, 러시아 함대가 에도江戶에 옴: 함장을 생포함. **7** 청, 서양인의 국내 거류 및 포교 행위를 금지함. ▶독일, 농민해방의 칙령勅令을 발표함. ▶이탈리아 아보가드로Avogadro, 기체에 관한 가설을 발표함. ▶파라과이, 혁명 일어남.
1812 (4145) 임신	12	**1** 관군, 홍경래洪景來 반란군을 격파하고 곡산谷山을 수복함. **3** 홍경래洪景來, 정주성定州城에서 관군에게 패함: 4월 전사. **5** 반란군 우군칙禹君則을 효수하여 전국에 돌림. **6** 홍경래洪景來의 난 평정자에 대한 논공행상을 실시함. 평안도와 황해도의 양반을 관리로 등용하여 민심을 회유함. **7** 《선원보략璿源譜略》 증수를 완료함. ▶이종인李鍾仁, 종두種痘에 관한 서적 《시종통편時種通編》을 편찬함.	**2** 프랑스, 프로이센과 동맹을 체결함. **5** 프랑스 나폴레옹Napoleon, 러시아에 원정함. **6** 미국, 영국에 선전포고함. **7** 청, 윈난雲南과 미얀마 주둔병을 부활시킴. **8** 영국 웰링턴Wellington, 마드리드에 입성함. **9** 프랑스, 나폴레옹 군이 모스크바에 입성함: 10월에 퇴각.

연대	조선	우리 나라	다른 나라
1813 (4146) 계유	순조 13	**9** 정주성기적비定州城紀蹟碑를 세움. **11** 양제해梁濟海 등, 제주도에서 민란 일으킴. **12** 청의 푸젠성福建省 어부 120명이 전라도 임자도荏子島에 표류해 옴: 육로로 귀국시킴. ▶김장순金長淳, 《감저신보甘藷新譜》를 완성함. ▶훈련도감訓鍊都監에서 박종경朴宗慶의 《융원필비戎垣必備》을 간행함. ▶조윤대曺允大 사망.	**2** 러시아 · 프로이센 · 스웨덴, 대프랑스 동맹을 체결함. **7** 청, 아편의 개인 판매를 금함. **8** 오스트리아, 프랑스에 선전포고함. **10** 프랑스, 나폴레옹 군이 라이프치히 Leipzig 전투에서 연합군에게 패배함. ▶라인Rhein 연방 및 웨스트팔리아 Westfalia 왕국이 해체됨. ▶영국, 동인도회사의 무역 독점권을 폐지함.
1814 (4147) 갑술	14	**1** 홍경래洪景來의 난 때 죽은 자들을 위해 충의단忠義壇을 세움. **2** 병기의 개인 제조 및 판매를 엄금함. **3** 규장각奎章閣에서 《홍재전서弘齋全書》를 간행함. **5** 한성에 양곡이 고갈되어 폭동 일어나고 도적이 횡행함. **6** 함경도에 홍수가 발생함. **10** 한성의 쌀값이 2배로 폭등함. **12** 한치윤韓致奫 사망. ▶김매순金邁淳, 《열양세시기洌陽歲時記》를 지음. ▶이이李珥의 《율곡전서栗谷全書》, 허준許浚의 《동의보감東醫寶鑑》을 간행함. ▶조흥진趙興鎭 사망.	**3** 프랑스, 연합군에게 파리가 점령당함. **4** 프랑스 나폴레옹Napoleon, 엘바Elba섬에 유배됨: 루이Louis 18세 즉위. 부르봉 왕조 복고. **5** 프랑스, 제1차 파리 조약을 체결함. **9** 오스트리아 메테르니히Metternich, 빈 Wien 회의를 주관함. **11** 청, 영국인의 포교를 금함. **12** 청, 서양 상인의 호시장정互市章程을 정함. ▶교황 비오Pius 7세, 예수회를 부활시킴. ▶영국 스티븐슨Stephenson, 증기기관차를 발명함. ▶독일, 피히테Fichte 사망.
1815 (4148) 을해	15	**1** 도성 안의 무당과 승려를 축출함. **2** 충청도와 강원도에서 천주교를 탄압함: 을해교난乙亥教難. **5** 상인의 쌀 비축을 금함. **6** 경상도 천주교도 최봉한崔奉漢 등 300여명을 검거함. **7** 경기도 · 강원도 · 충청도 · 경상도 · 전라도 절량민絶量民에게 구호 양곡을 분배함. **10** 이응길李應吉, 반란 꾀하다 처형됨. **12** 혜경궁惠慶宮 홍씨 사망. ▶정약전丁若銓, 《자산어보玆山魚譜》를 완성함. ▶은해사銀海寺 동종을 주성함.	**3** 청, 아편 수입을 금함. 프랑스 나폴레옹, 엘바Elba 섬에서 탈출하여 프랑스에 상륙함. **6** 프랑스 나폴레옹Napoleon, 워털루 Waterloo 전투에서 영국 웰링턴 Wellington에게 패함: 8월 세인트 헬레나St.Helena 섬에 유배됨. 빈Wien 회의 끝남: 독일연방 성립. **9** 러시아 · 오스트리아 · 프로이센, 신성동맹神聖同盟을 체결함. ▶일본 스키다杉田玄白, 《난학사시蘭學事始》를 지음. ▶영국, 곡물법穀物法을 공포함.

연 대	조선	우 리 나 라	다 른 나 라
1816 (4149) 병자	16	**3** 호서지방 암행어사 이우수李友秀가 10개 군의 부정을 보고함. **4** 개성에서 화폐를 주조하여 관부 비용에 충당함. **6** 조만영趙萬永 등 암행어사가 관리들의 부정을 적발하여 보고함. **윤6** 동상銅商의 합의 매매를 금함. **7** 김이양金履陽, 당십전當十錢 주전을 청함. 영국 군함 알세스트호Alceste號와 리라호Lyra號가 충청도 마량진馬梁鎭에 옴. **10** 전라도인 6명이 오키나와沖繩에 표착했다 귀국함. **11** 대구에서 천주교도 29명이 순교함. ▶정약전丁若銓 사망.	**2** 일본, 전국의 인구조사를 실시함. **7** 청, 영국 사절 애머스트Amherst가 옴. **10** 일본, 영국 선박이 오키나와沖繩에 와서 교역을 청함. **11** 독일, 연방회의를 개최함. 미국 먼로Monroe, 대통령에 당선됨. ▶네팔, 영국에 복속됨. ▶영국, 인신보호율人身保護律을 폐지함. 스리랑카Sri Lanka를 영유함. ▶오스트리아 슈베르트Schubert, 〈송어〉를 작곡함. ▶네덜란드, 자바Java를 접수함. ▶미국, 최초로 보호관세를 실시함. ▶아르헨티나, 독립을 선언함.
1817 (4150) 정축	17	**1** 유칠재柳七在 · 홍찬모洪燦謨 등, 흉서 꾸미다 발각됨. **2** 순조, 화성華城에 행차함. **3** 채수영蔡壽永, 반역을 꾀한 죄로 처형됨. **4** 은의 공물을 없애고 개인 은점 허가 문제를 논의함. **6** 김정희金正喜, 북한산 진흥왕순수비眞興王巡狩碑를 발견함: 68자의 비문을 판독함. **9** 남공철南公轍, 과거제도 폐해를 논함. **10** 함경도의 화폐 사용을 금함. **12** 박종경朴宗慶 사망. ▶정약용丁若鏞, 《경세유표經世遺表》를 지음.	**2** 청, 윈난雲南의 고라의高羅衣가 반란 일으킴: 3월에 평정됨. **9** 일본, 영국 상선이 우라가浦賀에 옴. **11** 미국, 스페인 식민지에 침입함: 세미놀Seminole 전쟁. ▶인도 · 영국, 마라타Maratha 전쟁 벌임. ▶영국 리카도Ricardo, 〈경제학 및 관세의 원리〉를 발표함. ▶독일, 드라이스Drais가 자전거를 발명함. 부르셴샤프트Burschenschaft(학생조합) 운동 일어남: 빈Wien 체제에 저항.
1818 (4151) 무인	18	**1** 남원현南原縣을 다시 부로 승격시킴. **5** 비변사備邊司, 〈과장구폐절목科場救弊節目〉을 제정함. **8** 순조, 경희궁慶熙宮으로 옮김. 정약용丁若鏞, 강진 유배지에서 풀려남. 《목민심서牧民心書》를 완성함. **11** 경상도 유생들이 채제공蔡濟恭의 신원伸寃을 상소함. 서매수徐邁修 사망. **12** 성주덕成周悳, 《서운관지書雲觀志》를 편찬함. ▶천수경千壽慶 사망.	**5** 일본, 영국 선박이 다시 우라가浦賀에 내항하여 통상을 요구함. **6** 미국, 사반나호Savannah號가 기선汽船으로는 처음으로 대서양 횡단에 성공함. **9** 유럽에서 아헨Aachen 열국회의가 개최됨. **11** 연합군, 파리에서 철수함. ▶청, 옹방강翁方綱 사망. ▶칠레, 스페인으로부터 독립함.

연 대	조선	우 리 나 라	다 른 나 라
1819 (4152) 기묘	순조 19	**3** 어영청 남소영南小營에 화재 일어남. **8** 각 도의 양전을 실시함. 조만영趙萬永의 딸을 세자빈으로 삼음. ▶노예들이 작당하여 폭동 일으킴. ▶정약용丁若鏞, 《아언각비雅言覺非》를 저술함. ▶홍명호洪明浩 사망.	**2** 영국, 싱가포르를 점령함. **9** 독일 연방의회, 자유주의를 탄압함. **12** 청, 서양 선박이 아모이Amoy에 차茶 운반하는 것을 금함. 콜롬비아, 베네수엘라와 뉴그라나다를 병합하여 공화국이 됨. ▶러시아, 상트페테르부르크Sankt Peterburg 대학 설립.
1820 (4153) 경진	20	**2** 태백산사고太白山史庫를 고침. **3** 경상도관찰사 김이재金履載, 도내의 양전사목量田事目을 올림. **4** 순조, 창덕궁으로 돌아옴. 이인문李寅文, 〈누각아집도樓閣雅集圖〉를 그림. **6** 변방 장수의 등용법을 개정함. **7** 오키나와沖繩 사람 5명이 제주도에 표류해 옴: 곧 돌려보냄. ▶이채李采 사망.	**1** 스페인, 리에고Riego 장군 주도하에 자유주의 반란 일어남. **7** 이탈리아, 나폴리에서 카르보나리당Carbonari黨 주도하에 혁명 일어남. **8** 청, 회교도回敎徒의 반란이 발생함. **10** 미국, 스페인으로부터 플로리다Florida를 양도받음. ▶프랑스 암페어Ampere, 〈암페어의 법칙〉을 발견함.
1821 (4154) 신사	21	**2** 순조, 화성華城에 행차함. **3** 효의왕후孝懿王后(정조 비) 사망. **윤3** 관제 홍삼 밀매를 금함. **6** 선전관들이 장마의 피해를 살핌. **10** 쓰시마섬對馬島 상인 42명이 제주도에 표류해 옴: 곧 돌려보냄. **11** 개성 청석진靑石鎭을 혁파함. ▶정약용丁若鏞, 《아학편兒學編》을 지음. ▶이인문李寅文 사망	**4** 그리스, 독립전쟁 일으킴. **5** 프랑스, 나폴레옹Napoleon 사망. **7** 페루, 스페인으로부터 독립함. **9** 일본, 《연해여지전도沿海輿地全圖》를 완성함. **12** 오스트리아, 나폴리Napoli · 피어몬테Piemonte의 혁명을 진압함. ▶영국, 키츠Keats 사망. ▶멕시코, 스페인으로부터 독립함.
1822 (4155) 임오	22	**1** 임동진林東鎭, 계방契房 폐단을 상소함. **2** 관동지방의 흉년으로 많은 절량민이 한성으로 옴. **4** 박연朴堧의 《난계유고蘭溪遺稿》를 간행함. **11** 호적법을 강화함. ▶위백규魏伯珪의 《환영지寰瀛誌》, 남공철南公轍의 《고려명신록高麗名臣錄》을 간행함. ▶정약용丁若鏞, 《흠흠신서欽欽新書》 지음. ▶귀은歸隱, 《불국사역대기佛國寺歷代記》를 편찬함. ▶김득신金得臣 사망.	**2** 청, 개인의 무기 소장을 금함. **3** 청, 영국 병선의 출입을 금함. **4** 일본, 영국 상선이 우라가浦賀에 내항함. **9** 브라질, 포르투갈로부터 독립함. **12** 청, 아편 단속을 강화함. ▶영국, 셸리Shelley 사망. ▶프랑스 샹폴리옹Champollion, 이집트 문자를 해독함. ▶그리스, 터키로부터 독립함. ▶오스트리아 슈베르트Schubert, 〈미완성 교향곡〉을 작곡함.

연 대	조선	우 리 나 라	다 른 나 라
1823 (4156) 계미	23	**4** 호조, 금위영禁衛營으로 하여금 일본의 구리로 화폐를 주조케 함. 채제공蔡濟恭의 관작을 복구시킴. **7** 풍덕부豊德府를 폐하여 개성부에 합침. 전국 유생들이 만인소萬人疏를 올려 서얼庶孼의 임용을 요구함. **9** 관상감관觀象監官을 베이징北京 흠천감欽天監에 보내 역법曆法의 착오를 문의함. **11** 비변사備邊司에서 〈서얼허통절목〉을 제정함. 왜관의 무역에서 은의 사용을 금함. ▶한진서韓鎭書, 《해동역사海東繹史》 속편을 지음.	**4** 프랑스, 스페인 혁명군에 선전포고함. **7** 과테말라 · 산살바도르 · 온두라스 · 니카라과 · 코스타리카, 중앙아메리카 공화국을 결성함. **8** 청, 민간의 아편 제조를 금함. 일본, 독일 시볼트Siebold가 나가사키長崎에 옴. **12** 미국 먼로Monroe 대통령, 먼로주의를 선언함. ▶영국, 제너Jenner 및 리카도Ricardo 사망.
1824 (4157) 갑신	24	**3** 청의 베이징北京에 가는 사신의 수를 줄임. 정하상丁夏祥, 베이징北京에 가서 사제司祭 파견을 요청함. **5** 유희柳僖, 《언문지諺文誌》와 《물명유고物名類考》를 지음. **6** 8도 도시都試의 법을 엄수케 함. **7** 쪽감자가 전래됨. **11** 전라도 하의도荷衣島와 홍의도紅衣島에 표류해 온 청의 상인 51명을 육로로 돌려보냄. **12** 반란 꾀한 이인백李仁白을 처형하고 출생지 황주목을 황강현黃岡縣으로 강등시킴. 별묘別廟 궁호를 경우궁景祐宮으로 함. ▶채제공蔡濟恭의 《번암집樊巖集》, 김이재金履載의 《중경지中京誌》, 이의조李宜朝의 《가례증해家禮增解》를 간행함. ▶서용보徐龍輔 사망.	**3** 영국, 네덜란드와 런던 조약을 맺고 말래카Malaca군도를 점유함. **4** 영국 바이런Byron, 독립운동을 지원하기 위해 그리스에 갔다가 병사함. **5** 미얀마, 인도 총독에 선전포고함: 제1차 미얀마 전쟁. **9** 청, 장쑤江蘇 · 호양滸揚의 상세商稅를 함부로 징수하지 못하게 함. **10** 멕시코, 공화국이 됨. ▶독일 랑케Ranke, 《로마 및 게르만 민족사》를 저술함. ▶네덜란드, 인도네시아를 지배하기 시작함. ▶포르투갈, 폭동 일어나 왕이 해외로 망명함.
1825 (4158) 을유	25	**5** 무신이 가마 타는 것을 금함. **6** 인평대군麟坪大君의 문집 《송계집松溪集》을 간행함. 이광재李光載 등, 《동문휘고同文彙考》를 간행함. **7** 역서曆書 간행의 법을 바로잡음. **9** 숭령전崇靈殿에서 고구려 시조 동명왕東明王 개국기념제開國紀念祭를 지냄. **10** 이서구李書九 사망. ▶정하상丁夏祥 · 유진길劉進吉 등, 로마교황에게 서한을 보내 조선 교회 고난을 알림.	**2** 일본, 외국 선박 퇴치령을 내림. **8** 볼리비아Bolivia 공화국 성립. **12** 러시아, 데카브리스트Dekabrist의 난 일어남: 러시아 최초의 혁명운동. ▶영국, 노조(노동조합)를 승인함. 공장법을 공포함. 세계 최초로 철도를 개통함. ▶프랑스, 생 시몽Saint Simon 사망.

연대	조선	우리 나라	다른 나라
1826 (4159) 병술	순조 26	**1** 공충도公忠道를 다시 충청도로 하고 충원현忠原縣을 충주목으로 승격시킴. **2** 어영청御營廳 사고史庫 방화범 차언룡車彦龍을 효수형에 처함. **6** 흥해현興海縣에 표착한 오키나와沖繩 상인 3명을 돌려보냄. **9** 청주성문에 홍경래洪景來가 살아 있다는 괘서사건掛書事件 일어남: 범인 김치규金致奎와 이창곤李昌坤을 처형함. **10** 청주에 '호남원수湖南元帥'라 서명한 괘서사건 일어남: 범인 정상채鄭尙采와 박형서朴亨瑞 등을 처형함. ▶신위申緯, 〈관극시觀劇詩〉를 지음.	**6** 청, 타이완臺灣에서 황문윤黃文閏의 반란 일어남: 11월에 진압됨. ▶인도, 얀다보Andabo 조약을 체결함: 제1차 미얀마 전쟁 끝남. ▶터키, 그리스 독립군을 격파하고 아테네를 점령함. ▶영국, 터키에 최후통첩 보냄. ▶독일, 물리학자 옴Ohm이 〈옴의 법칙〉을 발표함. 베버Weber 사망. ▶러시아, 페르시아와 전쟁 벌임. 영국과 그리스 문제에 관한 의정서를 체결함. ▶미국, 제퍼슨Jefferson 사망.
1827 (4160) 정해	27	**2** 세자(익종翼宗)에게 대리청정케 함. 전라도 곡성의 천주교도가 탄압 받음: 정해교난丁亥敎難. 야간 통행 금지를 명함. **3** 함경도 초산楚山 주민들이 부사 김만수金萬修의 탐학을 조정에 호소함. **4** 북관北關 곡식의 분류규례分留規例를 바로잡음. **6** 영남지방의 천주교도 박보록朴甫祿 등을 처벌함. **8** 삼남지방 각지의 천주교도를 체포함. ▶김재찬金載瓚 사망.	**3** 독일, 베토벤Beethoven 사망. **10** 영국 · 러시아 · 프랑스, 나바리노Navarino 해전에서 터키 · 이집트 연합함대를 격퇴함: 그리스 독립 확보. ▶프랑스, 알제리아를 침공함. 라플라스Laplace 사망. ▶독일 옴Ohm, 《갈바니 회로Galvanic回路》를 출간함. ▶영국, 성냥 제조에 성공함. ▶스위스, 페스탈로치Pestalozzi 사망.
1828 (4161) 무자	28	**1** 반족班族의 백성들에 대한 재산 침해를 엄금함. **2** 훈련도감訓鍊都監과 선혜청宣惠廳에서 공동으로 화폐를 주조함. **4** 한용구韓用龜 사망. **6** 한성 · 개성 · 의주 상인에게 사신의 무역에 참여하는 것을 허락함. 양주 회암사檜巖寺의 지공탑비指空塔碑와 무학탑비無學塔碑를 중건함. **8** 청에 수출하는 소가죽의 수량을 제한함. **12** 화폐 주조 때 쓰는 구리를 각 아문衙門의 옛 화폐로 쓰게 함. ▶창덕궁昌德宮 연경당演慶堂을 건립함.	**1** 바바리아Bivaria · 비텐베르크Wittenberg, 남부 관세동맹을 체결함. **3** 청, 회교도回敎徒의 반란을 평정함. **4** 러시아, 터키에 선전포고함. **8** 청, 차茶 밀무역을 금함. **10** 러시아, 페르시아와 투르코만차이Turkomanchai 조약을 체결하고 화의함. ▶청, 외국 화폐 사용을 금함. ▶오스트리아, 슈베르트Schubert 사망. ▶스페인, 고야Goya 사망. ▶미국 웹스터Webster, 《영어사전》을 간행함. ▶우루과이Uruguay 독립.

연대	조선	우리 나라	다른 나라
1829 (4162) 기축	29	**1** 세자, 왕(순조)의 나이 40세와 즉위 30년의 경하 잔치를 주관함. **6** 화폐 주조용 주석 수입세를 면제함. **8** 한성 상인 김수온金守溫 등이 김포의 강령포康領浦에서 조운선漕運船을 습격함. **9** 한강 하류에 수적水賊이 출몰함. **10** 경희궁慶熙宮에 화재 발생함. **12** 인삼과 쇠가죽의 수출량을 제한함. ▶의유당김씨意幽堂金氏, 《관북유람일기關北遊覽日記》를 지음. ▶황윤석黃胤錫의 《이재유고頤齋遺稿》를 간행함. ▶《이두편람吏讀便覽》을 완성함.	**1** 청, 외양外洋과 내지內地에서 외국과의 통상을 금함. **3** 일본, 에도江戶에 화재 발생함. 영국, 의회에서 아일랜드 구교도 자유법안이 통과됨. **5** 청, 영국의 아편 밀매를 엄금함. ▶터키, 러시아와 아드리아노플Adrianople 조약을 체결함: 그리스 독립 승인. ▶미국, 잭슨Jackson 대통령 취임. ▶베네수엘라, 콜롬비아로부터 독립함.
1830 (4163) 경인	30	**2** 선정비善政碑를 함부로 세우는 것을 금함. **3** 호련대扈輦隊 안에 별안군別案軍을 설치함. **4** 소매가 넓은 큰옷을 입고 가마 타는 것을 금함. **5** 세자(익종翼宗) 사망: 9월 세손(헌종憲宗) 책봉. **8** 창경궁昌慶宮에 화재 발생함. **12** 전라도 임자도荏子島에 표류해 온 청의상인 35명을 육로로 돌려보냄. ▶수헌거사樹軒居士, 《한경지략漢京識略》을 지음. ▶오경원吳慶元의 《소화외사小華外史》를 간행함.	**2** 영국, 런던 의정서를 발표함: 열강의 그리스 독립 승인. **6** 청, 국내에서의 아편매매 금지법을 제정함. 프랑스, 알제리Algeri를 점령함. **7** 프랑스, 7월혁명 일어남. **11** 벨기에, 네덜란드로부터 독립을 선언함. 폴란드, 바르샤바Warszawa에서 반란 일어남. ▶영국, 맨체스터~리버풀 철도를 개설함:증기기관차 운행. ▶프랑스 스탕달Stendhal, 〈적과 흑〉을 발표함. ▶에콰도르 공화국 성립.
1831 (4164) 신묘	31	**1** 경기감영에 화폐 주조를 허가함. **3** 각 관부의 면세 무역을 사역원司譯院의 승인하에만 시행케 함. **4** 경희궁慶熙宮을 건립함. **5** 경상도 흥해興海의 양전量田을 완료함. **7** 창덕궁昌德宮을 개수케 함. **8** 문호묘文祜廟를 완공함. 전의감典醫監에서 〈의학과강책醫學科講冊〉을 개정함. **9** 로마 교황청에서 천주교 조선교구를 창설함. **12** 성균관 유생의 권당捲堂(성균관을 비움)을 못하도록 경계함. 함경도 마천령摩天嶺 이북지역에서의 화폐 사용을 금함.	**5** 청, 영국 상인의 광동무역廣東貿易을 단속하고 아편 수입을 엄금함. **10** 영국 패러데이Faraday, 전자 유도의 법칙을 발견함. **11** 영국 · 프랑스 · 오스트리아 · 프로이센, 런던 조약을 체결함: 벨기에, 영세중립국으로 독립함. ▶이탈리아 마치니Mazzini, 청년이탈리아당을 결성함. ▶독일 괴테Geothe, 〈파우스트Faust〉를 완성함. 헤겔Hegel 사망.

연 대	조선	우 리 나 라	다 른 나 라
1832 (4165) 임진	순조 32	2 개성 출신 무과 급제자 임용을 허락함. 4 봉선사奉先寺와 도갑사道岬寺를 중건함. 초대 조선 주교에 서임된 프랑스 브뤼기에르Bruguiere 주교가 조선으로 향함: 1835년 만주에서 사망. 김조순金祖淳 사망. 6 영국 상선 로드 애머스트호Lord Amherst號가 황해도 몽금포夢金浦 앞바다에 와서 처음으로 통상을 청함. 네덜란드 선교사 귀츨라프Gutzlaff가 한문 성서를 전하고 감. 7 순조, 경희궁慶熙宮으로 옮김. ▶이 무렵, 유씨부인俞氏夫人이 〈조침문弔針文〉을 지음.	2 청, 다시 아편 수입을 엄금함. 3 독일, 괴테Geothe 사망. 6 영국, 제1차 선거법 개정안이 통과됨: 부패선거구 폐지. 벤담Bentham 사망. 9 영국, 스코틀랜드의 스코트Scote 사망. 10 청, 푸젠福建과 타이완臺灣에서 비적匪賊의 반란 일어남. ▶러시아, 폴란드를 병합함.
1833 (4166) 계사	33	1 진휼賑恤을 적극 도운 이들에게 수령 직책을 수여하는 규정을 정함. 한성에 유랑하는 걸인들을 잡아 원적지로 보냄. 3 한성 쌀값이 폭등함: 빈민 폭동 발생. 4 북한산성北漢山城 수축공사를 완료함. 송기교松杞橋와 영도교永都橋 사이의 개천 준설공사를 완료함. 5 한성에 전염병이 만연함. 7 임전任錪의 《명고집鳴皐集》을 간행함. 10 창덕궁昌德宮 대조전大造殿과 희정당熙政堂이 불탐. 12 삼남지방의 목화 흉작으로 대동포大同布를 대동미大同米로 징수함.	2 청, 쓰촨四川에서 비적匪賊의 반란 일어남. 3 독일, 프로이센을 중심으로 관세동맹을 체결함. 5 청, 타이완臺灣 반란을 평정함. 8 영국 의회, 영제국 내의 노예제폐지법을 의결함. 12 일본, 쌀값 폭등으로 검약령儉約令을 5년 연장함. ▶영국 뉴먼Newman, 옥스퍼드Oxford 운동을 전개함: 국교회의 종교운동. ▶칠레 · 멕시코, 대통령제를 도입함.
1834 (4167) 갑오	34	1 황강현黃岡縣을 다시 황주목黃州牧으로 승격시킴. 2 도성 안의 무당들을 쫓아냄. 3 서유구徐有榘, 《종저보種藷譜》를 지음. 4 창경궁昌慶宮 여러 전각을 재건립함. 5 관리 복장을 간편하게 변경함. 10 창덕궁昌德宮 대조전大造殿과 희정당熙政堂을 복구함. 11 순조 사망: 헌종憲宗 즉위. 순원왕후純元王后(순조 비)가 수렴청정함. ▶산청에 문익점文益漸신도비를 건립함. ▶김정호金正浩의 《지구전후도地球前後圖》와 《청구도靑丘圖》를 간행함.	4 영국 · 프랑스 · 스페인 · 포루투칼, 자유주의를 옹호함. 5 청, 영국 선박의 아편 밀매를 엄금함. 8 영국 의회, 빈민구제법 개정안을 의결함. ▶영국, 맬서스Malthus 사망. ▶독일 랑케Ranke, 《로마교황사》를 저술함. ▶미국 포Poe, 〈검은 고양이〉를 발표함.

연대	조선	우리 나라	다른 나라
1835 (4168) 을미	헌종 1	**1** 유진길劉進吉 · 조趙카를로 · 김金방지거 등, 청의 베이징北京에서 요셉Joseph과 회담하고 주교 영입을 결정함. **4** 파주릉역坡州陵役 불경죄인 이시복李時復을 처형함. **7** 문과에서 역서曆書의 법을 폐함. **12** 방납防納의 폐단을 바로잡음. ▶서유구徐有榘, 《임원십육지林園十六志》(임원경제지林園經濟志)를 완성함.	**4** 청, 쓰촨四川 비적匪賊의 반란을 평정함. **9** 일본, 천보통보天保通寶를 주조함. **12** 독일, 뉘른베르크~필트 철도를 개통함: 독일 첫 철도 ▶덴마크 안데르센Andersen, 《즉흥시인》을 발간함. ▶미국, 남부에서 노예제 폐지 반대운동 일어남.
1836 (4169) 병신	2	**1** 프랑스 신부 모방Maubant이 의주를 거쳐 한성에 도착함. **2** 정약용丁若鏞 사망. **3** 강시환姜時煥, 수렴청정을 논하다가 추자도楸子島로 유배됨. **8** 역대 실록을 보완하여 간행함. **11** 기설제祈雪祭를 지냄. **12** 남응중南膺中, 반역을 꾀한 죄로 체포됨. ▶충청도 공주의 동학서원을 파하고 본래대로 동학사東鶴寺라 함. ▶최한기崔漢綺, 《기측체의氣測體儀》를 저술함. ▶이재관李在寬, 태조의 익선관본翼善冠本 어진을 모사함.	**2** 청, 〈대역청한자식對譯淸漢字式〉을 반포함. **5** 일본, 스게가와助川에 포대를 쌓음. ▶청, 아편 흡연죄를 정함. 영국 엘리엇Eliot이 최초의 외국인 영사領事로 광둥廣東에 옴. ▶영국, 런던 노동자협회를 결성함. 경제공황 일어남. 런던London 대학 설립. ▶프랑스, 루이 나폴레옹의 쿠데타가 실패함. ▶스페인, 혁명운동 일어남. ▶미국, 텍사스Texas에서 독립전쟁 일어남.
1837 (4170) 정유	3	**1** 경상도에서 거둔 대동미大同米를 함경도 절량민에게 보냄. 프랑스 신부 샤스탕Chastan이 의주를 거쳐 한성에 도착함. 남응중南膺中, 효수당함. **2** 김조근金祖根의 딸을 왕비로 삼음. 유희柳僖 사망. **5** 충청도 대흥大興에서 집권자를 비난하는 괘서사건掛書事件 일어남. **7** 김대건金大建 등, 중국 마카오Macao 신학교에 유학함. **8** 《열성지장列聖誌狀》을 간행함. **11** 영흥 선원전璿源殿의 태조 영정을 파손한 원대익元大益을 처형함. **12** 수령택차법守令擇差法을 제정함. ▶이재관李在寬 사망.	**1** 청 임칙서林則徐, 호광총독湖廣總督에 임명됨. **2** 일본, 오사카大阪에서 덴보天保의 난 일어남. **6** 일본, 미국 선박이 우라가浦賀에 내항하여 통상을 요구함. 영국, 빅토리아Victoria 여왕 즉위. 하노버Hanover 왕국이 영국으로부터 분리됨. ▶영국, 뉴질랜드에 식민지를 건설하기 시작함. 인민헌장이 가결됨. 디킨스Dickens가 〈올리버트위스트Oliver Twist〉를 발표함. ▶미국 모스Morse, 유선전신기를 발명함. ▶러시아, 푸슈킨Pushkin 사망.

연대	조선	우리 나라	다른 나라
1838 (4171) 무술	헌종 4	**1** 양반들이 공무를 빙자하여 평민을 착취하는 것을 금함. 프랑스 앵베르Imbert 주교가 한성에 도착함. **윤4** 《순조실록》을 편찬함. **6** 《만기요람萬機要覽》을 완성함. 서유구徐有榘, 올벼 재배 장려와 관개시설 확충을 주장함. 심상규沈象奎 사망. **7** 청의 베이징北京에 왕래하는 사신 일행의 완구玩具 · 잡품雜品 수입을 금함. **11** 진전陳田 개간을 장려하고 이앙법移秧法을 금함.	**윤4** 일본, 덴보개혁天保改革을 시작함. **7** 청 임칙서林則徐, 아편 피해를 진언함. **8** 영국, 인민헌장을 공포함: 차티스트Chartist 운동 전개. **10** 영국, 아프가니스탄과 전쟁 벌임. **12** 청, 임칙서林則徐를 흠차대신欽差大臣으로 하여 광둥廣東에 파견함. ▶프랑스 다게르Daguerre, 사진술을 발명함.
1839 (4172) 기해	5	**3** 천주교도 40여명이 체포됨. **7** 프랑스 앵베르Imbert 주교와 샤스탕Chastan · 모방Maubant 신부 및 천주교 신자 다수가 처형당함: 기해박해. **8** 정하상丁夏祥 · 유진길劉進吉 등 천주교도 처형당함. **9** 5가작통법을 시행하여 천주교를 탄압함. 광주부廣州府에서 화폐를 주조함. **11** 전국에 척사윤음斥邪綸音을 내리고 천주교를 금함. **12** 경모궁景慕宮 봉안각奉安閣이 불탐.	**3** 청 임칙서林則徐, 영국 상선의 아편 2만여 상자를 불태움. **4** 네덜란드, 벨기에와 최후 조약 맺고 독립을 선언함. **5** 청, 아편금장정阿片禁章程 39조를 정함. **7** 영국, 청의 광둥廣東에 침입함. **11** 청, 영국 선박의 출입을 금함. **12** 청, 임칙서를 양광 총독에 임명함. ▶터키, 이집트와 전쟁 벌임. ▶미국 포Poe, 〈어셔가Usher家의 몰락〉을 발표함.
1840 (4173) 경자	6	**3** 안달길安達吉 등, 죽산竹山에서 민란 일으켜 부사를 살해함. 경모궁景慕宮 봉안각奉安閣을 중건함. 김매순金邁淳 사망. **5** 승교금령절목乘轎禁令節目을 반포함. **6** 서양인 신부를 고발한 김순성金順性을 진도에 유배 보냄. **9** 김정희金正喜, 윤상도尹尙度 사건에 연루되어 제주도로 유배됨. **11** 쓰시마도주對馬島主 죽음에 조문함. **12** 헌종, 친정 시작: 풍양조씨의 세도정치 시작됨. 영국 선박 2척이 제주도에 와서 소와 가축을 약탈함. 남공철南公轍 · 김유근金逌根 사망. ▶조광진曺匡振 · 이조묵李朝默 · 김양순金陽淳 사망.	**6** 영국, 청의 주산도舟山島를 점령하고 닝보寧波를 포위함: 아편전쟁 발발. **7** 청, 이리포伊里布를 흠차대신으로 하여 영국과 대화함. 영국 · 러시아 · 오스트리아 · 프로이센, 4국동맹을 체결하고 이집트에 영향력을 행사함. **8** 청, 임칙서林則徐 파면: 기선琦善을 흠차대신으로 삼고 영국과 화의함. ▶영국, 리빙스턴Livingstone이 아프리카 탐험을 시작함. 보루네오와 뉴질랜드를 영유함. 세계 최초로 우표를 발행함. ▶헝가리 리스트Liszt, 〈헝가리 광시곡狂時曲〉을 작곡함.

연 대	조선	우 리 나 라	다 른 나 라
1841 (4174) 신축	7	**1** 성균관成均館에 인일제人日製(음력 1월 7일에 보이던 과거科擧)를 설치함. 청백리의 선록選錄을 작성함. **4** 《동문휘고同文彙考》를 간행함. 조인영趙寅永, 영의정에 오름. **8** 박중도朴仲道 등, 길주吉州에서 사사로이 화폐를 주조하다 발각됨. 박종훈朴宗薰 사망. **9** 경주의 부민들이 환곡還穀 포탈 사건에 항의하여 궁궐 앞에서 상소함. **12** 전국에 전염병이 만연함. 이상황李相璜 사망.	**1** 청 기선琦善, 영국에 홍콩 할양을 약정함. **2** 청, 기선琦善이 체결한 약정을 파기하고 이리포伊里布와 함께 파면함. **7** 영국 · 러시아 · 오스트리아 · 프로이센 · 프랑스, 런던에서 국제해협협정을 체결함. **9** 영국, 청의 닝보寧波를 점령함. **12** 영국, 런던에서 노예무역 금지조약이 체결됨.
1842 (4175) 임인	8	**3** 전국 호구조사: 157만 473호, 670만 1629명으로 집계됨. **4** 청의 표류인을 육로로 돌려보냄. 청나라 사람이 압록강을 건너와 토지를 개간하지 못하도록 청에 요구함. **5** 도성 내의 하천 준설 공사를 실시함. **6** 가뭄 피해를 덜기 위해 이앙법移秧法을 금함. 《통문관지通文館志》를 속간함. 순천順天 송광사松廣寺 불탐. 홍석주洪奭周 사망. **11** 《천세력千歲曆》을 간행함. 농우農牛의 도살을 금함. ▶《각간선생실기角干先生實記》를 간행함.	**5** 영국, 청의 상하이上海를 함락함: 6월 난징南京에 육박. **7** 일본, 외국 선박 퇴치령을 완화함. 영국, 런던에서 차티스트chartist 대시위 일어나 폭동화함. **8** 청, 영국과 난징南京조약을 맺음: 푸저우福州 등 5개 항구를 개방하고 홍콩을 할양함. ▶프랑스, 콩트Comte가 《실증철학강의》 지음. 스탕달Stendal 사망. ▶독일 메이어Mayer, 에너지 보존의 법칙을 발견함. ▶오스트리아 도플러Doppler, 도플러 효과를 발표함.
1843 (4176) 계묘	9	**2** 순천順天 송광사松廣寺를 중건함. **6** 공주公州의 대동미大同米를 착복한 이양옥李陽玉을 처형함. **7** 세폐방물歲幣方物을 정비함. **윤7** 경상도의 양전量田을 칠원현漆原縣에서 시험적으로 실시함. **8** 효현왕후孝顯王后(헌종 비) 사망. **10** 시약청侍藥廳을 폐지함. 조삼造蔘(수삼으로 백삼이나 홍삼을 만듦)을 금함. **11** 화양동서원華陽洞書院 유생들이 송시열宋時烈을 비난한 전라감사를 추방케 함. ▶《눌재집訥齋集》을 간행함.	**5** 영국, 스코틀랜드에 자유교회가 성립됨. **6** 청, 윈난雲南 토적의 난을 평정함. **8** 청, 영국과 호문조약虎門條約을 체결함. **11** 청, 상하이上海를 개항함. ▶영국, 신드Sind 지방을 영국령 인도에 병합함. 오코넬o'Connell이 아일랜드 분리운동을 전개하다 체포됨. ▶덴마크 키에르케고르Kierkegaard, 〈이것이냐 저것이냐〉를 발표함.

연대	조선	우리나라	다른나라
1844 (4177) 갑진	헌종 10	**3** 조희룡趙熙龍, 《호산외기壺山外記》를 지음. **6** 비변사備邊司에서 각 도의 보미변통절목保米變通節目을 조사함. **8** 이원덕李遠德 · 민진용閔晉鏞 · 최영희崔英熙 등, 왕족 후손 원경元慶을 받들고 반란 꾀하다 처형됨. **9** 헌종, 경희궁慶熙宮으로 옮김. 홍재룡洪在龍의 딸을 왕비로 삼음. 청주 만동묘萬東廟에 대한 의례를 정함. ▶이재李縡의 《사례편람四禮便覽》을 간행함. ▶한산거사漢山居士, 〈한양가漢陽歌〉를 지음. ▶김정호金正浩, 〈오대주도五大洲圖〉를 그림. ▶김정희金正喜, 〈세한도歲寒圖〉를 그림.	**3** 그리스, 입헌정체를 채택함. **5** 미국, 워싱턴~볼티모어 전신을 개통함. **6** 청, 미국과 마카오Macao에서 통상조약을 맺음. **7** 일본, 네덜란드 왕으로부터 개국을 권고 받음. **9** 청, 황푸黃浦에서 프랑스와 통상조약을 체결함. ▶프랑스 뒤마Dumas, 〈몽테크리스토 백작Monte-Cristo伯爵〉을 발표함. ▶도미니카, 독립하여 헌법을 제정함.
1845 (4178) 을사	11	**1** 《문원보불文苑黼黻》과 《동국문헌비고東國文獻備考》를 보완하여 속간함. **3** 청의 위원魏源이 지은 《해국도지海國圖誌》를 들여옴. **6** 영국 군함 사마랑호Samarang號가 제주도 및 전라도 서해안을 측량함: 7월 청을 통해 광둥廣東의 영국 당국에 항의함. **7** 청천강淸川江 유역의 홍수로 가옥과 인명 피해가 발생함. **8** 훈련도감에서 대완구大碗口 · 비격진천뢰飛擊震天雷 · 포탄 · 총을 새로 제작함. **10** 김대건金大建, 청에서 우리나라 최초의 신부神父가 되어 국내에 밀입국함. ▶서유구徐有榘 사망.	**6** 일본, 네덜란드 왕의 개국 권고를 거절함. 러시아, 중앙아시아의 키르기즈Kirghiz 지방을 점령함. **7** 미국, 텍사스Texas를 병합함. **11** 청 임칙서林則徐, 산시陝西 총독에 임명됨. ▶청, 상하이上海에 최초의 영국 조계지租界地가 성립됨. ▶인도, 제1차 시크Sikh 전쟁 일어남. ▶영국 패러데이Faraday, 자기광학磁氣光學에 관한 〈패러데이 효과〉를 발표함.
1846 (4179) 병오	12	**5** 석범石帆, 《언음첩고諺音捷考》를 지음. **6** 프랑스 해군 소장 세실Ce'cille이 군함 3척을 이끌고 충청도 외연도外煙島에 들어와 천주교 탄압에 항의하는 국서를 전함. **7** 김대건金大建, 체포되어 한강가 새남터에서 순교함. **8** 총융청摠戎廳을 총위영摠衛營으로 고침. 황철운黃喆云 등, 함경도 명천明川에서 화폐를 만들다 발각됨. **10** 관리의 백포白袍 착용을 금함. ▶신위申緯의 《소악부小樂府》를 간행함.	**5** 영국, 곡물법穀物法을 폐지함. **윤5** 일본, 미국 함대가 우라가浦賀에서 교역을 요구함. **8** 일본, 바다를 엄히 지킬 것을 명함. ▶독일, 프랑크푸르트 의회에서 독일연방 헌법을 수정함. ▶미국, 멕시코와 전쟁 벌임. ▶러시아 도스토예프스키Dostoevskii, 〈가난한 사람들〉을 발표함. ▶독일, 리스트Liszt 사망.

연대	조선	우리 나라	다른 나라
1847 (4180) 정미	13	**1** 서양 직물 수입으로 백목전白木廛 상인의 경영난이 심해짐. **3** 청에서 자국인이 조선 국경을 넘어 몰래 개간하는 것을 조사해감. **6** 프랑스 군함 글로아르호Gloire號가 지난해 세실Ce' cille 소장이 전하고 간 글의 답신을 받으러 오다 고군산군도古群山群島에서 좌초함: 8월 영국 선박을 타고 돌아감. ▶프랑스 세실Ce' cille 소장의 서신에 대하여 청을 통해 답신을 보냄: 서양과의 첫 외교 문서	**2** 청, 노르웨이 · 스웨덴과 통상조약을 체결함. **5** 증국번曾國藩, 내각학사가 됨. **7** 독일 마르크스Marx, 런던에서 공산주의자동맹을 결성함. **8** 리베리아, 미국으로부터 독립함. **11** 청, 영국인이 광둥廣東에서 살해당함. ▶독일, 헬름홀츠Helmholz가 에너지 불변의 법칙을 확립함. 멘델스존Mendelssohn 사망.
1848 (4181) 무신	14	**2** 성균관成均館 개수를 명함. **3** 화원 박희영朴禧英, 베이징北京에서 아편 흡입기구를 들여와 처벌됨. **4** 쓰시마도주對馬島主가 이양선異樣船 출현을 알려옴. **10** 정조 · 순조 · 익종의 《삼조보감三朝寶鑑》을 완성함. **12** 이양선異樣船이 전국 각처에 나타남. ▶이진흥李震興, 《연조귀감掾曹龜鑑》을 지음. ▶황희黃喜의 《방촌집厖村集》을 간행함.	**1** 미국, 캘리포니아 금광 발견함. **2** 프랑스, 2월혁명 일어남: 공화제 공포. 독일, 마르크스Marx와 엥겔스Engels가 〈공산당선언共産黨宣言〉을 발표함. **3** 오스트리아, 3월혁명 일어남: 메테르니히Metternich 사직. 사르디니아Sardinia, 오스트리아에 선전포고함. **8** 청, 러시아인의 상하이上海 무역을 거부함. ▶인도, 제2차 시크Sikh 전쟁 반발.
1849 (4182) 기유	15	**1** 한산도閑山島에 진을 설치함. **4** 함경도에서 이양선異樣船을 억류했다 풀어줌. 《용만지龍灣誌》를 중간함. 강계부江界府 여연閭延에 발참撥站을 설치함. **6** 헌종 사망: 철종哲宗 즉위. 순원왕후純元王后(순조 비, 대왕대비大王大妃 김씨)가 수렴청정함. 총위영摠衛營을 총융청摠戎廳으로 고침. **11** 백마산성白馬山城에 별장別將을 배치함. ▶휴대용 목제 해시계를 제작함. ▶《승정원일기承政院日記》를 편찬함. ▶홍석모洪錫謨, 《동국세시기東國歲時記》를 저술함. ▶정학유丁學游, 〈농가월령가農家月令歌〉를 저술함. ▶전기田琦, 〈설경산수도雪景山水圖〉를 그림.	**2** 이탈리아, 마치니Mazzini 지도하에 로마 공화국이 성립됨. **3** 영국, 인도와의 시크Sikh 전쟁이 종료됨: 펀자브Punjab 지방을 병합함. 프로이센, 프랑크푸르트Frankfurt 국민회의에서 독일제국 헌법을 제정함. **8** 사르디니아 · 오스트리아, 밀라노와 화약을 체결함. 베네치아Benezia, 오스트리아에 항복함. ▶일본, 네덜란드인이 종두법을 전함. ▶영국, 항해조례航海條例 폐지함. ▶덴마크 키에르케고르Kierkegaard, 〈죽음에 이르는 병〉을 발표함. ▶폴란드, 쇼팽Chopin 사망.

연대	조선	우리 나라	다른 나라
1850 (4183) 경술	철종 1	**1** 개성에서 개인의 인삼 재배가 성행함. **2** 이양선異樣船 1척이 울진蔚珍 해안에 나타나 후망선候望船에 발포하고 군민을 살상함. **3** 《헌종어제憲宗御製》와 《열성어제列聖御製》를 간행함. **11** 조삼포소造蔘包所의 이설移設을 금함. **12** 조인영趙寅永 사망. ▶하동 쌍계사雙磎寺에 화재 발생함.	**6** 청 홍수전洪秀全, 태평천국太平天國의 난 일으킴. **8** 프랑스, 발자크Balzac 사망. **11** 청, 임칙서林則徐 사망. 프로이센, 올뮈츠Olmütz 협약으로 오스트리아의 요구를 받아들임: 독일연방안 좌절. ▶영국, 워즈워스Wordsworth 사망. ▶프랑스 밀레Mille, 〈씨 뿌리는 사람〉을 그림.
1851 (4184) 신해	2	**2** 독도纛島의 민란 주도자를 처형함. **3** 국가의 경비가 부족하여 봉부동전封不動錢(쓰지 못하게 봉해 둔 돈)으로 보충함. 청으로부터의 아편 수입을 엄히 단속함. **4** 경기·충청·경상 3도의 유생들이 서얼허통법庶孽許通法 실시를 요청함. **7** 김정희金正喜, 북청北靑으로 유배됨. **9** 김문근金汶根의 딸을 철종 비로 삼음: 안동김씨의 세도정치 재개. **10** 《헌종실록》을 편찬함. 황해도민 채희재蔡喜載가 민란 꾀하다 처형됨. **12** 대왕대비 김씨, 수렴청정을 끝냄: 철종의 친정 시작.	**1** 청 홍수전洪秀全, 스스로 태평왕太平王이라 칭함. **3** 청, 양광兩廣 지방에 비적匪賊들이 창궐함. **5** 영국, 런던에서 제1회 산업박람회를 개최함. **8** 청, 러시아와 이리伊犁 조약을 체결함. **윤8** 청 홍수전洪秀全, 융안永安을 함락하고 태평천국왕太平天國王이라 칭함. **12** 프랑스, 루이 나폴레옹Louis Napoleon이 쿠데타로 정권을 장악함. ▶영국, 도버Dover와 프랑스의 칼레Calais 사이에 해저전선을 부설함. ▶독일, 오켄Oken 사망.
1852 (4185) 임자	3	**1** 한성부 청사에 불이 남. **4** 흉년으로 삼남지방의 방곡防穀을 금하도록 함. 5위장五衛將의 임명을 엄정히 하고 진장鎭將의 매관매직을 금함. **6** 호조에 화폐를 주조하도록 함. **7** 프랑스 군함이 지난해 좌초된 자국 선박을 조사하러 고군산군도古群山群島에 옴. 북관개시北關開市의 정례를 정함. 청의 어선들이 황해도 연안에 들어와 고기잡이하는 데 대해 항의함. 홍직필洪直弼 사망. **8** 외읍도결外邑都結을 금함. **10** 미국의 포경선捕鯨船이 용당포龍塘浦에 나타남. 환곡還穀의 폐단을 논의함.	**5** 영국·러시아·프랑스·오스트리아·스웨덴, 런던 조약을 체결하고 슐레스비히Schleswig·홀스타인Holstein 문제 의정서에 서명함. **11** 청 태평군太平軍, 한양을 함락함. **12** 프랑스, 루이 나폴레옹이 나폴레옹 3세 황제에 오름: 제2제정. ▶제2차 미얀마 전쟁 일어남. ▶영국, 리빙스턴Livingstone이 잠베지강Zambezi江 탐험을 개시함. 웰링턴Wellington 사망. ▶프랑스 뒤마Dumas, 〈춘희椿姬〉를 발표함. ▶미국 스토Stowe 부인, 〈엉클 톰스 캐빈Uncle Tom's Cabin〉을 발표함,

연대	조선	우리 나라	다른 나라
1853 (4186) 계축	4	**1** 경상감사, 부산 앞바다에 이양선異樣船이 출몰함을 조정에 급히 보고함. 각 도의 방곡防穀의 폐해를 금지시킴. **2** 김좌근金左根, 영의정에 오름. **4** 러시아 함대 팔라도호가 영일만迎日灣까지 남하하여 동해안을 측량함. **5** 왜관倭館을 다시 설치함. **6** 한성의 유랑민들을 강제로 고향으로 돌려보냄. **9** 황해도 연안에 청의 어선들이 자주 침범함: 추포무사追捕武士의 제도를 다시 실시하여 이에 대비케 함. **11** 충청도 홍주洪州(지금의 홍성) 원산도元山島에 진鎭을 설치함. **12** 경상도 봉화奉化에서 흉서凶書의 변이 발생하여 민심이 흉흉해짐. ▶김진형金鎭衡, 〈북천가北遷歌〉를 지음.	**2** 청 태평군太平軍, 난징南京을 함락하고 천경天京이라 함. 이탈리아 마치니Mazzini, 밀라노Milano에서 봉기함. **5** 청, 처음으로 은초銀鈔(은 화폐)를 제조함. 증국번曾國藩이 향용鄕勇을 조직하여 의용군을 일으킴. **6** 일본, 미국의 페리Perry가 우라가浦賀에 내항하여 대통령 친서 전달함. **7** 일본, 러시아 사절이 나가사키長崎에 옴. 터키, 러시아에 선전포고함: 크림Krym 전쟁. **8** 청 태평군太平軍, 베이징北京 근방까지 침입함. ▶인도, 처음으로 철도가 개통됨. ▶영국 나이팅게일Nightingale, 크림Krym 전쟁에서 활약함.
1854 (4187) 갑인	5	**1** 뇌물을 받은 지방관에게 2배를 물리는 법을 시행함. **3** 수원·광주의 유수留守는 원임대신原任大臣으로 임명케 함. 은과 엽전을 함께 화폐로 유통시키는 문제를 논의함. **4** 러시아 선박이 함경도 덕원德源과 영흥永興 해안에 와서 백성들을 살상함. **6** 함경도 도민이 외국 선박과 교역하는 것을 금함. **8** 제주도에 계성사啓聖祠를 건립함. 황해도 연안延安에 남대지南大池를 축조함. **11** 조석우曺錫雨, 조하망曺夏望의 문집《서주집西洲集》을 간행함: 송시열宋時烈을 비난한 글을 삭제하여 처형됨. **12** 소를 잡지 못하게 하고 방납防納의 폐단을 경계함. ▶서기순徐箕淳 사망.	**1** 청 격임심格林沁, 태평군太平軍을 크게 파함. **2** 오렌지Orange 자유국 성립. **3** 일본, 미국과 화친조약을 체결하여 개국함: 이후 8월 영국, 12월 러시아와 화친조약을 체결하여 차례로 개국함. 영국·프랑스, 터키와 동맹하여 러시아에 선전포고함. **4** 프로이센·오스트리아, 대러시아 공수동맹을 체결함. **7** 청, 처음으로 연전鉛錢을 주조하여 사용하게 함. 미국, 공화당이 결성됨. **8** 청, 관군이 우창武昌을 회복함. 영국·프랑스 연합군, 크림Krym 반도에 상륙함. **11** 프랑스 레셉스Lesseps, 이집트로부터 수에즈Suez 운하 개설 특허를 획득함. ▶독일, 셸링Schelling 사망.

연 대	조선	우 리 나 라	다 른 나 라
1855 (4188) 을묘	철종 6	**3** 각 도의 사단社壇을 수축함. **5** 영남지방 유생들이 만인소萬人疏를 올려 장헌세자莊獻世子의 추존을 건의함. **6** 강원도 통천通川에 표류한 미국인 4명을 청으로 보냄. **8** 사문斯文(성리학 사상)의 시비를 논하는 상소를 금함. **9** 만인소萬人疏와 팔도소八道疏를 금함. **12** 주전소에서 새 화폐를 주조하여 유통시킴. ▶지금의 구리시에 동구릉東九陵 을 조성함. ▶영국 군함 호네트호Hoenet號가 독도를 측량함. ▶프랑스 군함 비르지니호Virginie號가 동해안을 측량함.	**3** 청, 관군이 상하이上海를 회복함. **5** 사르디니아, 연합군에 가담하여 크림Krym 반도에 상륙함. 프랑스, 만국산업박람회를 개최함. **7** 일본, 해군전습소를 개설함. **8** 청 증국번曾國藩, 호구湖口를 공략함. **11** 덴마크, 키에르케고르Kierkegaard 사망. **12** 일본, 네덜란드와 조약 체결함. ▶영국, 브라우닝Browning이 〈남자와 여자〉를 지음. 브론테Bronte 사망. ▶독일, 가우스Gauss 사망.
1856 (4189) 병진	7	**1** 가축을 함부로 잡지 못하게 함. **2** 금위영禁衛營과 어영청御營廳 향군鄕軍의 번番을 2년으로 감함. **4** 이시원李始源 등의 《양현전심록兩賢傳心錄》을 간행함. 월정사月精寺 중건. **5** 각 도의 유배 죄인을 석방함. 《통문관지通文館志》 속편을 완성함. **7** 프랑스 군함이 충청도 장고도長古島에서 가축을 약탈함. **10** 김정희金正喜 사망. **11** 소나무 심기를 장려함. ▶제주에 삼성혈비三姓穴碑를 건립함. 제천에 천주교신학교를 설립함.	**2** 독일, 하이네Heine 사망. **3** 파리 조약으로 크림Krym 전쟁이 종식됨. **7** 일본, 미국 총영사 해리스Harris 부임. 독일, 슈만Schuman 사망. **8** 청, 태평천국太平天國에 내분 일어남: 양수청楊秀淸 피살. **9** 청, 광둥廣東의 영국 선박 선원을 체포함: 애로호Arrow號 사건. **11** 영국, 청의 광둥廣東을 포격함. ▶프랑스 르브리에Leverrier, 천기도로 일기예보를 시작함. ▶독일, 네안데르탈인을 발굴함.
1857 (4190) 정사	8	**1** 서얼 출신 문과급제자를 승문원에 등용함. **5** 내수사內需司 및 각 궁방宮房이 포구와 나루터에서 잡세를 징수함. **윤5** 일본 구리의 수입을 금함. **8** 순종純宗의 묘호를 순조純祖로 고침. 순원왕후純元王后(순조 비) 사망. **9** 보민안민保民安民의 윤음綸音을 내림. 연행사燕行使 수행원의 수를 정함. **10** 주자소鑄字所가 화재로 불탐. ▶최한기崔漢綺, 《지구전요地球典要》를 지음. 《풍요삼선風謠三選》을 간행함. ▶남영로南永魯 사망: 생전에 〈옥련몽玉蓮夢〉과 〈옥루몽玉樓夢〉을 지음	**3** 미국, 드레드 스코트Dred Scott 판결 나옴: 노예 시민권 인정. **4** 청, 푸젠福建의 여러 성省이 태평군太平軍에 함락됨. **5** 인도, 세포이Sepoy 항쟁 일어남. **9** 프랑스, 콩트Comte 사망. **12** 영국 · 프랑스, 청의 광둥廣東을 함락함. ▶인도, 캘커타 · 뭄바이 · 마드라스에 대학을 설립함. ▶프랑스, 보들레르Baudelaire의 〈악의 꽃〉, 플로베르Flaubert의 〈보바리Bovary 부인〉 나옴.

연 대	조선	우 리 나 라	다 른 나 라
1858 (4191) 무오	9	**2** 형조, 중죄인의 처분에는 판서判書를 참여하게 함. 금·은·구리를 함부로 채굴하지 못하게 함. **3** 각 도에 방곡防穀의 폐를 엄금함. **5** 지붕이 있는 가마 타는 것을 금함. **6** 강화 만녕전萬寧殿을 중건함. **7** 강 연안의 선세船稅를 금함. **8** 한성에 도둑이 횡행함. **9** 규장각奎章閣에서 정리자整理字와 한구자韓構字의 주자를 완료함. **11** 수령의 연한을 제한함. ▶길재吉再의 《야은속집冶隱續集》, 오경석吳慶錫의 《삼한금석록三韓金石錄》, 이만영李晩永의 《재물보才物譜》, 정수동鄭壽銅의 《하원집夏園集》, 이지수李趾秀의 《중산재집重山齋集》, 최시옹崔是翁의 《동강유고東岡遺稿》을 간행함. ▶호남 유림들의 《병자호란창의록丙子胡亂倡義錄》을 간행함. ▶대구 유림들이 《규사葵史》를 지음. ▶강진姜溍·정수동鄭壽銅·조병기趙秉夔 사망.	**1** 청, 난징南京의 태평군太平軍을 격파함. 양광兩廣 총독 섭명침葉名琛이 영국인에게 체포됨. **3** 영국, 인도의 럭나우Lucknow를 점령하고 대규모 학살을 자행함. **6** 청, 영국·프랑스와 톈진조약天津條約을 체결함: 양국 상선의 하천 항행권을 인정함. 일본, 미국과 수호통상조약을 체결함. **7** 일본, 네덜란드(10일)·러시아(11일)·영국(18일)과 조약 체결함. **8** 영국, 무굴Mughul 제국을 멸하고 인도를 직접 통치하기 시작함. 동인도회사를 폐지함. **9** 일본, 프랑스와 수호통상조약을 체결함. 미국, 영국과의 사이에 대서양 횡단 해저전선을 개통함. 터키, 철도를 개통함. **11** 청, 러시아와 아이훈Aihun 조약을 체결함. ▶영국, 오언Owen 사망. ▶프랑스 레셉스Lesseps, 수에즈운하회사를 설립함.
1859 (4192) 기미	10	**1** 정원용鄭元容, 영의정에 오름. **3** 《대명률大明律》·《대전통편大典通編》·《무원록無冤錄》 등을 간행함. **4** 서원書院 신설을 금함. **5** 영국의 애서야말호가 부산 용당포龍塘浦에 와서 통상을 요구함. **6** 찰방察訪의 재직 기한을 정함. **8** 한성 근처의 사찰을 헐어버림. **9** 전국에 전염병이 유행함. **11** 일본이 서양에 개국하였다고 통고해 옴. ▶작가 미상의 〈관동장유가關東壯遊歌〉 이루어짐. 윤정기尹廷琦, 《동환록東寰錄》을 지음. ▶조희룡趙熙龍, 〈수묵산수도水墨山水圖〉와 〈홍매도紅梅圖〉를 그림. ▶조희룡趙熙龍·권돈인權敦仁 사망.	**4** 이탈리아, 사르디니아Sardinia 수상 카보우르Cavour가 오스트리아와 전쟁 일으킴: 제2차 이탈리아 통일전쟁. **5** 일본, 나가사키長崎·가나가와神奈川·하코다테函館 등을 개항함. **7** 프랑스, 오스트리아와 단독 강화함:이탈리아 통일운동 좌절. ▶영국 다윈Darwin, 〈종의 기원 Origin of Species〉을 발표함. ▶프랑스, 사이공Saigon(지금의 호찌민Hochi Minh)을 점령함. ▶오스트리아, 메테르니히 Metternich 사망. ▶미국, 어빙Irving 사망. ▶이집트, 수에즈Suez 운하 기공.

연대	조선	우리 나라	다른 나라
1860 (4193) 경신	철종 11	**2** 왕의 행차 때의 복장을 군복으로 정함. 《숙영낭자전》을 간행함. **3** 호조, 경비 부족을 선혜청宣惠廳의 양곡으로 보충함. **윤3** 영국 상선이 동래에 나타나 말 수출을 요구함. **4** 최제우崔濟愚, 경주에서 동학東學을 창도함. **7** 경희궁慶熙宮 보수를 완료함. **9** 철종, 경희궁慶熙宮으로 옮김. 돈의문괘서사건敦義門掛書事件 일어남. **10** 남병길南秉吉의 《시헌기요時憲紀要》를 간행함.	**3** 일본, 사쿠라다문櫻田門 사건이 발생함. **7** 영국 · 프랑스 연합군, 톈진天津을 함락함: 8월 베이징北京 함락. **9** 청, 러시아에 우수리강Ussuri江 동안을 양도함. 이탈리아 가리발디Garibaldi, 나폴리 왕국 정복. 독일, 쇼펜하우어Schopenhauer 사망. **10** 청, 영국 · 프랑스와 베이징 조약을 체결함. **11** 미국 링컨Lincoln, 대통령 선거에서 승리함.
1861 (4194) 신유	12	**3** 왕의 행차 때 백성들이 구경하는 것을 금함. 과거 때 금전 거래를 금함. **4** 철종, 창덕궁昌德宮으로 돌아옴. 랑드르Landre · 칼레Calais · 리델Ridel · 조안느Joanne 신부 등이 입국함. **7** 위표僞標로 징채徵債하는 것을 금함. **9** 러시아 함대가 원산元山에 와서 통상을 요구함. 가작加作의 폐해를 금함. ▶경상우도 병사 백낙신白樂莘, 수십만냥을 수탈함. ▶김정호金正浩의 《대동여지도大東輿地圖》를 간행함. ▶남병길南秉吉, 《성경星鏡》을 편찬함.	**2** 미국, 남부 11주가 따로 아메리카 연방을 조직함: 데이비스Davis를 대통령으로 선출함. **3** 러시아, 농노해방령을 내림. 이탈리아, 에마누엘레Emanuele 2세 즉위: 이탈리아 왕국 성립. **4** 미국, 남북전쟁 일어남. **7** 청, 문종文宗(함풍제咸豐帝) 사망: 목종穆宗(동치제同治帝) 즉위. **10** 청, 서태후西太后, 정권을 장악함. **12** 루마니아 공화국 성립. ▶프랑스 파스퇴르Pasteur, 미생물 작용을 발견함.
1862 (4195) 임술	13	**2** 진주민란晉州民亂 일어남. **3** 지방 관리의 녹봉을 감함. **4** 익산益山 · 개령開寧 · 함평咸平 등지에서 민란 일어남. 전국 각지에 마적馬賊이 출몰함. **5** 삼정이정청三政釐整廳을 설치함: 삼정三政의 문란 시정 목적. 1850년 이후에 건립된 서원書院을 철폐함. **7** 김순성金順性 등, 이하전李夏銓을 추대하려다 처형당함. **윤8** 삼정이정청三政釐整廳을 폐지함. **10** 제주 · 함흥 · 광주廣州에서 민란 일어남. ▶유재건劉在建의 《이향견문록里鄕見聞錄》을 간행함.	**1** 청, 미국인 워드Ward 등이 상승군常勝軍을 조직하여 상하이上海의 태평군太平軍을 격파함. **5** 영국, 런던에서 만국산업박람회를 개최함. **6** 베트남, 프랑스 · 스페인과 사이공 조약을 체결함. **7** 청 이홍장李鴻章, 워드Ward와 태평군太平軍을 공격함: 8월 워드 전사. **9** 프로이센 비스마르크Bismark, 수상에 취임함. **10** 그리스, 혁명 일어남. ▶프랑스 위고Hugo, 〈레미제라블Les Miserables〉을 발표함.

연대	조선	우리 나라	다른 나라
1863 (4196) 계해	14	**2** 금위영禁衛營 군졸들이 녹봉으로 받은 쌀의 질이 나빠 소란을 일으킴. **3** 안변安邊 석왕사釋王寺를 중건함. **7** 남병철南秉哲 사망. **8** 한성 5전五廛(포전 · 지전 · 면자전 · 동상전 · 미상전)이 불탐. **11** 해주에 선조주필기적비宣祖駐蹕紀蹟碑를 건립함. 동학교주 최제우崔濟愚가 체포됨. 김문근金汶根 사망. **윤12-8** 철종 사망. **12-13** 고종高宗 즉위: 대왕대비 조씨(익종비) 수렴청정. 이하응李昰應, 대원군으로서 정권 장악함: 흥선대원군興宣大院君. ▶김정호金正浩의 《대동지지大東地志》, 편자 미상의 《남훈태평가南薰太平歌》를 간행함. ▶김병연金炳淵(김립金笠) 사망.	**1-1** 미국 링컨Lincoln 대통령, 노예해방을 선언함. **1-14** 폴란드, 반란 일어남. **3-25** 청, 영국인 고든Gordon이 상승군常勝軍 사령관이 됨. **4** 청 증국번曾國藩 · 이홍장李鴻章 등, 태평군太平軍을 격파함. **5-23** 독일, 노동자동맹을 결성함. **6-10** 프랑스군, 멕시코 시티를 점령함. **8-11** 캄보디아, 프랑스 보호령이 됨. **9** 청 이홍장李鴻章, 쑤저우蘇州에서 태평군太平軍을 대파함. **11-19** 미국 링컨Lincoln 대통령, 게티스버그Gettysvurg에서 연설함. ▶프랑스, 들라크루아Delacroix 사망.
1864 (4197) 갑자	고종 1	**1-27** 김진형金鎭衡, 시폐소時弊疏를 올리다 고금도古今島에 유배됨. **2-11** 비변사備邊司는 외교 · 국방 · 치안만을 담당하게 함. **2-28** 러시아인이 국경 넘어와 경흥부사慶興府使에게 통상을 요구함. **3-2** 최제우崔濟愚, 대구에서 처형됨. **4-19** 광통교廣通橋에서 종각鐘閣까지의 집들이 불탐: 5월 종각을 다시 세움. **4-22** 서원書院과 향현사鄕賢祠에 토지와 재산을 보고하게 함. **6-6** 운현궁雲峴宮과 금위영禁衛營 간에 흥선대원군 궁성 출입용 대문을 설치함. **7-27** 의정부로 하여금 각 서원書院과 향현사鄕賢祠의 존폐 여부를 결정하여 보고하게 함. **9-22** 비변사備邊司를 묘당廟堂으로 고침. **10-22** 적상산사고赤裳山史庫 수호 사찰 안국사安國寺를 중수함. ▶경흥慶興의 양응범梁應範과 무산茂山의 최운실崔雲實 등이 헤이룽강黑龍江을 넘어 러시아 영토에 처음으로 이주함. ▶고양에 서삼릉西三陵을 조성함.	**2-1** 프러시아 · 오스트리아 연합군, 독일 홀스타인Holstein에 침입함. **3-2** 청 태평군太平軍, 난징南京을 포위함. **5** 러시아, 폴란드 반란을 진압함. **5-25** 프랑스, 노동자 파업권을 승인함. **6-1** 청, 홍수전洪秀全 자살. **7-19** 청, 난징南京을 점령함: 태평천국太平天國의 난 진압. **8-5** 영국 · 프랑스 · 미국 · 네덜란드 연합함대, 일본 시모노세키를 포격함. **8-22** 국제적십자사조약 성립. **10-5** 국제노동자협회(제1인터내셔널) 결성. **10-7** 러시아, 청과 국경 확정 의정서를 교환함. **10-30** 덴마크, 빈Wien 조약으로 슐레스비히Schleswig · 홀스타인Holstein을 프러시아와 오스트리아에 양도함. **11-8** 미국 링컨Lincoln 대통령, 대통령에 재선됨. ▶스위스 뒤낭Dunant, 국제적십자사를 창설함.

연대	조선	우리나라	다른나라
1865 (4198) 을축	고종 2	**1**–2 통제중군統制中軍을 설치함. **3**–2 한성부 안 개천 준설공사를 시작함. **3**–28 비변사備邊司를 의정부에 병합함. **3**–29 만동묘萬東廟 철폐를 명함. **4**–3 경복궁景福宮 중건 위해 영건도감營建都監을 설치함: 5일 원납전願納錢을 내게 함. **4**–13 경복궁景福宮 중건공사를 시작함. **5**–26 삼군부三軍府를 설치함. **윤5**–2 임헌회任憲晦, 만동묘萬東廟 철폐 반대 상소를 올림. **윤5**–13 《철종실록》과 《순조실록》 부록을 완성함. **11**–26 경상도 유생 1,468명이 만동묘萬東廟 철폐 반대 상소를 올림. **11**–30 《대전회통大典會通》을 편찬함. **12**–26 영국 상선 로나호가 통상교섭 벌이다 실패함. 독일인 오페르트Oppert가 내한함. ▶사역원司譯院, 《통문관지通文館志》 간행.	**4**–9 미국, 북군의 그란트Grant 장군이 리치먼드Richmond를 함락함: 남북전쟁 끝남. **4**–15 미국, 링컨Lincoln 대통령 암살당함. **5** 프랑스, 파리에서 국제전신조약이 체결됨. **8**–14 프로이센 · 오스트리아, 가슈타인Gastein 협정을 체결함. **9**–25 영국, 런던에서 제1회 인터내셔널대회가 개최됨. **12**–18 미국, 헌법 수정안이 비준됨: 노예제 폐지. ▶영국 부스Booth, 구세군救世軍을 창시함. ▶오스트리아 멘델Mendel, 유전법칙을 발견함. ▶러시아 톨스토이Tolstoi, 〈전쟁과 평화〉를 발표함.
1866 (4199) 병인	3	**1**–21 프랑스 베르뇌Berneux 등 9명의 선교사와 남종삼南鍾三 등 천주교도들이 처형당함: 병인박해丙寅迫害. **2**–13 대왕대비 조씨, 수렴청정을 거둠. **3**–6 민치록閔致祿의 딸을 왕비로 정함: 명성황후明成皇后. **5**–12 미국 범선 서프라이즈호Surprise號가 평안도 철산에 표류함: 곧 베이징北京으로 송환. **5**–18 프랑스 신부 리델Ridel이 박해 피해 국외로 탈출함. **6**–26 독일인 오페르트Oppert가 충청도 해안에 재입국하여 통상을 요구함. **7**–24 미국 상선 제너럴셔먼Jeneral Sherman호가 평양 군민들의 공격으로 불탐: 제너럴셔먼호사건. **8**–12 프랑스 함대사령관 로즈Roze가 군함 3척을 이끌고 양화진楊花津에 이름. **9**–8 프랑스군이 강화를 점령함: 병인양요. **10**–12 양헌수梁憲洙, 정족산성鼎足山城에서 프랑스군을 격파함. **11**–6 경복궁景福宮 중건 위한 당백전當百錢 주조함.	**4**–7 일본, 학술 및 무역 위한 해외 진출을 허가함. **4**–8 프로이센 · 이탈리아, 대오스트리아 동맹을 체결함. **4**–9 미국 의회, 공민권公民權 법안을 의결함: 흑인 공민권 인정. **5**–11 영국, 금융공황 일어남: 암흑의 금요일. **6**–14 프로이센, 오스트리아와 전쟁 벌임. **6**–20 이탈리아, 오스트리아에 선전포고함. **8**–23 프로이센, 오스트리아와 프라그 조약을 체결함: 홀스타인Holstein과 하노버Hanover 등을 병합함. **10**–3 이탈리아, 오스트리아와 강화조약을 체결함: 베네치아Benezia 회복. ▶러시아 도스토예프스키Dostoevskii, 〈죄와 벌〉을 발표함.

연대	조선	우리 나라	다른 나라
1867 (4200) 정묘	4	**1**-14 개성에서 급제한 왕정양王庭楊을 병조참의에 임명함: 왕씨王氏 후예의 첫 등용. **1**-20《선원속보璿源續譜》를 완성함. **1**-23 미국 워추셋호Wachusett號 함장 슈펠트Shufeldt가 대동강大同江 입구에 진입하여 제너럴셔먼호General Sherman號 사건의 해명을 요구함. **2**-30 성문세城門稅를 부과함: 경복궁景福宮 중건 자금 마련 목적. **3**-7 일본인 야도八戶順叔의 정한론征韓論에 대해 일본에 항의함: **10**-1 쓰시마도주對馬島主가 유언비어임을 회답해 옴. **3**-22 강릉부에 화재가 발생함. **3**-28 개성부 청석진靑石鎭을 다시 둠. **4**-13 영종도永宗島를 방어영防禦營으로 승격시킴. **4**-29 복제服制를 개혁함. 유민 방지 위해 경흥慶興 · 종성鍾城 · 동관潼關 · 경원慶源 등지에 포군砲軍을 설치함. **5**-15 당백전當百錢 주조를 중지함. **5**-16《육전조례六典條例》를 간행함. **5**-18 김병학金炳學, 영의정에 오름. **6**-3 청 화폐의 통용을 허가함. **6**-4 선전관 이혁주李赫周, 흥선대원군에게 경복궁景福宮 중건 중지를 건의함. **9**-9 훈련대장 신관호申觀浩가 제작한 수뢰포水雷砲를 한강에서 시험 발사함. **9**-19 고려왕릉 보수를 명함. **9**-27 호서지방의 각 군 포목布木을 화폐로 대납케 함. **10**-28 홍주洪州 천주교도 이제현李濟鉉을 처형함. **11** 경복궁景福宮 근정전勤政殿과 경회루慶會樓 재건을 완료함. **12**-17 유희양柳羲養의《춘관통고春官通考》를 간행함. ▶신관호申觀浩의《민보집설民堡輯說》, 남병길南秉吉의《산학정의算學精義》, 이항로李恒老의《화서아언華西雅言》을 간행함.	**1** 러시아, 폴란드 왕국을 폐함. **2**-7 일본, 요코하마橫濱에 영어 · 프랑스어 학습소를 설립함. **3**-12 프랑스, 멕시코에서 철군함. **3**-30 미국, 러시아와 알래스카Alaska 매입협정을 체결함. **4**-1 프랑스, 파리만국박람회를 개최함. 말레이시아, 영국의 직할 식민지가 됨. **4**-26 독일, 프로이센을 맹주로 북독일연방이 성립됨. **4** 청, 텐진天津기기국을 설립함. **7**-1 영국, 캐나다를 자치령으로 삼음. **7**-15 프랑스, 캄보디아를 보호국으로 함. **8**-15 영국, 의회에서 제2차 선거법 개정을 시행함: 도시노동자 대부분이 유권자가 됨. **9**-9 룩셈부르크, 런던 조약에 의해 영세중립국이 됨. **9** 독일 마르크스Marx, 〈자본론〉 제1부를 발표함. **12**-4 미국, 독점에 반대하는 농민 유지회가 결성됨. **12**-9 일본, 왕정복고王政復古를 선포함. **12**-21 오스트리아, 헝가리인의 자치를 허용함: 오스트리아-헝가리 제국 성립. **12** 이탈리아, 프랑스군이 로마에서 철수함. ▶영국, 벵골Bengal · 멜라카Melaka · 싱가포르Singapore를 직할 식민지로 삼음. 패러데이Faraday 사망. ▶스웨덴 노벨Nobel, 다이나마이트를 발명함.

연대	조선	우리 나라	다른 나라
1868 (4201) 무진	고종 5	**1**-4 위조화폐 주조를 엄금함. **2**-30 1냥 이내는 엽전을 사용하고 초과시는 당백전當百錢을 통용할 것을 엄명함. **3**-18 미국 군함 세난도어호Shenandoah號 함장 페비거Febiger가 제너럴셔먼호General Sherman號 생존자 수색차 대동강구에 진입하여 정박함: **4**-25 퇴거. **3**-23 삼군부三軍府 직제를 확정함. **4**-10 《춘관통고春官通考》를 교정케 함. **4**-18 독일인 오페르트Oppert가 흥선대원군 아버지 남연군묘南延君墓를 도굴하다 발각되자 도주함. **7**-2 고종, 경복궁景福宮으로 옮김. **8**-3 정덕기鄭德基 등, 《정감록鄭鑑錄》을 이용하여 반란 꾀하다 처형당함. 전국의 미사액 서원을 철폐토록 함. **10**-10 최익현崔益鉉, 토목공사 중지와 당백전當百錢 · 성문세城門稅 폐지 등을 상소함. ▶김정희金正喜의 《완당집阮堂集》, 오경원吳慶元의 《소화외사小華外史》를 간행함.	**1**-18 청, 좌종당左宗棠의 푸저우福州 선정국船政局에서 선박을 제조하기 시작함. **윤4**-3 일본 후쿠자와福澤諭吉, 게이오 의숙慶應義塾을 설립함. **5**-11 프랑스, 신문법을 시행함. **7**-17 일본, 에도江戶를 도쿄東京로 개칭함. **8**-22 청, 양저우楊州 민중들이 영국 선교사를 습격함. **9**-8 일본, 메이지明治로 개원함: 메이지유신明治維新. **9**-29 스페인, 혁명 발생함: 이사벨라Isabella 2세, 프랑스로 망명함. **11**-3 미국 그란트Grant 장군, 대통령 선거에서 승리함. **12**-9 영국, 디즈레일리Disraeli 수상 사임: 글래드스턴Gladstone 내각 성립. ▶쿠바, 스페인으로부터의 독립 위한 10년전쟁이 시작됨.
1869 (4202) 기사	6	**3**-16 흥인지문興仁之門 개축을 완료함. **3**-23 전라도 광양光陽에서 민란 일어남. **4** 김좌근金左根 사망. **5**-8 청 유민이 압록강을 건너 침범하지 못하도록 청국에 요청함. **7**-25 영건도감營建都監에서 전국에 원납전願納錢 납부를 독촉함. **8** 경상도 고성固城에서 민란이 발생함: 호적을 위조하여 수탈한 현감을 처형함. **9**-4 종로 상가 화재로 종각鐘閣이 불탐. **10** 자성군慈城郡을 다시 설치하고 함경도 후주厚州를 평안도에 이속시켜 후창군厚昌郡으로 함. **12**-29 전국 호구조사: 161만 4016호, 676만 5319명으로 집계됨. **12** 일본이 서양과 수교하였다 하여 국서 접수를 거부함. ▶강위姜瑋의 《의정국문자모문해擬定國文字母文解》와 《간독정요簡牘精要》를 간행함.	**3**-1 영국, 아일랜드 교회를 해산함. **3**-21 스페인 의회, 입헌군주제를 채택함. **4**-27 청, 러시아와 통상조약을 체결함. **5**-10 미국, 대륙횡단철도 완공. **8**-9 독일, 독일사회민주노동당이 결성됨. **9**-24 미국, 뉴욕에 대규모 공황이 발생함: 검은 금요일. **11**-17 수에즈Suez 운하 개통됨. **12**-10 미국, 부인 참정권법을 제정함. **12**-25 일본, 도쿄~요코하마 전신을 개통함. ▶청, 푸저우福州에 기기국機器局을 설치함.

연대	조선	우리 나라	다른 나라
1870 (4203) 경오	7	**1**-6 지난해 재해가 커서 호서 · 호남 지방의 조세를 반감케 함. **2**-3 청 유민들이 평안도 벽동碧潼에 들어와 약탈 행위를 함. **4**-3 권농령勸農令을 반포함. **5**-4 주일 독일 공사 브란트Brandt가 부산에 와서 통상을 요구하다 거절당하고 돌아감. **8**-29 정만식鄭晩植, 《정감록鄭鑑錄》을 이용하여 경상도 고령高靈에서 민란 일으키려다 유배됨. **10**-8 조두순趙斗淳 사망. **10** 평안도 후창厚昌에서 무단 벌목을 기도한 청인 7천여명을 축출함. **12**-10 세자와 세손의 묘호를 원園으로 고침. **12**-20 흥선대원군, 운현궁雲峴宮에 상납한 보은군수 조동순趙東淳을 파직함.	**1** 러시아, 제1인터내셔널 러시아 지부가 창립됨. **6**-21 청, 톈진天津에서 프랑스 영사가 살해되고 교회가 파괴됨. **7**-18 바티칸Vatican 종교회의, 교황 무과실無過失의 교리를 선언함. **7**-19 프랑스, 프로이센에 선전포고함. **8**-29 청 이홍장李鴻章, 직례총독直隸總督이 됨. **9**-1 프로이센 몰트케Moltke, 프랑스군을 대파함. **9**-4 프랑스, 파리에서 혁명 일어남: 공화제 선언. **10**-9 이탈리아, 로마를 합병함: 국내 통일 완성. **12**-8 일본, 《요코하마 매일신문》을 창간함: 일본 최초의 일간신문. ▶영국, 디킨스Dickens 사망.
1871 (4204) 신미	8	**1**-3 서원현西原縣을 청주목으로, 공충도公忠道를 충청도로 함. **3**-10 경상도 영해寧海에서 민란 일어남. **3**-20 사액서원 47개만 남기고 전국의 서원을 철폐함. **3**-25 호포법戶布法을 시행하여 양반에게도 세금을 부과함. **4**-5 청국 주재 미국 공사 로우Low가 아시아 함대사령관 로저스Rodgers와 함께 남양만南陽灣에 와서 통상을 청함. **4**-9 오페르트Oppert 사건 관련자 김여강金汝江을 처형하고 공주公州를 현으로 강등시킴. **4**-24 미국군이 강화도 광성보廣城堡를 점령함: 신미양요辛未洋擾. 어재연魚在淵 등, 미국과 싸우다 전사함. 전국에 척화비斥和碑를 세움. **8**-2 진주민란 주동자 이필제李弼濟, 조령鳥嶺에서 잡힘: **12**-24 처형당함. **11**-12 전라도 목화 흉년으로 군포軍布 일부를 화폐로 대납케 함.	**1**-18 프로이센, 빌헬름Wilhelm 1세가 독일 황제에 즉위함: 독일제국 성립. **1**-24 일본, 도쿄~오사카 우편업무를 개시함. **1**-28 프랑스 · 독일, 휴전협정 체결함. **4**-2 프랑스, 베르사유Versailles 군대가 파리를 공격함: 파리코뮌Paris Commune 수립. **4**-16 독일, 헌법을 공포함. **5**-10 독일 · 프랑스, 프랑크푸르트 조약을 체결함: 프랑스, 알사스Alsace와 로렌Lorraine을 독일에 할양함. **6**-13 청, 홍콩~상하이 해저전선 통신을 개시함. **7**-1 이탈리아, 로마를 수도로 정함. **7**-4 러시아, 청의 이리伊犁 지방 점령. **7**-29 청 · 일본, 수호조약을 체결함. **8**-31 프랑스 티에르Thier, 제3공화정 대통령에 당선됨. ▶독일 슐리만Schliemann, 트로이Troy 유적을 발굴함.

연 대	조선	우 리 나 라	다 른 나 라
1872 (4205) 임신	고종 9	**1-25** 창의문彰義門 밖 선혜청宣惠廳의 평창平倉을 폐지하고 소속 9읍의 미곡을 경창京倉에 수납케 함. **2-22** 박영효朴泳孝를 철종의 사위로 정함. **5-15** 왜관倭館에 체류중이던 일본 관리가 전과 다른 서식의 문서를 접수했다 거절당하고 철수함: 초량草梁 왜관을 철폐하고 국교를 일시 중단함. **9-16** 경복궁景福宮 중건 완료로 영건도감營建都監을 폐지함. **9-20** 태조의 영정을 모사하여 경기전慶基殿으로 옮김. **12-3** 목조穆祖 · 익조翼祖 · 도조度祖 · 환조桓祖 자손과 열성조 자손 중 관작을 받지 못한 자를 종친부宗親府에서 조사하여 관작을 수여케 함.	**2-8** 독일 의회, 학교관리법을 의결함: 모든 교육조직을 교회로부터 국가에 이관. **2** 청, 증국번曾國藩 사망. **3-8** 일본, 처음으로 전국의 호적조사를 실시함: 인구가 3311만명으로 집계됨. **4-9** 사모아, 미국에 합병을 요청함. **8-12** 청, 최초의 미국 유학생들이 상하이를 출발함. **10-14** 일본, 도쿄東京~요코하마橫濱 철도를 개통함. **12-9** 일본, 태양력太陽曆 채용을 선포함. **12-28** 일본, 징병조서를 내림.
1873 (4206) 계유	10	**1-3** 정원용鄭元容 사망. **1-20** 20년 이전의 미납 조세는 면제시키고 그 후의 것은 모두 납입케 함. **2-10** 선혜청宣惠廳 창고가 불탐. **윤6** 관학館學의 유생들이 흥선대원군에게 대로大老의 존호를 올릴 것을 상소함. **8-13** 진하부사 조경원趙敬源, 중국 베이징北京의 일본인은 양복을 입고 양선洋船을 타고 내왕한다고 보고함. **8-29** 《선원속보璿源續譜》를 수정 간행함. **9-13** 전라도 격포진格浦鎭에 조창漕倉을 설치함. **10-10** 성문세城門稅를 폐지함. **10-25** 최익현崔益鉉, 흥선대원군興宣大院君 실정을 탄핵하고 시정의 폐단을 논함: **11-3** 다시 흥선대원군을 탄핵하다 제주도에 유배됨. **11-5** 고종, 친정 시작: 흥선대원군 실각. 명성황후 민씨 일파의 세도정치가 시작됨. **12-10** 경복궁景福宮 화재사건 일어남: 자경전慈慶殿 불탐. **12-20** 고종, 창덕궁昌德宮으로 옮김.	**2-11** 스페인, 연방공화국을 선언함. **2-23** 청 목종穆宗(동치제同治帝), 친정 시작. **5-1** 오스트리아, 빈Wien에서 만국박람회를 개최함. **5-29** 청, 윈난雲南 이슬람교도 반란을 진압함. **6-6** 오스트리아 · 러시아, 군사협정을 체결함. **8-3** 일본 사이고西鄕隆盛, 각의에서 정한론征韓論을 주장함: **10-25** 국내외로 물의 일으켜 사직함. **9-20** 오스트리아 · 독일 · 미국, 대규모 공황이 발생함: 뉴욕 증권거래소가 폐지됨. **10-22** 독일 · 러시아 · 오스트리아, 삼제동맹三帝同盟을 체결함. **11-20** 프랑스군, 안남安南을 공격하기 시작함. ▶영국, 밀Mill 사망.

연대	조선	우리나라	다른나라
1874 (4207) 갑술	11	**1**–6 청의 화폐 통용을 금하고 상평전常平錢 사용을 권장함. **2**–5《승정원일기承政院日記》를 수정 보완함. **2**–8 원자(순종純宗) 출생. **2**–9 보은 유생 조영균趙榮均 등, 만동묘萬東廟를 다시 세울 것을 상소함: 13일 허락받음. **2**–24 김옥균金玉均, 홍문관 교리에 임명됨. **3**–4 황학주黃學周 등, 화양동서원華陽洞書院을 다시 세울 것을 상소함. **3**–12 화양동서원華陽洞書院을 다시 세우게 해달라는 상소를 허락하지 않고 또다시 상소하는 것을 금함. **3** 강화江華 연안의 포대를 완성함.《어제규장전운御製奎章全韻》을 반포함. **4**–8 개성 선죽교善竹橋 비각을 건립함. **6**–1 유생들의 상소 금지령이 이행되지 않자 소두疏頭는 과거를 못 보게 하고 궁궐 앞에서의 복합상소를 금함. **6**–25 일본의 정한설征韓說에 대비하여 각 군영에 엄중 경비토록 함. **6**–29 영의정 이유원李裕元, 일본과의 국교 단절 책임을 흥선대원군興宣大院君에게 돌리고 일본 국정을 탐지하기 위하여 역관을 파견할 것을 주장함. **7**–3 일본과의 국교 단절 책임을 물어 경상감사 김세호金世鎬와 동래부사 정현덕鄭顯德을 처벌함. **7**–17 대포大砲와 소포小砲 만들어 각 진鎭에 보냄. **7**–27 만동묘萬東廟 중건을 끝냄. **10**–20 이휘림李彙林, 흥선대원군興宣大院君의 환궁을 상소하다 고금도古今島에 유배됨. **11**–28 병조판서 민승호閔升鎬 일가족이 폭사당함. **11**–29 손영로孫永老, 흥선대원군興宣大院君의 환궁을 주장하고 흥선대원군을 비판하는 영의정 이유원李裕元을 탄핵함. ▶프랑스 신부 달레Dallet의《한국천주교회사》를 간행함.	**1**–3 러시아, 징병제를 실시함. **1**–21 러시아, 일본에 치시마千島와 자국의 사할린Sakhalin을 교환하자고 제의함. **2**–6 일본, 타이완臺灣 정벌을 결의함. 프랑스, 베트남과 협정을 체결하고 하노이Hanoi에서 철군함. **2**–21 영국, 제2차 디즈레일리Disraeli 내각 성립. **3**–15 베트남, 제2차 사이공 조약으로 프랑스의 보호국이 됨. **4** 프랑스 · 러시아, 통상조약을 체결함. **5**–22 일본 사이고西鄕從道 등, 타이완臺灣을 침공함. **5** 일본, 오사카大阪~고베神戶 철도가 개통됨. **7** 독일 비스마르크Bismark, 저격받아 부상당함. **9** 스위스, 베른Bern에서 만국우편회의를 개최함. **10**–31 청 · 일본, 톈진조약天津條約을 체결함: 일본군, 타이완臺灣에서 철수함. **10**–9 만국우편연합조약이 체결됨. **11**–2 일본,《요미우리신문讀賣新聞》이 창간됨. **11** 영국 스탠리Stanley, 아프리카를 탐험함. ▶러시아, 나로드니키Narodniki(농본주의적 사회활동) 운동이 시작됨. ▶아이슬란드, 덴마크에서 분리하여 자치제를 시행함.

연 대	조선	우 리 나 라	다 른 나 라
1875 (4208) 을해	고종 12	**1-19** 일본 모리森山茂 등이 동래에 와서 올린 국서의 접수를 거절함. **2-9** 최익현崔益鉉, 유배지 제주도에서 석방됨. **2-26** 《통문관지通文館志》 속편을 완성함. **4-18** 박남균朴南均 등, 울산에서 민란 일으킴: 7-5 진압 처형됨. **4-21** 일본 군함 운요호雲揚號 등 3척이 부산에 입항함. **5** 고종, 창덕궁昌德宮에서 경복궁景福宮으로 옮김. **6-17** 《윤발綸綍》과 《일성록日省錄》을 완성함. **6-22** 흥선대원군興宣大院君, 양주에서 운현궁雲峴宮으로 귀환함. **8-20** 강화도 수병들이 초지진草芝鎭 앞에 나타난 일본 군함 운요호雲揚號를 포격함. 운요호가 퇴각하며 영종진永宗鎭을 포격함: 운요호雲揚號사건. **10-12** 일본 해군들이 초량草梁에 와서 시위 벌임. **12-29** 전국 호구조사: 163만 4908호, 669만 4818명으로 집계됨.	**1-12** 청, 목종 사망: 덕종德宗(광서제光緒帝) 즉위. **2-13** 일본, 평민도 성姓을 갖게 하고 없는 자는 새로 붙이게 함. **2-21** 청, 윈난雲南에서 영국인이 살해당함: 윈난사건雲南事件. **5-7** 러시아 · 일본, 치시마千島와 사할린Sakhalin의 교환 조약을 체결함. **5-20** 프랑스, 파리에서 미터법 조약에 조인함. **11-25** 영국, 이집트로부터 수에즈Suez 운하를 매수함. ▶프랑스, 밀레Mille 사망. ▶미국, 타자기를 발명함.
1876 (4209) 병자	13	**1-2** 일본 전권변리대신 구로다黑田淸隆와 부대신 이노우에井上馨가 조약 체결을 위해 군함을 이끌고 남양만南陽灣에 도착함. **1-23** 최익현崔益鉉, 일본과의 조약 체결을 반대하는 상소문을 올림: 흑산도黑山島로 유배됨. **2-2** 신헌申櫶 전권대신, 일본 대표와 강화도조약을 체결함. **2-22** 김기수金綺秀를 일본 수신사修信使에 임명함. **4-1** 경복궁 교태전交泰殿과 자경전慈慶殿 개수함. **윤5-24** 청수관淸水館을 일본 사신의 숙소로 정함. **7-6** 일본과 무역장정貿易章程에 조인함. **8** 김기수金綺秀, 《일동기유日東記遊》를 지음. 무위소武衛所, 신식 병기 자기광自起礦 · 칠련총七連銃 · 수차水車 등을 제작함. **10-16** 전국에 방곡령防穀令을 내림. **11-4** 경복궁景福宮에 화재 일어나 열조어필列朝御筆 · 대보大寶 등 불탐. **12-27** 박규수朴珪壽 사망. **12-29** 북한산성北漢山城 화약고가 불탐. ▶ 박효관朴孝寬 · 안민영安玟英, 《가곡원류歌曲源流》를 편찬함.	**4-28** 영국 의회, 빅토리아Victoria 여왕의 인도 황제 겸임을 의결함. **5-13** 독일 · 오스트리아 · 러시아, 베를린 각서를 작성함: 발칸 문제 조정. **6-30** 청, 최초로 상하이上海~오송吳淞 철도를 개통함. **6-30** 세르비아Serbia, 터키에 선전포고함. **7-2** 몬테네그로Montenegro, 터키에 선전포고함. **9-13** 청, 영국과 지부조약芝罘條約 체결함: 윈난사건雲南事件 해결. **12-23** 터키, 근대적 헌법을 제정함. ▶인도, 기근이 발생함: 250만명 이상 피해. ▶독일 코흐Koch, 박테리아 병원균 배양법을 발견함. ▶미국 벨Bell, 전화기 발명함.

연 대	조선	우 리 나 라	다 른 나 라
1877 (4210) 정축	14	**1**–21 일본 상인의 가족 동반 입국 금지를 일본 외무성에 요청함. 전국에 제방 수축을 명함. **2**–10 일본인이 경영하는 부산 제생의원濟生醫院에서 매월 15일 종두種痘를 실시한다고 공고함. **2**–25 함경도 안무사 김유연金有淵의 보고로 함경도지방의 진鎭을 설치 또는 폐지함. 방곡防穀을 엄금함. **3**–20 화폐를 개인적으로 주조한 김영수金榮守 등을 유배 보냄. **4**–6 전 정언正言 김기룡金基龍 등, 서얼금고법庶孽禁錮法 폐지를 건의함. **4**–15 보리 흉년으로 술과 엿의 제조를 금함. **4** 최한기崔漢綺의 《강관론講官論》을 간행함. **5**–23 일본과 표류선척장정漂流船隻章程에 조인함. **6**–9 경상도 문경에서 반란 꾀한 이병연李秉淵 등 3명을 처형함. **7**–21 전라도 영암에서 반란 꾀한 장혁진張赫晉 · 최봉주崔鳳周 등을 체포함: **11**–18 처형. **7** 국내에 잠입한 조선교구 주교 리델Ridel 등이 체포됨. **8**–10 훈련도감訓鍊都監 소속 군사들이 급료를 못 받아 폭동을 기도함: 주동자 5명이 유배됨. **10**–21 일본공사 하나부사花房義質 일행이 한성에 들어옴: 23일 일본공사의 한성 주재와 개항장開港場 개설에 관한 일본 외무성의 공문을 제출함. **10**–26 예조 창고에 보관해 둔 〈의궤儀軌〉를 도난당함. **12**–4 완화군完和君의 관례를 행함. **12**–30 전국 호구조사: 158만 2287호, 660만 7547명으로 집계됨. ▶유득공柳得恭의 《이십일도회고시二十一都懷古詩》를 간행함. ▶일본인 오쿠무라奧村圓心가 부산에서 포교를 시작함: 일본 불교의 조선 전래.	**1**–1 영국 빅토리아Victoria 여왕, 델리Delhi에서 인도 황제를 선언함: 인도제국 성립. **2**–8 청, 영국에 공사관을 설치함: 첫 재외공관. **2**–15 일본 사이고西鄕隆盛, 군대 일으킴: **9**–24 구로다黑田隆盛 정부군에게 패배하여 자살함. **2** 청, 저장浙江 지방에 사교邪敎가 유행함. 일본, 오사카大阪~교토京都 철도가 개통됨. **3**–31 터키 문제에 관한 런던 의정서가 성립됨. **4**–12 터키, 런던 의정서 내용을 거부함. 일본, 도쿄東京 대학이 정식 개설됨. **4**–24 러시아, 터키에 선전포고하고 루마니아에 진입함. **4** 청, 해군 창설 위해 영국과 프랑스에 유학생을 파견함. 영국, 러시아 · 터키 전쟁에 중립을 표명함. 독일, 비스마르크Bismark가 사의를 표명함: 황제에 의하여 반려됨. **5**–13 루마니아, 터키에 선전포고하고 독립을 선언함. **5**–23 터키, 영국에 청의 신장新疆 진출 저지를 요청함. **6** 오스트리아, 러시아 · 터키 전쟁에 중립을 표명함. **7**–16 미국, 철도 노동자 파업을 군대가 진압함. **10**–14 프랑스, 총선거를 실시함: 공화파 승리. **12** 터키, 영국 · 독일 · 오스트리아에 조정을 요청함: 독일, 이를 거부함. ▶미국 에디슨Edison, 축음기를 발명함.

연대	조선	우리 나라	다른 나라
1878 (4211) 무인	고종 15	**1-25** 박주종朴周鍾 등, 만인소萬人疏 올려 서원을 다시 세울 것을 청함. **4-6** 일본 군함이 개항장 물색 위해 남서연안을 측량함: 23일 원산만元山灣 수심을 측량하다 조선 조정의 요구로 퇴거함. **5-3** 고성高城 건봉사乾鳳寺에 화재 발생함. **5-12** 철인왕후哲仁王后(철종 비) 사망. **6** 일본 제일은행 부산지점이 설립됨. **8-14** 예조, 복식절목服飾節目 개정을 건의함. **9-3** 부산 두모진豆毛鎭에 세관을 설치함. **9-28** 육상궁毓祥宮이 불탐. **11-6** 일본 대리공사 하나부사花房義質가 동래부사에게 세관 철폐를 요구하며 무력 시위 벌임. **11-26** 부산 두모진豆毛鎭 세관을 폐쇄하고 세금 징수를 중지함. **11-27** 연해의 개인 선박이 먼 바다에 함부로 못 나가게 함.	**1-17** 미국, 사모아Samoa와 통상조약을 체결함: 파고파고Pago Pago 항구를 해군 기지로 함. **1-31** 러시아 · 터키, 아드리아노플Adrianople 휴전협정에 조인함. **2-10** 스페인, 쿠바와 산후안San Juan 협약을 체결함. **3-3** 러시아 · 터키, 산스테파노San Stefano 조약을 맺음: 전쟁 종결. **6-4** 영국, 터키와 비밀협정 맺음: 키프로스Kyprus섬 점령권 얻음. **6-13** 베를린 회의에서 동방문제를 협의함. **7-13** 세르비아 · 몬테네그로 · 루마니아, 독립국가가 됨. 불가리아, 북부 · 남부 · 마케도니아로 3분됨. **11-20** 영국, 제2차 아프간전쟁 일으킴.
1879 (4212) 기묘	16	**2-9** 최익현崔益鉉, 유배지 흑산도黑山島에서 석방됨. **2-28** 함흥咸興의 귀주사歸州寺가 불탐. **윤3-9** 일본 대리공사 하나부사花房義質가 군함 2척으로 서해안 일대를 측량함. **4-11** 충청도 공주에서 체포한 프랑스 신부 빅토르 드게트Victor Deguette를 청으로 송환함. **4-29** 일본 대리공사 하나부사花房義質가 원산 개항을 요구해 옴: **5-19** 개항 허가. **5-3** 동래부사 윤치화尹致和, 대일 교섭 불화 책임으로 파직됨. **5-18** 일본이 요구한 관세율 제정, 일본 화폐 통용, 등대 설치를 허가함. **6** 일본에서 들어온 콜레라가 전국적으로 만연함. **9-6** 부산 최초의 서양식 건물인 일본 관리 위한 관청을 준공함. **12** 지석영池錫永, 충주에서 처음으로 40여명에게 종두種痘를 실시함. ▶김병학金炳學 사망.	**1-25** 일본, 《아사히신문朝日新聞》이 창간됨. **4-4** 일본, 류큐琉球를 병합하여 오키나와현沖繩縣에 편입함. **4** 영국 · 독일, 노예무역 금지조약을 체결함. **5-9** 독일, 보호관세법이 통과됨. **9-29** 일본, 교육령을 제정함. **10-2** 청, 러시아와 이리伊犁 조약을 체결함: 이리 서부와 남부를 러시아에 할양함. **10-7** 독일 · 오스트리아, 동맹을 체결함. **12** 미국~프랑스 해저전선 개통. ▶독일 지멘스Siemens, 전차를 발명함. ▶러시아 도스토예프스키 Dostoevskii, 〈카라마조프Karamazov의 형제들〉을 발표함. ▶노르웨이 입센Ibsen, 〈인형의 집〉을 발표함. ▶미국 에디슨Edison, 전등 발명.

연 대	조선	우 리 나 라	다 른 나 라
1880 (4213) 경진	17	**1**–28 도적이 횡행하는 지방에 포군砲軍을 파견하여 잡아들이도록 함. **2**–15 준천사濬川司와 한성부漢城府에 개천 준설 공사를 하게 함. **3**–4 제주도 호구조사: 1만 2270호, 8만 8583명으로 집계됨. **3**–23 김홍집金弘集, 일본 파견 수신사修信使에 임명됨. **3**–26 미국의 슈펠트Shufeldt 제독이 부산에 와서 통상을 요구함: 27일 동래부사가 이를 물리침. **4**–12 원산元山에 일본 영사관을 설치함. **4**–14 영국 선박 1척이 부산 앞바다에 정박했다가 왜관倭館으로부터 식수를 구해 퇴거함. **5**–3 일본이 예부禮部에 미국과 통상할 것을 권유함. **5**–9 프랑스 군함 1척이 부산에 와서 통상을 요구해 옴. **5**–28 수신사 김홍집金弘集 일행이 일본으로 출발함: **7**–6 도쿄에 도착. **6**–25 지석영池錫永, 종두법을 배우기 위해 일본에 건너감. **8**–28 수신사 김홍집金弘集, 일본에서 돌아와 고종에게 청나라 황준헌黃遵憲의 《조선책략朝鮮策略》을 올림. **9**–3 개화승 이동인李東仁을 밀사로 일본에 파견함. **9**–22 청의 이홍장李鴻章이 서양과 통상하여 러시아와 일본의 침략을 막을 것을 권고함. **10**–1 병조좌랑 유원식柳元植, 《조선책략朝鮮策略》을 배척할 것을 상소함: 2일 유배됨. **10**–10 대구 동화사桐華寺와 도봉산 회룡사回龍寺 및 공주 신원사新元寺 개축 위해 공명첩空名帖을 발행함. **12**–20 삼군부三軍府를 폐지하고 통리기무아문統理機務衙門을 설치함. **12**–29 김홍집金弘集, 일본 하나부사花房義質와 20개월 후 인천을 개항할 것에 합의함. ▶최시형崔時亨의 《동경대전東經大典》을 간행함.	**1** 프랑스, 정치결사 탄압법을 제정함. 스페인, 쿠바의 노예제 폐지법을 제정함. **2**–17 러시아, 알렉산드르Alexandre 2세를 암살하기 위한 목적으로 한 폭파사건이 발생함. **3**–1 미국 대심원, 흑인이 배심원 될 수 없다는 법률이 위헌이라고 판결함. **3**–21 청, 독일과 통상항해추가조약을 체결함. **3**–23 일본, 도쿄외국어학교에 조선어학과를 개설함. **4**–28 영국, 디즈레일리Disraeli 수상이 총선거 패배로 사임함: 제2차 글래드스턴Gladstone 내각 성립. **7**–3 마드리드Madrid 협정에 의해 모로코에서의 외국인 특권을 규정함. **8**–22 청, 톈진天津에 수사학당水師學堂을 개설함. **8** 일본, 류큐琉球 문제로 청과 교섭을 시작함. **9**–16 청, 최초로 모직물공장을 설립함. **11**–17 청, 미국과 중국인 이민 제한에 관한 조약을 체결함. **12** 프랑스, 리델Ridel 신부가 일본에서 《한불자전韓佛字典》을 편찬함. ▶독일, 쾰른Köln 대성당이 완성됨: 600여 년간 장기간에 걸쳐 건축. ▶프랑스, 로댕Rodin이 〈생각하는 사람〉을 제작함. 플로베르Flaubert 사망.

연 대	조선	우 리 나 라	다 른 나 라
1881 (4214) 신사	고종 18	**2**-26 경상도 유생 이만손李晩孫 등, 척사斥邪를 주장하고 《조선책략朝鮮策略》을 비난하는 만인소萬人疏를 올림. **4**-10 박정양朴定陽 · 홍영식洪英植 · 어윤중魚允中 · 엄세영嚴世永 · 강문형姜文馨 · 민종묵閔種默 · 심상학沈相學 등 신사유람단紳士遊覽團, 일본 시찰길에 오름: 28일 일본에 도착. **4**-23 별기군別技軍을 설치함: 일본군 공병 소위 호리모토掘本禮造를 초빙하여 신식훈련을 실시함. **5**-11 영국 군함 페가서스호가 원산元山에 와서 통상을 요구함. **5**-15 전국에 척사윤음斥邪綸音을 반포함. **5**-22 일본인이 울릉도에 잠입하여 도벌하는 것에 항의하고 그 금지를 일본에 요구함. **6** 최시형崔時亨, 《용담유사龍潭遺詞》를 펴냄. **윤7**-27 외교문서에 사용할 대조선국보大朝鮮國寶 국새國璽를 제작함. **8**-29 안기영安驥永 등, 현재의 국왕을 폐하고 홍선대원군의 서자 이재선李載先을 추대하는 역모사건 꾸미다 체포됨: **10**-10 처형당함. **8**-30 신사유람단紳士遊覽團이 일본에서 귀국하여 고종에게 결과를 보고함. **9**-26 김윤식金允植을 영선사領選使로 하여 유학생 28명을 청에 파견함: **11**-17 베이징北京에 도착. **11**-28 북양대신 이홍장李鴻章과 회담. **11**-3 주전소鑄錢所를 설치하고 새로 화폐를 주조함. **11**-17 일본 상인이 부산에서 《조선시보朝鮮時報》를 발행함. **12**-25 5군영五軍營을 폐지하고 무위영武衛營과 장어영壯禦營을 신설함. ▶규장각奎章閣 편 《척사윤음斥邪綸音》, 프랑스선교회 편 《한불문전韓佛文典》 간행. ▶독일인 고체Gottsche가 처음으로 우리나라 지질을 조사함.	**2**-7 프랑스 레셉스Lesseps, 파나미Panama 운하를 착공함. 이집트 아라비 파샤Arabi Pasha, 민족운동 전개하여 봉기함: **9**-9 제2차 봉기. **2**-24 청 · 러시아, 개정 이리伊犁 조약을 체결함. **3**-13 러시아 알렉산드르Alexadre 2세, 상트페테르부르크Sankt Peterburg에서 무정부주의자에게 암살당함. **4**-25 프랑스, 베트남의 하노이Hanoi를 점령함. **4** 청, 러시아와 육로통상개정장정陸路通商改定章程을 정함. **5**-12 프랑스, 바르도Bardo 조약을 체결함: 튀니지Tunisie를 사실상 자국의 보호국으로 함. **5**-23 루마니아Romania 왕국이 성립됨. **6**-18 독일 · 오스트리아 · 러시아, 삼제동맹三帝同盟을 갱신하여 기간을 3년 연장함. **6**-30 튀니지Tunisie, 대프랑스 반란이 일어남. **7**-2 미국, 가필드Garfield 대통령 암살당함. **7** 알제리, 대프랑스 반란이 일어남. **8**-22 영국 의회, 제2차 아일랜드 토지법안을 의결함. **10**-29 일본, 자유당이 결성됨. ▶영국, 런던에 화력발전소를 건립함. 칼라일Carlyle 사망. ▶프랑스 파스퇴르Pasteus, 광견병 예방접종을 발견함. ▶독일 랑케Ranke, 《세계사》를 저술함. ▶러시아, 도스토예프스키Dostoevskii 사망.

연대	조선	우리 나라	다른 나라
1882 (4215) 임오	19	**2**–19 세자(순종純宗), 민태호閔台鎬 딸(순명효황후純明孝皇后)과 혼인식을 올림. **4**–2 덕원德源 · 안변安邊 주민들이 통행금지구역에 나타난 일본인 승려를 살해함. **4**–6 미국과 수호통상조약을 체결함: **4**–21 영국, **5**–15 독일과 체결. **6**–5 구식군인들이 급료 체불과 급여 양곡 변질에 격분하여 군란 일으킴: 임오군란壬午軍亂. **6**–9 선혜청宣惠廳 당상 민겸호閔謙鎬의 집과 일본 공사관이 습격당하고 일본인 교관 호리모토掘本禮造가 피살됨. **6**–10 고종, 흥선대원군興宣大院君에게 국무 맡김. 명성황후明成皇后, 장호원長湖院으로 피난함. **6**–16 일본인의 울릉도 잠입과 도벌 행위에 대해 일본에 항의함. **6**–19 군란 진압 위해 청에 파병을 요청함. **6**–27 청의 마건충馬建忠과 정여창丁汝昌이 군함 3척을 이끌고 인천에 도착함. **6**–29 일본 하나부사花房義質가 군함 4척을 이끌고 인천에 도착함. **7**–13 흥선대원군興宣大院君, 청 군대에 납치되어 톈진天津으로 호송됨. **7**–17 일본과 제물포조약을 체결함. **8**–1 명성황후明成皇后가 환궁함. **8**–5 고종, 전국의 척화비斥和碑 철거를 명함. **8**–9 박영효朴泳孝, 특명 전권대사로 일본으로 출발함: 처음으로 태극기太極旗 사용. **8**–24 임오군란壬午軍亂 주동자 김장손金長孫 등을 처형함. **9**–16 박영효朴泳孝, 일본 도쿄東京에서 조일수호조규속약비준서를 교환함. **10**–2 훈련도감訓鍊都監을 폐지하고 왕궁 숙위를 금위영禁衛營과 어영청御廳營에서 맡게 함. **11**–17 통리아문統理衙門을 설치함: 외교 담당. **11**–18 통리내무아문統理內務衙門을 설치함: 국내 업무 전담. **12**–5 독일인 묄렌도르프Möllendorf를 초빙하여 외교 및 재정 고문을 맡게 함. **12**–22 삼군부三軍府와 기무처機務處를 통리군국사무아문統理軍國事務衙門으로 통합함.	**1**–9 러시아, 농노해방 계획을 완성함. **3**–29 프랑스, 초등교육법을 시행함: 의무교육 원칙을 채택함. **4** 영국, 다윈Darwin 사망. 미국, 에머슨Emerson 사망. **5**–6 미국 의회, 〈중국인이민제한법〉을 의결함: 중국인 노동자의 입국을 향후 10년간 금지시킴. **5**–20 독일 · 오스트리아 · 이탈리아, 삼국동맹三國同盟을 체결함. **5**–30 러시아, 인두세人頭稅를 폐지함. **6**–11 이집트, 알렉산드리아Alexandria에서 폭동 일어남. **6**–14 영국, 아일랜드에 신진압법을 시행함. **6**–23 콘스탄티노플Constantinople 열국회의가 개막됨: 이집트 문제를 논의함. **6** 이탈리아, 가리발디Garibaldi 사망. **7** 영국, 이집트에 선전포고함. 터키, 영국의 알렉산드리아Alexandria 포격에 항의함. 러시아, 해군의 부활을 결정함. **9**–13 영국, 이집트 군을 격파하고 카이로를 점령함. **12**–20 청, 프랑스와 상하이 약정을 체결함. ▶독일 코흐Koch, 결핵균을 발견함. ▶미국, 롱펠로Longfellow 사망.

연대	조선	우리 나라	다른 나라
1883 (4216) 계미	고종 20	**1**–23 한성에 순경부巡警部를 설치함. **1**–27 태극기太極旗를 국기로 정함. **2**–18 재정 위기를 타개하기 위해 당오전當五錢을 발행하기로 함. **3**–10 경희궁慶熙宮 내 화약제조소에 화재가 발생함. **4**–7 초대 미국 공사 푸트Foote가 부임함: 수호조규비준서 교환. **4** 근대 병기공장인 기기창機器廠을 설립함. **5**–11 동래에 민란 일어남: 난민 수백명이 관아에 난입하여 죄수를 석방함. **5**–27 전 좌의정 강로姜㳣, 임오군란 가담 혐의로 유배됨. **6**–5 전권대신 민영익閔泳翊을 미국에 파견함. **6**–22 일본과 통상장정通商章程 및 해관세목海關細目을 체결함. **6** 지석영池錫永, 공주에 우두국牛痘局을 설치하고 종두법을 교습함. **7**–5 전환국典圜局을 설치함: 독일에서 기술자와 기계를 도입하여 화폐를 주조하게 함. **7**–15 한성에 박문국博文局을 설립함: 최초의 근대식 인쇄출판 기관. **7** 서북경략사 어윤중魚允中, 청의 관원에게 간도間島 국경 문제를 다시 조사하여 정할 것을 요구함. **8** 원산학사元山學舍를 설립함. **8**–30 일본과 인천조계지조약仁川租界地條約을 체결함. **9**–16 부산과 일본 나가사키長崎 간에 해저전선을 착공함. **10**–1 박문국博文局, 《한성순보漢城旬報》를 발간함. **10**–27 전권대신 민영목閔泳穆, 영국 및 독일과 수호통상조약에 조인함. **11**–15 정석범鄭錫範, 당오전當五錢의 폐단을 상소함. **12**–21 한성 이외의 전국 주전소鑄錢所를 폐지시킴. **12**–30 태복시太僕寺, 각 도 목장의 말이 4858필이라고 보고함.	**1**–18 영국, 이집트를 자국 속령으로 함. **3**–14 독일 마르크스Marx, 영국에서 사망함. **3**–27 프랑스, 베트남 남단을 점령함. **5**–5 청, 강남제조국의 노동자들이 노동 강화에 불만 품고 대규모 시위 벌임. **5**–8 청 유영복劉永福, 베트남에서 흑기군黑旗軍을 조직함:프랑스에 선전포고. **6**–8 프랑스, 튀니지Tunisia와 협약을 체결함: 튀니지에 대한 지배권 강화. **8**–25 프랑스, 베트남을 보호국으로 함. **9**–3 청, 유영복劉永福의 흑기군黑旗軍이 하노이 남쪽 탄호아Thanh Hoa에서 프랑스 군을 격파함. **10**–30 루마니아, 러시아에 대항하기 위해 독일 · 오스트리아와 비밀동맹을 체결함. **11**–16 청, 베트남에 대한 종주권을 주장하고 프랑스군의 철수를 요구함. **11**–19 베트남, 반프랑스파의 쿠데타가 발생함:왕 피살. ▶프랑스 모파상Maupassant, 〈여자의 일생〉을 발표함. 마네Manet 사망. ▶독일 니체Nietzsche, 〈차라투스트라Zarathustra는 이렇게 말했다〉를 발표함. 바그너Wagner 사망.

연대	조선	우리 나라	다른 나라
1884 (4217) 갑신	21	**2-28** 부산과 일본 나가사키長崎 간에 해저전선이 개통됨. **2** 광인사廣印社를 설립함: 최초의 근대식 민간인쇄소. **3-27** 우정총국郵征總局을 설립함. **4-4** 영국 총영사 애스턴Aston이 부임함: 수호통상조약 비준. **윤5-4** 이탈리아와 수호통상조약을 체결함. **윤5-15** 러시아와 수호통상조약을 체결함. **윤5-20** 정오正午 · 인정人定 · 파루罷漏 때 금천교禁川橋에서 포를 쏘아 알리게 함. **8-18** 일본 요구로 용산을 각국의 개시장開市場으로 함. **8-27** 용호영龍虎營 · 금위영禁衛營 · 어영청御廳營 · 총융청總戎廳을 친군親軍 각 영에 합하고 군기시軍器寺를 기기국機器局에 합침. **10-1** 우정총국郵征總局이 우정 업무를 시작함. **10-17** 김옥균金玉均 · 서광범徐光範 · 서재필徐載弼 · 박영효朴泳孝 · 홍영식洪英植 등 개화당 인물들이 우정총국郵征總局 낙성식 축하연을 이용하여 정변을 일으킴: 갑신정변甲申政變. **10-18** 개화당이 새 내각內閣을 조직하고 14개조 혁신정책을 반포함. **10-19** 청군과 일본군이 창덕궁昌德宮에서 충돌함: 일본군 철수. 홍영식洪英植 등 피살됨. **10-20** 일본공사 일행이 인천으로 도주함. **10-21** 고종, 새 내각內閣을 조직하고 갑신정변 중의 개혁 조치를 무효화함. **10-24** 김옥균金玉均 등 갑신정변甲申政變 주동자들이 일본으로 망명함. **11-16** 신재효申在孝 사망. **11-24** 갑신정변甲申政變과 관련하여 일본과 한성조약漢城條約을 체결함. **12-13** 개화당 관련자와 그 가족을 처형함. ▶궁궐에서 최초로 전등을 사용함. ▶유길준俞吉濬, 미국 담머Dammer 학원에 입학함: 최초의 미국 유학생. ▶인천과 중국 상하이上海 간에 기선항로汽船航路를 개설함.	**1-6** 이집트, 영국의 압력으로 수단Sudan에서 철군함. **1-18** 영국, 수단Sudan에 파병함. **2-27** 남아프리카 공화국 성립. **3-27** 독일 · 러시아 · 오스트리아, 삼제동맹三帝同盟을 갱신함. **4-8** 독일, 서남아프리카를 점령하기 시작함. **4-22** 미국, 콩고Congo 공화국을 승인함. **6-6** 프랑스, 베트남에서의 지배권을 확립함. **6-19** 청 · 프랑스, 북베트남에서 충돌함. **7-7** 일본, 화족령華族令을 공포함: 공작 · 후작 · 백작 · 자작 · 남작의 5등급을 정함. **8-5** 프랑스군, 타이완臺灣 포대를 포격함. **8-26** 청, 프랑스에 선전포고함: 청 · 프전쟁. **10-23** 프랑스 군, 타이완臺灣을 봉쇄함. **10** 그리니치Greenwich 자오선子午線을 만국 통용으로 함. **10-5** 청, 홍콩 노동자들이 프랑스 선박에의 취역을 거부하고 파업에 돌입함. **11-15** 독일과 프랑스 주창으로 아프리카 분할에 관한 베를린 회의를 개최함. **12-6** 영국, 제3차 선거법을 개정함: 실질적인 남자 보통선거를 실시하게 됨. ▶영국 파슨스Parsons, 증기터빈을 발명함. ▶오스트리아, 멘델Mendel 사망.

연 대	조선	우 리 나 라	다 른 나 라
1885 (4218) 을유	고종 22	**1**-17 고종, 경복궁景福宮으로 환궁함. **2**-1 독일 총영사 부들러Budler가 조선의 영세중립 선언을 권고함. **2**-19 한성에 최초의 서양식 병원인 광혜원廣惠院을 설립함: 미국 의사 알렌Allen을 초빙하여 진료 시작: **3**-12 제중원濟衆院으로 개칭. **3**-1 영국 함대가 거문도를 불법 점령함: 거문도 사건巨文島事件. **3**-28 갑신정변 때 파괴된 박문국朴文局을 광인사廣印社로 옮겨 《한성순보漢城旬報》를 속간함. **4**-3 엄세영嚴世永, 묄렌도르프Mollendorf · 정여창丁汝昌과 거문도巨文島에 가서 영국의 거문도 점령에 항의함. **4** 서상륜徐相崙 등, 황해도 장연長淵에 우리나라 최초의 교회 소래교회를 설립함. 지석영池錫永, 《우두신설牛痘新說》을 발행함. **5**-25 내무부內務部를 설치함: 군국 서무 총괄. **6**-6 청과 전선조약을 체결함. **7**-26 청의 압력으로 독일인 고문 묄렌도르프Mollendorf를 해임함. **8**-3 미국 선교사 아펜젤러Appenzeller가 배재학당培材學堂을 설립함. **8**-20 한성전보총국 개국: 한성~인천 전신을 개통함. **8**-27 흥선대원군興宣大院君, 청에서 환국함. **9**-30 토문감계사 이중하李重夏, 청과 토문감계土門勘界에 대해 회담함. **10**-11 청의 위안스카이袁世凱가 주차조선총리교섭통상사의駐箚朝鮮總理交涉通商事宜로 부임함. **10**-15 토문감계土門勘界 문제 해결 위해 청과 공동으로 동북 국경을 답사함. **12**-21 국한문 혼용의 《한성주보漢城週報》를 발간함: 최초의 주간신문週刊新聞. **12** 부산 절영도絕影島에 일본 해군의 석탄저장소를 설치함. ▶김항金恒의 《정역正易》, 김옥균金玉均의 《갑신일록甲申日錄》, 이제신李濟臣의 《조선지리소지朝鮮地理小志》, 안종수安宗洙의 《농정신편農政新編》을 간행함.	**2**-6 이탈리아, 이디오피아에 식민지를 개척함. **3**-16 일본 후쿠자와福澤諭吉, 〈탈아론脫亞論〉을 발표함. **4**-18 청, 일본과 톈진조약天津條約을 체결함: 조선에서의 동시 철병 등에 합의함. **5**-2 벨기에, 콩고Congo 자유국을 세움. **6**-9 청, 프랑스와 톈진조약天津條約을 체결함: 프랑스의 베트남 보호권을 인정함. 영국, 글래드스턴Gladstone 내각 사퇴: 솔즈베리Salisbury 내각 성립. **7**-18 청, 영국과 아편협정을 체결함. **8** 청, 좌종당左宗棠 사망. **11**-9 일본, 종두규칙種痘規則을 제정함. **11**-13 세르비아, 불가리아를 침입함. **11**-14 영국, 제3차 미얀마 전쟁을 벌임. **11**-30 독일, 마셜Marshall 제도를 점령함. **12**-22 일본, 제1차 이토伊藤博文 내각이 성립됨. **12**-28 영국, 인도국민회의를 결성함: 반영운동反英運動 방해 목적. **12** 프랑스, 마다가스카르Madagascar를 보호국으로 함. ▶영국 · 타이, 우호통상조약을 체결함. ▶프랑스, 위고Hugo 사망. ▶독일 벤츠Benz, 가솔린 자동차를 발명함.

연대	조선	우리 나라	다른 나라
1886 (4219) 병술	23	**1**-2 노비세습제를 폐지하고 노비 매매를 금지함: 사실상 노비제도가 혁파됨. **2**-19 청에서 한성~부산 간 전선을 가설하기로 함. **3**-5 미국인 데니Denny를 내무협판에 임명하여 외교사무를 맡김. **3**-11 영국이 다른 나라가 거문도巨文島 점령하지 않는다고 보장하면 거문도에서 철퇴할 의사 있다고 선언함. **4**-10 신기선申箕善·이도재李道宰, 김옥균金玉均 일파로 지목되어 유배됨. **4**-28 미국 여성 선교사 스크랜튼Scranton이 이화학당梨花學堂을 설립함. **5**-3 프랑스와 수호통상조약에 조인함. **6**-17 육영공원育英公院을 설립함: 최초의 근대식 공립교육기관. 지운영池運永, 일본에서 김옥균金玉均 암살에 실패하고 강제 귀국함. 7-10 심순택沈舜澤, 러시아 공사 베베르Weber에게 보호를 요청하는 국서를 전달함: 조·러밀약설. 7-17 조존두趙存斗·김가진金嘉鎭 등, 친러항청책을 도모한 죄로 유배됨. 7-22 청의 위안스카이袁世凱가 이준용李埈鎔을 추대하려는 계획을 세우고 본국에 파병을 요청함: 이홍장李鴻章 거부로 실패. 7-24 이원긍李源兢을 일본에 보내 김옥균金玉均 인도를 요청함. **8**-13 서상우徐相雨를 청의 톈진天津에 보내 이홍장李鴻章에게 항간의 조·러밀약설에 대해 해명함. **10**-15 당오전當五錢을 강제로 시행하기 위해 암행어사를 각지에 파견함. **10**-22 김윤식金允植, 청의 위안스카이袁世凱에게 토문土門의 경계에 대하여 논하고 본국 유민의 안치를 요청함. **12** 전환국典圜局을 신축함. ▶정병하鄭秉夏의 《농정촬요農政撮要》 간행: 서양식 활판에 의한 최초의 국한문 책자.	**1**-1 영국, 미얀마 전쟁에서 최종 승리함: 미얀마를 인도제국 판도 안에 편입시켜 자국의 식민지로 함. **3**-2 일본, 제국대학령帝國大學令을 공포함: 도쿄대학을 제국대학으로 개칭함. **3**-3 불가리아, 세르비아와 부카레스트Bucharest 평화조약에 조인함. **4**-25 청·프랑스, 베트남 통상조약을 체결함. **5** 미국, 8시간노동제를 요구하는 파업 일어남. 7-24 청·영국, 미얀마·베트남에 관한 조약 에 조인함. 7-26 영국, 제2차 솔즈베리Salisbury 내각 성립. **8** 독일, 교황과 화해하고 문화투쟁을 끝냄. 러시아, 불가리아 문제에 간섭함. **9**-24 러시아, 청 주재 러시아 공사가 청의 이홍장李鴻章에게 조선 영토를 침략하지 말라고 강력하게 요구함. **11** 오스트리아, 러시아의 불가리아 간섭에 대해 경고함: 양국 관계가 악화됨. **12**-8 미국, 노동총동맹이 창설됨. **12** 인도, 인도국민회의파 제2회대회를 개최함. ▶청 이홍장李鴻章, 톈진天津에 무비학당武備學堂을 설립함. ▶타이, 프랑스·미국과 우호통상조약을 체결함. ▶독일, 솔로몬Solomon 제도와 마셜Marshall 제도를 영유함. 랑케Lanke 사망.

연 대	조선	우 리 나 라	다 른 나 라
1887 (4220) 정해	고종 24	**1**–18 이원회李元會를 경략사經略使에 임명하여 거문도巨文島에 파견함: 거문도사건 해결 임무 부여. **2**–7 영국군이 거문도巨文島에서 철수함. **3**–13 조선전보총국을 설치함. **3**–25 청이 한성~부산 전선 가설권을 조선 조정에 이양함. **4**–5 토문감계사 이중하李重夏, 청의 관리와 함께 백두산정계비白頭山定界碑 및 부근의 수원水源을 조사함. **4**–8 미국인 선교사 아펜젤러Appenzeller가 정동교회貞洞教會를 설립함: 최초의 감리교회. **6**–29 박정양朴定陽을 주미공사에, 심상학沈相學을 주 영국·독일·러시아·이탈리아·프랑스 겸임공사에 임명함. **6** 미국 선교사 엘러스Ellers가 정신여학당貞信女學堂을 세움. **10**–29 전환국典圜局 조폐창 및 기기국機器局 기기창을 준공함. ▶장악원掌樂院을 교방사敎坊司로 개칭함.	**1**–20 미국, 하와이로부터 진주만眞珠灣 사용권을 획득함. **4**–4 영국, 런던에서 제1회 식민지 회의가 열림. **6**–18 독일·러시아, 재보장조약에 조인함. **8** 청, 타이완臺灣~푸젠福建 해저 전선을 설치함. **10**–17 프랑스, 인도차이나 연방을 설립함: 베트남과 캄보디아 통합. **10** 청, 포르투갈과 수호통상조약을 체결함: 마카오Macao 할양. **12**–12 영국·프랑스·오스트리아, 발칸 3국동맹을 체결함. ▶폴란드 자멘호프Zamenhof, 국제 보조어 에스페란토Esperanto를 창안함. ▶파리~브뤼셀 국제전화가 최초로 개통됨.
1888 (4221) 무자	25	**2**–6 연무공원鍊武公院을 창설함: 근대식 사관 양성학교. **3**–7 우사당友史堂 화재로 《승정원일기承政院日記》 300여권이 불탐. **3** 미국 여의사 호르톤Horton이 광혜원廣惠院 여자부 및 황후 전속 의사로 부임함. **4**–19 군제를 개편하여 통위영統衛營·장위영壯衛營·총어영總禦營의 3영을 둠. **5** 한성~부산 전선을 가설함. **6**–6 박문국朴文局이 통리교섭통상사무아문에 소속됨. 《한성주보漢城週報》 폐간. **6**–8 조선교구장 블랑Blanc 주교가 조선교구 봉헌미사를 집전함. **6**–30 북청 부민들이 함경도 병마절도사 이용익李容翊의 부정을 상소함: **7**–17 이용익 파직됨. **7**–13 러시아와 육로통상장정에 조인함. 경흥慶興을 개방하고 국경무역을 시행함. **9**–6 이유원李裕元 사망. **11** 기자묘箕子墓를 기자릉箕子陵이라 함.	**3**–17 영국, 사라와크Sarawak를 보호령으로 함: **5**–12 북보르네오를 보호령으로 함. **5**–13 브라질 의회, 노예해방법을 의결함. **6**–15 독일, 빌헬름Wilhelm 2세 즉위. **10**–29 콘스탄티노플Constantinople 조약 성립: 수에즈Suez 운하 자유 항해를 보장함. **11**–6 미국 해리슨Harrison, 대통령 선거에서 승리함. **11**–30 청 캉유웨이康有爲, 변법자강운동變法自强運動을 일으킴. 일본, 멕시코와 통상조약을 맺음: 일본 최초의 대등한 조약. ▶일본, 국가國歌 제정 사실을 각국에 통보함. ▶오스트레일리아, 중국인 이민 금지를 결의함: 백호주의白濠主義 시작.

연 대	조선	우 리 나 라	다 른 나 라
1889 (4222) 기축	26	**1** 정선민란旌善民亂 일어남. 한성 상인들이 외국 상인의 철수를 요구하며 철시함. **3–22** 주전소鑄錢所를 폐지함. **3** 러시아의 태평양포경회사에 동해 포경권捕鯨權을 부여함. **6–13** 러시아가 남해 녹도鹿島를 자국 동양함대 기류지와 저탄장으로 해줄 것을 요구함. **7–24** 고종, 주미공사 박정양朴定陽으로부터 미국 사정을 청취함. **8–9** 일기청日記廳을 설치함: 《승정원일기承政院日記》를 편찬케 함. **9–14** 함경도 감사 조병식趙秉式, 함경도에 방곡령防穀令을 실시함. **9–17** 전라도 광양에서 민란 일어남. **10–15** 일본이 방곡령防穀令 철폐와 일본 상인들의 손해 배상을 요구해 옴. **10–20** 일본과 조일통어장정朝日通漁章程을 체결함: 제주도 어민들의 반대 투쟁 일어남. **12** 영종英宗 묘호를 영조英祖로 고침. ▶유길준兪吉濬, 《서유견문西遊見聞》을 지음.	**1–10** 프랑스, 아프리카 상아 해안을 보호령으로 함. **2–5** 청, 전장鎭江에서 외세 배척 폭동 일어남. **2–11** 일본, 헌법을 공포함: 왕의 절대권 인정. **3–4** 청, 서태후西太后의 친정 끝남: 덕종 친정. **5–6** 프랑스, 혁명 100주년 기념 파리만국박람회를 개최함. **5–31** 영국, 해군국방법이 통과됨. **7–15** 프랑스, 파리에서 국제노동자대회 열림: 제2인터내셔널 성립. **10–2** 미국, 워싱턴에서 제1회 범미회의汎美會議가 열림. **11–15** 브라질, 군사 반란 일어남: 왕정을 폐지하고 공화국을 수립함. ▶프랑스, 에펠탑Eiffelt塔 건립.
1890 (4223) 경인	27	**1–7** 함경도 방곡령防穀令을 철회함. **1–11** 도성 내 청과 일본이 상인을 용산으로 철수시키도록 양국에 요청함. **윤2–20** 함경도 회령會寧에 경찰관을 배치하여 세관 사무를 맡게 함. **4–17** 신정왕후神貞王后(대왕대비 조씨) 사망. **6–13** 양화진楊花津 외국인 묘지 설치를 허가함. **9–2** 프랑스 신부 뮈텔Mütel이 조선 천주교 주교에 임명됨. **10–21** 함경도 흉년으로 곡식 수출이 내년 가을까지 중단된다고 일본공사에 통고함: 24일 일본공사가 기간을 내년 봄으로 단축해 줄 것을 요청해옴. **12–12** 일본과 월미도月尾島 기지 조차조약을 체결함. **12–15** 일기청日記廳, 《승정원일기承政院日記》를 개수함. ▶미국 선교사 언더우드Underwood가 《한영문법》과 《한영자전》을 편찬함.	**3–15** 독일, 베를린에서 국제노동자회의가 열림. **3–18** 독일, 비스마르크Bismark 수상 사임. **5–1** 최초로 메이데이May Day 행진이 실시됨. **7–1** 영국 · 독일, 북아프리카 분할 협정을 체결함. **7–2** 콩고에 관한 브뤼셀Brussels 협정이 조인됨. **7–29** 네덜란드 고흐Gogh, 권총으로 자살함. **8–5** 영국 · 프랑스, 나이지리아 분할 협정을 체결함. **9–30** 독일, 사회주의 진압법을 폐지함. **11–25** 일본, 제국의회帝國議會를 개회함. **12–4** 청, 병기창을 설립함.

연대	조선	우리 나라	다른 나라
1891 (4224) 신묘	고종 28	**2-19** 이재원李載元 사망. **2-27** 경리청經理廳을 설치함. **2-28** 일본공사가 일본 상인의 평안도·황해도 연안 무역 허가를 요청해 옴. **3-21** 제주민란濟州民亂 발생: 일본 어선의 어로 금지를 요구함. **6-6** 주미공사로 하여금 뉴욕·필라델피아 총영사를 겸하게 함. **6-13** 일본 어선들이 제주도에 와서 백성들에게 폭력행위를 자행함. **6-20** 한성에 일어학당日語學堂을 개설함. **6-24** 한성~원산 북로전선北路電線을 준공함. **12-29** 왕자 이강李堈을 의화군義和君에 봉함. ▶연해주沿海州 거주 조선인들이 러시아 국적에 편입됨: 최초의 정식 귀화.	**2-24** 브라질, 연방공화국 헌법을 제정함. **3-24** 일본, 도량형법을 공포함. 영국·이탈리아, 아프리카 국경조약을 체결함. **5-11** 러시아, 황태자가 일본 방문 중 저격당함. **5-31** 러시아, 시베리아 철도 부설 공사를 착공함. **6-1** 인도 간디Gandhi, 영국에서 귀국함: 반영운동 전개. **12-1** 청 덕종, 동문관同文館에서 서양학 학습을 시작함. ▶영국 하디Hardy, 〈테스Tess〉를 발표함. 네덜란드 뒤부아Dubois, 자바Java의 직립원인直立猿人 유골을 발굴함.
1892 (4225) 임진	29	**2** 일본 어민들이 제주도 성산포城山浦에 상륙하여 난동 부림. **3-10** 함흥부咸興府에서 민란 일어남: 관찰사 이원일李源逸을 파면함. **3-21** 문경현聞慶縣이 도호부로 승격됨. **4-29** 인천에 영화학교永化學校를 설립함. **4** 조선 조정에서 김옥균金玉均 암살 위해 이일직李逸稙을 일본에 파견함. **5-29** 일본 도쿄에서 오스트리아와 수호통상조약을 체결함. **6** 일본 어민의 제주도 난동에 대한 배상을 일본에 청구함. **윤6** 경상도 예천醴泉 군민이 광산 채굴 금지에 항의하여 난을 일으킴. **7-18** 고구려 동명왕東明王 묘를 동명왕릉으로 함. **9-25** 한성에 약현성당藥峴聖堂(지금의 중림동 성당)을 준공함. **10** 조청윤선공사朝淸輪船公司를 창설함. **11-2** 전환국典圜局을 인천에 새로 짓고 양식 화폐를 주조하기로 함. **12-1** 동학교도가 전라도 삼례역에서 교조 신원과 동학교도 탄압 중지 호소함.	**2** 영국·미국, 베링Bering 해협에 관한 중재 재판을 협약함. **3-11** 영국, 전국적으로 광산파업 일어남. **3** 청·러시아, 육로전선협상陸路電線協商을 맺음. **5-21** 청, 배외문서排外文書 발행을 금지함. **6-30** 미국, 펜실베이니아 카네기 제강소에서 파업 발생함: 이후 전 미국으로 확산. **8-17** 프랑스·러시아, 군사협약을 체결함. **10-6** 영국, 테니슨Tennyson 사망. **11-18** 미국 클리블랜드Cleveland, 대통령 선거에서 승리함. **11** 프랑스 쿠베르탱Coubertin, 올림픽경기 부활을 주창함. ▶필리핀 리살Rizal, 필리핀 연맹을 조직함. ▶미국, 시카고Chicago 대학 설립.

연대	조선	우리 나라	다른 나라
1893 (4226) 계사	30	**1-1** 고종, 전국에 권농령勸農令을 내림. **1-20** 통어영統禦營을 남양부南陽府로 옮겨 해연총제영海沿總制營을 설치함: 근대적 해군 창설 준비. **2-5** 강화江華에 해군사관학교를 설치하기로 계획함. **2-12** 동학교도 손병희孫秉熙 · 박광호朴光浩 등, 교조 신원 위해 광화문에서 3일간 상소함. **2** 동학교도들이 만든 '척왜척양斥倭斥洋' 벽보가 외국공관과 한성 시내에 나붙음. **3-10** 동학교도 2만여명이 충청도 보은에서 '척왜척양斥倭斥洋' 요구하며 농성 벌임. **3-26** 양호선무사兩湖宣撫使 어윤중魚允中, 보은에 가서 동학교도에게 해산할 것을 설득함: **4-3** 해산. **4** 일본과 방곡령防穀令 배상문제를 해결함. **6-7** 일본정부가 주청 일본공사 오도리大鳥圭介의 조선공사 겸임을 통보해 옴. **6-14** 인천부 관리와 백성들이 감리서監理署를 습격함. **7** 황해도 재령載寧에서 민란 일어남. **8-17** 전보총국을 전우총국電郵總局으로 고침. **8-25** 어윤중魚允中, 동학교도 관련 공무를 공정하게 처리하지 못하였다 하여 연일현延日縣에 유배됨. **8** 미국인 에이비슨Avison이 전의典醫가 됨. **9-9** 흉년으로 조선 주재 각국 공사에 방곡령防穀令을 통고함. **10-24** 부산과 원산에 방곡령防穀令을 실시함. **11-25** 한성의 일본공사관이 불탐. **12** 전봉준全琫準 등, 고부군수 조병갑趙秉甲에게 만석보萬石洑 수세 감면과 학정 시정을 진정함. ▶가야금 명인 명완벽明完璧, 전악典樂에 오름. ▶최초로 전화기를 도입함. ▶러시아 블라디보스토크Vladivostok에 한인촌韓人村이 건설됨.	**1-13** 영국, 독립노동당 정당이 결성됨. **1-17** 하와이, 왕정王政 폐지를 선언함. **2-13** 영국 글래드스턴Gladstone, 아일랜드 자치법안을 의회에 제출함: **9-8** 상원에서 부결되어 시행되지 못함. **2-14** 미국, 하와이임시정부와 하와이 합병조약에 조인함. **5-5** 영국, 경제적 공황恐慌이 발생하여 국내외에 커다란 영향을 끼침. **7-7** 프랑스, 모파상Maupassant 사망. **10-3** 프랑스, 타이와 조약 맺고 메콩강Mekong江 이동 지방을 점유함. **10** 청 장지동張之洞, 자강학당自强學堂을 설립함. **11-6** 러시아, 차이코프스키Tchaikovskii 사망. **11-12** 청, 외국에 대하여 처음으로 자국 황제에 대한 대등한 알현을 시행함. **12-17** 라오스Laos, 프랑스의 보호령이 됨. **12** 이탈리아, 시칠리아Sicilia에서 농민폭동이 일어남. 프랑스 · 러시아, 군사협정이 발효됨. ▶청, 베이징北京~산하이관山海關 철도가 개통됨. ▶독일 디젤Diesel, 디젤기관을 발명함. ▶노르웨이 난센Nansen, 북극 탐험에 성공함. ▶미국 에디슨Edison, 활동사진을 발명함.

연대	조선	우리 나라	다른 나라
1894 (4227) 갑오	고종 31	**1**–10 전라도 고부古阜 군민이 고부군수 조병갑趙秉甲의 탐학에 항거하여 전봉준全琫準 지도하에 고부관아를 점령함: 동학농민운동. **2**–15 박명원朴明源을 고부군수에 임명하고 이용태李容泰를 안핵사按覈使에 임명하여 고부민란을 수습케 함. **2**–22 김옥균金玉均, 중국 상하이에서 홍종우洪鐘宇에게 암살당함. **3**–19 이일직李逸稙 · 권동수權東壽 등, 일본에서 박영효朴泳孝를 암살하려다 체포됨. **3**–24 경상도 김해에서 민란 일어남. **3**–25 전봉준全琫準, 호남창의대장소湖南倡義大將所를 설치함: 동학농민군 지휘부. **4**–2 홍계훈洪啓薰, 양호초토사兩湖招討使에 임명됨. 북접北接 동학교도가 진잠鎭岑과 회덕懷德을 점령함. **4**–6~7 동학농민군, 황토현黃土峴에서 관군을 격파함. **4**–13 이제마李濟馬, 《동의수세보원東醫壽世保元》을 지음. **4**–21 이용태李容泰, 경상도 김천에 유배됨. **4**–27 동학농민군, 전주를 점령함. **4**–28 동학농민군 진압 위해 청에 원군을 요청함. **4** 충청도 논산에서 노성민란魯城民亂이 일어남. 일본인 치과의사가 한성 남대문로에 최초로 치과의원을 개설함. **5**–4 조병갑趙秉甲, 고금도古今島에 유배됨. **5**–5 청군이 아산만에 상륙함. 일본군이 인천에 상륙함. **5**–7 전주화약이 성립됨. 일본군이 한성에 진주함. **5**–8 동학농민군, 전주에서 철수함. **5**–23 일본공사가 고종에게 조선의 내정개혁을 건의함. **6**–9 일본이 조선에 내정개혁 방안을 제시하고 시행을 강요함: 13일 일본의 내정개혁 요구를 거절하고 일본군 철수를 요구함. **6**–21 일본군이 경복궁景福宮에 침입하여 친청파인 민씨정권을 몰아내고 흥선대원군興宣大院君을 옹립함. 《관보官報》 제1호를 발행함.	**1** 프랑스 · 러시아, 독일에 대항하여 협상을 체결함. **3**–1 청 · 영국, 경계 및 통상에 관한 조약을 체결함. **3**–15 프랑스 · 독일, 아프리카 문제에 관한 협정에 상호 조인함. **3**–17 미국, 스코트법Scott法을 제정함: 중국인 이민 제한 목적. **3**–19 영국, 항만노동자의 8시간 노동제를 승인함. **5**–5 영국 · 이탈리아, 동아프리카에 관한 협정에 상호 조인함. **5**–11 미국, 철도 노동자 파업 일어남. **5**–22 인도 간디Gandhi, 남아프리카에서 인도국민회의를 결성함. **6**–24 프랑스 카르노Carnot 대통령, 이탈리아인에게 피살됨: 페리에Perier 승계. **6**–28 캐나다, 오타와에서 제2회 영국식민지회의 열림. **6**–30 러시아, 청 · 일간의 분쟁 조정에 실패함. **6** 국제올림픽위원회IOC가 창설됨. **7**–4 하와이임시정부, 하와이공화국 성립을 선언함. **7**–16 일본, 영국과 통상항해조약에 조인함. **8**–1 청일전쟁 발발. **8**–7 영국, 청일전쟁에서 중립을 선언함: 9일 러시아, 중립 선언. **8** 아르메니아Armenia에서 반터키 봉기 일어남.

연 대	조선	우 리 나 라	다 른 나 라
1894 (4227) 갑오	31	6-23 일본 해군이 아산만 풍도豊島에서 청군을 전멸시킴. 6-25 군국기무처軍國機務處를 설치함: 갑오개혁甲午改革 시작. 6-28 중앙 관제 개혁안 및 사회제도 개혁안 공포함. 6-29 개국기원開國紀元을 사용함. 6 동학농민군, 자체 민정기관인 집강소執綱所를 조직함. 7-10 조세의 금납제金納制를 의결함. 7-11 군국기무처軍國機務處, 근대적인 관리등용법을 제정함: 과거제도 폐지. 은본위제의 신식 화폐발행장정을 공포함. 도량형을 개정함. 7-15 제1차 김홍집金弘集 내각 성립. 7-25 지방군제를 개혁함: 각 도의 병영兵營과 수영水營을 폐지함. 8-17 일본군이 청군을 평양에서 격파함: 청일전쟁에서 승리. 8-22 죄인의 연좌제連坐制를 폐지함. 9-18 동학교주 최시형崔時亨, 무력 봉기를 선언함: 동학교도에 대한 박해에 항거. ▶가을. 안동 · 상주 · 충주 등의 양반 유생들이 유회군儒會軍을 조직하여 동학농민군 진압에 나섬. 10-9 손병희孫秉熙의 북접北接 동학농민군과 전봉준全琫準의 남접南接 동학농민군이 충청도 논산에서 합류함. 조정에서 동학농민군 토벌 위한 군대의 지휘권을 일본에게 양도함. 10-21 흥선대원군興宣大院君, 정계 은퇴를 결행함. 10-22 동학농민군, 공주 우금치牛禁峙에서 일본군과 관군에게 대패함. 11-21 제2차 김홍집金弘集 내각 성립: 각 부서에 일본인 고문을 배치함. 군국기무처軍國機務處를 파하고 중추원中樞院을 설치함. 12-2 전봉준全琫準, 전라도 순창에서 체포됨. 12-12 고종, 홍범洪範14조와 독립서고문獨立誓告文을 종묘에 고함: 공문서 사상 처음으로 한글로 작성. 12-16 의정부를 내각內閣이라 개칭함. 12-17 왕실의 존칭을 변경함: '주상전하'를 '대군주폐하'로 함. 12-27 동학농민군이 완전 진압됨.	9-17 일본, 서해에서 청의 북양함대 주력 군함 5척을 격침하여 청일전쟁의 주도권을 잡음. 10-6 영국, 독일 · 프랑스 · 러시아 · 미국에게 극동에 대한 자국의 동등한 간섭권을 달라고 제안함: 미국과 독일의 반대로 실패함. 10-15 프랑스, 유태계 드레퓌스Dreyfus 대위를 독일 간첩 혐의로 체포함: 드레퓌스 사건의 발단. 10 이탈리아, 사회주의단체와 노조에 대한 탄압령을 제정함. 11-1 러시아, 알렉산드르Alexandre 3세 사망: 니콜라이Nikolai 2세 즉위. 11-4 청, 영국 · 미국 · 독일 · 프랑스 · 러시아 공사에게 청일전쟁의 휴전 조정을 해 줄 것을 요청함. 11-12 일본, 주일 미국 공사가 청의 요청으로 강화조건을 제시해 옴. 11-21 일본, 청의 뤼순旅順을 점령함. 12 청 쑨원孫文, 미국 하와이에서 중흥회中興會를 조직함. ▶필리핀, 반스페인운동을 전개함. ▶독일, 헬름홀츠Helmholtz 사망. ▶러시아, 서시베리아 철도를 개통함.

연 대	조선	우 리 나 라	다 른 나 라
1895 (4228) 을미	고종 32	**1**–30 태복시太僕寺를 폐지함. **2**–2 학교 설립과 인재 양성에 관한 조칙을 발표함. **2** 영은문迎恩門을 철거함. **3**–24 이준용李埈鎔, 반역음모죄로 구속됨. **3**–29 전봉준全琫準 · 손화중孫化中 · 최경선崔慶先 등 동학농민군 지도자 처형됨. **4**–1 유길준兪吉濬의 《서유견문西遊見聞》이 일본에서 간행됨. **4**–8 덕수궁德壽宮에 전등을 가설함. **4**–27 훈련대를 설치함. **5**–26 지방행정구역을 개편함: 8도제를 폐지하고 23부府 331군郡으로 편제. **윤5**–20 고종, 갑오개혁을 비판하고 국정을 친히 결제할 것을 천명함. **7**–5 제3차 김홍집金弘集 내각 성립: 친미파와 친러파가 정권에 참여함. **7**–13 일본공사 미우라三浦梧樓가 부임함. **7**–16 고종, 경회루慶會樓에서 각국 공사를 접견하고 개국 503회 기념연을 개최함. **8**–20 일본 낭인과 군인이 경복궁 옥호루玉壺樓에서 명성황후明成皇后를 시해함: 을미사변. 고종, 명성황후의 폐서인 조칙을 발표함. **8**–24 내각을 개편함: 친일내각 성립. **8**–29 을미사변 주동자 미우라三浦梧樓가 본국에 소환됨. **9**–9 양력陽曆을 채용함: 1895년 11월 17일을 1896년 1월 1일로 함. **9**–13 훈련대를 해산함. **10**–7 종두규칙種痘規則을 공포함. **10**–10 명성황후明成皇后의 위호를 복위시킴. **10**–12 임최수林最洙 · 이도철李道徹 등, 친일파 내각 붕괴에 실패함: 춘생문사건春生門事件. **10** 한성에 법어학교法語學校를 설립함. **11**–11 이준용李埈鎔, 사면되어 일본에 유학함. **11**–15 단발령斷髮令을 반포함. ▶종래 육의전六矣廛의 특권이 폐지됨. ▶영국의 버니언Bunyan 작 게일Gale 역 《천로역정天路歷程》을 간행함.	**2**–12 청, 북양함대사령관 정여창鄭汝昌이 일본 함대에 항복함. **3**–16 청 흥중회興中會, 청천백일기靑天白日旗를 군기로 삼음. **3**–20 청 이홍장李鴻章, 일본 시모노세키下關에서 이토伊藤博文와 강화회담을 개최함. **4**–17 청 · 일본, 청일전쟁 결과 시모노세키 조약을 체결함: 청, 일본에 랴오둥반도遼東半島와 타이완臺灣 · 펑후도澎湖島를 할양하고 조선의 독립을 승인함. **4**–23 일본, 주일 독일 · 프랑스 · 러시아 공사들이 랴오둥반도遼東半島를 청에 반환할 것을 요구함: 삼국간섭. **5**–4 일본, 랴오둥반도遼東半島 포기를 결정함. **5**–25 타이완臺灣, 민중봉기 일어나 대만민주국을 선언함. **6**–7 일본, 타이완臺灣의 타이베이臺北를 점령함: 17일 타이베이臺北에 타이완臺灣 총독부를 설치함. **10**–27 청, 쑨원孫文의 거병이 실패함: 광저우사건廣州事件. **12**–9 러시아 레닌Lenin, 페테르부르크Peterburg에서 노동자계급 해방동맹 결성 후 검거됨. ▶영국, 말레이 연방을 수립함. ▶프랑스, 파스퇴르Pasteur 사망. ▶독일 뢴트겐Roentgen, X선을 발견함. ▶이탈리아 마르코니Marconi, 무선통신법을 발명함. ▶폴란드 시엔키에비치Sienkiewicz, 〈쿠오바디스Quo Vadis〉를 발표함. ▶독일, 엥겔스Engels 사망.

연대	조선	우리나라	다른나라
1896 (4229) 병신	33	**1**-1 건양建陽 연호를 사용함. 서재필徐載弼, 미국에서 귀국함. **1**-11 무관학교武官學校 관제를 공포함. **1**-17 김복한金福漢 등, 홍주洪州에서 봉기함: 20일 이소응李昭應 등, 춘천에서 봉기함. **1**-25 일본헌병대가 설치됨. **1** 《법규유편法規類編》을 간행함. **2**-3 유인석柳麟錫, 제천提川 창의대장에 취임함. **2**-11 고종, 러시아 공사관으로 옮김: 아관파천俄館播遷. 친러내각 성립. 총리대신 김홍집金弘集 및 농상공부대신 정병하鄭秉夏 처형됨. 유길준兪吉濬 등, 일본으로 망명함. **2**-17 어윤중魚允中, 용인에서 군중에게 피살됨. **2** 기우만奇宇萬, 전라도 광주에서 봉기함. **3**-9 김창수金昌洙(김구金九), 일본인 스치다土田讓亮를 살해하고 체포됨: 명성황후明成皇后 시해에 대한 보복. **3**-29 미국인 모스Morse에게 경인선철도 부설권을 줌. **4**-1 민영환閔泳煥, 러시아 황제 대관식에 전권공사로 파견됨: **10**-21 귀국하여 고종에게 러시아 사정을 보고함. **4**-7 서재필徐載弼, 《독립신문》을 창간함. **4**-22 러시아에 경원·종성 금광채굴권을 줌. **5**-14 베베르Weber·고무라小村 각서 조인: 조선에서의 러시아 우위를 확인함. **6**-9 로바노프Rovanov·야마가타山縣 의정서 체결: 러시아와 일본의 조선 공동지배 및 조선 이권 분할에 합의함. **6** 안경수安駉壽 등, 조선은행朝鮮銀行을 설립함: 최초의 근대식 은행. **7**-2 서재필徐載弼·윤치호尹致昊 등, 독립협회獨立協會를 결성함. **7**-3 프랑스 그릴Grille에게 경의선京義線 철도 부설권을 줌. **7**-31 관립소학교를 설립함. **8**-4 정치제도를 개편함: 23부를 폐지하고 전국을 13도로 구획함. **9**-24 내각內閣을 의정부議政府로 환원함. **11**-21 독립협회, 영은문迎恩門 자리에 독립문獨立門을 기공함: 1897. 11. 20. 준공.	**1**-15 영국·프랑스, 타이의 독립과 영토 보전에 합의함. **2**-18 미국, 쿠바 반란군을 승인함: 스페인과의 관계가 악화됨. **2** 청, 우정 업무를 개시함. 터키, 크레타Crete섬에서 그리스와의 합병운동 일어남. **3** 영국, 수단Sudan에 파병함. **4**-6 그리스, 아테네에서 제1회 근대 올림픽대회를 개최함. **4** 러시아·오스트리아, 발칸반도 현상 유지에 합의함. **5**-18 타이완臺灣, 항일 봉기 일어남. **5** 오스트리아, 보통선거법이 통과됨. **6**-2 청, 한커우漢口에 프랑스와 러시아 조계租界 지역을 설정함. **6**-3 청·러시아, 밀약密約을 체결함. **7**-21 영국, 런던에서 제2인터내셔널대회가 개최됨: 무정부주의자 제명, 민족자결 지지, 식민정책 반대. 청일 통상조약 체결. **8**-6 프랑스, 마다가스카르Madagascar 영유를 선언함. **8**-30 필리핀, 무장봉기 일어남. **9** 청, 철로총공사鐵路總公司를 설치함. 프랑스, 이탈리아로부터 튀니지Tunisie 진출을 승인받음. **10**-26 이탈리아, 이디오피아 독립을 승인함. **12**-22 일본, 의회가 개설됨. **12** 스웨덴, 노벨Nobel 사망. ▶프랑스 베크렐Becquerel, 방사능을 발견함.

연대	조선	우리 나라	다른 나라
1897 (4230) 정유	고종 34	**1**–5 일본 불교 정토교淨土敎가 전래됨. **1**–6 왕비의 시호를 명성明成, 능호를 홍릉洪陵이라 함. **1**–31 한선회韓善會 · 이근용李根鎔 등, 정부 전복을 꾀하다 제주도에 유배됨. **1** 이봉운李鳳運, 《국문정리國文整理》를 편찬함. **2**–19 한성은행漢城銀行(전의 조흥은행朝興銀行 전신)을 설립함. **2**–20 고종, 경운궁慶運宮으로 환궁함. **2**–28 민영환閔泳煥, 영국 빅토리아Victoria 여왕 즉위 60년 축하식에 파견됨. **3**–22 인천에서 경인선 철도 기공식을 거행함. **5**–23 독립협회, 모화관慕華館을 고쳐 독립관獨立館을 세움: 협회 사무실로 사용. **6**–15 국내우체세칙國內郵遞細則을 공포함. **8**–12 단발령斷髮令을 취소함. **8**–13 독립협회, 개국 505회 기원절紀元節 기념식을 독립관獨立館에서 거행함. **8**–14 연호를 광무光武로 고침. **9**–29 김재현金在顯 등, 고종에게 황제皇帝에 오를 것을 상소함. **10**–1 옛 남별궁南別宮터에 원구단圜丘壇을 건립함. **10**–2 독립협회에 대항하기 위해 부상청負商廳을 다시 설립함. **10**–3 고종, 칭제稱帝할 것을 선포함. **10**–10 미국 선교사 베어드Baird가 평양에 숭실학교崇實學校를 설립함. **10**–11 국호를 대한제국大韓帝國으로 정함. **10**–12 원구단圜丘壇에서 황제즉위식을 거행함: **12**–2 황제즉위일을 계천기원절繼天紀元節로 정함. **11**–21 명성황후明成皇后 국장을 거행함. **12**–21 지석영池錫永, 양력을 폐기하고 음력을 사용할 것을 건의함. **12**–24 손병희孫秉熙, 동학東學 제3대 교주가 됨. ▶이진상李震相의 《이학종요理學宗要》 간행. ▶고유상高裕相, 한성에 회동서관滙東書館을 개업함: 최초의 서점. ▶장승업張承業 사망.	**2**–4 청, 영국과 미얀마 협정을 체결함. **3**–2 열강이 터키와 그리스에 크레타Crete의 자치와 철군을 요구함. **3**–29 일본, 화폐법을 공포함: 금본위제 실시. **4**–17 그리스, 터키에 선전포고함. **4**–30 러시아 · 오스트리아, 발칸반도에서의 현상 유지에 합의함. **5**–12 터키, 테살리아Thessalia에서 그리스 군을 격파함. **5**–19 그리스 · 터키, 휴전협정을 체결함. **6**–16 미국, 하와이 합병조약에 조인함. **7** 프랑스 · 독일, 아프리카 경영에 관한 협정을 체결함. **11**–1 청, 자오저우膠州에서 독일인 선교사가 살해됨: 14일 독일, 청의 자오저우만膠州灣을 점령함. **11** 프랑스, 드레퓌스Dreyfus 사건이 재연됨. **12**–4 그리스 · 터키, 콘스탄티노플Constantinople 화약을 체결함. **12**–25 이탈리아, 수단의 카살라Kassala를 이집트에 할양함. **12** 청 캉유웨이康有爲, 독일의 자오저우만膠州灣 점령에 항의하여 황제에게 변법자강變法自强(법을 고쳐 스스로 강해짐)할 것을 요청함. ▶독일 브라운Braun, 브라운관을 발명함. ▶영국 파슨스Parsons, 증기터빈선을 완성함.

연대	조선	우리나라	다른 나라
1898 (4231) 무술	35	**1**–18 미국인 콜브란Collbran과 보스트위크Bostwick가 한성전기회사를 설립함:조선과 공동 출자. **2**–9 독립협회, 종로 네거리에서 만민공동회萬民共同會를 개최함. **2**–25 러시아에 부산 절영도絶影島의 조차租借를 허가함: 27일 독립협회가 항의. **3**–1 한성에 한러은행을 설립함. **4**–9 배재학당협성회, 《매일신문》을 창간함: 최초의 일간 신문. **4**–25 일본과 러시아 간에 조선에 관한 의정서가 조인됨. **5**–29 한성에 명동성당明洞聖堂을 준공함. **7**–7 황국협회皇國協會를 결성함. **7**–21 동학교도 최시형崔時亨 등 처형됨. **8**–8 이종면李鍾冕·유영석柳永錫 등, 《제국신문帝國新聞》을 창간함. **9**–5 장지연張志淵·남궁억南宮檍 등, 《황성신문皇城新聞》을 창간함. **9**–11 김홍륙金鴻陸 독다사건毒茶事件 발생: 황제와 황태자에게 독이 든 커피를 올리다 발각됨. **9**–15 덕어학교德語學校를 설립함. **10**–2 배화학당培花學堂을 설립함. **10**–29 독립협회, 관민공동회官民共同會를 개최하여 회장에 윤치호尹致昊를 선출하고 헌의6조獻議六條를 올림: 30일 고종의 윤허 받음. **11**–4 고종, 독립협회獨立協會 해산을 명함. **11**–7 이상재李商在 등 독립협회 간부가 체포됨. **11**–21 황국협회皇國協會, 보부상褓負商을 불러들여 만민공동회萬民共同會를 습격함. **11**–22 독립협회獨立協會 재건을 허가함. **12**–25 서대문~청량리간 전차를 부설함. ▶ 흥선대원군 사망 ▶ 네덜란드 보스Vos가 고종황제의 초상을 그림: 최초의 서양화.	**1** 프랑스 졸라Zola, 드레퓌스Dreyfus의 무죄를 주장하고 대통령과 군부를 탄핵함. **2**–11 청, 양쯔강揚子江 연안을 할양하지 않을 것임을 성명함. **2**–21 청 담사동譚嗣同, 남학회南學會를 결성함. **3**–6 독일, 청의 자오저우만膠州灣 조차권을 획득함. **3**–27 러시아, 다롄大連·뤼순旅順 조차권 및 남만주철도 부설권을 획득함. **4**–12 청 캉유웨이康有爲·량치차오梁啓超 등, 베이징北京에서 보국회報國會를 결성함. **4**–21 미국·스페인 전쟁 일어남. **6**–9 영국, 청으로부터 주룽九龍과 홍콩을 99년간 조차함. **6**–11 청, 변법자강變法自彊을 선포함. **6**–12 필리핀 아기날도Aguinaldo, 임시정부 대통령에 취임함. **7**–10 영국·프랑스, 아프리카에서 충돌함: 파쇼다Fashoda 사건. **7** 독일, 비스마르크Bismark 사망. 우간다Uganda, 내분 일어남. **9**–21 청, 서태후西太后가 정변 일으켜 덕종을 유폐시킴: 무술정변戊戌政變. 캉유웨이康有爲·량치차오梁啓超 등이 일본으로 망명함. **9**–28 독일, 바그다드 철도 부설권을 획득함. **12**–10 미국·스페인, 파리 조약을 체결함: 미국, 필리핀·괌·푸에르토리코를 얻고 쿠바 독립을 승인함. ▶청, 베이징北京 대학 설립. ▶프랑스 퀴리Curie 부부, 라듐을 발견함.

연 대	조선	우 리 나 라	다 른 나 라
1899 (4232) 기해	고종 36	**1-1~3** 송병직宋秉稷 · 심상희沈相禧 · 서정순徐正淳 등, 연이어 독립협회獨立協會를 배척하는 상소를 올림. **1-30** 대한천일은행大韓天一銀行(전의 상업은행)을 설립함: 최초의 민간은행. **1** 전주에 조경단肇慶壇을 건립함. **3-15** 주미공사에 민영환閔泳煥, 주일공사에 김석규金錫圭, 주러공사에 이범진李範晉을 임명함. **3-27** 관립의학교가 설립됨: 교장 지석영池錫永. **4-4** 중학교 관제를 공포함: 근대식 중등교육 제도. **4-19** 보부상褓負商이 남당과 북당으로 나뉨. **4-24** 의원 관제를 공포함. **5-17** 서대문~청량리 전차가 개통됨. **5-19** 동학東學의 잔여 세력이 영학당永學黨을 조직함: 반외세운동 · 반봉건운동 전개. **6-8** 조병식趙秉式 · 신기선申箕善 등 고관의 저택에 폭탄 투척사건이 발생함. **6-9** 독일 하인리히Heinrich 친왕親王이 군함으로 인천에 도착함: 독일인이 경영하는 광산을 시찰함. **6-24** 상공학교商工學校 관제를 공포함. **8-17** 대한국국제大韓國國制를 반포함. **9-11** 청과 통상조약을 체결함: 청과 맺은 최초의 평등 조약. **9-18** 경인선 철도(인천~노량진)가 개통됨. **10-2** 한성의학교漢城醫學校를 설립함. **11-14** 사도세자思悼世子를 왕으로 추존하고 묘호를 장조莊祖라 함. **12-4** 《독립신문》이 폐간됨. **12-15** 울릉도 개척 상황 조사 위해 시찰위원 우용정禹用鼎을 파견함. **12** 일본인 대상 호구조사 실시함: 진남포 105호 311명, 평양 42호 119명, 군산 65호 240명으로 집계. ▶대구에 동산기독병원東山基督病院이 설립됨. ▶일본 영화가 전국에 순회공연됨: 활동사진活動寫眞 용어와 변사辯士 등장.	**1-5** 필리핀 아기날도Aguinaldo, 필리핀인에게 반미 독립 위한 봉기를 호소함. **1-19** 영국 · 이집트, 수단 공동 통치에 협정함. **2-12** 독일, 스페인과 협정 맺고 캐롤린Caroline과 매리아나Mariana를 획득함. **3-21** 프랑스, 나일강Nile江 유역 전영토의 포기를 선언함. **3** 청, 산둥山東 지방에서 의화단義和團이 봉기함. **4-15** 청, 영국의 주룽반도九龍半島 조차 반대운동을 전개함. **5-18** 네덜란드, 헤이그Hague에서 제1회 국제평화회의가 열림. **6-13** 청 캉유웨이康有爲, 보황회保皇會를 결성함. **7-2** 청, 둔황석굴敦煌石窟에서 경전經典 수천 권이 발견됨. **9-17** 청, 의화단義和團이 크리스트교도를 습격함. **9** 프랑스, 군법회의에서 드레퓌스Dreyfus를 재심하여 석방함. **10-3** 청, 가로회哥老會가 교회와 크리스트교도의 집을 불태움. **10-12** 아프리카에서 보어Boer인의 대영국 투쟁 일어남: 보어전쟁. **11-1** 영국 · 독일, 사모어Samoa 제도 분할 협정에 조인함. **11-16** 프랑스, 청의 광저우만廣州灣을 99년간 조차함. ▶청, 허난성湖南省에서 갑골문자甲骨文字를 발견함. ▶일본, 전국에 페스트가 유행함. ▶러시아 톨스토이Tolstoi, 〈부활復活〉을 발표함.

연 대	조선	우 리 나 라	다 른 나 라
1900 (4233) 경자	37	**1**-1 만국우편연맹에 가입함: 외국과 직접 우편물을 교환함. **1**-7 이유인李裕寅, 을미사변 범법자 처벌 등 〈시무 15조〉를 올림. **2**-14 경상도 · 강원도 · 함경도 해안 포경권捕鯨權을 일본 원양어업회사에 부여함. **2** 충청도 내포內浦 지역에 활빈당活貧黨이 출몰함: 이후 1904년까지 세력을 키움. **3** 목포 부두노동자들이 일본의 경제 수탈에 대항하여 파업을 벌임. **3**-20 원수부元帥府 관제를 개정함. **3**-30 러시아에 마산 율구미栗九味 조차 허가함. **4**-10 종로에 처음으로 전등을 가설함. **5**-17 안경수安駉壽, 황제양위운동 벌여 처형됨. **6**-12 경무청警務廳을 경부警部로 개칭함. **6**-27 외국어학교 규칙을 공포함. **6**-30 육군헌병조례를 공포함: 육군 헌병을 원수부에 예속시킴. **7**-5 한강철교를 준공함. **7**-20 지방 군대 명칭을 진위대鎭衛隊로 통일함. **8**-8 궁내부宮內府 관제를 공포함. **8**-17 고종의 제2자 이강李堈을 의왕義王, 제3자 이은李垠을 영왕英王에 봉함. **9**-4 광무학교鑛務學校를 설립함. 평양을 부府로 승격시킴. **10**-10 간도間島 거류민이 정부에 관리 파견을 요청함. **10**-14 경운궁慶雲宮 선원전璿源殿에 화재 발생함. **10**-25 울릉도를 울릉군鬱陵郡으로 함. **12**-7 고종, 영국 빅토리아Victoria 여왕으로부터 훈장을 받음. **12**-8 태극기太極旗 규정을 발표함. **12**-19 군악대 설치령을 공포함. ▶전국 크리스트교(기독교) 신자가 1만 8,081명으로 집계됨. ▶한성에 러시아정교회가 설립됨. ▶박에스터, 미국에서 박사학위 받음: 첫 여성 박사. ▶이제마李濟馬 사망.	**1**-27 청, 베이징北京 주재 외국 공사들이 의화단義和團 진압을 요구해 옴. **2**-27 영국, 노동대표위원회(노동당勞動黨의 전신)가 결성됨. **3**-14 미국, 금본위제를 채택함. **5**-24 영국, 오렌지Orange 자유국 합병을 선언함. **5** 프랑스, 사하라Sahare 사막 북부의 지배권을 장악함. **6**-20 청, 의화단義和團이 독일 공사를 살해함. **6**-21 청, 베이징北京에 출병한 연합국에게 선전포고함. 의화단義和團이 베이징北京의 각국 공사관을 포위함. **7**-29 이탈리아 움베르토Umberto 1세, 무정부주의자에게 암살당함. **7**-30 청, 톈진天津이 외국 지배하에 놓임. **8**-9 청 당재상唐才常, 안후이성安徽省에서 봉기함: 22일 장지동張之洞에게 피살. **8**-19 청, 베이징北京이 열강에게 점령당함. **8** 독일, 니체Nietzsche 사망. **9**-1 영국, 트란스발Transvaal 공화국 병합을 선언함. **9**-23 프랑스, 파리에서 제2인터내셔널대회가 개최됨. **10**-30 청, 흥중회興中會가 혜주惠州에서 군사 일으킴: 혜주사건. **11**-9 러시아, 하얼빈哈爾濱~뤼순旅順 철도 부설권을 얻음. **12**-24 청, 외국 공사들이 12개조의 강화 조건을 전달함. **12**-30 청, 의화단사건義和團事件이 진압됨. ▶오스트리아 프로이트Freud, 《꿈의 해석》을 출간함.

연 대	조선	우 리 나 라	다 른 나 라
1901 (4234) 신축	고종 38	**1**–9 유두포, 한국 상인으로는 최초로 하와이에 건너감. **2**–12 신식 화폐조례를 공포함: 금본위제를 채택함. **2**–27 독일인 에케르트Eckert가 군악대 교수로 초빙됨. **3**–23 벨기에와 수호통상조약에 조인함. **4**–20 전 재정財政 고문 독일인 묄렌도르프Möllendorf가 청나라에서 사망함. **5**–28 제주도 대정현大靜縣에서 이재수李在守 등 제주도민과 천주교도 사이에 충돌 발생함: 제주교난濟州敎難. **5**–30 이용태李容泰, 주미공사에 임명됨. **5** 현채玄采, 《대한지지大韓地誌》를 간행함. **7**–23 전국의 흉작으로 방곡령防穀令을 공포함. **8**–17 한성 흥인지문興仁之門 밖에서 전등 시점식을 거행함. **8**–20 영등포에서 경부선 철도 북부기공식을 거행함: **9**–21 부산 초량草梁에서 경부선 철도 남부기공식을 거행함. **9**–7 고종의 50회 탄신 축하연을 개최함: 에케르트Eckert가 작곡한 대한제국 국가를 처음으로 연주함. **9**–17 흥선대원군興宣大院君을 왕으로 추봉하기로 결정함: 1907년 대원왕大院王에 추봉함. **10**–1 방곡령防穀令 해제를 공포함. **10**–9 혜민원惠民院 설치를 결정함: 빈민 치료기구. **10**–14 순빈淳嬪 엄씨를 왕비에 책봉함. **11**–15 국립도서관이 불탐. **11**–27 각국 공관에 정동 궁궐 근처에 고층건물을 건축하지 말 것을 통고함. **12**–3 민영찬閔泳瓚, 프랑스 · 벨기에 공사에 임명됨. **12**–4 무주 적상산사고赤裳山史庫를 수축케 함. **12**–11 육군병원을 개설하고 군의관제軍醫官制를 신설함. ▶덕수궁德壽宮 돈덕전惇德殿을 준공함.	**1**–1 영국령 오스트레일리아 연방 성립. **1**–22 영국, 빅토리아Victoria 여왕 사망: 에드워드Edward 7세 즉위. **2**–3 러시아, 상트페테르부르크Sankt Peterburg에서 학생시위 일어남. **2**–9 스페인, 마드리드에서 반예수회운동이 전개됨. **3**–12 청, 러시아의 만주 철병 최후통첩 내용을 거부함. **3** 청, 의화단사건義和團事件을 일으킨 주동자를 처형함. **4**–19 연합국, 의화단사건義和團事件에 대한 배상 요구액을 결정함: **5**–29 청에서 수락. **5**–9 미국, 뉴욕에 공황이 발생함: 세계 경제에 큰 영향. **7**–31 연합국, 청의 베이징北京에서 철수를 개시함. **9**–6 미국, 매킨리Mckinley 대통령 피살: 루스벨트Roosevelt 부통령이 승계함. **9**–7 청, 연합국과 신축조약辛丑條約(베이징北京 의정서)을 체결함. **11**–7 청, 이홍장李鴻章 사망. **11**–18 미국, 파나마Panama 운하 건설 및 관리권을 얻음. **11** 프랑스 · 터키, 국교를 단절함. ▶타이완臺灣, 페스트가 유행함. ▶이탈리아, 마르코니Marconi가 대서양 횡단 무선통신에 성공함. 베르디Verdi 사망. ▶스웨덴, 제1회 노벨상Nobel賞 시상식을 거행함. ▶네덜란드 드브리스de Vries, 돌연변이설을 제창함.

연 대	조선	우 리 나 라	다 른 나 라
1902 (4235) 임인	39	**1-5** 한성전기회사 불탐. **2-14** 《황성신문皇城新聞》 사설에서 국문을 널리 통용할 것을 주장함. **2-15** 김가진金嘉鎭 · 지석영池錫永 등, 국문학교를 설립함. **2-20** 민영찬閔泳瓚 프랑스 · 벨기에 공사 헤이그Hague 만국평화회의에 대표로 임명되어 출발함. **2** 출판법을 공포함: 허가주의 채택. **3-20** 한성~인천 전화가 개통됨. **3** 독일 여인 손탁Sontag이 정동에 손탁 호텔를 건립함. **4-24** 전보사電報司 관제를 개정하고 전화규칙을 공포함. **5-7** 황성신문사장 남궁억南宮檍, 경무청에 검거됨: 러일협정 비판 사설 게재 관련. **5-8** 경의선 철도 기공식을 거행함. **5-19** 현채玄采, 광문사廣文社를 설립함. **5-29** 한성~개성 간 전화를 가설함. **6-16** 이상재李商在 등, 개혁당사건改革黨事件에 관련되어 구속됨. **6-23** 평양의 행궁行宮 공사를 완성함: 각 전호殿號와 문호門號를 정함. **7-15** 덴마크와 수호통상조약에 조인함. **8-2** 군대와 경무청에 단발령斷髮令을 내림. **9-6** 원수부元帥府, 10월 16일까지 단발할 것을 명함. **9-25** 봉은사奉恩寺 등 14개소를 수사찰首寺刹로 정함. **10-10** 도량형 규칙을 공포함. **11-16** 수민원綏民院을 설치함: 개척 · 이민 사무 주관. **12-22** 제1차 하와이 이민 121명이 출발함. 봉상시奉常寺 구내에 최초의 극장 극대劇臺를 지음: 황제 즉위 40년 기념. ▶강일순姜一淳, 증산교甑山敎를 창시함. ▶원흥사元興寺 창립: 총종무소를 두고 전국 사찰을 총괄케 함. ▶김택영金澤榮의 《동사집략東史輯略》 간행.	**1-30** 영국 · 일본, 동맹을 체결함: 영일동맹. **1** 러시아, 블라디보스토크Vladivostok~하바로프스크Khabarovsk 시베리아 철도를 개통함. **2-1** 청, 만주족과 한족의 혼인을 허락하고 전족纏足(여자의 발을 작게 만드는 일) 금지령을 내림. **3-16** 프랑스 · 러시아, 공동선언을 발표함: 영일동맹 조약 중 청과 조선의 독립에 관한 원칙에 동의함. **4-8** 청 · 러시아, 군사조약 및 만주반환조약을 체결함. **5-20** 쿠바 공화국 성립. **5-31** 보어Boer 전쟁 끝남: 트란스발Transvaal 공화국과 오렌지Orange 자유국이 영국 식민지가 됨. **6-14** 청, 베이징北京의 열국 공사 회의에서 의화단사건義和團事件 배상금 분배에 관한 의정서에 조인함. **6-28** 미국, 프랑스로부터 파나마Panama 운하회사의 권리를 매수함. 독일 · 오스트리아 · 이탈리아, 삼국동맹 기한을 6개년으로 연장함. **7-1** 미국, 의회에서 필리핀법을 의결함: 필리핀의 양원제 채택 의회를 규정함. **7-4** 미국, 필리핀을 평정하였다고 선언함. **8-15** 청, 영국 · 독일 등 열국으로부터 톈진天津을 반환받음. **11-16** 청, 상하이의 중국교육회에서 애국학사愛國學社를 설립함: 《소보蘇報》를 발행하여 청 정부를 공격함. **12-18** 영국, 보통교육령을 반포함: 의무교육 실시.

연대	조선	우리 나라	다른 나라
1903 (4236) 계묘	고종 40	**1**-23 궁내부宮內府 내에 박문원博文院을 설치함. **2**-5 한성판윤, 일본 제일은행권 유통 금지령을 공포함. 개성~평양 전화가 개통됨. **2**-24 홍문관弘文館에 《문헌비고文獻備考》 증보를 명함. **3**-9 법률학교法律學校를 설립함. **3**-18 원수부元帥府, 징병조례를 제정함. **3**-31 서북철도국, 서북철도 기공식을 거행함. **5**-25 러시아군과 만주 마적단 혼합부대가 용암포龍巖浦를 강점함. **7**-2 프랑스 공사 민영찬閔泳瓚, 적십자 위원에 임명됨. **8**-7 홍승하洪承夏 · 윤병구尹炳求 등, 하와이 호놀루루에서 신민회新民會를 설립함: 최초의 해외동포 정치단체. **8**-24 일본공사에게 일본인들의 울릉도 삼림 벌채에 대해 항의함. **9**-30 전차에 의한 시민 역시轢死 사건이 발생함: 시민들이 전차를 파괴함. **10**-5 영국 · 미국 · 일본 공사들이 용암포龍巖浦 개항을 요구해 옴. **10**-14 서상우徐相雨 사망. **10**-28 황성기독교청년회YMCA가 창립됨. **11**-16 목포 부두노동자들이 동맹파업 벌임: 21일 일본 군인과 폭력배가 파업 노동자와 파업 한국인을 습격함. **11**-28 관상소觀象所, 천세력千歲曆을 만세력萬歲曆으로 개칭하여 반포함. **12**-5 경부선 철도 일부 구간(영등포~수원)을 준공함. **12**-9 미국인 콜브란Colbran과 보스트위크Bostwick가 한성의 상수도 시설 특허권을 얻음. ▶평양에 여자맹인학교女子盲人學校를 설립함. ▶장지연張志淵의 《대한강역고大韓疆域考》, 최남선崔南善의 〈경부철도가〉를 발표함. ▶러시아가 일본에게 한국의 북위 39도선 분할을 제의함.	**1**-20 미국, 콜롬비아로부터 파나마Panama 운하 지대 조차권을 얻음. **4**-8 청, 러시아의 만주 철병 불이행으로 상하이上海 등지에서 반대집회 일어남. **6**-10 세르비아, 국왕 부처가 군인 집단에 피살됨. **6**-16 미국, 포드Ford 자동차회사가 설립됨. **6**-29 청, 소보사건蘇報事件이 발생함: 《소보蘇報》지의 반청 논조 내용 게재로 발행이 정지되고 장병린章炳麟 등은 구속됨. **7** 청, 소보사건蘇報事件으로 애국학사愛國學社가 폐쇄됨. **7**-1 청, 동청철도東淸鐵道가 정식 개통됨. **7**-30 벨기에 브뤼셀과 영국 런던에서 제2회 러시아사회민주노동당대회가 개최됨: 볼셰비키Bolsheviki와 멘셰비키Mensheviki로 분열. **8**-12 러시아, 뤼순旅順에 극동총독부를 설치함. **10**-20 미국 · 캐나다, 알래스카Alaska 국경을 확정함: 캐나다의 태평양 출구가 차단됨. **10**-29 청, 프랑스와 윈난雲南 철도 부설 협약을 체결함. **11**-3 파나마, 미국의 원조로 콜롬비아로부터 독립함. **11**-18 미국, 파나마Panama 운하 지대를 영구 조차함. **12**-17 미국 라이트Wright 형제, 비행기를 발명함. ▶청 송교인宋敎仁, 화흥회華興會를 조직함. ▶프랑스, 고갱Gauguin 사망.

연대	조선	우리 나라	다른 나라
1904 (4237) 갑진	41	**1**–21 러시아와 일본의 대립에 중립을 선언함. **1** 미국 · 영국 · 러시아 · 이탈리아 · 프랑스가 자국 공관과 교민의 보호를 구실로 한성에 수비대를 파견함. **2**–9 일본군이 한성에 진입함. **2**–23 한일의정서韓日議定書에 조인함. **2**–25 의주義州를 개항함. **3**–23 용암포龍巖浦를 개항함. **4**–3 일본이 한국에 주차사령부駐箚司令部를 설치함. **5**–18 러시아와 체결했던 모든 조약과 협정의 폐기를 선언함. **6**–6 일본이 전국 황무지 개간권을 요구해옴. **6**–22 원산~인천 전화가 개통됨. **7**–13 송수만宋秀萬 · 심상진沈相震 등, 보안회保安會를 조직함: 일본의 황무지 개척권 요구에 반대하여 종로에서 성토대회를 개최함. **7**–18 양기탁梁起鐸, 영국인 베델Bethell과 함께 《대한매일신보大韓每日申報》를 창간함. **8**–16 이용구李容九, 진보회進步會를 조직함. **8**–18 송병준宋秉畯 · 윤시병尹始炳 등, 친일단체 유신회維新會를 조직함. **8**–20 유신회維新會를 일진회一進會로 개칭함. **8**–21 제1차 한일협약韓日協約(한일협정서韓日協定書)에 조인함: 외국인 고문을 두도록 함. **10**–17 일본 대장성 메가다目賀田種太郎가 탁지부度支部 고문으로 옴. **11**–10 경부선 철도를 완공함. **11**–16 제중원濟衆院(세브란스병원 전신) 건물이 완공됨. **12**–3 이준李儁 · 윤효정尹孝定 등, 공진회共進會를 조직함. **12**–4 일진회一進會와 진보회進步會가 통합됨. **12**–21 대한적십자사가 발족됨. **12**–27 미국인 스티븐스Stevens가 외교고문에 임명됨. ▶《신약성서》 번역을 완료함. ▶미국 남감리교회가 개성에 호수돈여숙好壽敦女塾을 설립함.	**1** 청, 펑톈奉天(지금의 선양瀋陽)과 안둥安東을 개방함. 독일령 아프리카, 호헤로족의 반란 일어남. **2**–10 일본, 러시아에 선전포고함: 러일전쟁 발발. **2**–12 청, 러일전쟁에 중립을 선언함. **4**–8 영국 · 프랑스, 식민지에 관한 협정에 조인함: 영국의 이집트 점령과 프랑스의 모로코에 대한 권익을 서로 인정함. **4**–25 러시아, 블라디보스토크Vladivostok 함대가 원산만元山灣에서 일본군 수송 선박을 격침함. **5**–21 프랑스, 교황청敎皇廳과 단교함. **6** 청, 산둥山東철도를 완공함. **7**–3 청 송교인宋敎仁 등, 우창武昌에 과학보습소科學補習所를 결성하고 혁명사상을 고취함. **8**–4 네덜란드, 수도 암스테르담Amsterdam에서 만국사회주의자대회가 개최됨. **9**–4 일본군, 만주의 랴오양遼陽을 점령함. **9** 청, 멕시코와 조약을 체결함. **10**–3 프랑스 · 스페인, 모로코에 관한 협정을 체결함. **10** 청, 포르투갈과 조약을 체결함. ▶베트남 판보이차우潘佩珠, 베트남유신회Vietnam維新會를 조직함: 일본 유학을 권장함. ▶독일, 벨기에 · 러시아와 통상조약을 체결함. ▶네덜란드, 인도네시아에 동인도회사를 설립함.

연대	조선	우리 나라	다른 나라
1905 (4238) 을사	고종 42	**1**-18 화폐조례를 공포함. **1**-25 윤덕영尹德榮, 한성법학교漢城法學校를 설립함. **1**-28 경무청, 고등경찰제도를 실시함. **2**-11 엄주익嚴柱益, 양정의숙養正義塾을 설립함. **2**-22 일본이 독도獨島를 다케시마竹島라 개칭하고 시마네현島根縣에 편입시킴. **3**-21 도량형법을 공포함. **4**-1 일본과 통신기관 위탁 협정서에 조인함: 통신권 박탈. **4**-3 이용익李容翊, 보성학교普成學校(고려대학교 전신)를 설립함. **4**-5 안창호安昌浩, 공립협회共立協會를 창립함. **4**-28 경의선京義線 철도를 개통함. **5**-12 이한응李漢應 주영공사 , 일본의 주권 침탈에 분개하여 영국에서 자결함. **7**-6 윤병구尹炳求 · 이승만李承晩 등, 고종 밀사로서 미국 루스벨트Roosevelt 대통령에게 독립청원서를 전달함. **10**-10 대한적십자병원 개원. **11**-8 변호사법을 제정함. **11**-12 공립협회共立協會, 미국 샌프란시스코에서 《공립신보共立新報》를 창간함. **11**-17 박제순朴齊純 · 이지용李址鎔 · 이근택李根澤 · 이완용李完用 · 권중현權重顯 등 을사5적, 일본공사 하야시林權助와 을사늑약乙巳勒約(을사조약 · 제2차한일협약)을 체결함: 한국의 외교권 박탈. **11**-20 참정대신 한규설韓圭卨, 을사늑약乙巳勒約 폐기를 상소함. 장지연張志淵, 《황성신문皇城新聞》 사설에 〈시일야방성대곡是日也放聲大哭〉을 게재함. **11**-30 시종무관장 민영환閔泳煥, 을사늑약乙巳勒約에 분개하여 자결함. **11** 전 의정 조병세趙秉世, 을사늑약乙巳勒約의 폐기와 을사5적 처단을 상소함: **12**-1 자결. **12**-1 손병희孫秉熙, 동학을 천도교天道教로 개칭함. **12**-3 송병선宋秉璿, 을사늑약乙巳勒約에 분개하여 자결함. **12**-21 통감부統監府 관제를 공포함. ▶김택영金澤榮의 《역사집략歷史輯略》, 정교鄭喬의 《대동역사大東歷史》를 간행함. ▶김인식金仁湜, 〈학도가學徒歌〉를 작곡함.	**1**-22 러시아, 피의 일요일 사건 일어남: 노동자 시위에 발포. **4** 영국 · 프랑스, 군사협정을 체결함. **5**-27 일본, 러시아의 발트 함대를 격파함. **6** 제1차 모로코Morocco 사건 발생: 독일이 프랑스의 모로코 지배에 반대하여 군함을 파견함. **7**-29 일본 · 미국, 가쓰라桂 · 태프트Taft 밀약을 체결함: 조선과 필리핀에서의 상호 지배권 인정. **7**-30 청 쑨원孫文, 일본 도쿄에서 중국혁명동맹회中國革命同盟會를 결성함. **8**-7 인도, 영국의 벵골Bengal 분할령 제정에 대한 반대운동을 전개함. **8**-12 제2차 영일동맹 성립: 일본의 조선에서의 우선권을 인정함. **9**-5 러일전쟁 끝남: 포츠머스Portsmouth 강화조약에서 일본의 조선에서의 우선권을 인정함. **9** 노르웨이, 독립을 선언함. **10**-30 러시아 니콜라이Nikolai 2세, 사상 · 언론 · 집회 · 결사의 자유와 입법회의 개설을 약속함: 10월선언. **12**-23 러시아, 모스크바Moskva에서 노동자들이 봉기함. ▶독일 아인슈타인Einstein, 〈특수상대성원리〉를 발표함.

연대	조선	우리 나라	다른 나라
1906 (4239) 병오	43	**1**–27 외교관제를 개정함: 외부外部를 폐지하고 의정부에 외사국外事局을 설치함. **2**–1 통감부統監府가 설치됨: 임시통감대리에 하세가와長谷川好道가 부임함. **2**–9 주한 일본헌병이 행정 · 사법경찰권을 장악함. **3**–2 초대통감 이토伊藤博文가 부임함. **3**–31 윤치호尹致昊 · 윤효정尹孝定 · 장지연張志淵 등, 대한자강회大韓自彊會를 조직함. **3** 민종식閔宗植, 홍주洪州(지금의 홍성洪城)에서 의병을 일으킴. 각국 주한 공사관이 철수함. **4** 정환직鄭煥直 · 정용기鄭鏞基 등, 경상도에서 의병을 일으킴: 산남의진山南義陣. **5**–1 휘문의숙徽文義塾을 설립함. **5**–22 명신여학교明新女學校(숙명여자고등학교 전신)를 설립함. **5** 명진학교明進學校(동국대학교 전신)를 설립함. **6**–4 최익현崔益鉉 · 임병찬林炳瓚 등, 전라도 태인에서 의병을 일으킴: 12일 순창에서 체포됨. **6**–17 천도교에서 《만세보萬歲報》를 창간함. **6** 신돌석申乭石, 경상도 평해에서 의병을 일으킴. **7**–21 경위원警衛院을 폐지함: 일본이 경운궁慶運宮 경비권을 강탈함. **7**–22 이인직李仁稙, 《만세보萬歲報》에 〈혈의 누〉를 연재하기 시작함. **7**–27 통신원通信院을 폐지함. **8**–1 일본이 한국주차군사령부韓國駐箚軍司令部를 설치함. **10**–1 지방행정구역 개편: 13도 11부 333군. **10**–19 천주교에서 주간 《경향신문京鄕新聞》 창간함. **10**–29 이준李儁 · 이동휘李東輝 등, 한북흥학회漢北興學會를 조직함. **10** 이갑李甲, 서우학회西友學會를 조직함. **11**–5 최익현崔益鉉, 쓰시마섬對馬島에서 단식하다 순국함. ▶주시경周時經의 《대한국어문법大韓國語文法》, 현채玄采의 《만국사기萬國史記》 · 《동국사략東國史略》, 지석영池錫永의 《자전석요字典釋要》 간행.	**1**–16 아르헨시라스 국제회의, 모로코 독립과 영토 보존을 재확인함. **2**–16 영국, 노동대표위원회가 노동당勞動黨으로 개칭됨. **2** 이탈리아, 대의원들이 정부 불신임을 결의함. **3** 청, 인신매매 금지를 발표함. 러시아, 제1회 총선거를 실시함. **4**–27 청, 영국과 협정에 조인함: 영국이 티베트 영토 불합병 및 내정 불간섭을 보장함. **5** 프랑스, 노동자들이 시위 벌임:파리에 계엄령 선포. 러시아, 헌법을 공포함. **6** 일본, 러시아로부터 북위 50도 이남의 사할린Sakhalin을 할양 받음. **10** 청, 금연장정禁煙章程 10조를 정함. 미국, 샌프란시스코 학무국에서 조선 · 청 · 일본 학생들을 백인과 분리시킴. 프랑스, 세잔Cezanne 사망. **12**–7 청, 후난성湖南省에서 홍복재천회洪福齋天會의 봉기 일어남. **12**–13 영국 · 프랑스 · 이탈리아, 에티오피아 문제에 관한 협정을 체결함. **12**–28 인도 국민회의파, 캘커타 대회를 개최함: 스와데시(국산품 애용) · 보이코트(외국품 배척) · 민족교육 · 스와라지(독립) 등 4개 결의안을 채택함. ▶인도, 이슬람교도의 전인도회교도연맹을 결성함: 반영운동 전개. ▶노르웨이, 입센Ibsen 사망.

연대	조선	우리 나라	다른 나라
1907 (4240) 정미	순종 1	**1**–25 통감부가 남산 왜성대倭城臺로 이전함. **1**–29 서상돈徐相敦 · 김광제金光濟 등, 국채보상운동을 전개함. **1** 송병준宋秉畯 · 이용구李容九 등, 시천교侍天敎를 창시함. **3**–3 일본 도쿄東京 대한유학생회에서 《대한유학생회학보大韓留學生會學報》를 창간함. **3**–25 나철羅喆 · 오기호吳基鎬 등, 을사5적을 습격함. **4**–22 고종, 헤이그Hague 만국평화회의에 이준李儁 · 이상설李相卨을 밀사로 파견함. **5**–5 현채玄采, 《유년필독幼年必讀》을 편찬함. **5**–22 이완용李完用 내각 성립. **6**–14 내각관제內閣官制를 공포함: 황제 권한을 축소하고 의정부를 폐지함. **7**–3 이토伊藤博文 통감이 헤이그Hague 밀사 파견에 항의함. **7**–8 이위종李瑋鍾, 헤이그 만국기자협회에서 연설함. 학부에 국문연구소를 설치함. **7**–14 이준李儁, 헤이그Hague에서 순국함. **7**–16 이완용李完用 · 송병준宋秉畯 등, 고종 퇴위를 강요함. **7**–18 고종, 황태자에게 국사를 대리시킨다는 조칙을 발표함: 20일 순종純宗 즉위. **7**–22 고종에게 태황제太皇帝 칭호를 올림. **7**–24 한일신협약韓日新協約(정미7조약)이 체결됨: 일본인 차관 임명. 신문지법을 제정함. **7**–31 군대 해산 조칙을 내림. **8**–1 박승환朴昇煥, 군대 해산에 반대하여 자결함. **8**–2 연호를 융희隆熙로 고침. **8**–5 민긍호閔肯鎬 · 김덕제金德濟 등, 군대 해산에 저항하여 원주를 점령함. **8** 전국의 항일 의병이 봉기함: 정미의병丁未義兵. **9**–1 한성에서 최초의 박람회를 개최함. **10**–7 한국주차헌병에 관한 법을 공포함. **11**–20 남궁억南宮檍, 대한협회大韓協會를 설립함. **11**–29 안창호安昌浩 · 이갑李甲 등, 신민회新民會를 설립함. **12**–5 황태자(이은李垠), 유학 명목으로 일본에 감. **12**–6 허위許蔿 · 이강년李康秊 · 이인영李麟榮 등, 양주에서 13도창의군을 결성함. **12**–23 기삼연奇參衍 의병, 전라도 영광 주재 일본 수비대를 습격함. **12**–24 이승훈李昇薰, 정주定州에 오산학교五山學校를 설립함. **12**–31 차도선車道善, 삼수三手에서 일본군을 파함.	**2**–16 미국 의회, 신이민법안을 의결함. **3**–22 트란스발Transvaal 정부, 아시아인 등록법을 공포함: 인도인의 이민 제한. 인도, 간디Gandhi가 불복종운동을 시작함. **3** 청, 육군부陸軍部 관제를 제정함. 일본, 멕시코 · 캐나다 · 하와이로부터 본국 노동자들이 퇴출당함. **5**–22 청 중국혁명동맹회, 광둥廣東 봉기가 실패함. **6**–15 네덜란드, 헤이그Hague에서 제2회 만국평화회의를 개최함. **6** 일본, 프랑스와 중국 영토보전에 대한 협정에 조인함. **7**–6 청 광복회, 안후이성安徽省에서 봉기함. **7**–13 청 추근秋瑾, 저장성浙江省에서 봉기함: 15일 살해됨. **7**–30 러시아 · 일본, 중국 영토 보전에 관한 협정에 조인함. **8**–18 제2인터내셔널의 슈투트가르트Stuttgart 대회가 개최됨. **9**–26 뉴질랜드, 영국의 자치령이 됨. **9** 영국 · 프랑스, 캐나다 무역에 관해 협상함. **10**–16 필리핀, 의회가 개설됨. **10** 미국, 뉴욕에 공황 발생함. **11**–1 청 중국혁명동맹회, 진남鎭南에서 봉기함: 실패로 끝남. **12**–2 청 쑨원孫文, 동맹회同盟會 봉기에 참가함: 8일 실패로 끝남.

연대	조선	우리 나라	다른 나라
1908 (4241) 무신	2	**1** 허위許蔿, 13도 창의군倡義軍을 이끌고 한성 흥인지문興仁之門 밖 30리까지 진격함. **1–19** 정영택鄭永澤 · 지석영池錫永 등, 기호흥학회畿湖興學會를 설립함. **2–26** 최봉준崔鳳俊, 블라디보스토크Vladivostok에서 《해조신문海潮新聞》을 창간함. **2–29** 민긍호閔肯鎬, 원주原州 전투에서 체포되어 순국함. **3–23** 전명운田明雲 · 장인환張仁煥, 미국 샌프란시스코에서 친일행위 한 스티븐스Stevens를 저격함. **4** 김약연金躍淵, 간도에 명동의숙明東義塾 세움. **6–11** 허위許蔿, 포천 영평리永平里에서 체포됨: **10**–21 처형당함. **7–1** 《증보문헌비고增補文獻備考》를 완성함. 사설 극장 원각사圓覺社가 설립됨. **7–2** 이강년李康秊, 청풍淸風에서 체포됨. **7–6** 이범윤李範允 의병, 경흥慶興을 습격함. **8–26** 사립학교령을 공포함. **9–6** 박승필朴承弼, 광무대光武臺를 인수하여 창극과 판소리 공연을 시작함. **9** 안창호安昌浩 등, 평양에 대성학교大成學校를 설립함. **10–6** 주시경周時經의 《국어문전음학國語文典音學》을 발간함. **11–1** 최남선崔南善, 월간종합지 《소년少年》을 창간함: 최초의 신체시 〈해에게서 소년에게〉를 발표함. **11–11** 원각사圓覺社에서 최초의 신극 〈은세계銀世界〉를 공연함. **12–3** YMCA 회관 개관식을 거행함. **12–28** 한성에 동양척식주식회사東洋拓植株式會社가 설립됨. **12** 의병장 신돌석申乭石, 영덕盈德에서 피살됨. 간도 및 연해주 동포 수가 13만 4,397명으로 조사됨. ▶구세군救世軍 대한본영이 설립됨. ▶신채호申采浩, 《독사신론讀史新論》과 《성웅聖雄 이순신李舜臣》을 저술함. ▶안국선安國善의 《금수회의록禽獸會議錄》, 이해조李海朝 역 《철세계鐵世界》, 최남선崔南善 역 《거인국표류기巨人國漂流記》, 구연학具然學 번안 《설중매雪中梅》 · 《피터대제皮得大帝》를 간행함.	**1** 독일, 베를린에서 보통선거 요구하는 시위 일어남. **2** 일본, 미국과 이민에 관한 신사협정을 체결함. **3** 콩고 자유국, 벨기에령이 됨. **4–29** 청 중국혁명동맹회, 하구河口에서 봉기함. **4** 일본, 타이완臺灣 종단철도를 완성함. 스페인, 의무교육령을 발표함. **7–24** 터키, 청년튀르크당青年Türks黨의 혁명 일어남. **7** 독일 체펠린Zeppelin, 최초로 비행선 타고 12시간을 비행함. 이탈리아 청년튀르크당青年Türks黨, 마케도니아Macedonia에서 혁명에 성공함. **8–27** 청, 흠정헌법欽定憲法을 공포함. **9–25** 독일인 3명이 프랑스 외인부대를 탈출하여 양국 관계 긴장이 고조됨: 카사블랑카사건Casablanca事件. **10–6** 오스트리아, 보스니아헬체고비나Bosnia Herzegovina를 병합함. 불가리아, 독립을 선언함. **10–13** 일본, 무신조서戊申詔書를 발표함. **11–5** 청, 서태후西太后 사망. **11–11** 청, 덕종 사망: **12–2** 부의溥儀(선통제宣統帝)가 즉위함. **11** 미국 태프트Taft, 대통령 선거에서 승리함. **12–4** 영국, 런던에서 국제해군회의를 개최함. **12** 인도, 인도개혁안을 공포함.

연대	조선	우 리 나 라	다 른 나 라
1909 (4242) 기유	순종 3	**1-15** 나철羅喆, 대종교大倧敎를 창시함. **2-9** 대한협회 김가진金嘉鎭 회장, 내부대신 송병준宋秉畯을 규탄함. **2-27** 이은찬李殷瓚, 양주楊州에서 일본군과 교전함: **3-31** 용산에서 체포됨. **2** 함경도 의병장 홍범도洪範圖, 만주로 근거지를 옮김. **3-4** 민적법民籍法을 공포함. **3-18** 유길준兪吉濬의 《대한문전大韓文典》을 발간함. **5-1** 영국인 베델Bethell 사망: 양화진楊花津 외국인묘지에 안장됨. **6-2** 오세창吳世昌, 《대한민보大韓民報》를 창간함. **6-7** 13도창의군 대장 이인영李麟榮, 황간黃澗에서 체포됨. **6-14** 부통감 소네曾　荒助가 통감에 임명됨. **6-27** 의병장 이은찬李殷瓚, 교수형 받고 순국함. **7-12** 일본과 기유각서己酉覺書에 조인함: 사법권 박탈. **7-31** 군부軍部를 폐지하고 궁중에 친위부親衛府를 설치함. **8-11** 개성 등지에서 고분 도굴하던 일본인을 체포함. **9-4** 청과 일본 사이에 간도협약이 조인됨: 간도間島와 안봉선安奉線 철도 교환. **10-28** 안중근安重根, 중국 하얼빈에서 이토伊藤博文 전 통감을 사살함. **10-29** 한국은행韓國銀行 설립. **11-1** 창경궁昌慶宮을 창경원昌慶苑으로 고치고 동물원과 식물원을 일반에 공개함. **11-25** 경의선 철도의 임진강철교를 준공함. **11** 전국의 학교 수가 2,216개교로 집계됨. **12-4** 일진회一進會, 일본과의 합방 요구 성명서를 발표함: 23일 일본 수상 가쓰라桂太郎에게 합방 진정서를 제출함. **12-7** 내각에서 일진회一進會의 상소문을 각하함. **12-22** 이재명李在明, 명동성당 앞에서 이완용李完用 습격함: 이듬해 **10-1** 사형당함.	**1-9** 콜롬비아, 미국과 상호 협약을 체결함: 파나마Panama 독립을 승인함. **2-1** 청, 상하이上海에서 국제아편회의가 개최됨. **2-8** 독일 · 프랑스, 모로코Morocco에 관한 협정에 조인함: 양국의 경제적 평등 및 프랑스의 정치적 특수권익을 승인함. **4-4** 불가리아, 터키와 협정 맺어 독립을 승인받음. **4** 오스만Osman 제국, 소수민족 아르메니아인Armenia人에 대한 이슬람교도 학살사건 일어남. 미국 피어리Peary, 북극에 도달함. **7-6** 스페인, 바르셀로나Barcelona의 급진파가 모로코Morocco에의 군대동원령에 반대하여 총동맹파업을 선언함: 피의 1주간. **7-12** 페르시아, 혁명군이 테헤란을 점령함. **7** 페르시아, 국민군이 봉기하여 입헌군주제를 시행함. **8-6** 청, 안봉선철도 문제에 항의하여 베이징北京 · 톈진天津 및 둥삼성東三省 등지에서 일본 화폐 사용 거부운동이 대대적으로 벌어짐. **10** 이탈리아, 러시아와 협정을 체결함: 북아프리카에서의 영토 보유를 보장받음. **12** 청, 상하이上海에 국회청원동지회가 결성됨. 미국, 만하탄Manhattan교가 개통됨. ▶프랑스 지드Gide, 〈좁은 문〉을 발표함. ▶독일, 함부르크Hamburg 대학 설립.

연대	조선	우리 나라	다른 나라
1910 (4243) 경술	4	**1-6** 김창숙金昌淑 등, 일진회一進會 해산을 중추원中樞院에 요구함. **1** 중추원 의장 김윤식金允植, 송병준宋秉畯과 이용구李容九를 처형할 것을 건의함. **3-26** 안중근安重根, 중국 뤼순旅順 감옥에서 순국함. **4-8** 헌병보조원규정을 공포함. **4-15** 주시경周時經, 《국어문법國語文法》을 지음. **4** 이시영李始榮 · 이동녕李東寧 · 양기탁梁起鐸 등, 서간도에 경학사耕學社와 신흥강습소新興講習所를 설치함. **5-1** 호남선 철도를 착공함. **6-24** 일본과 한국경찰권 위탁 각서에 조인함. **6** 덕수궁德壽宮 석조전石造殿을 준공함. **7-1** 한성에서 어음교환소 업무를 개시함. **7-2** 공문에서 일본 연호 사용을 지시함. **7-30** 이해조李海朝, 〈자유종自由鐘〉을 발표함. **8-16** 이완용李完用 · 조중응趙重應, 데라우치寺內正毅 통감과 합방 각서를 교부함. **8-22** 일본과 합방 조약을 강제로 체결함. **8-29** 일본에게 국권이 피탈됨: 경술국치庚戌國恥 **9-1** 《황성신문》 · 《대한민보》 · 《대한신문》이 폐간됨. **9-10** 황현黃玹, 국권 피탈 소식에 자결함. **9-12** 통감부統監府가 〈보안법〉에 의거하여 일진회一進會 등 각 단체의 해산을 명령함. **9-24** 이만도李晩燾, 국권 피탈에 의분하여 자결함. **9-29** 조선총독부朝鮮總督府(총독부) 및 중추원中樞院 관제를 공포함. **10-1** 초대 총독에 데라우치寺內正毅가 임명됨. **10-25** 총독부總督府가 《중등본국역사》 등 중고등학생용 국어 · 역사 · 지리 책 출판을 금지함. **10-31** 경원선京元線 철도를 착공함. **12-8** 《서북학회월보》 등 각종 학회지 발행 허가가 취소됨. **12-27** 안명근安明根, 군자금을 거두다 체포됨. **12-29** 회사령會社令을 공포함. **12-30** 《경향신문》이 폐간됨. **12** 최남선崔南善 · 박은식朴殷植, 조선광문회朝鮮光文會를 조직함.	**2-12** 청 중국혁명동맹회, 광둥廣東 신군新軍을 중심으로 봉기함. **3-13** 청 왕자오밍王兆銘, 섭정왕攝政王을 암살하려다 실패함. **3** 청, 윈난철도雲南鐵道를 완성함. **4** 알바니아, 자치를 요구하는 폭동 일어남. **5-6** 영국, 에드워드Edward 7세 사망; 존John 5세 즉위. **5-31** 영국령 남아프리카 연방 성립. **5** 알바니아, 군대반란 일어남. **6-12** 청, 산둥성山東省에서 조세 저항 시위 일어남: 7-14 진압됨. **7-4** 제2회 러일협약 조인됨. **8-28** 제2인터내셔널 코펜하겐대회가 개최됨. **10-5** 포르투갈, 혁명 일어남: 공화국을 선언함. **10-18** 그리스, 군사 · 재정 개혁에 착수함. **11-4** 청, 1913년에 의회를 개설한다고 선포함. 독일 · 러시아 황제, 포츠담potsdam에서 회담을 개최함. **11-10** 영국 · 미국 · 프랑스 · 독일, 런던에서 청나라 철도 투자의 평등한 참가에 협정함. **11** 러시아, 톨스토이Tolstoi 사망. ▶독일, 릴케Rilke가 〈말테Malte의 수기手記〉를 발표함. 코흐Koch 사망.

연대	우리나라	다른나라
1911 (4244) 신해	**1** 한용운韓龍雲 등, 송광사松廣寺에 임제종臨濟宗 임시 종무소 설치함: 일본 조동종曹洞宗과의 연맹에 반대. **1-26** 이범진李範晋, 국권 피탈에 분개하여 러시아에서 자결함. **1-31** 《그리스도 회보》가 창간됨. **1** 경무총감부가 안명근安明根 체포를 계기로 안악安岳의 민족주의자를 검거하기 시작함. **2-17** 조선왕실에 일본육군 제복을 입게 함. **3-29** 〈조선은행법〉을 공포함: 한국은행을 조선은행朝鮮銀行으로 개칭함. **4-1** 경성부京城府를 5부 8개면으로 개편함. **4-23** 천주교 조선교구가 경성교구·대구교구로 됨. **4** 이해조李海朝, 《매일신보》에 장편 〈화花의 혈血〉을 연재하기 시작함. **5-15** 잡지 《소년》이 폐간됨. **6-15** 성균관成均館을 경학원經學院으로 개칭함. **6-20** 삼림령森林令을 공포함. **7-20** 순헌황귀비純獻皇貴妃(엄비嚴妃) 사망. **7-22** 양기탁梁起鐸·안명근安明根 등 안악사건安岳事件 피의자에 대한 공판이 열림. **8-23** 조선교육령을 공포함. **9** 신민회사건新民會事件 일어남: 데라우치寺內正毅 총독을 암살하려 했다는 허위사실을 조작하여 검거 시작함(105인 사건). **10-26** 조선인의 성명 개칭에 관한 건을 공포함: **11-1** 시행. **10** 일본 도쿄에서 한국인유학생학우회가 창립됨. 압록강철교를 준공함. **11-5** 경성방직京城紡織이 설립됨. **12-14** 이상설李相卨·이종호李鍾浩 등, 블라디보스토크Vladivostok 신한촌新韓村에서 권업회勸業會를 조직함. **12** 신파극단 혁신단革新團이 설립됨. ▶서일徐一, 만주에서 독립운동 단체 중광단重光團을 조직함. ▶조선고서간행회, 《조선군서대계朝鮮群書大系》를 간행함. ▶경주 석굴암石窟庵을 발견함. ▶블라디보스토크Vladivostok 한인들이 러시아의 방침에 따라 신한촌新韓村으로 이주함.	**2-21** 일본, 미국과 통상항해 조약에 조인함. **4-15** 청, 4국 차관단과 차관 협정에 조인함. **4-26** 프랑스, 모로코Morocco에 파병함. **4-27** 청 황싱黃興, 광둥廣東에서 봉기함. **5-22** 청, 철도 국유를 선언함. **5-25** 멕시코 디아스Diaz 대통령, 자유주의자·농민주의자들의 운동에 의해 축출됨: **11-6** 마데로Madero 대통령 취임. **7-1** 제2차 모로코사건 일어남. **7-31** 청, 상하이上海에서 중국중부동맹회가 결성됨. **8-24** 청, 쓰촨四川에서 철도 국유화 반대 봉기 일어남. **8-31** 프랑스·러시아, 군사 협정을 체결함. **9-29** 이탈리아·터키, 트리폴리Tripoli 전쟁 일으킴. **10-5** 이탈리아, 트리폴리Tripoli를 점령함. **10-10** 청, 우창武昌의 신군과 동맹회가 봉기함: 신해혁명辛亥革命 일어남. **11-16** 청, 위안스카이袁世凱 내각이 성립됨. **11-30** 청, 중화민국임시정부 조직 강령을 정함. 외몽골, 독립을 선언함. **12-14** 노르웨이 아문센Amundsen, 남극 탐험에 성공함. **12-29** 청 쑨원孫文, 난징南京 17개 성 대표회의에서 중화민국 임시대총통에 선임됨.

연 대	우 리 나 라	다 른 나 라
1912 (4245) 임자	**1**–1 표준시標準時를 일본의 것에 맞춤: 오전 11시 30분을 정오正午로 함. **2**–16 어업세령漁業稅令을 공포함. **2**–18 혁신단革新團, 연흥사演興社에서 〈육혈포강도六穴砲强盜〉를 공연함. **2**–25 《조선불교월보朝鮮佛敎月報》가 창간됨: 편집인 권상로權相老. **2**–29 송병순宋秉珣, 경학원 강사직 거절하고 자결함. **3**–14 창덕궁昌德宮 박물관을 준공함. **3**–29 윤백남尹白南 · 조중환趙重桓 등, 극단 문수성文秀星을 창립함. **3**–27 제생원濟生院 관제를 제정함. **4**–30 《권업신문勸業新聞》이 창간됨: 주필 신채호申采浩. **5**–22 이용구李容九, 일본에서 사망함. **5**–31 총독부가 전 관리에게 무관복장 착용을 지시함. **6**–15 부산~창춘長春 직통열차 운행을 개시함. **7**–4 신규식申圭植 · 박은식朴殷植 등, 중국 상하이上海에서 독립운동 단체 동제사同濟社를 조직함. **7**–15 조선은행, 펑톈奉天에 출장소를 설치함. **8**–13 토지조사사업을 시작함. **9**–1 예수교장로회 조선총회가 평양에서 창립됨: 회장 언더우드Underwood, 부회장 길선주吉善宙. **9**–3 장로교회, 중국 산둥山東에 선교사를 파견함: 외국 선교 개시. 마포에 경성감옥을 설립함: 종전의 경성감옥은 서대문감옥으로 개칭함. **9**–28 신민회新民會 사건 피의자에 대한 공판 열림: 105인에 유죄 판결. **10**–14 총포화약류취체령을 공포함. **10**–24 은행령銀行令을 공포함. **11** 이상룡李相龍, 서간도에서 부민단扶民團을 조직함. **12**–1 경부선 · 경의선 · 경인선 철도 열차에 전등을 설치함. **12**–6 한규설韓圭卨 · 윤용구尹用求 · 홍순형洪淳馨 · 민영달閔泳達 · 조경호趙慶浩, 일본의 남작男爵 작위를 반납함. **12**–19 총독부에서 황현黃玹 찬 《매천집梅泉集》과 김택영金澤榮 찬 《창강집滄江集》을 압수함. ▶임병찬林炳瓚, 독립의군부獨立義軍府를 조직함. ▶경성에서 일본인이 택시 영업을 시작함.	**1**–1 청 쑨원孫文, 난징南京에서 임시대통령에 취임함: 중화민국 성립. **2**–12 청, 부의溥儀(선통제宣統帝)가 퇴위함: 청 멸망. **2**–13 중국 쑨원孫文, 대통령직을 사임함. **3**–10 중국 위안스카이袁世凱, 임시대통령에 추대됨. **3**–13 불가리아, 세르비아Serbia와 동맹조약을 체결함. **3**–30 모로코, 프랑스의 보호국이 됨. **4**–14 영국, 호화여객선 타이타닉호Titanic號가 침몰됨: 1500여명 사망. **5**–5 러시아, 볼셰비키 신문 《프라우다Pravda》가 창간됨. **7**–8 러시아 · 일본, 비밀협약에 조인함. **7**–30 일본, 메이지明治 왕 사망: 다이쇼大正 왕 즉위. **10**–8 몬테네그로, 터키에 선전포고함. **10**–17 제1차 발칸Balkan 전쟁 발발: 불가리아 · 세르비아 · 그리스, 터키와 전쟁 벌임. **10**–18 이탈리아 · 터키, 로잔Lausanne 조약을 체결함. **11**–3 러시아, 몽골과 조약을 체결함: 몽골 독립 지지. **11**–5 미국, 대통령 선거에서 윌슨Wilson이 당선됨. **12**–5 독일 · 오스트리아 · 이탈리아, 삼국동맹을 갱신함. **12**–16 영국, 런던에서 발칸 전쟁 관련 강화회담을 개최함. **12**–19 일본, 도쿄에서 헌정옹호회 제1회 대회를 개최함.

연대	우리 나라	다른 나라
1913 (4246) 계축	**1-1** 월간지 《붉은 저고리》가 창간됨: 편집인 최남선崔南善. **1-15** 이완용李完用 · 조중응趙重應 등, 조선권업협회朝鮮勸業協會를 조직함. **1-31** 부관연락선釜關連絡船이 취항함. **2-5** 이인직李人稙, 《매일신보》에 〈모란봉牧丹峰〉을 연재하기 시작함. **4-1** 조선은행 도쿄지점이 설치됨. **4-2** 김재순金在珣, 독립운동 계획차 일본에 건너감: 독립의군부사건獨立義軍府事件. **5-1** 경부선 철도 열차에 침대차 운행을 시작함. **5-13** 안창호安昌浩, 미국 샌프란시스코에서 흥사단興士團을 조직함. 조중환趙重桓, 《매일신보》에 〈장한몽長恨夢〉을 연재하기 시작함. **5-21** 충남 예산에 호서은행湖西銀行이 설립됨. **5-25** 한용운韓龍雲, 《불교유신론佛敎維新論》을 펴냄. **6-4** 박용만朴容萬 등, 미국 네브래스카주Nebraska州에서 최초의 유학생회를 조직함. **9-3** 일한와전日韓瓦電이 경성의 을지로~뚝섬 전차 궤도 공사를 착공함. **9-5** 최남선崔南善, 아동잡지 《아이들 보이》 창간. **9-20** 이승만李承晩, 하와이에서 월간 《태평양잡지太平洋雜誌》를 창간함. **9** 임병찬林炳瓚 · 이인순李寅淳 등, 경성에 독립의군부 중앙순무총장中央巡撫總將을 설치함: 일본 총리대신에게 국권반환요구서를 제출함. 경주고적보존회, 석굴암石窟庵 보수설계에 착수함. 광릉光陵에 임업시험장을 설립함. **11-20** 박한영朴漢永, 《해동불교海東佛敎》를 창간함. **11-29** 혁신단革新團, 이인직李人稙 작 〈귀鬼의 성聲〉을 공연함. **11** 이동휘李東輝, 간도에 항일단체 한교동사회韓僑董事會를 조직함. **12-10** 호남창의대장 이석용李錫庸, 전라도 임실에서 체포됨. **12-15** 한강철교 복선화가 완공됨. 경성에 베네딕트Benedict 수도원이 설립됨. **12-27** 일한와전日韓瓦電이 경성의 광희문~왕십리 전차 운행을 개시함. **12-29** 도道의 위치 · 관할구역 및 부府 · 군郡의 명칭 · 위치 · 관할구역을 제정함.	**1-10** 티베트, 몽골과 동맹조약 체결하고 독립을 선언함. **1-16** 영국 의회, 아일랜드 자치법안을 의결함. **1** 프랑스, 프왱카레Poincaré 대통령 취임. **3-20** 중국 송교인宋敎仁, 위안스카이袁世凱의 사주로 상하이上海에서 암살당함. **5-30** 영국, 런던에서 제1차 발칸전쟁Balkan戰爭 강화조약이 체결됨. **5** 미국, 중화민국을 승인함. **6-13** 일본, 육군성과 해군성의 관제를 개정 공포함: 대신 · 차관 임명에서 현역 제한 조항을 철폐함. **6-14** 남아프리카공화국, 이민제한법을 공포함: 아시아인 입국 및 이주를 제한함. **6-29** 불가리아, 세르비아와 그리스를 공격함: 제2차 발칸전쟁Balkan戰爭. **7-12** 중국, 제2차 혁명 일어남: 8월 쑨원孫文과 황싱黃興이 혁명 실패로 일본에 망명함. **9-1** 중국 위안스카이袁世凱 군, 난징南京을 점령함: 일본인 살해사건이 발생함. **9-29** 불가리아 · 터키, 콘스탄티노플 강화조약을 체결함. **10-6** 일본 · 영국 · 러시아, 중화민국을 승인함. **10-10** 중국 위안스카이袁世凱, 정식 대통령에 취임함: 부통령 리위안홍黎元洪. **11-4** 중국 위안스카이袁世凱, 국민당 해산령을 내림. **12-23** 일본, 입헌동지회 결성.

연대	우리 나라	다른 나라
1914 (4247) 갑인	**1**–11 호남선 철도가 완공됨. **1**–17 극장 단성사團成社가 건립됨. **2**–15 의병장 임병찬林炳瓚, 다시 검거됨: 6월 거문도에 유배됨. **2**–17 혁신단革新團, 이인직李人稙의 〈은세계銀世界〉를 공연함. **3**–1 지방 행정구역을 개편함: 12부 218군 2,517면. **3** 이화학당梨花學堂, 제1회 대학 과정 졸업식 거행. **4**–2 일본 도쿄에서 한국인유학생학우회, 기관지 《학지광學之光》을 창간함: 편집인 최팔용崔八鏞. **4**–13 신문관新文館, 주시경周時經의 《말의 소리》를 간행함. **6**–10 박용만朴容萬, 하와이에서 국민군단을 조직함. **7**–27 주시경周時經 사망. **7** 안종석安鍾奭 · 민배식閔培植 등, 만주 길림성에서 창의소彰義所를 설립함. **8**–16 경원선京元線 철도가 완공됨. **8**–25 김윤식金允植의 《운양집雲養集》을 간행함. 일본의 대독일 선전포고로 독일영사관을 폐쇄함. **9**–5 《아이들 보이》가 제13호로 종간됨. **9**–11 총독부에서 조선물산공진회를 개최함. **9**–29 총독부에서 군수중공업 원료 및 석탄 수출을 통제함. **9**–30 대러시아 수출 위해 경흥慶興에 우시장牛市場을 개설함. 유길준俞吉濬 사망. **9** 러시아가 일본 요구로 블라디보스토크Vladivostok의 한국인을 추방하고 권업회勸業會 등 독립운동단체를 해산시킴. **10**–1 최남선崔南善, 《청춘靑春》을 창간함: 〈세계일주가世界一周歌〉를 연재하기 시작함. 함경선咸鏡線 철도를 착공함. **10**–10 조선호텔 개업. **11**–7 의병장 김도현金道鉉, 〈온 겨레에 유고한다〉는 유서 남기고 동해에 투신 자결함. **11**–15 30본산 주지들이 경성에 불교진흥회를 설립함: 대표 이회광李晦光. **11** 전국의 등대가 78개소로 집계됨. **12**–1 청진~블라디보스토크Vladivostok 직통통신이 개통됨. ▶민영익閔泳翊 사망.	**3**–24 영국 · 중국 · 티베트, 중국 · 인도의 국경 협정에 조인함. **5**–1 중국 위안스카이袁世凱, 중화민국약법을 공포함: 대통령 권한 강화. **6**–28 오스트리아, 황태자 페르디난트Ferdinand 부처가 세르비아인에게 암살당함: 사라예보Sarajevo 사건. **7**–8 중국 쑨원孫文, 일본 도쿄에서 중화혁명당中華革命黨을 결성함. **7**–28 오스트리아, 세르비아Serbia에 선전포고함: 제1차세계대전 발발. **7**–30 러시아, 총동원령을 내림. **8**–1 독일, 러시아에 선전포고함: 3일 프랑스에 선전포고. **8**–4 독일, 중립국 벨기에를 침공함: 영국, 독일에 선전포고함. 미국, 중립을 선언함. **8**–6 오스트리아, 러시아 · 영국 · 프랑스와 전쟁 일으킴. **8**–8 일본, 대독일 전쟁에 참전하기로 결정함. **8**–15 파나마Panama 운하가 개통됨: 태평양과 대서양 연결. **8**–23 일본, 독일에 선전포고함. **8**–26 독일, 러시아군을 격파함. **9**–5 영국 · 프랑스 · 러시아, 런던에서 단독불강화單獨不講和를 선언함. **10**–29 터키 함대, 러시아 영토를 포격함. **11**–5 영국, 터키에 선전포고하고 키프로스Kypros를 병합함. **12**–9 영국, 이집트 보호국화를 선언함.

연대	우리 나라	다른 나라
1915 (4248) 을묘	**1**-15 윤상태尹相泰 · 서상일徐相日 · 이시영李始榮 등, 조선국권회복단을 조직함. **1** 이우용李雨用 등, 비밀결사 조선산직장려계朝鮮産織獎勵契를 조직함. **2**-13 신민회사건新民會事件으로 복역중이던 윤치호尹致昊 · 양기탁梁起鐸 등이 전원 가석방됨. **3**-25 조선공립소학교 규칙을 개정 공포함. **3** 유동열柳東說 · 박은식朴殷植 · 신규식申圭植 · 이상설李相卨 등, 중국 상하이上海에서 신한혁명당新韓革命黨을 조직함. 총독부에서 《조선고적도보朝鮮古蹟圖譜》 편찬에 착수함: 1935년까지 35권 간행. **4**-24 전조선기자대회를 개최함. **4**-30 중추원中樞院 관제를 개정함. **4** 김성수金性洙, 중앙학교를 인수함. **5**-1 제주도 · 울릉도에 도사島司를 둠. **5**-15 경춘도로가 준공됨. **5** 미국 하와이 한인 동포들이 이승만李承晩파와 박용만朴容萬파로 분립됨. **7**-5 의병장 채응언蔡應彦, 성천成川에서 체포됨. **7**-15 대한광복단大韓光復團, 광복회로 개칭함. **9**-11 경복궁景福宮에서 조선물산공진회를 개최함. **9**-15 경성우편국이 준공됨. **10**-3 경복궁景福宮에서 조선철도 1000마일 돌파 축하회를 개최함. **10**-31 부산~동래온천간 전차가 개통됨. **11**-7 조선의학회가 창립됨: 회장 지석영池錫永. **12**-1 총독부박물관이 개관됨. **12**-4 경성상업회의소가 설립됨. **12**-20 경성~블라디보스토크Vladivostok 해저전선이 준공됨. **12**-24 광업령鑛業令을 공포함. **12**-24 총독부에서 사립학교에 일본 국가 부를 것을 지시함. **12** 전국 호구조사: 362만 7436호, 1595만 7630명으로 집계됨. ▶박은식朴殷植의 《한국통사韓國痛史》, 함화진咸和鎭의 《조선아악개요朝鮮雅樂概要》, 어윤적魚允迪의 《동사연표 東史年表》를 간행함. ▶함석태咸錫泰, 한국인 최초로 치과의원을 개설함.	**1**-18 일본, 중국에 21개조 요구안을 제출함. **2**-4 독일, 지정 해역에서의 잠수함 격침을 선언함. **2** 중국, 일본의 21개조 요구안에 대한 학생시위 일어남. **4**-26 영국 · 프랑스 · 러시아 · 이탈리아, 런던 비밀조약에 조인함. **5**-4 이탈리아, 삼국동맹에서 탈퇴함. **5**-7 영국, 여객선이 독일 잠수함에게 격침됨. **5**-9 중국, 일본의 21개조 요구안을 수락함. **5**-13 중국, 한커우漢口에서 배일 폭동 일어남. **5**-23 이탈리아, 오스트리아에 선전포고함. **5**-24 독일, 이탈리아와 단교함. **6**-7 러시아 · 중국 · 티베트, 외몽골에 관한 삼국협정에 조인함. **8**-7 독일, 폴란드 바르샤바를 점령함. **9**-6 불가리아, 독일 · 오스트리아와 군사협정을 체결함. **9**-16 미국, 아이티Haiti를 보호국으로 함. **10**-11 불가리아, 세르비아에 침입함: 연합국, 불가리아에 선전포고함. **12**-12 중국 위안스카이袁世凱, 황제에 추대됨. **12**-25 중국, 윈난도독雲南都督 탕지요唐繼堯 등이 위안스카이袁世凱의 황제제도 계획에 반대하여 윈난雲南의 독립을 선언함: 제3혁명.

연대	우리나라	다른나라
1916 (4249) 병진	**1**–4 총독부에서 식민지교육 위한 교육심득教育心得을 공포함. **1**–15 인천상업회의소 설립을 인가함. **2**–24 소록도小鹿島에 자혜의원慈惠醫院을 설립함. **3**–26 박중빈朴重彬, 전북 익산에서 원불교圓佛教를 창시함. **4**–1 전문학교 관제를 공포함: 조선의학강습소를 조선의학전문학교로, 공업전습소를 경성공업전문학교로 개편함. **4**–11 김두봉金枓奉의 《조선말본》을 간행함. **4**–22 대구 달성공원達城公園에 신사神社를 세움. **4**–25 세브란스의학전문학교 개교. **5**–6 YMCA, 최초의 실내체육관을 신축함. **5**–23 의병장 임병찬林炳瓚, 거문도巨文島 유배지에서 단식 순국함. **5**–31 원산상업회의소와 대구상업회의소의 설립을 인가함. **6**–10 이왕직李王職 관제를 공포함. **6**–25 경복궁景福宮터에서 조선총독부 청사 설립공사 기공식을 개최함. **7**–24 민적법民籍法을 개정 공포함. **8**–2 김립金立 등, 러시아 망명중 러시아 정부에 체포됨. 영왕英王 이은李垠의 비로 일본 왕족 방자方子가 결정됨. **8**–6 독일인 군악대장 에케르트Eckert 사망. **9**–12 대종교 교주 나철羅喆, 구월산九月山에서 일제의 폭정을 통탄하는 유서를 남기고 자결함. **10**–9 데라우치寺內正毅 총독이 일본 총리대신으로 전임됨: 16일 후임에 하세가와長谷川好道 부임. **10**–12 언더우드Underwood 사망. **11**–1 경부선 철도에 1등 침대차를 운행함. **11**–5 함경선 철도 청진~창평 운수 영업을 개시함. **11**–6 멕시코 메리다Merida 지방에 진성학교進成學校를 설립함: 한인 국어 교육 목적. **11**–22 박문서관博文書館, 홍난파洪蘭坡의 《통속창가집通俗唱歌集》을 간행함. **11**–25 이인직李人稙 사망. **12**–29 민영기閔泳綺, 친일단체 대정실업친목회大正實業親睦會를 조직함.	**1**–1 중국 위안스카이袁世凱, 황제에 즉위함. **2**–21 프랑스, 독일군의 포격에 대해 베르됭Verdun 요새를 사수함. **3**–22 중국 위안스카이袁世凱, 황제제도 취소를 선언함. **4**–18 중국 남방정부, 위안스카이袁世凱 대통령 실각과 리위안훙黎元洪 부통령 승격을 선언함. **4**–24 아일랜드, 더블린Dublin에서 반영 무장 봉기 일어남: 공화국 선언. **5**–31 영국, 유틀란트Jutland 해전에서 독일을 꺾고 제해권을 장악함. **6**–6 중국, 위안스카이袁世凱 사망: 7일 리위안훙黎元洪이 대통령 대리에 취임함. **7**–1 영국 · 프랑스 연합군, 독일군을 총공격함. **7**–11 독일, 영국 런던을 공습함. **7**–19 터키, 수에즈Suez 운하를 공격함. **8**–27 루마니아, 오스트리아에 선전포고함. **8**–28 이탈리아, 독일에 선전포고함. **9**–15 영국, 처음으로 전차를 사용함. **11**–5 폴란드, 독립을 선언함. **11**–7 미국, 윌슨Wilson 대통령이 재선됨. **12**–12 독일, 미국에 휴전의사를 전달함. **12**–26 인도, 국민회의파와 이슬람교도연맹 간에 공동전선이 결성됨: 라크라우나 협정.

연 대	우 리 나 라	다 른 나 라
1917 (4250) 정사	**1**–1 이광수李光洙, 《매일신보》에 장편소설 〈무정無情〉을 연재하기 시작함. **1**–20 안확安廓의 《조선문법朝鮮文法》을 간행함. **3**–5 김성수金性洙 · 안재홍安在鴻 등, 조선산직장려계가 발각되어 체포됨. **3**–7 중국이 간도의 한국인 거주권 및 토지소유권을 인정함. **3**–29 미국 새크라멘트Sacrament에서 한인부인회韓人婦人會가 조직됨. **3**–31 이상설李相卨, 망명지 러시아령 우수리스크Ussuriisk에서 순국함. **4**–30 이왕가李王家에 아악생양성소雅樂生養成所를 설치함. **5**–26 전차의 광화문선이 준공됨. **6**–8 순종, 일본을 방문함: 28일 귀국. **7**–17 수리조합령水利組合令을 공포함. **7**–29 간도지방의 한국인에 대한 경찰권이 일본 관헌으로 이관됨. **7** 신규식申圭植 · 신채호申采浩 · 박은식朴殷植 등, 중국에서 〈대동단결선언〉을 발표함. **8** 신규식申圭植, 중국 상하이上海의 동제사同濟社를 조선사회당으로 개칭함. **8**–31 조선사회당, 스웨덴 스톡홀름의 만국사회당대회에 조선독립요구서를 제출하여 만장일치로 승인받음. **10**–17 한강인도교가 준공됨. **10**–29 박용만朴容萬, 미국 뉴욕의 약소민족회의에 한국 대표로 참석함. **11**–9 창덕궁昌德宮 화재로 대조전大造殿 등이 불탐. **11**–10 채기중蔡基中, 군자금 조달에 협조하지 않은 대구 부호 장승원張承遠을 사살함. 이광수李光洙, 《매일신보》에 〈개척자開拓者〉를 연재하기 시작함. **11**–17 안희제安熙濟, 부산 상인들과 백산무역白山貿易을 설립함. **12**–9 김준연金俊淵 · 백관수白寬洙 등, 일본에서 호남친목회를 조직함. **12** 김립金立 · 문창범文昌範 등, 러시아에서 전로한족회全露韓族會를 조직함.	**1**–9 독일, 무제한 잠수함작전을 선언함. **2**–3 미국, 독일과 단교함: **4**–6 독일에 선전포고함. **3**–14 중국, 독일과 단교함: **8**–14 독일에 선전포고함. **3**–15 러시아, 2월혁명 일어남: 니콜라이Nikolai 2세 퇴위. 로마노프Romanov 왕조 붕괴. **6**–16 러시아, 제1회 전러시아 소비에트 대회를 개최함. **7**–16 러시아, 상트페테르부르크Sankt Peterburg에서 노동자 시위 일어남: 7월혁명. **7**–20 러시아, 케렌스키Kerenskii 내각 성립. 핀란드, 러시아로부터 독립을 선언함. **8**–1 중국 펑궈장馮國璋, 대통령에 취임함. **9**–8 연합국, 중국의 의화단사건義和團事件 배상금 지불 연기를 승인함. **9**–10 중국 쑨원孫文, 광둥군廣東軍 정부를 수립함. **11**–2 영국, 팔레스타인Palestine 유대인에게 민족적 고향을 건설해 주겠다고 약속함: 밸포어Balfour 선언. **11**–7 러시아 레닌Lenin, 11월혁명 일으킴: 소비에트Soviet 정권 수립. **11**–20 우크라이나Ukraine, 인민공화국을 선언함. **12**–15 소비에트Soviet, 독일 및 오스트리아와 휴전협정에 조인함. ▶프랑스, 로댕Rodin 사망.

연 대	우 리 나 라	다 른 나 라
1918 (4251) 무오	**1**–17 고등고시령과 보통고시령을 공포함. **1**–18 총독부에서 《조선어사전朝鮮語辭典》을 편찬함. **1** 서재필徐載弼 · 안창호安昌浩 · 이승만李承晩 등, 미국 워싱턴에서 신한협회新韓協會를 조직함. **3**–9 극단 취성좌聚星座, 신소설 〈추월색秋月色〉을 각색하여 단성사團成社에서 발표함. **3**–18 박치화朴致和 등 12명, 경남 하동에서 대한독립선언서를 발표함. **3**–23 양건식梁建植, 《매일신보》에 〈홍루몽紅樓夢〉을 번역하여 연재함. **4**–1 조선은행 상하이上海 지점을 개설함. **5**–**1** 임야조사령을 공포함. **6**–19 안중식安中植 · 고희동高羲東 · 오세창吳世昌 등, 서화협회書畵協會를 설립함. **6**–26 이동휘李東輝 · 김립金立 등, 러시아 하바로프스크Khabarovsk에서 한인사회당韓人社會黨을 조직함. **6**–27 각 도에 금융조합연합회가 설치됨. **7**–29 이승만李承晩, 하와이에 신립교회를 창설함: **12**–23 한인기독교회로 개칭. **7** 박용만朴容萬, 하와이에서 갈리히Kalihi 연합회를 조직함. **8**–22 미주의 여성단체가 대한애국단大韓愛國團으로 통합됨. **8** 여운형呂運亨 · 장덕수張德秀 · 김구金九 등, 중국 상하이에서 신한청년단新韓靑年團을 조직함. **9**–1 한용운韓龍雲, 불교지 《유심惟心》을 창간함. **9**–26 《태서문예신보泰西文藝新報》가 창간됨: 주간 장두철張斗澈. **10**–1 군수공업동원법을 공포함. 조선식산은행朝鮮殖産銀行이 설립됨. **10**–31 대구선大邱線(대구~영천) 및 경동선慶東線(하양~포항) 철도가 개통됨. **11**–5 토지조사사업을 완료함. **11**–13 조소앙趙素昻 등 39명, 만주 길림성에서 무오독립선언서戊午獨立宣言書를 발표함 **11**–30 여운형呂運亨, 파리평화회의와 미국 대통령에게 독립청원서를 전달함. **12**–1 천도교天道敎, 중앙교당 신축공사를 기공함. **12**–2 한성은행 동경지점이 개설됨. **12**–15 손병희孫秉熙 · 권동진權東鎭 · 오세창吳世昌 등, 독립운동 진행방법을 논의함.	**1**–8 미국 윌슨Wolson 대통령, 14개조 평화원칙을 발표함. **2**–1 소비에트, 우크라이나Ukarine 공화국을 승인함. **2**–16 리투아니아Lithuania, 독립을 선언함. **3**–3 소비에트, 독일과 단독으로 브레스트Brest · 리토프스크Litovsk 조약을 체결함. **4**–8 이탈리아, 로마에서 오스트리아 피압박민족회의가 열림. **5**–7 루마니아, 동맹제국과 부카레스트Bucharest 강화조약에 조인함. **7**–4 소비에트Soviet, 전러시아 소비에트대회를 개최함. 헌법을 채택함. **8**–2 일본, 시베리아 출병을 선언함. **9**–5 중국 쉬스창徐世昌, 베이징 국회에서 대총통大總統에 취임함. 불가리아, 연합국과 휴전함. **10**–3 독일, 미국에 휴전을 제안함. **10**–21 체코슬로바키아, 독립을 선언함: 24일 헝가리가, 11. 3. 폴란드가 독립을 선언함. **11**–4 오스트리아, 연합국에 항복함. **11**–9 독일, 혁명 일어남: 바이마르Weimar공화국 성립. 빌헬름Wilhelm 2세가 네덜란드로 망명함. **11**–11 독일, 연합국에 항복함: 제1차세계대전 끝남. **12**–26 인도, 델리Delhi에서 인도국민회의파대회를 개최함.

연 대	우 리 나 라	다 른 나 라
1919 (4252) 기미	**1**-21 고종, 덕수궁德壽宮에서 사망함: 일본인에 의한 독살이라는 소문이 퍼짐. **2**-1 대한청년단大韓青年團, 김규식金奎植을 프랑스로, 여운형呂運亨을 러시아로, 장덕수張德秀를 일본으로, 김철金澈 · 서병호徐丙浩를 국내로 보내 독립운동을 지휘하게 함. 김동인金東仁 · 전영택田榮澤 · 주요한朱耀翰 등, 일본 도쿄에서 최초의 문예동인지 《창조創造》를 창간함. **2**-8 최팔용崔八鏞 등 일본 유학생 600여명이 일본 도쿄 조선기독교 청년회관에서 독립선언서를 발표함: 2 · 8독립운동. **2**-16 미국의 대한인국민회大韓人國民會가 미국 윌슨Wilson 대통령에게 한국 독립 청원서를 제출함. **2**-18 조선체육협회가 발족됨. **2**-27 보성사普成社에서 독립선언서를 인쇄함. **2**-28 지하신문인 《조선독립신문朝鮮獨立新聞》이 창간됨. **3**-1 민족대표 33인, 태화관泰和館에서 독립선언서를 낭독함: 전국 각지에서 독립운동 일어남(3 · 1운동). **3**-3 고종의 국장國葬을 거행함. **3**-21 러시아의 대한국민의회가 러시아령임시정부 수립을 선언함. **3** 유림 대표 김창숙金昌淑 · 곽종석郭鍾錫 등, 독립청원서를 파리평화회의에 보냄: 파리장서사건巴里長書事件. 중국 상하이上海에서 대한인거류민단大韓人居留民團을 조직함. **4**-1 유관순柳寬順, 천안 아오내(병천竝川) 장터에서 독립만세운동을 지휘하다 체포됨. **4**-10 민족운동지도자 29인, 중국 상하이에서 임시의정원臨時議政院을 개원함: 의정원법을 통과시키고 내각을 조직함. **4**-13 대한민국임시정부 수립을 선포함. **4**-15 수원 제암리水原堤岩里 학살사건 일어남. **4**-23 국내 13도 대표 24인이 한성임시정부를 조직함. **4**-29 장기영張基永 등, 블라디보스토크Vladiostock에서 《독립신문獨立新聞》을 창간함.	**1**-1 독일, 베를린에서 독일공산당이 창립됨. **1**-5 독일, 독일노동자당(나치Nazi의 전신)이 결성됨. **1**-18 프랑스, 파리강화회의가 개최됨: 국제연맹 창설을 결정함. **2** 영국 · 프랑스, 폴란드 독립을 승인함. **3**-2 소비에트, 코민테른Comintern (제3인터내셔널)을 결성함: 세계혁명 추진. **3**-18 인도, 로울라트법을 의결함: 반영분자의 구금 및 비밀재판의 합법화. **3**-21 헝가리, 혁명 일어나 공산당정권이 수립됨. **3**-23 이탈리아 무솔리니Mussolini, 파시스트당을 조직함. **4**-6 인도 간디Gandhi, 1차 비폭력저항운동을 시작함. **4**-7 독일, 바이에른Bayern 소비에트공화국이 수립됨: **5**-3 정부군에 진압됨. **4**-13 인도, 영국군이 반영집회 참가 민중에 대해 발포함: 1600여명 사상. **4**-19 프랑스, 흑해함대의 반란 일어남. **4**-28 파리강화회의에서 국제연맹 규약을 완성함. **5**-4 중국, 베이징北京 대학생 3천여명이 산둥山東문제에 항의하여 대대적인 시위를 벌임: 5 · 4운동. **5**-19 중국 베이징 학생연합회, 동맹휴학 선언하고 일본 화폐 배척운동을 전개함. **5**-26 중국, 상하이上海의 25개교가 동맹휴교함.

연 대	우 리 나 라	다 른 나 라
1919 (4252) 기미	**5**–3 만주의 신흥학교를 신흥무관학교新興武官學校로 개편함. **5**–12 김규식金奎植, 파리평화회의에 독립청원서를 제출함. **7**–10 대한민국임시정부, 국내와의 연락을 위한 연통제聯通制 실시를 공포함. **8**–7 김좌진金佐鎭 · 서일徐一 등, 정의단을 군정부軍政府로 개편함. **8**–12 사이토齋藤實가 총독으로 부임함. **8**–20 헌병경찰제를 폐지함. **8**–21 중국 상하이에서 대한민국임시정부 기관지 《독립신문獨立新聞》이 창간됨. **8** 홍범도洪範圖 휘하의 대한독립군이 갑산甲山 · 혜산진惠山鎭 등의 일본 병영을 습격함. **9**–2 강우규姜宇奎, 경성 남대문역에서 총독 사이토齋藤實에게 폭탄을 던짐. **9**–10 총독부가 문화정책을 공포함. **10**–5 김성수金性洙, 경성방직주식회사를 설립함. **10**–23 대한정의단 임시군정부, 대한정의군정부大韓正義軍政府로 개칭함. **10**–27 최초의 한국영화 〈의리적구투義理的仇鬪〉가 단성사團成社에서 상영됨. **10** 대한민국임시정부, 여운형呂運亨을 소련에 파견하여 레닌Lenin 정부에게 원조를 요청함. **11**–9 의왕義王 이강李堈, 중국 상하이上海로 탈출함: 11일 국내로 강제 압송됨. 김원봉金元鳳 등, 만주 길림성에서 의열단義烈團을 조직함. **11** 안희제安熙濟, 기미육성회己未育成會를 설립함: 전진한錢鎭漢을 일본에, 안호상安浩相 · 이극로李克魯를 독일에, 신성모申性模를 영국에 유학 보냄. 한족회의 군정부, 대한민국임시정부 서로군정서西路軍政署로 개편됨. **12** 정의단 군정부, 대한민국임시정부 북로군정서北路軍政署로 개편됨. ▶이범승李範承, 경성도서관을 설립함. ▶선우일鮮于日, 간도 용정龍井에서 《간도일보間島日報》를 창간함. ▶이병두李丙斗 · 최규봉崔奎鳳, 평양에 고무신공장을 설립함.	**6**–3 중국, 베이징 학생연합회가 시민 · 노동자와 공동투쟁을 전개함. **6**–28 베르사유Versailles 강화조약이 조인됨: 중국, 산둥山東 문제로 조인을 거부함. **7**–25 소비에트Soviet, 중국에 관한 제정러시아의 불평등조약 폐기를 선언함: 카라한Karakhan 선언. **7**–31 독일 국민의회, 바이마르Weimar 공화국 헌법을 채택함: **8**–14 공식 발포됨. **8**–1 헝가리, 3월에 성립된 공산당 정권이 붕괴됨. **8**–2 중국, 산둥반도山東半島를 열강으로부터 반환받음. **8**–8 라발핀디Rawalpindi 강화조약이 조인됨: 영국, 아프가니스탄 독립을 승인함. **9**–10 오스트리아, 생제르맹Saint Germain 강화조약에 조인함: 합스부르크Habsburg 제국이 오스트리아 · 체코슬로바키아 · 유고 · 폴란드 · 헝가리로 분할됨. 독일과의 합병을 금지함. **10**–10 중국, 중국혁명당이 중국국민당으로 개편됨. **11**–16 중국, 푸저우福州에서 일본인에 의한 항일학생 폭행사건 발생함: 17일 동맹파업 일어남. 21일 베이징北京 · 상하이上海에서 항일운동 일어남. **12**–8 연합국, 폴란드 동부 국경을 확정함. **12**–23 영국, 인도통치법印度統治法을 시행함. ▶프랑스, 르누아르Renoir 사망.

연대	우리 나라	다른 나라
1920 (4253) 경신	1-22 공산당 한인지부가 러시아 이르쿠츠크 Irkutsk에서 창립됨. 2-1 차車미리사, 근화여학교槿花女學校(현 덕성여자중고등학교)를 설립함. 2-16 김광제金光濟 등, 종로 YMCA회관에서 조선노동대회 발기회를 개최함. 2-20 노백린盧伯麟 등, 미국 캘리포니아주에 한인 비행사 양성소를 설립함. 3-1 경성·평양·선천·황주 등지에서 독립만세운동 일어남. 3-5 《조선일보朝鮮日報》가 창간됨. 3-10 대한민국 임시정부, 지방선전대地方宣傳隊 조직. 4-1 《동아일보東亞日報》·《시사신문時事新聞》 창간. 4-4 일본군이 러시아령 블라디보스토크 Vladivostock 신한촌新韓村을 습격함. 4-20 대한민국임시정부, 임시거류민단제臨時居留民團制를 공포함. 4-28 영왕英王 이은李垠, 일본 왕족 방자方子와 혼인함. 5-1 허영숙許英肅, 여의사 최초로 영혜의원英惠醫院을 개업함. 6-4~7 대한국민군, 홍범도洪範圖 지휘로 만주 봉오동전투鳳梧洞戰鬪에서 일본군에 대승함. 6-7 대한독립단 백삼규白三圭 총재, 만주에서 일본군에게 피살당함. 6-21 조선고학생갈돕회, 경성 중앙예배당에서 창립총회를 개최함: 총재 이상재李商在. 6-25 천도교청년회 이돈화李敦化 등이 월간종합지 《개벽開闢》을 창간함. 6-29 향교재산관리규칙을 공포함. 7-1 학생잡지 《학생계學生界》가 창간됨. 7-13 고원훈高元勳·김성수金性洙·장덕수張德秀 등, 조선체육회를 창립함. 7-25 오상순吳相淳·염상섭廉想涉 등, 순문예지 《폐허廢墟》를 창간함. 7-30 조만식曺晩植·오윤선吳胤善 등, 평양에서 조선물산장려회 발기회를 개최함. 7 독립운동단체 구월산대九月山隊, 대장의 전사와 대원의 피체로 해체됨.	1-10 국제연맹國際聯盟 발족. 1-31 중국, 베이징北京 학생들이 대규모 시위 벌임. 1 중국 돤치루이端祺瑞, 동지철도東支鐵道 회수에 앞장섬. 2-11 일본, 도쿄東京에서 보통선거를 요구하는 시위 일어남. 2-24 독일 노동자당, 25개조 강령을 발표함. 3-13 독일, 베를린에서 퇴역장교들 주도하에 반혁명 쿠데타 일어남. 3-19 미국 의회, 베르사유 Versailles 강화조약 비준을 거부함. 3 인도 간디Gandhi, 영국의 탄압에 대항하여 비폭력 불복종운동을 전개함. 4-23 터키 케말 파샤Kemal Pasha, 앙카라Ankara에 임시정부를 수립함. 4-25 폴란드, 우크라이나에 침입함: 소비에트와 충돌. 5-1 일본, 최초의 메이데이May Day 행사 벌임. 5-11 영국·미국·일본·프랑스, 대중국 신4개국차관단 조직에 합의함. 6-4 헝가리, 연합국과 트리아농 Trianon 강화조약에 조인함. 6-22 그리스, 터키를 공격함. 7-14 중국, 안휘파安徽派와 직례파直隸派 사이에 전투 일어남: 안·직전쟁. 7-19 중국, 안·직전쟁에서 안휘파가 패배함. 소비에트, 상트페테르부르크Sankt Peterburg와 모스크바Moskva에서 코민테른Comintern대회를 개최함.

연 대	우 리 나 라	다 른 나 라
1920 (4253) 경신	**8**-16 현준호玄俊鎬 · 김상섭金商燮 등, 호남은행湖南銀行을 설립함. **8**-21 광복군총영 김영철金榮哲 등, 미국 의원단 내한 때 총독부에 폭탄 던지려다 체포됨. **8**-27 조선일보, 강우규姜宇奎 의사 사형기사를 게재하여 제1차 무기정간당함: **9**-2 해제. **8** 이명서李明瑞 등, 황해도에서 구월산대九月山隊를 재조직함. 정인복鄭仁福, 겸이포兼二浦 제철소에 폭탄 던짐. **9**-14 의열단 박재혁朴載赫, 부산경찰서에 폭탄 던져 서장을 폭사시킴. **9**-25 동아일보, 제사祭祀 문제 사설로 제1차 무기정간 당함: 1921년 **2**-21 해제. **10**-21 북로군정서 김좌진金佐鎭 · 이범석李範奭 부대, 청산리대첩靑山里大捷에서 일본군에 대승함. **10**-27 함북도청이 경성鏡城에서 나남羅南으로 이전함. **11**-10 조선교육령을 개정함: 교과에서 한국 역사와 지리를 폐지함. **11**-11 동아일보사 장덕준張德俊 기자, 훈춘사건琿春事件 취재 중 간도에서 일본군에게 피살됨. **11**-23 월간잡지《새동무》가 창간됨. **12**-1 장덕수張德秀 · 오상근吳祥根 등, 종로 YMCA에서 조선청년연합회를 조직함. **12**-4 김도원金道源, 경성에서 독립군 자금 모금중 일본 경찰관 총살 후 체포됨: 관철동사건. **12**-21 황해선(사리원~재령) 철도가 개통됨. **12**-28 한족회 · 청년단연합회 · 대한독립단, 대한민국임시정부 직할 광복군사령부로 통합됨. **12** 총독부에서 산미증식계획을 수립함. ▶지청천池靑天 등, 러시아 이르쿠츠크시Irkutsk市에 고려혁명군관학교高麗革命軍官學校를 설립함. ▶편강렬片康烈, 만주 길림성에서 무장독립단체 의성단義成團을 조직함. ▶박은식朴殷植의《한국독립운동지혈사韓國獨立運動之血史》를 간행함. ▶이봉하李鳳夏, 한성도서와 조선도서를 설립함. ▶윤심덕尹心悳, 일본에서 최초로 레코드 음반을 취입함.	**7**-25 프랑스, 다마스쿠스를 점령함: 시리아를 통치함. **7**-31 영국, 공산당 창립대회를 개최함. **8**-10 터키, 세브르Sevres 강화조약에 조인함. **8**-14 체코슬로바키아 · 유고, 헝가리를 대상으로 하는 동맹조약을 체결함. **8**-26 미국 의회, 부인참정권을 의결함. **8** 중국 천두슈陳獨秀, 상하이上海에서 중국사회주의청년단을 결성함. **9**-12 일본, 중국인 마적馬賊을 매수하여 훈춘성琿春城을 습격케 함: 제1차 훈춘사건琿春事件. **9**-27 소비에트Soviet, 중국사절단에 교섭 기본사항을 제시함: 제2 카라한Karakhan 선언. **9** 인도, 국민회의파 대회에서 영국에 대해 비협력할 것을 제안하여 통과시킴. **10**-2 일본, 제2차 훈춘사건琿春事件 일으킴. **10**-31 인도, 전인도노동조합회의를 결성함. **10** 중국 마오쩌둥毛澤東, 후난성湖南省에서 사회주의 청년단 조직에 착수함. **11**-2 미국 하딩Harding, 대통령에 당선됨. **11**-15 국제연맹, 파리에서 제1차 총회를 개최함. **12**-9 미국, 캘리포니아주에서 배일토지법排日土地法을 제정하여 실시함. **12**-23 영국 의회, 아일랜드Ireland 통치법을 의결함.

연대	우리나라	다른나라
1921 (4254) 신유	**1-24** 대한민국임시정부 이동휘李東輝, 국무총리직을 사임함: 이승만李承晩 대통령과의 의견 대립 이유. **1** 만주의 서로군정서 · 북로군정서 · 대한독립단이 대한독립군단大韓獨立軍團을 조직함: 총재 서일徐一. **2-16** 양근환梁槿煥, 일본 도쿄東京에서 친일파 민원식閔元植을 사살함. **3-19** 여류화가 나혜석羅蕙錫, 경성에서 첫 개인전을 개최함. **3-26** 김철金哲 등, 중국 톈진天津에서 한혈단韓血團을 조직함. **3** 신익희申翼熙 · 이유필李裕弼 등, 중국 창사長沙에서 한중호조사韓中互助社를 조직함. **4-20** 박용만朴容萬 · 신채호申采浩 · 신숙申肅 등, 중국 베이징北京에서 군사통일주비회軍事統一籌備會를 개최함: 임시의정원 해산 요구. **5-1** 계명구락부啓明俱樂部, 《계명啓明》을 창간함. **5** 변영로卞榮魯 · 노자영盧子泳 · 박종화朴鍾和 등, 시동인지 《장미촌薔薇村》을 창간함. **6-28** 헤이허사변黑河事變(자유시사변自由市事變) 발생: 러시아 적군赤軍이 자유시自由市에 집결한 한국독립군을 공격하여 다수 희생됨. **7** 김마리아 대한애국부인회장, 중국 상하이上海로 망명함. **8-27** 서일徐一, 헤이허사변黑河事變(자유시사변自由市事變)으로 자결함. **8** 염상섭廉想涉, 《개벽》에 〈표본실의 청개구리〉를 연재함. 방정환方正煥, 천도교소년회天道敎少年會를 창립함. **9-12** 의열단 김익상金益相, 조선총독부에 폭탄 던짐. **10-2** 경동선慶東線 철도(경주~울산)가 개통됨. **11-5** 조선청년독립단朝鮮青年獨立團, 일본 도쿄에서 독립선언을 발표하고 시위 벌임. **11-29** 재일 한인 사회주의 단체 흑도회黑濤會가 도쿄東京에서 조직됨. **12-3** 김윤경金允經 · 장지영張志暎 · 이병기李秉岐 등, 조선어연구회를 창립함. **12-28** 이승만李承晩 · 서재필徐載弼, 미국 워싱턴의 군축회의에 참석함. **12** 박렬朴烈 등, 흑도회黑濤會에서 탈퇴하여 무정부주의 표방한 흑운회黑雲會를 조직함. ▶홍난파洪蘭坡, 〈봉선화〉를 작곡함.	**1-13** 이탈리아, 사회당대회가 개최됨: 코민테른Comintern이 좌 · 우로 분리됨. **2-19** 프랑스 · 폴란드, 동맹조약에 조인함. **3-8** 소비에트Soviet, 공산당대회에서 레닌Lenin의 신경제정책NEP을 채택함. **4-7** 중국, 광둥정부廣東政府 성립. **4-27** 영국, 런던연합국회의에서 독일 배상금을 정함. **5-5** 중국 쑨원孫文, 광둥정부廣東政府 비상대통령에 취임함. **5-11** 독일, 런던연합국회의의 최후통첩을 수락함. **6-22** 아프가니스탄 · 페르시아, 불가침조약을 체결함. 러시아, 모스크바에서 코민테른Comintern대회가 개최됨: 브나로드Vnarod(민중 속으로) 주창. **7-1** 중국, 상하이上海에서 중국공산당을 창립함. **7-29** 독일 히틀러Hitler, 나치스당Nazis黨 당수에 취임함. **8-25** 미국 · 독일 · 오스트리아, 평화조약에 조인함. **11-4** 일본, 하라原敬 수상 암살당함. **11-7** 몽골인민혁명정부가 수립됨. **11-10** 이탈리아, 파시스트당Fascist黨이 성립됨. **11-12** 미국, 워싱턴에서 군축회의가 개최됨. **12-6** 아일랜드 자치령 성립. ▶중국 루신魯迅, 〈아큐정전阿Q正傳〉을 발표함.

연대	우 리 나 라	다 른 나 라
1922 (4255) 임술	**1**-7 조선불교도총회, 30본산연합제를 폐지함. **1**-9 홍사용洪思容 · 이상화李相和 · 현진건玄鎭健 등, 문예지《백조白潮》를 창간함. **1**-18 박인호朴寅浩, 천도교 교주가 됨. **1**-19 윤덕병尹德炳 · 신백우申伯宇 등, 공산주의자 신인동맹 및 무산자동지회를 결성함. **1**-21 김윤식金允植 사망. **1** 차경석車京石, 태을교太乙敎를 보천교普天敎로 개칭함. **2**-11 이광수李光洙 · 김윤경金允經 등, 수양동맹회修養同盟會를 조직함. **3**-26 명고사건鳴鼓事件 발생: 친일승려 강대련姜大連 등에 북을 매달아 치면서 종로를 행진케 함. **3**-27 조선여자기독교청년회YWCA가 결성됨. **3**-28 김익상金益相, 중국 상하이上海에서 일본 육군대장 다나카田中義一 저격에 실패함. **3**-31 무산자동맹회無産者同盟會가 성립됨: 무산자동지회와 신인동맹회 통합. **5**-19 손병희孫秉熙 사망. **5** 이광수李光洙, 〈민족개조론民族改造論〉을 발표함. **6**-1 제1회 조선미술전람회가 개최됨. **6**-16 경성~원산 직통전화가 개통됨. **7**-26 일본 니가타현에서 한인노동자 학살당함. **8** 대한통군부大韓統軍府가 성립됨: 광복군사령부 · 한족회 · 광복군총영 · 광한단 등 통합. **9**-25 신규식申圭植, 중국 상하이上海에서 사망. **10**-1 경성시립도서관 개관. 김구金九 · 여운형呂運亨 등, 중국 상하이上海에서 한국노병회韓國勞兵會를 창립함. **10**-5 조철호趙喆鎬, 소년척후단少年斥候團(보이스카우트)을 창설함. **11**-6 안창남安昌男, 도쿄~오사카 비행에 성공함: **12**-10 여의도에서 귀국 기념 비행 실시. **11**-14 양정고등보통학교 학생들이 일본인 교사를 배척하고 동맹휴학함. **11**-23 이상재李相在 · 조만식曺晩植 등, 민립대학기성준비회를 조직함. **11** 박승희朴勝喜 · 이서구李瑞求 · 김기진金基鎭 등, 일본 도쿄에서 토월회土月會를 조직함. **12**-18 호적령戶籍令을 공포함. ▶천도교소년회, 5월 첫 일요일을 어린이날로 정함.	**1**-15 프랑스, 프왱카레Poincare 내각 발족. **2**-6 미국, 워싱턴 회의가 개최됨: 해군군비조약 조인. **2**-15 네덜란드, 헤이그에 상설 국제사법재판소가 설립됨. **2**-27 중국 쑨원孫文, 북벌을 선언함. **2**-28 영국, 이집트의 독립을 승인함. **3**-10 인도 간디Gandhi, 영국당국에 체포됨. **4**-1 소비에트 스탈린Stalin, 소비에트 공산당 서기장에 취임함. **4**-26 중국, 장쭤린張作霖의 펑톈군奉天軍과 우페이푸吳佩孚의 직례군 사이에 제1차 봉 · 직전쟁 일어남: **6**-17 종료. **5**-12 중국 장쭤린張作霖, 동삼성東三省의 독립을 선언함. **6**-11 중국 리위안훙黎元洪, 총통에 복귀함. **10**-25 일본, 시베리아에서 철군. **10**-28 이탈리아, 파시스트군Fascist軍이 로마로 진군함. **10**-31 이탈리아, 파시스트Fascist 정권 성립: 무솔리니Mussolini가 수상에 오름. **11**-1 오스만Osman 제국 멸망. **11**-20 연합국, 터키와 로잔Lausanne 강화회담을 개최함. **11**-25 이탈리아 무솔리니Mussolini, 왕으로부터 독재권을 부여받음. **12**-6 아일랜드, 영국으로부터 자치권을 획득함. **12**-30 소비에트사회주의공화국연방USSR(소련蘇聯) 성립. ▶독일 슈펭글러Spengler, 《서구의 몰락》을 발표함.

연대	우리나라	다른 나라
1923 (4256) 계해	**1**–1 남대문역을 경성역京城驛으로 개칭함. **1**–3 대한민국임시정부 내분 수습차 중국 상하이上海에서 국민대표회의 개최함: 개조파 · 창조파 대립으로 결렬. **1**–12 의열단원 김상옥金相玉, 종로경찰서에 폭탄 던짐: 22일 일본 경찰관과 총격전 벌이다 자결함. 조선물산장려회 창립총회가 개최됨. **1** 신채호申采浩, 〈조선혁명선언서朝鮮革命宣言書〉를 작성함. **3**–15 의열단 황옥黃鈺 · 김시헌金時憲 등, 중국 상하이上海에서 폭탄을 들여오다 발각됨: 황옥경부사건黃鈺警部事件. **3**–16 방정환方定煥 · 마해송馬海松 등, 일본 도쿄에서 색동회를 조직함. **3** 천도교소년회, 소년잡지 《어린이》를 창간함: 주간 방정환方定煥 · 마해송馬海松. **4**–9 윤백남尹白南, 최초의 극영화 〈월하의 맹세〉 상연함. **4**–25 임시의정원, 이승만李承晚 대통령 탄핵안을 제출함. 강상호姜相鎬 등, 진주에서 형평사衡平社를 조직함. **5**–1 조선노동총연맹회, 최초의 메이데이 행사를 개최함. **5** 김규식金奎植 · 이범석李範奭 등, 만주 연길현延吉縣에서 고려혁명군高麗革命軍을 조직함. **6**–2 김규식金奎植 · 지청천池青天 · 여운형呂運亨 등 창조파, 대한민국임시정부에서 탈퇴하여 중국 상하이에 조선공화국 성립을 선포함. **7**–17 홍명희洪命熹 · 윤덕병尹德炳 등, 경성에서 신사상연구회新思想研究會를 조직함. **8** 백광운白狂雲(채찬蔡燦) 등, 만주 통화현通化縣에서 육군주만참의부陸軍駐滿參議府를 조직함. **9**–2 일본당국이 관동대진재로 인한 민심 동요를 막기 위해 한국인들이 폭동 일으켰다고 유언비어를 퍼뜨림. **9**–3 박렬朴烈, 일본 왕 살해계획 협의로 도쿄에서 검거됨. **9**–25 강진구姜振九 · 나혜석羅蕙錫 등, 고려미술회高麗美術會를 조직함. **9** 전남 신안 암태도巖泰島에서 소작쟁의 발생함. 이상화李相和, 〈나의 침실로〉를 발표함. **10** 김소월金素月, 〈산유화山有花〉를 발표함. **11**–20 양주동梁柱東 · 손진태孫晉泰 등, 문예지 《금성金星》을 창간함. **12**–1 진주선晋州線 철도(진주~마산)가 개통됨. ▶색동회, 5월 1일을 어린이날로 제정함.	**1**–11 프랑스, 독일의 루르Ruhr 지방을 점령함. **1**–26 중국 쑨원孫文, 소련 요페Ioffe와 공동선언을 발표함: 소련, 중국혁명 지원 의사 표명. **2**–7 중국, 철도 노동자 파업을 탄압함. **2**–21 중국 쑨원孫文, 대원수大元帥에 취임함. **3**–7 중국, 일본에 21개조 요구안 폐기를 통고함. **4**–19 이집트, 헌법을 공포함: 입헌군주제 · 양원제 · 보통선거제를 규정함. **6**–1 일본 해군, 중국 창사長沙에 상륙하여 배일운동을 탄압함. **6**–9 불가리아, 우익의 쿠데타 일어남. **7**–6 소련, 새 헌법을 제정함. **8**–2 미국, 하딩Harding 대통령 사망: 쿨리지Coolidge 부통령이 승계함. **8**–11 독일, 배상금 지불 중지를 선언함. **9**–1 일본, 관동대진재關東大震災 발생. **10**–29 터키 케말 파샤Kemal Pasha, 터키 공화국을 수립함. **11**–5 독일, 마르크화Mark貨의 가치가 최저점에 이름. **11**–8 독일, 히틀러Hitler와 루덴도르프Ludendorff가 함께 반란 일으켰으나 실패함. ▶독일, 뢴트겐Rontgen 사망.

연대	우리 나라	다른 나라
1924 (4257) 갑자	**1-5** 의열단 김지섭金祉燮, 일본 궁성 목표로 니주바시二重橋에 폭탄 투척함: **11-6** 무기징역 선고. **2-1** 염상섭廉想涉, 문예지 《폐허이후廢墟以後》 창간. **3-1** 이상재李相在, 소년척후단 조선총동맹 조직. **3-31** 최남선崔南善, 《시대일보時代日報》 창간. **4-2** 박춘금朴春琴, 동아일보 사장 송진우宋鎭禹와 취체역 김성수金性洙를 납치하여 폭행함. **4-23** 이동녕李東寧, 대한민국임시정부 국무총리에 취임함. **5-2** 경성제국대학 예과 개교. **5-4** 김복한金福漢 사망. **5-19** 참의부 의용군 장창헌張昌憲 등, 국경 시찰중인 총독 사이토齋藤實를 습격함. **5-30** 노백린盧伯麟, 대한민국임시정부 참모총장에 취임함. **6-14** 김명순金明淳, 《조선일보》에 〈탄실이와 주영이〉를 연재하기 시작함. **8** 김동인金東仁 · 주요한朱耀翰 · 김소월金素月 · 김억金億 등, 문예지 《영대靈臺》를 창간함. **9-21** 백광운白狂雲, 만주에서 피살됨. **9** 대한민국임시정부, 국무총리 이동녕李東寧을 대통령 직무대리로 선임함. **10-13** 《조선일보》가 최초의 신문만화 〈멍텅구리〉를 게재하기 시작함. **10-31** 황해도 재령군 북류면의 동양척식주식회사 소작인들이 소작쟁의 일으킴. **10** 방인근方仁根, 문예지 《조선문단朝鮮文壇》을 창간함. **11-25** 김약수金若水 등, 경성에서 사회주의 단체 북풍회北風會를 조직함. **12-8** 경상남도청을 진주에서 부산으로 이전하기로 결정함. **12-17** 박은식朴殷植, 대한민국임시정부 대통령 직무대리에 선임됨. **12** 최현배崔鉉培, 〈조선민족 갱생更生의 도〉발표. ▶《조선일보》가 부인란을 신설하고 최초의 여기자 최은희崔恩喜 등을 채용함. ▶윤극영尹克榮, 동요 〈반달〉을 발표함. 김동환金東煥의 《국경의 밤》, 변영로卞榮魯의 《조선의 마음》, 전영택田榮澤의 《생명의 봄》을 발간함.	**1-20** 중국, 제1차 국공합작國共合作 성립. **1-21** 소련, 레닌Lenin 사망. **1-22** 영국, 맥도널드MacDonald가 집권함: 최초의 노동당 내각이 성립됨. **2-1** 영국, 소련을 승인함. **2-7** 이탈리아, 소련을 승인함. **4-6** 이탈리아 파시스트Fascist, 총선거에서 승리함. **4-19** 독일, 도즈Dawes 배상안이 가결됨. **5-1** 그리스, 공화국을 선언함. **5-11** 미국 의회, 신이민법新移民法을 의결함. **5-31** 중국 · 소련, 외교협정에 조인함. **6-16** 중국 쑨원孫文, 황푸黃 군관학교를 설립함. **8-29** 독일 의회, 도즈Dawes 배상안을 승인함. **9-18** 중국, 쑨원孫文이 제2차 북벌을 선언함. 제2차 봉 · 직전쟁이 발발함. **10-15** 중국 쑨원孫文, 광저우廣州 혁명정권에 반기 든 상단군商團軍을 격멸함. **10-23** 중국 펑위샹馮玉祥, 쿠데타 일으킴: 베이징정변. **11-4** 미국, 쿨리지Coolidge 대통령이 재선됨. **11-5** 중국 펑위샹馮玉祥, 청의 마지막 황제 부의溥儀를 자금성紫禁城에서 추방함. **11-26** 몽골인민공화국 성립. ▶이탈리아, 푸치니Puccini 사망.

연 대	우 리 나 라	다 른 나 라
1925 (4258) 을축	1 대한통의부大韓統義府, 만주 길림성에서 정의부正義府를 조직함. 3-10 김혁金赫 · 김좌진金佐鎭 등, 만주 길림성에서 신민부新民府를 조직함. 3-12 배재고등보통학교, 교사 배척 동맹휴학함. 3-23 임시의정원, 이승만李承晩 대통령 탄핵안을 의결함: 박은식朴殷植을 임시대통령으로 선출함. 3-30 대한민국임시정부, 헌법을 개정함: 대통령제 대신 국무령國務領 중심 내각책임제를 채택함. 4-3 중앙도서관 개관. 4-15 전조선기자대회를 개최함. 4-17 조선공산당朝鮮共産黨 창립. 4-18 박헌영朴憲永 등, 고려공산청년회를 조직함. 4-20 조선민중운동대회 탄압에 대항하여 적기赤旗를 들고 종로에서 시가행진을 벌임: 적기사건. 4-24 전국형평사대회全國衡平社大會가 시천교侍天敎 교당에서 개최됨. 5-7 치안유지법治安維持法을 공포함. 5-15 백남훈白南薰 · 안재홍安在鴻 등, 조선사정연구회朝鮮事情硏究會를 조직함. 6-6 총독부에서 조선사편수회朝鮮史編修會를 설립함. 6-11 일본과 중국 간에 미쓰야三矢 협정이 체결됨: 독립군 탄압 목적으로 만주한인 단속을 강화. 7-14 중부 · 남부 지방에 홍수 발생함: 을축년홍수. 8-31 이종일李鍾一 사망. 8 김기진金基鎭 · 박영희朴英熙 등, 조선프롤레타리아 예술가동맹KAPF을 결성함. 9-24 대한민국임시정부, 이상룡李相龍을 국무령에 임명함. 9-29 김준연金俊淵 · 김현철金顯哲 · 유광렬柳光烈 등, 조선농민사朝鮮農民社를 창립함. 11-1 박은식朴殷植, 중국 상하이上海에서 순국함. 11-16 경성~봉천간 전화가 개통됨. 11-27 박헌영朴憲永 · 임원근林元根 등 공산당 간부가 다수 검거됨: 제1차 공산당사건. 11-28 이상재李相在 · 윤치호尹致昊 · 조병옥趙炳玉 등, 태평양문제연구회를 조직함. 12-16 이영구李榮九, 이완용李完用 암살에 실패함. ▸김소월金素月 시집 《진달래꽃》, 장도빈張道斌 저 《조선위인전朝鮮偉人傳》이 발간됨.	1-21 알바니아 국민회의, 공화국을 선언함. 3-12 중국 쑨원孫文, 베이징에서 병사함. 4-22 일본, 치안유지법을 공포함. 5-1 키프로스Kypros, 영국의 직할 식민지가 됨. 4-22 일본, 남자보통선거법을 공포함. 5-30 영국, 경찰이 중국 상하이上海에서 데모대에 발포함: 5 · 30사건. 6-1 중국, 상하이上海 노동자 · 상인들이 5 · 30사건에 항의하는 파업 벌임. 6-23 영국 · 프랑스, 중국 광둥성廣東省에서 데모대에 발포함: 광둥혁명정부, 대영국 경제 단교를 선언함. 7-18 레바논, 대프랑스 반란 일어남. 9-30 그리스, 공화국헌법을 공포함. 10-5 로카르노Locarno 조약이 가조인됨: 베르사유Versailles 조약 준수에 합의. 10-12 소련, 독일과 통상조약에 조인함. 11-22 중국, 봉천파 궈쑹링郭松齡이 장쭤린張作霖에 항거함: 12-23 진압됨. 12-18 소련, 공산당대회를 개최함: 스탈린Stalin의 1국 사회주의론 채택. 12-23 중국, 국민당 우파가 국공합작國共合作에 반대하여 서산西山에서 회합함. ▸페르시아, 팔레비Pahlevi 왕조 성립.

연대	우리 나라	다른 나라
1926 (4259) 병인	**1-3** 전남 무안 자은면에서 쟁의중이던 1천여명이 목포에서 경찰과 충돌함. **1-4** 경성 시내에 허무당선언문虛無黨宣言文이 살포됨. **1-6** 수양동맹회修養同盟會, 동우회구락부와 연합하여 수양동우회修養同友會로 개편함. 총독부가 경복궁景福宮의 새 청사로 이전함. **1-22** 노백린盧伯麟 사망. **2-11** 이완용李完用 사망. **2-18** 대한민국임시정부, 국무령 이상룡李相龍이 사임함: 후임 양기탁梁起鐸도 자퇴. **2-27** 도량형법을 공포함: 미터법 전용. **4-1** 경성제국대학 의학부 · 법문학부 개설. **4-5** 양기탁梁起鐸 등, 만주에서 고려혁명당을 조직함. **4-10** 토월회土月會, 56회 공연 후 해산함. **4-26** 순종 사망. **4-28** 송학선宋學先, 창덕궁昌德宮 금호문金虎門 앞에서 총독을 암살하려다 실패함. **5-3** 안창호安昌浩, 임시의정원에서 국무령에 선출되었으나 자퇴함. **5-20** 한용운韓龍雲, 《님의 침묵》을 발간함. **6-10** 순종 국장을 거행함: 6 · 10만세운동 일어남. **6-21** 제2차 공산당사건 일어남. **6-26** 여운형呂運亨, 중국 광둥廣東에서 한인혁명군韓人革命軍을 조직함. **7-7** 홍진洪震, 대한민국임시정부 국무령에 선출됨. **8-24** 성악가 윤심덕尹心悳, 극작가 김우진金祐鎭과 현해탄玄海灘에 투신하여 동반자살함. **8-26** 나도향羅稻香 사망. **10-1** 나운규羅雲奎 감독 · 각본 · 주연의 〈아리랑〉이 단성사團成社에서 상영됨. **10-9** 스웨덴 구스타프Gustav 황태자가 방한하여 경주 서봉총瑞鳳塚 발굴에 참가함. **11-4** 조선어연구회, 이날을 '가갸날'로 함. **11-15** 이상협李相協, 《중외일보中外日報》를 창간함. **12-6** 안광천安光泉 · 김준연金俊淵 등, 조선공산당을 다시 조직함(ML당). **12-10** 유일한柳一韓, 유한양행柳韓洋行을 설립함. **12-14** 김구金九, 대한민국임시정부 국무령에 취임함. **12-28** 의열단 나석주羅錫疇, 식산은행과 동양척식주식회사에 폭탄 던지고 자결함. **12** 김기진金基鎭, 《조선지광朝鮮之光》에 문예시평을 발표함: 박영희朴英熙와의 논쟁이 시작됨.	**1-3** 그리스, 공화국 헌법 폐지. **1-4** 중국, 국민당 전당대회를 개최함. **2-12** 중국 국민군, 일본 구축함을 포격함. **2** 이탈리아, 파시스트Pascist 입법을 발표함. **3-18** 중국 군벌정부, 반제 · 반군벌 데모대에 발포함: 3 · 18 사건. **3-20** 중국 장제스蔣介石, 중산함中山艦 함장 리지룽李之龍 등 공산당원을 체포함: 중산함사건中山艦事件. **4-24** 독일 · 소련, 베를린 중립조약에 조인함. **5** 노르웨이, 아문센Amundsen과 노빌레Nobile가 북극 횡단비행에 성공함. **6-14** 브라질, 국제연맹 상임이사국에서 탈퇴함. **6** 중국, 홍콩에서 대영국 보이코트 투쟁 일어남. **7-9** 중국 장제스蔣介石, 국민혁명군 총사령관에 취임함: 27일 북벌 선언. **7** 프랑스, 프왱카레Poincaré 내각 출범. **8** 그리스, 혁명 일어남. **9-5** 중국, 영국 함대를 공격함: 반영운동이 확대됨. **9-8** 독일, 국제연맹에 가입함: 상임이사국에 피선. **9-11** 스페인, 국제연맹에서 탈퇴함. **11-26** 중국, 국민당 좌파가 우한武漢 천도를 결의함. **12-25** 일본, 히로히토裕仁 즉위: 쇼와昭和로 개원함. **12** 프랑스 · 독일, 자르Saar 국경협정에 조인함. ▶프랑스, 모네Monet 사망.

연대	우 리 나 라	다 른 나 라
1927 (4260) 정묘	**1**-22 연초전매령을 개정하여 공포함: 담배의 완전 전매제도 확립. **2**-10 조선어연구회, 《한글》을 창간함. **2**-15 좌우익 합작의 항일단체인 신간회新幹會가 창립됨: 회장 이상재李商在. **2**-16 경성방송국, 정동에서 방송을 개시함: 호출부호 JODK. **2** 김규식金奎植, 중국 난징南京에서 결성된 동방피압박민족연합회 회장에 선임됨. **3**-5 대한민국임시정부, 임시약헌臨時約憲을 공포함. **3**-17 천주교 평양교구가 경성교구에서 독립함. **3**-30 이상재李商在 사망: **4**-7 사회장 거행. **4**-1 안창호安昌浩, 만주 길림성에서 농민호조사農民互助社를 조직함. **4**-20 장인환張仁煥, 미국에서 출옥하여 귀국함. **5**-19 송학선宋學先, 서대문감옥에서 순국함. **5**-27 황신덕黃信德 · 김활란金活蘭 등, 근우회槿友會를 조직함. **6**-15 이해조李海朝 사망. **7**-10 전협全協 대동단大同團 단장, 가출옥 중 병사함. **7** 조명희趙明熙, 〈낙동강洛東江〉 발표. 조윤제趙潤濟, 《조선소설발달개관朝鮮小說發達槪觀》 펴냄. **8**-1 경성무선국京城無線局 통신을 개시함. **9**-1 윤극영尹克榮 · 한정동韓晶東 등, 조선동요연구협회를 창립함. **10** 전북 군산 이엽사二葉社 농장 농민들이 소작료 불납운동을 전개함. **11** 홍난파洪蘭坡, 이원수李元壽 작사의 〈고향의 봄〉을 작곡함. **12**-1 한강철교 복선 운행을 개시함. **12**-10 총독에 야마나시山梨半造가 부임함. **12**-16 오동진吳東振 정의부 위원장 , 신의주에서 체포됨. **12**-20 제1회 전국씨름대회를 개최함. ▶이능화李能和 저 《조선여속고朝鮮女俗考》와 《조선해어화사朝鮮解語花史》 간행. 최남선崔南善의 〈백두산근참기白頭山覲參記〉 간행 ▶마봉옥馬鳳玉, 한국 최초의 마라톤 공인기록을 수립함: 3시간 29분 37초.	**1**-4 중국 국민군, 한커우漢口의 영국 조계지租界地를 점령함. **2**-21 중국 왕자오밍汪兆銘, 우한武漢 국민정부를 수립함. **3**-14 미국, 팬 아메리카 항공회사가 발족됨. **3**-15 일본, 금융공황 일어남. **3**-24 중국 국민군, 난징南京을 점령하고 영국 영사관에 침입함: 영국군, 난징南京에 포격. **4**-12 중국 장제스蔣介石, 상하이上海에서 쿠데타 일으킴: 공산당 배격 선언. **4**-18 중국 장제스蔣介石, 난징南京 정부를 수립함. **5**-20 미국 린드버그Lindberg, 처음으로 대서양 무착륙 비행에 성공함. **5**-28 일본, 제1차 산둥山東 출병을 감행함. **9**-9 중국 마오쩌둥毛澤東, 징강산井崗山에 근거지를 구축함. **11**-27 이탈리아, 알바니아를 보호국으로 함. **12**-11 중국 공산당, 광저우廣州에서 무장 봉기하여 광저우코뮌廣州Commune을 수립함: 13일 궤멸됨. **12**-14 영국, 이라크와 조약을 체결함: 이라크 자치 확대를 승인함. **12**-15 중국, 대소련 국교 단절을 통고함. ▶중국, 캉유웨이康有爲 사망. ▶인도네시아 수카르노Sukarno, 인도네시아 국민당을 조직하여 독립운동을 주도함. ▶캐나다 블랙Black, 시난트로푸스 페키넨시스속Sinanthropus Pekinensis屬을 설정함.

연대	우리나라	다른나라
1928 (4261) 무진	**1**–19 전문학교령을 개정함. **2**–12 김마리아 등 미주의 한국 여학생들이 근화회槿花會를 조직함: 독립운동 후원 단체. **2**–20 김지섭金祉燮, 일본에서 복역 중 사망함. **3**–28 총독부에서 동아일보사의 문맹퇴치운동을 금지시킴. **3**–30 소련정부가 중앙아시아의 농업 개발 위해 블라디보스토크Vladivostock의 한인韓人 300여명을 강제로 이주시킴. **4**–13 경성방송국, 전속 오케스트라를 조직함. **5**–14 조명하趙明河, 타이완臺灣에서 일본 황족을 저격했으나 실패함. **6**–5 이영행李永行 · 방용배方龍培, 총독부 정무총감을 암살하려다 체포됨. **6**–29 치안유지법을 개정하여 공포함. **6**–30 구월산九月山 단군사당檀君祠堂이 강제 철거됨. **7**–31 경상합동은행慶尙合同銀行이 설립됨: 경남은행과 대구은행을 통합함. **8**–10 평양부립도서관 개관. **8** 총독부에서 한국인 성씨를 조사함: 총 492성씨. **9**–1 함경선咸鏡線(원산~종성) 철도가 개통됨. **10**–1 박승희朴勝喜 등, 토월회土月會를 다시 조직함. **10**–8 조선변호사대회를 개최함: 보안법保安法 폐기 의결. **10**–16 박용만朴容萬, 밀정으로 오인되어 중국 베이징北京에서 의열단원에게 피살됨. **10** 경성의 숭례문~효자동간 전차 선로가 준공됨. **11**–21 홍명희洪命熹, 《조선일보》에 장편 〈임꺽정〉을 연재하기 시작함. **11** 박진朴珍, 극단 화조회火鳥會를 조직함. **12**–2 울산비행장 개장. 조선소방협회朝鮮消防協會가 설립됨. **12**–27 코민테른Comintern에서 조선공산당 승인을 취소하고 재건 명령을 하달함: 12월 테제. ▶최남선崔南善의 《불함문화론不咸文化論》, 오세창吳世昌의 《근역서화징槿域書畵徵》을 간행함. ▶전국 호구조사: 332만 8663호, 1866만 7334명으로 집계됨. 재일본 한국인수가 24만 3328명으로 집계됨.	**1**–4 소련, 토지소유금지법을 발표함. **1**–16 소련 스탈린Stalin, 트로츠키Trotskii 일파를 국외로 추방함. **2**–21 이탈리아, 파쇼의용단Fascio義勇團을 정규군에 편성함. **3**–15 일본, 공산당원을 일제히 검거함: 3 · 15사건. **4**–9 터키, 이슬람교를 국교로 하는 헌법 조항을 폐지함. **4**–19 일본, 제2차 산둥山東 출병을 감행함. **4**–26 인도, 뭄바이Mumbai 노동자들이 반제 총파업 벌임. **5**–1 중국 북벌군, 산둥성山東省 지난濟南을 점령함. **5**–3 일본군, 국민군과 지난에서 충돌함. **5**–30 이탈리아 · 터키, 불가침조약을 체결함. **6**–4 중국 장쭤린張作霖, 일본의 열차 폭탄테러로 사망함. **6**–9 중국 북벌군, 베이징北京에 입성함: 국내 통일. **7**–2 영국 의회, 평등선거권법을 의결함. **8**–27 프랑스, 파리에서 켈로그 · 브리앙Kellogg–Briand 부전조약이 체결됨. **10**–1 소련, 제1차5개년계획을 발표함. **10**–8 중국 장제스蔣介石, 국민정부 주석에 취임함. **11**–3 미국, 중국 국민정부를 승인함: **12**–20 영국도 승인. ▶영국 플레밍Fleming, 페니실린을 발견함.

연대	우리 나라	다른 나라
1929 (4262) 기사	**1**–3 경성 각황사覺皇寺(현 조계사曹溪寺)에서 전국불교 선·교 양종 승려대회를 개최함. **1**–13 원산 부두 노동자들이 노동조건 개선을 요구하며 파업 벌임: 원산총파업. **1**–16 편강렬片康烈, 병보석 중 사망함. **3**–28 인도 타고르Tagore가 《동아일보》에 〈조선은 아세아의 등촉〉을 기고함. **3**–29 항공우편규칙을 공포함. **3** 정의부·참의부·신민부, 만주 길림성에서 자치기관으로 국민부國民府를 조직함. **4**–1 여의도비행장 개장. **5**–5 조선비행학교 개교: 교장 신용욱愼鏞頊. 방인근方仁根, 《문예공론文藝公論》을 창간함. **5**–6 함흥고등보통학교 학생들이 조선사 교사와 조선어 교사를 요구하며 동맹휴학함. **6**–2 안병찬安炳瓚 사망. **6**–14 월간《삼천리三千里》 창간: 주간 김동환金東煥. **6**–20 민태원閔泰瑗, 〈청춘예찬靑春禮讚〉을 발표함. **6**–24 야마나시山梨半造 총독이 뇌물 사건으로 구속됨: **8**–17 후임에 사이토齋藤實가 재임명됨. **7**–1 신간회新幹會 전국대표대회를 개최함. **7** 김좌진金佐鎭 등, 만주에서 신민부新民府를 토대로 한족총연합회를 조직함. **9**–7 안익태安益泰, 경성공회당에서 첼로 독주회를 개최함. **9**–23 박재혁朴載赫, 옥중에서 단식 자결함. **10**–30 광주~나주 통학열차에서 일본 학생과 조선 학생이 충돌함. **11**–3 광주학생운동 발발: 전국으로 확대됨. **11**–4 신간회新幹會, 광주학생운동 진상 조사 위해 김병로金炳魯·허헌許憲 등을 광주에 파견함. **12**–12 평양의 전 학교가 만세 시위에 참여함. **12**–13 민중대회사건으로 신간회新幹會 및 근우회槿友會 간부 다수 검거됨. ▸신채호申采浩의 《조선사연구초朝鮮史硏究草》, 양주동梁柱東 시집 《조선의 맥박脈搏》, 게일Gale 역 《신구약성서新舊約聖書》가 간행됨. ▸민요 〈아리랑〉이 금지곡으로 됨.	**1**–1 인도, 국민회의 자치가 결성됨. **2**–9 소련·폴란드·루마니아·에스토니아·라트비아, 부전조약不戰條約 실시에 관한 리트비노프Litvinov 의정서에 조인함. **2**–11 교황청, 아탈리아 무솔리니Mussolini와 라테란Lateran 조약을 체결함: 교황청(바티칸시국Vatican市國) 독립. **4**–16 일본, 공산당원을 일제히 검거함: 4·16사건. **6**–7 대독일 배상에 관한 영Young안이 성립됨: 배상금을 삭감해 줌. **7**–9 독일 히틀러Hitler, 영안Young案 반대운동을 벌임. **7**–17 중국·소련, 동지철도東支鐵道 회수를 둘러싸고 의견 대립으로 국교를 단절함. **8** 예루살렘에서 아랍인의 대규모 유대인 습격사건 일어남: 통곡의 벽 사건. **10**–24 미국, 주식시장 주가가 폭락함: 세계적인 공항 시작. **12**–22 중국·소련, 동지철도東支鐵道 협정을 체결함. **12**–31 인도 국민회의파, 간디Gandhi의 독립결의안을 채택함. ▸중국, 량치차오梁啓超 사망. ▸베트남 호찌민胡志明, 인도차이나 공산당을 결성함: 반프랑스 독립운동 전개. ▸미국 헤밍웨이Hemingway, 〈무기여 잘 있거라〉를 발표함.

연대	우리나라	다른나라
1930 (4263) 경오	**1-8** 광주고등보통학교 학생 17명이 제3차 봉기 꾀하다 퇴학처분당함:이후 개성 · 부산 · 신의주 · 평양 · 함흥 · 경성 · 원산 · 정주 등 전국에서 학생들 만세 시위 일어남. **1-10** 부산 조선방직회사 직공들이 처우 개선을 요구하며 파업 벌임. **1-24** 김좌진金佐鎭, 북만주에서 공산주의자에게 암살당함: **3-25** 장례식 거행. **1** 미쓰코시백화점三越百貨店 경성지점(현 신세계백화점)이 준공됨. **2-26** 광주학생운동 주도자 황남옥黃南玉 등 50여 명이 징역 4~8개월을 선고 받음. **3-1** 이동녕李東寧 · 김구金九 등, 중국 상하이上海에서 한국독립당을 조직함. **3-19** 에스페란토Esperanto 연구회가 창립됨. **3** 정지용鄭芝溶 · 박용철朴龍喆 · 김영랑金永郎 등, 《시문학詩文學》을 창간함. **4** 평북 용천 불이서선농장不二西鮮農場에서 소작쟁의 일어남: 100호가 소작권을 매도하고 만주로 이전함. **5-7** 이인李仁 변호사, 광주학생운동 변론 내용이 불온하다 하여 6개월 정직당함. **5-9** 이승훈李昇薰 사망. **5** 한용운韓龍雲 · 김법린金法麟 등, 항일 비밀결사 만당卍黨을 조직함. **7-26** 홍진洪震 · 지청천池靑天 등, 한국독립군을 조직함. **8-2** 장지영張志暎의 《조선어철자법강좌朝鮮語綴字法講座》를 간행함. **9-12** 부전강赴戰江 수력발전소 저수지가 완공됨. **9** 홍해성洪海星, 신흥극장을 조직함. **10-1** 개성과 함흥이 각각 부府로 승격됨. **10-22** 경성~강릉 시험 비행을 실시함. **11-8** 한규설韓圭卨 사망. **11-12** 황해선黃海線(사리원~동해주)이 완전 개통됨. **12-1** 지방제도를 개정함: 읍 · 면 · 도제 공포. **12-13** 조선어연구회, 〈한글맞춤법통일안〉 제정을 결의함. **12** 여수~광주 철도가 완공됨. ▶공연장 광무대光武臺가 불탐. ▶이난영李蘭影, 〈목포의 눈물〉을 발표함.	**1-21** 미국 · 영국 · 일본 · 독일 · 이탈리아, 영국 런던에서 해군군축회의를 개최함. **2-3** 베트남 공산당, 중국 홍콩에서 창립됨. **2-6** 이탈리아 · 오스트리아, 우호조약에 조인함. **2-26** 일본, 공산당원을 일제히 검거함. **2** 소련, 집단농장화운동을 강화함. **3-12** 인도, 간디Gandhi의 지도하에 원탁회의를 거부함: 제2차 비폭력 불복종 운동 전개. **5-17** 팔레스타인Palestine 유대인이 영국의 이민제한령에 항거하여 동맹파업을 벌임. **5-19** 남아프리카연방, 백인 여성에게 보통선거권을 확대 실시함. **7-27** 중국, 펑더화이彭德懷가 지휘하는 홍군紅軍이 창사長沙 를 점령함: 29일 창사長沙 소비에트정부 수립. **7** 독일, 경제상의 불황이 심각해짐. **8-5** 중국 국민정부, 홍군紅軍으로부터 창사長沙 를 탈환함. **9-14** 독일 나치스당Nazis黨, 총선거에서 선전하여 제2당이 됨. **10-26** 브라질, 반란지도자 바르가스Vargas가 대통령이 됨. **12** 중국 국민정부, 제1차 소비에트지구 토벌을 시작함.

연대	우리 나라	다른 나라
1931 (4264) 신미	**1**–3 대구에 약령시藥令市가 개설됨. **1**–10 조선어연구회, 조선어학회朝鮮語學會로 개칭함. **2**–19 손정도孫貞道 사망. **3**–1 안창호安昌浩 · 조소앙趙素昻 등, 중국 상하이上海에서 조선혁명당을 창립함. **3**–29 안창호安昌浩 등, 중국 상하이上海 흥사단興士團 내에 공평사公平社를 조직함. **4**–14 신간회新幹會, 경성지회의 해체를 결의함: **5**–15 전국대회에서 해체를 결의함. **4**–18 대한민국임시정부, 건국원칙으로 삼균주의三均主義를 천명함. **5**–5 조만식曺晩植 · 윤치호尹致昊 · 안재홍安在鴻 등, 유적보존회를 설립함. **6**–17 총독에 우가키宇垣一成가 부임함. **6** 동아일보사, 브나로드Vnarod(민중 속으로) 운동을 시작함. 제1차 카프KAPF사건 발생: 박영희朴英熙 · 김기진金基鎭 · 임화林和 등 70여명 검거됨. **7**–2 만주 길림성 만보산에서 한 · 중 농민이 충돌함: 만보산사건萬寶山事件. **7**–3 경성과 인천 등지에서 중국인 습격사건 발생함: 만보산사건萬寶山事件 영향. **7**–7 각 사회단체에서 중국인에 대한 박해는 조선민족의 의사가 아님을 성명함. **7**–8 서항석徐恒錫 · 김진섭金晋燮 등, 극예술연구회劇藝術硏究會를 조직함. **7**–15 동아일보사 김이삼金利三 기자, 만보산사건萬寶山事件을 보도하여 만주 길림성에서 피살됨. **7**–23 방정환方定煥 사망. **7**–26 동아일보사, 이충무공유적보존운동을 시작함. **8** 이상李箱, 《조선일보》에 〈오감도烏瞰圖〉를 발표함. **10**–4 중국 상하이의 항일 독립단체들이 중국 국민정부에 독립운동자 보호를 요청함. **11**–1 동아일보사, 《신동아新東亞》를 창간함. 개성박물관開城博物館 개관. **11** 경성제국대학 학생들이 반제동맹사건反帝同盟事件으로 다수 검거됨. ▶김구金九, 한인애국단韓人愛國團을 조직함:일본 요인 암살 목적.	**1**–12 인도, 대규모 대영국 투쟁을 전개함. **3**–4 인도 총독, 간디Gandhi와 델리Delhi 협정에 조인함. 미국, 후버Hoover 대통령이 취임함. **5**–16 중국 장제스蔣介石, 제2차 공산군 토벌전을 개시함. **5**–28 중국 왕자오밍汪兆銘 · 니쭝닌李宗仁 등, 장제스蔣介石에 대항하여 광저우廣東에 국민정부를 수립함. **6**–5 독일, 배상금 지불이 어려움을 성명함. **6**–20 미국 후버Hoover 대통령, 배상 및 채무 지불의 1년 유예를 제안함. **7**–16 이디오피아, 헌법을 공포함: 의회 설치 및 노예제 폐지. **7**–28 중국 국민당, 만보산사건萬寶山事件은 일본의 사주에 의한 것임을 성명함. **9**–12 영국 · 인도, 제2회 원탁회의를 개최함. **9**–18 일본 관동군, 류타오호우柳條湖 만철滿鐵 선로를 폭파함: 만주사변滿洲事變 발발. **9**–26 중국, 상하이上海에서 항일 대집회를 개최함. **10**–13 국제연맹, 일본에 기한부 철병을 권고함. **11**–7 중국 마오쩌둥毛澤東, 중화소비에트 임시 중앙정부를 수립함. **12**–10 국제연맹, 만주사변 관련하여 만주에 조사단 파견을 결정함. **12**–15 중국 장제스蔣介石, 하야함. ▶미국, 에디슨Edison 사망.

연대	우리 나라	다른 나라
1932 (4265) 임신	**1**–8 한인애국단원 이봉창李奉昌, 도쿄에서 일본왕 히로히토裕仁 암살에 실패함. **1** 김동인金東仁, 《동광東光》에 단편 〈발가락이 닮았다〉를 발표함. **2**–23 평북 용천龍川 소작조합이 강제 해산당함. **2** 조선혁명군, 중국혁명군과 합작하여 한 · 중연합군을 조직함. **3**–11 양세봉梁世奉 조선혁명군 총사령, 중국 의용군과 함께 일본군을 대파함. **3** 김성수金性洙, 보성전문학교를 인수함. **4**–12 이광수李光洙, 《동아일보》에 장편 〈흙〉을 연재하기 시작함. **4**–29 윤봉길尹奉吉, 중국 상하이 훙커우虹口 공원에서 상하이사변 축하식장에 폭탄 던짐: 주중국 일본군사령관 시라카와白川義則 등 사상. **4**–30 안창호安昌浩, 윤봉길尹奉吉 의거와 관련된 혐의로 상하이에서 검거됨. 임영신任永信, 중앙보육학교를 인수함. **5** 대한민국임시정부, 중국 상하이上海에서 항저우杭州로 이전함. 이상룡李相龍 사망. **6**–5 현충사顯忠祠 낙성식과 이충무공李忠武公 영정 봉안식이 거행됨. **6**–15 조만식曺晩植, 조선일보사 사장에 취임함. **7**–10 방응모方應謨, 《조선일보》를 인수함. **9**–19 한 · 중연합군, 쌍성보를 일시 점령함: 제1차 쌍성보전투雙城堡戰鬪. **9**–30 충청남도청이 공주에서 대전으로 이전함. **10**–10 이봉창李奉昌, 일본 형무소에서 순국함. **10** 한국독립당 · 신한독립당 · 조선혁명당 · 의열단 등, 중국 난징南京에서 대일전선통일동맹을 결성함. **11**–7 한 · 중연합군, 제2차 쌍성보전투雙城堡戰鬪에서 승리함. **11**–17 독립운동가 이회영李會榮, 일제의 고문으로 순국함. **12**–19 윤봉길尹奉吉, 일본 형무소에서 순국함. **12**–20 총독부가 산미증식계획 중지를 발표함. **12**–25 한 · 중연합군, 일본 · 만주 연합부대를 경박호鏡泊湖 부근에서 격파함.	**1**–1 중국 장제스蔣介石, 왕자오밍汪兆銘과 함께 신국민정부를 수립함. **1**–3 일본 관동군, 중국 진저우錦州를 점령함. **1**–9 독일, 배상금 지불 불능을 선언함. **1**–28 일본군, 상하이를 점령함: 상하이사변上海事變. **2**–16 국제연맹, 일본에게 상하이上海에서의 전투행위 중지를 요구함. **3**–1 일본, 만주국滿洲國을 세움: 9일 부의溥儀가 만주국 집정執政에 취임함. **4**–21 국제연맹, 만주사변에 대한 조사를 실시함. **5**–15 일본 이누카이犬養毅 수상, 육 · 해군 장교들에게 암살당함: 5 · 15사건. **6**–24 타이, 쿠데타 발생함:입헌군주국 성립. **7**–8 로잔Lousanne 회의, 독일 배상금을 인하함. **7**–25 소련 · 폴란드 · 에스토니아 · 라트비아 · 핀란드, 불가침조약에 조인함. **7**–31 독일 나치당스Nazis黨, 총선거에서 제1당이 됨. **9**–22 헤자즈Hejaz와 네즈드Nejd의 왕국이 사우디아라비아Saudi Arbia로 개칭함. **11**–8 미국 루스벨트Roosevelt, 대통령에 당선됨. **11**–29 프랑스 · 소련, 불가침조약에 조인함. **12**–12 중국 국민정부, 소련과 국교를 회복함. ▶이라크, 영국으로부터 독립함.

연대	우리 나라	다른 나라
1933 (4266) 계유	**1**-17 양전백梁甸伯 사망. **1**-23 뮈텔Mütel 대주교 사망. **1** 동아일보사, 여성지《신가정新家庭》을 창간함. 민속학회, 《조선민속朝鮮民俗》을 창간함: 발행인 송석하宋錫夏. **2**-17 이승만李承晩, 스위스 제네바에서 열린 국제연맹회의에 한국 대표로 참석함. 《중앙일보中央日報》가 《조선중앙일보朝鮮中央日報》로 개제함. **3**-1 남자현南慈賢·이규동李奎東, 일본 장교 살해 목적으로 만주정부 건국 기념식에 폭탄 지니고 잠입하다 검거됨: **8**-22 남자현, 병보석 중 순국함. **3**-7 낙동강교를 준공함. **3**-17 백정기白貞基·이강훈李康勳·이원훈李元勳, 중국 상하이 훙커우공원虹口公園에서 일본공사 아리요시有吉明를 암살하려다 체포됨. **4**-1 신문사에서 〈한글맞춤법통일안〉에 의한 철자법으로 발행하기 시작함. **4**-15 한·중연합군, 사도하자四道河子 전투에서 일·만연합군 1개 사단을 격퇴함: **7**-3 대전자령大田子嶺에서 일본군을 섬멸함. **4**-26 김동인金東仁, 《조선일보》에 〈운현궁雲峴宮의 봄〉을 연재하기 시작함. **5** 대한민국임시정부 국무령 김구金九, 중국 장제스蔣介石와 뤄양洛陽군관학교에 한인훈련반을 설치할 것에 합의함: **11**-15 설치. **6**-2 동아일보사, 한산도閑山島에서 이충무공李忠武公 영정 봉안식 및 제승당制勝堂 중건 낙성식을 주관함. **6**-7 한·중연합군, 일·만연합군을 격퇴하고 동경성東京城을 점령함. **6**-18 총독부가 압록강·두만강 연안에 국경감시단을 설치함: 독립군 출입 감시 목적. **8**-27 평양부립박물관을 준공함. **9**-27 이광수李光洙, 《동아일보》에 장편 〈유정有情〉을 연재하기 시작함. **11**-4 조선어학회, 〈한글맞춤법 통일안〉을 발표함. 남궁억南宮檍, 비밀결사 십자당사건十字黨事件으로 검거됨. ▶김재철金在喆 저 《조선연극사朝鮮演劇史》, 김소운金素雲 편 《조선구전민요집 朝鮮口傳民謠集》이 간행됨.	**1**-1 중국군·일본군, 중국의 산하이관山海關에서 충돌함: 산하이관사건. **1**-15 미국, 만주국滿洲國 불승인을 열국에 통고함. **1**-30 독일 히틀러Hitler, 수상에 취임함. **2**-24 국제연맹, 일본군의 만주 철퇴안을 결의함. **3**-4 미국 루스벨트Roosevelt 대통령, 뉴딜New Deal 정책 실시를 발표함. **3**-23 독일, 바이마르Weimar 공화국 헌법을 폐기함. **3**-27 일본, 국제연맹에서 탈퇴함. **5**-19 중국·미국, 극동평화 회복을 위한 공동성명을 발표함. **7**-10 영국·프랑스·이탈리아·독일, 4국협정에 조인함. **7**-20 독일, 로마 법왕청과 정·교협약을 맺음. **8**-2 이탈리아·소련, 불가침우호조약에 조인함. **9**-5 쿠바, 바티스타Batista의 쿠데타 일어남. **9**-15 그리스·터키, 불가침조약에 조인함. **10**-5 중국 장제스蔣介石, 공산당 소탕전을 시작함. **10**-14 독일, 제네바 군축회의와 국제연맹에서 탈퇴함. **11**-17 미국, 소비에트 사회주의 공화국 연방을 승인함. ▶독일 아인슈타인Einstein·토마스만Thomas Mann·츠바이크Zweig 등, 미국으로 망명함.

연 대	우 리 나 라	다 른 나 라
1934 (4267) 갑술	**1-1** 박영준朴榮濬 · 최인준崔仁俊, 각각 단편 〈모범경작생模範耕作生〉(조선일보)과 〈황소〉(동아일보)가 신춘문예에 당선됨. **2** 한국독립당 · 한국혁명당, 신한독립당新韓獨立黨으로 통합을 결의함. **4-5** 최현배崔鉉培 저 《중등조선말본》을 간행함. **4-11** 농지령農地令을 공포함. **4** 영왕英王 이은李垠, 일본에서 귀국함. **5-7** 이병도李丙燾 · 김윤경金允經 · 이병기李秉岐 등, 진단학회震檀學會를 창립함. **5** 이기영李箕永 · 백철白鐵 · 박영희朴英熙 등 60여 명 검거됨: 신건설사사건新建設社事件(제2차 카프KAPF사건). **6-22** 상속령相續令을 공포함. **7-2** 신의주新義州 비행장이 완공됨. **9-14** 나병요양소癩病療養所 관제가 공포됨: **10-1** 소록도갱생원小鹿島更生園을 설치함. **9-17** 한국독립당, 중추원中樞院 참의에 임명된 최린崔麟에 대한 성토문을 배포함. **9-18** 양세봉梁世奉 조선혁명군 총사령, 일본군의 습격 받고 전사함. **9** 조풍연趙豊衍, 《삼사문학三四文學》을 창간함. 채만식蔡萬植, 《신동아》에 단편 〈레이디메이드 인생〉을 발표함. 박태원朴泰遠, 《조선일보》에 단편 〈소설가 구보씨仇甫氏의 1일〉을 발표함. **10-1** 흥남興南 제련소 직공들이 대우개선 · 부당해고 등의 문제로 파업 벌임. **11-1** 부산~신징新京 직통열차 운행이 개시됨. **11-6** 박화성朴花城, 《조선일보》에 단편 〈신혼여행新婚旅行〉을 연재함. **11-28** 진단학회震檀學會, 《진단학보震檀學報》를 창간함. **11** 천도교 교령 최린崔麟, 친일단체 시중회時中會를 조직함: 기관지 《시중時中》 발행. **12** 김구金九, 한국특무독립군을 조직함. ▶김태준金台俊 편 《조선가요집성朝鮮歌謠集成》, 이은상李殷相 저 《노산시조집鷺山時調集》을 간행함. ▶김기림金起林, 평론 〈시의 회화성繪畵性〉 발표. ▶ 재일본 한국인이 53만 7576명으로 집계됨.	**1-26** 독일 · 폴란드, 불가침조약을 체결함. **1** 중국, 푸젠福建 인민정부가 국민당 공격으로 괴멸됨. **2-6** 프랑스, 극우단체 소요 발생함: 2월사건. **3-1** 만주국 부의溥儀, 황제에 즉위함: 강덕康德으로 개원. **3-24** 미국, 필리핀 자치를 인정함: **5-29** 쿠바 독립을 승인함. **5** 인도 네루Nehru, 국민회의파 사회당을 건설함. **7-25** 오스트리아, 빈Wien에서 나치스당Nazis黨 반란 일어남. **8-2** 독일, 힌덴부르크Hindenburg 대통령 사망. **8-18** 독일 히틀러Hitler, 국민투표에서 총통에 선출됨. **9-12** 리투아니아Lithuania · 라트비아Latvia · 에스토니아Estonia 3국, 발트Balt 조약을 체결함. **9-18** 소련, 국제연맹國際聯盟에 가입함. **10-5** 스페인, 반파쇼反fascio 봉기 일어남: 10월사건. **10-10** 중국 홍군紅軍, 대장정大長征을 시작함. **11-20** 일본, 육군 청년장교의 쿠데타 계획이 적발됨. **12-1** 소련, 숙청이 시작됨: 키로프Kirov 등 암살. **12-5** 이탈리아군 · 에티오피아군, 소마릴란드Somaliland 접경지대에서 충돌함. **12-29** 일본, 워싱턴 해군군축조약 파기를 선언함. ▶영국 토인비Toynbee, 《역사의 연구》를 펴냄. ▶프랑스, 퀴리Curie 부인 사망.

연 대	우 리 나 라	다 른 나 라
1935 (4268) 을해	**1**–2 이희승李熙昇 · 이윤재李允宰 등, 조선어표준어 사정위원회를 개최함. **1**–31 이동휘李東輝, 블라디보스토크Vladivostok에서 순국함. **2**–1 지석영池錫永 사망. **3**–25《고종실록高宗實錄》과《순종실록純宗實錄》을 완성함. **4**–1 초등학교 과정 간이학교簡易學校를 설치함. **4**–6 총독부에서 한국 농민 80만명을 만주로 이주시키기로 함. **5**–28 조선프롤레타리아 예술동맹이 해체됨. **5**–31 김광옥金光玉 조선혁명군 사령관, 만주 지안현集安縣에서 전사함. **6** 계용묵桂鎔默,《조선문단朝鮮文壇》에 〈백치白痴 아다다〉를 발표함. **8**–13 심훈沈熏,《동아일보》 창간 기념 소설 현상공모에 〈상록수常綠樹〉가 당선됨. **8**–29 평북 용천龍川의 불이서선농장不二西鮮農場 소작인들이 소작권 승인 문제로 소작쟁의 벌임. **9**–21 부산방송국 개국. **9**–25 조소앙趙素昻 · 박창세朴昌世 등, 한국독립당 재건을 발표함. **9** 총독부에서 각급 학교에 신사참배神社參拜를 강요함. **10**–1 대전 · 전주 · 광주가 읍에서 부府로 승격함. **10**–4 단성사團成社에서 최초의 발성영화 〈춘향전春香傳〉을 상영함. **10**–17 조선일보사,《조광朝光》을 창간함. **11**–10 중국 상하이 일본영사관에서 한인 사립 인성학교仁成學校에 일본어 교육을 명령함: 교장 선우혁鮮于爀, 이를 거부하고 무기 휴교를 선언함. **11**–15 평남 크리스트교계 학교 교장단이 도내 중학교 교장회의에서 신사참배 거부를 결의함. **11**–25 장진강長津江 수력발전소 공사가 완공됨. **11**–26 길선주吉善宙 사망. **11** 대한민국임시정부, 자싱嘉興으로 옮김. 이동녕李東寧 · 이시영李始榮 · 김구金九, 한국국민당 韓國國民黨 조직. **12**–3 청진비행장 개장. **12**–13 김소월金素月 사망. **12** 최상덕崔象德, 동양극장 전속 청춘좌靑春座 조직.	**1**–7 이탈리아, 프랑스와 로마협정을 체결함. **1**–13 독일, 자르Saar 지방을 다시 회복함. **1**–15 일본, 런던 군축회의 탈퇴를 선언함. **3**–16 독일, 베르사유Versailles 군비제한조약을 폐기함: 재무장을 선언함. **3**–21 페르시아Persia, 국명을 이란Iran으로 개칭함. **4**–1 중국 장제스蔣介石, 국민경제 건설운동을 제창함. **4**–11 영국 · 프랑스 · 이탈리아, 스트레자Stresa 회의를 개최함: 독일의 재군비선언을 비난함. **5**–21 독일, 징발령徵發令을 공포함. **6**–18 영국 · 독일, 해군협정을 체결함. **7**–14 프랑스, 인민전선人民戰線을 결성함. **8**–1 중국 공산당, 항일구국통일전선을 제창함. **8**–3 일본, 국체명징國體明徵(천황 중심의 국가체제를 밝힘)을 발표함: **10**–15 제2차 성명을 발표함. **9**–15 독일, 반유대인 뉘른베르크법Nürnberg法을 공포함. **10**–3 이탈리아, 에티오피아를 침공함. **11**–1 중국 왕자오밍汪兆銘, 항일파의 신문기자에게 저격당함. **11**–3 중국, 화폐제도 개혁을 발표함. **11**–4 필리핀, 연방공화국 성립. **12**–9 중국, 반제 데모 일어남.

연대	우리 나라	다른 나라
1936 (4269) 병자	**1–25** 총독부가 학무국學務局 안에 사상계思想係를 설치함: 학생운동 탄압 목적. **2–14** 경성부京城府의 구역을 확장함: 고양·시흥·김포 일부를 편입시킴. **2** 김은호金殷鎬·허백련許百鍊, 조선미술원을 설립함. 민족혁명당, 김창환金昌煥 등의 우파와 김원봉金元鳳 등의 좌파로 분열됨. **3–12** 강경애姜敬愛, 《조선일보》에 단편 〈지하촌地下村〉을 연재함. **3–14** 신채호申采浩, 중국 뤼순旅順 감옥에서 순국함. **3–22** 최성모崔聖模, 만주에서 순국함. **4** 장덕조張德祚, 《삼천리》에 〈자장가〉를 발표함. **5–5** 재만한인조국광복회가 조직됨. **5–22** 백정기白貞基, 일본 형무소에서 순국함. **5** 김동리金東里, 《중앙》에 〈무녀도巫女圖〉를 발표함, 김유정金裕貞, 《조광》에 〈동백꽃〉을 발표함. **6–3** 총독부 발행 〈조선민력朝鮮民曆〉에 음력이 폐지됨. **6** 안익태安益泰, 〈애국가〉를 작곡함. 《신동아新東亞》가 폐간당함. 장항長項제련소가 완공됨. **7** 청춘좌靑春座, 〈사랑에 속고 돈에 울고〉를 공연함. **8–5** 총독에 미나미南太郎가 취임함. **8–9** 손기정孫基禎, 독일 베를린Berlin 올림픽대회 마라톤에서 세계신기록으로 우승함. **8–27** 《동아일보》가 일장기日章基 말소사건으로 무기정간당함. 정인섭鄭寅燮, 덴마크 코펜하겐에서 개최된 세계언어학회에 참가함. **9** 이상李箱, 《조광》에 〈날개〉를 발표함. **10–23** 한강인도교가 개통됨. **10** 이효석李孝石, 《조광》에 〈모밀꽃 필 무렵〉을 발표함. 평남 강서고분江西古墳에서 사신도·인물도 등의 벽화가 발견됨. 나진羅津이 부로 승격됨. **11–3** 중앙선 철도 부설공사를 착공함. **11–15** 평양방송국 개국. **11** 서정주徐廷柱·김동리金東里, 시동인지 《시인부락詩人部落》을 창간함. **12–12** 조선사상범보호관찰령을 공포함. ▶조윤제趙潤濟의 《조선시가사강朝鮮詩歌史綱》, 김영랑金永郎의 《영랑시집》이 간행됨.	**2–26** 일본, 황도파皇道派 청년장교들이 쿠데타를 일으킴: 2·26사건. **3–7** 독일, 로카르노Locarno 조약 폐기를 선언함. 라인란트Rheinland 비무장지대에 침입함. **5–9** 이탈리아, 에티오피아를 합병함. **6–5** 프랑스, 인민전선人民戰線 내각이 조직됨. **7–4** 국제연맹, 이탈리아 제재 정지를 결정함. **7–17** 스페인 프랑코Franco, 파시스트 반란 일으킴. **8–15** 영국·프랑스, 스페인 내란 불간섭을 선언함. **9–23** 소련, 스페인 원조를 선언함. **10–12** 프랑스, 프랑화Franc貨의 평가절하를 결정함. **10–25** 이탈리아, 외상 치아노Ciano가 독일을 방문함: 로마–베를린 추축樞軸 결성. **10–29** 이라크 바크르 시드키Bakr Sidqi, 쿠데타 일으킴. **11–3** 미국 루스벨트Roosevelt, 대통령 선거에서 재선됨. **11–18** 독일·이탈리아, 스페인의 프랑코Franco 정권을 승인함. **11–25** 독일·일본, 방공협정防共協定에 조인함. **12–5** 소련, 새 헌법을 채택함: 스탈린Stalin 헌법. **12–12** 중국 장쉐량張學良, 장제스蔣介石를 감금함: 시안사건西安事件. **12** 중국, 루신魯迅 사망. ▶미국 미첼Mitchell, 〈바람과 함께 사라지다〉를 발표함.

연 대	우 리 나 라	다 른 나 라
1937 (4270) 정축	**1**–1 정비석鄭飛石, 《조선일보》 신춘문예에 단편 〈성황당城隍堂〉이 당선됨. **2**–26 신도 300여명을 살해한 유인호柳寅浩 · 유대열柳大烈 등이 검거됨: 백백교白白敎 사건. **2** 민족혁명당, 김원봉金元鳳 등을 제적하고 한국민족혁명당韓國民族革命黨이라 개칭함: 김원봉 일파, 조선민족혁명당을 조직함. **3**–1 최현배崔鉉培의 《우리 말본》을 간행함. **3**–10 제1차 간도이민단 11,928명이 출발함. **3**–18 총독부에서 집무 중 일본어 사용을 지시함. **3**–31 김말봉金末峰, 《조선일보》에 장편 〈찔레꽃〉을 연재하기 시작함. ▶ 봄. 대한민국임시정부, 전장鎭江으로 옮김. **4**–13 김동삼金東三, 경성감옥에서 순국함. **4**–17 이상李箱, 일본 도쿄에서 사망. **4** 조선물산장려회가 강제 해체됨. **6**–4 동북 항일연합군, 혜산진惠山鎭의 보천普天 주재소를 습격함: 보천보사건普天堡事件. **6**–6 치안유지법 위반 혐의로 수양동우회修養同友會 회원 150여명이 투옥됨: 수양동우회사건. **8**–1 대한민국임시정부, 한국광복진선韓國光復陣線을 결성함: 좌익진영, 조선민족전선을 결성함. **8**–5 협궤철도 수인선水仁線이 개통됨. **9**–14 총독부에서 군수공업동원법 실시를 결정함. **9**–20 압록강鴨綠江 수력발전주식회사가 설립됨. **10**–1 총독부에서 〈황국신민서사皇國臣民誓詞〉를 제정함: 이후 전국에 강제 시행함. **10** 한국국민당韓國國民黨, 난징南京 방송국 통해 항일반만抗日反滿 방송을 개시함. **11**–5 《조선중앙일보》가 폐간당함. **11**–23 대한민국임시정부, 창사長沙로 이전함. **11** 조선민족전선연맹朝鮮民族戰線聯盟이 결성됨. 혜산선惠山線 철도가 개통됨. ▶소련이 극동 시베리아 거주 한인 20만명을 우즈베키스탄과 카자흐스탄 등지로 강제 이주시킴. ▶신석초申石艸 · 김광균金光均 · 이육사李陸史 등, 시동인지 《자오선子午線》을 창간함. 장만영張萬榮 시집 《양羊》, 박영희朴英熙 시집 《회월시초懷月詩抄》, 김광섭金珖燮 시집 《동경憧憬》을 발행함. ▶김유정金裕貞 사망.	**1**–24 유고 · 불가리아, 영세우호조약에 조인함. **3**–16 이탈리아 무솔리니Mussolini, 리비아를 방문하여 이슬람교도 보호를 선언함. **4**–1 미얀마, 영국의 직할 식민지로 됨. **5**–28 영국, 체임벌린Chamberlain 내각이 성립됨. **6**–14 아일랜드 의회, 새 헌법을 채택함. **7**–7 중국, 루거우차오蘆構橋에서 중국군과 일본군이 충돌함: 중일전쟁 발발. **7**–17 중국 장제스蔣介石, 저우언라이周恩來와 회담: 대일항전 발표. **7**–28 일본군, 중국 베이징北京을 점령함: **12**–13 난징南京을 점령함. **8**–13 중국 · 일본, 양국 군대가 상하이에서 충돌함: 제2차 상하이사변上海事變. **8**–15 중국, 대일항전 총동원령을 내림. **8**–21 중국 · 소련, 난징南京에서 불가침조약에 조인함. **9**–22 중국 국민당, 제2차 국공합작을 발표함. **11**–6 독일 · 이탈리아 · 일본, 방공협정에 조인함. **11**–19 이탈리아, 만주국滿洲國을 승인함. **11**–20 중국 국민정부, 충칭重慶을 임시 수도로 함. **12**–11 이탈리아, 국제연맹 탈퇴를 선언함. **12**–14 중국, 베이징北京에 중화민국임시정부를 수립함. **12** 아일랜드, 에이레Eire 공화국으로 개칭함.

연 대	우 리 나 라	다 른 나 라
1938 (4271) 무인	**1**–4 채만식蔡萬植, 《조선일보》에 장편 〈탁류濁流〉를 연재하기 시작함. **1** 김윤경金允經의 《조선문학급어학사朝鮮文學及語學史》를 발간함. **2**–9 평북노회平北老會, 장로교 최초로 신사참배神社參拜를 국가의식으로 인정함. **2**–26 조선육군특별지원병령을 공포함. **3**–10 안창호安昌浩, 병보석 중 순국함. **3**–31 평양의 숭의학교崇義學校와 숭실학교崇實學校가 신사참배神社參拜를 거부하고 폐교당함. **4**–19 총독부가 중등학교에서 조선어교육을 폐지시킴. **4**–30 양기탁梁起鐸 사망. **5**–22 안재홍安在鴻 등 흥업구락부 간부에 대한 총검거가 시작됨: 흥업구락부사건興業俱樂部事件. **6**–13 총독부가 학교근로보국대 구성을 지시함. **6**–17 수양동우회修養同友會 갈홍기葛弘基 등 16명, 친일단체인 대동민우회大東民友會 가입 성명을 발표함. **6**–26 총독부가 근로보국대 조직을 지시함. **7**–1 국민정신총동원 조선연맹이 창립됨. **7**–19 문세영文世榮, 《조선어사전朝鮮語辭典》을 발간함. 조선사편수회, 《조선사朝鮮史》를 간행함. 현진건玄鎭健, 《동아일보》에 장편 〈무영탑無影塔〉을 연재하기 시작함. **7**–23 교원 · 공무원에게 제복을 착용케 함. **7** 대한민국임시정부, 본부를 광둥廣東으로 이전함: **10**–16 다시 류저우柳州로 이전함. **9** 신상우申尙雨 등 흥업구락부사건興業俱樂部事件 구속자 54명이 사상전향서를 제출함. **9**–10 조선장로교, 총회에서 신사참배神社參拜를 결의함. **10**–1 해주海州가 부로 승격됨. **10** 덕수궁미술관德壽宮美術館 개관. **11** 이광수李光洙 등 28명, 사상전향서를 제출함. **12**–15 등화관제규칙燈火管制規則을 공포함. **12** 노천명盧天命의 《산호집珊瑚集》, 김동명金東鳴의 《파초芭蕉》를 간행함. ▶김동인金東仁, 《삼천리》에 평론 〈춘원연구春園研究〉를 연재하기 시작함.	**1**–31 스페인 프랑코Franco, 국민정부를 조직함. **2**–7 중국 · 소련, 군사항공협정에 조인함. **3**–11 독일, 오스트리아에 진주함: 17일 합병을 선언함. **3**–18 멕시코, 석유 국유화를 선언함. **3**–29 중국 장제스蔣介石, 국민당 총재에 취임함: 비상대권을 부여받음. **4**–1 일본, 국가 총동원법을 공포함. **4**–16 영국, 에티오피아에서의 이탈리아 주권을 승인함. **4**–25 영국, 아일랜드 독립을 승인함. **7**–11 소련 · 일본, 만주 장고봉張鼓峰에서 충돌함: **8**–10 정전협정 체결. **9**–29 영국 · 프랑스 · 독일 · 이탈리아, 뮌헨Munchen 회의를 개최함: 슈체친Szczecin 지방을 독일에 할양하기로 함. **10**–27 일본군, 무한삼진武漢三鎭을 함락시킴. **10**–31 중국 장제스蔣介石, 〈전국 민중에게 고하는 글〉을 내외에 발표함. **11**–14 프랑스, 인민전선人民戰線이 붕괴됨. **11**–26 소련 · 폴란드, 불가침조약을 갱신함. **11** 터키, 케말 파샤Kemal Pasha 사망. **12**–20 중국 왕자오밍汪兆銘, 충칭重慶에서 탈출함: 21일 베트남 하노이Hanoi에 도착.

연 대	우 리 나 라	다 른 나 라
1939 (4272) 기묘	**1**–14 조선징발령 세칙을 공포함. **1** 송만갑宋萬甲 사망. **2** 중국 류저우柳州에서 한국광복진선韓國光復陣線 청년공작대가 조직됨. 이태준李泰俊, 문예지《문장文章》을 창간함. **3**–10 대한민국임시정부, 치장綦江으로 이전함. **4**–3 문일평文一平 사망. **4**–5 남궁억南宮檍 사망. **4**–10 못 · 철사 · 철판 등의 배급 통제를 실시함. **5**–21 부 · 읍 · 면 의원 선거를 실시함. **6**–14 경성의 6대 신문사가 영국 배격 국민대회를 개최함. **7**–3 경방단警防團이 결성됨: 방호단防護團 · 소방조消防組 · 수방단水防團 통합. **7**–17 전국연합진선협회全國聯合陣線協會가 결성됨: 김구金九계의 한국광복운동단체연합회와 김원봉金元鳳계의 조선민족전선연맹을 통합. **7**–22 경춘선京春線 철도가 개통됨. **7**–28 총독부가 중등학교에 해군 교련 실시를 결정함. **8**–11 매월 1일을 애국일愛國日로 정함. **8**–16 방공법防空法에 따른 훈련을 실시함. **9**–21 박영효朴泳孝 사망. **9**–28 만포선滿浦線 철도가 개통됨. **10**–1 국민징용령을 실시함. 경성중앙전신국 개국. **10**–9 백미취체규칙白米取締規則을 공포함: 7분미를 먹도록 함. **10**–16 조선유림대회를 개최함: 조선유도연합朝鮮儒道聯合을 결성하고 국민정신 총동원운동에 협력하기로 결의함. **10**–29 박영희朴英熙 · 유진오俞鎭午 · 최재서崔載瑞 · 이광수李光洙 등, 친일문학단체인 조선문인협회를 결성함. **11**–1 외국인의 입국체재 및 퇴거령을 공포함. **11** 총독부에서 《조선일보》와 《동아일보》의 자진 폐간을 요구함. **12**–18 소작료 통제령 시행규칙을 공포함. **12** 조지훈趙芝薰, 시 〈승무僧舞〉를 발표함. ▶라디오 보급대수가 16만 7049대로 집계됨.	**1**–20 국제연맹, 중국 장제스蔣介石 지원을 결의함. **2**–27 영국 · 프랑스, 스페인 프랑코Franco 정권을 승인함. **3**–28 스페인 프랑코Franco 군, 수도 마드리드Madrid에 진입함: 스페인 내란 끝남. **4**–7 이탈리아, 알바니아를 병합함. **4**–28 독일, 폴란드와의 불가침조약 및 영국과의 해군협정을 폐기함. **5**–12 일본군, 만주 · 외몽골의 국경 노몬한Nomonhan에서 소련군 · 외몽골군과 충돌함: 노몬한사건. **5**–22 독일 · 이탈리아, 군사동맹을 체결함. **5** 시암Siam, 국호를 타이Thai로 고침. **7**–8 일본, 전시 대비한 국민징용령을 공포함. **8**–23 독일 · 소련, 불가침조약에 조인함. **9**–1 독일, 폴란드를 침공하기 시작함. **9**–3 영국 · 프랑스, 독일에 선전포고함: 제2차세계대전 발발. **9**–5 미국, 유럽전쟁에 중립을 선언함. **9**–27 독일, 폴란드의 바르샤바Warszawa를 함락함. **9**–28 독일 · 소련, 우호조약을 체결함: 폴란드 분할 점령을 결정함. **11**–30 소련, 핀란드와 개전함. **12**–14 국제연맹, 소련 제명을 결의함.

연 대	우 리 나 라	다 른 나 라
1940 (4273) 경진	**1**–4 조선영화령을 공포함:영화 제작 · 배급 · 상영 등을 통제함. **1** 신석정辛夕汀, 〈촛불〉을 발표함. **2**–11 총독부에서 창씨개명創氏改名을 실시함. **2**–20 백용성白龍城 사망. **2**–29 석탄 등 18개 품목을 수출통제품으로 함. **3**–13 이동녕李東寧, 중국에서 순국함. **3** 박헌영朴憲永 · 김삼룡金三龍, 경성콩그룹(경성커뮤니스트클럽京城Comunist Club)을 결성함. **5**–9 한국독립당韓國獨立黨이 창립됨(위원장 김구): 김구金九의 한국국민당, 지청천池青天의 조선혁명당, 조소앙趙素昂의 한국독립당, 하와이 애국단 등 통합. **5**–10 조선출판협회가 조직됨. **7**–1 총독부에서 학생의 중국 · 만주 여행을 금함. **8**–10 《조선일보》와 《동아일보》가 강제 폐간당함. **8**–17 국민정신총동원 조선연맹, 전시생활체제를 강요함. **9**–9 학생제복을 국방색으로 통일함. **9**–17 대한민국임시정부, 중국 충칭重慶에 한국광복군(광복군) 사령부를 설립하고 국군 창설을 선포함: 총사령관 지청천池青天, 참모장 이범석李範奭. **10**–9 대한민국임시정부, 주석主席을 중심으로 하는 지도체제로 전환함: 주석에 김구金九 선출. **10**–16 국민정신총동원조선연맹을 개편하여 국민총력연맹 조직함: 황국신민화운동을 강제 시행. **10**–25 중국에서 한국광복군의 중국전선 참전을 승인함. **11**–11 박종화朴鍾和, 《매일신보》에 〈다정불심多情佛心〉을 발표함. **11**–29 한국광복군 총사령부, 충칭重慶에서 시안西安으로 이전함. **11** 임옥인林玉仁, 《문장》에 〈후처기後妻記〉를 발표함. **12**–22 대한민국임시정부, 독립운동 방침에 관한 선언문을 발표함. **12**–25 친일단체 황도협회皇道協會가 결성됨. ▶오지영吳知泳 저 《동학사東學史》, 정노식鄭魯湜 저 《조선창극사朝鮮唱劇史》, 윤석중尹石重 시집 《어깨동무》가 간행됨.	**2**–11 독일, 소련과 통상협정을 체결함. **3**–1 인도 국민회의파, 불복종운동을 결의함. **3**–12 소련 · 핀란드, 강화조약을 체결함. **3** 중국 왕자오밍汪兆銘, 난징南京 정부를 세움. **4**–9 독일, 노르웨이 · 덴마크를 침공함: **5**–10 네덜란드 · 벨기에 · 룩셈부르크 침공. **5**–11 영국, 처칠Churchill 연합내각이 성립됨. **6**–10 이탈리아, 영국 · 프랑스에 선전포고함. **6**–14 독일, 프랑스 파리를 함락함. **6**–17 프랑스, 독일에 항복함: 페탱Pétain, 비시Vichy에서 괴뢰정부를 수립함. **6**–18 프랑스 드골de Gaulle, 런던에서 대독일 항전을 호소함. **6**–22 프랑스, 독일과 휴전협정에 조인함: 24일 이탈리아와도 조인함. **7**–5 프랑스 비시Vichy정부, 영국과 국교를 단절함. **7**–21 소련, 발트 3국을 병합함. **8**–2 중국, 팔로군八路軍이 유격전을 시작함. **9**–13 이탈리아, 이집트를 침공함. **9**–25 독일 · 이탈리아 · 일본, 군사동맹을 체결함. **10**–5 독일, 루마니아를 침공함. **11**–5 미국 루스벨트Roosevelt, 대통령에 3선됨: **12**–29 미국이 민주주의 국가의 병기창이 되겠다는 담화를 발표함.

연 대	우 리 나 라	다 른 나 라
1941 (4274) 신사	**1** 조선어학회, 〈외래어표기법통일안〉을 발표함. **2-12** 조선사상범예방구금령을 공포함. **3-25** 조선교육령을 개정함: 소학교를 국민학교로 개칭함. **3-31** 국민학교 규정 공포함: 조선어 학습 폐지. **4-1** 평원선平元線(평양~원산) 철도가 개통됨. **4-20** 미주 각 단체 대표가 하와이 호놀루루Honolulu에서 한족연합위원회를 조직함. **4-23** 태고사太古寺(현 조계사曹溪寺)를 조선불교 총본산으로 결정함. **6-1** 허천강虛川江 수력발전소 송전을 개시함. **6-2** 조선농업보국청년대 결성: 일본 농촌 지원. **6-15** 조선연극인총력연맹이 결성됨. **8-5** 수풍水豊 발전소에서 만주에 송전을 시작함: **9-1**국내 송전 개시. **8-30** 홍난파洪蘭坡 사망. **9-16** 총독부가 중등학교 이상에 학교총력대學校總力隊 결성을 지시함. **10-3** 대한민국임시정부, 중국 외교총장과 정부 승인문제에 관해 회담함. **10-10** 장덕수張德秀 등, 일본 오사카에서 조선청년독립당朝鮮靑年獨立團 조직하여 활동하다 체포됨. **11-19** 대한민국임시정부, 〈한국광복군행동준승韓國光復軍行動準繩〉 9개 항을 승인함: 중국 원조 받는 대신 작전지휘권은 중국군에 위임. **11-28** 대한민국임시정부, 대한민국건국강령을 발표함. **11** 대한민국임시정부, 미국 워싱턴에 구미외교위원회를 설치함: 위원장 이승만李承晩. **12-9** 대한민국임시정부, 일본에 선전포고함. **12-20** 한국독립당, 〈태평양전쟁에 임하여 동지동포에게 고하는 격문〉을 발표함. **12-27** 농업생산통제령을 공포함. ▶최현배崔鉉培 저《한글갈》, 김억金億 시집《안서시초岸曙詩抄》, 서정주徐廷柱 시집《화사집花蛇集》을 간행함. ▶한성준韓成俊, 한인韓人 최초로 총독부 예술부문 무용상을 수상함: 이해 사망함. ▶이중섭李仲燮, 신미술가협회를 조직함.	**1** 베트남, 독립투쟁 민주전선(월맹越盟)을 결성함. **4-6** 독일, 그리스와 유고에 침입함. **4-13** 소련 · 일본, 불가침조약에 조인함. **4-17** 유고, 독일에 항복함. **5-6** 소련 스탈린Stalin, 수상에 취임하여 정권을 장악함. **6-22** 독일, 소련에 선전포고함: 이어 이탈리아 · 루마니아도 소련에 선전포고함. **7-1** 독일 · 이탈리아, 중국 왕자오밍汪兆銘 정부를 승인함. **7-28** 일본, 프랑스령 인도차이나를 점령함. **8-12** 미국 루스벨트Roosevelt 대통령, 영국 처칠Churchill 수상과 회담을 개최함: 대서양헌장大西洋憲章을 발표함. **10-1** 미국 · 영국 · 소련, 모스크바Moskva에서 협정서에 조인함. **10-2** 독일, 소련 모스크바Moskva 공격을 개시함. **10-18** 일본, 도조東條英機 내각이 성립됨. **12-8** 일본, 하와이 진주만眞珠灣을 공격하여 미국에 도발함: 태평양전쟁太平洋戰爭 발발. 미국 · 영국, 일본에 선전포고함. **12-9** 중국 국민정부, 독일 · 일본 · 이탈리아에 선전포고함. **12-11** 독일 · 이탈리아, 미국에 선전포고함. **12-28** 미국 루스벨트Roosevelt 대통령, 영국 처칠Churchill 수상과 워싱턴에서 회담을 개최함.

연대	우리 나라	다른 나라
1942 (4275) 임오	**1**–14 조선군사령을 공포함. **2**–14 총독부가 조선체육진흥회를 설립함. **2**–20 식량관리법을 공포함. **2** 총독부에서 음력설(구정舊正)을 폐지함. **3**–1 가정의 금속류를 강제 회수함. 대한민국임시정부, 중국 · 미국 · 영국 · 소련에 대한민국임시정부 승인을 요구함. **3**–17 명륜전문학교明倫專門學校(현 성균관대학교) 설립을 인가함. **3** 《성서조선聖書朝鮮》 사건으로 김교신金教臣 등 크리스트교도가 검거됨. 나월환羅月煥 한국광복군 지대장, 중국 시안西安에서 부하에게 암살당함. **4**–20 대한민국임시정부, 정부 내에 외교연구위원회 설치를 결의함. **4** 중국 국민정부에서 대한민국 임시정부 승인을 의결함. **5**–1 조선어학회 기관지 《한글》이 강제 폐간당함. 총독부에서 전국적인 건민운동健民運動을 전개함: 전시 대비 체력 단련 목적. **5**–15 김원봉金元鳳의 조선의용대가 대한민국임시정부 광복군에 편입됨. **5**–25 이효석李孝石 사망. **5**–29 총독에 고이소小磯國昭가 임명됨. **6**–15 쿠바 아바나Havana에서 개최된 전승연합대회에서 대한민국임시정부를 승인함. **7**–6 이승만李承晩, 〈미국의 소리〉 통해 동양과 남미 동포를 격려하는 연설을 방송함. **9** 한국광복군 사령부, 시안西安에서 충칭重慶으로 이전함. **10**–1 독립운동 혐의로 조선어학회 회원에 대한 대검거 시작됨: 조선어학회사건朝鮮語學會事件. **10**–20 최호진崔虎鎭 저 《근대조선경제사》를 간행함. **10** 대한민국임시정부, 의정원 의원 선거를 실시함: 의장 홍진洪震, 부의장 최동오崔東旿. **11**–4 친일 문인들이 대동아문학자대회大東亞文學者大會를 개최함. **12**–20 노기남盧基南, 한국인 최초로 주교主教에 임명됨. ▶한국어 교수와 사용이 금지됨. ▶김약연金躍淵, 간도에서 순국함.	**1**–1 연합국, 미국 워싱턴에서 대서양헌장 실현 위한 공동 선언에 조인함. **1**–2 일본, 필리핀 마닐라Manila를 점령함. **1**–18 독일 · 이탈리아 · 일본, 군사협정에 조인함. **2**–15 일본군, 싱가포르와 말레이시아를 점령함: **3**–1 자바Java에 상륙함. **5**–26 영국 · 소련, 런던에서 동맹조약을 체결함. **6**–5 미국, 미드웨이Midway 해전에서 일본군을 격파함. **7**–17 독일, 소련의 스탈린그라드Stalingrad(지금의 볼고그라드Volgograd) 공격을 개시함. **8**–12 미국 · 영국 · 소련, 모스크바에서 삼국회담을 개최함. **9**–27 소련, 프랑스의 드골De Gaulle 정권을 승인함: **10**–2 미국도 승인함. **10**–28 미국 · 영국 · 소련 · 중국, 충칭重慶에서 동아작전회의를 개최함. **11**–8 아이젠하워Eisenhower연합군 총사령관,북아프리카 상륙작전을 개시함. **11**–19 소련, 스탈린그라드Stalingrad(지금의 볼고그라드Volgograd)에서 독일군에 대해 반격을 개시함. **12** 이탈리아 페르미Fermi, 우라늄 핵분열에 성공함. ▶중국, 천두슈陳獨秀 사망. ▶프랑스 카뮈Camus, 〈이방인異邦人〉을 발표함.

연대	우리 나라	다른 나라
1943 (4276) 계미	**1**-6 한인국방경위대韓人國防警衛隊, 미국 샌프란시스코 지대支隊를 결성함. **1**-7 보국정신대報國挺身隊가 결성됨. **1**-21 중등학교령을 개정 공포함: 대학 예과의 수업 연한을 2년으로 단축함. **2**-1 조소앙趙素昂 대한민국임시정부 외교부장, 한국에 대한 신탁통치 주장을 비판하는 성명서를 발표함. **3**-1 징병제徵兵制를 공포함. **4**-12 이능화李能和 사망. **4**-17 친일단체 조선문인보국회가 결성됨. **4**-25 현진건玄鎭健 · 이상화李相和 사망. **4** 미국 로스앤젤레스에서 《북미시보北美時報》를 발간함. **6**-10 경성부에 구제區制를 실시함. **6** 지청천池靑天 한국광복군 총사령, 인도 주둔 영국군과 군사상호협정을 체결함. **7**-28 해군특별지원병령을 공포함. 이광수李光洙, 《매일신보》에 〈징병제의 감격과 용의〉를 발표함. **7** 윤동주尹東柱, 일본 교토에서 사상범으로 체포됨. **8**-3 안희제安熙濟, 만주에서 순국함. **8**-13 한국광복군, 연합군 요청으로 미얀마Myanmar 전선에 군대를 파견함. **9** 진단학회震檀學會, 강제 해산당함. **10**-2 토요일 반휴무제를 폐지함. **10**-5 부관연락선釜關連絡船이 미국 잠수함에게 격침됨: 544명 사망. **10**-20 학병제學兵制를 실시함. **11**-8 학도병 지원 않는 학생에게 징용영장 발부함. **11**-14 중추원中樞院, 학도병 지원 않는 학생은 강제 휴학시켜 징집하기로 결정함. **11**-23 전남 고흥에서 운석隕石이 발견됨: 한국지질자원연구소에 소장됨. **11** 임시의정원, 미국 · 영국 · 중국 원수에게 카이로 선언에 대한 감사 메시지를 전달함. 목포방송국 개국. **12**-7 재미한족위원회, 카이로Cairo 선언 관련하여 미국 · 영국 · 중국 원수에게 감사의 전문을 보냄. **12**-8 이윤재李允宰, 함흥咸興 감옥에서 순국함. ▶강경애姜敬愛 사망. ▶홍범도洪範圖, 시베리아에서 순국함.	**1**-9 중국 왕자오밍汪兆銘 정부, 미국과 영국에 선전포고함. **1**-14 미국 루스벨트Roosevelt 대통령, 영국 처칠Churchill 수상과 모로코Morocco에서 전쟁 지휘회의를 개최함: 카사블랑카Casablanka 회의. **2**-2 소련, 스탈린그라드Stalingrad(지금의 볼고그라드Volgograd)에서 독일군을 격파함. **4**-19 폴란드, 바르샤바Warszava에서 유대인의 반파쇼 봉기가 일어남. **5**-12 독일군, 북아프리카 전선에서 항복함. **6**-4 프랑스, 국민저항회의를 설립함. **7**-10 연합군 총사령관 아이젠하워Eisenhower, 시칠리아Sicilia섬에 상륙함. **7**-25 이탈리아, 무솔리니Mussolini가 실각함: 28일 파시스트당Fascist黨이 해체됨. **9**-8 연합군에 항복함. **8**-23 연합군, 독일 베를린Berlin을 폭격함. **9**-9 이란, 독일에 선전포고함. **9**-13 중국 장제스蔣介石, 주석主席에 취임함. **10**-19 미국 · 영국 · 소련, 모스크바 외상회의를 개최함. **11**-22 미국 · 영국 · 중국, 카이로Cairo 회담을 개최함. **11**-28 미국 · 영국 · 소련, 테헤란Teheran 회담을 개최함. **11**-29 유고 티토Tito, 혁명정부를 수립함. ▶미국 왁스만Waksman, 스트렙토마이신을 발명함.

연 대	우 리 나 라	다 른 나 라
1944 (4277) 갑신	**1**–20 한국인 학병들이 입영하기 시작함. **1** 이육사李陸史, 중국 베이징北京 형무소에서 순국함. **2**–8 총동원법에 의해 전면 징용을 실시함. **2** 관청의 일요일 휴무제를 폐지함. 한징韓澄, 함흥 감옥에서 순국함. **3**–3 금융기관의 일요일 휴무제를 폐지함. **3**–13 김마리아 사망. **3**–18 학도 군사교육 강화 요강과 학도 동원 비상 조치 요강을 발표함. **3** 대한민국임시정부, 국내공작특파위원회 및 군사 외교단을 설치함. 전국의 신문 석간을 폐지함. **4**–1 군수 광공업 업체에 대한 생산책임제를 실시함. **4**–20 대한민국임시정부, 임시약헌臨時約憲을 대한 민국임시헌장으로 개정하여 공포함. **4**–22 주기철朱基徹 목사 순교. **4**–28 학도동원규정을 공포함: 국민학교 4학년 이상 학생의 강제 동원체제를 확립함. **4** 대한민국임시정부, 기관지 《독립신문》을 속간함. **5**–4 총독부에서 휴일에도 학교수업 실시할 것을 지시함. **5** 한국광복군, 주중국 미공군사령관 웨드마이어 Wedemeyer 장군의 원조 받아 제2 · 3지대에 낙하 산부대를 창설하고 훈련을 실시함. **6**–26 고유섭高裕燮 사망. **6**–29 한용운韓龍雲 사망. **6** 대한민국임시정부, 연합국에게 대한민국임시정 부 승인을 요구함. **7**–3 대한민국임시정부, 중국 장제스蔣介石에게 임 시정부 승인을 요구함. **7**–22 고이소小磯國昭 총독이 일본 수상으로 전임 됨: 25일 후임 총독에 아베阿部信行가 임명됨. **8**–23 여자정신근로령女子挺身勤勞令을 공포함. **8**–24 대한민국임시정부, 〈한국광복군 행동준승〉 9 개항 취소를 공포함. **8** 평양 · 대전 등지의 성당을 군사용으로 강제 접수함. **9** 여운형呂運亨, 건국동맹建國同盟을 조직함. **10**–13 전시비상조치방책을 발표함. **12**–8 종교보국회宗教保國會가 결성됨. ▶홍이섭洪以燮 저 《조선과학사》를 간행함.	**1**–1 레바논, 시리아로부터 분리됨. **1**–9 소련군, 레닌그라드 Leningrad(지금의 상트페테르부르크Sankt Peterburg) 전선에서 공격을 개시함: 20일 독일군으로부터 탈환에 성공함. **2**–16 아르헨티나 페론Peron, 쿠데타 일으켜 집권함. **3**–19 독일군, 헝가리에 진주함. **5**–15 독일 아이히만Eichmann, 헝가리 유대인을 아우슈비츠 Auschwitz 강제수용소로 이송하기 시작함. **6**–4 연합군, 이탈리아의 로마에 입성함. **6**–6 연합군, 노르망디Normandie 상륙작전에 성공함. **7**–7 일본군, 사이판Saipan섬에서 전멸함. **7**–18 일본, 도조東條英機 내각이 총사퇴함: 22일 고이소小磯國昭 내각 성립. **7**–20 독일 육군, 히틀러Hitler 암살에 실패함. **8**–25 연합군, 프랑스 파리에 입성함: 드골de Gaulle 개선. **9**–2 핀란드, 독일과의 단교를 발표함. **9**–5 소련, 불가리아에 선전포고함. **9**–9 프랑스, 드골de Gaulle을 수반으로 하는 임시정부를 수립함. **10**–20 유고, 베오그라드Beograd를 독일로부터 탈환함. **11**–7 미국 루스벨트Roosevelt, 대통령에 4선됨. **11**–20 미국, B–29기로 일본 도쿄를 공습함. **12**–3 그리스, 국민해방전선이 봉기함.

연대	우리 나라	다른 나라
1945 (4278) 을유	**1**–28 조선어학회사건 판결 공판 열림: 2~6년 실형이 선고됨. **1** 여학생을 군수공장에 동원함. **2**–9 대한민국임시정부, 독일에 선전포고함. **2**–16 윤동주尹東柱 사망. **3**–1 부산~신의주 복선철도가 준공됨. **3**–18 총독부가 결전교육조치요강決戰教育措置要綱을 발표함: 국민학교 이외의 모든 학교 수업을 정지하고 모든 학생을 강제노동 또는 징용 · 군대에 동원. **4**–4 주요 도시에 소개령疏開令을 발표함. 대한민국임시정부, 중국과 군사협정을 다시 체결함: 한국광복군의 지휘권을 돌려받음. **4**–29 부관연락선釜關連洛船에 일반승객 승선을 금함. **4** 재미한족위원회, 미국 샌프란시스코에서 열린 세계안전보장대회에 대표를 파견함. 자동차 대수가 7326대로 집계됨. 김교신金教臣 사망. **5**–22 전시교육령을 공포함: 모든 학교에 학도대學徒隊 조직. **6**–8 최린崔麟 등, 조선언론보국회를 결성함. **6**–23 박춘금朴春琴, 친일단체 대의당大義黨을 창립함. **6** 청주방송국 개국. **7**–24 대한애국청년단원 조문기趙文紀 · 유만수柳萬秀 · 강윤국康潤國 등, 대의당大義黨 주최 아시아민족분격대회 장소인 부민관府民館에 폭탄을 장치하여 폭파사건 일으킴. **7** 한국광복군, 국내탈환작전 수립: 총지휘 이범석李範奭. **8**–8 소련군이 북한으로 진군을 개시함: 12일 청진淸津에 상륙. **8**–10 송진우宋鎭禹, 총독부의 정권인수 교섭에 불응. **8**–11 대한민국임시정부 김구金九 주석, 중국 시안西安에서 미국 작전부장 도노반Donovan 장군과 한미군사협정을 체결함. **8**–14 여운형呂運亨, 조선총독 아베阿部信行의 정권 이양 교섭에 동의함. **8**–15 일본의 무조건 항복으로 일제의 강점으로부터 해방됨: 8 · 15광복. 여운형呂運亨, 조선건국준비위원회를 결성함. **8**–16 건국치안대가 발족됨. 건국부녀동맹이 조직됨. **8**–17 북한, 평양에서 평안남도 건국준비위원회를 결성함.	**2**–4 미국 · 영국 · 소련, 얄타Yalta 회담을 개최함: 소련의 대일 참전을 밀약함. **3**–7 유고, 연방공화국으로 독립함: 구유고연방 **4**–1 미국군, 오키나와沖繩에 상륙함: 일본군 전멸. **4**–12 미국, 루스벨트Roosevelt 대통령 사망: 트루먼Truman 부통령이 승계함. **4**–28 이탈리아 무솔리니Mussolini, 밀라노Milano에서 파르티잔partisan(비정규군 요원)에게 체포되어 처형당함. **4**–30 독일 히틀러Hitler, 베를린에서 자살함. **5**–2 연합군, 독일 베를린을 함락함: 7일 독일이 연합군에 항복함. **6**–5 미국 · 영국 · 프랑스 · 소련, 4개국 협정에 조인함: 독일의 동 · 서 분할. **6**–25 미국, 샌프란시스코 회의에서 유엔 헌장이 조인됨. **7**–5 영국 노동당, 총선거에서 승리함. **7**–16 미국, 원자폭탄 실험에 성공함. **7**–17 미국 · 영국 · 소련, 포츠담Potsdam 회담에서 일본의 무조건 항복을 촉구함. **7**–27 영국, 애틀리Attlee 노동당 내각 발족. **8**–6 미국, 일본 히로시마廣島에 원자폭탄을 투하함: 9일 나가사키長崎에도 투하. **8**–8 소련, 일본에 선전포고함. **8**–14 중국 · 소련, 우호동맹 조약을 체결함.

연 대	우 리 나 라	다 른 나 라
1945 (4278) 을유	**8**-22 소련군이 평양에 입성함. **8**-24 일본 해군 수송선 우키시마호浮島號 폭발사건 일어남. **8**-25 소련군이 평양에 사령부를 설치함. **8** 전국에 145개의 인민위원회가 결성됨. **9**-2 미국 맥아더MacArthur 사령관이 북위 38도선을 경계로 하는 미 · 소 양국의 한반도 분할점령책을 발표함. **9**-6 여운형呂運亨, 조선인민공화국 수립을 선언함. **9**-7 미국 극동사령부가 남한에 군정軍政을 선포함. **9**-11 미국 하지Hodge 중장이 군정계획을 발표함. 박헌영朴憲永, 조선공산당 재건을 발표함. **9**-12 미국 아놀드Arnold 소장이 군정장관에 취임함. **9**-14 조선인민공화국, 이승만李承晩을 주석에 추대함: **11**-7 취임 거부. **9**-16 한국민주당韓國民主黨이 결성됨. **9**-28 북한, 국내파 공산주의자 현준혁玄俊爀 이 암살당함. **10**-10 아놀드Arnold 군정장관이 '미군정이 38도선 이남의 유일한 정부' 라고 선언함. **10**-12 북한, 조선공산당 북조선 분국을 설치함: 책임자 김일성金日成. **10**-14 북한, 평양에서 김일성金日成 환영 군중대회를 개최함. **10**-20 미국 국무부에서 한국에 대한 신탁통치信託統治 의사를 표명함. **10**-25 이승만李承晩 중심의 독립촉성중앙협의회가 결성됨. **11**-12 여운형呂運亨, 조선인민당을 결성함. **11**-23 김구金九 · 김규식金奎植 등 대한민국임시정부 제1진 15명이 개인 자격으로 귀국함. 《조선일보》가 복간됨. 《서울신문》, 《매일신보》의 제호를 바꾸어 속간함. 신의주新義州 반공학생의거 일어남. **12**-7 《동아일보》가 복간됨. **12**-9 미국 아놀드Arnold 군정장관이 해임됨. **12**-17 조선공산당 북조선 분국, 김일성金日成을 당 책임 비서로 선출함. **12**-30 송진우宋鎭禹 피살. **12**-31 전국에서 신탁통치信託統治 반대 시위 일어남.	**8**-15 일본, 연합국에 무조건 항복함: 제2차세계대전 종료. **8**-17 인도네시아, 네덜란드로부터 독립함. **8**-28 베트남Vietnam민주공화국이 성립됨. **8**-30 미국 맥아더MacArthur 사령관, 일본에 입국함. **9**-2 일본, 미국 전함 미조리호Missouri號 함상에서 항복문서에 조인함. **9**-10 영국, 런던에서 5대국 외상회의가 개최됨. **9**-25 프랑스, 파리에서 세계노동연맹 결성대회가 개최됨. **10**-10 중국 장제스蔣介石 · 마오쩌둥毛澤東, 충칭重慶에서 회동하여 정치협상회담 소집에 합의함. 일본, 정치범 등 2천여명을 석방함. **10**-21 프랑스, 헌법 제정 위한 의회 선거를 실시함. **10**-24 유엔UN이 발족됨. **11**-1 중국 국민정부, 타이완臺灣 접수를 개시함. **11**-20 서독, 뉘른베르크Nurnberg 국제군사재판이 시작됨. **11**-27 미국, 중국 내전을 종식시키기 위해 마셜Marshall 전 육군참모총장을 특사로 파견하기로 결정함. **12**-27 미국 · 영국 · 소련 외상, 모스크바 삼상회의Moskva 三相會議를 개최함: 한국에 대한 5년간의 신탁통치信託統治를 결정함. **12** 중국, 충칭重慶에서 국공 정전에 관한 회담을 재개함.

연 대	우 리 나 라	다 른 나 라
1946 (4279) 병술	**1**–2 조선공산당, 신탁통치信託統治 지지를 선언함. **1**–8 서울시민들이 쌀값 폭등에 항의해 시위 벌임. **1**–15 남조선국방경비내가 창설됨: 한국 육군의 모체. **2**–1 미곡수집령이 발동됨. **2**–8 대한독립촉성국민회가 결성됨: 총재 이승만李承晩, 부총재 김구金九. 평양에 북조선임시인민위원회가 발족됨: 위원장 김일성金日成, 부위원장 김두봉金科奉. **2**–14 남조선민주의원이 결성됨: 의장 이승만李承晩, 부의장 김구金九 · 김규식金奎植. **2**–15 좌익 연합단체 민주주의민족전선이 결성됨. **2**–24 조선문화단체총연맹이 결성됨. **3**–5 북조선임시인민위원회, 토지개혁법을 발표함: 무상 몰수 및 무상 분배 원칙. **3**–10 대한독립촉성노동총동맹(대한노총)이 결성됨. **3**–20 제1차 미 · 소공동위원회가 개최됨. **3**–23 북조선임시인민위원회, 20개 정강을 발표함: 북한 헌법의 기초. **5**–15 정판사精版社 위조지폐사건이 발각됨. **6**–3 이승만李承晩, 정읍에서 남한 단독정부 수립을 주장함. **6**–19 미군정에서 국립종합대학안을 발표함. **6**–26 43년래의 호우로 큰 수해 발생함. **7**–17 이북으로의 통행을 금함. **7**–31 전국학생총연맹 결성됨: 위원장 이철승李哲承. **8**–10 북한, 주요산업국유화 법령을 공포함. **9**–7 공산당 간부 박헌영朴憲永 체포령 내림. **9**–17 수도경찰청이 발족됨: 청장 장택상張澤相. **9**–20 미군정에서 행정권 이양을 성명함. **9**–24 9월총파업 일어남. **10**–1 대구폭동사건이 일어남. **10**–13 이범석李範奭, 조선민족청년당(족청族青) 결성. **10**–19 《경향신문京鄕新聞》이 창간됨. **11**–23 남조선노동당(노동당)이 결성됨: 위원장 허헌許憲. **12**–2 이승만李承晩, 미국을 방문함: 남한 단독정부 수립 주장. **12**–9 국립서울대학교안에 반대하여 동맹휴학함. **12**–12 남조선 과도입법의원(입법의원)이 개원함: 의장 김규식金奎植. ▶박목월朴木月 · 박두진朴斗鎭 · 조지훈趙芝薰, 3인시집 《청록집 青鹿集》을 간행함.	**1**–1 일본, 천황 신격화를 부정하는 조서를 발표함. **1**–10 영국, 런던에서 제1차 유엔총회가 개최됨. **2**–8 스페인, 유엔 가입이 거부됨. **2**–20 소련, 사할린Sakhalin과 알류산Aleutian에 대한 영유권을 선언함. **3**–5 영국 처칠Churchill, 미국에서 '철의 장막' 연설함. **4**–19 국제연맹이 해산됨. **5**–3 일본, 도쿄에서 극동국제군사재판이 시작됨. **5**–4 중국, 토지개혁에 관한 지침 내림. **5**–22 일본, 요시다吉田茂 내각 성립. 소련군, 만주에서 철수함. **6**–3 이탈리아, 인민투표에서 왕정王政 폐지를 의결함. **6**–30 중국, 국공정전회담이 결렬됨. **7**–1 미국, 비키니Bikini섬에서 원자폭탄 실험을 실시함. **7**–4 필리핀, 미국으로부터 독립함. **7**–29 파리평화회의 개막. **8**–16 인도 네루Nehru, 인도독립 임시정부 수립을 발표함. **9**–27 제1회 국제통화기금 총회가 개막됨. **10**–1 서독, 뉘른베르크Nurnberg 국제군사재판에서 자국 전범자를 판결함. **10**–13 프랑스, 제4공화국이 수립됨. **11**–3 일본, 새헌법을 공포함. **11**–19 제1회 유네스코 총회가 개막됨. **12**–14 유엔, 군축헌장을 채택함. **12**–19 프랑스, 베트남군에 대한 공격을 개시함. ▶독일, 하우프트만Hauptman 사망.

연 대	우 리 나 라	다 른 나 라
1947 (4280) 정해	**1**–22 지방 선출직의 보통선거제를 실시함. **2**–5 안재홍安在鴻, 민정장관에 임명됨. **2**–11 공민증公民證 제도를 실시함. **3**–1 좌·우 진영이 3·1절 행사를 남산과 서울운동장에서 각기 개최함: 좌우익 충돌로 경찰이 발포하여 수습함. **3**–22 남한 전역에서 24시간 파업 일어남: 2076명 검거. **4**–5 조선신문학원이 발족됨: 원장 곽복산郭福山. **4**–19 서윤복徐潤福, 보스턴Boston 마라톤대회에서 세계신기록으로 우승함. **5**–21 제2차 미·소공동위원회가 개최됨: **7**–10 소련 대표의 우익단체 제외 주장으로 사실상 결렬됨. **5**–24 여운형呂運亨, 근로인민당을 결성함. **6**–3 미군정이 한국인 기구를 남조선과도정부로 개칭함. **6**–20 미군정이 미국에 체류중인 서재필徐載弼을 특별의정관으로 초빙함. **6**–27 입법의원, 보통선거법을 의결함. **7**–19 여운형呂運亨 피살. **7**–21 미·소공동위원회 소련 대표가 반탁진영을 제외할 것을 제의함: **8**–7 미국 대표가 이를 거부함. **8**–6 입법의원, 조선임시정부 약헌約憲을 의결함. **9**–17 유엔총회에 한국문제가 정식 상정됨. **9**–21 대동청년당이 결성됨: 단장 지청천池青天. **10**–2 한국 국제무선부호 HL 사용을 개시함: 서울중앙방송국 HLKA. **10**–2 군정장관에 딘Dean, W. F. 소장이 임명됨. **11**–9 서정주徐廷柱, 《경향신문》에 〈국화 옆에서〉를 발표함. **11**–14 유엔총회에서 한국의 총선거안을 가결함. 한국임시위원단이 설치됨. **12**–1 북한, 화폐개혁을 발표함. **12**–2 장덕수張德秀 한국민주당 정치부장 피살. **12**–22 김구金九, 남한 단독정부 수립 반대 성명을 발표함. ▶유치환柳致環 시집 《생명의 서》, 유치진柳致眞 희곡집 《소》, 양주동梁柱東 저 《여요전주麗謠箋注》가 간행됨.	**1**–1 자유중국, 새 헌법을 제정하여 공포함. **1**–28 영국, 미얀마Myanmar 독립을 승인함. **2**–10 연합국, 이탈리아·루마니아·핀란드·불가리아·헝가리 등 5개국과 파리평화조약에 조인함. **2**–20 영국, 인도에 정권을 이양한다고 발표함. **3**–12 미국, 트루먼 독트린Truman Doctrine을 발표함: 터키와 그리스에 대한 원조 선언. **3**–17 영국·프랑스·네덜란드·벨기에·룩셈부르크, 서유럽연합동맹WEU을 결성함. **3**–18 아시아극동경제위원회 ECAFE가 설치됨. **6**–5 미국 마셜Marshall 국무장관, 유럽부흥계획(마셜 플랜 Marshall Plan)을 발표함. **6**–27 미국, 대자유중국 무기 원조를 결정함. **7**–2 소련, 마셜 플랜Marshall Plan 참가를 거절함. **7**–20 네덜란드, 대인도네시아 전쟁을 개시함: **8**–4 정전. **8**–15 인도·파키스탄, 분리 독립을 선언함. **9**–2 미주공동방위조약이 조인됨. **10**–5 소련 및 동유럽, 코민포름 Cominform(공산당정보국)을 결성함. **10**–30 스위스, 제네바에서 관세·무역협정GATT이 조인됨: 23개국 참가. **11**–29 유엔 총회, 팔레스타인 Palestine 분리안을 채택함.

연 대	우 리 나 라	다 른 나 라
1948 (4281) 무자	**1**–7 의무교육제도를 실시함. 유엔한국임시위원단이 내한함. **1**–23 소련이 유엔한국임시위원단의 입북을 거부함. **1**–27 김구金九, 남북 주둔군 철수 후 자유선거 주장함. **2**–7 남한 단독정부 수립 반대와 유엔한국임시위원단을 거부하는 파업과 시위가 발생함. **2**–10 김구金九, 남한 단독정부 수립을 반대하는 〈삼천만 동포에게 읍소함〉 성명을 발표함. **2**–26 유엔소총회에서 가능한 지역에서의 총선거안이 가결됨. **3**–8 김구金九, 남북협상을 제의함: **3**–25 북한이 수락. **3**–16 북한, 중공과 비밀 군사협정을 체결함. **4**–3 제주도 4 · 3 사건이 일어남. **4**–19 김구金九 · 김규식金奎植, 남북협상 위해 입북함: **5**–5 성과 없이 귀경. **5**–10 유엔 감시하에 남한 총선거를 실시함: 5 · 10 총선거 **5**–14 북한, 대남 전기 송출을 중단함. **5**–31 제헌국회가 개원함: 국회의장에 이승만李承晩. **7**–1 국회, 국호를 대한민국大韓民國으로 결정함. **7**–12 국회, 대한민국헌법을 의결함. **7**–17 헌법을 공포함. 정부조직법을 공포함. **7**–20 국회, 초대 대통령에 이승만李承晩, 부통령에 이시영李始榮을 선출함. **8**–4 국회의장에 신익희申翼熙, 부의장에 김약수金若水를 선출함. **8**–5 국회, 김병로金炳魯 대법원장을 인준함. **8**–15 대한민국정부 수립을 선포함. **9**–1 북한, 총선거를 실시함: 2일 최고인민회의 개최. **9**–5 정부, 남조선 국방경비대를 육군으로, 남조선 해안경비대를 해군으로 개편함. **9**–7 국회, 반민족행위자처벌법(반민법)을 의결함. **9**–9 북한, 조선민주주의인민공화국이 수립됨: 수상 김일성金日成. **9**–13 미군정 행정권이 대한민국정부에 완전 이양됨. **10**–19 여수 · 순천 10 · 19사건이 발생함: 27일 진압. **11**–20 국회, 국가보안법을 의결함. **12**–12 유엔총회에서 대한민국정부를 한반도에서의 유일한 합법정부로 승인함. **12**–27 북한, 소련군이 완전히 철수했다고 발표함.	**1**–30 인도 간디Gandhi, 힌두교도에게 피살됨. **2**–25 체코슬로바키아, 공산정부를 수립함. **2** 스리랑카Sri Lanka, 영국 자치령으로 독립함. **3**–15 유럽부흥회의, 서독정부 수립 방침을 결정함. **3**–17 영국 · 프랑스 · 벨기에 · 네덜란드 · 룩셈부르크, 브뤼셀 동맹조약에 조인함. **3**–24 국제무역헌장(아바나헌장Havana憲章)이 조인됨. **4**–1 소련, 베를린을 봉쇄함. **4**–6 소련, 핀란드 동맹조약에 조인함. **4**–16 서유럽 16개국, 유럽경제협력기구에 조인함. **4**–18 이탈리아, 총선거를 실시함: 기독교민주당 승리. **4**–30 미주 21개국, 보고타헌장Bogota憲章에 조인함: 미주기구OAS 결성. **5**–14 이스라엘, 정부를 수립함. 아랍연맹Arab聯盟, 이스라엘에 선전포고함: 제1차 중동전쟁. **6**–28 코민포름Cominform, 유고 공산당을 제명함. **8**–19 중국, 화베이민주연합정부를 수립함. **10**–25 서유럽연합 5개국회의, 북대서양조약에 조인함. **11**–2 미국 트루먼Truman 대통령, 재선에 성공함. **12**–10 유엔 총회, 세계인권선언을 채택함.

연대	우리 나라	다른 나라
1949 (4282) 기축	**1**–1 미국이 한국을 승인함: 초대 대사에 무초Mucho 임명. **1**–4 일본 도쿄에 주일대표부를 설치함. **1**–8 반민족행위특별조사위원회(반민특위) 발족. **2**–10 한국민주당, 민주국민당으로 개칭함. **3**–8 학도호국단學徒護國團이 결성됨. **3**–10 국회, 지방자치법을 의결함. **3**–17 북한, 소련과 경제 및 문화적 협조에 관한 협정에 조인함. **4**–10 유엔에서 한국의 유엔 가입을 부결시킴. **4**–15 해병대가 창설됨. **5**–1 제1회 전국 인구조사를 실시함: 남한의 인구 2016만 6758명. **5**–4 남로당南勞黨 국회프락치사건國會Fraktsiya事件이 적발됨: 김약수金若水 · 이문원李文源 · 노일환盧鎰煥 의원 등 체포됨. 육군 300여명이 38선 넘어 월북함. **5**–20 미국 국무부에서 미군 철수 계획을 발표함: **6**–29 철수 완료. **6**–6 경찰, 반민족행위특별조사위원회 조사위원들을 불법 연행함. **6**–21 정부, 농지개혁법을 공포함. **6**–26 김구金九, 경교장京橋莊에서 육군 소위 안두희安斗熙에게 피살됨: **7**–5 국민장 거행. **6**–30 북한, 조선노동당을 설립함: 위원장 김일성金日成, 부위원장 박헌영朴憲永. **7**–7 반민족행위특별조사위원회 조사위원들이 이승만李承晩 정권과 경찰의 탄압에 반발하여 총사직함. **8**–1 문예월간지 《문예文藝》가 창간됨. **8**–7 자유중국 장제스蔣介石 총통이 내한함: 진해에서 이승만李承晩 대통령과 회담. **9**–26 정부, 법원조직법을 공포함. **9** 남로당, 빨치산투쟁 시작: 11월 군경이 섬멸함. **10**–12 공군이 창설됨. **12**–6 첫 징병검사를 실시함. **12**–17 한일통상협정이 비준됨. **12**–19 대한청년단大韓靑年團이 조직됨: 총재 이승만李承晩. ▶박두진朴斗鎭 시집 《해》, 조윤제趙潤濟 저 《국문학사國文學史》가 발간됨.	**1**–25 소련, 동유럽 6개국과 경제상호원조회의COMECON를 창설함. **1**–26 일본, 호류사法隆寺 금당벽화가 소실됨. **1**–31 중국, 중공군이 베이징北京에 입성함. **2**–14 이집트 · 이스라엘, 휴전협정에 조인함. **4**–1 중국, 국공 평화회담을 시작함: 21일 결렬. **4**–4 북대서양조약에 12개국이 조인함: 나토NATO 성립. **5**–12 소련, 베를린Berlin 봉쇄를 해제함. **6**–15 프랑스, 베트남국Vietnam國을 수립함: 바오 다이Bao Dai 옹립. **7**–19 프랑스 · 라오스, 독립협정에 조인함. **8**–5 미국, 중국백서를 발표함. **8**–15 인도네시아연방공화국이 수립됨. **9**–7 독일연방공화국(서독)이 수립됨: 수도 본Bonn. **9**–23 소련, 원자폭탄 보유를 공포함. **10**–1 중화인민공화국(중공)이 수립됨: 주석 마오쩌둥毛澤東, 수도 베이징北京. **10**–2 소련, 중공을 승인함: 이어 동유럽 여러 국가도 승인함. **10**–7 독일인민공화국(동독)이 수립됨: 수도 베를린Berlin. **12**–7 중국 장제스蔣介石, 타이완臺灣으로 완전히 이동함. **12**–16 중공 마오쩌둥毛澤東, 소련을 방문함: 스탈린Stalin과 회담.

연 대	우 리 나 라	다 른 나 라
1950 (4283) 경인	**1**–12 미국 애치슨Acheson 국무장관이 '한국은 미국의 태평양 방위선 밖' 이라고 언명함. **1**–26 한미상호방위원조협정이 체결됨. **2**–16 이승만李承晚 대통령, 일본을 방문함. **3**–1 북한, 3 · 1절 행사를 폐지함. **3**–13 국회, 내각책임제 개헌안을 부결시킴. **3**–27 남로당南勞黨 총책 김삼룡金三龍과 이주하李舟河가 검거됨. **4**–3 농지개혁이 시작됨. **4**–12 보스턴Boston 마라톤대회를 제패함: 1위 함기용咸基鎔, 2위 송길윤宋吉允, 3위 최윤칠崔崙七. **4**–24 제1회 대한민국미술전람회를 개최함. **5**–30 제2대 총선거를 실시함. **6**–10 북한, 평양방송 통해 조만식曺晩植과 김삼룡金三龍 · 이주하李舟河 교환을 제의함. **6**–12 한국은행韓國銀行이 발족됨. **6**–16 제2대 국회가 개원함: 의장 신익희申翼熙, 부의장 장택상張澤相 · 조봉암曺奉岩. **6**–25 6 · 25전쟁이 발발함. **6**–27 정부가 대전으로 이전함. **6**–28 한강인도교를 폭파함. 북한군, 서울을 함락함. **7**–1 유엔군 지상부대가 부산에 상륙함. **7**–7 국군이 유엔군에 편입됨. **7**–12 미국과 대전협정을 체결함: 주한 미군의 재판권과 국군 통수권을 미군에 이양함. **7**–16 정부가 대구로 이전함. **7**–20 대전이 점령됨: 미국 딘Dean, A. 소장 피랍. **8**–18 정부가 부산으로 이전함. **9**–7 정인보鄭寅普, 납북 도중 사망. **9**–15 유엔군이 인천상륙작전을 개시함. **9**–28 국군, 서울을 수복함. 이승만李承晚 대통령, 이북 진격을 명령함. **10**–1 국군, 38선을 돌파함: 이날을 '국군의 날' 로 함. **10**–19 국군, 평양을 탈환함. **10**–25 이광수李光洙, 납북 중 사망함. **10**–27 정부가 서울로 환도함. **10**–29 이승만李承晚 대통령, 평양을 시찰함. 중공군이 한국전선에 개입함. **12**–16 국회, 국민방위군 설치령을 의결함. **12**–24 정부, 서울시민에 피란령을 내림. ▶김영랑金永郞 사망.	**1**–5 미국 트루먼Truman 대통령, 타이완臺灣 불개입을 성명함. **1**–10 미국 애치슨Acheson 국무장관, 애치슨 라인을 선포함. **1**–27 미국, 북대서양조약기구 가맹국과 상호방위원조협정을 체결함. **1**–31 미국 트루먼Truman 대통령, 수소폭탄 제조를 명령함. **1** 인도공화국이 수립됨: 수상 네루Nehru. **2**–7 미국 · 영국, 베트남 바오다이Bao Dai 정권을 승인함. **2**–14 중공 · 소련, 상호 원조 조약을 체결함. **3**–15 스웨덴, 스톡홀름에서 평화옹호세계회의위원회가 개최됨. **6**–25 유엔, 한국전쟁을 북한의 남침으로 규정함: 38선 이북으로 철수 요구. **6**–27 미국 트루먼Truman 대통령, 한국전쟁 참전과 타이완臺灣 방위를 명령함. **7**–7 유엔, 한국전쟁 파병을 결의함: 사령관에 맥아더MacArthur 장군. **7**–26 유엔, 한국전쟁 지원 위해 16개국의 유엔군을 편성함. **9**–14 미국 트루먼Truman 대통령, 대일강화교섭 개시를 명령함. **10**–11 소련, 5대국 평화회담을 제창함. **10**–25 중공, 한국전 개입을 결정함. **12**–16 미국 트루먼Truman 대통령, 국가비상사태를 선언함.

연 대	우 리 나 라	다 른 나 라
1951 (4284) 신묘	**1**-1 중공군이 38선을 넘어 남하함. **1**-4 국군, 서울에서 철수함: 1 · 4후퇴. 정부가 다시 부산으로 이전함. **1**-5 중공군이 서울에 진입함. **1**-15 유엔군이 오산에서 반격을 개시함. **2**-11 거창居昌양민학살사건이 발생함: 국군이 양민 600여명을 공비로 몰아 집단 학살. **2**-14 반민족행위자처벌법 폐지령을 공포함. **2**-18 부산에서 전시 연합대학이 설립됨. **3**-14 서울을 다시 수복함. **3**-24 맥아더MacArthur 유엔군 사령관이 38선 돌파를 명령함. **3**-29 국회, 군간부들의 군수품 횡령 · 착복 사건을 폭로함: 국민방위군사건. **5**-9 이시영李始榮 부통령, 이승만李承晩 대통령의 국민방위군사건 수사 방해 의도 성토하고 사퇴함. **5**-12 국민방위군을 해체함. **5**-15 국회, 사임한 이시영李始榮 부통령 후임에 김성수金性洙 민주국민당 최고위원을 선출함. **6**-25 이승만李承晩 대통령, 소련 유엔 대표의 휴전회담 제의를 거부함. **6**-29 미국정부가 리지웨이Ridgway 유엔군 사령관에게 정전 교섭을 명령함. **6** 이종찬李鍾贊 소장, 육군참모총장에 임명됨. **7**-10 개성에서 휴전회담을 개최함. **7**-24 탄핵재판소를 설치함. **9**-6 여군女軍을 창설함. **10**-16 남원에 공비共匪가 출현함: 열차 전복사고 일으키고 200여명을 납치함. **10**-17 국무회의, 대통령 직선제 및 양원제 개헌안을 의결함: **11**-28 국회에 제출. **10**-25 판문점板門店에서 휴전회담을 재개함. **11**-2 전라북도에 비상경계를 선포함. **11**-5 장면張勉, 유엔총회 수석대표로 임명됨. **11**-30 전라남도에 비상계엄령을 선포함. **12**-1 부산과 대구를 제외한 전지역에 비상계엄령을 선포함: 지리산 등지에서 공비토벌작전 시작. **12**-23 자유당自由黨이 발족됨. ▶김동인金東仁 사망.	**2**-1 유엔 총회, 중공을 침략자로 규정함. **2**-21 동독, 베를린에서 세계평화평의회 제1회 총회가 개최됨. **3**-5 한국전쟁 유엔 참전국, 38선 이북 진격에 합의함. **3**-15 이란 국민회의, 석유국유화법안을 의결함. **4**-2 북대서양조약기구 군사령부가 발족됨: 유럽 방어 목적. **4**-11 미국 트루먼Truman 대통령, 맥아더MacArthur 유엔군 총사령관을 해임함: 후임에 리지웨이Ridgway 장군 임명. **6**-23 소련, 유엔 대표 말리크Malik가 한국전쟁 정전회담을 제의함: 27일 한국전쟁 참전 16개국이 이를 수용함. **7**-1 동남아시아 영연방국제개발계획(콜롬보계획) 이 성립됨. **8**-30 미국 · 필리핀, 상호방위조약에 조인함. **9**-1 미국 · 오스트레일리아 · 뉴질랜드, 태평양안전보장조약 ANZUS을 체결함. **9**-4 미국, 샌프란시스코에서 대일강화회담이 개최됨: 일본 주권 회복. **10**-17 영국 · 이집트, 수에즈Suez에서 충돌함. **10**-25 영국, 총선거를 실시함: 26일 처칠Churchill 내각이 발족함. **10**-29 미국, 마셜 플랜Marshall Plan이 종료됨. **11**-1 오스트리아, 빈Wien에서 세계평화평의회 제2회 총회가 개최됨.

연 대	우 리 나 라	다 른 나 라
1952 (4285) 임진	**1**–18 국회, 대통령 직선제 및 양원제 개헌안을 부결시킴. 이승만李承晩 대통령, 평화선平和線을 선포함: 해안 60마일까지 주권 선언. **1**–30 전국 피란민수가 7백만명에 이름. **2**–15 제1차 한일회담을 개최함. **2**–29 한중 항공협정을 체결함. **3**–30 자유중국의 친선사절단이 내한함. **4**–17 내각책임제 개헌안이 국회에 제출됨. **4**–20 장면張勉 국무총리가 사임함: **5**–6 후임에 장택상張澤相 임명. 동양통신東洋通信이 창립됨. **4**–22 서민호徐民濠 의원, 전남 순천에서 신변에 위협 느껴 서창선徐昌善 육군대위를 살해함: 서민호사건徐珉濠事件 **4**–25 지방의회의원 선거를 실시함. **5**–27 거제도 포로수용소에서 좌익계 포로들이 폭동 일으켜 돗드Dodd 준장을 납치함: **6**–10 진압. **5**–14 정부, 대통령 직선제 및 양원제 개헌안을 다시 제출함. **5**–25 경상남도와 전라남도에 비상계엄령을 선포함. **5**–26 부산정치파동 일어남: 대통령 직선제 개헌 강행 위해 야당 의원을 강제 연행함. **5**–29 김성수金性洙 부통령, 국회에 사표를 제출함. **6**–2 유엔 한국위원회에서 계엄령 해제와 국회의원 석방을 권고해 옴. **6**–20 국제구락부사건國際俱樂部事件 발생: 야당 인사들이 반독재·호헌 구국선언 하려던 국제구락부를 괴한들이 습격함. **6**–22 미군기가 북한의 수풍水豊 발전소를 폭격함. **6**–25 이승만李承晩 대통령 암살미수사건이 발생함: 범인 유시태柳時泰 체포. **7**–4 국회, 발췌개헌안을 의결함: 대통령직선제가 가결됨. **8**–5 제2대 정·부통령 선거를 실시함: 대통령 이승만李承晩, 부통령 함태영咸台永 당선. **8**–13 국회, 근로기준법을 의결함. **9**–14 유엔군이 평양을 폭격함. **10**–29 국회, 정부 불신임안을 발의함. **12**–2 미국 대통령 당선자 아이젠하워Eisenhower가 내한함.	**1**–19 영국군, 수에즈Suez 운하 문제로 이집트군과 충돌함. **2**–6 영국, 조시George 6세 사망: 엘리자베스Elizabeth 2세 즉위. **2**–24 미국 및 서유럽 6개국, 대공산국가 수출금지협정에 조인함. **2**–26 영국, 원자폭탄 보유 사실을 공포함. **3**–6 인도, 제1회 총선거를 실시함: 회의파 압승. **4**–3 소련, 모스크바Moskva 국제경제회의가 개최됨. **4**–28 미·일안전보장조약이 발효됨. **5**–26 미국·영국·프랑스, 서독과 본협정에 조인함: 점령을 종료함. **5**–27 서유럽 6개국, 유럽방위공동체EDC 조약을 체결함. **5**–31 동독, 동·서베를린 경계선을 봉쇄함. **7**–23 이집트 나기브Naguib, 쿠데타로 집권함. **8**–10 프랑스·서독 등 6개국, 유럽 석탄·철강공동체ECSC를 구성함. **10**–3 영국, 첫 원자폭탄 실험에 성공함. **10**–5 소련, 공산당대회를 개최함. **11**–1 미국, 첫 수소폭탄 실험에 성공함. **11**–7 미국 아이젠하워Eisenhower, 대통령 선거에서 승리함. ▶미국 헤밍웨이Hemingway, 〈노인과 바다〉를 발표함.

연 대	우 리 나 라	다 른 나 라
1953 (4286) 계사	**1**–5 이승만李承晩 대통령, 일본을 방문함: 요시다吉田茂 수상과 회담. **1**–9 부산 다대포多大浦에서 여수~부산 여객선 침몰사고 발생함: 229명 사망. **1**–30 부산 국제시장에 화재 발생함. **2**–15 제1차 화폐개혁을 시행함: 원圓을 환圜으로 변경하여 100대 1로 평가절하. **2**–23 휴전회담이 재개됨. **2**–27 정부, 독도獨島 영유권을 성명함. **4**–12 이승만李承晩 대통령, 휴전 반대와 단독 북진을 주장함: **6**–3 휴전협정 전에 한미상호방위조약을 체결할 것을 주장함. **4**–16 오세창吳世昌 사망. **4**–19 최덕신崔德新 소장, 휴전회담 대표에 임명됨. **4** 장준하張俊河, 《사상계思想界》를 창간함. **6**–8 포로교환협정이 조인됨. **6**–18 이승만李承晩 대통령, 반공포로 27,000명을 석방함. **7**–27 휴전협정이 조인됨: 한국은 불참. **8**–3 미국 덜레스Dulles 국무장관이 내한함. 북한, 이승엽李承燁 등의 간첩사건 재판을 개시함. **8**–8 서울에서 한미상호방위조약이 가조인됨: **10**–1 워싱턴에서 정식 조인. **8**–15 정부가 서울로 환도함. **8**–31 연합신문 · 동양통신 편집국장 정국은鄭國殷, 정부 전복 음모 혐의로 체포됨: **12**–6 사형 언도. **9**–1 북한 김일성金日成, 소련을 방문함. **9**–16 국회가 서울로 복귀함. **9**–21 북한 공군대위 노금석盧今錫이 미그기 몰고 귀순해 옴. **10**–6 한일회담이 개최됨: 일제의 식민통치가 한국에 유리했다는 구보타久保田 망언으로 결렬. **11**–27 이승만李承晩 대통령, 자유중국을 방문함: 장제스蔣介石 총통과 반공통일전선 결성에 합의. **12**–1 삼남지방에 비상계엄령을 선포함: 공비토벌작전 이유. **12**–30 인도군이 반공포로 심사에 착수함.	**1**–14 유고 티토Tito, 국민회의에서 초대 대통령에 선출됨. **2**–2 미국 아이젠하워Eisenhower 대통령, 얄타Yalta 회담 비밀조항 폐기와 타이완臺灣 중립화 해제를 공표함. **2**–16 인도 네루Nehru 수상, 제3지역 결속을 제창함. **3**–5 소련, 스탈린Stalin 수상 사망: 6일 말렌코프Malenkov가 수상에 오름. **4**–10 유엔, 사무총장에 스웨덴의 함마르셸드Hammarskjöld가 취임함. **5**–29 영국 등반대, 세계등반사에서 처음으로 에베레스트산Everest山 등정에 성공함. **6**–16 동독, 노동자 시위 일어남: 반소련 폭동으로 확대됨. **6**–18 이집트, 공화국을 선포함:대통령 겸 수상에 나기브Naguib 취임. **7**–10 소련 공산당, 베리아Beriya 부수상을 제명함. **8**–8 소련, 수소폭탄 보유 사실을 공표함. **8**–19 이란 국왕파, 모사데Mossadegh 정부를 쿠데타로 전복시킴. **9**–12 소련 흐루쇼프Khrushchyov, 공산당 제1서기에 선임됨. **10**–10 중공 저우언라이周恩來 외상, 한국의 판문점板門店에서 정치회담을 개최하여 현안을 토의하자고 제안함. **10**–22 프랑스 · 라오스, 우호연합 협정에 조인함: 라오스Laos의 실질적 독립. ▶미국, 트루먼Truman 사망.

연 대	우 리 나 라	다 른 나 라
1954 (4287) 갑오	**1**–4 필리핀에 공사관을 설치함. **1**–9 국방대학이 창설됨. **1**–18 독도獨島에 영토 표지를 설치함. **1**–21 반공포로 인수를 완료함: 28일 친공포로 인도를 완료함. **1**–30 유네스코UNESCO 한국위원회가 발족됨. **2**–21 중립국 송환위원단을 해체함. **2**–23 판문점板門店 휴전회담 종결을 선언함. **3**–21 표준시를 변경함: 동경 127도 30분 기준. **3**–27 독도獨島에 무단 침입한 일본인 어부에게 체형을 가함. **5**–1 독도獨島에 민간인 수비대를 파견함. **5**–8 이승만李承晩 대통령, 대처승帶妻僧은 절에서 물러나라는 담화문을 발표함. **5**–20 제3대 총선거(민의원)를 실시함: 부정선거로 자유당이 승리함. **5**–22 변영태卞榮泰 외무부장관, 제네바 정치회담에서 14개항의 통일 방안을 제안함. **6**–9 제3대 민의원이 개원됨: 의장 이기붕李起鵬, 부의장 최순주崔淳周 · 곽상훈郭尙勳 선출. **6**–15 아시아민족대회가 진해에서 개최됨. **6**–28 변영태卞榮泰, 국무총리에 임명됨. **7**–3 문교부, 한글간소화안을 발표함. **7**–17 학술원學術院과 예술원藝術院이 개원함. **7**–24 영남 · 호남지방에 호우 피해 발생함. **7**–25 이승만李承晩 대통령, 미국 방문차 출국함: 27일 워싱턴에서 정상회담 개최. **10**–24 국제펜클럽 한국본부가 발족됨. **10**–26 민주국민당 선전부장 함상훈咸尙勳, 신익희申翼熙 · 조소앙趙素昻의 인도 뉴델리New Delhi 밀회설을 발표함. **11**–14 수복지구의 행정권을 인수함. **11**–29 국회, 초대 대통령 중임 제한을 폐지하는 개헌안을 의결함: 사사오입四捨五入 개헌. **11**–30 호헌동지회護憲同志會가 결성됨. **12**–15 기독교방송CBS이 개국함: 최초의 민간방송. **12**–20 정부 조직을 12부 1실 1원으로 결정함. 전북 남원에서 《양금신보梁琴新譜》가 발견됨.	**1**–7 미국 아이젠하워Eisenhower 대통령, 오키나와沖繩의 무기한 보유 의지를 표명함. **1**–21 미국, 원자력 잠수함 노틸러스호Nautilus號를 진수함. **3**–1 미국, 비키니Bikini섬에서 수소폭탄 실험에 성공함. **4**–26 스위스, 제네바에서 극동평화회의가 개최됨. **4**–28 스리랑카, 콜롬보에서 동남아시아 수상회의가 개최됨. **5**–7 월맹군, 디엔비엔푸DienBien Phu를 점령함. **6**–28 인도 · 중공, 델리Delhi에서 평화5원칙을 발표함. **7**–1 일본 자위대自衛隊가 발족됨: 치안유지 목적. **7**–21 제네바 협정이 조인됨: 인도차이나 휴전 성립. 캄보디아 및 라오스 독립이 확정됨. **8**–1 중국 주더朱德 총사령관, 타이완臺灣 해방을 강조함. **8**–9 그리스 · 터키 · 유고, 발칸 군사동맹에 조인함. **9**–8 동남아시아조약기구SEATO가 창설됨: 동남아시아 반공 방위 목적. **9**–14 미국, 제7함대에 자유중국군 지원을 명령함. **10**–3 영국, 런던에서 서독 재군비 및 주권 회복에 관한 9개국 협정이 조인됨. **10**–23 프랑스, 파리 협정이 조인됨: 서독의 주권 회복 및 나토NATO 가입을 승인함. **11** 이집트 나세르Nasser, 나기브Naguib 초대 대통령을 추방하고 집권함. **12**–2 미국 · 자유중국, 안보조약에 조인함.

연대	우리 나라	다른 나라
1955 (4288) 을미	**1**-7 중 · 고등학교 분리를 결정함. **1**-20 울릉도에 150.9cm의 폭설이 내림. **2**-7 마산발전소 기공식을 거행함. **2**-15 노동당이 결성됨: 대표 전진한錢鎭漢. **2**-18 김성수金性洙 전 부통령 사망: 24일 국민장 거행. **3**-2 국회, 부의장에 조경규趙璟奎 의원을 선출함. 부산역에서 객차 화재사고 발생함: 90명 사상. **3**-17 동아일보가 '傀儡괴뢰' 오식사건으로 정간 당함: **4**-16 해제. **4**-18 이승만李承晩 대통령, 〈애국가〉 작곡자 안익태安益泰에게 문화훈장을 수여함. **5**-25 북한, 일본 도쿄에서 재일조선인총연맹(조총련朝總聯)을 결성함. **5**-31 한미잉여농산물협정에 조인함. 박인수朴仁秀, 70여 여인과의 간음죄로 검거됨(박인수사건): **7**-22 법원, 정조는 스스로 지켜야 한다고 판결하며 무죄를 선고함. **7**-5 징용자 조병기가 해방 사실을 모르고 남태평양에서 숨어 살다가 원주민에게 생포되어 14년 만에 귀국함. **8**-8 증권시장이 개장됨. **8**-16 의왕義王 이강李堈 사망. **9**-14 《대구매일신문》 필화사건 일어남: 사설에서 관제데모에 학생 동원하는 것을 비판하자 자유당 소속 청년들이 신문사를 습격함. **9**-18 민주당民主黨이 창당됨: 대표최고위원 신익희申翼熙. **9**-19 이승만李承晩 대통령, 한글간소화안 문제는 민의대로 하라고 지시함. **10**-1 해방10주년 기념 산업박람회를 개최함. **10**-22 충주비료공장을 기공함. **11**-2 사정위원회司正委員會가 발족됨: 위원장 조용순趙容淳. **12**-15 북한 박헌영朴憲永, 사형 판결 받음. **12**-28 북한 김일성金日成, 주체사상을 처음으로 제기함.	**1**-25 소련, 대독일 전쟁 종결을 선언함. **2**-8 소련, 말렌코프Malenkov 수상 사임: 후임에 불가닌Bulganin 취임. **3**-1 영국, 수소폭탄 제조를 공식적으로 선언함: 16일 프랑스도 제조 선언. **4**-7 영국, 처칠Churchill 수상 사임: 후임에 이든Eden 취임. **4**-18 인도네시아, 반둥Bandung에서 아시아 · 아프리카 회의가 개최됨: 평화 10원칙 발표. 독일 아인슈타인Einstein, 미국에서 사망. **5**-14 소련 및 동유럽 8개국, 바르샤바Warszawa 조약기구를 조직함. **6**-2 유고, 수도 베오그라드Beograd에서 소련과 정상회담을 개최함: 공동선언 발표. **7**-15 오스트리아, 중립국으로서 독립함. **7**-18 미국 아이젠하워Eisenhower 대통령, 스위스의 제네바에서 개최된 4국회담에서 공중사찰안을 제안함. **8**-1 미국 · 중공, 스위스 제네바에서 처음으로 대사급 회담을 개최함. **8**-8 인도, 식민지 해방 데모대가 고아Goa 시내를 행진함. **9**-13 서독, 소련과 수교함. **9**-19 아르헨티나 페론Peron 대통령, 폭동 일어나 사임함. **11**-22 중동조약기구METO가 결성됨.

연 대	우 리 나 라	다 른 나 라
1956 (4289) 병신	**1**-16 영암선榮巖線(영주~철암) 철도가 개통됨. **1**-30 육군 특무대장 김창룡金昌龍 소장이 피살됨: **2**-27 저격범 허태영許泰榮 대령을 구속함. **11**-22 강문봉姜文奉 중장을 추가 구속함. **1** 소파상小波賞을 제정함. **2**-27 경제부흥5개년계획을 수립함. **3**-3 증권거래소가 발족됨. **3**-6 이승만李承晩 대통령의 불출마 의사 표명에 반대하는 데모 일어남. **3**-7 경주박물관 금관이 도난당함. **5**-2 민주당, 한강 백사장에서 정견발표회를 개최함: 사상 최대 인원 운집. **5**-5 신익희申翼熙 민주당 대통령 입후보자 , 유세 중 사망함: 23일 국민장 거행. **5**-12 첫 텔레비전방송국HLKI이 개국함: **6**-16 방영 시작. **5**-15 제3대 정 · 부통령 선거를 실시함: 대통령에 자유당 이승만李承晩, 부통령에 민주당 장면張勉 당선. **5**-29 한국전 참전국이 중립국 감시위원단의 철수를 결정함. **6**-6 국회 개원함: 의장에 이기붕李起鵬, 부의장에 조경규趙瓊奎 · 황성수黃聖秀 선출. **7**-27 야당 의원들이 지방의회의원 선거 앞두고 당국의 탄압에 항거하여 의사당 앞에서 시위 벌임. **8**-1 북한, 초등 의무교육제도를 실시함. **8**-13 제2대 지방의회의원 선거를 실시함. **9**-28 민주당, 전당대회를 개최함: 대표최고위원에 조병옥趙炳玉 의원 선출. 장면張勉 부통령, 민주당 전당대회장에서 피습당함: 범인 김상붕金相鵬 체포. **10**-1 배후 조종자 최훈崔勳 구속. **11**-6 국제시계밀수사건이 적발됨: 관련자인 국회 부의장과 외무위원장이 사표 제출함. **11**-10 조봉암曺奉岩, 진보당進步黨을 창당함. **11**-23 신의주新義州 반공학생의거 기념식을 거행함: 이날을 '학생의 날'로 정함. **12**-5 국회, 국제시계밀수사건으로 사퇴한 황성수黃聖秀 부의장 후임에 이재학李在鶴 자유당 의원을 선출함.	**1**-1 수단Sudan, 영국의 지배에서 벗어나 독립함. **2**-14 소련, 공산당대회에서 평화공존노선을 채택함. 흐루쇼프Khruschyov가 스탈린Stalin을 비판함. **3**-20 튀니지Tunisie, 프랑스로부터 독립함. **4**-28 프랑스군, 월남에서 완전 철수함. **7**-19 미국, 이집트의 아스완Aswan댐 건설자금 원조 계획을 철회함. **7**-26 이집트 나세르Nasser 대통령, 수에즈Suez 운하 국유화를 선언함. **8**-16 영국, 런던에서 수에즈Suez 운하 문제 국제회의가 개최됨. **9**-20 미국, 뉴욕에서 국제의회기구 창립총회가 개최됨. **10**-19 일본 · 소련, 국교회복 공동선언에 조인함. **10**-23 헝가리, 수도 부다페스트Budapest에서 대규모 반소련 · 반정부 폭동 일어남. **10**-29 이스라엘군, 이집트에 침입함. **10**-30 영국군 · 프랑스군, 수에즈Suez 운하에 침입함: **12**-12 철수. **11**-1 소련군, 헝가리 사태에 개입함. **11**-6 미국 아이젠하워Eisenhower 대통령, 재선에 성공함. 이스라엘 · 이집트, 정전停戰을 수락함. **12**-18 일본, 유엔 가입에 성공함.

연 대	우 리 나 라	다 른 나 라
1957 (4290) 정유	**1**–13 유도회儒道會 내분 일어남. **1**–15 지청천池靑天 사망. **1**–25 장택상張澤相 등 야당의원, 이승만李承晩 대통령에 대한 경고결의안을 발의함. **1**–28 저작권법이 공포됨. **2**–19 김내성金來成 사망. **3**–28 일본이 한일회담에서 을사늑약 무효 및 재한 일본인 재산청구권 포기를 선언함. **4**–3 동남아시아친선예술사절단, 해외 공연차 출국함. **4**–7 한국신문편집인협회가 발족됨. **4**–22 미군 헌병대가 파주坡州의 한 마을을 수색하고 물품을 강탈하여 물의 일으킴. **4**–24 영국과 양측 공사公使를 대사大使로 승격시키는 데 합의함. **5**–5 〈어린이헌장〉을 선포함. 제1회 소파상小波賞 시상식을 개최함. **5**–18 백선엽白善燁 대장, 육군참모총장에 임명됨. **5**–25 야당 주최 장충단 시국강연회 방해사건이 발생함: **12**–5 주범 유지광柳志光 체포. **7**–1 유엔군사령부가 일본에서 한국으로 이전함. **7**–7 북한, 월맹 호찌민胡志明 방북. **8**–4 전국적인 호우로 수재가 발생함. **8**–20 해일로 전라선 철도가 불통됨. **8**–21 이승만李承晩 대통령, 국군 감축을 제안하는 미국측에 새 군사장비를 요구함. **8**–22 간첩 김정제金正濟를 검거함. 주한 영국군이 철수함. **9**–15 인천에 맥아더MacArthur 장군 동상을 건립함. **9**–18 월남 고 딘 디엠Ngo Dinh Diem 대통령이 방한함. **9**–26 문경시멘트공장이 준공됨. **10**–9 《우리말 큰사전》(6권)이 완간됨. **10**–10 최남선崔南善 사망. **11**–11 필리핀과 양측 공사를 대사로 승격시키는 데 합의함. **11**–12 농림부, 비료자급증산5개년계획을 수립함. **12**–5 국회, 동성동본혼인금지법을 의결함. **12**–16 김병로金炳魯 대법원장이 퇴임함. **12**–31 일본과 억류 선원을 상호 석방함.	**1**–5 미국 아이젠하워Eisenhower 대통령, 신중동교서를 발표함: 아이젠하워 독트린 Eisenhower Doctrine. **1**–9 영국, 이든Eden 수상이 사임함: 후임에 맥밀런 Macmillan이 취임함. **1**–18 중공·소련, 공동선언을 발표함: 사회주의국가의 단결 강조. **2**–25 일본, 이시바시石橋湛山 수상이 사임함: 기시岸信介 내각 성립. **3**–6 가나Ghana 공화국 독립. **3**–25 유럽경제공동체EEC가 결성됨. **3** 필리핀 막사이사이 Magsaysay 대통령, 비행기 사고로 사망함. **5**–15 영국, 크리스마스 Christmas섬에서 첫 수소폭탄 실험에 성공함. **7**–3 소련 말렌코프Malenkov, 공산당 중앙위원회에서 추방당함. **7**–19 미국, 공대공空對空 미사일 실험에 성공함. **8**–26 소련, 대륙간 탄도유도탄을 완성함. **10**–4 소련, 인공위성 스푸트니크Sputnik 1호 발사에 성공함. **10**–15 유고, 동독을 승인함: 19일 서독, 이에 항의하여 유고와 단교함. **11**–22 소련, 모스크바 회담을 개최함: 사회주의 12개국 공동선언을 발표함. **12**–26 전아시아·아프리카국민회의가 개최됨.

연대	우리 나라	다른 나라
1958 (4291) 무술	**1**–1 국회, 참의원 · 민의원 선거법을 의결함. **1**–11 전국언론인대회를 개최함: 선거법 중 언론제한조항 삭제를 요구함. **1**–13 조봉암曺奉岩 등, 국가보안법 위반 혐의로 체포됨: 진보당사건進步黨事件. **2**–3 경인선 철도 통근열차 탈선 전복사고가 발생함. **2**–16 KNA여객기납북사건이 발생함: **3**–6 탑승자 34명 중 26명 귀환. **2**–25 진보당進步黨, 등록 취소당함. **3**–1 일본과 양측 공사公使를 대사大使로 승격시키는 데 합의함. **3**–3 북한, 김두봉金枓奉을 숙청함. 천리마운동千里馬運動을 시작함. **4**–25 터키 멘데레스Menderes 수상이 방한함. **5**–2 제4대 총선거(민의원) 를 실시함. **5**–30 이창훈李昌薰 선수, 도쿄아시아경기대회 마라톤에서 우승함. **6**–20 조용순趙容淳 대법원장 취임. **7**–11 산업은행 부정대출사건이 폭로됨. **7**–21 부산 태극도太極道 교도들의 난동사건 일어남. **8**–8 함석헌咸錫憲, 필화사건과 관련된 국가보안법 위반 혐의로 체포됨. **8**–11 철도노조, 교통부장관 상대로 노동쟁의 벌임. **8**–31 뇌염 발생: 환자 3200여명, 사망 635명. **10**–23 서독 에르하르트Erhard 경제상이 내한함. **10**–25 법원, 조봉암曺奉岩에게 사형을 언도함. **10**–26 북한, 중공군이 철수를 완료함. **11**–5 이승만李承晩 대통령, 월남을 방문함. **11**–10 정부, 오키나와沖繩에 쌀 3만 5천석을 수출하기로 결정함. **11**–20 농업협동조합 중앙회가 발족됨. **11**–21 북한 김일성金日成, 중공 및 월맹을 방문함: 26일 중공 마오쩌둥毛澤東과 회담. **11**–28 국립의료원(메디컬센터)이 설립됨. **12**–19 국회 법사위원회, 야당 의원들 불참 속에 국가보안법 개정안을 의결함: 야당, 농성 벌임. **12**–23 국가보안법 개정 반대 국민대회가 개최됨. **12**–24 국회, 여당의원만으로 국가보안법 및 지방자치법 개정안을 의결함. **12**–27 박태선朴泰善 장로, 사기 · 위증 · 상해죄로 구속됨.	**1**–20 일본 · 인도네시아, 평화조약 및 배상협정에 조인함. **1**–31 미국, 인공위성 익스플로러Explorer 1호 발사에 성공함. **2**–1 통일아랍공화국이 성립됨: 이집트 · 시리아 합방. **2**–8 미국, 일본 주둔 지상군 철수를 완료함. **2**–14 이라크 · 요르단, 아랍 연방을 수립함. **3**–2 영국 탐험대, 남극대륙 횡단에 성공함. **3**–27 소련 흐루쇼프Khrushch yov, 수상에 취임함. **3**–31 소련, 핵실험 정지 선언함. **4**–15 제1회 아프리카 제국회의가 개최됨. **5**–5 중공, 수정주의와의 투쟁을 선언함. **6**–1 프랑스, 드골De Gaulle 내각 성립. **7**–14 이라크, 쿠데타가 발생함: 공화국 선언. **7**–15 미군군, 레바논에 상륙함. **7**–17 영국, 요르단에 파병함. **7**–31 소련 흐루쇼프Khrushchyov 수상, 중공을 방문함: 마오쩌둥毛澤東 주석과 정상회담. **8**–8 유엔, 아랍 10개국의 미국군 · 영국군 철수 결의안을 의결함. **8**–24 중공, 진먼金門島를 포격함. **8**–29 중공, 인민공사를 설립함. **9**–16 유엔 총회, 중공의 유엔 가입안을 상정함. **9**–19 알제리 임시정부 성립. **10**–5 프랑스, 제5공화국 성립. **11**–12 기니Guinea 공화국이 독립함. **12**–2 프랑스 드골De Gaulle, 대통령 선거에서 승리함.

연 대	우 리 나 라	다 른 나 라
1959 (4292) 기해	**1**–10 충북선忠北線 철도(조치원~봉양)가 개통됨. **1**–14 북한, 노농적위대를 창설함. **1**–27 북한의 프라우다Pravda 기자 이동준李東俊이 월남함. **1** 국가보안법 개정 반대 데모가 전국적으로 확산됨. **2**–4 경향신문의 〈여적餘滴〉 필화사건 일어남: **4**–30 폐간 처분됨. **2**–6 북한 김일성金日成, 소련을 방문함: 흐루쇼프Khrushchyov와 회담. **2**–13 일본이 재일동포 북송을 결정함. **2**–23 송요찬宋堯讚 중장, 육군참모총장에 임명됨. **2**–27 유진오兪鎭午 등을 국제적십자사에 파견함: 재일동포 북송 중지 요청 임무. **4**–11 한국유네스코회관을 기공함. **5**–5 정구영鄭求瑛 변협회장, 군정 법령 적용은 위헌이라는 내용의 담화문을 발표함. **6**–1 서울에서 제5차 아시아민족반공대회를 개최함. **6**–4 추풍령秋風嶺 터널이 개통됨. **6**–15 정부, 대일 교역 중단을 발표함. **7**–31 조봉암曺奉岩에 대한 사형이 집행됨. **7** 진단학회震檀學會,《한국사韓國史》를 발간함. **8**–1 장택상張澤相 · 조재천曺在千 등, 치안국의 조봉암曺奉岩 사형집행 보도관제를 비난함. **8**–10 우장춘禹長春 사망. **8**–13 북한, 일본과 재일동포 귀국 협정에 조인함. **9**–14 진주晋州의 영남예술제를 개천예술제開天藝術祭로 개칭함. **9**–17 태풍 사라호Sarah號로 영남 · 호남지방 수해당함. **10**–26 전국노동조합협의회全國勞動組合協議會가 결성됨: 중앙위 의장에 김말룡金末龍 선출. **11**–6 능곡陵谷~의정부議政府 철도를 기공함. **11**–16 대구 국제백화점에 화재 발생함. **12**–14 재일동포 북송 제1진 975명이 일본 니가타항新潟港을 출발하여 북한 청진항淸津港에 도착함. **12**–15 정부, 일본이 재일동포 북송을 중지할 때까지 거족적 항쟁 전개한다고 선언함. **12**–21 경기도 양주에 정약용丁若鏞 묘비 세움. 주한 미국대사 매카나기McCanaughy가 부임함. **12**–23 공안당국, 1년간에 체포된 간첩이 85명에 이른다고 발표함. **12**–24 국회, 경제개발3개년계획을 의결함.	**1**–1 쿠바 카스트로Castro, 바티스타Batista 정권을 타도하고 공산주의혁명에 성공함: **2**–12 수상에 취임. **1**–2 소련, 우주 로켓 발사에 성공함. **2**–19 영국 · 그리스 · 터키, 키프로스 독립협정에 조인함. **3**–5 미국, 터키 · 인도 · 파키스탄과 상호방위조약에 조인함. **3**–24 이라크, 중동조약기구에서 탈퇴함. **3**–31 티베트 달라이 라마Dalai Lama, 인도로 망명함: 중국 · 인도간에 분쟁 야기. **4**–27 중공 류사오치劉少奇, 주석에 선출됨. **5**–11 미국 · 영국 · 프랑스 · 소련, 제네바에서 독일문제에 관한 외상회담을 개최함. **6**–3 싱가포르, 영연방 내에서의 독립을 선언함. **8** 중앙조약기구CENTO가 발족됨: 중동조약기구를 개편. **9**–12 소련, 우주 로켓 제2호 발사함: 14일 달 표면 도착에 성공. **9**–18 소련 흐루쇼프Khrushchyov 수상, 유엔총회 연설에서 전면 군축을 제안함: 25일 미국 아이젠하워Eisenhower 대통령과 회담. **10**–4 소련, 우주 스테이션 루니크Lunik 3호를 발사함. **10**–8 영국 보수당保守黨, 총선거에서 승리함. **11**–20 유엔 총회, 군축 결의안을 의결함. **12**–1 미국 워싱턴에서 남극조약이 체결됨: 21개국 참여.

연대	우리 나라	다른 나라
1960 (4293) 경자	**1**–26 서울역 구내 집단압사사건 발생함: 31명 사망. **2**–15 조병옥趙炳玉 민주당 대통령 후보, 미국에서 사망함: 25일 국민장 거행. **3**–2 부산 국제고무공장에 화재 발생함. **3**–15 제4대 정·부통령 선거를 실시함: 대통령 이승만李承晩, 부통령 이기붕李起鵬 당선. 마산에서 부정선거 규탄 데모 일어남. 민주당, 선거무효를 선언함. **4**–11 눈에 최루탄 박힌 김주열金朱烈의 시체 인양으로 마산의 시위가 격화됨. **4**–18 고려대학교 학생들이 대규모 시위 벌임: 정치깡패 습격으로 40여명이 부상당함. **4**–19 4·19혁명 일어남: 경찰 발포로 다수의 사상자 발생. **4**–21 국무위원, 일괄 사표 제출함. **4**–23 장면張勉 부통령이 사임함. **4**–25 서울의 대학 교수단, 이승만李承晩 대통령 하야 요구하며 시위 벌임. **4**–26 이승만李承晩 대통령이 하야함. 《경향신문》 복간. **4**–28 과도내각이 수립됨: 수반에 허정許政 취임. 이기붕李起鵬 일가 자살. **5**–29 이승만李承晩 전 대통령, 하와이로 망명함. **6**–15 국회, 내각책임제 개헌안을 의결함. **6**–17 곽상훈郭尙勳 국회의장, 새 헌법에 따라 대통령 권한 대행에 취임함. **6**–19 미국 아이젠하워Eisenhower 대통령이 방한함. **7**–29 제5대 총선거(민의원·참의원)를 실시함: 민주당 대승. **8**–8 국회가 개원함: 참의원 의장 백낙준白樂濬, 민의원 의장 곽상훈郭尙勳. **8**–12 윤보선尹潽善, 제4대 대통령에 당선됨. **8**–14 북한 김일성金日成, 남북연방제를 제의함. **8**–23 장면張勉 내각이 성립됨. **10**–11 4·19 부상학생들이 민의원 의사당 단상 점거함: 발포명령사건 등에 대한 재판 결과에 격분. **10**–12 민의원, 민주반역자 처리법안을 의결함. **10**–18 민주당 구파, 신민당新民黨을 창당함: 대표 김도연金度演. **12**–10 박태선朴泰善 장로교도 1천여명이 기사에 불만 품고 동아일보사를 습격함. **12**–12 서울시의원 및 도의원 선거를 실시함. **12**–29 서울시장 및 도지사 선거를 실시함. **12**–30 경무대景武臺를 청와대靑瓦臺로 개칭함.	**1**–19 미국·일본, 신안보조약에 조인함. **2**–13 프랑스, 사하라Sahara에서 원자폭탄 실험에 성공함. **5**–1 소련, 자국 영공에 침범한 미국 정찰기 U-2기를 격추시킴. **5**–3 유럽자유무역연합EFTA이 발족됨. **5**–16 미국·소련, 프랑스 파리에서 수뇌회담을 개최함: U-2기 문제로 결렬. **5**–27 터키, 쿠데타가 발생함. **6**–14 프랑스 드골de Gaulle 대통령, 알제리에 정전회담을 제안함. **6**–20 캄보디아 시아누크Sihanouk, 국가 원수에 취임함. **6**–30 벨기에령 콩고Congo가 독립함. **7**–6 콩고Congo, 쿠데타가 발생함. **7**–14 유엔, 콩고Congo에 유엔군 파견을 결의함. **7**–19 일본, 이케다池田勇人 내각이 성립됨. **8**–7 쿠바 카스트로Castro 대통령, 쿠바 내 미국 자산 몰수를 선언함. **9**–10 라오스, 내전 일어남. **9**–26 국제개발협회IDA가 발족됨. **11**–8 미국 케네디Kennedy, 대통령 선거에서 승리함. **12**–6 소련, 모스크바에서 81개국 공산당선언을 발표함. **12**–20 월남민족해방전선(베트콩Vietcong)이 결성됨. ▸프랑스, 카뮈Camus 사망.

연대	우리나라	다른나라
1961 (4294) 신축	**1**-8 혁신당革新黨 결성: 대표위원 장건상張建相. **1**-21 통일사회당統一社會黨 결성: 대표 이동화李東華. **1**-26 충주비료공장이 준공됨. **1**-28 문화방송MBC이 개국함: 첫 상업방송. **4**-11 가수 이난영李蘭影 사망. **4**-28 인구조사 결과 발표: 총인구 2439만 4117명. **5**-13 남북학생회담 환영 및 통일촉진궐기대회를 개최함. **5**-16 군사정변이 일어남: 5·16군사정변. 쿠데타군, 군사혁명위원회를 설치함: 의장 장도영張都暎 중장, 부의장 박정희朴正熙 소장. 국회와 지방의회를 해산함. 전국에 비상계엄령을 선포함. **5**-18 장면張勉 내각 총사퇴함. 혁명위원회, 국가재건최고회의로 개편함. **5**-20 국가재건최고회의, 혁명내각 수반에 장도영張都暎 의장을 임명함. **6**-10 국가재건최고회의법·중앙정보부법·농어촌고리채정리법이 공포됨. **6**-21 혁명재판소·혁명검찰부 조직법을 공포함. **6**-29 북한 김일성金日成, 소련을 방문함: 상호방위조약 체결. **6**-30 조진만趙鎭滿 대법원장 취임. **7**-1 서울국제방송국HLCA 개국. **7**-3 국가재건최고회의 의장에 박정희朴正熙 소장, 내각수반에 송요찬宋堯讚 취임함. **7**-9 장도영張都暎 중장 등 44명, 반혁명 음모 혐의로 체포됨. **7**-10 북한 김일성金日成, 중공을 방문함. **7**-15 경제재건촉진회가 창립됨: **8**-16 한국경제인협회로 개칭. **7**-22 경제기획원을 신설함. **8**-12 박정희朴正熙 최고회의 의장, 1963년 5월 민정 복귀한다고 선언함. **9**-7 재건국민운동본부 유진오俞鎭午 본부장 사임: 후임에 유달영柳達永 취임. **9**-30 혁명재판소, 3·15부정선거 관련자에 사형 등 실형을 선고함. **10**-20 제6차 한일회담을 개최함. **10**-31 혁명재판소, 반국가·반혁명 혐의로 민족일보 조용수趙鏞壽 사장에게 사형을 선고함. **11**-11 박정희 최고회의 의장, 미국 방문차 출국함: 일본 도쿄에서 이케다池田勇人 수상과 회담. 13일 워싱턴에서 케네디Kennedy 대통령과 회담. **12**-12 첫 학사자격국가고시를 실시함.	**1**-3 미국, 쿠바와 단교함. **1**-7 아프리카 정상회담 개막. **1**-31 미국, 침팬지 태운 로켓을 발사함. **2**-12 콩고, 루뭄바Lumumba 수상이 피살됨. 소련, 궤도상의 인공위성에서 금성 로켓을 발사함. **3**-9 미국, 개를 태운 우주선 발사 후 회수에 성공함. **4**-11 이스라엘, 예루살렘에서 나치 전범 아이히만Eichmann이 재판 받음. **4**-12 소련, 유인 우주선 보스토크Vostok 1호 발사에 성공함: 우주인 가가린Gagarin이 생환함. **5**-1 쿠바, 사회주의공화국을 선포함. **5**-5 미국, 유인 우주 로켓 리버티Liberty 7호 발사에 성공함: 우주인 세파드Shepard가 생환함. **6**-3 미국 케네디Kennedy 대통령, 스위스 빈에서 소련 흐루쇼프Khrushchyov 수상과 회담함. **6**-17 서독, 첫 원자력발전소 운전을 개시함. **8**-12 동독, 베를린장벽을 구축함. **9**-1 유고, 베오그라드Beograd에서 비동맹국 수뇌회담이 개최됨. **9**-18 유엔 함마르셸드Hammarsk-lold 사무총장, 비행기 사고로 사망. **9**-29 경제협력개발기구OECD가 발족됨. **11**-3 유엔, 사무총장에 미얀마의 우 탄트U Thant를 선출함. **11**-5 미국, 대외원조기구AID를 발족시킴. **11**-29 미국, 침팬지 태운 위성을 발사함. **12**-10 알바니아, 소련과 단교함. **12**-18 인도, 군대가 고아Goa 시가지를 접수함.

연대	우리 나라	다른 나라
1962 (4295) 임인	**1-1** 공용 연호를 단기檀紀에서 서기西紀로 변경함. **1-13** 제1차 경제개발5개년계획을 발표함. **1** 나이를 만滿으로 쓰도록 함. **2-2** 울산공업센터를 기공함. **3-16** 정치활동정화법을 공포함. **3-19** 원자력연구소, 원자로에 첫 점화함. **3-23** 윤보선尹潽善 대통령 사임. **3-24** 박정희朴正熙 최고회의 의장, 대통령 권한대행에 취임함. **3-25** 노기남盧基南 · 서정길徐正吉, 대주교가 됨. **4-2** 농촌진흥청 발족. **5-12** 서울에서 아시아영화제를 개최함. **5-22** 정부, 요르단과 대사급 외교관계 수립에 합의함. **5-31** 증권파동 일어남. **6-1** 중앙정보부, 이주당사건二主黨事件 내용을 발표함: 옛 민주당 계열 인사들의 정부 전복 기도. **6-6** 고려대학교 학생들이 미국대사관 앞에서 한미행정협정 체결을 촉구하는 데모 벌임. **6-10** 제2차 화폐개혁을 시행함: 환圜을 원으로 변경. 10대 1로 평가절하. **7-10** 김현철金顯哲 내각수반 취임. **8-2** 《동아일보》 필화사건 일어남: 사설 〈국민투표는 만능 아니다〉로 고재욱高在旭 주필, 황산덕黃山德 논설위원 검거됨. **9-15** 반공자유센터 기공. **11-12** 김종필金鍾泌 · 오히라大平正芳 비밀회담에서 대일청구권 문제에 합의함. **11-29** 《한국일보》 필화사건 일어남: 〈(가칭) 사회노동당 준비설〉 기사로 장기영張基榮 사장 등 구속됨. **11-30** 교통부, KNA 면허를 취소함: 대한항공공사에 국내선 취항을 허가함. **12-10** 북한, 노동당 중앙위원회에서 4대군사노선을 채택함. **12-15** 영왕英王 이은李垠, 대한민국 국적을 회복함. **12-17** 헌법개정안 국민투표를 실시함: 대통령중심제 채택(26일 공포). **12-23** 북한 함정이 연평도延坪島 부근에 침입함. **12-27** 박정희朴正熙 최고회의 의장, 대통령 출마 의사를 표명함.	**1-31** 미주기구 외무장관 회의, 쿠바 추방 결의안을 채택함. **2-3** 미국 케네디Kennedy 대통령, 2월 7일자로 대쿠바 금수조치를 발표함. **2-8** 미국, 주월남군사령부 설치를 발표함. **2-20** 영국, 극동통합사령부 설치를 발표함. **3-18** 프랑스 · 알제리, 정전협정에 조인함. **4-8** 알제리Algeria 독립. **4-14** 프랑스, 퐁피두Pompidou 내각이 성립됨. **6-23** 라오스, 푸마Phouma 통일연합정부가 발족됨: 24일 전쟁 종료. **6-27** 중공, 진먼도金門島 · 마쭈도馬祖島 포격을 개시함. **7-6** 미국, 네바다Nevada에서 첫 수소폭탄형 핵실험을 실시함. **7-21** 라오스 국제회의, 라오스의 중립선언 및 부속의정서를 채택함. **9-1** 이란, 서북부에 지진 발생함: 2만여명 사망. **9-2** 소련, 대쿠바 무기원조를 발표함. **10-22** 미국, 대쿠바 해상봉쇄를 선언함: **11-20** 해제. **10-28** 소련, 쿠바에서 미사일을 철거한다고 발표함. **11-19** 중공 · 인도, 국경분쟁이 격화됨: 22일 전쟁 종료. **12-18** 미국 · 영국, 바하마Bahamas에서 수뇌회담 개최. ▶중공, 후스胡適 사망.

연 대	우 리 나 라	다 른 나 라
1963 (4296) 계묘	**1**–1 민간인의 정치활동 금지 조처를 해제함. 부산이 직할시直割市로 승격됨. **2**–18 박정희朴正熙 최고회의 의장, 민정 불참을 선언함(2 · 18성명): 정국 수습 9개 방안 제시. **2**–26 민주공화당(공화당) 창당: 총재 정구영鄭求暎. **2**–27 정치지도자 및 각군 책임자, 2 · 18성명을 지지하고 정국 수습 공동 성명을 발표함. **3**–6 중앙정보부, 증권파동 · 워커힐사건 · 새나라자동차사건 · 파친코사건 등 4대의혹사건 수사 경위를 발표함. **3**–11 중앙정보부, 쿠데타 음모사건을 발표함: 김동하金東河 · 박임항朴林恒 · 박창암朴蒼岩 등 검거. **3**–14 소설가 염상섭廉想涉 사망. **3**–16 박정희朴正熙 최고회의 의장, 민정 불참 선언을 번복함. **4**–25 동아방송 개국. **5**–14 민정당民政黨 창당: 대표 김병로金炳魯, 대통령 후보 윤보선尹潽善 지명. **5**–15 도쿄올림픽대회 남북단일팀 협상이 홍콩에서 시작됨. **7**–18 민주당民主黨 창당: 총재 박순천朴順天. **8**–1 국민의 당 창당:대표위원 김병로金炳魯 · 허정許政 · 이범석李範奭. **8**–11 송요찬宋堯讚 전 내각수반, 살인혐의로 구속됨. **8**–31 공화당, 총재 겸 대통령 후보에 박정희朴正熙 의장을 지명함. 김활란金活蘭 이화여자대학교 명예총장, 막사이사이상Magsaysay賞을 수상함. **9**–1 노동청 및 철도청 발족. **9**–3 자민당自民黨 창당: 위원장 김준연金俊淵, 대통령 후보 송요찬宋堯讚 지명. **10**–15 제5대 대통령 선거를 실시함: 공화당 박정희朴正熙 후보 당선. **11**–22 영왕英王 이은李垠, 일본에서 영구 귀국함. **11**–24 박정희朴正熙 최고회의 의장, 케네디Kennedy 대통령 장례식 참석차 미국을 방문함: 24일 존슨Johnson 대통령과 회담. **11**–26 제6대 총선거를 실시함: 처음으로 지역구와 전국구 병행. **12**–17 박정희 정부 성립: 최두선崔斗善 내각 조직. 제6대 국회 개원: 의장에 이효상李孝祥 의원, 부의장에 장경순張坰淳 · 나용균羅容均 의원 선출.	**1**–14 프랑스 드골de Gaulle 대통령, 영국의 유럽경제 공동체 EEC 가입 반대의사 표명함: 21일 서독 아데나워Adenauer 수상과 협력조약 체결. **3**–2 중공 · 파키스탄, 국경조약에 조인함. **3**–20 인도네시아, 아궁Agung 화산이 분화함: 2천여명 사망. **5**–22 아프리카 33개국 정상회의가 개최됨: 아프리카 단결기구 OAU를 조직함. **6**–3 교황 요한Joannes 23세 사망: 29일 바오로Paulus 2세 취임. **6**–21 프랑스, 대서양함대의 북대서양조약기구 철수를 통고함. **7**–9 말레이시아, 보르네오Borneo 섬을 병합하여 말레이시아 연방을 결성함. **8**–1 미국 · 영국 · 소련, 모스크바에서 핵실험금지 협정에 조인함. **8**–28 미국, 워싱턴의 10여만 흑인들이 인종 차별을 반대하는 대규모 시위 벌임. **9**–20 미국 케네디Kennedy 대통령, 유엔총회에서 미 · 소 공동 달 탐험을 제의함. **10**–14 알제리 · 모로코, 국경분쟁 일어남: 30일 휴전협정. **10**–17 서독, 아데나워Adenauer 수상이 사임함: 후임에 에르하르트Erhard 선출. **11**–1 월남 고 딘 디엠Ngo Dinh Diem 대통령, 쿠데타로 실각함. **11**–22 미국 케네디Kennedy 대통령, 달라스시Dallas市에서 피격 사망함: 존슨Johnson 부통령이 승계. **12**–6 프랑스, 중공에 통상문호를 개방함.

연 대	우 리 나 라	다 른 나 라
1964 (4297) 갑진	**1**–1 미터법을 실시함. **1**–13 조진만趙鎭滿, 대법원장에 선출됨. **1**–15 민주당, 3분三粉(설탕 · 밀가루 · 시멘트) 폭리사건을 폭로함. **1**–18 제주도 일원의 야간통행금지를 해제함. **3**–9 야당 주도로 대일굴욕외교 반대 범국민투쟁위원회를 결성함. **3**–24 서울의 대학생들이 한일회담 반대 시위 벌임. **4**–26 김준연金俊淵, 대일청구권 사전 수수 발설로 구속됨. **5**–7 울산정유공장이 준공됨. **5**–9 최두선崔斗善 내각이 총사퇴함: 후임 총리에 정일권丁一權 임명. 동양방송 개국. **5**–20 서울의 대학생들이 민족적민주주의 장례식 및 성토대회를 개최함. **5**–21 무장군인 13명이 법원에 난입함: 구속 학생 영장 발부 기각에 반발. **6**–3 대학생 중심 대일 굴욕외교 반대 시위 벌임: 6 · 3사태. 서울 일원에 비상계엄령을 선포함: **7**–28 해제. **6**–5 김종필金鍾泌 공화당 의장이 사퇴함: 후임에 윤치영尹致暎 선출. **6**–8 공수단 장교 8명이 동아일보사에 난입함: 신문 내용에 반발. **6**–16 북한, 평양에서 아시아경제토론회를 개최함. **6**–25 철도청수뢰사건 발생함: 청장 이하 13명 구속. **8**–2 국회, 언론윤리위원회법안을 의결함: **9**–9 언론계의 반발로 시행 보류. **8**–13 중부지방에 호우 내림: 133명 사망. **8**–14 중앙정보부, 인민혁명당 사건 내용을 발표함. **8**–17 한국기자협회가 발족됨. **8**–24 민정당 당무위원회, 유진산柳珍山 의원을 제명함: 대여 선명성 논쟁 야기. **9**《신동아新東亞》가 복간됨. **10**–9 북한 여자 육상선수 신금단辛今丹 부녀가 일본 도쿄에서 극적 상봉함. **10**–24 함태영咸台永 전 부통령 사망: 30일 국민장 거행. **10**–31 월남과 국군 파병 협정을 체결함. **11**–27 자유중국과 우호조약을 체결함. **12**–7 박정희朴正熙 대통령, 서독을 방문함.	**1**–10 미국 · 파나마, 국교를 단절함: **4**–3 재개. **1**–27 프랑스, 중공을 승인함: **2**–10 자유중국, 프랑스와 단교. **1**–30 월남 구엔 칸Nguyen Khan 장군, 쿠데타로 집권함. **3**–4 유엔군, 키프로스Kypros 파병을 결정함. **4**–5 미국, 맥아더Mac Arthur 전 유엔총사령관 사망. **4**–19 라오스, 쿠데타 발생함: **5**–2 푸마Phouma 수상, 우파 · 중립파의 통합 발표. **5**–1 체코슬로바키아, 수도 프라하에서 메이데이MayDay 행사 중 반공데모 일어남. **5**–13 통일아랍공화국, 아스완Aswan댐 제1기 공사 완료함. **5**–27 인도, 네루Nehru 수상 사망. **6**–12 소련 · 동독, 우호상호원조협약에 조인함. **8**–4 미국, 자국 구축함이 월맹 어뢰정의 공격받았다고 발표함: 통킹만Tonkin灣사건. **10**–10 일본, 도쿄올림픽대회 개막. **10**–15 소련, 흐루쇼프Khrushchyov 수상 실각: 후임에 브레즈네프Brezhnev 서기장 취임. 영국 노동당, 총선거에서 승리함: 윌슨Wilson 내각 성립. **10**–16 중공, 첫 원자폭탄 실험에 성공함. **11**–3 미국 존슨Johnson 대통령, 대통령 연임에 성공함. **11**–9 일본, 사토佐藤榮作 내각이 발족함. **11**–14 미국 · 서독, 방위협정을 체결함.

연 대	우 리 나 라	다 른 나 라
1965 (4298) 을사	**1**–8 국무회의, 비전투병력 2천명의 월남 파병을 의결함. **1**–15 제2한강교가 개통됨. **2**–10 춘천 댐 수력발전소가 준공됨. **2**–20 한일기본조약에 가조인함. **2**–25 무즙파동 일어남: 서울특별시 전기중학 무즙 문제로 낙방생들이 소송을 제기함. **3**–1 충청북도의 야간통행금지를 해제함. 안재홍安在鴻, 북한에서 사망. **3**–9 이탈리아와 문화협정을 체결함. **3**–22 단일변동 환율제를 실시함. **4**–3 일본 도쿄에서 한 · 일문제 3대현안에 가조인함: 어업 · 청구권 · 재일동포지위. **4**–17 한일협정 반대 시민궐기대회를 개최함. **4**–28 말레이시아 라만Rahman 수상이 방한함. **5**–3 민중당 창당: 대표최고위원에 박순천朴順天 의원 선출. **5**–6 《신아일보新亞日報》가 창간됨. **5**–10 육군 일부 장교의 반정부쿠데타 음모가 적발됨: 원충연元忠淵 대령 등 구속. **5**–16 박정희朴正熙 대통령, 미국을 방문함. **6**–22 한일협정에 조인함. **7**–2 국무회의, 1개 전투사단 월남 파병을 의결함. **7**–8 북한, 한국군 월남 파병에 상응하는 무기와 장비를 베트남민족해방전선에 제공할 것이라고 발표함. **7**–19 이승만李承晩 전 대통령, 하와이에서 사망함: 23일 유해 환국. **8**–12 민중당 의원 61명이 한일협정에 반대하여 의원직 사퇴를 결의함. **8**–13 국회, 한 · 일협정비준안을 의결함. **8**–26 서울에 위수령衛戍令을 발동함: 대학생들의 한일회담 반대 시위 저지 목적. **9**–17 안익태安益泰, 스페인에서 사망함. **9**–22 《중앙일보中央日報》가 창간됨. **9**–30 금리현실화를 시행함. **10**–1 합동통신, 국내 최초로 해외송신을 개시함. **11**–8 월남 구엔 카오 키Nguyen Cao Ky 수상이 방한함. **12**–18 한일협정비준서를 교환함: 국교 정상화.	**1**–7 인도네시아, 유엔 탈퇴를 발표함. **1**–24 영국, 처칠Churchill 전 수상 사망. **2**–7 베트콩Vietcong, 미국군 기지를 기습 공격함. **3**–15 미국, 처음으로 북위 19도선을 넘어 서월맹 군사기지를 폭격함. **3**–19 소련, 보스토크Vostok 2호 우주인이 처음으로 우주 유영游泳에 성공함: 레오노프Leonov가 우주공간에서 24분간 우영. **3**–23 미국, 2인승 우주선 제미니Gemini 3호를 발사함. **3**–30 베트콩Vietcong, 사이공 주재 미국 대사관을 폭파함. **5**–13 서독, 이스라엘과 수교함: 아랍 10개국, 이에 대응하여 서독과 단교함. **7**–14 미국, 우주선 마리너Mariner 4호가 최초로 화성 근접 촬영에 성공함. **7**–22 영국, 흄Home 보수당 당수 가 사임함: 후임에 히스Heath 취임. **8**–30 인도 · 파키스탄, 카슈미르Kashmir 휴전선 전역에서 교전함: **9**–22 정전에 합의. **9**–5 가봉, 독일 출생 프랑스 의학자 슈바이처Schweitzer가 랑바레네Lambaren 병원에서 사망함. **10**–17 미국, 월맹越盟에 하노이Hanoi 북방 공업지대 폭격 가함. **11**–16 소련, 자동 우주 스테이션 금성 3호를 발사함. **11**–26 프랑스, 처음으로 인공위성 발사에 성공함. **12**–15 미국, 우주선 제미니Gemini 7호가 랑데부에 성공함.

연 대	우 리 나 라	다 른 나 라
1966 (4299) 병오	**1**-1 일본과 양국간 대사 임명에 합의함: 주일대사 김동조金東祚. **1** 계간 《창작과 비평》이 창간됨. **2**-3 마지막 황후 순정효황후純貞孝皇后(윤비尹妃) 사망. **2**-4 한국과학기술연구소KIST 발족. **2**-7 박정희朴正熙 대통령, 말레이시아 · 타이 · 자유중국 방문차 출국함. **3**-1 국세청國稅廳 및 수산청水産廳 발족. **3**-20 국회, 전투부대 월남 파병 증원안을 의결함. **3**-30 신한당 창당: 대표 윤보선尹潽善. **5**-26 주한 터키군의 철수를 발표함. **6**-4 장면張勉 전 국무총리 사망: 12일 국민장 거행. **6**-9 민중당 박한상朴漢相 의원, 괴한에게 테러당함. **6**-14 아시아 · 태평양지역 각료회의가 개막됨. **6**-25 김기수金基洙 선수, 세계주니어미들급 복싱 챔피언에 오름. **7**-9 한미행정협정에 조인함. **7**-29 제2차 경제개발5개년계획을 발표함. **8**-3 산림청을 신설함. **8**-13 김용기金容基 가나안농군학교 교장, 막사이사이상Maxsaysay賞을 수상함. **9**-7 불국사佛國寺 석가탑이 도굴범에 의해 손상됨. **9**-8 도덕재무장MRA 아시아대회가 개막됨. **9**-15 삼성그룹 계열사 한국비료의 사카린 밀수 사실이 보도됨. 북한, 《노동신문》 통해 중공 문화혁명을 좌파 기회주의라고 비난함. **9**-22 삼성그룹 이병철李秉喆 회장, 한국비료의 국가헌납 의사를 표명함. **10**-1 전국 인구조사 실시: 총인구 2919만 4379명. **10**-14 불국사佛國寺 석가탑 사리함에서 〈무구정광대다라니경無垢淨光大陀羅尼經〉을 발견함. **10**-15 효봉曉峰 조계종 종정 사망. **10**-21 박정희朴正熙 대통령, 월남 참전 7개국 정상회담 참석차 필리핀을 방문함. **10**-31 미국 존슨Johnson 대통령이 방한함. **11**-3 아시아민족반공연맹 제12차 총회가 개최됨. **11**-6 서울특별시, 시내 도로 명칭을 제정함. **12**-23 국회, 대일청구권자금 사용계획을 의결함.	**1**-3 아시아 · 아프리카 · 중남미, 인민연대회의를 개최함: 아바나Havana 선언 채택. **2**-3 소련, 루나Luna 9호가 달 연착에 성공함. **3**-1 소련, 금성 3호가 처음으로 금성 표면에 도달함. **3**-30 프랑스, 북대서양조약기구에서 탈퇴함. **5**-9 중공, 핵실험에 성공함. **5**-15 월남, 반정부군 항전으로 내전 상태가 됨. **6**-3 중국 린뱌오林彪 국방부장, 문화정풍운동을 주도함. 미국, 인간우주선 제미니Gemini 9호 발사: 무인표적 위성과 랑데부 및 우주유영에 성공. **6**-20 프랑스 드골de Gaulle 대통령, 소련을 방문함. **6**-29 미국, 월맹越盟의 하노이Hanoi 및 하이퐁Haiphong의 석유시설을 폭격함. **7**-19 미국, 인간우주선 제미니 10호가 이중랑데부에 성공함. **8**-19 터키, 동부에 대지진 발생함: 3천여명 사망. **8**-21 중공, 문화대혁명 일어남: 홍위대紅衛隊 선풍 확대. **9**-12 미국, 2인승 우주선 제미니Gemini 11호가 아제나Agena 위성과 도킹에 성공함. **10**-25 미국, 제7함대가 월맹越盟 연안을 봉쇄함. **11**-11 미국, 제미니Gemini 12호가 개기일식 촬영 및 우주유영에 성공함. **12**-16 유엔, 로디지아Rhodesia 제재를 결의함.

연 대	우 리 나 라	다 른 나 라
1967 (4300) 정미	**1-14** 여수~부산 여객선 한일호가 해군 구축함 충남호와 충돌하여 침몰함. **1-19** 해군 경비정 56함이 동해 휴전선 근해에서 북한군 포격으로 침몰됨. **1-30** 북한, 이라크와 대사급 외교관계를 맺음. **2-7** 신민당新民黨 창당: 대표 유진오兪鎭午, 대통령 후보 윤보선尹潽善. **3-2** 서독 뤼프케Lubke 대통령이 방한함. **3-22** 북한 중앙통신 이수근李穗根 부사장, 판문점 통해 귀순함. **3-24** 경인고속도로 기공. **3-30** 과학기술처를 신설함. **4-1** 서울 구로공단을 준공함. **4-22** 국가대표 여자 농구팀이 체코슬로바키아에서 개최된 세계여자농구대회에서 은메달을 획득함: 박신자朴信子 선수, 최우수선수에 선정됨. **5-3** 제6대 대통령 선거에서 공화당 박정희朴正熙 후보가 당선됨: **7-1** 취임식 거행. **5-15** 동해 대왕암에서 문무왕릉文武王陵을 발견함. **6-8** 제7대 총선거를 실시함: 공화당, 130석 얻어 개헌 정족수 확보함. **6-15** 전국 28개 대학과 57개 고등학교에 휴교령 내림: 부정선거 규탄 데모 관련. **6-23** 경기도청을 서울에서 수원으로 이전함. **6-28** 백남훈白南薰 전 의원 사망 **6-25** 삼남지방의 70년래 극심한 가뭄으로 피해가 커짐. **7-3** 서울의 고등학교에 무기 휴교령을 내림. **7-4** 대학이 조기 여름방학에 들어감. **7-8** 중앙정보부, 동베를린 거점 대남공작단사건을 발표함: 윤이상尹伊桑 등 교수 · 학생 등 315명 관련. **8-9** 일본 도쿄에서 제1차 한일각료회담을 개최함. **8-11** 북한, 월맹越盟과 무상 군사원조 및 경제원조 협정에 조인함. **9-6** 청양 구봉광산 광부 양창선楊昌善, 15일 8시간 35분만에 갱 속에서 구출됨. **10** 《여성동아 女性東亞》가 창간됨. **12-20** 문교부, 한자 관용약자 250자를 공고함. **12-21** 박정희朴正熙 대통령, 오스트레일리아 홀트Holt 수상 장례식 참석차 출국함. **12-29** 지리산智異山 국립공원이 지정됨.	**1-27** 미국 · 소련 등, 우주평화이용조약에 조인함. 미국, 아폴로Apollo 우주선에 화재가 발생함: 비행사 3명이 희생됨. **3-12** 인도네시아 수하르토Suharto 육군 장관, 수카르노Sukarno 대통령 축출하고 정권을 장악함. **3-20** 미국 존슨Johnson 대통령, 월남 키Ky 수상과 괌Guam에서 회담. **5-22** 아랍연맹 나세르Nasser 대통령, 아카바만Aqaba灣을 봉쇄함. **6-5** 제3차 중동전쟁 발발. **6-6** 아랍 연합, 수에즈Suez 운하를 봉쇄함. **6-23** 미국 존슨Johnson 대통령, 방미중인 소련 코시긴Kosygin 수상과 글라스보로Glassboro에서 회담함. **7-1** 유럽공동체EC 결성. **7-23** 미국, 뉴욕 · 디트로이트에서 흑인 폭동 일어남: 비상사태 선포. **8-8** 타이, 방콕에서 동남아시아 각료회의 개최됨: 아세안ASEAN(동남아시아국가연합) 설립에 합의. **9-18** 미국 맥나마라McNamara 국방장관, 탄도탄 방위조직망 건설 착수를 발표함. **10-18** 소련, 금성 4호가 금성 연착에 성공함. **12-3** 유엔 우 탄트U Thant 사무총장, 키프로스 · 그리스 · 터키에 분쟁조정안 전달함: 그리스 · 터키, 수락.

연대	우리나라	다른나라
1968 (4301) 무신	**1**–1 국보《난중일기》도난당함: 9일 범인 잡고 환수. **1**–21 북한 김신조金新朝 등 무장공비 31명이 청와대 습격 목적으로 서울에 침입해 옴: 1·21사태. **1**–23 미국 정보함 푸에블로호Pueblo號가 원산 앞바다에서 북한에 피랍됨. **2**–1 경부고속도로 기공. **2**–7 경전선慶全線 철도(진주~순천)가개통됨. **2**–20 재일동포 김희로金嬉老(본명 권희로權嬉老) 사건 발생: 모욕 주는 일본인 2명을 사살함. **3**–28 한국경제인협회, 전국경제인연합회(전경련全經聯)로 개칭함. **4**–1 향토예비군鄕土豫備軍이 창설됨. **4**–17 북한, 일본 내 조선대학이 정식 인가 받음. **4**–18 박정희朴正熙 대통령, 미국 존슨Johnson 대통령과 호놀루루에서 정상회담. **5**–17 조지훈趙芝薰 전 고려대 교수 사망. **5**–18 에티오피아 셀라시에Selassie 대통령이 방한함. **5**–25 김용태金龍泰 공화당 의원 등, 김종필金鍾泌 전 당의장을 박정희朴正熙 대통령 후계자로 옹립하려다 제명당함: 국민복지회사건. **7**–15 문교부, 중학교 입시제도 폐지를 발표함:추첨제 채택. **7**–16 국제기능올림픽에서 종합 3위를 차지함. **8**–24 중앙정보부, 통일혁명당지하간첩단사건 발표. **9**–9 제1회 한국무역박람회가 개막됨. **9**–15 박정희朴正熙 대통령, 오스트레일리아 및 뉴질랜드 방문차 출국함. **9**–19 고등학교 학생 일부에 군사훈련을 실시함. **10**–7 1970년부터 공문서에 한글 전용 방침 정함. **10**–12 북한, 멕시코올림픽대회 불참한다고 발표함. **10**–14 문교부, 대학입시예비고사 계획을 발표함. **11**–2 울진·삼척에 무장공비 100여명이 출현함. **11**–21 주민등록증을 발급하기 시작함. **12**–5 국민교육헌장을 선포함. **12**–17 국무회의, 가정의례준칙을 의결함. **12**–21 경인고속도로를 준공함. **12**–23 북한, 미국 푸에블레호Pueblo號 승무원 송환. **12**–31 경주慶州·계룡산鷄龍山·한려해상閑麗海上 국립공원이 각각 지정됨.	**1**–24 미국, 핵항공모함 엔터프라이즈호Enterprise號가 원산만으로 이동함. **1**–30 베트콩·월맹군, 월남에서 구정 대공세 벌임. **3**–30 미국 존슨Johnson 대통령, 베트남 북폭 중지와 평화협상 제의: 차기 대통령 불출마 선언. **4**–4 미국, 흑인 지도자 킹King 목사가 피살됨. **5**–1 가트GATT, 케네디 라운드 Kennedyround(관세 일괄 인하) 1년 조기 실시에 합의함. **5**–10 미국·월맹, 파리에서 평화회의를 시작함. **5**–30 프랑스 드골de Gaulle 대통령, 총선거 실시 발표. **6**–6 미국, 로버트 케네디 Robert Kennedy 대통령 후보가 피살됨. **7**–1 유엔 총회, 핵확산금지조약NPT을 채택함. **7**–10 프랑스, 퐁피두Pompidou 내각이 총사직함: 후임에 뮈르빌Murville 재무장관. **8**–21 체코슬로바키아, 민주화 선언을 함: 소련군, 체코슬로바키아에 침공. **8**–12 알바니아, 바르샤바조약기구에서 탈퇴함. **10**–12 멕시코올림픽대회 개막. **10**–15 미국, 파나마와 단교함. **10**–31 미국, 베트남 북폭 중지 및 파리평화회의에 베트콩 참가 동의를 선언함. **11**–5 미국 닉슨Nixon, 대통령 선거에서 승리함. **12**–28 이스라엘, 베이루트 Beirut 공항을 기습 폭격함.

연 대	우 리 나 라	다 른 나 라
1969 (4302) 기유	**1**–13 서독 특별사절단이 내한함: 동베를린 거점 대남공작단사건 등 현안 협의. **1**–20 문교부, 한글 전용을 반대한 충남대학교 유정기柳正基 교수를 파면함: 7–3 파면 취소 판결. **1**–28 서울 · 경기 지역에 25.6cm의 폭설 내림. **1**–30 이희승李熙昇 등 140명, 한글 전용 반대 성명을 발표함. **2**–15 한국도로공사 및 지하수개발공사 발족. **3**–1 국토통일원을 신설함. 대한항공, 민영화됨. **3**–10 변영태卞榮泰 전 국무총리 사망. **3**–18 제3사관학교 개교. **3**–28 김수환金壽煥 대주교, 한국인으로는 처음 추기경에 서임됨. **4**–8 국회, 권오병權五柄 문교부장관 해임건의안을 의결함: 공화당항명파동. 공화당, 양순직楊淳稙 의원 등 5명을 제명함. **4**–15 북한군, 동해상에서 미국 정찰기를 격추함: 승무원 43명 사망. **4**–28 아산 현충사顯忠祠 중건공사를 완성함. **5**–5 이란과 우호조약을 체결함. **5**–10 법원, 남파간첩 이수근李穗根에 사형 선고함. **5**–14 중앙정보부, 김규남金圭南 의원 간첩사건을 발표함. **5**–23 문교부, 외래어한글표기원칙을 발표함. **5**–27 월남 티우Thieu 대통령이 방한함. **6**–19 3선개헌 반대 학생 시위가 시작됨. **7**–25 박정희朴正熙 대통령, 3선개헌안 표결로 자신에 대한 신임 묻겠다고 담화 발표함. **8**–8 북한, 무용가 최승희崔承喜 사망. **8**–20 박정희朴正熙 대통령, 미국 방문차 출국함. **9**–14 국회, 공화당과 정우회政友會 소속 의원만으로 3선개헌안을 변칙 통과시킴. **10**–7 남강南江 다목적댐을 준공함. **10**–17 3선개헌안이 국민투표에서 통과됨. **11**–20 신민당, 3선개헌안 통과에 항의하여 국회 출석 거부 및 원내활동 중단을 선언함. **12**–11 대한항공 여객기가 강릉에서 서울로 운항중 강제 납북됨. **12**–27 제3한강교가 개통됨.	**1**–14 이탈리아, 중공을 승인함. **1**–18 일본, 경찰이 분규중인 도쿄대학 구내에 진입함. **3**–8 이스라엘 · 아랍공화국, 시나이Sinai 반도에서 공중전을 벌임. **4**–14 중공, 마오쩌둥毛澤東 후계자에 린뱌오林彪 국방부장을 당 규약으로 규정함. **4**–23 레바논군, 팔레스타인Palestine 난민과 충돌함. **4**–28 프랑스, 드골de Gaulle 대통령이 국민투표에서 패배하여 사임함: **6**–15 대통령 선거에서 퐁피두Pompidou 당선. **5**–30 서독, 동독 수교국과 단교한다는 할슈타인Hallstein 원칙을 폐지함. **6**–8 미국 닉슨Nixon 대통령, 월남 티우Thieu 대통령과 미드웨이Midway섬에서 회담. **6**–11 영국 탐험대, 북극 도보 횡단에 성공함. **7**–20 미국, 아폴로Apollo 11호 우주비행사 암스트롱Armstrong 등 3명이 인류 최초로 달 도착에 성공함. **9**–3 월맹, 호찌민胡志明 사망. **10**–20 서독, 브란트Brandt 총리가 집권함. **11**–17 미국 · 소련, 핀란드 헬싱키에서 전략무기제한협상SALT을 개최함. **11**–21 미국 닉슨Nixon 대통령, 일본 사토佐藤榮作 총리와 회담: 1972년 오키나와 반환에 합의함. **12**–21 동독 · 서독, 1970년 1월부터 외교 관계 수립에 합의함.

연대	우리 나라	다른 나라
1970 (4303) 경술	**1**–1 남산제1호터널이 개통됨. **1**–7 정부, 한자 1200자 제한 사용 시책을 마련함. **2**–10 김활란金活蘭 전 이화여자대학교 총장 사망. **2**–14 북한, 납치한 대한항공 승객 일부를 판문점板門店 통해 송환함. **3**–17 정인숙鄭仁淑 여인이 한강변에서 피살됨. **3**–23 한글학자 최현배崔鉉培 사망. **3**–24 설악산雪嶽山 · 속리산俗離山 · 한라산漢拏山 국립공원이 각각 지정됨. **3**–31 일본 적군파赤軍派가 요도호淀號 여객기를 납치하여 김포공항에 불시착함: **4**–3 승객 102명 석방하고 평양행. **4**–8 서울 와우아파트 붕괴사고 발생함: 33명 사망. **4**–22 박정희朴正熙 대통령, 새마을운동을 제창함. **5**–1 영왕英王 이은李垠 사망. **5**–18 이홍직李弘植 전 고려대 교수 사망. **6**–2 〈오적五賊〉 필화사건이 발생함: 필자 김지하金芝河 및 《사상계》 대표 부완혁夫玩赫 등이 구속됨. **6**–12 금산錦山 인공통신지구국 개국. **6**–29 서울에서 제37차 세계작가대회가 개막됨. **7**–1 전국 우편번호제를 실시함. **7**–2 전북 익산 왕궁리에서 백제 무왕武王의 왕궁지가 발견됨. **7**–7 경부고속도로가 개통됨. **8**–15 박정희朴正熙 대통령, 북한이 무력 적화 야욕 포기하면 남북의 장벽 제거 용의 있다고 언명함: 8 · 15선언. **8**–22 병무청을 신설함. **8**–27 관세청을 신설함. **8** 계간 《문학과 지성》이 창간됨. **9**–29 신민당 김대중金大中, 대통령 후보에 지명됨. 문화공보부, 《사상계思想界》 등록을 취소함. **10**–10 서울에서 세계불교지도자대회가 개최됨. **10**–14 충남 아산 근처에서 수학여행버스의 열차 충돌사고 발생함: 경성중학교 학생들 희생당함. **11**–13 서울 평화시장 근로자 전태일全泰壹이 분신자살함: 70년대 노동운동의 자극제가 됨. **12**–15 거제~제주 여객선 남영호가 화물 초과 적재로 침몰함: 326명 익사. **12**–23 정부종합청사를 준공함. **12**–30 호남고속도로(대전~전주)가 개통됨.	**1**–3 이스라엘 특공대, 아랍 공군기지를 급습함. **1**–14 서독 브란트Brandt 총리, 동독 슈토프Stoph 총리에게 수뇌회담을 제의함. **2**–3 미국 · 영국 · 소련 · 일본, 핵금지조약에 조인함. **2**–5 서독 · 폴란드, 전후 최초로 정치회담을 개최함. **2**–12 이스라엘, 카이로Cairo를 무차별 공격함. **2**–18 미국 닉슨Nixon 대통령, 아시아 국가에 대한 군사적 개입 자제를 선언함: 닉슨 독트린Nixon doctrine. **3**–15 일본, 오사카大阪 만국박람회가 개막됨. **3**–19 동독 · 서독, 정상회담을 개최함. **3**–23 캄보디아 시아누크Sihanouk, 소련 방문 중 쿠데타로 실각함: **5**–5 베이징에서 캄보디아왕국 연립정부 수립 발표. **4**–24 중공, 무인 인공위성을 발사함. **5**–12 이스라엘, 레바논 침공. **8**–12 서독 · 소련, 무력불행사조약에 조인함. **9**–25 요르단, PLO와 휴전 합의안에 조인함. **9**–28 통일아랍공화국, 나세르Nasser 대통령 사망: **10**–1 사다트Sadat 부통령이 권한 대행. **10**–8 소련 솔제니친Solzhenisyn, 노벨문학상 수상자로 결정됨. **10**–10 피지Fiji, 영국으로부터 독립함: 13일 유엔에 가입. **10**–13 캐나다, 중공을 승인함. **11**–9 프랑스, 드골de Gaulle 전 대통령 사망.

연대	우리나라	다른나라
1971 (4304) 신해	**1**-26 북한, 일본과 재일동포 북송 재개에 합의함. **1**-28 김일엽金一葉 스님 사망. **2**-6 미국과 주한미군 감축과 국군현대화에 합의함. **2**-9 제3차 경제개발5개년계획을 발표함. **3**-12 국군이 서부전선 미제2사단지역 20km를 접수함: 전 휴전선 지역 전담. **3**-27 미 제7사단이 철수함: 첫 주한 미군 철수. **4**-27 박정희朴正熙 대통령, 제7대 대통령 선거에서 당선됨: **7**-1 취임. **5**-6 신민당 유진산柳珍山 당수, 지역구 출마를 포기하고 전국구 1번으로 등록함: 10일 당수직 사퇴. **5**-25 제8대 총선거를 실시함. **5**-27 서울대학교 일부 대학에 휴업령 내림: **6**-24 해제. **6**-3 김종필金鍾泌 전 공화당 당의장, 국무총리에 취임함. **7**-8 충남 공주에서 백제 무령왕릉武寧王陵 발굴함. **7**-26 제8대 국회 개원: 의장 백두진白斗鎭. **7**-28 사법파동 일어남: **8**-28 판사들 사표 철회. **8**-10 광주廣州 대단지사건 일어남: 철거민 이주 집단에서 분양가 인하 등 요구하며 시위 벌임. **8**-12 대한적십자사, 북한측에 남북이산가족찾기회담 개최를 제의함: 14일 북측이 응낙해 옴. **8**-23 인천 실미도實尾島 특수대원 24명이 노량진까지 진출하여 난동 일으킴. **9**-20 남북적십자사, 판문점板門店에서 남북이산가족찾기 첫 예비회담을 개최함. **10**-2 국회, 오치성吳致成 내무부장관 해임안을 의결함: 공화당항명파동. **10**-5 수도경비사령부 장병 30여명이 고려대학교에 난입하여 교련 반대 농성 학생들을 불법 연행함. **10**-6 남북적십자사 예비회담을 개최함: 본회담의 서울·평양 교대 개최에 합의. **10**-15 서울에 위수령衛戍令을 발동함. **11**-15 청담靑潭 스님 사망. **11**-17 내장산內藏山 국립공원이 지정됨. **12**-6 박정희朴正熙 대통령, 국가비상사태를 선언함. **12**-9 파월 국군 첫 철수부대가 부산항에 개선함. **12**-10 8·15 광복 후 첫 민방공훈련을 실시함. **12**-25 서울 대연각大然閣호텔 화재사건 발생함: 167명 사망. **12**-27 국회, 야당 반대 속에 국가보위법을 변칙 통과시킴: 대통령에 비상대권 부여.	**1**-31 월남, 라오스 침공 개시함. **2**-4 중동 산유국, 원유가를 일방적으로 인상함. **2**-24 알제리, 사하라 사막의 석유·천연가스 국유화 발표. **3**-26 동파키스탄, 방글라데시Bangladesh공화국 수립을 선언함. **4**-10 미국 탁구팀, 중공 방문하여 시합 가짐: 핑퐁 외교. **4**-14 미국 닉슨Nixon 대통령, 대중공 관계 개선을 발표함. **6**-5 중공, 핵추진잠수함 준공. **6**-10 미국 닉슨Nixon 대통령, 대중공 금수해제를 발표함. **6**-30 소련, 소유즈Soyuz 3호 우주인 3명이 귀환 중 사망함. **7**-26 미국, 달 위성 아폴로Apollo 15호를 발사함. **8**-9 인도·소련, 평화우호협력조약에 조인함. **9**-2 이집트·시리아·리비아, 아랍공화국연방을 결성함. **10**-25 중공, 유엔에 가입함: 자유중국, 유엔에서 탈퇴함. **11**-14 미국, 마리너Mariner 9호가 화성궤도 진입에 성공함. **11**-27 방글라데시Bangladesh, 인도와 전면 전쟁을 선언함. **12**-6 인도, 방글라데시 승인. **12**-7 소련, 마르스Mars 3호가 최초로 화성에 도달함. **12**-13 인도, 파키스탄 침공. **12**-17 동독·서독, 베를린 협정에 조인함: 동·서베를린 왕래 규정. **12**-21 유엔, 사무총장에 발트하임Waldheim 오스트리아 대사를 선임함.

연 대	우 리 나 라	다 른 나 라
1972 (4305) 임자	**1**-20 《동국정운東國正韻》 원본 6권이 발견됨. **3**-20 박정희朴正熙 대통령, 북한에 4대군사노선 포기 등 평화5원칙을 제시함. **3**-26 일본 나라현奈良縣 다카마쓰高松 고분에서 고구려식 벽화가 발견됨. **4**-15 북한, 김일성金日成 탄생 60주년 기념행사를 실시함: 민족 대명절로 함. **4**-19 대한항공 여객기가 처음으로 태평양 횡단 취항함. **5**-2 이후락李厚洛 중앙정보부장, 평양을 방문함. **5**-11 이범석李範奭 전 국무총리 사망. **5**-29 프랑스 파리에서 《직지심경直指心經》이 발견됨: 세계에서 가장 오래된 금속활자본. **7**-4 7 · 4남북공동성명 발표: 평화통일원칙 등 7개항. **6**-21 주한 타이군 철수 환송식을 거행함. **8**-3 박정희朴正熙 대통령, 경제 안정과 성장에 관한 긴급명령을 발표함: 모든 기업의 사채를 동결함. **8**-16 문교부, 중 · 고등학교 교육용 기초한자 1800자를 발표함. **8**-30 남북적십자사회담을 평양에서 개최함: **9**-18 제2차 회담을 서울에서 개최함. **10**-12 남북조절위원회 공동위원장 회담을 판문점板門店에서 개최함. **10**-13 가야산伽倻山 국립공원이 지정됨. **10**-17 박정희朴正熙 대통령, 특별선언을 발표함(10월유신十月維新): 국회 해산, 전국에 비상계엄령 선포, 대학에 휴교령, 언론 사전검열제 실시 등. **10**-24 제3차 남북적십자사 회담을 평양에서 개최함. **11**-2 제3차 남북조절위원회 공동위원장 회담을 평양에서 개최함. **11**-11 대남 · 대북 비방 방송을 중지함. **11**-21 개헌 위한 국민투표를 실시함: 유신헌법 확정. **11**-22 제4차 남북적십자사 회담을 서울에서 개최함. **12**-2 서울시민회관에 화재 발생함. **12**-15 통일주체국민회의 대의원 선거를 실시함. **12**-22 통일주체국민회의, 제8대 대통령에 박정희朴正熙 단일후보를 선출함, **12**-25 북한, 새 헌법을 공포함: 주석제主席制 신설. **12**-27 박정희朴正熙 대통령 취임. 유신헌법維新憲法을 공포함.	**1**-6 미국 · 일본, 오키나와 반환 공동성명 발표: **1**-22 영국 · 아일랜드 · 덴마크 · 노르웨이, 유럽공동체 EC 가맹조약에 조인함. **2**-21 미국 닉슨Nixon 대통령, 중공을 방문함. **2**-22 동독, 서베를린 시민의 부활절 · 성탄절 동독 방문을 허가함. **4**-16 미국, 4년만에 월맹의 하노이Hanoi와 하이퐁Haiphong을 폭격함. **5**-20 미국 닉슨Nixon 대통령, 소련을 방문함: 26일 전략무기제한협정에 조인. **5** 스리랑카SriLanka공화국 성립: 헌법 제정하고 국호(실론Ceylon) 변경. **6**-3 미국 · 영국 · 프랑스 · 소련, 베를린 협정에 조인함. **7**-3 인도 · 파키스탄, 평화협정에 조인함. **7**-7 일본, 다나카田中角榮 내각이 발족함. **7**-27 중공, 린뱌오林彪 국방부장 실각을 보도함. **8**-28 서독, 뮌헨올림픽대회가 개막됨. **9**-5 아랍 게릴라 검은 9월단, 뮌헨올림픽촌에서 이스라엘 선수 11명을 살해함. **9**-29 중공, 일본 및 서독(10-10)과 국교 수립함. **11**-7 미국 닉슨Nixon 대통령, 재선에 성공함. **12**-21 동독 · 서독, 관계정상화기본조약에 조인함.

연 대	우 리 나 라	다 른 나 라
1973 (4306) 계축	**1**-5 김종필金鍾泌 국무총리, 미국 트루먼Truman 전 대통령 장례식 참석차 출국함: 닉슨Nixon 대통령과 회담. 11일 일본 도쿄에서 다나카田中角榮 총리와 회담. **1**-27 민주통일당 창당: 대표 양일동梁一東. **2**-3 주월 맹호부대 1진이 개선함. **2**-27 제9대 총선거를 실시함. **3**-3 한국방송공사KBS가 창립됨. **3**-10 유신정우회維新政友會(유정회維政會)가 창립됨: 회장 백두진白斗鎭. **3**-12 제9대 국회 개원: 의장 정일권丁一權. **3**-21 제5차 남북적십자 회담을 평양에서 개최함. **4**-10 여자탁구팀이 유고 사라예보Sarajevo 세계탁구선수권대회 단체전에서 처음으로 우승함. **4**-11 월남 티우Thieu 대통령이 방한함. **4**-28 윤필용尹弼鏞 전 수도경비사령관에 유죄 판결함. **5**-5 어린이대공원을 개원함. **5**-9 제6차 남북적십자사 회담을 서울에서 개최함. **5**-16《대한일보大韓日報》가 폐간됨. **6**-10 북한, 휴전선에서 대남 확성기 방송을 재개함. **6**-12 제3차 남북조절위원회 회담을 서울에서 개최함. 한국은행, 새 1만원권을 발행함. **6**-23 박정희朴正熙 대통령, 평화통일외교정책 7개항을 발표함: 6·23평화통일선언. **7**-3 포항제철을 준공함. **7**-11 제7차 남북적십자사 회담을 평양에서 개최함. **7**-15 경주155호고분에서 유물 300여점을 발굴함. **8**-8 김대중金大中 전 대통령 입후보자, 일본 도쿄에서 납치됨(김대중피랍사건): 13일 자택에 귀환. **8**-28 북한, 남북대화를 중단한다고 선언함. **9**-5 북한, 평양지하철을 개통함. **9**-14 국군조직법개정안에 의거 해병대사령부 해체. **10**-2 서울대학교 문리대생들이 유신체제하에서 최초로 반독재·민주화 시위를 전개함. **11**-2 김종필金鍾泌 국무총리, 일본을 방문함: 다나카田中角榮 총리와 회담하고 김대중피랍사건 종결시킴. **11**-16 호남·남해고속도로 전구간이 개통됨. 미국 키신저Kissinger 국무장관이 방한함. **12**-24 함석헌咸錫憲·장준하張俊河·백기완白基玩 등, 개헌청원 100만인 서명운동을 전개함.	**1**-15 미국 닉슨Nixon 대통령, 월맹 공격 중지를 명령함. **2**-20 라오스 정전협정 조인. **2**-22 중공, 미국 워싱턴에 연락사무소를 설치함. **3**-20 이란, 석유 국유화를 선언함. **3**-29 미국, 주월남 미국군 철수를 완료함. **4**-30 미국 닉슨Nixon 대통령, 워터게이트Watergate 사건으로 곤경에 처함. **5**-7 레바논, 팔레스타인 Palestine 게릴라와 교전 벌임. **6**-1 그리스, 공화제를 선언함. **6**-18 소련 브레즈네프 Brezhnev 서기장, 미국 방문. **8**-23 미국 닉슨Nixon 대통령, 국무장관에 키신저Kissinger를 임명함. **9**-10 프랑스 퐁피두Pompidou 대통령, 중공을 방문함. **9**-14 라오스, 평화의정서가 조인됨: 30년 내전 종결. **9**-18 유엔, 동·서독의 유엔 가입을 승인함. 아시아경기연맹, 중공 가입과 자유중국 축출을 결정함. **10**-6 제4차 중동전쟁 발발: 이집트군·시리아군, 이스라엘 점령지를 공격함. **10**-10 미국 애그뉴Agnew 부통령, 부정 연루로 사임함: 12일 닉슨Nixon 대통령, 부통령에 포드Ford를 지명함. **11**-11 이스라엘·이집트, 중동정전합의서에 조인함. **12**-12 일본·중공, 통상협정을 체결함.

연대	우리 나라	다른 나라
1974 (4307) 갑인	**1-8** 박정희朴正熙 대통령, 긴급조치 1호(개헌 논의 금지) 및 긴급조치 2호(비상군법회의 설치)를 선포함: 14일 긴급조치 3호(국민생활안정)를 선포함. **1-17** 납북된 항일투사 박렬朴烈 사망. **1-18** 박정희朴正熙 대통령, 남북불가침협정 체결을 제의함. **2-26** 검찰, 부정융자 받은 박영복朴永復을 구속함. **2-14** 북한, 아시아경기연맹에 가입함. **2-22** 해군 군함이 통영 앞바다에서 침몰함: 159명 익사. **3-28** 동해고속도로 · 영동고속도로 기공식을 거행함. **4-3** 박정희朴正熙 대통령, 긴급조치 4호를 선포함: 민청학련民青學聯 관련 활동 등 금지. **4-17** 주간 《내외통신內外通信》이 창간됨. **4-25** 유진산柳珍山 전 신민당 총재 사망. **6-28** 해경 초계정이 북한 군함에 피격되어 침몰함. **7-16** 비상보통군법회의, 윤보선尹潽善 전 대통령을 민청학련사건 관련 혐의로 기소함. **7-31** 북한, 오스트레일리아와 수교에 합의함. **8-15** 광복절 기념식장에서 박정희朴正熙 대통령 저격 미수사건 발생함: 영부인 육영수陸英修 피격 사망. 범인 문세광文世光을 현장에서 체포함. 서울지하철(서울역~청량리역) 개통 **8-20** 박종규朴鍾圭 대통령 경호실장 사임: 후임에 차지철車智徹 의원. **8-22** 신민당, 임시 전당대회를 개최함: 총재에 김영삼金泳三 의원을 선출함. **9-6** 반일데모대가 일본대사관에 침입함. **9-19** 일본 특사가 내한하여 다나카田中角榮 총리 친서를 박정희 대통령에게 전달함: 한일관계 악화 종결. **10-17** 북한, 유네스코UNESKO에 가입함. **10-19** 법원, 대통령 저격범 문세광文世光에게 사형을 선고함: **12-20** 집행. **10-24** 동아일보 기자들, 〈자유언론실천선언〉 발표. **11-3** 서울 대왕코너에 화재 발생함: 88명 사망. **11-15** 휴전선 남쪽에서 북한의 땅굴을 발견함. **11-18** 자유실천문인협의회가 구성됨. **11-22** 미국 포드Ford 대통령이 방한함. **11-27** 민주회복국민회의 발족: 유신헌법 대체, 민주인사 석방 등을 주장함. **12-26** 동아일보 광고 해약 사태 발생함.	**1-16** 월남 · 중공, 파라셀Paracel 군도 영유권 분쟁 일어남: 20일 중공군이 점령. **1-18** 이스라엘 · 이집트, 양군 격리협정에 조인함. **2-13** 소련, 솔제니친Solzhenisyn 시민권을 박탈하고 추방함. **3-3** 터키, 여객기가 파리에서 추락함: 345명 사망. **3-5** 영국, 윌슨Wilson 노동당 내각이 발족함. **3-12** 소련, 화성 6호가 화성에 도달함. **4-20** 일본 · 중공, 민간항공협정을 체결함: 자유중국, 대일항로를 폐쇄함. **5-5** 서독 브란트Brandt 총리, 보좌관 스파이사건으로 사퇴함. **5-18** 인도, 핵실험에 성공함. **5-19** 프랑스 지스카르Giscard, 대통령 선거에서 승리함. **5-29** 이스라엘 · 시리아, 골란고원Golan高原 군대 격리에 합의함. **8-9** 미국 닉슨 대통령, 워터게이트 사건으로 사임함: 포드Ford 부통령이 승계. **8-14** 그리스, 북대서양조약기구에서 탈퇴함. **9-4** 미국 · 동독, 대사급 수교문서에 조인함. **10-24** 석유수출기구OPEC, 단일유가제를 채택함. **11-13** 유엔, 남아프리카 공화국 추방안을 의결함. **12-8** 그리스, 왕정 종식 위한 국민투표를 실시함. **12-9** 일본, 미키三木武夫 내각이 출범함. **12-28** 파키스탄, 지진이 발생함: 4700여명 사망.

연 대	우 리 나 라	다 른 나 라
1975 (4308) 을묘	**1**-14 석가탄신일과 어린이날을 공휴일로 정함. **2**-1 덕유산德裕山·오대산五臺山 국립공원이 각각 지정됨. **2**-12 유신헌법 찬반 국민투표를 실시함: 찬성 73%. **3**-18 동아일보사, 114명의 기자를 해고함: 광고 해약사태 종료. **3**-24 주한 유엔군사령부가 비무장지대에서 북한의 제2땅굴을 발견했다고 발표함. **4**-8 박정희朴正熙 대통령, 긴급조치 7호를 선포함: 고려대학교에 휴교령 내림. **4**-11 국립민속박물관 개관. 서울대학교 농대생 김상진金相鎭, 유신체제와 긴급조치에 항의 자살함. **4**-18 북한 김일성金日成, 중공을 방문함. **4**-29 박정희朴正熙 대통령, 시국에 관한 특별담화문을 발표함: 월남 적화 관련 북한 도발 가능성 강조. 주월 한국대사관이 철수함. **5**-1 김지하金芝河, 옥중에서 양심선언을 발표함. **5**-13 박정희朴正熙 대통령, 긴급조치 9호를 선포함: 유신헌법에 대한 비방·반대·개정주장 금지. **5**-21 박정희朴正熙 대통령, 김영삼金泳三 신민당 총재와 요담. **5**-22 서울대학교 학생들, 긴급조치 9호 반대 시위 벌임. **6**-10 태광실업 박동명朴東明 대표, 외화도피 혐의로 구속됨. **6**-30 국방부, 전투예비군부대를 창설함. **7**-16 사회안전법을 제정함: 시국사범의 사회 복귀 봉쇄 목적. **8**-17 장준하張俊河 사망: 등산 중 의문의 실족사. **8**-25 북한, 비동맹회의에 가입함. **9**-1 서울 여의도에 새 국회의사당을 준공함. **9**-15 조총련朝總聯계 재일동포 700명이 추석 성묘차 모국을 방문함. **9**-22 민방위대 발대식을 거행함. **10**-13 신민당 김옥선金玉仙 의원, 국회 발언 문제되어 의원직 사퇴함. 연쇄살인범 김대두金大斗를 검거함. **10**-14 영동고속도로(수원~강릉) 및 동해고속도로(강릉~동해시)가 완공됨. **11**-20 대구 서문시장에 화재 발생함. **12** 박정희朴正熙 대통령, 전면 개각을 단행함: 국무총리에 최규하崔圭夏 임명.	**1**-19 중공, 새 헌법을 공포함: 사회주의국가 규정. **2**-22 타이, 크메르Khmer와의 국경을 폐쇄함. **3**-25 사우디아라비아, 파이잘Faisal 국왕이 피살됨. **4**-5 자유중국, 장제스蔣介石 총통 사망: 후임에 옌자깐嚴家淦 부총통을 선임함. **4**-17 크메르Khmer 공산군, 프놈펜Phnom Penh을 점령함. **4**-23 미국 포드 대통령, 인도차이나 개입 종결을 선언함. **4**-30 월남, 베트콩에 무조건 항복함: 월남전쟁 종식. **5**-8 라오스, 좌파가 실권을 장악함: 사실상 공산화됨. **6**-3 이스라엘군, 시나이Sinai 반도에서 철수를 개시함. **6**-5 이집트, 수에즈Suez 운하를 8년만에 개방함. **7**-17 미국, 아폴로Apollo 우주선이 소련 소유즈Soyuz 우주선과 도킹에 성공함. **7**-29 미주기구 특별총회, 쿠바 봉쇄를 해제함. **8**-6 미국·일본, 워싱턴에서 정상회담: 아시아 평화5원칙을 선언함. **9**-4 이스라엘·이집트, 시나이Sinai 협정에 조인함. **10**-16 모로코, 사하라Sahara 평화대행진을 결의함. **11**-6 스페인, 서부 사하라Sahara 포기를 결정함. **11**-20 스페인, 프랑코Franco 총통 사망. **12**-3 라오스, 왕정을 폐지함. **12**-21 아랍 게릴라, 빈Wien 석유수출기구 회의장 습격.

연대	우리 나라	다른 나라
1976 (4309) 병진	**2**–16 통일주체국민회의, 제2기 유정회 의원을 확정함. **2**–29 문교부, 교수재임명제를 처음으로 실시함. **3**–1 윤보선尹潽善 · 김대중金大中 · 함석헌咸錫憲 · 함세웅咸世雄 등, 명동성당 3 · 1절행사 기념미사에서 민주구국선언문을 발표함. **3**–11 검찰, 민주구국선언문 관련자 11명을 정부 전복 선동 혐의로 입건함. **3**–19 항만청을 신설함. **3**–30 주왕산周王山 국립공원이 지정됨. **4**–30 내무부內務部, 매월 말일을 '반상회 날'로 지정함. **5**–14 북한, 최현崔賢 인민무력부장을 해임함: 후임에 오진우吳振宇 임명. **5**–25 신민당, 주류 · 비주류 양파의 별도 전당대회에서 폭력사태 발생함. **6**–18 경제기획원, 제4차 경제개발5개년계획을 발표함. **7**–1 한국수출입은행이 발족됨. **7**–22 미국 키신저Kissinger 국무장관이 한반도 문제 해결 위한 4자회담 · 교차승인 · 동시유엔가입 등을 제시함. **8**–1 양정모梁正模 선수, 몬트리올올림픽대회 레슬링 경기에서 해방 후 처음으로 금메달을 획득함. **8**–18 북한군, 판문점板門店 공동경비구역 내에서 도끼로 미군 2명을 살해함: 판문점도끼만행사건. **9**–15 신민당, 주류 · 비주류 합동 전당대회를 개최함: 집단지도체제 채택. **9**–19 북한, 최용건崔庸健 부주석 사망. **10**–2 건설부, 경기도 반월半月에 새 공업도시 건설계획을 발표함. **10**–11 전남 신안新安 앞바다에서 중국 송대 · 원대 유물을 다량 인양함. **10**–14 납북되었던 신진호가 귀환함. **10**–24 미국 《워싱턴 포스트》가 박동선朴東宣의 미국 의원 매수사건을 보도함: 박동선사건. **10**–27 안동 다목적댐을 준공함. **11** 함평咸平 고구마사건 발생: 농협의 수매 불이행으로 피해본 농민들이 시위 벌임. **12**–10 판문점에서 남북적십자사 실무회담 개최. **12** 이해 수출 80억 달러가 달성됨.	**1**–8 중공, 저우언라이周恩來 전 수상 사망. **1**–26 유엔, 팔레스타인Palestine 건국 승인안을 채택함. **3**–14 이집트, 대소련 우호조약 파기를 선언함. **4**–5 중공, 베이징 톈안먼天安門 광장에서 반공산당정권 시위 벌임: 톈안먼사건. 영국 노동당, 당수에 캘러헌Callaghan 선출. **4**–7 중공, 덩샤오핑鄧小平 실각: 화궈펑華國鋒이 총리에 임명됨. **4**–25 중공 · 인도, 대사 교환에 합의함. **5**–14 인도 · 파키스탄, 외교관계 재개에 합의함. **6**–27 프랑스, 에어버스기가 피랍됨: 인질 260명 태우고 엔테베Entebbe공항에 착륙. **7**–4 이스라엘 특공대, 엔테베Entebbe공항 인질을 구출함: 엔테베 작전. **7**–17 캐나다, 몬트리올Montreal 올림픽대회가 개막됨. **7**–26 일본, 다나카田中角榮 전 총리를 구속함: 미국 록히드사Lockheed社에서 수뢰 혐의. **7**–28 중공, 허베이성 탕산唐山에서 지진 발생함: 24만명 사망, 16만명 부상. **9**–9 중공, 마오쩌둥毛澤東 전 주석 사망. **10**–7 중공, 장칭江靑 · 왕훙원王洪文 · 장춘차오張春橋 · 야오원위안姚文元 등 4인방을 체포함. **11**–3 미국 카터Carter, 대통령 선거에서 승리함. **11**–15 아랍평화유지군, 레바논에 진주함. **12**–24 일본, 후쿠다福田赳夫 내각 발족.

연대	우리 나라	다른 나라
1977 (4310) 정사	**1**-12 박정희朴正熙 대통령, 북한에 남북불가침협정 체결을 제의함: **2**-10 임시행정수도 건설 구상 피력. **2**-15 허백련許白鍊 화백 사망. **3**-9 미국 카터Carter 대통령이 4~5년에 걸친 주한미군 철수계획을 발표함. **3**-16 치안본부, 검인정교과서 부정사건을 발표함. **4**-21 충북대학교, 청원淸原에서 20만년 전 동물벽화를 발견함. **5**-4 문화공보부, 일본《요미우리신문讀賣新聞》서울지국을 폐쇄함: 신문의 국내 배포 금지. **6**-1 한국은행, 새 5000원권을 발행함. **6**-19 국내 최초의 고리古里원자력1호 발전기가 점화됨. **6**-22 전 중앙정보부장 김형욱金炯旭, 미국 하원에서 박동선朴東宣 로비활동 등을 증언함. **6**-28 외무부, 김형욱金炯旭사건 및 청와대 도청사건에 대해 미국에 항의각서를 전달함. **7**-1 부가가치세 및 직장인의료보험제 실시함. 북한, 200해리 경제수역을 선포함: 정부, 불인정 선언. **7**-30 프랑스 거주 백건우白建宇 · 윤정희尹靜姬 부부, 북한에 피랍중 탈출함. **9**-15 고상돈高相敦 등 한국등반대, 에베레스트산Everest山 정상 등정에 성공함. **10**-18 박정희朴正熙 대통령, 통일 위한 3원칙 제의함: 남북한 불가침협정, 남북경계선 개방, 자유선거. **11**-11 이리역裡里驛 화약운송열차 폭발사고 발생함: 59명 사망, 1300여명 부상, 이리시내 건물 70% 피해. **11**-18 최덕신崔德新 전 외무부장관, 미국에 망명함. **12**-10 북한 김일성金日成, 동독 호네커Honecker서기장 환영식에서 독일식 통일안(2개의 국가)은 한반도에서 부적합하다고 언급함. **12**-17 구마고속도로(대구~마산)가 개통됨. **12**-22 수출 100억달러를 달성함. **12**-31 미국과 박동선朴東宣사건 공동성명을 발표함.	**2**-9 스페인, 소련과의 수교를 결정함. **3**-7 아랍 · 아프리카 수뇌회담이 개막됨: 카이로Cairo 선언에 60개국 서명. **3**-22 인도, 간디Gandhi 총리 사임: 데사이Desai 내각 성립. **5**-18 수단, 소련 군사고문단을 추방함. **6**-3 쿠바, 미국과 상주대표 교환에 합의했다고 발표함. **6**-30 동남아시아조약기구가 23년만에 해체됨. **7**-2 헝가리 · 루마니아, 서구 공산주의 노선 지지 선언함. **7**-22 중공, 덩샤오핑鄧小平의 당 부주석 복직을 발표함. **8**-1 루마니아 · 스페인 공산당, 독자노선을 재확인함. **9**-7 미국 · 파나마, 새 파나마 운하조약에 조인함. **10**-13 서독, 루프트한자가 피랍됨: 18일 서독 특공대, 소말리아 모가디슈Mogadishu 공항에서 인질 86명 구출. **11**-1 미국, 국제노동기구 탈퇴를 발표함. **11**-19 이집트 사다트Sadat 대통령, 이스라엘을 방문함. **12**-2 아랍 강경파 수뇌들, 반사다트反Sadat 회의를 개최함: 이집트와의 외교관계 단절 등 트리폴리Tripoli 선언 발표. **12**-25 이스라엘 베긴Begin 총리, 이집트를 방문함.

연대	우리 나라	다른 나라
1978 (4311) 무오	**1**–1 동력자원부를 신설함. **2**–7 영화배우 최은희崔銀姬가 홍콩에서 행방불명됨. **3**–1 서대문구치소 긴급조치 관련 수감자들이 3·1절행사 기념 시위 벌임. **3**–7 한·미 합동 팀스피리트 78작전을 개시함. **3**–24 박목월朴木月 전 한양대 교수 사망. **4**–3 박동선朴東宣, 미국 하원 청문회에서 전·현직 의원에게 85만 달러 헌금 사실을 증언함. **4**–14 서울 세종문화회관 개관. **4**–21 대한항공 여객기가 소련 무르만스크Murmansk 호수에 강제 착륙당함: 23일 탑승자 전원 송환. **4**–30 정부, 12해리 영해법을 공포함. **5**–18 제2대 통일주체국민회의 대의원 선거 실시. **5**–26 여천麗川석유화학공단을 준공함. **6**–30 한국정신문화연구원 개원. **7**–6 통일주체국민회의, 제9대 대통령에 박정희朴正熙 후보를 선출함. **7**–20 고리古里 원자력1호발전기를 준공함. **8**–8 정부, 부동산 투기 억제책을 발표함. **9**–2 북한, 평양~원산 고속도로를 개통함. **9**–3 신현확申鉉碻 보사부장관, 한국 각료로는 처음 소련에 입국함: 세계보건기구 총회 참석차. **9**–12 북한, 중공 덩샤오핑鄧小平 부주석 방북. **9**–26 국산 유도탄 시험발사에 성공함. **10**–5 자연보호헌장을 선포함. **10**–7 충남 홍성에 지진이 발생함. **10**–17 윤보선尹潽善·함석헌咸錫憲·문익환文益煥 등 재야인사 402명 및 102개 재야단체가 민주구국선언문을 발표함. **10**–20 서산해안瑞山海岸 국립공원이 지정됨. **10**–27 유엔군사령부가 북한의 제3땅굴을 발견하였다고 발표함. **11**–7 한미연합군사령부가 발족됨. **12**–12 제10대 총선거를 실시함: 야당(신민당)이 득표율에서 여당(공화당)을 앞지름. **12**–27 박정희朴正熙 9대 대통령 취임. **12**–30 국사편찬위원회, 《한국사》(전 24권)를 완간함.	**2**–3 이집트 사다트Sadat 대통령, 미국 방문 중 카터Carter 대통령과 중동평화문제에 관한 비밀회담을 개최함. **3**–11 팔레스타인Palestine 게릴라, 이스라엘을 급습함: 14일 이스라엘군, 게릴라 기지를 보복 공격함. **3**–21 이스라엘 베긴Begin 총리, 미국 워싱턴에서 카터Carter 대통령과 중동문제를 협의함. **4**–1 이스라엘군, 레바논 남부 점령지에서 철수함. **5**–20 자유중국, 장징궈張經國 총통이 취임함: 장제스蔣介石 전 총통의 장남. **6**–5 중공, 대베트남 원조 중단을 선언함. **7**–25 영국, 세계 최초의 시험관 아기가 탄생함. **8**–6 교황청, 바오로Paulus 6세 교황 사망: 후임에 요한 바오로Joannes Paulus 2세 선출. **8**–12 일본·중공, 평화우호조약을 체결함. **9**–6 미국·이집트·이스라엘, 미국 캠프데이비드Camp David에서 중동평화회담을 개시함: 17일 협정에 조인함. **9**–20 아랍 4개국과 팔레스타인Palestine, 캠프데이비드Camp David 협정내용을 거부함. **10**–12 이스라엘·이집트, 평화조약 협상을 시작함. **12**–7 일본, 오히라大平正芳 내각이 발족함. **12**–17 석유수출국, 1979년부터 원유가를 14.5% 인상한다고 발표함: 제2차 석유파동.

연 대	우 리 나 라	다 른 나 라
1979 (4312) 기미	**1**–19 박정희朴正熙 대통령, 북한에 당국자간 대화 촉구함. **1**–31 동해고속화도로(삼척~포항)가 개통됨. **3**–1 윤보선尹潽善 · 김대중金大中 등 재야인사, 국민연합을 결성함: 민주주의와 민족통일 목표. **4**–3 검찰, 율산그룹 신선호申善浩 대표를 구속함. **4**–8 단국대학교 학술조사단, 충주의 중원고구려비中原高句麗碑를 발견함. **4**–25 북한, 평양에서 제35회 세계탁구선수권대회를 개최함. **5**–2 북한, 발트하임Waldhein 유엔 사무총장 방북: 4일 한국 방문. **5**–30 신민당 김영삼金泳三 의원, 총재에 선출됨: 온건파 이철승李哲丞 의원에 승리. **6**–29 미국 카터Carter 대통령이 방한함. **7**–16 천주교 안동교구 농민운동 지도자 오원춘吳元春이 정보기관원에 납치 · 폭행당한 사건 발생함. **8**–9 YH무역 여공들이 생존권 보장을 요구하며 신민당 당사에서 농성 벌임: 11일 경찰이 강제 해산함. **9**–8 법원, 신민당 총재단 직무정지 가처분을 결정함. **9**–27 경찰, 골동품상 살인사건 범인 박철웅朴鐵雄 형제를 검거함. **10**–4 국회, 김영삼金泳三 의원을 제명함. **10**–7 전 중앙정보부장 김형욱金炯旭, 프랑스에서 실종됨. **10**–18 정부, 학생 시위로 부산에 비상계엄령을 선포함. **10**–20 마산과 창원에 위수령衛戍令이 공포됨. **10**–26 박정희朴正熙 대통령, 김재규金載圭 중앙정보부장에 의해 시해됨(10 · 26사태): **11**–3 국장으로 국립현충원에 안장. **10**–27 최규하崔圭夏 국무총리, 대통령 권한대행에 취임함. 전국에 비상계엄령이 선포됨: 계엄사령관에 정승화鄭昇和 육군참모총장. **11**–26 계엄사령부, YWCA 위장결혼식사건을 발표함. **12**–6 최규하崔圭夏 대통령 권한대행, 통일주체국민회의에서 제10대 대통령에 선출됨: 21일 취임. **12**–7 긴급조치 9호를 해제함. **12**–12 군수사당국, 정승화鄭昇和 육군참모총장을 대통령 시해사건 관련 혐의로 연행함: 12 · 12사건. **12**–22 육군보통군사재판에서 10 · 26사태 관련자 김재규金載圭 등 7명에게 사형을 선고함.	**1**–1 미국, 중공과 수교함: 자유중국과는 단교. **1**–7 베트남군, 캄보디아 프놈펜PhnomPenh을 점령함: 폴 포트Po lPot 정권 붕괴. **1**–17 이란 팔레비Phalevi 국왕, 혁명 일어나 해외로 망명함: 파리에 망명중인 호메이니Khomeini가 이슬람 임시정부 수립을 발표함. **2**–17 중공, 베트남을 침공함. **3**–26 이집트 · 이스라엘, 중동평화조약에 조인함. **3**–31 이란회교공화국이 수립됨. **4**–7 국제올림픽위원회, 중공 가입을 승인함. **5**–4 영국 보수당, 총선거에서 승리함: 대처Thatcher 당수, 첫 여성 총리에 취임. **6**–2 교황청, 요한 바오로Joannes Paulus 2세 교황이 폴란드를 방문함. **7**–17 니카라과 소모사Somosa 대통령이 민족해방전선 세력에 밀려 미국에 망명함: 반세기간의 독재 종료. **10**–17 소련 · 중공, 모스크바에서 정상회담을 개최함. **11**–4 이란, 회교도와 학생들이 테헤란 주재 미국 대사관을 점령함: 대사관원 60명을 인질로 하고 전 국왕 팔레비Pahlevi의 인도를 요구함. **11**–19 이스라엘, 이집트에 시나이Sinai 반도를 반환함. **12**–25 아프가니스탄, 친소련 쿠데타가 발생함: 소련군, 아프가니스탄에 진입함. 미 · 소 관계 악화.

연 대	우 리 나 라	다 른 나 라
1980 (4313) 경신	**1**-19 곽상훈郭尙勳 전 국회의장 사망. **1**-24 신현확申鉉碻 국무총리, 북한에 총리 회담 위한 양측 실무회담을 제의함: 30일 북한 수락. **2**-6 남북 총리회담 위한 실무대표가 판문점板門店에서 첫 회의를 가짐. **2**-18 최규하崔圭夏 대통령, 국정자문회의 구성함. **2**-22 정부, 모스크바올림픽대회 불참을 결정함. **2**-27 한국은행, 고정환율제에서 변동환율제로 전환함. **2**-29 정부, 윤보선尹潽善 · 김대중金大中 등 687명에 복권조치를 단행함. **4**-1 양일동梁一東 통일당 총재 사망. **4**-14 전두환全斗煥 보안사령관, 중앙정보부장 서리를 겸임함. **4**-21 정선 사북읍舍北邑 광부 700여명, 임금 인상액과 어용노조에 대한 불만으로 시위 중 경찰과 충돌하여 유혈사태 발생함: 사북사태. **5**-10 최규하崔圭夏 대통령, 중동 순방차 출국. 전국대학 총학생회장단, 비상계엄령 해제 요구. **5**-13 2500여 대학생들이 서울 광화문에서 시위 벌임. **5**-15 전국 대학생 10만여명이 서울역에 집결하여 시위 벌임: 계엄령 철폐 요구. **5**-17 정부, 전국에 비상계엄령을 확대함: 정치활동 전면금지. 계엄사령부, 김대중金大中 · 문익환文益煥 등을 소요 조종 혐의로, 김종필金鍾泌 · 이후락李厚洛 등을 권력형 부정축재 혐의로 연행함. **5**-18 광주민주화운동 시작. 전국 대학에 휴교령 내림. **5**-20 신현확申鉉碻 내각, 소요사태에 책임지고 총사퇴함: 21일 박충훈朴忠勳 내각 구성. **5**-24 김재규金載圭 등 10 · 26사태 관련자에 대한 사형을 집행함. **5**-25 최규하崔圭夏 대통령, 광주 현지에서 담화문을 발표함: 대화 통한 사태 해결 강조. **5**-27 광주시내에 계엄군이 진입함. **5**-31 국가보위비상대책위원회(국보위國保委)를 설치함: 의장 최규하崔圭夏 대통령, 상임위원장 전두환全斗煥 정보부장.	**1**-3 인도 국민회의파, 총선거에서 승리함: 간디Gandhi 총리가 재취임함. **1**-6 사우디 아라비아, 소련의 아프가니스탄 침공에 항의하여 모스크바올림픽대회 불참을 선언함: 11일 네덜란드, 14일 영국, 26일 캐나다 등이 불참 선언. **1**-26 이집트 · 이스라엘, 국교를 수립함. **2**-1 일본, 모스크바올림픽대회 불참을 선언함. **2**-5 프랑스, 리비아와 단교함. **2**-18 캐나다, 총선거에서 자유당 당수 트뤼도Trudeau가 승리함. **2**-20 미국, 소련의 아프가니스탄 침공에 대응하여 모스크바올림픽대회 불참을 확인함. **3**-3 캐나다, 트뤼도Trudeau 내각이 발족함. **4**-7 미국, 이란과 단교를 선언함: 테헤란 주재 미국 대사관 인질 억류 장기화에 대응. **4**-17 국제통화기금, 중공 가입을 승인함. **4**-18 짐바브웨Zimbabwe, 영국으로부터 독립함: 카난 바나나Canaan Banana 대통령 취임. **4**-25 미국, 이란의 테헤란 주재 대사관 인질 구출작전에 실패함. **5**-4 유고, 티토Tito 전 대통령 사망. **6**-12 일본, 오히라大平正芳 내각이 퇴진함. **6**-13 유럽공동체EC 수뇌회담, 중동평화선언 및 아프가니스탄 특별선언을 발표함. **6**-22 제6차 선진국 수뇌회담, 소련군의 아프가니스탄 철수안을 채택함.

연 대	우 리 나 라	다 른 나 라
1980 (4313) 경신	**6**–24 공화당 김종필金鍾泌 총재, 모든 공직에서 사퇴한다고 발표함. 7–4 계엄사령부, 김대중金大中을 군법회의에 회부함: 9–17 사형 선고. 7–30 국보위, 교육정상화 및 과외금지 조치를 발표함. 7–31 문화공보부, 172개 정기간행물 등록을 취소함. **8**–4 국보위, 삼청교육대의 '순화교육' 계획을 발표함. **8**–8 김홍일金弘壹 전 신민당 당수 사망. **8**–13 신민당 김영삼金泳三 총재, 모든 공직 사퇴 및 정계 은퇴를 발표함. **8**–16 최규하崔圭夏 대통령 하야함: 대통령 권한대행에 박충훈朴忠勳 총리서리. **8**–21 전군 주요지휘관회의, 전두환全斗煥 장군을 국가원수로 추대하기로 결의함. **8**–27 전두환全斗煥 국보위 상임위원장, 통일주체국민회의에서 제11대 대통령에 당선됨: **9**–1 취임. **8**–28 계엄사령부, 휴교령을 전면 해제함. **9**–27 정부, 재벌기업의 계열사 정리와 비업무용 부동산 처분 촉진 조치를 발표함. **10**–17 문교부, 고려대학교 학생 시위로 휴업령休業令을 발표함. **10**–19 송요찬宋堯讚 전 내각수반 사망. **10**–22 제5공화국헌법이 국민투표로 확정됨: 대통령 7년 단임, 선거인단에 의한 대통령 간접선거 등. **10**–27 제5공화국헌법을 공포함. 국가보위 입법회의가 발족됨: 의장에 이호李澔, 부의장에 정내혁丁來赫 · 채문식蔡汶植. **11**–1 국무총리 산하에 사회정화위원회를 설치함. **11**–14 신문협회 · 방송협회, 언론기관 통폐합을 결정함. 신아일보, 경향신문에 통폐합됨. **11**–18 운허耘虛 스님 사망. **12**–1 새마을운동중앙본부가 발족됨. **12**–2 대청大淸 다목적댐이 준공됨. **12**–22 정부, 중앙정보부를 국가안전기획부(안기부安企部)로 개편함. **12**–26 입법회의, 언론기본법을 의결함: 31일 공포.	7–7 영국, 세계 최초로 국제전송 우편제도를 실시함. 7–16 스페인 사마란치Samaranch, 제83차 모스크바 국제올림픽위원회IOC 총회에서 위원장에 당선됨. 7–17 일본 스즈키鈴木善幸, 총리에 선출됨. 7–19 소련, 모스크바올림픽대회 개막됨: 미국 등 서방국 불참. **8**–18 폴란드, 노조 파업이 전국으로 확대됨: 사회주의체제 개혁 요구. **8**–30 중공, 화궈펑華國鋒 총리 사임: 후임에 자오쯔양趙紫陽 취임. 폴란드, 파업사태가 전국적으로 확산됨. **9**–10 시리아 · 리비아, 통합을 선포함. **9**–22 이란 · 이라크, 전면전에 돌입함. **10**–10 알제리, 북부지방에 지진 발생함: 2만여명 사망, 25만여명 부상. **10**–20 그리스, 7년만에 북대서양조약기구에 복귀함. **11**–5 미국 레이건Reagan, 대통령 선거에서 승리함. **11**–8 루마니아 차우셰스쿠Ceausescu 대통령, 소련군의 아프가니스탄 철수 및 폴란드에 대한 외세 개입 반대를 선언함. **11**–22 이탈리아, 남부지방에 지진 발생함: 1만여명 사망.

연 대	우 리 나 라	다 른 나 라
1981 (4314) 신유	**1**–12 전두환全斗煥 대통령, 남북한 최고책임자 상호 방문을 제의함: 19일 북한 거부. **1**–13 박종화朴鍾和 사망. **1**–15 민주정의당(민정당民正黨) 창당: 총재 전두환全斗煥. **1**–17 민주한국당(민한당民韓黨) 창당: 총재 유치송柳致松. **1**–20 민주사회당 창당: 당수 고정훈高貞勳. **1**–23 한국국민당(국민당國民黨) 창당: 총재 김종철金鍾哲. 민권당 창당: 총재 김의택金義澤. **1**–24 정부, 비상계엄령을 전면 해제함. **1**–28 전두환全斗煥 대통령, 미국 방문차 출국함: **2**–3 레이건Reagan 대통령과 회담. **2**–14 북한, 프랑스 미테랑Mitterrand 대통령 방북. **2**–25 전두환全斗煥 대통령, 제12대 대통령에 당선됨. **3**–13 노동청, 노동부로 승격됨. 무임소장관을 정무장관으로 개칭함. **3**–25 제11대 총선거를 실시함. 독립운동가 이갑성李甲成 사망. **4**–11 제11대 국회가 개원함: 의장 정내혁丁來赫, 부의장 채문식蔡汶植 · 김은하金殷夏. **4**–20 국정자문회의가 발족됨: 의장 최규하崔圭夏 전 대통령. **5**–7 평화통일정책자문회의를 설치함. **5**–28 여의도에서 '국풍國風 81'이 개막됨. **6**–25 전두환全斗煥 대통령, 아세안ASEAN(동남아시아국가연합) 5개국 순방차 출국함. **7**–1 대구 · 인천, 직할시直轄市로 승격됨. **8**–1 해외여행 자유화조치를 발표함. **8**–15 정부, 광주사태와 김대중사건 관련자 등 1061명에게 사면 · 형집행정지 · 가석방을 시행함. **8**–21 경제기획원, 제5차 경제사회발전5개년계획을 발표함. **9**–4 부마고속도로(부산~마산)가 개통됨. **9**–30 국제올림픽위원회IOC 총회에서 1988년 제24회 하계올림픽대회의의 서울 개최가 결정됨. **10**–17 대우 옥포조선소玉浦造船所가 준공됨. **11**–25 아시아올림픽평의회에서 1986년 아시아경기대회의 서울 개최가 결정됨. **12**–5 북한, 《리조실록》 번역을 완료함. **12**–23 다도해해상多島海海上 국립공원이 지정됨. **12**–30 수출 200억 달러를 달성함.	**1**–20 미국, 이란에 억류중인 인질사건을 해결함. **4**–23 북아일랜드, 신 · 구교도 종교분쟁이 재연됨. **5**–6 미국, 리비아 외교관에 출국을 명령함: 국제테러행위 지원 혐의. **5**–10 프랑스, 대통령에 미테랑Mitterrand 사회당 당수가 당선됨: 최초의 좌익정권. **5**–14 교황청, 요한 바오로 Joannes Paulus 2세 교황이 피격으로 부상당함. **6**–6 인도, 열차 추락사고 발생함: 3천여명 사망. **6**–29 중공, 공산당 주석에 후야오방胡耀邦, 당 군사위원회 주석에 덩샤오핑鄧小平을 임명함. **7**–18 폴란드, 동유럽 최초로 직접 · 비밀 투표 실시함: 카니아Kania 제1서기 재선. **8**–13 미국, IBM에서 컴퓨터를 개발함. **10**–1 동 · 서독, 첩보원 석방 · 교환에 합의함. **10**–6 이집트 사다트Sadat 대통령, 군대 사열 중 피살됨: 14일 무바라크Mubarak 부통령이 대통령에 취임함. **11**–13 미국, 유인 왕복우주선 콜럼비아호Columbia號를 발사함. **12**–11 동 · 서독, 동베를린에서 정상회담을 개최함. **12**–13 폴란드, 계엄령을 선포함: 자유노조 활동 정지. **12**–14 이스라엘, 골란Golan 고원을 합병함.

연 대	우 리 나 라	다 른 나 라
1982 (4315) 임술	**1**–5 정부, 야간통행금지를 전면 해제함. **1**–22 전두환全斗煥 대통령, 민족통일협의회 구성과 통일헌법 제정 등을 북한에 제의함. **3**–18 부산 미국문화원 방화사건 발생함. **3**–20 체육부를 신설함. **3**–27 프로야구 출범. **4**–8 천주교 원주교구 최기식崔基植 신부가 구속됨: 부산 미국문화원 방화사건 배후 조종자 김현장金鉉奬 은닉 혐의. 사마란치Samaranch 국제올림픽위원회 위원장이 방한함. **4**–15 북한, 주체사상탑을 건립함. **4**–17 북한, 루마니아 차우셰스쿠Ceausescu 대통령 방북. **4**–23 정일형鄭一亨 전 외무부장관 사망. **4**–26 경남 의령경찰서 궁류지서 우범곤禹範坤 순경, 인근 마을 주민에게 총기 난사사건 일으키고 이튿날 자폭함: 사망 56명, 부상 35명. **5**–7 검찰, 이철희李哲熙 · 장영자張玲子 부부를 외국환관리법 위반 혐의로 구속함: 장영자사건. 한국 여자등반대, 히말라야 등정에 성공함. **6**–12 500원짜리 새 주화를 발행함. **6**–24 국무총리에 김상협金相浹 전 고려대 총장을 임명함. **7**–27 정부, 일본 역사교과서 왜곡 기술 시정을 일본정부에 요구함. **8**–12 설악산이 유네스코 생물권 보전지역으로 지정됨. **8**–16 전두환全斗煥 대통령, 케냐 · 나이지리아 · 가봉 · 세네갈 및 캐나다 순방차 출국함. **8**–28 독립기념관 건립준비위원회가 발족됨. **9**–12 북한 김일성金日成, 중국을 방문함. **9**–18 시조작가 이은상李殷相 사망. **9**–24 서울국제무역박람회가 개막됨. **10**–16 인도네시아 수하르토Suharto 대통령이 방한함. **10**–19 국방부, 중공 조종사가 미그기 몰고 귀순했다고 발표함: 31일 자유중국에 인도. **10**–29 북한, 리비아 카다피Qaddafi 대통령 방북. **11**–18 한국형 해군경비함을 처음으로 진수함. **12**–16 김대중金大中, 형 집행 정지처분 받음: 23일 신병 치료 위해 도미.	**2**–5 영국, 대소련 · 폴란드 제재조치를 발표함. **3**–24 소련 브레즈네프Brezhnev 서기장, 중공에 화의를 제의함: 26일 중공, 이를 거부함. **4**–2 영국 · 아르헨티나, 포클랜드Falkland 전쟁 일으킴: **6**–15 영국 승리로 종료. **4**–25 이스라엘, 이집트에 시나이Sinai 반도를 반환함. **6**–6 이스라엘, 레바논을 대규모로 침공함. **6**–10 이라크, 대이란전쟁에서 일방적 휴전을 선언함. **7**–2 PLO · 레바논, PLO의 무장해제 및 레바논 철군에 합의함. **7**–6 중공, 일본의 역사교과서 왜곡에 항의함. **8**–17 미국 · 중공, '하나의 중국'을 재확인하는 공동성명을 발표함. **8**–21 PLO, 레바논에서 철수하기 시작함. **9**–2 미국 레이건Reagan 대통령, 중동평화안을 제시함: 요르단강Jordan江 서안과 가자Gaza지구에 팔레스타인Palestine 자치정부 수립. **10**–1 서독 의회, 슈미트Schmidt 총리 불신임안을 의결함: 후임에 콜Kohl 기민당 당수 선출. **11**–10 소련, 브레즈네프Brezhnev 서기장 사망: 12일 후임에 안드로포프Andropov 선출. **11**–27 일본, 나카소네中曾根康弘 내각이 발족함. **12**–2 미국, 최초로 영구 인공심장 이식에 성공함.

연 대	우 리 나 라	다 른 나 라
1983 (4316) 계해	**1**-1 공직자윤리법이 발효됨. **1**-9 박순천朴順天 전 민주당 총재 사망. 이선근李瑄根 전 동국대학교 총장 사망. **1**-11 일본 나카소네中曾根康弘 총리가 방한함. **1**. 청원淸原 두루봉 동굴유적에서 구석기시대 어린아이의 뼈가 발굴됨. **2**-25 정부, 정치활동 규제자 250명을 1단계로 해제함. 북한 이웅평李雄平 상위가 미그기 몰고 귀순함. **3**-2 중·고교생 복장자율화를 실시함. **4**-2 북한산北漢山 국립공원이 지정됨. **4**-11 채문식蔡汶植 의원, 국회의장에 선출됨. **4**-14 조세형趙世衡이 법원 구치감에서 탈주함. **5**-5 중공 여객기가 피랍되어 춘천에 불시착함: 7일 중공 송환협상 대표단이 내한함(양국 간 첫 공식 접촉). **6**-5 탄허呑虛 스님 사망. **6**-11 한국은행, 1만원권 새 지폐를 발행함. **6**-12 청소년축구대표팀, 멕시코 세계청소년축구대회에서 사상 첫 4위에 입상함. **6**-30 KBS-TV, 이산가족찾기 생방송을 시작함. **8**-7 중공 조종사가 미그기를 몰고 귀순해 옴: 휴전 후 처음 서울·경기일원에 실제 공습경보를 발령함. **8**-12 정부, 특별사면을 단행함: 김대중사건·부산미국문화원방화사건·광주사태 관련자 등. **8**-17 명성그룹사건 발생: 김철호金澈鎬 회장에게 사채 변칙 조달한 은행원 등을 구속함. **9**-1 대한항공 여객기가 소련 전투기에 의해 사할린Sakhalin 부근에서 격추됨: 승무원 등 269명 전원 사망. **9**-30 민주운동청년연합(민청련)이 결성됨: 의장 김근태金槿泰. **10**-2 국제의원연맹IPU 서울 총회가 개막됨. **10**-8 전두환 대통령, 서남아시아·대양주 순방차 출국. **10**-9 미얀마 아웅산AungSan 묘소에 폭탄이 폭발하여 서석준徐錫俊 부총리 등 17명이 순직함: 아웅산사건. **10**-14 전두환全斗煥 대통령, 전면개각을 단행함: 국무총리에 진의종陳懿鍾 전 의원 임명. **10**-17 미얀마가 아웅산AungSan사건이 북한 소행임을 발표함: **11**-4 미얀마, 북한과 단교하고 북한 승인을 취소함. **12**-16 북한, 영해領海 침범한 일본 선박 후지산호를 나포함. **12**-21 문교부, 학원자율화 조치를 발표함.	**1**-29 미국·일본, 일본 사세보佐世保항을 동해와 태평양의 대소련 선략전진기지로 삼기로 합의함. **2**-16 오스트레일리아, 남동부 빅토리아주에 대형 산불이 발생함: 75명 사망, 가옥 2300여 채 전소. **4**-7 중공, 자국 테니스 선수의 망명 허용에 대한 보복으로 대미국 문화·스포츠 교류 중단을 선언함. **4**-18 레바논, 자국 미국 대사관에 폭발사건 발생함: 63명 사망, 130명 부상. **5**-4 이란, 친소련 공산당을 해체함: 소련 외교관 18명을 추방. **5**-17 미국·이스라엘·레바논, 레바논 철군협정에 조인함. **6**-6 중공, 국제노동기구에 가입함. **6**-18 미국, 우주왕복선 챌린저호Challenger號를 발사함. **7**-10 이란, 자국의 프랑스 문화원과 영사관 폐쇄함. **7**-22 폴란드, 계엄령을 해제함: 정치범 석방. **8**-21 필리핀, 아키노Aquino 야당 지도자가 미국 망명 끝내고 귀국중 마닐라공항에서 피살됨. **9**-5 미국, 대소련 전략물자 금수 조치를 단행함. **10**-25 미국, 그레나다Grenada를 점령함. **12**-24 미국, 유네스코UNESCO 탈퇴를 결정함.

연대	우리나라	다른나라
1984 (4317) 갑자	**1-17** 전두환全斗煥 대통령, 국회 국정연설에서 평화적 정권교체를 강조함. **2-25** 테니스선수단 8명이 데이비스컵Dacis Cup 대회 예선 참전 위해 처음으로 중공에 입국함. **3-9** 북한, 김일金一 부주석 사망. **3-10** 서산지구방조제 축조공사를 완공함. **4-2** 안기부, 영화배우 최은희崔恩姬와 신상옥申相玉 영화감독 부부가 납북되었다고 발표함. 정주영鄭周永 대한올림픽위원회 위원장, 남북체육회담 개최를 제의함: 9일 북측의 일방적 퇴장으로 결렬. **4-6** 서울올림픽대회조직위원회, 마스코트 이름을 호돌이HODORI로 결정함. **5-1** 서울대공원을 개원함. **5-3** 교황청의 요한 바오로Joannes Paulus 2세 교황이 방한함: 6일 김대건金大建신부 등 103명의 복자 시성식諡聖式 집전. **5-18** 민주화추진협의회(민추협民推協)가 발족됨. **6-25** 정내혁丁來赫 민정당 대표위원, 재산문제로 공직에서 사퇴함. **6-27** 88올림픽고속도로(광주~대구)가 개통됨. **6-30** 일본정부가 일본역사교과서 8개 항목을 추가로 시정했다고 통보해 옴. **8-13** 로스앤젤레스올림픽대회 한국대표단, 종합순위 10위를 차지함. **9-1** 서울 등 중부지방에 집중 호우 내림. **9-6** 전두환全斗煥 대통령, 일본을 방문함: 히로히토裕仁 일본 왕이 과거 한일관계에 유감 표명. **9-14** 유창순劉彰順 대한적십자사 총재, 북한의 수해물자 전달 제의를 수락한다고 발표함: 29~30일 쌀 · 시멘트 등을 인수함. **9-29** 잠실올림픽주경기장 개장. **10-6** 유창순劉彰順 대한적십자사 총재, 북한에 남북이산가족찾기회담 개최를 제의: 29일 북한 수락. **10-12** 신병현申秉鉉 부총리, 북한에 남북경제회담 개최를 제의함. **10-18** 진도대교珍島大橋가 준공됨. **11-5** 남북이산가족찾기회담이 7년만에 판문점板門店에서 개최됨. **11-27** 북한, 남북경제회담 연기를 통보해 옴. **12-27** 치악산雉嶽山 · 월악산月嶽山 국립공원이 각각 지정.	**1-6** 중공 자오쯔양趙紫陽 총리, 미국을 방문함. **1-6** 소련, 극동에 항공모함 노보로시스크호Novorossiisk號를 배치함. **2-3** 미국, 우주왕복선 챌린저호Challenger號를 발사함: 구명줄 없이 우주유영에 성공. **2-9** 소련, 안드로포프Andropov 서기장 사망: 13일 후임에 체르넨코Chernenko 선출. **3-18** 중공, 다롄大連 · 칭다오青島 등에 외국인 투자 허용함. **3-23** 일본 나카소네中曾根康弘 총리, 중공을 방문함. **4-6** 미국, 우주왕복선 챌린저호Challenger號를 발사함: 위성우주 수리에 성공. **4-19** 미국 레이건Reagan 대통령, 중공을 방문함. **5-8** 소련, 로스엔젤레스올림픽대회 불참을 발표함. **6-5** 인도 정부군, 시크교Sikkh敎의 황금사원에서 시크교도를 공격함: 수백명 사망. **7-28** 미국, 로스엔젤레스올림픽대회가 개막됨. **9-26** 영국 · 중공, 홍콩반환협정에 가조인함. **10-31** 인도 간디Gandhi 총리, 시크교도Sikkh敎徒 경호원에게 피살됨. **11-6** 미국 레이건Reagan 대통령, 대통령에 재선됨. **11-26** 미국 · 이라크, 17년만에 외교관계를 재개함. **12-19** 영국 · 중공, 홍콩 반환협정에 조인함. **12-27** 미국 · 영국 · 서독, 사상처음 인공혜성을 발사함.

연 대	우 리 나 라	다 른 나 라
1985 (4318) 을축	**1–9** 전두환全斗煥 대통령, 국회 국정연설에서 남북최고책임자회담을 촉구함. **1–13** 백낙준白樂濬 연세대학교 명예총장 사망. **1–18** 신한민주당(신민당新民黨) 창당: 총재 이민우李敏雨. 국무회의, 구정舊正을 '민속의 날'로 하고 공휴일로 지정함. **1–26** 인도의 테레사Theresa 수녀가 내한함. **2–8** 김대중金大中, 미국에서 귀국함. **2–12** 제12대 총선거를 실시함: 신민당, 제1야당이 됨. **2–18** 전두환全斗煥 대통령, 개각을 단행함: 국무총리에 노신영盧信永 안기부장 임명. **2–21** 국제그룹이 해체됨. **2–23** 민정당, 총선거 실패로 당직을 개편함: 대표위원에 노태우盧泰愚 서울올림픽조직위원장. **2–27** 유치송柳致松 민한당 총재, 총선 패배에 책임지고 총재직을 사퇴함. **3–1** 사회민주당 창당: 당수 김철金哲. **3–6** 정부, 김대중金大中 · 김영삼金泳三 · 김종필金鍾泌 등 14명에 대해 전면 해금함. **3–29** 민주통일민중운동연합이 결성됨. **4–3** 조윤형趙尹衡 민한당 총재, 신민당에의 무조건 합당을 선언함. **4–16** 대우자동차 부평공장 노동자들이 임금 인상을 요구하며 파업 벌임: 25일 노사 합의. **4–24** 전두환全斗煥 대통령, 미국 방문차 출국함: 27일 정상회담 개최. **5–13** 국회, 국회의장에 이재형李載瀅 의원을 선출함. **5–20** 신민당 이민우李敏雨 총재, 국회연설에서 대통령직선제 개헌 위한 특별위원회를 구성하자고 제의함. **5–23** 5개 대학 대학생의 서울 미국문화원 점거사건 일어남: 광주사태에 대한 미국의 책임 인정 및 사과 요구하며 26일까지 농성. **5–28** 제8차 남북적십자회담이 서울에서 개최됨. **5–30** 신민당, 국회에 광주사태 진상 조사 위한 국정조사결의안을 제출함.	**1–2** 미국 · 일본, 로스앤젤레스에서 정상회담을 개최함: 무역불균형 시정 등 현안 협의. **1–15** 브라질, 대통령 선거에서 야당후보 네베스Neves가 당선됨: 21년간의 군정이 종식됨. **2–7** 프랑스, 공산당이 사회당과 결별을 선언함. **3–1** 우루과이, 상기네티Sanguinetti 대통령이 취임함: 군정 종식. **3–3** 영국, 탄광노조파업이 1년만에 종식됨. **3–10** 소련, 체르넨코Chernenko 서기장 사망: 11일 후임에 고르바초프Gorvachev 선출. **4–9** 일본, 대외시장 개방책을 발표함. **4–24** 인도네시아 · 중공, 단교 18년만에 회담을 개최함: 연내 국교 재개에 합의. **5–1** 미국, 니카라과에 대한 본격적인 경제 제재를 시작함. **5–23** 중공, 포르투갈과 마카오Macao 반환 협상 원칙에 대해 합의함. **6–6** 이스라엘군, 레바논에서 철수를 완료함. **6–14** 레바논, 시아파Shia派 회교도들이 아테네에서 로마로 가던 미국 여객기를 납치함: 이스라엘에 수감중인 동료의 석방 요구. **6–17** 미국, 인간 우주왕복선 디스커버리호Discovery號를 발사함. **7–28** 페루, 가르시아Garcia 대통령이 취임함: 40년만에 평화적 정권 교체 이룸. **7–31** 일본, 중공과 도쿄에서 양국 외무장관 회담을 개최함: 원자력 협정에 조인.

연대	우리 나라	다른 나라
1985 (4318) 을축	**6**-14 북한, 남북국회예비회담을 7월 9일 판문점에서 개최하자고 제의해 옴: 국회, 7월 23일로 수정 제의함. **6**-22 경찰, 서울 구로공단 내 대우어패럴 노조위원장을 구속함: 공단 내 10개 노조가 파업 벌이자 29일 경찰이 진압함. **6**-29 경찰, 9개 대학에 경찰 투입하여 수배중인 삼민투위 관련자 66명을 연행함: 이어 전국 110개 대학을 일제 점검함. **7**-15 남북적십자사 실무회담이 판문점板門店에서 개최됨: 남북이산가족 고향방문 및 남북예술공연단 상호방문에 합의. **7**-19 부산지하철 1호선 1단계 구간(범어사~서면)이 개통됨. **7**-23 남북국회예비회담이 판문점板門店에서 이루어짐. **7** 농민들의 소몰이 시위가 발생함: 미국 소의 과잉 도입으로 인한 소값 폭락에 항의하여 8월까지 계속. **8**-7 정부, 학원안정법 시안을 공개함: 학생운동 탄압 목적이라 하여 야당과 재야의 반대 여론 일어남. **8**-17 전두환全斗煥 대통령, 학원안정법 제정 보류를 지시함. 민중교육지사건 발생: 초중고 교사 15명이 《민중교육》지에 실은 글로 권고사직당하고 3명은 구속됨. **8**-25 서울노동운동연합(서노련)이 결성됨. **8**-27 제9차 남북적십자회담이 평양에서 개최됨. **9**-20 남북고향방문단, 서울과 평양을 상호 방문함. **10**-12 국내 최초의 시험관 아기가 탄생함. **10**-18 서울지하철 3호선(구파발~양재) 및 4호선(사당~상계)이 개통됨. **11**-18 서울의 14개 대학 대학생들이 민정당 중앙정치연수원 점거 시위 벌임: 시국토론회 등 요구. **11**-20 제5차 남북경제회담이 판문점에서 개최됨. **12**-3 제10차 남북적십자회담이 서울에서 개최됨. **12**-12 민주화실천가족운동협의회(민가협民家協)가 결성됨. **12**-28 문교부, 외래어표기법개정안을 확정함.	**8**-12 일본, JAL 점보 여객기 추락사고 발생함: 520명 사망. **9**-13 미국, 위성 요격무기 실험에 성공함. **9**-19 멕시코, 멕시코시티에 3차례 지진이 발생함: 2만여명 사망. **10**-7 PLO 특공대, 동료들의 석방을 요구하며 이탈리아 여객선을 지중해에서 납치함. **11**-6 콜롬비아, 좌익게릴라들이 대법원을 점거함: 7일 정부군의 구출 과정에서 대법원장 등 60여명 사망. **11**-13 콜롬비아, 네바도 델 루이스Nevado Del Ruiz 화산이 폭발함: 2만여명 사망. **11**-15 영국 · 아일랜드 · 북아일랜드, 신 · 구교도 간에 종교 분쟁 해결 위한 협정이 체결됨. **11**-23 이란 몬타제리Montazeri, 종교회의에서 호메이니Khomeini 후계자로 선출됨. 이집트, 여객기가 지중해 상공에서 피랍된 후 몰타Molta에 착륙함. **11**-24 이집트 특공대, 자국의 피랍 여객기 구출작전 중 60명이 사망함. **12**-28 레바논, 크리스트교와 회교민병대의 지도자들이 내전 종식에 합의하고 평화협정에 조인함.

연 대	우 리 나 라	다 른 나 라
1986 (4319) 병인	1-16 전두환全斗煥 대통령, 국정연설에서 개헌 논의는 1989년에 하는 것이 순리라고 언명함. 1-20 북한, 팀스피리트Team Spirit 훈련을 트집잡아 모든 남북대화를 연기한다고 통보해 옴. 2-6 김영삼金泳三 민추협 공동의장, 신민당에 입당함. 2-11 한국기독교 교회협의회 가맹 6개 교단 및 교회여성연합회 대표가 KBS-TV 시청료 납부 거부운동을 시작함. 2-12 신민당 · 민추협, 대통령직선제 개헌 1천만인 서명운동을 시작함. 2-24 전두환全斗煥 대통령, 민정 · 신한 · 국민 3당 대표와 회담: 1989년 개헌 가능성 언급. 3-8 북한, 쿠바 카스트로Castro 수상 방북. 3-13 신상옥申相玉 · 최은희崔恩姬 부부, 오스트리아 빈Wien에서 미국대사관으로 탈출함. 3-21 북한 중앙통신, 신상옥申相玉 · 최은희崔恩姬 부부가 230만 달러를 횡령하여 도주했다고 발표함. 4-5 전두환全斗煥 대통령, 영국 · 서독 · 프랑스 · 벨기에 등 유럽 방문차 출국함. 4-28 서울대학교 학생 김세진 · 이재호, 민주화 요구하며 분신자살함. 4-30 전두환全斗煥 대통령, 여야 대표와 회담: 국회에서 여야가 합의 개헌안 마련하여 건의하면 재임중 개헌 용의 있다고 언급함. 올림픽공원이 완공됨. 5-2 영국 대처Thatcher 총리가 방한함. 5-3 재야인사 및 학생 5천여명이 현정권과 보수야당을 비판하며 개헌 서명 위한 신민당 인천 · 경기지역 집회에서 시위 벌임: 5 · 3사태. 5-10 서울 · 부산 · 광주 · 춘천 지역 YMCA 중등교육자협의회 소속 교사 546명이 교육민주화선언을 발표함: 교육의 정치적 중립, 교사의 교육권, 자주적 교원단체 설립 등 주장. 5-23 경찰, 문익환文益煥 목사를 집시법 위반혐의로 구속함. 5-31 북한 김일성金日成, 후계자 문제에 대해 언급함. 6-24 국회, 개헌특별위원회 구성 결의안을 의결함. 7-3 부천경찰서 성고문사건이 폭로됨.	1-7 미국 레이건Reagan 대통령, 리비아에 대한 경제제재 조치를 발표함: 로마와 빈 공항 테러사건 관련. 1-20 영국 · 프랑스, 도버Dover 해협 터널 공사에 합의함. 1-28 미국, 우주왕복선 챌린저호Challenger號가 발사 후 공중 폭발됨: 승무원 7명 전원 사망. 2-7 아이티 뒤발리에Duvalier 대통령, 장기집권 반대 시위로 망명함. 2-11 동독 · 서독, 베를린에서 동서 스파이를 상호 교환함. 2-17 포르투갈, 대통령 선거에서 소아레스Soares 사회당 당수가 당선됨. 2-25 필리핀, 마르코스Marcos 대통령이 사임함: 아키노Aquino 취임. 2-28 스웨덴 팔메Palme 총리, 괴한의 총격으로 사망함. 3-20 프랑스 미테랑Mitterrand 대통령, 총리에 시라크Chirac를 임명함: 헌정사상 처음으로 좌익 대통령에 우익 총리 취임. 3-25 필리핀 아키노Aquino 대통령, 의회 해산하고 임시정부를 선포함. 4-26 소련, 체르노빌Chernobyl 핵발전소 원자로에 화재 발생함: 3천여명 사망. 5-1 이란 · 이라크, 6년여의 전쟁 종식에 합의함. 5-12 리비아, 서구 7개국 리비아 주재 외교관 · 대사관직원 36명에게 출국을 명령.

연 대	우 리 나 라	다 른 나 라
1986 (4319) 병인	**7**–19 경찰, 신민당 및 33개 재야단체의 부천 경찰서사건 등 폭로대회를 저지함. **7**–21 한미통상협상이 일괄 타결됨. **7**–30 국회, 개헌특별위원회가 가동됨. **8**–4 독립기념관 본관 개관 앞두고 화재 발생함. **8**–21 새 국립중앙박물관이 옛 중앙청 청사를 개조해 개관함. **8**–23 창경궁昌慶宮 중건공사를 완료함. **8**–25 여야 3당, 각 당의 개헌안을 제안 설명함: 민정당은 내각책임제, 신민당·국민당은 대통령중심제 주장. 국립현대미술관 개관. **9**–16 제10회 서울아시아경기대회가 개막됨: 시위 방지 위해 10개 대학에 휴교령 내림. **9**–20 일본 나카소네中曾根康弘 총리가 내한함. **10**–14 신민당 유성환兪成煥 의원, 국회 본회의에서 '국시는 반공보다 통일'이라고 발언함: 16일 국회에서 민정당 단독으로 체포동의안이 통과됨. **10**–21 내외통신, 북한이 수력발전용 금강산댐 건설에 착수했다고 평양방송을 인용하여 보도함. **10**–24 북한 김일성金日成, 소련을 방문함. **10**–28 전국 26개 대학생 2천여명이 건국대학교에서 4일간 철야 농성 벌임. **10**–31 경찰, 건국대학교 농성 학생을 강제 진압함: 1295명 구속(세계 학생운동사에서 최고 기록). **11**–1 광주, 직할시直轄市로 승격됨. **11**–4 김종철金鍾哲 전 국민당 총재 사망. **11**–6 이기백李基百 국방부장관, 북한의 금강산댐 공사 중지를 촉구함. **11**–26 정부, '평화의 댐' 건설계획을 발표함: 북한의 금강산댐 축조 위협에 대비. **12**–24 신민당 이민우李敏雨총재, 내각책임제 개헌 긍정 검토 선행조건으로 지방자치제 실시 등 7개항을 제시함. ▶이해부터 부실기업 정리를 시작함: 56개 업체 정리.	**5**–17 자유중국, 중공에 넘어간 점보 화물기와 승무원을 송환하기 위해 홍콩에서 중공 당국과 직접 협상을 벌임: 37년만의 직접 대좌. **6**–8 오스트리아, 대통령 선거에서 발트하임Waldheim 전 유엔 사무총장이 당선됨. 중공 후야오방胡耀邦 총서기, 당 지도자로는 처음으로 유럽의 영국·서독·프랑스·이탈리아 등 방문차 출국함. **6**–18 남아프리카공화국, 전국에 비상사태를 선포함: 종교인·학생 등 반인종 차별주의자 검거. **6**–30 중공·포르투갈, 마카오Macao 문제에 관한 회담을 개최함. **8**–11 미국·소련, 모스크바에서 핵감축회담을 개최함. **8**–14 파키스탄, 전국에서 대규모 반정부시위 일어남: 야당 지도자 부토Bhutto 여사가 체포됨. **8**–18 소련·이스라엘, 국교 단절 19년만에 회담 개최함. **9**–6 일본, 사회당 위원장 선거에서 도이土井たか子가 당선됨: 첫 여성 당수. **9**–11 이집트 무바라크Mubarak 대통령, 이스라엘 페레스Peres 총리와 정상회담. **10**–6 중공, 소련과 베이징北京에서 관계정상화 회담을 개최함. **10**–12 영국 엘리자베스Elizabeth 2세, 중공을 방문함. **11**–10 방글라데시, 계엄령을 해제하고 민정복귀를 선포함. **12**–9 중공, 안후이성安徽省 대학생 3천여명이 민주화 요구하는 대대적 시위 벌임.

연 대	우 리 나 라	다 른 나 라
1987 (4320) 정묘	1-1 농수산부, 산림청을 흡수하여 농림수산부로 개편됨. 1-14 서울대학교 학생 박종철朴鍾哲, 경찰의 고문으로 사망함. 1-15 북한의 김만철金萬鐵 가족 11명이 배로 북한을 탈출하여 일본에 도착함: 2-8 서울 도착. 2-28 '평화의 댐' 착공. 3-1 양영자梁英子 · 현정화玄靜和 선수, 인도 뉴델리 세계여자탁구선수권대회 복식경기에서 우승함. 3-7 신민당 이민우李敏雨 총재, 여당에 민주화 7개항 이행을 재촉구함: 신민당 개헌 노선 갈등 심화. 3-17 신민당 이민우李敏雨 총재, 김영삼金泳三 고문과 대통령직선제 개헌 등 4개항에 합의함. 3-23 국사편찬위원회, 국사관國史館을 개관함. 3-25 전두환全斗煥 대통령, 노태우盧泰愚 민정당 대표에게 정국주도권을 부여함. 4-4 광릉光陵에 산림박물관을 준공함. 4-9 신민당 의원 74명이 탈당함: 신당 창당 준비위원회 구성. 4-13 전두환全斗煥 대통령, 현행 헌법으로 대통령 선거를 실시한다고 발표함: 4 · 13호헌조치. 4-17 김영삼金泳三 통일민주당 창당준비위원장, 현행 헌법하에서의 대통령선거 불참을 선언함. 4-29 시화지구始華地區 간척사업을 착공함. 5-1 통일민주당(민주당) 창당: 총재 김영삼金泳三. 5-12 정부, 서해안 간척사업 추진계획을 발표함. 5-18 천주교 정의구현사제단, 박종철朴鍾哲 고문치사사건 축소조작을 폭로함. 5-26 전두환全斗煥 대통령, 개각을 단행함: 국무총리에 이한기李漢基 전 감사원장 임명. 5-27 민주당 · 재야단체, 민주헌법 쟁취 국민운동본부를 결성함. 6-9 연세대학교 학생 이한열李韓烈, 시위 중 경찰 최루탄 맞고 부상당함: 7-5 사망. 6-10 전국 18개 도시에서 박종철군 고문살인 조작 · 은폐 규탄 및 호헌 철폐 국민대회 개최함: 6월민중항쟁 시작. 민정당, 전당대회에서 대통령 후보에 노태우盧泰愚 대표위원을 선출함. 6-22 전두환全斗煥 대통령, 윤보선尹潽善 · 최규하崔圭夏 전 대통령으로부터 시국수습 의견을 청취함.	1-2 중공, 국산 핵잠수함을 배치함. 1-15 소련 · 아프가니스탄, 소련군의 아프가니스탄 완전 철수에 합의함. 1-16 중공, 후야오방胡耀邦 총서기가 사임함. 1-25 서독 콜Kohl 총리, 총선거에서 승리함. 1-27 미국, 몽골과 수교함. 3-23 중공 · 포르투갈, 1999. 12. 20. 마카오Macao를 중공에 반환하기로 합의함. 3-28 영국 대처Thatcher 총리, 소련을 방문함. 4-1 교황청, 요한 바오로Joannes Paulus 2세 교황이 칠레를 방문함: 칠레의 민주화 촉구. 4-29 일본 나카소네中曾根康弘 총리, 미국을 방문함. 5-27 미국 · 베트남, 관계정상화 회담 개최에 합의함. 6-11 영국 대처Thatcher 총리, 총선거에서 승리함. 6-16 미국 · 폴란드, 대사 교환에 합의함. 7-11 세계 인구가 50억명을 돌파함. 7-12 서독 콜Kohl 총리, 중공을 방문함. 7-15 자유중국, 계엄령戒嚴令을 해제함. 8-27 서독 사민당, 동독 공산당과 이념적 접근 위한 공동선언을 발표함. 9-7 동독 호네커Honecker 서기장, 서독을 방문함. 9-10 교황청, 요한 바오로Joannes Paulus 2세 교황이 미국을 방문함.

연대	우리 나라	다른 나라
1987 (4320) 정묘	6-26 전국 37개 도시에서 100만여명이 시위 전개함. 6-29 노태우盧泰愚 민정당 대표, 대통령 직선제 개헌, 김대중金大中 사면 복권, 구속자 석방 등 8개항을 선언함: 6·29민주화선언. 7-9 정부, 김대중金大中 등 내란음모사건 및 광주사태 관련자 2355명의 사면·복권을 단행함. 7-10 전두환全斗煥 대통령, 민정당 총재직을 사퇴함. 7-13 전두환全斗煥 대통령, 개각을 단행함: 국무총리에 김정렬金貞烈 국정자문위원. 7-22 중부지방에 홍수 발생함. 8-5 노태우盧泰愚 민정당 대표, 총재에 취임함. 8-15 독립기념관 개관. 8-19 전국대학생대표협의회(전대협)가 결성됨. 8-29 대전에서 오대양五大洋 집단변사사건이 발생함: 사이비종교 교주와 신도 32명이 자살함. 9-2 스웨덴 구스타프Gustav 국왕이 방한함. 9-9 영화배우 강수연姜受延, 베니스영화제에서 〈씨받이〉로 여우주연상을 수상함. 9-13 노태우盧泰愚 민정당 총재, 미국을 방문함. 9-28 김종필金鍾泌 전 공화당 총재, 정계복귀를 선언함. 9-29 민주당, 김영삼金泳三 총재와 김대중金大中 고문 간에 대통령후보 단일화 협상이 실패함. 10-12 국회, 헌법개정안을 의결함. 10-27 국민투표에서 대통령직선제 개헌안이 통과됨. 10-30 신민주공화당(공화당) 창당: 총재 김종필金鍾泌. 11-9 민주당, 대통령 후보에 김영삼金泳三 총재를 추대함. 11-12 평화민주당平和民主黨(평민당平民黨) 창당: 총재 및 대통령 후보 김대중. 11-19 이병철李秉喆 삼성그룹 회장 사망. 11-29 대한항공 여객기가 타이에서 폭파 추락됨. 12-3 중부고속도로(서울-대전)가 개통됨. 12-12 소백산小白山 국립공원이 지정됨. 12-15 한국의 남극과학기지 건설 기공식을 거행함. 12-16 제13대 대통령 선거를 실시함: 민정당 노태우盧泰愚 후보 당선. 5천여명의 시민·학생들이 부정투표함 문제로 구로구청을 점거하고 농성 벌임: 18일 진압. 12-24 허영호許永浩 등 한국등반대가 에베레스트산Everest山 등정에 성공함.	9-27 티베트, 승려들의 독립 요구 시위 일어남. 10-14 자유중국, 중공 방문 금지조치를 해제함. 11-4 소련 고르바초프Gorvachev 서기장, 공산주의운동 변화와 동맹국 불간섭을 천명함. 11-6 일본, 새 총리에 다케시다竹下登 총재를 선출함. 11-7 튀니지 알리Ali 총리, 쿠데타로 대통령직에 오름. 11-9 중공 리셴녠李先念, 국가주석 자격으로 프랑스를 방문함. 11-25 유엔, 남아프리카공화국의 앙골라 철수와 침략행위 중단 결의안 채택함. 11-27 방글라데시, 전국에 비상사태를 선포함. 11-30 중공·라오스, 적대관계를 청산하고 대사급 외교관계에 합의함. 12-8 미국·소련, 워싱턴 정상회담에서 중거리핵미사일INF 폐기협정에 조인함. 12-14 필리핀, 아세안 정상회의를 개최함. 12-19 이스라엘, 예루살렘의 아랍인 거주지구에서 반이스라엘 폭동 일어남. 12-24 유엔, 이란과 이라크에 전쟁 종식을 촉구함. 12-28 튀니지·리비아, 외교관계를 재개함. 12-29 소련, 우주선이 지구궤도 우주정거장에서 326일 체류 후 귀환함.

연대	우 리 나 라	다 른 나 라
1988 (4321) 무진	**1**-11 민주화합추진위원회가 발족됨: 위원장 이관구李寬求. **1**-12 북한, 서울올림픽대회 불참을 발표함. **1**-14 문교부, 새 맞춤법 및 표준어규정을 확정함. **1**-15 안기부, 대한항공 여객기 폭파범은 대남공작원 김승일金勝一과 김현희金賢姬라고 발표함. **1**-16 검찰, 강민창姜玟昌 전 치안본부장을 구속함: 박종철고문치사사건 은폐 조작사건 관련. **1**-17 북한, 대한항공 여객기 폭파사건은 한국측의 자작극이라고 주장함. **2**-11 노태우盧泰愚 대통령 당선자, 국무총리에 이현재李賢宰 전 서울대학교 총장을 내정함. **2**-12 교통부, 금호그룹에 제2민간항공을 인가함. **2**-17 세종과학기지 준공 현판식을 거행함. **2**-25 노태우盧泰愚 대통령 취임. **3**-31 검찰, 전경환全敬煥 전 새마을운동중앙본부 회장을 구속함. **4**-1 정부, 광주사태 성격을 '광주학생과 광주시민의 민주화를 위한 노력의 일환'이라 규정함. **4**-13 전두환全斗煥 전 대통령, 국가원로회의 의장과 민정당 명예총재직 등 모든 공직 사퇴 의사를 표명함. **4**-26 제13대 총선거를 실시함: 여당(민정당), 과반수 확보에 실패함. **5**-13 행정개혁위원회가 발족됨: 위원장 신현확申鉉碻 전 국무총리. **5**-15 《한겨레신문》이 창간됨. **5**-30 제13대 국회가 개원함: 의장 김재순金在淳, 부의장 노승환盧承煥 · 김재광金在光 의원. **6**-11 변산반도邊山半島 · 월출산月出山 국립공원이 각각 지정됨. **6**-15 소장파 법관 102명이 대법원장 사퇴 등 사법부 쇄신 요구 성명서를 발표함, **6**-27 국회, 광주진상조사특별위원회 등 7개 특위 구성결의안을 의결함. **6**-28 북한 김일성金日成, 몽골을 방문함, **7**-2 국회, 정기승鄭起勝 대법원장 임명동의안을 부결시킴: 5일 이일규李一珪 임명동의안 가결.	**1**-7 동독 호네커Honecker 국가평의회 의장, 프랑스를 방문함: 핵감축 · 무역회담 개최. **1**-13 일본 다케시다竹下登 총리, 미국을 방문함: 레이건Reagan 대통령과 회담하고 서울올림픽 대회 성공 위한 협조를 다짐함. **1**-13 자유중국, 장징궈張經國 총통 사망: 후임에 리덩후이李登輝 부총통 취임. **2**-17 타이 · 라오스, 휴전협정에 조인함. **2**-23 아프가니스탄, 회교 반군이 임시정부 수립을 선포함. **2**-27 이라크, 공군기가 이란 최대의 정유소를 폭격함. **2**-29 세네갈, 부정선거 규탄 시위 일어남: 수도 다카르Dakar에 비상사태 선포. **3**-5 티베트, 독립을 요구하는 반중공 시위로 유혈 폭동이 대규모로 발생함. **3**-14 미국, 파나마에 해병대를 파견함: 파나마Panama 운하 시설 보호 목적. **3**-15 인도, 전국적인 반정부 파업 일어남: 간디Gandhi 총리 퇴임 및 조기총선 요구. 헝가리, 대규모 시민 시위 일어남: 민주화 및 언론 자유 요구. **5**-14 프랑스, 미테랑Mitterrand 대통령이 재선됨. **5**-15 소련군, 아프가니스탄에서 철수하기 시작함. **6**-8 중공, 베이징北京 대학생들이 민주화 요구 시위 벌임: 경찰 저지로 좌절. **7**-20 미국 민주당, 대통령 후보에 듀카키스Dukakis를 지명함.

연 대	우 리 나 라	다 른 나 라
1988 (4321) 무진	**7**-7 노태우盧泰愚 대통령, 대북한정책 특별선언을 발표함. **7**-8 정부, '중공'의 공식명칭을 '중국'으로 함. **7**-19 정부, 월북작가 100여명의 해방 전 문학작품 출판을 허용함. **7**-21 북한, 남북국회연석회의를 제의함. **8**-6 오홍근吳弘根 중앙경제신문 사회부장, 출근길에 괴한에게 피습당함. **8**-15 노태우盧泰愚 대통령, 광복절 경축사에서 북한에 남북 최고책임자회담 갖자고 제의함. 전대협의 남북학생회담 시도가 경찰 제지로 무산됨. **8**-27 서울올림픽대회 성화의 국내 봉송이 시작됨. **8**-29 서울국제펜대회가 개막됨. **9**-15 조규광曺圭光 변호사, 헌법재판소장에 지명됨. **9**-17 제24회 서울올림픽대회가 개막됨. **10**-4 유고가 서울에 무역사무소를 개설함. **10**-8 영등포교도소 미결수 집단탈주사건이 발생함. **10**-15 서울장애자올림픽대회가 개막됨. **10**-18 노태우盧泰愚 대통령, 유엔총회에서 연설함: 20일 미국워싱턴 방문하여 정상회담 개최. **10**-25 헝가리 부다페스트Budapest에 한국대표부를 개설함. **11**-2 국회, 일해재단日海財團 청문회를 개최함: 5공비리청문회 시작. **11**-3 노태우盧泰愚 대통령, 말레이시아·오스트레일리아·인도네시아·브루나이 방문차 출국함. **11**-7 북한, 한반도의 4대평화방안을 제의함. **11**-21 국회 문공위원회, 1980년 언론사태진상규명청문회를 시작함. **11**-23 전두환全斗煥 전 대통령 부부, 대국민 사과문 발표 후 백담사百潭寺에서 은둔생활 시작함. **12**-5 노태우盧泰愚 대통령, 개각을 단행함: 국무총리에 강영훈姜英勳 전 의원 임명. **12**-6 국회 광주진상조사특별회원회·18광주민주화운동진상규명청문회를 속개함. **12**-22 외무부, 1989. 1. 1.부터 해외여행 제한연령을 폐지한다고 발표함. **12**-30 현대그룹 정주영鄭周永 명예회장, 상공부에 북한방문신청서를 제출함.	**8**-3 미얀마, 반정부 시위로 수도 랑군Rangoon(현 양곤Yangon)에 계엄령을 선포함. **8**-16 미국 공화당, 대통령 후보에 부시Bush를 지명함. **8**-19 폴란드 바웬사Wawensa 자유노조 지도자, 정부가 자유노조를 인정 안 하면 22일부터 파업한다고 경고함. **8**-20 이란·이라크, 휴전협정이 발효됨. **9**-18 미얀마, 쿠데타 일어남: 의회 해산하고 국호를 버마에서 미얀마Myanmar로 변경함. **9**-19 폴란드 내각, 경제정책 실패로 총사퇴서를 의회에 제출함. **10**-1 소련, 그로미코Gromyco 간부회의장을 해임함: 후임에 고르바초프Gorvachev 서기장 선출. **11**-9 미국, 대통령 선거에서 공화당 부시Bush 후보가 당선됨. **11**-15 PLO 아라파트Arafat 의장, 팔레스타인 독립을 선언함: 수도 동예루살렘. **12**-1 소련 최고회의, 고르바초프Gorvachev의 정치개혁안을 승인함. **12**-2 파키스탄 부토Bhutto, 여성 총리에 오름. **12**-7 소련, 아르메니아 등 세 곳에서 지진 발생하여 5만여 명이 사망함: 방미중의 고르바초프Gorvachev 서기장이 급거 귀국함. **12**-19 인도 간디Gandhi 총리, 34년만에 중국을 방문함.

연대	우리나라	다른 나라
1989 (4322) 기사	**1**-1 대전, 직할시直轄市로 승격됨. 북한 김일성金日成, 신년사에서 4당 총재와 지도급 인사로 구성된 남북정치협상회의를 개최하자고 제의해 옴. **1**-3 대우, 북한의 금강산국제무역개발공사로부터 북한 예술품을 도입함: 첫 남북한 직교역. **1**-9 서울특별시, 인구조사 결과 1천만명이 넘었다고 발표함. **1**-16 북한 연형묵延亨默 총리, 강영훈姜英勳 국무총리가 제의한 남북고위급회담 개최를 수락함. **1**-21 전국민족민주운동연합(전민련全民聯)이 발족됨: 재야운동권의 통합 단체. 정주영鄭周永 현대그룹 명예회장, 한국기업인 최초로 북한을 방문함. **1**-27 검찰, 장세동張世東 전 안기부장을 직권남용 혐의로 구속함. **2**-1 정부, 헝가리와 수교함: 동유럽 공산권 국가와의 첫 국교 수립. **2**-3 검찰, 대한항공 여객기 폭파범 김현희金賢姬를 불구속기소함. **2**-13 여의도 농민 시위 일어남: 고추 수매 및 수세水稅 폐지를 요구. **2**-27 미국 부시Bush 대통령이 방한함. **3**-1 전국농민운동연합이 결성됨. **3**-16 서울지하철 노조, 파업에 돌입함. **3**-26 문익환文益煥 목사, 평양에 도착하여 김일성金日成 주석을 면담함: **4**-13 귀국하여 당국에 체포됨. **3**-30 경찰, 현대중공업의 파업을 강제 진압함: 울산 시민 및 노동자들이 10여일간 경찰과 투석전을 벌임. **4**-21 검찰, 서석재徐錫宰 민주당 의원을 구속함:동해 선거 후보 매수 혐의. **4**-27 정부, 경기도 분당盆唐 · 일산一山 등에 신도시 건설계획을 발표함. **5**-3 부산 동의대학교 학생들, 학교 건물에 방화함: 경찰 7명 사망. **5**-28 전국교직원노조(전교조全敎組)가 결성됨: 이와 관련 85명이 구속되고 1527명이 파면 · 해임 · 직권면직 등 중징계 받음. **6**-13 김영삼金泳三 민주당 총재, 소련 방문 중 6일 모스크바에서 북한 허담許錟과 회담했다고 발표함.	**1**-7 일본, 히로히토裕人 국왕 사망: 아키히토明仁 국왕이 승계함. **1**-11 스리랑카, 국가비상사태를 해제함. **1**-15 방글라데시, 대형 철도 사고가 발생함. **1**-16 중국 · 베트남, 캄보디아 내전 종식 협상을 시작함. **1**-27 베트남, 캄보디아 주둔군 철수계획을 발표함. **2**-8 소련, 아프가니스탄 주둔군 철수를 완료함. **2**-26 미국 부시Bush 대통령, 중국을 방문함. **3**-9 폴란드, 노조와 양원제 국회 및 대통령제에 합의함. **4**-12 중국 리펑李鵬 총리, 일본을 방문함. **4**-15 중국, 후야오방胡耀邦 전 총서기 사망. **4**-25 일본 다케시다竹下登 총리, 리쿠르트Recruit 사건으로 사임함. **4**-27 중국, 50만 군중이 톈안먼天安門 시위 벌임. **5**-15 소련 고르바초프 Gorvachev 서기장, 중국을 방문함. **5**-20 중국, 톈안먼天安門사태로 베이징에 계엄령을 선포함. **5**-23 소련군, 체코스로바키아에서 철수하기 시작함. **6**-3 일본, 우노宇野宗佑 내각 발족. 이란, 호메이니Khomeini 사망. **6**-5 폴란드 자유노조, 총선거에서 승리함. **6**-24 중국 장쩌민江澤民, 당 총서기에 선출됨.

연대	우리 나라	다른 나라
1989 (4322) 기사	**6**–27 안기부, 서경원徐敬元 평민당 의원을 구속함: 북한 밀입국사건 관련. **6**–30 전대협 대표 임수경林秀卿, 세계청년학생축전 참석차 평양에 도착함. **6** 북한, 백두산생물권보전지역이 지정됨. **7**–1 북한, 평양 세계청년학생축전을 개최함. **7**–7 전대협 및 북한 조선학생위원회, 남북한 학생 공동선언문을 발표함. **7**–9 정부, 이라크와 대사급 외교관계를 수립함. **7**–22 육군본부 새 청사 현판식을 거행함. **7**–26 천주교 정의구현사제단, 평양축전에 참석한 임수경林秀卿의 귀환에 동행하도록 문규현文奎鉉 신부를 평양에 보냈다고 발표함. **7**–27 안기부, 평민당 김대중金大中 총재와 문동환文東煥 전 부총재를 중부경찰서로 구인함: 서경원徐敬元 의원 밀입북사건 관련 여부 조사. 대한항공 여객기가 리비아 트리폴리Tripoli에서 추락함: 80명 사망. **8**–15 임수경林秀卿, 문규현文奎鉉 신부와 함께 판문점 통해 귀환함: 당국에 연행되어 구속됨. **8**–31 동아건설, 단일공사로는 세계 최대 규모인 리비아 대수로공사 수주에 성공함: 53억 달러. **9**–11 노태우盧泰愚 대통령, 국회에서 한민족공동체 통일방안을 제시함. **9**–18 노태우盧泰愚 대통령, 서울올림픽대회를 기념하여 서울평화상 제정 계획을 발표함. **9**–26 제70회 전국체육대회 및 세계한민족체육대회가 개막됨. **10**–16 노태우盧泰愚 대통령, 미국을 방문함: 17일 부시Bush 대통령과 정상회담. **11**–1 정부, 폴란드와 대사급 외교관계를 수립함. **11**–9 북한, 한반도 비핵지대화 문제와 관련하여 한국 · 미국 · 북한의 3자회담을 제의해 옴. **11**–18 노태우盧泰愚 대통령, 서독 · 헝가리 · 영국 · 프랑스 방문차 출국함. **12**–8 정부, 소련과 영사관계 수립에 합의함. **12**–29 정호용鄭鎬溶 의원, 의원직 사퇴 등 모든 공직에서 물러난다고 발표함. **12**–31 전두환全斗煥 전 대통령, 국회에 출석하여 증언함.	**7**–17 폴란드, 동유럽 최초로 교황청과 수교함. **7**–24 일본 자민당自民黨, 참의원선거에서 패배: 우노宇野宗佑 총리 사임. **7**–29 이란 라프산자니Rafsanjani 국회의장, 대통령에 당선됨. **8**–10 일본, 가이후海部俊樹 내각이 발족함. **10**–18 동독, 호네커Honecker 서기장 실각: 후임에 크렌츠Krenz 정치국원 선출. **11**–6 아시아 · 태평양경제협력체 APEC가 발족함. **11**–9 동 · 서독간의 베를린 장벽이 붕괴됨. **11**–23 영국 대처Thatcher 총리, 미국을 방문함: 동유럽 정세 논의. **11**–28 서독 콜Kohl 총리, 10개항의 독일통일안을 발표함. **11**–29 인도 간디Gandhi 총리, 총선 패배로 사임함. **12**–1 필리핀, 반정부 쿠데타가 발생함: 7일 진압됨. **12**–2 타이완臺灣, 다당제하에서 첫 총선거를 실시함. **12**–3 미국 · 소련, 몰타Malta에서 정상회담 개최: 냉전 종결 선언. **12**–15 파나마 노리에가Noriega 대통령, 미국과의 전쟁상태를 선언함: 24일 교황청에 망명 요청. **12**–17 동 · 서독, 포츠담Potsdam에서 정상회담을 개최함. **12**–22 루마니아, 차우셰스쿠Ceausescu 독재정권이 붕괴됨: 25일 대통령 부부 총살. **12**–27 이집트 · 시리아, 외교관계 재개에 합의함. **12**–29 체코슬로바키아, 하벨Havel 대통령이 취임함.

연대	우 리 나 라	다 른 나 라
1990 (4323) 경오	**1**-1 문화공보부를 폐지함: 문화부와 공보처 신설. 환경청을 환경처로 승격시킴. **1**-6 서울~파리간 대한항공 여객기가 소련 영공을 처음으로 통과함. **1**-15 알제리와 대사급 외교관계 수립에 합의함. **1**-22 노태우盧泰愚 대통령, 민주당 김영삼金泳三 총재 및 공화당 김종필金鍾泌 총재와 3당 통합을 선언함: 민주자유당(민자당) 창당에 합의. 전국노동조합협의회全國勞動組合協議會(전노협全勞協)가 창립됨: 의장 단병호段炳浩. **3**-18 한필성韓弼聖·한필화韓弼花 남매, 일본 삿포로札幌에서 극적으로 상봉함. KBS 노조, 서기원徐基源 사장 임명에 반대하며 농성 벌임. **3**-22 체코슬로바키아와 대사급 외교관계를 수립함: 23일 불가리아, 26일 몽골, 30일 루마니아와 수립. 서산해안瑞山海岸 국립공원, 태안해안泰安海岸 국립공원으로 명칭 변경됨. **3**-27 대한항공 여객기가 정기항공편으로는 처음으로 소련 모스크바에 기착함: 30일 소련 여객기가 처음으로 김포공항에 기착. **4**-12 경찰, KBS에 진입하여 농성중인 노조원을 해산시킴: 노조, 파업에 돌입함. **4**-13 민주연합추진회(민연추民聯推)가 결성됨. **4**-15 평화방송PBC이 개국함. **4**-18 MBC 노조, KBS 노조 지지 위해 제작을 거부함: 20일 기독교방송 노조도 동참. **4**-25 현대중공업 노조, 파업 벌임: 28일 강제 해산. **5**-1 불교방송BBC이 개국함. **5**-9 민자당, 전당대회에서 총재에 노태우盧泰愚 대통령, 대표위원에 김영삼金泳三·김종필金鍾泌·박태준朴泰俊 의원을 선출함. **5**-15 검찰, 이문옥李文玉 감사관을 구속함: 감사원의 비리 폭로 관련. **5**-17 교통부, 신공항 위치를 영종도永宗島로 정함. **5**-24 노태우盧泰愚 대통령, 일본을 공식방문함. **5**-29 국회, 민자당 단독으로 임시국회를 개회함: 의장에 박준규朴浚圭 의원 선출. **6**-3 노태우盧泰愚 대통령, 소련·미국과의 정상회담 위해 미국 방문길에 오름. **6**-5 노태우盧泰愚 대통령, 소련 고르바초프Gorvachev 대통령과 샌프란시스코에서 사상 첫 정상회담 가짐: 조속한 수교 및 상호 방문에 합의.	**1**-1 체코슬로바키아 하벨Havel 대통령, 2만여명에 사면을 단행함. **1**-3 소련, 공산당 1당독재 폐지. **1**-10 중국, 베이징北京의 계엄령을 해제함. **2**-2 남아프리카공화국, 26년간 복역한 흑인 민족지도자 만델라Mandela를 석방함. **2**-27 폴란드·이스라엘, 외교관계 재개에 합의함. **3**-9 동독·서독, 동베를린에서 통일 논의 예비회담을 개최함. **5**-2 남아프리카공화국 클레르크Klerk 대통령, 만델라Mandela와 인종차별 종식에 합의함. **5**-5 동독·서독, 미국·영국·프랑스·소련과 통일 위한 2+4회담을 개최함. **5**-21 남예멘·북예멘, 예멘공화국으로 통합을 선언함. **5**-25 프랑스 미테랑Mitterrand 대통령, 소련을 방문함. **6**-7 남아프리카공화국, 긴급조치를 해제함. **6**-10 페루, 대통령 선거에서 일본인 2세 후지모리Fujimori가 당선됨. **6**-12 러시아 공화국, 독자적 주권국가를 선언함. **6**-26 헝가리 의회, 바르샤바조약기구 탈퇴안을 승인함. **7**-1 동·서독, 화폐 통합 및 국경검문소 폐쇄에 합의함. **7**-25 이라크 후세인Hussein 대통령, 페르시아만에서의 미국 군함 철수를 요구함. **7**-30 소련·알바니아, 외교관계 재개에 합의함.

연대	우리 나라	다른 나라
1990 (4323) 경오	**6**–15 민주당民主黨, 3당통합에 반대 표방하며 창당됨: 총재 이기택李基澤. **7**–14 국회, 방송관계법 · 국군조직법개정안 · 광주보상법 등을 기습 통과시킴: 야당 반발. **7**–20 노태우盧泰愚 대통령, 남북간 민족 대교류 특별선언을 발표함. **8**–3 제3회 조선학 국제학술토론회가 일본 오사카에서 개막됨: 남북한 등 15개국 1100여명 참석. **8**–8 북한, 작가 황석영黃晳暎이 범민족대회 남측 추진본부 대표자격으로 입북했다고 보도함. **8**–25 김옥길金玉吉 전 이화여자대학교 총장 사망. **9**–4 첫 남북고위급회담이 서울에서 개최됨. **9**–6 노태우盧泰愚 대통령, 남북고위급회담에 참석한 북한 연형묵延亨默 총리를 면담함. **9**–11 북한 김일성金日成 주석, 중국을 방문함. **9**–12 중부지방에 집중 호우 내림: 행주대교幸州大橋 부근 한강제방이 붕괴됨. **9**–19 북한, 황병기黃秉冀 교수 등 17명을 평양 범민족음악회에 초청함: 20일 정부, 방북 허용. **10**–1 정부, 소련과 대사급 외교관계 수립에 합의함. **10**–4 국군보안사령부 윤석양尹錫洋 이병, 보안사의 민간인 불법사찰을 폭로함. **10**–17 제2차 남북고위급회담이 평양에서 개최됨: 강영훈姜英勳 국무총리, 김일성金日成 주석을 방문하고 노태우盧泰愚 대통령의 구두메시지를 전달함. **10**–31 태영泰榮, 새 민영방송국 지배주주로 선정됨. **11**–5 충남 안면도安眠島 주민들이 핵폐기물 저장시설 건설 반대 시위를 벌임. **11**–7 유고 요비치Jovic 대통령이 방한함: 동구 공산권 국가원수로는 최초. **11**–19 야당 의원들이 의원직 사퇴 후 128일만에 등원함: 국회가 정상화됨. **12**–9 남북 1990년 송년통일전통음악회가 서울 예술의 전당에서 개최됨. **12**–13 노태우盧泰愚 대통령, 소련 방문차 출국함: 국가원수로는 처음. 제3차 남북고위급회담이 서울에서 개최됨. **12**–28 중앙기상대, 기상청으로 승격됨. **12**–30 전두환全斗煥 전 대통령 부부, 백담사百潭寺에서 자택으로 귀환함.	**8**–2 이라크, 쿠웨이트를 점령함: 괴뢰정권 수립. **8**–3 미국 · 소련, 대이라크 무기금수 공동성명을 발표함. **8**–6 파키스탄 칸Khan 대통령, 부토Bhutto 총리를 해임함. **8**–8 이라크, 쿠웨이트 합병을 선언함. **8**–9 유엔, 이라크의 쿠웨이트 합병은 무효라고 선언함. **8**–10 미국 · 영국 · 프랑스 · 서독, 페르시아만 다국적군 가담에 합의함. **8**–15 소련 고르바초프Gorvachev 대통령, 솔제니친Solzhenitsyn 등에게 시민권을 복권시킴. **8**–28 미국, 이라크 외교관에 출국을 명령함. **8**–31 동 · 서독, 통일조약 체결. **9**–14 이라크군, 쿠웨이트 주재 프랑스 · 캐나다 · 네덜란드 · 벨기에 대사관에 난입함. **9**–16 프랑스 · 이탈리아, 이라크 외교관을 추방함: 17일 영국 · 벨기에도 추방 조치. **10**–3 독일, 45년만에 통일됨. **11**–17 소련, 고르바초프Gorvachev 대통령에게 비상대권을 부여함. **11**–21 미국 부시Bush 대통령, 중동지역을 순방함. **11**–22 영국 대처Thatcher 수상, 총선 승리 위해 사임함. **11**–25 폴란드, 대통령 선거를 처음 실시함: **12**–9 2차투표에서 바웬사Wawensa 당선. **12**–1 영국~프랑스 도버Dover해협 터널이 개통됨. **12**–2 독일, 하원 총선거를 실시함: 20일 베를린 옛 제국의회에서 개원식을 거행함.

연 대	우 리 나 라	다 른 나 라
1991 (4324) 신미	**1**-22 한국의료지원단이 걸프전Gulf戰 현지로 파견됨. **1**-23 노재봉盧在鳳 대통령 비서실장, 국무총리에 임명됨. **2**-5 정태수鄭泰守 한보그룹 회장, 수서택지 특혜분양 사건으로 구속됨. **3**-21 낙동강 페놀오염사건이 발생함. **3**-26 지방의회의원선거를 실시함:**4**-15 개원. **4**-19 소련 고르바초프Gorvachev 대통령이 제주도를 방문함. **4**-24 남북탁구 단일팀, 일본에서 열린 제41회 세계탁구선수권대회에 출전함. **4**-26 명지대학교 학생 강경대姜慶大, 시위 중 사망함. **4**-27 국제의원연맹 한국대표단, 총회 참석 위해 판문점板門店 통해 입북함. **5**-7 허영호許永浩 등, 북극점 탐험에 성공함. **5**-22 노재봉盧在鳳 국무총리 사임함: 후임에 정원식鄭元植 전 문교부장관 임명. **6**-20 광역의회 의원선거를 실시함. **7**-2 노태우盧泰愚 대통령, 미국 부시Bush 대통령과 정상회담: 3일 캐나다를 방문함. **7**-27 한국 선박이 쌀 5천t 싣고 북한 나진항羅津港 향해 목포항을 출발함. **8**-7 강원도 고성에서 세계잼버리대회가 개막됨. **9**-10 평민당 · 민주당, 합당을 선언함: 당명 민주당. **9**-18 남북한이 동시 유엔에 가입함. **9**-24 노태우盧泰愚 대통령, 유엔총회에서 연설함. **10**-4 북한 김일성金日成 주석, 중국을 방문함. **10**-22 정원식鄭元植 국무총리, 제4차 남북고위급회담 참석차 입북함. **10**-26 박철언朴哲彦 체육청소년부장관, 라오스와 체육교류협정을 체결함. **11**-25 북한 여연구呂燕九 등 15명, 서울여성토론회 참석차 판문점板門店 통해 서울에 도착함. **11**-30 통일교 문선명文鮮明 교주, 북한 김일성金日成 주석 면담 위해 입북함. **12**-9 새 민간방송 서울방송SBS이 개국함. **12**-24 북한 김정일金正日, 최고사령관에 추대됨. **12**-28 북한, 나진羅津 · 선봉先鋒 자유경제무역지대를 설립함. **12**-30 한국정신문화연구원, 《한국민족문화대백과사전》(전 27권)을 완간함. **12**-31 남북한, 한반도 비핵지대화 선언문을 발표함.	**1**-17 미국, 이라크 비그다드를 공습함: 걸프전Gulf戰 발발. **1**-25 이라크, 걸프해Gulf海에 원유를 유출시킴. **2**-22 미국군, 이라크 영내로 진격함. **2**-28 미국 부시Bush 대통령, 대이라크 휴전조건 5개항을 제시함. **3**-3 이라크, 다국적군의 휴전조건을 수락함. **6**-12 러시아, 직접투표로 대통령 선거 실시함: **7**-10 옐친Yeltsin 대통령 취임. **7**-1 바르샤바조약기구가 해체됨. **8**-19 소련, 군부 쿠데타 발생함: 옐친Yeltsin 러시아 대통령, 쿠데타를 강력 비난함. **8**-21 소련, 군부 쿠데타가 실패함. **8**-23 소련 고르바초프Gorvachev 대통령, 옐친Yeltsin 러시아 대통령과 연립정부 구성에 합의함. **8**-24 소련 고르바초프Gorvachev, 공산당 서기장직을 사임함. **9**-2 미국, 발트Balt 3국의 독립 승인: 6일 소련도 승인. **11**-5 일본, 미야자와宮澤喜一 내각이 출범함. **11**-21 유엔, 사무총장에 이집트 갈리Ghali를 선출함. **12**-10 유럽연합EU이 결성됨: 단일통화 사용. **12**-21 소련 등 11개 공화국, 독립국가연합CIS을 창설함. **12**-25 소련 고르바초프Gorvachev 대통령, 대통령직을 사임함.

연대	우리 나라	다른 나라
1992 (4325) 임신	**1**-6 노태우盧泰愚 대통령, 미국 부시Bush 대통령과 청와대에서 정상회담을 개최함. 전국에서 쌀시장 개방 반대 시위 일어남. **1**-8 정주영鄭周永 전 현대그룹 명예회장, 노태우盧泰愚 대통령에게 정치자금 30억원을 헌납했다고 폭로하고 정계 진출을 선언함: **2**-8 통일국민당(국민당國民黨) 창당. **1**-21 서울신학대학에서 후기대학입시문제 도난사건이 발생함. **1**-30 북한, 국제원자력기구의 핵안전협정에 서명. **1**-31 대관령에 92.0cm의 폭설 내림. **2**-20 정원식鄭元植 국무총리, 평양에서 개최된 남북고위급회담 참석 중 북한의 김일성金日成 주석을 예방함. **3**-22 이지문李智文 중위, 군 부재자투표 선거부정을 폭로함. **3**-24 제14대 총선거를 실시함. **4**-3 북한, 사회주의헌법을 대폭 개정함. **4**-11 이상옥李相玉 외무부장관, 베이징北京에서 중국 첸지선錢其琛 외교부장과 수교 문제 논의함. **5**-15 국민당, 대통령 후보에 정주영鄭周永 대표최고위원을 선출함. **5**-19 민자당, 대통령 후보에 김영삼金泳三 대표최고위원을 선출함. **5**-22 정부, 러시아와 옛 소련의 채무 보증 승계에 합의함. **5**-26 민주당, 대통령 후보에 김대중金大中 공동대표를 선출함. **6**-29 제14대 국회가 개원함: 의장에 박준규朴浚圭 의원 선출. **7**-6 국제원자력기구, 북한에 대한 제2차 핵사찰을 개시함. **7**-19 북한 김달현金達玄 부총리, 판문점板門店 경유하여 서울을 방문함. **7**-30 경남 남해군 창선대교昌善大橋 붕괴사고가 발생함. **8**-9 황영조黃永祚 선수, 바르셀로나Barcelona 올림픽대회 마라톤에서 우승함.	**1**-9 미국 부시Bush 대통령, 일본 미야자와宮澤喜一 총리와 정상회담을 개최함. **1**-30 러시아 옐친Yeltsin 대통령, 영국 메이저Major 총리와 경제·군사 협력 선언문을 발표함. **2**-1 미국 부시Bush 대통령, 러시아 옐친Yeltsin 대통령과 6개항의 캠프데이비드Camp David 선언을 발표함. **2**-28 러시아, 남아프리카공화국과 외교관계를 수립함. **4**-7 미국, 크로아티아·슬로베니아·보스니아헤르체고비나를 승인함. **4**-24 유엔, 소말리아에 병력 파견 결의안을 의결함. **4**-27 유고 의회, 신유고연방의 헌법을 채택함: 세르비아Serbia와 몬테네그로Montenegro 두 공화국으로 구성된 신국가 탄생. **4**-29 미국, 로스앤젤레스에서 대규모 흑인 폭동 발생함. **5**-22 유엔 총회, 크로아티아·슬로베니아·보스니아 헤르체고비나 유엔 가입을 승인함. **5**-23 러시아·폴란드, 우호협력조약을 체결함: 러시아군의 폴란드 철수에 합의함. **7**-17 체코슬로바키아, 하벨Havel 대통령이 사임함. **7**-20 유고, 내전 발생: 보스니아 헤르체고비나BosniaHerzegovina에서 전투 재연함. **7**-26 스페인, 제25회 바르셀로나Barcelona 올림픽대회 개막. **7**-30 독일, 호네커Honecker 전 공산당서기장을 살인혐의로 기소함.

연대	우리 나라	다른 나라
1992 (4325) 임신	**8-11** 과학위성 우리별 1호 발사에 성공함. **8-17** 정부, 베트남 하노이에 연락대표부를 개설하기로 합의함. **8-24** 정부, 중국과 국교를 수립함. **8-25** 노태우盧泰愚 대통령, 민자당 총재직을 사퇴함. **8-27** 선경그룹, 제2이동통신 사업권 포기를 선언함: 체신부, 다음 정부 결정에 맡긴다고 발표. **9-7** 김정렬金貞烈 전 국무총리 사망. **9-15** 한국 주재 타이완臺灣 대사관이 한국인에 대한 비자 발급 업무를 중단함. **9-18** 노태우盧泰愚 대통령, 민자당을 탈당함. **9-22** 노태우盧泰愚 대통령, 유엔총회에 참석하여 기조연설함. **9-29** 노태우盧泰愚 대통령, 중국 방문중 북한의 핵개발 의혹이 밝혀지면 대북한 경제협력 용의 있다고 언급함. **10-6** 북한의 남포南浦 경공업단지 합동조사단이 평양에 도착함. **10-8** 국회, 현승종玄勝鍾 국무총리 임명동의안을 의결함. **10-12** 해군, 이천호李阡號 진수식을 거행함: 우리 기술진이 건조한 국내 최초의 잠수함. **11-8** 노태우盧泰愚 대통령, 일본을 방문함: 교토에서 미야자와宮澤喜一 총리와 회담. **11-12** 영종도永宗島에서 인천국제공항 기공식을 거행함. **11-17** 새한국당 창당: 대표위원에 이종찬李鍾贊 의원 선출. **11-19** 노태우盧泰愚 대통령, 러시아 옐친Yeltsin 대통령과 정상회담: 옐친Yeltsin 대통령, 대한항공 여객기 피격사건에 관한 자료를 전달함. **12-1** 정부, 남아프리카공화국과 대사급 외교관계를 수립함. **12-18** 제14대 대통령 선거를 실시함: 민자당 김영삼金泳三 후보 당선. **12-19** 김대중金大中 민주당 대통령 후보, 의원직 사퇴 및 정계 은퇴를 선언함. **12-22** 베트남과 대사급 외교관계를 수립함.	**8-3** 남아프리카공화국, 흑인노동자들이 아프리카 민족회의 주도하에 대규모 파업을 벌임: 백인정부 당국의 혹심한 탄압정책에 항거. **8-25** 유엔, 보스니아 헤르체고비나Bosnia Herzegovina에서 크로아티아군과 세르비아군이 철수할 것을 결의함. **9-20** 유엔, 신유고연방 유엔 축출 건의안을 승인함. **9-30** 미국, 수빅만Subic灣 해군기지를 필리핀에 반환함. **10-7** 미국 · 캐나다 · 멕시코, 북미자유무역협정NAFTA에 가조인함. **10-16** 유럽공동체EC, 버밍엄Birmingham 선언을 채택함: 유럽 통합 실현 후에도 각국의 고유 주권을 최대한 보장하기로 합의함. **11-4** 미국, 대통령 선거에서 민주당 클린턴Clinton 후보가 당선됨. **11-22** 북대서양조약기구 및 서유럽동맹, 아드리아해에서 신유고연방에 대한 해상봉쇄 조치를 취함. **12-3** 유엔, 소말리아에 대한 군사개입 결의안을 채택함. **12-14** 미국, 로스앤젤레스에서 대규모 흑인폭동 일어남: 비상경계령 선포. **12-20** PLO 단체들, 이스라엘의 팔레스타인 추방에 대해 성전 확대를 선언함. **12-29** 미국 · 러시아, 제2단계 전략무기 감축협정START Ⅱ을 타결함.

연대	우리나라	다른나라
1993 (4326) 계유	**1**–4 김영삼金泳三 대통령 당선자, 취임 준비 위한 대통령직 인수위원회를 가동함. **1**–7 청주 우암아파트 붕괴사고 발생함: 29명 사망, 48명 부상. **2**–6 검찰, 정주영鄭周永 국민당 대표를 대통령선거법 위반 혐의 등으로 불구속 기소함. **2**–9 정주영鄭周永 국민당 대표, 대표최고위원직 사퇴 및 정계 은퇴 의사를 발표함. **2**–25 김영삼金泳三 대통령 취임: 문민정부 표방. 국회, 황인성黃寅性 국무총리 및 이회창李會昌 감사원장 임명동의안을 의결함. **3**–1 독일 콜Kohl 총리가 방한함. **3**–6 정부, 문익환文益煥 목사 등을 사면함. **3**–8 정부, 육군참모총장을 전격 경질함: 군대 내 사조직 정비 차원. **3**–10 민주당, 대표최고위원에 이기택李基澤 의원을 선출함. 정부, 미전향 장기수 이인모李仁模의 북송을 결정함: 19일 판문점板門店 통해 송환. **3**–12 북한, 핵확산금지조약NPT에서 탈퇴함. **3**–15 김영삼金泳三 대통령, 북한의 핵문제 해결시까지 대북한 경제협력 중단을 지시함. **3**–28 부산 구포역龜浦驛 열차전복사고 발생함: 68명 사망, 123명 부상. **4**–1 김영삼金泳三 대통령, 경복궁景福宮 내 국립중앙박물관 이전을 지시함: 경복궁 복원 위한 조처. **4**–9 북한, 김정일金正日을 국방위원회 위원장에 추대함. **4**–10 영화 〈서편제〉 개봉됨: 이후 최다 관객 동원. **4**–15 국무회의, 소말리아 유엔평화유지단에 공병부대 파견하는 PKO참여안을 의결함. **4**–22 경찰청, 경원학원 입시부정과 관련하여 29명을 구속하고 16명을 불구속 기소함. **4**–27 박준규朴浚圭 국회의장, 재산문제로 사퇴함: 후임에 이만섭李萬燮 의원. 검찰, 1989년 밀입북하였다 귀국한 소설가 황석영黃晳暎을 구속함. **5**–13 김영삼金泳三 대통령, 12 · 12사건을 '하극상에 의한 쿠데타적 사건'이라고 규정함. **5**–20 공직자윤리법을 개정함: 공직자의 재산등록을 의무화함. **5**–23 필리핀 라모스Ramos 대통령이 방한함. **5**–29 박종철朴鍾喆 검찰총장, 슬롯머신사건과 관련한 대국민사과문을 발표함.	**1**–1 유럽공동체EC, 단일시장을 발족시킴. 체코슬로바키아, 체코와 슬로바키아로 분리됨. **1**–6 미국, 이라크에 대공미사일망을 철수할 것을 최후 통첩함: 7일 이라크 거부. **1**–13 미국, 서방측과 함께 대 이라크 공격을 개시함. **1**–19 이라크, 휴전을 선언함. **1**–21 유엔 사찰팀, 이라크 바그다드에 도착함: 양측 대치상황이 일단락됨. **2**–4 아프가니스탄, 반군 단체들의 전투 발생함: 4천여명 사상. **2**–9 프랑스 미테랑Mitterrand 대통령, 베트남을 방문함. **3**–7 아프가니스탄, 9개 반군지도자들이 내전 종식 평화안에 합의함. **3**–16 미국 클린턴Clinton 대통령, 북한北韓에 핵확산금지조약 탈퇴 철회를 촉구함. **3**–21 러시아 옐친Yeltsin 대통령, 비상통치를 선언함: 의회 권한을 정지시킴. **4**–16 미국 클린턴Clinton 대통령, 일본 미야자와宮澤喜一 총리와 워싱턴에서 정상회담. **4**–25 러시아, 옐친Yeltsin 대통령 신임 여부 국민투표를 실시함: 지지율 59.2%. **4**–27 중국 · 타이완臺灣, 싱가포르에서 첫 고위급회담을 개최함. **4**–29 캄보디아, 크메르루주군Khmer Rouge軍이 프놈펜 정부에 전면전을 선언함. **5**–1 러시아, 반옐친反Yeltsin 시위대가 의회건물을 봉쇄하고 농성에 돌입함. **5**–**23** 캄보디아, 유엔 감시하에 총선거를 실시함.

연 대	우 리 나 라	다 른 나 라
1993 (4326) 계유	**6**-17 한의사 700여명이 정부의 약사법 개정시안 내용에 반발하여 면허증 반납을 결의함. **6**-27 감사원, 안기부에 대한 첫 감사를 실시함: 평화의 댐 건설 관련. **7**-12 이회창李會昌 감사원장, 국회에서 율곡사업 특감 결과를 언급함: 헬기 구입시 초과지불 내용. **7**-17 검찰, 이종구李鍾九 · 이상훈李相薰 전 국방부장관, 한주석韓周奭 전 공군참모총장, 김철우金鐵宇 전 해군참모총장을 구속함: 율곡사업 비리 관련. **7**-26 아시아나항공 여객기가 전남 해남에서 추락함: 66명 사망. **7**-29 헌법재판소, 1985년의 국제그룹 해체는 위헌이라고 결정함. **8**-4 황인성黃寅性 국무총리, 남북 핵통제 공동위원회를 8월 10일 열자고 북한 강성산姜成山 총리에게 제의함: 9일 북한 거부. **8**-5 정부, 대한민국임시정부 선열 5위를 중국 상하이에서 봉환함: 박은식朴殷植 · 신규식申奎植 · 노백린盧伯麟 · 김인전金仁全 · 안태국安泰國. **8**-7 대전엑스포가 개막됨. **8**-12 금융실명제를 실시함. **8**-20 정부, 경부고속철도의 차종을 프랑스 알스톰사Alstom社의 떼제베TGV로 확정함. **9**-3 보건사회부, 약사법 개정시안을 발표함. **9**-5 백두진白斗鎭 전 국무총리 사망. **9**-10 김덕주金德柱 대법원장, 공직자 재산공개 관련 사표 제출: 23일 후임에 윤관尹琯 대법관 지명됨. **9**-14 프랑스 미테랑Mitterrand 대통령이 방한함. **9**-20 해군함정 2척이 러시아 방문차 진해항 출발함. **10**-10 전라북도 부안 앞바다에서 서해페리호 침몰사고 발생함: 292명 사망. **10**-15 옛 조선총독부 청사 건물 철거를 시작함. **11**-4 성철性徹 조계종 종정 사망. **11**-6 일본 호소가와細川護熙 총리가 방한함. **11**-17 김영삼金泳三 대통령, 아시아 · 태평양경제협력체APEC 정상회의 참석 및 미국 방문차 출국함. **11**-25 타이완 타이베이臺北와 서울에 대표부 설치. **12**-9 김영삼金泳三 대통령, 쌀 개방과 관련하여 대국민사과문을 발표함. **12**-16 황인성黃寅性 국무총리, 쌀시장 개방에 책임지고 사퇴함: 후임에 이회창李會昌 감사원장 지명. **12**-23 유엔 갈리Ghali 사무총장이 방한함: 24일 판문점板門店 거쳐 방북.	**5**-29 폴란드 바웬사Wawensa 대통령, 의회 해산 및 총선거 실시 계획을 발표함. **6**-3 신유고연방, 밀로셰비치Milosevic 대통령이 온건파를 축출하고 전권을 장악함. **6**-27 미국, 이라크를 공습함: 부시 전 대통령 암살 음모. **6**-28 이라크, 대미국 보복 선언. **7**-18 일본, 중의원선거를 실시함: 22일 미야자와宮澤喜一 총리 사임. **8**-4 일본, 고노河野洋平 관방장관이 일본정부가 일본군 위안부 강제 동원에 책임이 있다고 발언함:고노담화. **8**-9 일본, 호소가와細川護熙 내각이 발족함. **8**-24 러시아 옐친Yeltsin 대통령, 폴란드를 방문함. **9**-10 이스라엘 · 팔레스타인, 상호 인정문서에 서명함. **9**-15 캄보디아, 시아누크Sihanouk를 국왕으로 하는 군주국 설립 헌법을 채택함. **9**-30 인도, 서부지역에 지진이 발생함: 3만여명 사망. **10**-3 러시아 옐친대통령, 모스크바에 비상사태를 선언. **10**-8 유엔 총회, 남아프리카공화국에 대한 경제제재조치 해제 결의안을 채택함. **10**-19 파키스탄, 부토Bhutto 총리가 취임함. **12**-15 우루과이 라운드Uruguay Round가 타결됨. **12**-22 남아프리카공화국 의회, 새 헌법안을 승인함: 백인 지배체제에 종지부. **12**-30 이스라엘 · 교황청, 외교관계를 수립함.

연대	우 리 나 라	다 른 나 라
1994 (4327) 갑술	**1**–11 허영호許永浩 등 한국탐험대, 최초로 걸어서 남극점에 도달함. **1**–18 김영삼金泳三 대통령, 낙동강페놀오염사건에 대해 대국민사과문을 발표함. 문익환文益煥 목사 사망. **1**–24 장영자張英子, 어음 사기 혐의로 구속됨. **1**–27 김대중金大中 전 대통령 후보, 아시아·태평양평화재단을 설립함. **2**–15 북한, 국제원자력기구의 핵사찰을 수용함. **3**–2 전교조 교사 1천여명이 4년만에 복직함. **3**–16 보건사회부, 생수의 국내 시판을 허용함. **3**–19 북한 박영수朴英洙 단장, 남북한 실무접촉회의 석상에서 전쟁 일어나면 서울이 불바다 될 것이라고 극언함. **3**–23 검찰, 12·12사건 피고소인 조사에 착수함. **3**–24 김영삼金泳三 대통령, 일본 및 중국 순방차 출국함: 24일 일본 호소가와細川護熙 총리, 28일 중국 장쩌민江澤民 주석과 정상회담. **4**–4 정부, 애국지사 서재필徐載弼·전명운田明雲 유해를 미국에서 봉환함. **4**–9 국민고충처리위원회가 출범함: 위원장 김광일金光一 변호사. **4**–22 이회창李會昌 국무총리, 대통령과의 불화로 사표를 제출함: 후임에 이영덕李榮德 부총리. **5**–3 현대그룹 정주영鄭周永 명예회장, 경영 일선에서의 퇴진을 발표함. **5**–9 조계종, 새 종정에 월하月下 스님을 추대함. **6**–2 김영삼金泳三 대통령, 러시아 옐친Yeltsin 대통령과 청와대~크렘린 직통전화 설치에 합의함: 4일, 우즈베키스탄 카리모프Karimov 대통령과 정상회담. **6**–10 북한, 체코가 북한 주재 대사관을 폐쇄함. **6**–13 북한, 국제원자력기구에서 탈퇴한다고 전격 발표함. **6**–17 미국 카터Carter 전 대통령이 핵문제 관련하여 북한을 방문함: 김일성金日成 주석과 회담. **6**–28 남북정상회담을 위한 예비접촉이 판문점板門店에서 개최됨: 7월 25~27일 김영삼金泳三 대통령의 평양 방문에 합의함. **6**–29 국회, 국회의장에 황낙주黃珞周 의원을 선출함.	**1**–1 북미자유무역협정NAFTA이 공식 발효됨. **1**–13 미국·러시아, 모스크바에서 정상회담을 개최함. **1**–17 미국, 로스앤젤레스에 지진이 발생함: 시 전역에 비상사태 선포. **1**–27 미국 의회, 대베트남 무역제재조치 해제안을 의결함: **2**–4 20여년간의 적대관계 청산하고 상호 연락사무소를 설치함. **2**–9 이스라엘·팔레스타인, 국경관할협정에 서명함. **4**–6 르완다Rwanda, 내전이 시작됨. **4**–8 일본, 호소가와細川護熙 총리가 사임함: 28일 하타羽田孜 내각 발족. **5**–2 남아프리카공화국 만델라Mandela, 대통령에 선출됨: 300여년의 백인통치 종식. **5**–9 스웨덴·핀란드, 나토의 평화동반자관계협약에 서명함: 중립정책 종결. **5**–13 이스라엘, 요르단강Jordan江 서안 예리코시Jericho市를 팔레스타인에 이양함. **5**–21 남예멘·북예멘, 통일예멘으로부터 분리됨: 통합 4년만에 분단. **6**–15 이스라엘·교황청, 정식 외교관계를 수립함. **6**–22 러시아, 북대서양조약기구의 평화동반자관계협약에 서명함. **6**–25 일본, 하타羽田孜 내각이 총사퇴함: 30일 무라야마村山富市 내각 출범.

연대	우리 나라	다른 나라
1994 (4327) 갑술	7-8 북한, 김일성金日成 주석 사망. 7-18 박홍朴弘 서강대학교 총장, 학생운동이 북한의 사주받고 있다고 발언함:주사파主思派 파동. 7-24 서울의 낮 최고기온이 38.4도를 기록함: 기상 관측 이래 87년 만의 최고 폭염. 8-10 공보처, 4대 도시 민간방송업체 선정 결과를 발표함. 8-12 검찰, 12 · 12사건 관련하여 최규하 · 전두환 · 노태우 전 대통령을 서면조사키로 결정함. 9-10 북한 중앙방송, 김정일金正日에 대해 '위대한 수령' 이라는 공식호칭을 사용함. 9-15 김용준金容俊 전 대법관, 헌법재판소장에 지명됨. 9-21 경찰, 1년여 동안 살인극 벌여온 지존파 일당 5명을 구속함. 10-11 북한, 단군릉檀君陵을 준공함. 10-20 정부, 1995년 3월부터 직할시直轄市 명칭을 광역시廣域市로 바꾸기로 결정함. 10-21 서울 성수대교聖水大橋 붕괴사고 발생함: 사망 32명, 부상 17명. 북한, 제네바에서 미국과 핵협상을 타결함. 10-24 안기부, 6 · 25 전쟁 때 참전했다 포로로 납북되었던 조창호趙昌浩가 북한을 탈출하여 해상 표류 중 구출되었다고 발표함. 10-29 검찰, 12 · 12사건 관련자 전원의 기소유예를 결정함. 11-8 정부, 남북경제협력 추진대책을 발표함:기업인 방북 및 북한 내 사무소 설치를 허가함. 11-13 김영삼金泳三 대통령, 인도네시아 방문 중 수하르토Suharto 대통령과 정상회담을 개최함. 11-25 민주당 이기택李基澤 대표, 의원직 사퇴를 선언함: 12 · 12사건 관련자 기소 요구. 11-29 서울천년 타임캡슐을 남산공원에 매설함. 12-3 정부조직 개편: 경제기획원 · 재무부를 재정경제원, 건설부 · 교통부를 건설교통부로 통합함. 12-7 정부, 삼성그룹의 승용차산업 신규 진출을 허용함. 12-14 김영삼金泳三 대통령, 방한중인 이스라엘 라빈Rabin 총리와 정상회담을 개최함. 12-17 이홍구李洪九 전 통일원장관, 사퇴한 이영덕李榮德 후임에 국무총리에 임명됨.	7-7 북예멘, 남예멘의 아덴Aden을 점령함: 내전 종식 선언. 7-21 영국 노동당, 당수에 블레어Blair를 선출함. 7-25 이스라엘 · 요르단, 평화협정을 체결함: 적대 관계 청산. 8-19 미국 클린턴Clinton 대통령, 쿠바 구조난민에 대한 비상대책을 발표함. 8-31 아일랜드공화국, 9월 1일을 기해 전면 휴전한다고 선언함. 9-15 미국 클린턴Clinton 대통령, 아이티Haiti 군부 지도자의 즉각 퇴진을 통첩함. 9-19 미국, 아이티Haiti를 침공함. 10-3 국제평화유지군 1진, 아이티Haiti에 도착함. 10-4 미국, 중국과 핵확산금지협정을 체결함: 대중국 경제제재 철회. 10-16 유엔, 아이티Haiti에 대한 모든 제재를 해제함. 10-17 영국 엘리자베스Elizabeth 2세, 러시아를 방문함. 11-9 이라크, 쿠웨이트 주권을 공식 인정함. 11-11 인도네시아, 자카르타에서 아시아 · 태평양 경제협력체 각료회의가 개막됨. 11-28 핀란드, 발트해에서 여객선침몰사고 발생함: 850여명 사망. 12-11 러시아군, 체첸Chechen을 침공함. 12-26 러시아 옐친Yeltsin 대통령, 체첸Chechen 공격을 중지함. 12-29 러시아, 체첸Chechen과 평화협상 개최에 합의함.

연대	우 리 나 라	다 른 나 라
1995 (4328) 을해	**1**-1 쓰레기 종량제를 실시함. **1**-21 세계화 추진위원회가 발족됨: 공동위원장 이홍구李洪九 국무총리 및 김진현金鎭炫 전 과학기술처장관. **2**-9 김종필金鍾泌 전 민자당 대표, 민자당 탈당과 신당 창당을 선언함. **2**-12 정부, 이집트와 대사급 외교관계 수교에 합의함. **2**-15 우즈베키스탄 카리모프Karimov 대통령이 방한함. 한국 · 일본 · 러시아를 잇는 해저 광케이블망이 개통됨. **2**-21 김상협金相浹 전 국무총리 사망. **2**-25 북한, 오진우吳振宇 인민무력부장 사망. **3**-2 김영삼金泳三 대통령, 프랑스 · 체코 · 독일 · 영국 · 덴마크 방문차 출국함. **3**-3 김영삼金泳三 대통령, 프랑스 방문중 미테랑Mitterrand 대통령과 정상회담: 고속전철 떼제베TGV 기술 이전과 외규장각外奎章閣 도서 반환 등 현안을 논의함. **3**-8 서울특별시, 베세토Beseto 협력에 관한 합의각서를 교환함: 베이징 · 서울 · 도쿄 세 도시의 공동 번영을 위한 상호 교류협력 강화 내용. **3**-9 한반도에너지개발기구KEDO가 발족됨: 북한 핵문제 해결 목적. **3**-30 자유민주연합(자민련自民聯) 창당: 총재 김종필金鍾泌. **4**-8 북한, 미국과 직통전화를 개통함. **4**-11 통일원, 대종교 안호상安浩相 총전교와 김선적金善積 종무원장이 어천절御天節 행사 참가 및 단군릉檀君陵 방문차 입북했다고 발표함. **4**-12 베트남 도 무오이Do Muoi 서기장 방한. **4**-28 대구지하철공사장 도시가스 폭발사고가 발생함: 100여명 사망. **5**-3 북한, 중립국감시위원회 사무실 폐쇄 및 판문점공동경비구역 출입제한 조치를 발표함. **5**-26 정부, 북한에 조건 없는 곡물 제공 남북대표회담 개최를 제의함: **6**-17 남북대표, 대북한 쌀 지원에 관한 회담 개최.	**1**-1 세계무역기구WTO 체제가 출범함. **1**-17 일본, 고베神戶에 지진 발생함: 5천여명 사망. **1**-19 러시아군, 체첸Chechen을 완전 함락함. **1**-29 이스라엘 · 요르단, 새 국경선을 확정함. **2**-3 미국, 우주왕복선 디스커버리호Discovery號를 발사함: 최초의 여성 우주선조종사 탑승. **2**-9 이스라엘군, 요르단 영토에서 철수함. **2**-22 영국 · 아일랜드, 북아일랜드 평화안을 발표함. **2**-27 러시아 · 유럽연합, 핵안전협정을 체결함. **3**-19 미국, 우주왕복선 엔데버호Endeavour號가 최장 우주 체공 기록(16일 15시간)을 세우고 귀환함. **3**-20 일본, 도쿄 지하철 내에서 독가스 테러 발생함. **4**-5 캄보디아 · 라오스 · 타이 · 베트남, 메콩강Mekong江 유역 수자원 공동개발 및 보존협정을 체결함. 독일, 베를린에서 유엔 환경회의 개최됨: 170개국 대표 참석. **4**-19 미국, 오클라호마Oklahoma 연방정부 건물에 폭탄테러 발생함: 사망 · 실종 240여명. **4**-28 미국, 북한 · 리비아 · 이란 등을 테러 지원국으로 선정함. **5**-6 앙골라, 내전이 종결됨. **5**-15 프랑스 · 이탈리아 · 포르투갈 · 스페인, 남유럽합동군을 창설함: 지중해의 안전 확보를 위한 장치.

연 대	우 리 나 라	다 른 나 라
1995 (4328) 을해	**6**–20 이석채李錫采 재정경제부 차관, 북한 전금진全琴振 아태평화위원회 부위원장과의 베이징회담에서 북한이 요청한 쌀 15만t 무상제공을 수락함. **6**–23 북한, 쌀 지원문제로 일본에 대표단 파견함. **6**–25 북한 지원 위한 쌀 수송 선박이 동해항東海港을 출발하여 청진항淸津港에 도착함. **6**–27 지방자치단체장선거를 실시함. **6**–29 서울 삼풍백화점 붕괴사고가 발생함: 사망 418명, 실종 246명, 부상 408명(단일사고로는 건국 이래 최대 피해). 정부, 대북한 쌀 지원을 중단함: 북한이 쌀 선적한 우리측 선박에 인공기 게양 요구 사건에 대한 조치. **7**–1 부동산실명제가 시행됨. 서울에서 오존 경보제가 시행됨. 검찰, 이준李鐏 회장을 구속함: 삼풍백화점 붕괴사고 관련. **7**–6 남아프리카공화국 만델라Mandela 대통령 방한. **7**–13 검찰, 5 · 17사건과 관련하여 피고소인 전두환全斗煥 · 노태우盧泰愚 전 대통령에게 공소권 없음 처분을 내림. **7**–17 김대중金大中 전 민주당 대통령 후보, 정계복귀 및 신당창당을 선언함. **7**–18 검찰, 전두환全斗煥 전 대통령 등 5 · 18고소고발사건 관련자 58명을 불기소처분함. **7**–23 유조선 씨프린스호가 전남 여수 해상에서 좌초됨: 해상오염으로 피해 발생. **7**–26 김영삼金泳三 대통령, 미국 방문중 양원 합동회의에서 연설함: 27일 클린턴Clinton 대통령과 정상회담. **8**–2 서석재徐錫宰 총무처장관, 전직 대통령 중 한 사람이 4천여억원의 가명계좌 갖고 있다고 발언함: 4일 사표 수리됨. **8**–5 국내 최초의 위성인 무궁화 1호 발사에 성공함: 목표 궤도 진입에는 실패. **8**–12 세계한민족축전이 서울 올림픽공원에서 개막됨: 100개국의 해외동포 1천여명이 참석함. **8**–15 광복 50주년기념 경축식에서 옛 조선총독부청사 건물 중앙돔 상부첨탑을 철거함.	**5**–28 러시아, 사할린Sakhalin섬 북부에 지진이 발생함: 2500명 사망, 3200명 매몰. **6**–7 타이완臺灣 리덩후이李登輝 총통, 미국을 공식 방문함. **6**–21 나토, 보스니아Bosnia에서 유엔평화유지군 철수를 결정함. **6**–23 오스트레일리아, 프랑스 주재 대사를 소환함: 남태평양상에서의 핵실험 재개 결정에 항의. **7**–4 러시아 옐친Yeltsin 대통령, 체첸에 러시아군 상주 허용 포고령을 발표함. **7**–11 미국 · 베트남, 관계 정상화를 발표함: 베트남 전쟁 이후 20년만에 수교. **7**–28 크로티아군, 보스니아Bosnia 국경 내 세르비아계 점령지 2개소를 장악함. **8**–15 일본 무라야마村山富市 총리, 태평양전쟁 당시의 식민지배에 대하여 공식적으로 사죄함. **8**–17 중국, 지하 핵실험을 실시함. **8**–30 일본, 대중국 무상원조 중단 방침을 통고함: 중국의 핵실험 재개에 항의. **9**–6 프랑스, 남태평양에서 핵실험을 실시함. **9**–26 보스니아 · 크로아티아 · 신유고연방, 공동대통령 선출 및 민주적 선거 실시에 합의함. **9**–28 이스라엘, PLO와 요르단강 서안 자치 확대협정을 체결함. **10**–10 유엔 세계식량기구, 북한에 긴급 식량 지원을 결정함.

연대	우리나라	다른나라
1995 (4328) 을해	**9–5** 새정치국민회의(국민회의) 창당: 총재 김대중金大中. **9–20** 제1회 광주비엔날레가 개막됨. **10–19** 박계동朴啓東 민주당 의원, 국회에서 노태우盧泰愚 전 대통령 비자금 4천억원의 계좌를 폭로함. **10–25** 정부, 라오스와 국교를 재수립함. **10–27** 노태우盧泰愚 전 대통령, 기자회견에서 비자금 보유 사실을 시인함. **10–27** 김대중金大中 국민회의 총재, 1992년 대통령 선거 때 당시 노태우盧泰愚 대통령으로부터 20억원을 받았다고 시인함. **11–4** 작곡가 윤이상尹伊桑, 독일에서 사망함. **11–8** 한국이 유엔 안전보장이사회 비상임이사국에 선출됨. **11–13** 중국 장쩌민江澤民 주석 방한. **11–16** 검찰, 노태우盧泰愚 전 대통령을 뇌물수수혐의로 구속함: 17일 이현우李賢雨 전 대통령 경호실장을 같은 혐의로 구속함. **11–24** 김영삼金泳三 대통령, 5·18관련자 처벌 위한 특별법 제정을 민자당에 지시함. **11–30** 검찰, 12·12사건 및 5·18내란죄에 대한 전면 재수사 착수를 발표함. **12–3** 검찰, 전두환全斗煥 전 대통령을 구속함. **12–5** 민자당, 당명을 신한국당으로 변경함. **12–8** 검찰, 12·12사건 및 5·18사건 수사와 관련하여 최규하崔圭夏 전 대통령에게 검찰 출두 소환장을 전달함: 최규하崔圭夏 전 대통령, 이의 수령을 거부함. **12–9** 해인사 장경판전, 석굴암과 불국사, 종묘宗廟가 유네스코 세계유산에 등재됨. **12–15** 정부, 보스니아–헤르체고비나 공화국과 대사급 외교관계를 수립한다고 발표함. 한반도에너지개발기구, 북한과 경수로輕水爐 공급협정을 체결함. **12–18** 이수성李壽成 전 서울대학교 총장, 국무총리에 임명됨. **12–19** 국회, 5·18민주화운동 관련 특별법 의결. **12–31** 협궤철도 수인선 운행이 종료됨: 1인당 국민소득이 1만 달러를 돌파함(10,823 달러). 인구조사 통계 발표: 44,609,000명으로 집계됨(남 22,389,000명, 여 22,220,000명).	**10–22** 유엔, 창설 50주년 정상회담을 개최함. **10–27** 프랑스, 남태평양상에서 핵실험을 강행함: 세계 각국의 반발 불러옴. **11–4** 이스라엘 라빈Rabin 총리, 유대인 극우파 극단주의자에 의해 피격 사망함. **11–13** 미국, 클린턴Clinton 대통령과 공화당 사이에 예산안 협상이 결렬됨: 연방정부가 셧다운Shutdown(부분업무정지) 상태가 됨. **11–16** 알제리, 처음으로 대통령 직접선거를 실시함: 제루알Zeroual 후보 당선. 체코, 경제협력개발기구 OECD에 가입함. **11–19** 일본, 오사카에서 아시아·태평양경제협력체 APEC 정상회의가 개최됨. **11–21** 미국 클린턴Clinton 대통령, 보스니아 평화협정안 합의를 발표함. **12–5** 북대서양조약기구, 6만명의 보스니아 평화군 파병을 승인함. **12–14** 세르비아·크로아티아·보스니아, 프랑스 파리에서 보스니아 내전 종식 위한 평화협정에 정식 조인함. **12–15** 아세안ASEAN 정상들, 동남아시아 비핵지대화조약에 정식 서명함. **12–17** 러시아, 하원 총선거를 실시함.

연대	우리 나라	다른 나라
1996 (4329) 병자	**1**-1 국민학교 명칭을 초등학교로 변경함. 가곡명창 김월하金月荷 사망. **1**-8 검찰, 전두환全斗煥 전 대통령의 비자금 총액이 5천억원 이상이라고 확인함. **1**-10 검찰, 안현태安賢泰 전 대통령 경호실장과 성용욱成鎔旭 전 국세청장을 구속함: 전두환全斗煥 전 대통령 비자금 조성 개입 혐의. **1**-17 검찰, 12·12사건 관련하여 유학성兪學聖·황영시黃永時·이학봉李鶴捧·최세창崔世昌·장세동張世東 등 5명에 대해 구속영장을 청구함. **1**-20 서울에서 버스전용차로제가 처음 실시됨. **1**-30 검찰, 5·18사건과 관련 정호용鄭鎬溶·허삼수許三守·허화평許和平에 대해 구속영장 청구함. **2**-12 중소기업청이 발족됨. **2**-20 정부, 국제해양법 발효에 따른 배타적경제수역EEZ 전면 설정방침을 발표함. **2**-26 김영삼金泳三 대통령, 인도를 방문하여 라오Lao 총리와 정상회담: 28일 싱가포르를 방문하여 고촉동吳作棟 총리와 정상회담. **3**-1 김영삼金泳三 대통령, 영국 메이저Major 총리와 청와대에서 정상회담: 양국간 교류확대에 합의. 파주군이 파주시로 승격됨 **3**-3 민속학자 석주선石宙善 사망. **3**-23 검찰, 장학로張學魯 전 청와대 부속실장을 구속함: 알선수뢰 혐의. **4**-5 북한, 중무장한 북한군 130여명을 판문점板門店 북측지역에 투입함. **4**-11 제15대 총선거를 실시함. **4**-16 김영삼金泳三 대통령, 미국 클린턴Clinton 대통령과 청와대에서 정상회담. **4**-24 강원도 고성高城에 산불이 발생함: 7개 마을 이재민 160명 발생. **5**-23 북한 공군대위가 미그19기 몰고 귀순함: 경보 불발로 방위체계 허점이 노출됨. **5**-31 국제축구연맹FIFA, 2002년 월드컵 축구대회의 한국·일본 공동개최를 결정함. **6**-14 한반도에너지개발기구, 북한과 경수로공급협정 이행 위한 통신·통행의정서에 합의함. **6**-23 김영삼金泳三 대통령, 일본 하시모토橋本龍太郎 총리와 제주도에서 정상회담: 2002년 월드컵 축구대회 공동개최 위한 협조에 합의.	**1**-5 일본, 무라야마村山富市 수상이 사임함: 11일 하시모토橋本龍太郎 내각 발족. **1**-8 프랑스, 미테랑Mitterrand 전 대통령 사망. **1**-20 PLO 아라파트Arfat, 대통령에 당선됨. **1**-28 프랑스, 남태평양에서 핵실험을 실시함. **2**-19 러시아 옐친Yeltsin 대통령, 독일 콜Kohl 수상과 정상회담 가짐. **3**-5 미국 의회, 대쿠바 경제제재를 승인함:쿠바 공군의 미국 항공기 격추사건에 대응. **3**-23 방글라데시, 200만명의 시위대가 인간사슬 형성해 반정부시위를 전개함. **4**-2 유럽연합 15개국, 광우병 근절 위해 40개월 넘은 영국산 소 도살에 합의함. **4**-13 이스라엘, 베이루트 등 3개 항구를 봉쇄함. **4**-19 유엔 인권위원회, 일본군 위안부 문제에 대한 일본 책임과 배상 촉구 결의문을 채택함. **4**-24 러시아 옐친Yeltsin 대통령, 중국을 방문하여 장쩌민江澤民 국가주석과 회담을 개최함: 모스크바~베이징 핫라인 개설 협정에 서명. **5**-31 이스라엘, 총리 선거에서 야당인 리쿠르당 네타냐후Netanyahu 후보가 당선됨. **6**-30 몽골, 총선거에서 민주연맹이 승리함: 75년간의 공산주의 통치 종식. **7**-3 러시아 옐친Yeltsin 대통령, 대통령선거에서 승리함.

연대	우리 나라	다른 나라
1996 (4329) 병자	**7**-1 실업급여제도를 실시함. 무궁화 위성 통해 위성 방송을 시험 실시함. **7**-4 국회, 국회의장에 김수한金守漢 의원을 선출함. **7**-6 정부, 경제협력개발기구OECD 가입을 신청함: 10-11 가입에 성공함. **7**-18 이건희李健熙 삼성그룹 회장, 국제올림픽위원회IOC 위원에 선출됨. **7**-21 안기부, 국가보안법 위반혐의로 구속된 칸수 교수는 남파간첩 정수일이라고 발표함. **8**-5 검찰, 전두환全斗煥·노태우盧泰愚 전직 대통령에 각각 사형과 무기징역을 구형함. **8**-14 경찰, 범청학련 통일대축전행사를 저지함:연세대학교에서 농성 중인 학생들을 해산시킴. **8**-19 북한, 대우大宇 남포공장이 가동됨. **9**-1 김영삼金泳三 대통령, 중남미 순방차 출국함. 동아건설, 리비아Libya 대수로공사 통수식을 거행함. **9**-13 제1회 부산국제영화제가 개막됨. **9**-16 정부, 캄보디아 주재 대표부를 개설함. 제96차 국제의원연맹 서울총회가 개막됨. **9**-18 강릉 앞바다에 좌초된 북한 잠수정이 발견됨: 11명 자폭, 1명 생포. **10**-21 김구金九 암살범 안두희安斗熙가 피살됨. **10**-26 검찰, 이양호李養鎬 전 국방부장관을 구속함: 비리의혹사건 관련. **11**-5 국무회의, 북한 탈출 주민 보호 및 정착 지원에 관한 법률안을 의결함. **11**-9 이기영李箕永 전 동국대 교수 사망. **11**-13 옛 조선총독부 건물을 철거함. **11**-14 최규하崔圭夏 전 대통령, 12·12 및 5·18사건 항소심공판에 강제 구인됨. **11**-25 조선왕조 황세손 이구李玖, 국내 영주 위해 일본에서 귀국함. **11**-26 북한, 사학자 김석형金錫亨 사망. **12**-16 법원, 전두환全斗煥·노태우盧泰愚 전 대통령에게 각각 무기징역과 징역 17년을 선고함. **12**-26 신한국당, 노동법·안기부법 개정안을 전격 처리함: 비난 여론 고조. **12**-29 북한, 강릉 앞바다 잠수정침투사건에 사과함.	**7**-16 미국, 쿠바에 대한 제재 강화법인 헬름스Helms-버튼법Burton法 발효를 결정함. **7**-19 중국, 양쯔강 유역에서 홍수 발생함: 716명 사망. **8**-23 크로아티아·신유고연방, 상호승인문서에 서명함. **9**-2 필리핀 정부, 회교반군 세력과 평화협정에 서명함: 24년간의 회교분쟁 종식. **9**-8 독일 헤어초크Herzog 대통령, 전후 러시아와 폴란드에 할양된 옛 독일영토 포기를 확인함. **10**-29 유엔 총회, 북한과 이라크 등에 핵안전협정 이행을 촉구 결의안을 채택함. **10**-30 스위스, 북대서양조약기구 평화제휴계획에 동참함. **11**-3 신유고연방, 총선거에서 밀로셰비치Milosevic 대통령의 좌익연합세력이 승리함. **11**-5 미국 클린턴Clinton 대통령, 재선에 성공함. **11**-7 국제축구연맹FIFA, 2002년 월드컵대회에서 한국은 개막식과 개막전, 일본은 결승전 치르기로 결정함. **11**-13 유엔 세계식량정상회담이 개막됨: 로마 선언 채택. **12**-17 유엔 총회, 사무총장에 가나 출신 아난Annan 사무차장을 선출함. **12**-17 페루 좌익반군, 일본대사관저에 칩입함: 외교관과 각료를 인질로 잡고 정부에 협상 요구.

연대	우리 나라	다른 나라
1997 (4330) 정축	**1**-3 국무회의, 프랑스 파리에 경제협력개발기구 대표부 설치를 의결함. 안비취 명창 사망. **1**-7 전국 24개 병원노조가 파업에 돌입함. **1**-15 한국노총 · 민주노총, 노동법 개정에 항의하는 파업에 돌입함. **1**-24 무주 · 전주동계유니버시아드가 개막됨. **1**-31 검찰, 한보그룹사건 관련하여 정태수 총회장을 구속함: 이후 홍인길洪仁吉 · 정재철鄭在哲 · 권노갑權魯甲 의원, 김우석金佑錫 전 내무부장관 구속. **2**-12 황장엽黃長燁 전 북한 노동당 비서, 베이징 주재 한국대사관에 망명을 요청해 옴: **4**-20 서울 도착. **3**-4 국회, 고건高建 국무총리 임명 동의안을 의결함. **3**-21 한보건설, 부도처리됨. **4**-17 대법원, 전두환全斗煥 · 노태우盧泰愚 전 대통령에게 각각 무기징역과 17년징역을 선고함. **4**-19 검찰, 김수한金守漢 국회의장을 국회의장 공관에서 방문 조사함: 한보그룹에서 금품 수수 혐의. **5**-17 검찰, 김영삼金泳三 대통령 아들(김현철金賢哲)을 비리혐의로 구속함. **5**-19 국민회의, 대통령 후보에 김대중金大中 총재를 선출함. **5**-29 공보처, 2차 케이블TV종합유선방송국 업자를 선정하여 발표함. **5**-30 김영삼金泳三 대통령, 1992년 대선자금과 관련한 담화문을 발표함. **6**-24 김영삼金泳三 대통령, 유엔 총회에서 연설함: 27일 미국 클린턴Clinton 대통령과 정상회담. **7**-3 법원, 12 · 12사건 관련 재판에서 정승화鄭昇和 전 육군참모총장에게 무죄를 선고함. **7**-15 울산시, 광역시廣域市로 승격됨. **7**-21 신한국당, 대통령 후보에 이회창李會昌 대표를 선출함. **8**-6 대한항공 여객기가 괌에서 추락함: 사망 226명. 울릉도에 독도박물관獨島博物館이 개관됨. **8**-15 북한, 오익제吳益濟 전 천도교령이 월북했다고 보도함. **8**-23 북한, 장승길張承吉 주이집트 대사가 미국으로 망명함. **8**-28 민주당, 조순趙淳 서울시장을 총재에 추대함.	**1**-10 타이완臺灣 기업대표단, 중국 지도자들과 회담 위해 베이징에 도착함. **1**-19 타이완臺灣, 핵폐기물의 북한 이전이 밝혀짐. **2**-3 파키스탄, 총선거에서 샤리프Sharif 전 수상의 파키스탄회교연맹이 승리함. **2**-19 중국, 덩샤오핑鄧小平 전 국가주석 사망. **2**-22 영국, 복제 양羊을 처음 공개함. **4**-2 러시아, 벨라루스Belarus와 양국 합병조약에 조인함. **4**-22 페루, 일본대사 관저의 인질을 구출함. **5**-1 영국 노동당, 총선거에서 승리함: 신임 수상에 블레어Blair 당수 선임. **6**-20 중국 · 포르투갈, 1999년 예정된 마카오Macao 반환에 합의함. **7**-1 영국, 중국에 홍콩Hong Kong을 반환함. **7**-4 미국, 무인탐사선 패스파인더호Pathfinder號가 화성에 도달함. **7**-17 인도 나라야난Narayanan 부통령, 대통령선거에 출마하여 당선됨. **8**-4 러시아 옐친Yeltsin 대통령, 1998년부터 루블화rouble貨의 가치를 1,000분의 1로 평가절하한다고 발표함. **8**-5 타이, 경제재건대책을 발표함. **8**-19 유엔 통계국, 세계인구가 57억 5100만명으로 집계되었다고 발표함.

연 대	우 리 나 라	다 른 나 라
1997 (4330) 정축	**9**-8 진로그룹 6개 계열사가 부도처리됨. **9**-11 민주당, 대통령 후보에 조순趙淳 총재 선출함. **9**-13 이인제李仁濟 경기도지사, 대통령선거 출마를 공식선언하고 신한국당을 탈당함. **9**-22 기아그룹 4개 계열사가 화의를 신청함. **9**-24 김영삼金泳三 대통령, 신한국당 총재직 사퇴서를 제출함. **9**-30 신한국당, 총재에 이회창李會昌 대표를 선출함. **10**-8 북한, 김정일金正日의 노동당 총비서 승계를 공식 선언함. **10**-30 캄보디아와 대사급 외교관계 수립에 합의함. **10**-31 국민회의 · 자민련, 정치협상을 타결함: 대통령 후보로 김대중金大中 국민회의 총재를 결정하고 내각책임제 개헌에 합의함. **11**-4 국민신당, 창당대회에서 대통령 후보에 이인제李仁濟 전 경기도지사를 선출함. **11**-20 안기부, 고영복高永復 서울대학교 교수 등 고정간첩망 수사결과를 발표함. **11**-21 신한국당 · 민주당, 한나라당으로의 합당 전당대회를 개최함: 대통령 후보에 이회창李會昌, 총재에 조순趙淳 선출. 자민련, 총재에 박태준朴泰俊 의원을 선출함. **11**-22 김영삼金泳三 대통령, 경제난에 대해 사과하고 경제난국 극복에 동참을 호소함. **12**-2 종합금융사 9개소에 영업 정지 조치를 내림. **12**-3 정부, 외환위기 타개 위해 국제통화기금IMF과 긴급 자금지원에 합의함. **12**-5 임창렬林昌烈 재정경제원장관, 국제통화기금 자금지원 합의내용을 발표함. **12**-8 대우, 쌍용자동차를 인수함. **12**-10 정부, 부도상태의 5개 종합금융사에 영업 정지를 명령함: 11일 동서증권 영업 정지. **12**-18 제15대 대통령선거를 실시함: 국민회의 김대중金大中 후보 당선. **12**-20 김영삼金泳三 대통령, 김대중金大中 대통령 당선자와 회담: 전두환全斗煥 · 노태우盧泰愚 전직 대통령 사면 복권에 합의함. **12**-22 정부, 전두환全斗煥 · 노태우盧泰愚 전직 대통령 등 19명을 사면 석방함. **12**-25 김대중金大中 대통령 당선자, 대통령직 인수위원회를 구성함: 위원장 이종찬李鍾贊 국민회의 부총재.	**8**-31 영국, 다이애나Diana 전 왕세자비가 프랑스 파리 근교에서 교통사고로 사망함. **9**-4 인도, 테레사Theresa 수녀 사망. **9**-6 그리스, 아테네가 2004년 하계올림픽대회 개최지로 결정됨. **9**-8 파키스탄, 핵무기 제조 능력 있다고 선언함. **9**-15 이스라엘, 팔레스타인 자치지구에 대한 내부통제 해제를 발표함. **9**-24 베트남 트란 둑 루옹Tran Duc Luong, 국가주석에 선출됨. **9**-26 미국, 파나마Panama 주둔 군대를 철수함. **10**-13 영국 블레어Blair 총리, 아일랜드공화국의 신페인당 당수와 회담: 북아일랜드의 장래를 논의함. **10**-31 인도네시아, 국제통화기금 금융지원이 결정됨. **11**-1 중국 · 러시아, 국경획정협정에 조인함. **12**-5 이라크, 유엔 식량배급 계획 승인 때까지 석유 수출을 중지한다고 선언함. **12**-18 남아공 만델라Mandela 대통령, 당권을 음베키Mbeki 부통령에게 이양함. **12**-27 필리핀 라모스Ramos 대통령, 경제난 극복 긴축정책을 발표함. **12**-30 남아프리카공화국, 중국과 외교관계 수립 협정에 서명함: 타이완臺灣과의 외교관계 단절. **12**-31 파키스탄 타라르Tarar, 대통령선거에서 당선됨.

연 대	우 리 나 라	다 른 나 라
1998 (4331) 무인	**1**-2 재정경제원, 작년 11월말 현재 우리나라 총외채 규모가 1569억 달러라고 발표함. **1**-6 김영삼金泳三 대통령, 김대중金大中 대통령 당선자와 청와대 주례회동을 개최함. **1**-7 국민회의, 노사정위원회를 구성함: 위원장 한광옥韓光玉 부총재. **1**-18 김대중金大中 대통령 당선자, 국민과의 TV 대화 시간에 출연함: 경제난 타개 위해 수출 늘리고 외국자본 유치해야 한다고 강조. **2**-4 김영삼金泳三 대통령, 외환위기의 책임은 전적으로 자신에게 있다는 입장을 밝힘. **2**-12 대통령직 인수위원회, 차기 정부가 추진할 100대 국정과제를 발표함. **2**-24 김대중金大中 대통령 당선자, 국무총리에 김종필金鍾泌 자민련 총재를 지명함. 국무회의, 정부조직법 개정법률 공포안을 의결함: 17부 · 2처 · 16청으로 하고 국무위원의 수를 21명에서 17명으로 축소함. **2**-25 김대중金大中 대통령 취임식을 거행함: 국민의 정부 표방. **3**-13 정부, 건국 이래 최대규모인 552만 7327명에 대한 사면 · 복권 및 행정처분특별취소조치를 단행함. **3**-15 고흥문高興門 전 국회부의장 사망. **3**-21 권영해權寧海 전 안기부장, 검찰에서 '북풍사건'에 대하여 조사받던 중 자해 시도함. **4**-2 김대중金大中 대통령, 외국 순방차 출국함: 일본 하시모토橋本龍太郎 총리, 영국 블레어Blair 총리, 프랑스 시라크Chirac 대통령과 정상회담. **5**-2 리틀엔젤스예술단, 평양을 방문함: 남북문화예술교환행사에 참석. **5**-6 행정자치부, 7월 1일부터 정책실명제 시행 방침을 발표함. **5**-**12** 재정경제원, 영업 인가 취소 및 영업 중지된 종합금융사에 대한 특별감사를 실시함. **5**-**29** 김수환金壽煥 추기경, 서울대교구장을 사임함: 후임에 정진석鄭鎭奭 신부. **6**-**5** 외교통상부, 벨기에 등 5개국 공관을 폐쇄함: 예산 절감과 내실외교 추진 목적.	**1**-14 남극대륙 보호 위한 국제조약이 발효됨. **1**-23 인도네시아, 야당지지자들이 수하르토Suharto 대통령의 사임을 촉구함. **2**-27 미국, 남아프리카공화국에 대한 무기금수 해제를 선언함. **3**-10 인도네시아, 수하르토 Suharto 대통령이 재선됨. **3**-16 중국, 장쩌민江澤民 국가주석이 재선됨. **3**-27 유엔, 중앙아프리카공화국에 유엔평화유지군 파병할 것을 결의함. **4**-9 사우디 아라비아, 회교도들의 메카Mecca 성지 순례 과정에서 압사사고 발생함:118명 사망. **4**-10 북아일랜드 평화협정이 타결됨: 신 · 구교도 분쟁 청산. **5**-2 유럽의회, 단일통화 유로Euro의 출범(1999. 1. 1.)을 추천한 유럽연합EU 재무장관들의 권고안을 승인함. **5**-21 인도네시아 수하르토Suharto 대통령, 시민시위에 굴복하여 대통령직을 사임함: 하비비Habibi 부통령에게 권한 위임. **5**-29 영국, 파키스탄 주재 대사를 소환함: 파키스탄 핵실험에 대한 제재조처. **6**-17 인도네시아령 동티모르東Timor, 대학생들이 수도 딜리Dili에서 독립을 요구하며 의사당 건물을 점령함. **7**-12 러시아, 국제통화기금IMF과 100억 달러의 구제금융에 합의함.

연대	우리 나라	다른 나라
1998 (4331) 무인	**6**-16 정주영鄭周永 현대그룹 명예회장, 소 500마리 실은 트럭과 함께 판문점板門店 통해 북한을 방문함. **6**-17 북한, 8 · 15 판문점통일대축제 개최 제안하는 서한을 김대중金大中 대통령 등 정치지도자와 사회단체 대표 등 85명에게 송부함. **6**-18 영화배우 김진규金振奎 사망. **6**-28 금융감독위원회, 경기 · 대동 · 동남 · 동화 · 충청 등 5개 은행을 퇴출 대상으로 확정함. **8**-3 국회, 국회의장에 박준규朴浚圭 의원을 선출함. **8**-4 현대그룹, 북한과 금강산유람선 관광사업 위한 합영회사 설립계약을 체결함. **8**-15 김대중金大中 대통령, 광복절 경축사에서 제2의 건국을 제창함. **8**-29 국민회의 · 국민신당, 통합을 공식 선언함. **8**-31 한나라당, 전당대회에서 이회창李會昌 총재를 재선출함. 북한, 장거리 로켓 대포동大浦洞 1호(일명 백두산 1호, 광명성光明星 1호 탑재)를 발사함. **9**-5 북한 최고인민회의, 김정일金正日을 국가 수반으로 격상된 국방위원회 위원장에 재추대함. **9**-16 박두진朴斗鎭 전 연세대 교수 사망. **9**-21 정부, 볼리비아 대사관 등 14개소를 폐쇄 또는 통폐합함. **9**-25 원로가수 김정구金貞九 사망. **10**-8 김대중金大中 대통령, 일본 오부치小淵惠三 총리와 정상회담 개최함. **11**-7 정부 · 여당, 교원노조에 단결권 · 단체교섭권 인정한 노사정위원회 합의사항을 추인함. **11**-18 김대중金大中 대통령, 말레이시아 쿠알라룸푸르에서 개최된 아시아 · 태평양경제협력체 정상회의에서 아시아 경제위기 해결책을 제시함. **12**-15 김대중金大中 대통령, 베트남을 방문함: 트란 둑 루옹Tran Duc Luong 주석과 하노이에서 정상회담. **12**-28 행정자치부, 1998년 10월 말 현재 실업자 153만 6천명, 실업률 7.1%라고 발표. **12**-31 제일은행, 미국 뉴브리지캐피털 투자 컨소시엄에 매각됨.	**7**-16 시리아 아사드Assad 대통령, 22년만에 처음으로 서방국 프랑스를 방문함. **7**-30 일본, 하시모토橋本龍太郎 총리가 사임함: 오부치小淵惠三 내각 출범. **8**-4 스리랑카 쿠마라퉁가Kumaratunga 대통령, 전국에 비상사태를 선포함. **8**-5 인도네시아 · 포르투갈, 동티모르東Timor 잠정 자치협정에 합의함. **8**-7 중국, 양쯔강揚子江 제방 6개를 추가 폭파함: 홍수로 인한 우한武漢 보호 목적. 케냐 · 탄자니아, 수도에서 미국 대사관 겨냥한 폭탄테러 발생함: 70여명 사망, 1천여명 부상. **9**-27 독일, 총선거를 실시함: 사민당 슈뢰더Schroeder 승리. **10**-1 유엔, 신유고연방 코소보주Kosovo州가 알바니아계 주민을 학살한 행위를 비난하는 성명을 채택함. **10**-16 영국, 칠레의 피노체트Pinochet 전 대통령을 체포함. **11**-2 유엔 총회, 북한에 대해 핵안전협정 준수 촉구 결의안을 채택함. **11**-27 러시아, 볼셰비키Volsheviki 혁명 81주년 맞아 옐친Yeltsin 대통령 사임 촉구 시위 일어남. **12**-19 미국 의회, 르윈스키Lewinsky와의 성추문사건에 관련된 클린턴Clinton 대통령 탄핵안을 의결함.

연 대	우 리 나 라	다 른 나 라
1999 (4332) 기묘	**1**–6 LG그룹, LG반도체의 모든 지분을 현대전자에 양도한다고 발표함. **1**–11 유종근柳鍾根 전라북도 지사, 새만금간척사업의 전면 재검토를 선언함. **1**–13 검찰, 이종기李鍾基 변호사를 구속함:수임비리의혹사건 관련. **1**–21 정부, 국가안전기획부를 국가정보원(국정원)으로 개편함. **1**–22 한일어업협정 비준서를 교환함. **1**–25 국회 경제청문회, 이경식李經植 · 홍재형洪在馨 · 임창렬林昌烈 등 경제부처 최고 책임자를 상대로 외환위기를 초래한 경제정책에 대한 신문을 시작함. **1**–27 심재륜沈在倫 대구고검장, 대전법조비리사건과 관련하여 검찰 총수 및 수뇌부의 사퇴를 요구함(검찰항명파동): **2**–3 징계위원회에서 면직당함. **2**–11 검찰, 최순영崔淳永 신동아그룹 회장을 구속함: 특정경제범죄가중처벌법 위반 혐의. **2**–13 영화 〈쉬리〉가 개봉됨: 최다 관객 동원. **2**–21 안호상安浩相 전 문교부장관 사망. **2**–24 사할린Sakhalin 거주 동포 60명이 영구 국내거주 위해 입국함. **3**–11 교육부, 교육발전5개년계획안을 발표함. **3**–18 정부, 일본과 쌍끌이협정을 최종 타결함. **3**–20 김대중金大中 대통령, 방한중인 일본 오부치小淵惠三 총리와 정상회담: **4**–9 이집트 무바라크Mubarak 대통령과 정상회담. **4**–12 서예가 임창순任昌淳 사망. **4**–15 카타르의 알 타니Al Thani 국왕이 방한함. **4**–19 김대중金大中 대통령, 방한중인 영국 엘리자베스Elizabeth 2세를 면담함. **4**–26 김대중金大中 대통령, 방한중인 타이의 릭파이Likphai 수상과 정상회담함. **5**–27 김대중金大中 대통령, 러시아를 방문함. **5**–31 김대중金大中 대통령, 몽골을 방문함: 바가반디Bagabandi 대통령과 정상회담. **6**–2 검찰, 옷로비 의혹사건 수사 결과를 발표함. **6**–4 북한 김영남金永南 최고인민회의 상임위원장, 중국을 방문함: 장쩌민江澤民 주석과 베이징北京에서 회담.	**1**–1 유럽연합EU, 단일통화 유로Euro를 도입함. **1**–7 미국 의회, 성추문사건과 관련하여 클린턴Clinton 대통령 탄핵재판을 시작함(1868년 앤드루 존슨Andrew Johnson 대통령 이후 처음): 27일 탄핵안을 부결시켜 클린턴Clinton 대통령의 지위를 계속 보장함. **2**–2 베네수엘라, 차베스Chaves 대통령이 취임함. **2**–7 요르단, 후세인Husain 국왕 사망: 왕세자가 승계함. **2**–19 미국 클린턴Clinton 대통령, 프랑스 시라크Shirac 대통령과 워싱턴에서 정상회담. **3**–1 대인지뢰전면금지조약(오타와Ottawa 조약)이 발효됨. **3**–4 인도네시아, 하비비Habibi 대통령의 퇴진을 요구하는 학생 시위 일어남. **3**–12 폴란드 · 헝가리 · 체코, 나토에 가입함. **3**–24 북대서양조약기구, 신유고연방을 공습함: 코소보Kosovo 평화안 수용 거부에 대응. **3**–25 캄보디아 훈 센Hun Sen 총리, 크메르루즈Khmer Rouge 정권 지도자 전범재판은 캄보디아 법정 주도로 이루어질 것임을 천명함. **4**–30 캄보디아, 동남아국가연합ASEAN에 가입함. **5**–3 신유고연방 밀로셰비치Milosevic 대통령, 코소보Kosovo 평화안을 승인함. **5**–5 인도네시아, 포르투갈과 동티모르東Timor 문제 기본협정에 서명함.

연 대	우 리 나 라	다 른 나 라
1999 (4332) 기묘	**6**-7 김대중金大中 대통령, 방한중인 필리핀 에스트라다Estrada 대통령과 정상회담 개최함. 진형구秦炯九 전 대검 공안부장, 1998년의 조폐공사 파업 유도 사실을 발언함: 7-28 구속됨. **6**-15 서해상에서 남북함정이 교전함: 서해해전(6·25 이후의 최대 무력충돌). **6**-30 경기도 화성 씨랜드 청소년수련원에서 화재 발생함: 유치원생 19명 등 23명 사망. **7**-3 김대중金大中 대통령, 미국을 방문함: 클린턴Clinton 대통령과 워싱턴에서 정상회담. **7**-6 북한, 캄보디아 시아누크Shianouk 국왕 방북. **7**-21 김대중金大中 대통령, 김종필金鍾泌 국무총리 및 박태준朴泰俊 자민련 총재와 내각책임제 개헌 유보에 합의함. **8**-12 북한, 평양에서 남북노동자축구대회를 개최함. **8**-26 국회 조폐공사파업 유도 국정조사특별위원회, 강희복姜熙復 전 사장 등에 대한 청문회를 개최함. 정부 및 채권단, 대우자동차 워크아웃을 결정함. **9**-2 국방부, 북방한계선NLL 수호 천명 성명 발표함. **9**-6 대우그룹이 해체됨: 대우중공업·대우전자·대우통신에 대한 은행관리가 개시됨. **9**-7 재일동포 무기수 권희로權嬉老, 복역 31년 6개월 만에 가석방되어 귀국함. **9**-13 정부, 동티모르東Timor 유엔평화유지군 참여를 결정함: 28일 국회 가결. **9**-28 한우근韓沽劤 전 서울대학교 교수 사망. **9**-29 미국 AP통신이 6·25 당시 미군의 영동군 노근리老斤里 양민학살사건을 보도함: **10**-2 김대중金大中 대통령, 진실 규명을 지시함. **10**-4 동티모르東Timor 파견 상록수부대 1진이 출국함. **10**-28 고문경관 이근안李根安, 검찰에 자수함. **10**-30 인천 호프집화재사건이 발생함: 57명 사망. **11**-17 북한, 헝가리가 평양 주재 대사관을 폐쇄함. **11**-21 국방부, 고엽제枯葉劑 피해에 대한 진상조사 대책단 구성을 발표함. **11**-25 김우중金宇中 대우그룹 회장, 경영 일선에서 완전 퇴진함. **12**-4 검찰, 김태정金泰政 전 검찰총장을 구속함: 옷로비의혹사건 관련. **12**-23 헌법재판소, 공무원채용시험에서 현역군필자 가산점제도는 위헌이라고 결정함.	**5**-7 교황청, 요한 바오로Joannes Paulus 2세 교황이 그리스정교 국가인 루마니아를 방문함. **6**-12 북대서양조약기구 평화유지군, 코소보주Kosovo州에 진주함. **6**-14 남아프리카공화국 의회, 새 대통령에 음베키Mbeki 부통령을 선출함. **6**-26 이스라엘 바이츠만Weizman 대통령, 시리아와 협정 없이는 레바논 철군이 불가함을 발표함. **7**-30 미국, 파나마Panama 주둔 군대를 철수시킴. **8**-16 미국, 베트남 호찌민시Ho Chi Minh市에 총영사관을 개설함. **8**-21 터키, 북서부지방에 지진이 발생함: 1만여명 사망, 4만5천여명 부상. **9**-21 타이완臺灣, 중부지방에 지진이 발생함: 2100여명 사망, 9천여명 부상. **10**-20 인도네시아, 대통령선거에서 와히드Wahid 당선됨. 동티모르東Timor 독립 승인. **10**-26 중국 장쩌민江澤民 국가주석, 포르투갈 삼파이오Sampaio 대통령과 리스본에서 정상회담 개최함. **11**-13 칠레·페루, 120년간의 영토분쟁 종결협정 조인함. **11**-29 오스트레일리아 하워드Howard 총리, 다국적평화군이 동티모르東Timor에서의 임무 완수했다고 발표함. **12**-20 포르투갈, 중국에 마카오Macao를 반환함: 442년간의 통치 종식. **12**-31 러시아 옐친Yeltsin 대통령 사임함: 직무대행에 푸틴Putin 총리 임명.

연대	우 리 나 라	다 른 나 라
2000 (4333) 경진	1-4 Y2K(컴퓨터상 2000년 인식오류) 없이 금융기관 분야 정상 운영됨. 북한, 이탈리아와 국교를 수립함. 1-11 김종필金鍾泌 국무총리, 자민련으로 복귀함: 후임 국무총리에 박태준朴泰俊 의원. 한나라당 이한동李漢東 의원, 자민련으로 이적함: 총재권한대행에 취임. 한국신당, 창당발기인대회를 개최함: 대표 김용환金龍煥 의원. 1-20 새천년민주당(민주당民主黨) 창당: 총재 김대중金大中 대통령, 대표 서영훈徐英勳. 1-27 국회 선거구획정위원회, 지역구 의석 253석을 227석으로 감축하기로 결정함. 2-10 인도네시아 와히드Wahid 대통령이 방한함. 2-24 자민련 이한동李漢東 총재, 민주당民主黨과의 공조체제 파기를 발표함. 3-1 영화배우 문정숙文貞淑 사망. 3-10 김대중金大中 대통령, 독일 방문 중 베를린선언을 발표함. 3-23 북한, 일방적으로 서해5도 통행질서를 선포함. 3-27 경기도 파주에서 구제역口蹄疫이 발생함. 3-31 아시아 · 태평양 경제협력체 서울포럼이 개막됨. 4-7 강원도 고성 · 강릉 · 삼척에 산불 발생함. 4-10 정부, 6월 12~14일 평양에서 남북정상회담을 개최한다고 발표함. 4-13 제16대 총선거를 실시함: 한나라당, 원내 제1당이 됨. 4-19 한경직韓景職 영락교회 목사 및 김복동金復東 전 의원 사망. 4-22 삼성자동차, 프랑스 르노사에 매각됨. 4-27 헌법재판소, 과외 금지는 위헌이라고 판결함. 5-8 북한, 오스트레일리아와 국교를 복원함. 5-19 박태준朴泰俊 국무총리, 부동산 문제로 사퇴함: 22일 후임에 자민련 이한동李漢東 총재가 지명됨. 5-24 북한 학생소년예술단이 서울에 도착함. 5-29 일본 모리森喜朗 총리가 방한함. 박준규朴浚圭 국회의장, 의장직 임기가 종료됨: 정계 은퇴 선언. 5-30 북한 김정일金正日 국방위원장, 중국을 방문함. 5-31 한나라당, 전당대회에서 이회창李會昌 총재를 재선출함. 서울~평양 직통전화가 재개통됨. 6-1 민주당 · 자민련, 원내교섭단체 구성인원을 10명으로 하는 국회법개정안을 제출함.	1-18 독일 콜Kohl 전 총리, 뇌물 스캔들로 기민당 명예총재직을 사퇴함. 러시아군, 체첸 수도 그로즈니Grozny를 장악함. 1-24 일본 육용우肉用牛 개량연구소, 2차복제 송아지 출산에 성공함. 1-29 비정부기구NGO, 스위스 다보스Davos에서 열린 세계경제포럼 대회장에서 시위 벌임. 2-6 핀란드 할로넨Halonen 외무장관, 대통령선거에서 첫 여성대통령으로 당선됨. 3-12 교황청, 요한 바오로 Joannes Paulus 2세 교황이 십자군전쟁 · 종교재판 · 유대인박해 등 가톨릭교회의 과오에 대해 사과함. 3-13 미국 코언Cohen 국방장관, 베트남을 방문함: 종전 후 25년만에 처음. 3-18 타이완臺灣, 천수이볜陳水扁 민진당 후보가 총통에 당선됨. 3-23 국제통화기금IMF, 차기 총재에 유럽부흥개발은행 쾰러Koehler 총재를 선출함. 3-26 러시아 푸틴Putin, 대통령선거에서 승리함. 4-5 일본, 오부치小淵惠三 총리 병세가 악화됨: 후임에 모리森喜朗 선출. 4-11 페루, 대통령선거 중간 개표 결과에 항의하는 대규모 시위 일어남. 4-27 인도, 1세기만의 가뭄으로 국토 절반이 황폐화됨.

연대	우 리 나 라	다 른 나 라
2000 (4333) 경진	**6**-5 김대중金大中 대통령, 영월 동강댐 건설계획을 백지화한다고 발표함. 국회, 의장단을 선출함: 의장 이만섭李萬燮 의원, 부의장 홍사덕洪思德 · 김종호金宗鎬 의원. **6**-8 김대중金大中 대통령, 일본을 방문함: 오부치小淵惠三 전 총리 장례식 참석차. **6**-13 김대중金大中 대통령, 북한 방문차 평양 순안順安공항에 도착함: 15일 김정일金正日 국방위원장과 6개항의 공동선언문을 발표함. **6**-20 의료계 폐업사태 일어남: 의약분업에 반대. **6**-29 미국 포드사가 대우자동차 매각 우선협상대상자로 선정됨. **7**-1 전국 시외전화번호를 변경함. **7**-4 정부조직법 개정안을 의결함: 재정경제부 장관과 교육인적자원부(교육부 명칭변경) 장관을 부총리급으로 승격하고 여성부를 신설함. **7**-12 대한적십자사, 총재에 장충식張忠植 단국대학교 이사장을 선출함. 북한, 필리핀과 수교협정. **7**-13 녹색연합, 미군부대의 한강독극물 방류사건을 폭로함. **7**-16 전국에 개기월식이 관측됨. **7**-19 북한, 러시아 푸틴Putin 대통령 방북. **7**-26 이정빈李廷彬 외교통상부장관, 타이에서 북한 백남순白南淳 외교부장과 남북외무장관회의 개최함. **7**-29 북한 전금진全今振 등 남북장관급회담 대표단이 서울에 도착함: 31일 박재규朴在圭 통일원장관과의 회담에서 경의선 철도 복원에 합의함. **7**-31 엄홍길嚴弘吉 등반대장, 히말라야Himalaya 14좌 등정에 성공함: 국내 최초 **8**-1 의약분업이 시행됨: 전공의들이 파업에 돌입함. **8**-2 홀트Holt 여사 사망. **8**-3 한중어업협정에 정식 서명함. **8**-5 언론사 사장단 46명이 방북함. **8**-9 현대그룹 정몽헌鄭夢憲 회장, 방북하여 개성을 공단부지 및 관광지로 하는 데 합의함. **8**-11 의료계가 다시 파업에 돌입함. **8**-14 서예가 김기승金基昇 사망. **8**-15 1차 남북이산가족 상봉을 실시함: 서울과 평양에 각 100명씩 방문함. 정부, 광복절 기해 특별사면을 단행함: 김현철金賢哲 · 홍인길洪仁吉 등 포함.	**5**-8 미국 등 6개국 인간 게놈 프로젝트human genome project와 셀레나 제노믹스, 인간유전자 정보 수록한 게놈지도 초안을 완성함. **5**-14 일본, 오부치小淵惠三 전 총리 사망. **5**-15 일본 모리森喜朗 총리, 일본은 천황을 중심으로 한 '신의 나라' 라고 발언하여 물의 일으킴. **5**-26 유엔평화유지군PKO, 이스라엘군이 철수한 레바논 남부지역 순찰을 시작함. **5**-28 페루 후지모리Fujimori 대통령, 대통령선거에서 승리함: 야당, 정부의 부정선거 규탄하며 선거 무효 선언. **6**-4 미국 클린턴clinton 대통령, 러시아를 방문함: 푸틴Putin 대통령과 정상회담. **6**-19 일본, 다케시다竹下登 전 총리 사망 **6**-29 인도네이사, 말루쿠Maluku 해안에서 여객선침몰사고 발생함: 470명 사망. **6**-30 베트남 · 캄보디아, 국경협정에 서명함. **7**-1 유엔 사회개발특별총회, 빈곤 퇴치 선언문을 채택함. **7**-2 멕시코, 대통령선거에서 폭스Fox 야당 후보가 당선됨. **7**-13 미국 · 베트남, 전후 25년만에 무역협정을 정식 체결함. **7**-18 러시아 푸틴Putin 대통령, 중국을 방문함.

연대	우리 나라	다른 나라
2000 (4333) 경진	**8**-18 북한 조선국립교향악단이 서울에 도착함. **8**-29 남북장관급회담 대표단이 방북함. **8**-30 민주당, 임시 전당대회를 개최함. 송자宋梓 교육부장관, 삼성전자 실권주 인수 등 사건으로 사임함: 31일 후임에 이돈희李敦熙 서울대 교수. **9**-2 미전향 장기수 63명이 판문점 통해 북한으로 송환됨. **9**-4 북한 김영남金永南 최고인민회의 상임위원장, 미국 방문을 취소함: 독일 공항에서 미국 항공사의 수하물 검색에 항의. **9**-9 영화 〈공동경비구역 JSA〉가 개봉됨: 1일 최다 관객 동원(9만명). **9**-11 북한 김용순金容淳 노동당 비서가 서울을 방문함. **9**-12 KBS, 북한 현지에서 '백두에서 한라까지' 프로를 생방송함. **9**-14 소설가 황순원黃順元 사망. **9**-15 윤영철尹永哲 전 대법관, 헌법재판소장에 지명됨. 남북한선수단, 시드니올림픽대회 입장식에서 공동 입장함. 미국 포드사가 대우자동차 인수 포기를 선언함. **9**-17 정재각鄭在覺 전 동국대 총장 사망. **9**-18 경의선 철도 복원 기공식이 임진각臨津閣에서 열림. **9**-20 박지원朴智元 문화관광부장관, 한빛은행 불법대출사건 관련 의혹으로 사퇴함. **9**-21 검찰, 이운영李運永 전 신용보증기금 영동지점장을 연행함: 한빛은행 불법대출사건 관련. **9**-24 북한 김일철金鎰喆 인민무력부장, 남북국방장관회담 참석차 서울에 도착함. **9**-27 남북장관급회담이 제주도에서 개최됨. **9**-29 포항제철, 민영화를 완료함. **10**-3 시드니올림픽대회 선수단이 귀국함. **10**-10 북한 조명록趙明祿 차수, 특사로 미국을 방문하여 클린턴Clinton 대통령과 요담함. **10**-13 김대중金大中 대통령, 노벨평화상 수상자로 선정됨: **12**-10 수상. **10**-20 아시아 · 유럽정상회의(아셈ASEM)가 서울에서 개최됨.	**7**-21 일본, 오키나와沖繩에서 세계 주요 8개국G8 정상회의가 개최됨. **7**-25 프랑스, 초음속 여객기 콩코드가 드골 공항에 추락함: 승객 114명 사망. **7**-26 캐나다, 북한을 승인함. **7**-28 페루, 후지모리Fujimori 대통령이 취임함. **7**-30 베네수엘라, 차베스Chaves 대통령이 재선됨. **8**-3 인도네시아, 수하르토Suharto 전 대통령을 부정부패 혐의로 기소함. **8**-8 칠레 대법원, 피노체트Pinochet 전 대통령의 면책특권 박탈을 판결함. **8**-9 인도네시아 와히드Wahid 대통령, 메가와티Megawati 부통령에게 권한을 위임함. **8**-13 러시아, 핵잠수함 쿠르스크호가 노르웨이 북쪽 바렌츠해Barents海에서 침몰함: 승무원 118명 사망. **8**-28 이스라엘, 샤론Sharon 리쿠르당 당수가 이슬람성지를 방문함: 유혈사태 발생. **8**-29 미국 클린턴 대통령, 이집트 무바라크Mubarak 대통령과 유혈사태 종식문제 논의함. **9**-3 러시아 푸틴Putin 대통령, 일본을 방문함. **9**-15 오스트레일리아, 시드니올림픽대회가 개막됨. **9**-28 미국 클린턴Clinton 대통령, 신유고연방의 밀로셰비치Milosevic 대통령 사퇴를 촉구함. **10**-1 인도 · 방글라데시, 홍수로 1천여명이 사망함.

연대	우리 나라	다른 나라
2000 (4333) 경진	**10**-22 대한항공 조종사들이 파업 벌임. **10**-23 미국 올브라이트Albright 국무장관이 북한을 방문함: 25일 한국 방문. **10**-24 동방상호신용금고 불법대출사건이 발생함. **10**-28 강원도 정선 폐광촌 카지노가 개장됨. **11**-3 고황경高凰京 서울여자대학교 설립자 사망. 북한, 장충식張忠植 대한적십자사 총재의 《월간조선》 인터뷰 기사 문제삼아 상대하지 않겠다고 성명함. **11**-9 이가원李家源 단국대학교 석좌교수 사망. **11**-10 서해대교西海大橋가 개통됨: 연장 7.31km. **11**-11 의약정협의회, 약사법 개정 내용에 합의함: 의료계 파업 종료. **11**-15 김대중金大中 대통령, 아시아·태평양경제협력체 정상회의 참석차 브루나이를 방문함. 2001학년 대학수학능력시험 실시: 문제가 너무 쉬워 난이도 조절 실패 논란. **11**-18 대우자동차가 최종 부도처리됨. **11**-21 서울~평양 민간 상설전화가 처음 개통됨. **11**-23 열린상호신용금고 불법대출사건이 발생함. **11**-29 경주 역사 유적지구와 고창·화순·강화의 고인돌유적이 유네스코 세계문화유산에 등재됨. **11**-30 서울과 평양에서 남북이산가족 상봉이 실시됨. **12**-2 민주당 정동영鄭東泳 최고위원, 권노갑權魯甲 최고위원의 2선 퇴진을 주장함(17일 퇴진). **12**-12 북한, 영국과 국교를 수립함. **12**-15 정보통신부, 차세대이동통신(IMT-2000) 사업체로 한국통신과 SK를 선정함. 북한, 스페인과 국교를 수립함. **12**-18 네덜란드 출신 히딩크Hiddink 감독, 한국월드컵축구팀 감독에 부임함. **12**-19 민주당, 서영훈徐英勳 대표위원이 사퇴함: 김중권金重權 대표체제 출범. **12**-22 국민은행과 주택은행의 통합을 발표함. **12**-23 장충식張忠植 대한적십자사 총재가 사임함: 28일 후임에 서영훈徐英勳 전 민주당 대표위원. **12**-24 시인 서정주徐廷柱 사망. **12**-28 한미행정협정SOFA 개정 협상이 타결됨. **12**-28 통계청, 인구조사 결과를 발표함: 46,125,000명으로 집계(남 23,148,000명, 여 22,977,000명). **12**-30 민주당 의원 3명, 자민련으로 이적함: 자민련, 원내교섭단체 등록 가능해짐.	**10**-6 신유고연방, 밀로셰비치Milosevic 대통령이 사임함: 7일 코스투니차Kostunica 대통령 취임. **10**-16 이스라엘·팔레스타인, 이집트에서 정상회담 개최함: 폭력 종식에 합의. **11**-6 일본, 구석기유적 발굴 날조사건 일어남. **11**-7 미국, 대통령선거를 실시함: 플로리다주 재검표로 당선자 발표가 연기됨. **11**-13 필리핀 의회, 에스트라다Estrada 대통령 탄핵안을 의결함. **11**-16 미국 클린턴Clinton 대통령, 베트남을 방문함. **11**-17 타이완臺灣, 국민당 우보슝吳伯雄 부주석이 중국을 방문함. **11**-20 페루 후지모리Fujimori 대통령, 의회에 사임서를 제출함. **11**-28 독일, 광우병이 확산됨. 네덜란드 의회, 안락사 허용 법안을 의결함. **12**-7 필리핀, 에스트라다Estrada 대통령 탄핵재판을 시작함: 뇌물수수 혐의. **12**-10 이스라엘, 바라크Barak 총리가 사임을 발표함. **12**-13 미국 부시Bush 대통령 후보, 대통령 당선 확정 판결을 받음. **12**-30 미국, 북동부의 눈폭풍으로 공항이 폐쇄됨. **12**-31 미국 클린턴Clinton 대통령, 국제전범재판소 창설 협정에 서명함.

연 대	우 리 나 라	다 른 나 라
2001 (4334) 신사	**1**–3 검찰, 총선거 때의 안기부 선거자금 지원 의혹사건 관련하여 김기섭金己燮 전 안기부 운영차장을 조사함: 5일 황명수黃明秀 전 의원 조사. **1**–4 여야 영수회담을 개최함: 합의문 없이 끝남. 자민련, 강창희姜昌熙 부총재를 제명함: 민주당 의원의 자민련 이적 반대 문책. **1**–5 '대도' 조세형趙世衡이 일본에서 절도행위로 체포됨. **1**–7 20년만의 폭설로 전국적인 재산 피해와 교통마비 발생함: 처음으로 고속도로 불통. **1**–8 김대중金大中 대통령, 자민련 김종필金鍾泌 명예총재와 청와대에서 회담: 공조 복원에 합의함. **1**–10 자민련, 원내교섭단체를 구성함: 민주당 장재식張在植 의원 이적 결과. **1**–12 국회, 한빛은행불법대출사건 청문회가 시작됨. **1**–15 백남억白南檍 전 공화당 의장 사망. 북한, 네덜란드와 수교함. 김정일金正日 국방위원장이 중국을 방문함: 상하이上海 시찰 후 20일 베이징에서 장쩌민江澤民 주석과 회담. **1**–16 국회, 공적자금 국정조사특별위원회 청문회를 시작함. 검찰, 권영해權寧海 전 안기부장을 소환함: 옛 안기부 예산 선거자금 지원 의혹사건 관련. **1**–17 충북 청원 소로리 출토 볍씨가 국제 벼 유전학술회의에서 세계에서 가장 오래된 것으로 인정받음. 법원, 친일 반민족 행위자 재산은 보호하지 못한다고 판결함. **1**–18 교육부, 2002년부터 중학교 의무교육 의 전국 확대 방침을 발표함. 브라질 카르도소Cardoso 대통령 방한. 사진작가 임응식林應植 사망. **1**–19 검찰, 옛 안기부 예산 선거자금 지원 의혹사건과 관련하여 이원종李源宗 전 청와대 정무수석을 소환함: 20일 홍인길洪仁吉 전 청와대 총무수석 소환. 조계종 정대正大 총무원장, 야당 이회창李會昌 총재가 집권하면 정치보복 있을 수 있다고 발언하여 파문 일으킴.	**1**–2 중국 · 타이완臺灣, 푸젠福建~마쭈馬祖 직항로 개설에 합의함: 1949년 이후 최초. **1**–3 미국 연방준비제도이사회FRB, 금리를 6%로 인하함: 세계 금융시장 활기 회복. **1**–6 타이, 총선거 실시: 탁신Thaksin 타이당 당수가 차기 총리로 확정됨. **1**–14 엘살바도르, 지진이 발생함: 4천여명 사망, 1200여명 부상. **1**–18 미국, 캘리포니아주가 전력부족에 의한 단전으로 혼란사태 발생함. **1**–20 필리핀 에스트라다Estrada 대통령, 뇌물 수수 혐의로 사임함: 아로요Arroyo 부통령이 대통령에 취임함. **1**–21 미국, 부시Bush 대통령이 취임함. **1**–26 인도, 서부지역에 지진이 발생함: 1만6천여명 사망, 6만6천여명 부상. **2**–6 중국, 관광여객선이 51년만에 타이완臺灣 진먼섬金門島에 직항함. **2**–7 이스라엘, 총리 선거에서 리쿠르당 샤론Sharon이 당선됨. **2**–8 미국, 유엔 결의에 따라 뉴욕 소재 탈레반Taliban 사무소 폐쇄를 명령함. **2**–9 미국, 핵잠수함이 하와이 앞바다에서 일본 수산고등학교 실습선과 충돌함: 9명 실종, 12명 부상. **2**–12 인간게놈 합동연구팀과 미국 생명공학벤처 셀레나 제노믹스, 인간유전자 정보 수록한 게놈Genome지도를 완성함.

연 대	우 리 나 라	다 른 나 라
2001 (4334) 신사	**1**–23 김기창金基昶 화백 사망. 북한, 벨기에와 수교함. **1**–26 일본 유학생 이수현李秀賢, 도쿄 전철역에서 일본인 구하려다 사망함. **1**–29 김대중金大中 대통령, 재정경제부장관에 진념陳稔 현 장관, 교육인적자원부장관에 한완상韓完相 상지대학교 총장, 여성부장관에 한명숙韓明淑 민주당 의원을 임명함. 제3차 남북적십자사회담이 금강산에서 개최됨. **1**–30 서정욱徐廷旭 과학기술부장관, 전남 고흥高興 외나로도에 2005년까지 우주센터를 건립한다고 발표함. **2**–3 조기준趙璣濬 전 고려대 교수 및 영화감독 홍성기洪性麒 사망. **2**–6 북한, 캐나다와 공식 수교함. **2**–12 조성태趙成台 국방부장관, 현상황에서 북한이 요구하는 주적主敵 개념 변경은 적절치 않다고 국회에서 답변함. 정부, 시화호始華湖 담수화사업 백지화를 발표함. **2**–16 대우자동차, 1750명을 정리해고함. **2**–20 육상인 남승룡南昇龍 사망. **2**–21 한덕수韓德洙 재일본 조총련 종신의장 사망. **2**–26 김대중金大中 대통령, 방한 중인 러시아 푸틴Putin 대통령과 정상회담. 서울과 평양에서 제3차 남북이산가족 상봉이 이루어짐. **3**–1 김대중金大中 대통령, 국민과의 TV대화에서 경제문제 등 현안에 대한 의견 제시하고 국민의 협조를 당부함. 북한, 독일과 수교함: 5일 룩셈부르크와 수교. **3**–4 한병삼韓炳三 전 국립중앙박물관장 사망. **3**–6 김대중金大中 대통령, 미국 방문차 출국함: 8일 부시Bush 대통령과 정상회담. **3**–8 북한, 그리스 및 브라질과 외교관계 수립에 합의함. **3**–10 김한길 문화관광부장관, 김용순金容淳 아태평화위원장 초청으로 방북함. **3**–13 북한, 서울에서 개최하기로 한 제5차 남북장관급회담을 연기한다고 일방적으로 남측에 통보해 옴.	**2**–13 네덜란드, 이집트 파라오Pharaoh 아크나톤Aknaton 시대 벽화를 공개함: 3400년 전에 제작된 것으로 추정. 유럽연합EU, 광우병 대책을 발표함. **3**–9 우크라이나, 키이우Kyiv에서 쿠츠마Kuchma 대통령의 사임을 요구하는 시위 일어남. **3**–11 멕시코, 반군 지도자 마르코스Marcos가 15일간 3000km 국토 순례 평화행진 마치고 멕시코시티에 도착함. **3**–12 유네스코, 아프가니스탄 탈레반Taliban 정권이 바미안Bamyan 고대석불을 다수 파괴했다고 발표함. **3**–15 이스라엘, 무장 체첸인Chechen이 이스탄불 상공에서 러시아 여객기를 납치하여 사우디 아라비아에 불시착함: 16일 사우디 아라비아 특수부대, 범인을 체포함. 국제축구연맹FIFA, '2002년 FIFA 월드컵 한국 · 일본'의 명칭을 그대로 사용한다고 확정 발표함. 영국에서 시작된 구제역이 유럽과 중동에까지 확산됨. **3**–18 프랑스, 파리시장 선거에서 사회당 들라노에Delanoe 후보가 당선됨: 130년만에 좌파 당선. **3**–20 미국 부시Bush 대통령, 워싱턴에서 방미 중인 일본 모리森喜朗 총리와 정상회담 개최함. **3**–22 미국 · 러시아, 외교관 맞추방으로 관계가 악화됨. **3**–23 러시아, 우주정거장 미르호Mir號가 15년만에 지구에 무사 귀환하여 남태평양에 추락함. **3**–30 러시아, 세계 최장의 철도터널인 남동북 시베리아의 세베로무이스크 터널을 완공함: 15.31km

연 대	우 리 나 라	다 른 나 라
2001 (4334) 신사	3-15 남북 이산가족 서신 교환이 사상 처음으로 이루어짐: 각 300명씩 판문점板門店 통해 교환. 3-16 박충훈朴忠勳 전 대통령직무대행 사망. 3-19 역사 관계 15개 학회, 일본 역사교과서 왜곡을 비판하는 심포지움을 개최함. 3-21 김대중金大中 대통령, 의료보험 재정 파탄 책임 물어 최선정崔善政 보건복지부장관을 경질함: 후임에 김원길金元吉 민주당 의원 임명. 경기도 광주군 · 화성군, 시로 승격됨. 정주영鄭周永 전 현대 명예회장 사망. 3-29 인천국제공항 개항. 4-1 삼성그룹, 현대그룹 제치고 재계 1위에 오름. 4-2 검찰, 이석채李錫采 전 정보통신부장관을 구속함: 개인휴대통신 사업자 선정 비리 관련. 4-5 한중 어업협정이 타결됨. 4-9 4월초 최고 기온 더위를 기록함. 4-10 정부, 일본의 역사왜곡 교과서 검정 통과에 항의하여 최상룡崔相龍 주일대사를 소환함: 19일 귀임. 4-11 법원, 미국군사격장 소음 피해당한 화성 매향리 주민에게 국가가 배상하라고 판결함. 4-13 규제개혁위원회, 신문고시 부활을 결정함. 4-16 경찰청, 인천지방경찰청장을 직위해제함: 대우자동차 부평공장 노조원에 대한 강제진압 책임. 4-17 이봉주李鳳柱 선수, 미국 보스턴마라톤대회에서 우승함. 4-25 경찰, 병역비리 혐의로 수배중이던 박노항朴魯恒 원사를 검거함. 4-26 기초단체장 재보궐 선거를 실시함: 집권 민주당 패배. 5-1 남북공동 노동절 행사를 금강산 온정각에서 개최함. 5-2 《월인석보月印釋譜》 권20을 발견함. 스웨덴 페르손Person 총리가 북한을 방문함: 3일 한국 방문. 5-3 북한, 김정일金正日 국방위원장 장남 김정남金正男이 일본에 불법 입국하려다 체포됨: 4일 중국으로 추방당함.	3-31 티베트 달라이 라마Dalai Lama, 타이완臺灣을 방문함. 4-1 신유고연방, 경찰이 밀로세비치Milosevic 전 대통령을 체포함. 미국, 해군정찰기가 중국 전투기와 충돌 뒤 하이난도海南島에 비상 착륙함: 양국 외교문제로 비화함. 4-4 중국, 일본에 역사 교과서 왜곡 내용 시정을 강력히 요구함. 4-6 일본 모리森喜朗 총리, 공식적으로 사의를 표명함. 4-10 네덜란드 의회, 안락사를 최종 승인함: 세계 최초로 합법화. 4-11 중국, 미국 해군 정찰기 승무원 24명의 석방을 결정함. 4-16 필리핀 특별법원, 에스트라다Estrada 전 대통령에 대해 체포영장을 발부함. 이스라엘, 팔레스타인 자치지구를 폭격함. 4-24 일본 자민당, 총재에 고이즈미小泉純一郎 전 후생상을 선출함: 26일 새 총리에 지명. 4-30 미국, 연례 세계 테러 보고서를 발표함: 북한 · 쿠바 · 이란 · 이라크 · 리비아 · 수단 · 시리아를 테러 지원국으로 명기함. 5-1 필리핀, 마닐라에 폭동상황을 선포함: 에스트라다Estrada 전 대통령 지지세력과 군경의 충돌. 5-6 교황청, 요한 바오로Joannes Palus 2세 교황이 다마스쿠스 소재 우마야드Umayyad 이슬람 사원에 입장함: 가톨릭 수장으로는 1400년만에 처음. 5-12 미국, 북한에 10만t의 식량을 지원하기로 결정함. 5-21 타이완臺灣 천수이벤陳水扁 총통, 사상 처음으로 미국을 방문함.

연대	우리 나라	다른 나라
2001 (4334) 신사	5-11 법원, 동아건설 파산을 선고함. 영화 〈친구〉가 한국 영화사상 최고 흥행기록을 갱신함: 42일 만에 전국 관객 621만 입장. 5-14 북한, 유럽연합EU과 국교를 수립함. 5-18 종묘제례 및 종묘제례악이 유네스코 인류무형문화유산에 등재됨. 5-23 안동수安東洙 법무부장관, '충성 서약' 등의 인사말 표현으로 물의 일으켜 사퇴함: 후임에 최경원崔慶元 전 법무부차관. 5-25 정부, 새만금간척사업을 단계적으로 계속 추진한다고 결정함. 5-26 조총련, 신임의장에 서만술徐万述 제1부의장을 선임함. 5-29 민주당 의원 14명이 여권 전면 쇄신을 촉구함. 6-1 김대중金大中 대통령, 당내 사태에 책임지고 사의 표명한 김중권金重權 대표를 재신임함. 6-2 북한 상선이 우리 영해인 제주해협을 침범하여 북방한계선 넘어 통과함. 6-4 농림부, 90년래 가뭄으로 농업용수 저수율이 20년래 최저 수준이라고 발표함. 6-5 중국 신화통신이 북한의 가뭄이 300년래 최악 상태라고 보도함. 6-12 대한항공 · 아시아나항공 노조, 공동으로 파업 벌임: 13일 대학병원 노조 연대 파업. 6-16 '제주평화포럼'이 제주 서귀포시에서 개막됨: 6 · 15 남북공동선언 1주년 기념. 6-18 전국적인 강우로 90년만의 가뭄이 해소됨. 6-26 탈북자 장길수 일가족 7명, 한국 송환을 요구하며 베이징北京 유엔 판무관실에서 농성 벌임: 30일 필리핀 거쳐 서울에 도착함. 6-27 북한, 터키와 대사급 외교관계 수립에 합의함. 6-29 국세청, 조선 · 동아 · 중앙 · 한국 · 국민 · 대한매일 등 5개 언론사를 조세 포탈 혐의로 검찰에 고발함. 7-1 오제도吳制道 전 검사 사망. 7-5 국제식품규격위원회CODEX에서 김치Kimchi를 국제규격식품으로 승인함. 7-15 30년래의 집중 호우로 서울 · 경기 지역에 수해 발생함: 58명 사망.	5-23 티베트 달라이 라마Dalai Lama, 미국을 방문함: 부시Bush 대통령과 회담. 5-26 아프리카연합AU이 공식 출범함: 아프리카 53개국 참여. 5-29 러시아 푸틴Putin 대통령, 아라파트Arafat 팔레스타인 자치정부 수반과 모스크바에서 정상회담. 칠레, 사형제도를 폐지함. 5-30 인도네시아 의회, 국민협의회MPR 개최를 결정함: 금융부정 의혹받는 와히드Wahid 대통령 탄핵 목적. 5-31 유엔 총회, 종교유적지 보호에 관한 결의안을 채택함. 6-1 네팔 디펜드라Dipendra 왕세자, 국왕 등 왕족 8명을 총으로 사살하고 자살함. 이스라엘, 텔아비브Tel Aviv의 나이트클럽에서 자살 폭탄테러 발생함: 120여명 사상. 6-3 페루, 대통령 선거에서 톨레도Toledo 후보가 당선됨: 최초의 원주민 대통령. 6-8 영국 블레어Blair 총리, 노동당 100년만에 재집권에 성공함. 이란, 하타미Khatami 대통령이 재선됨. 6-16 미국 부시Bush 대통령, 슬로베니아에서 러시아 푸틴Putin 대통령과 정상회담. 6-17 불가리아 시메온Simeon 전 국왕, 총선에서 승리하여 재집권함. 6-23 교황청, 요한 바오로Joannes Palus 2세 교황이 우크라이나를 방문함: 과거 로마 가톨릭과 러시아정교회 사이의 과오 용서를 호소함.

연대	우리 나라	다른 나라
2001 (4334) 신사	**7**-19 헌법재판소, 1인 1표 비례대표제에 따른 전국구 의석 배분은 위헌이라고 결정함. **7**-22 박영석朴英碩, 히말라야 K2봉 등정에 성공함. 민석홍閔錫泓 서울대 명예교수 사망. **7**-26 북한 김정일金正日 국방위원장, 러시아를 방문함: **8**-4 푸틴Putin 대통령과 정상회담. **7**-30 원로 여가수 황금심黃琴心 사망. **8**-3 원로 가수 고운봉高雲峰 사망. **8**-9 경기도 이천 · 광주 · 여주에서 세계도자기 엑스포가 개막됨. **8**-13 검찰, 이상호李相虎 전 인천공항공사 개발사업단장과 국중호鞠重皓 전 청와대 행정관을 구속함:인천국제공항 유휴지 개발사업자 선정 특혜 의혹 관련. **8**-14 남해안에 적조현상이 발생함:이후 동해안까지 번져 양식장 피해가 확산됨. **8**-15 북한, 평양에서 남북 첫 '8 · 15민족통일대축전'을 개최함:남측 대표단의 개회식 참석 문제로 의견 대립. **8**-16 안동선安東善 민주당 최고위원, 청주의 국정홍보대회에서 한나라당 이회창李會昌 총재를 인신공격함: 20일 최고위원직 사퇴. **8**-17 검찰, 조선일보사 방상훈方相勳 사장과 동아일보사 김병관金炳琯 전 명예회장 및 국민일보사 조희준趙希埈 전 회장을 구속함: 언론사 세무비리 혐의. 미국 항공청으로부터 항공안전 2등급 국가 판정받음: 22일 오장섭吳長燮 건설교통부장관, 책임지고 사퇴함(후임에 김용채金鎔采 한국토지공사 사장). **8**-21 '8 · 15민족통일대축전' 남측 방문단이 귀환함: 공안당국, 이 중 16명을 연행하여 방북 기간 중의 행적에 대해 수사함. **8**-22 김대중金大中 대통령, 방한중인 베트남 트란 둑 루옹Tran Duc Luong 국가주석과 정상회담. **8**-23 정부, 국제통화기금IMF 차관 잔액을 모두 상환함. **8**-24 한나라당, 국회에 임동원林東源 통일부장관 해임건의안을 제출함. 대법원, 1999년의 심재륜沈在倫 대구고검장에 대한 면직은 부당하다고 판결함.	**6**-30 미국 부시Bush 대통령, 캠프 데이비드Camp David에서 일본 고이즈미小泉純一郎 총리와 정상회담. **7**-3 러시아, 여객기추락사고로 145명이 사망함: 푸틴Putin 대통령, 5일을 국상일로 지정함. **7**-13 국제올림픽위원회, 2008년 하계올림픽대회 개최지를 중국 베이징北京으로 결정함. **7**-16 러시아 · 중국, 모스크바에서 우호조약에 서명함. 국제올림픽위원회, 차기 위원장에 벨기에 출신 로게Rogge 부위원장을 선출함. **7**-22 이탈리아, 제노바에서 개최된 세계주요8개국정상회의가 폐막됨: 남북한 정상회담 개최를 촉구함. 반세계화 시위로 사상자 발생함. **7**-23 인도네시아 국민협의회, 와히드Wahid 대통령 탄핵을 의결함: 메가와티Megawati 부통령, 대통령에 취임함. **8**-13 일본 고이즈미小泉純一郎 총리, 주변국 반대 속에 야스쿠니신사靖國神祠를 참배함: 한국 · 중국 등과의 외교문제로 비화함. 마케도니아, 알바니아계 반군과 평화협정을 체결함. **8**-29 일본, 최첨단 로켓 발사에 성공함. **8**-30 동티모르東Timor, 제헌의원 선출 위한 총선거를 실시함. **9**-2 남아프리카공화국, 버나드Barnard 박사 사망: 세계 최초의 심장이식수술 집도의. **9**-11 미국, 워싱턴 · 뉴욕 · 필라델피아 등의 도시에서 납치 항공기에 의한 동시 다발 폭발사건이 발생함: 110층 세계무역센터 빌딩 2개 붕괴. 국방부 · 국무부 청사 등 피격, 3500여명의 인명피해 발생(9 · 11테러).

연 대	우 리 나 라	다 른 나 라
2001 (4334) 신사	**8**-27 민주당 김중권金重權 대표, 한때 당무 거부하여 정가에 파문 일으킴. 곽종원郭鍾元 전 건국대학교 총장 사망. **8**-30 청소년보호위원회, 미성년자 성매매범 169명의 신상을 공개함. **9**-1 지화자池花子 경기민요 명창 사망. **9**-3 국회, 임동원林東源 통일부장관 해임건의안을 의결함: 자민련이 한나라당에 합세. 자민련, 원내교섭단체 지위를 상실함: 민주당에서 이적해온 의원 4명의 탈당 결과. 북한, 중국 장쩌민江澤民 국가주석 방북. **9**-4 승정원 일기와 불조직지심체요절(하권)이 유네스코 세계기록유산에 등재됨. **9**-5 월운月雲 동국역경원 원장, 《한글대장경》(318권) 완간 봉축 회향법회를 개최함. **9**-6 이한동李漢東 국무총리, 자민련 복귀 안 하고 유임한다고 발표함. 한광옥韓光玉 대통령 비서실장, 민주당 대표에 내정됨. **9**-7 김대중金大中 대통령, 통일부장관 등 5개 부처 개각을 단행함. 자민련, 이한동李漢東 총재를 제명함. **9**-8 국립보건원, 콜레라 환자 발생 사실을 발표함. 윤천주尹天柱 전 문교부장관 사망. **9**-9 이상주李相周 한국정신문화연구원장, 대통령 비서실장에 임명됨. 신직수申稙秀 전 법무부장관 사망. **9**-13 한승수韓昇洙 외교통상부장관, 제56차 유엔총회에서 1년 임기의 의장에 선임됨. **9**-15 제5차 남북장관급회담 위해 북한 대표 김영성金靈成 등이 서울에 도착함. **9**-16 미국행 항공이 정상 회복됨: 9 · 11테러 관련. 연극인 고설봉高雪峰 사망. **9**-19 서울 국제기능올림픽대회에서 4연패 달성함. **9**-21 대우자동차, 미국 제너럴 모터스사에 매각 결정됨. **9**-23 미국 중앙정보국에서 7월 1일 현재 북한 인구 2196만 8228명, 평균수명 71.02세로 조사되었다고 발표함. **9**-26 박한상朴漢相 전 국회의원 사망. **10**-1 김일환金一煥 전 교통부장관 사망.	**9**-12 유엔 총회, 미국 내 동시다발 테러 규탄 결의안을 채택함. 미국 부시Bush 대통령, 테러행위자에 대해 전쟁을 선포함. 미국 수사당국, 사우디아라비아 출신 빈 라덴bin Laden을 테러 조종자로 지목하고 수사에 착수함. 테러 여파로 전세계 금융시장 · 항공로가 마비됨. **9**-16 미국, 아프가니스탄에 3일 내에 빈 라덴bin Laden을 미국에 인도할 것을 최후 통첩함. **9**-17 파키스탄, 아프가니스탄 탈레반Taliban 지도자 오마르Omar에게 미국의 최후통첩 내용을 전달함: 21일 탈레반 정권, 미국의 요구를 거절함. **9**-22 일본, 지바현千葉縣에서 광우병 발생했다고 발표함. **9**-30 베트남, 월남의 마지막 대통령 티우Thieu가 망명지 미국에서 사망함. **10**-4 러시아, 이스라엘발 여객기가 흑해에 추락함: 77명 사망. **10**-7 미국군 · 영국군, 테러 보복으로 아프가니스탄 테러조직과 탈레반 정권 군사력을 목표로 미사일 공격을 개시함. **10**-8 일본 고이즈미小泉純一郎 총리, 중국을 방문함: 과거 침략행위에 사과 표명. **10**-12 유엔 및 아난Annan 사무총장, 노벨평화상 공동 수상자로 선정됨. **10**-13 미국, 탄저병炭疽病 환자 발생으로 전지역이 비상사태가 됨: 18일 상 · 하의원, 탄저균 우편배달사건으로 일시 휴회함.

연 대	우 리 나 라	다 른 나 라
2001 (4334) 신사	**10**-4 중국 언론이 길림성 소재 고구려고분 삼실총三室塚과 장천1호분이 도굴되었다고 보도함. **10**-9 자민련, 전당대회를 개최함: 김종필金鍾泌 명예총재가 총재에 복귀함. 경주박물관, 9년만에 에밀레종을 타종함. **10**-11 윤길중尹吉重 전 국회부의장 사망. **10**-12 북한, 16일로 예정된 남북 이산가족 상봉을 연기한다고 발표함. **10**-15 일본 고이즈미小泉純一郎 총리가 방한함. **10**-18 김대중金大中 대통령, 아시아 · 태평양경제협력체 정상회의 참석차 중국 상하이上海를 방문함. 김방한金芳漢 서울대 명예교수 사망. **10**-25 한나라당, 3개 지역 재보궐선거에서 모두 승리함:과반수에서 1석 부족한 거대 야당이 됨. **11**-1 통합 국민은행이 출범함. **11**-2 민주당, 재보궐 선거 결과 책임지고 최고위원 및 당직자가 전원 사퇴함. **11**-3 북한, 테러행위에 대한 재정지원 금지 국제협약 및 인질억류 방지에 관한 국제협약 가입 결정을 발표함. **11**-4 김대중金大中 대통령, 아세안 정상회의 참석차 브루나이를 방문함. **11**-7 한승수韓昇洙 외교통상부장관, 대국민사과문을 발표함: 한국인이 중국에서 마약범죄로 사형당한 사건 관련. 2002학년 대학수학능력시험 실시: 문제 어려워 또다시 난이도 조절 실패 논란 일어남. **11**-8 김대중金大中 대통령, 민주당 총재직을 사퇴함: 민주당 최고위원 및 박지원朴智元 청와대 정치기획수석의 사표를 수리함. 양승숙梁承淑 육군 대령, 준장으로 진급함: 창군 후 첫 여성 장성 탄생. **11**-9 제6차 남북장관급회담이 금강산에서 개최됨: 14일 성과 없이 끝남. **11**-10 서울 월드컵경기장 개장. **11**-19 정부, 제주도의 국제자유도시안을 확정함. **11**-21 대전~진주 고속도로가 개통됨. **11**-24 육상궁毓祥宮(칠궁七宮)이 33년만에 재공개됨. **11**-26 국가인권위원회가 공식 출범함.	**10**-19 미국, 아프가니스탄에 지상군을 투입시켜 탈레반Taliban 지휘부를 공격함. **11**-11 중국, 세계무역기구WTO에 정식 가입함. 세계무역기구, 타이완臺灣의 회원 가입을 승인함. **11**-12 미국, 뉴욕에서 항공기 추락사고가 발생함: 주민 포함 266명 사망. 뉴욕 전역에 1급경계령을 선포함. 테러 아닌 기체 결함으로 밝혀짐. **11**-13 아프가니스탄 북부동맹군, 수도 카불Kabul을 점령함: 탈레반Taliban 정권이 사실상 붕괴됨. 러시아 푸틴Putin 대통령, 미국을 방문함: 부시Bush 대통령과의 정상회담에서 냉전 종결을 공식 선언함. **11**-14 세계무역기구, 뉴라운드 선언함: 다자간 무역규범 출범. **11**-19 미국, 북한을 국제안보를 위협하는 생물무기개발국으로 공개 지목함. **11**-25 일본 자위대, 미국의 대테러전쟁 지원 위해 군함을 인도양으로 출발시킴: 제2차세계대전 후 첫 해외파병. 미국 ACT사, 인간 배아 복제에 성공함. **11**-26 아프가니스탄 북부동맹군, 탈레반Taliban의 북부 최후 거점 쿤두즈Kunduz에 입성함. **11**-28 일본 경찰, 조총련 중앙본부 간부를 예금 횡령 혐의로 체포함. **12**-1 이스라엘, 팔레스타인 무장단체에 의한 연쇄 자살 테러로 230여명 사상: 3일 팔레스타인 자치정부 본부에 미사일 공격 가함.

연 대	우 리 나 라	다 른 나 라
2001 (4334) 신사	**11-27** 북한군, 파주 비무장지대 경계초소에서 아군 초소에 총격 가함. **11-28** 영동고속도로 확장공사를 완료함. **11-29** 감사원, 공적자금 지원받은 금융기관 임직원 및 부실기업주의 은닉재산이 7조원 이상이라고 감사 결과를 발표함. **12-1** 월드컵축구대회 조 추첨이 부산에서 이루어짐:한국, 폴란드 · 미국 · 포르투갈과 한 조. **12-2** 김대중金大中 대통령, 영국 · 노르웨이 · 헝가리 및 유럽연합의회 방문차 출국함: 6일 노르웨이 오슬로Oslo에서 열린 노벨평화상 1백주년 기념 심포지엄에서 주제 발표함. 11일 유럽연합의회에서 아시아국가 정상으로는 처음으로 연설함. **12-4** 정부, 내년도 추곡수매가를 동결하기로 결정함: 정치권 · 농민단체 반발. **12-5** 한나라당, 진승현陳承鉉 · 정현준鄭炫埈 · 이용호李容湖 등의 주가조작 혐의 검찰 수사가 축소 · 은폐되었다는 의혹과 관련하여 국회에 신승남愼承男 검찰총장 탄핵소추안을 제출함: 8일 국회 개표 못해 무산됨. **12-6** 임인택林寅澤 건설교통부장관, 미국으로부터 항공안전 1등급 국가로 상향 복귀 통보받았다고 발표함. **12-9** 고양시, 원당동 소재 공양왕릉恭讓王陵의 훼손 흔적이 발견되어 경찰에 도굴 여부 조사를 의뢰함. **12-10** 의문사진상규명위원회, 1973년 사망한 전 서울대 법대 최종길崔鍾吉 교수는 중앙정보부 수사관에 의해 타살되었다는 진술 확보했다고 발표함. 검찰, 지난해의 수지 김(본명 김옥분金玉分) 피살사건에 대한 내사 중단 개입 혐의로 이무영李茂永 전 경찰청장 및 김승일金承一 전 국정원 대공수사국장을 구속함: 11일 장세동張世東 전 안기부장을 소환, 조사함. **12-13** 박용성朴容晟 국제유도연맹 회장, 국제올림픽위원회IOC 위원에 내정됨. **12-14** 검찰, 진승현陳承鉉 사건 로비 의혹과 관련하여 최택곤崔澤坤 민주당원을 소환함: 15일 구속. 신광옥辛光玉 법무부차관, 진승현 사건 로비 의혹에 연루되어 사퇴함. 중앙고속도로(대구~춘천)가 개통됨.	**12-4** 아프가니스탄, 4개 정파가 카르자이Karzai를 수반으로 하는 과도정부 구성에 합의함. **12-5** 팔레스타인 아라파트, 반이스라엘 무장단체 하마스HAMAS 지도자 야신Yassin을 자택에 연금함: 이스라엘에 대한 유화책. **12-7** 아프가니스탄, 탈레반Taliban 지도자 오마르Omar가 최후 거점 칸다하르Kandahar에서 철수하고 항복함: 5년간의 탈레반Taliban 정권 종식. 미국, 한국학 연구자 와그너Wagner 하버드대 명예교수 사망. **12-11** 아프가니스탄, 빈 라덴Bin Laden 테러조직 알카에다Al Qaeda에게 협상을 제의함: 13일 협상 결렬로 전투 개시. **12-13** 미국 부시Bush 대통령, 탄도탄요격미사일ABM 협정 탈퇴를 선언함. 인도, 의사당에서 총격사건 발생함: 파키스탄 정보부 소행으로 보복 천명. **12-16** 아프가니스탄, 반탈레반 동맹군이 알 카에다Al Qaeda 최후 거점 토라보라ToraBora를 점거함: 승리 선언. **12-18** 미국 럼스펠드Rumsfeld 국방장관, 아프가니스탄을 방문함.

연대	우리 나라	다른 나라
2001 (4334) 신사	**12**-15 국립보건원, 세균성이질 환자가 288명으로 집계되었다고 발표함. **12**-16 북한, 원자력발전소 시찰단이 방한함. **12**-17 교육부, 국가인적자원 개발계획을 발표함. **12**-18 정부, 주5일 근무제 시행방안을 확정함: 2002년 7월부터 연차적으로 시행하기로 함. 차정일車正一 특별검사팀, 이용호李容湖 사건에 대한 조사에 착수함. **12**-19 검찰, 진승현陳承鉉 사건 로비의혹에 연루된 신광옥辛光玉 전 법무부차관을 소환함: 22일 구속. 1987년의 수지 김 피살사건 은폐는 장세동張世東 전 안기부장이 주도했다고 발표함. 이영복李永福 전 동방주택 사장, 부산 다대 · 만덕지구 택지 전환 특혜의혹사건과 관련하여 잠적 2년만에 검찰에 자수함. **12**-20 검찰, 1987년 수지 김 살해 혐의로 기소된 윤태식尹泰植의 정관계 로비의혹 조사에 착수함. **12**-21 서해안고속도로(인천~목포) 전구간이 개통됨. 송건호宋建鎬 전 한겨레신문 사장 사망. **12**-22 검찰, 진승현 사건 로비의혹에 연루된 김은성金銀星 전 국정원 2차장을 소환함: 24일 구속. **12**-24 한나라당, 보건복지위원회에서 국민건강보험법 개정안을 단독 의결함: 건강보험 재정 분리 내용. **12**-26 한국통신 강화지점에 화재 발생함: 강화지역 전화 및 금융 · 행정 업무 마비. **12**-27 북한, 동중국해에서 일어난 선박침몰사건과 관련하여 일본을 비난함. **12**-28 교육부, 2005년도부터 적용될 대학수학능력시험제도 개편안을 발표함. **12**-29 검찰, 김용채金鎔采 자민련 부총재를 소환하여 조사함: 국무총리 비서실장 재임시절 금품 수수 혐의. **12**-30 정부, 주일대사에 조세형趙世衡 민주당 상임고문을, 주러시아대사에 정태익鄭泰翼 청와대 외교안보수석비서관을 내정함. **12**-31 혜암慧菴 조계종 종정 사망.	**12**-19 팔레스타인, 무장단체 하마스HAMAS가 자살 폭탄테러를 잠정 중단한다고 발표함. 아르헨티나, 경제난에 따른 소요로 비상사태를 선포함: 20일 데 라 루아de la Rua 대통령 사임. **12**-21 아르헨티나, 임시대통령에 사아Saa 주지사를 선출함: 23일 사상 최고 액수인 1320억 달러의 모라토리엄 moratorium(대외부채 상환 중단)을 발표함. **12**-23 일본, 아키히토明仁 국왕이 일본 간무桓武왕(재위 781~806)의 생모는 백제 무령왕(재위 501~523)의 자손이라고 언급함. 해상보안청이 배타적 경제수역에 침입한 선박을 동중국해에서 격침함. **12**-27 오스트레일리아, 뉴사우스 웨일스주에서 대규모 산불이 발생하여 큰 피해 입음: 이 지역을 자연재해 지역으로 선포함. **12**-29 페루, 리마Lima에서 불꽃놀이 폭죽 화재 발생함: 1천여명 사상. **12**-30 아르헨티나 사아Saa 임시대통령, 수도 부에노스 아이레스에서 대규모 시위 재발하여 사임함. **12**-31 인도 · 파키스탄, 남부 카슈미르Kashmir 국경에서 박격포로 전쟁 벌임.

연 대	우 리 나 라	다 른 나 라
2002 (4335) 임오	**1**–2 평화은행, 한빛은행에 업무가 합병됨. **1**–8 교육부, 2003년부터 의학전문대학원을 도입한다고 발표함. **1**–10 박준영朴晙瑩 국정홍보처장 사퇴: 청와대 공보수석비서관 재직 시 윤태식尹泰植 사건 연루 혐의. 차정일車正一 특별검사팀, 신승남愼丞男 검찰총장 동생 신승환愼承煥을 긴급 체포함: 이용호李容湖 사건 관련. **1**–13 신승남愼丞男 검찰총장, 사의를 표명함. 이형근李亨根 초대 합동참모의장 사망. **1**–14 김대중金大中 대통령, 기자회견에서 벤처기업 비리 관련하여 대국민 사과문 발표함. **1**–16 김대중金大中 대통령, 검찰총장에 이명재李明載 전 서울고검장을 내정함. **1**–23 노르웨이 분데빅Bonderik 총리가 방한함: 1959년 수교 이래 처음. **1**–25 이기호李起浩 대통령경제수석비서관, 해저보물 발굴사업과 관련하여 김대중 대통령 처조카 이형택李亨澤 전 예금보험공사 전무를 국정원 간부에 연결해 주었다고 시인함. 대통령 직속 부패방지위원회가 출범함. **1**–28 이주일李周一 전 감사원장 사망. **1**–29 김대중金大中 대통령, 일부 개각을 단행함: 교육부총리 이상주李相周 대통령 비서실장, 통일부장관 정세현丁世鉉 국정원장 특보, 대통령 비서실장 전윤철田允喆 기획예산처장관. **1**–31 차정일車正一 특검팀, 이형택李亨澤 전 예금보험공사 전무를 구속함: 해저보물 발굴사업 연루 혐의. 북한, 북한을 악의 축으로 지칭한 미국 부시Bush 대통령의 국정연설 내용을 선전포고와 다름없다고 비난함. **2**–1 검찰, 김현규金鉉圭 전 의원 및 김영렬金永烈 전 서울경제신문 사장을 구속함: 윤태식尹泰植 사건 연루 혐의. **2**–4 김관석金觀錫 전 한국기독교협의회 총무 사망. **2**–16 이석희李碩熙 전 국세청 차장, 이른바 '세풍' 사건에 연루되어 미국에 도피중 체포됨.	**1**–1 유럽연합 12개국, 유로화Euro貨 통용을 시작함2개월간 현 통화 병행 사용 후 3월 1일부터 유일 법정통화로 사용. **1**–2 아르헨티나 연방의회, 임시대통령에 두알레Duhale 상원의원을 선출함. **1**–15 미국 부시Bush 대통령, 대테러 독트린 선언함: 테러범 철저 색출 및 은신처 제공 국가 응징 천명. **1**–17 팔레스타인 무장단체, 이스라엘 파티장에 총기를 난사함: 39명 사상. 콩고, 니라공고Nyiragongo 화산이 폭발함: 50만여명의 이재민 발생. **1**–19 중국, 미국에서 제작된 장쩌민江澤民 국가주석 전용기에서 도청장치를 발견함. **1**–22 인도, 주캘커타 미국문화원이 피습당함: 미국 공관 및 시설물에 최고경계령 발포. **1**–27 나이지리아, 라고스Lagos에서 무기고 폭발사고가 발생함: 2천여명 사망. **1**–29 미국 부시Bush 대통령, 국정연설에서 북한 · 이라크 · 이란을 악의 축으로 지칭함. 일본 고이즈미小泉純一郎 총리, 다나카田中眞紀子 외상을 해임함: 외무성 관료들의 내부 갈등 이유. **2**–3 터키, 서부 볼바딘 지역에 지진 발생함: 200여명 사상. **2**–17 사우디아라비아, 중동평화안을 발표함: 이스라엘이 팔레스타인 독립국가 승인하면 아랍연맹이 이 이스라엘과 동시 수교하는 방안. 미국 부시Bush 대통령, 일본 · 한국 · 중국 3개국 방문차 출국함.

연대	우리 나라	다른 나라
2002 (4335) 임오	**2**–19 미국 부시Bush 대통령이 방한함: 20일 김대중金大中 대통령과 정상회담 후 비무장지대 도라산역都羅山驛을 방문함. **2**–25 철도·발전·가스 기간산업 노조, 민영화 반대 등 내걸고 파업에 돌입함. 차정일車正一 특검팀, 이용호李容湖 사건 관련하여 이수동李守東 전 아태평화재단 상임이사를 소환함: 28일 구속. **2**–28 민족정기를 세우는 의원 모임, 일제하 친일 반민족행위자 708명의 명단을 공개함. 박근혜朴槿惠 한나라당 부총재, 지도체제에 반발하여 탈당함. **3**–1 상호신용금고, 상호저축은행으로 명칭을 변경함. **3**–3 김근태金槿泰 민주당 고문, 2000년 최고위원 경선 당시 2억여원의 자금을 선거관리위원회에 신고하지 않았다고 고백함. **3**–5 국회, 국회의장 당적 이탈을 규정한 국회법 개정안을 의결함: 8일 이만섭李萬燮 국회의장, 민주당을 탈당함. **3**–7 육군사관학교, 개교 이래 처음으로 여성 소위 20명을 배출함. **3**–9 민주당, 제주에서 국민 참여 대통령후보 경선을 시작함. **3**–14 탈북자 25명, 주중 스페인 대사관에 진입하여 한국 송환을 요구함: 18일 필리핀을 경유하여 서울에 도착. **3**–15 한국석유공사, 울산석유비축기지에서 '동해-1 가스전' 기공식을 개최함. **3**–19 공적자금비리 특별수사본부, 유종근柳鍾根 전북지사를 수뢰 혐의로 구속함. **3**–21 일본 고이즈미小泉純一郎 총리가 방한함: 22일 김대중金大中 대통령과 정상회담. **3**–22 서울·경기도 등 유치원·초등학교, 최악의 황사 사태로 휴교함. **3**–25 차정일車正一 특검팀, 공식 일정 끝내고 해체함. **3**–26 조계종, 제11대 종정에 법전法傳 해인사 방장을 추대함.	**2**–20 이집트, 열차 화재사고가 발생함: 370여명 사망. **2**–25 미국, 솔트레이크시티Solt Lake City 동계올림픽대회가 폐막됨: 심판 판정 시비 많아 최악 올림픽으로 평가. **3**–1 인도, 비상경계령을 발포함: 이슬람교도와 힌두교도 간의 충돌. **3**–6 미국 부시Bush 대통령, 외국산 철강 수입 제한 긴급조치(세이프가드Safeguard)를 발표함. **3**–8 이스라엘, 팔레스타인에 보복 공격 가함: 34명 사망. **3**–9 미국, 핵태세 검토 보고서가 파문 일으킴: 북한·중국·러시아 등 7개국 대상 핵무기 사용 계획 내용. **3**–11 미국 부시Bush 대통령, 제2단계 테러전 돌입을 선언함. **3**–12 유엔, 팔레스타인 국가 인정과 이스라엘과의 휴전결의안을 채택함. **3**–15 유럽연합EU, 바르셀로나에서 정상회담을 개최함: 미국의 외국산 철강 수입 제한 긴급조치에 대한 보복을 결의함. **3**–20 중국 기상국, 최악의 황사로 전국적으로 막대한 피해 입었다고 발표함. 페루, 수도 리마Lima 주재 미국대사관 근처에서 차량폭발사고 발생함. **3**–21 이스라엘, 팔레스타인측의 자살폭탄테러로 휴전협상을 무기 연기함. **3**–22 중국, 다칭시大慶市 노동자 시위 발생함: 계엄령 선포. **3**–25 아프가니스탄, 북부지방에 지진 발생함: 6천여명 사상. 미국, 아카데미 영화제 남녀주연상에 사상 처음 흑인 배우가 수상함. **3**–27 이스라엘, 팔레스타인 무장단체의 폭탄테러로 120명 사상: 29일 아라파트Arafat 집무실을 공격함. **3**–30 영국, 엘리자베스Elizabeth 2세 모후 사망.

연대	우리 나라	다른 나라
2002 (4335) 임오	**3**-28 무디스사Moody's社가 한국의 국가신용등급을 A3로 두 단계 상향 조정함. 북한, 인도네시아 메가와티Megawati 대통령 방북: 30일 한국 방문. **4**-2 한나라당 이회창李會昌 총재, 총재직을 사퇴함: 3일 대통령후보 경선 출마 선언. **4**-3 임동원林東源 외교안보통일특보, 대통령 특사로 북한을 방문함. **4**-8 핀란드 할로넨Halonen 대통령 방한. 정부, 독도를 일본 영토로 표현한 일본 고등학교 교과서 검정 통과에 대해 일본정부에 항의함. **4**-9 김대중金大中 대통령, 과로와 위장장애로 입원함: 14일 퇴원. **4**-11 철도청, 비무장지대 내 경의선 철도 도라산역 개통식을 거행함. **4**-13 한나라당, 인천에서 국민 참여 대통령후보 경선을 시작함. 원로가수 현인玄仁 사망. **4**-15 김대중金大中 대통령, 경제부총리에 전윤철田允喆 대통령 비서실장, 대통령비서실장에 박지원朴智元 정책특보를 임명함. 중국 민항기가 김해공항 부근에서 추락함: 130명 사망. **4**-17 검찰, 최규선崔圭善 미래도시환경 대표를 체포함: 이권개입 및 금품로비 혐의. 이인제李仁濟 민주당 고문, 대통령 후보 경선 포기를 선언함. **4**-19 국방부, 차세대전투기사업에 미국 보잉사의 F15K가 결정되었다고 발표함. 민주당 설훈薛勳 의원, 최규선崔圭善 미래도시환경 대표가 한나라당 이회창李會昌 전 총재에게 2억 5천만원 전달했다고 폭로함: 25일 증거물 확보하지 못하여 자신의 폭로가 경솔했다고 자인. 이규호李奎浩 전 대통령 비서실장 사망. **4**-24 문화재청, 전라북도 군산 앞바다에서 고려청자 450여점을 인양했다고 발표함. 김대웅金大雄 광주고검장, 검찰에 출두함: 이수동李守東 전 아태재단 상임이사에게 수사정보 누출한 혐의.	**3**-31 타이완臺灣, 타이베이臺北에 지진 발생함: 200여명 사상. 유엔 안전보장이사회, 이스라엘의 팔레스타인 철군 결의안을 의결함. **4**-2 이스라엘 샤론Sharon 총리, 팔레스타인 자치정부 수반 아라파트Arafat에게 해외 망명을 요구함. **4**-9 이라크 후세인Hussein 대통령, 이스라엘의 팔레스타인 침공에 항의하여 향후 1개월간 석유 수출을 중단한다고 선언함. **4**-12 베네수엘라 차베스Chaves 대통령, 파업과 군 수뇌부의 요구로 사퇴를 선언함: 14일 사태 반전으로 재취임. 팔레스타인 자치정부, 이스라엘이 예닌 난민촌에서 팔레스타인인 900여명을 집단 매장했다고 비난함. **4**-14 동티모르東Timor, 초대 대통령 선거를 실시함: 독립운동가 구스마오Gusmao 당선. 미국 하누치Khannouch 선수, 런던마라톤경기에서 세계신기록을 수립함: 2시간 5분 38초. **4**-18 이스라엘군, 요르단강 서안 예닌Jenin 난민촌에서 철수함. 이탈리아, 밀라노 시내의 30층 빌딩에 경비행기 폭발사고 발생함. 미국, 플로리다Florida에서 열차전복사고 발생함: 200여명 사상. **4**-21 프랑스, 극우파 국민전선 르펜Le Pen 후보가 대통령선거에서 결선에 진출함. 일본 고이즈미小泉純一郎 총리, 야스쿠니신사靖國神社를 참배함. **4**-23 중국, 일본과의 군사교류계획 연기 발표함: 고이즈미 총리의 야스쿠니신사靖國神社 참배에 항의 표시. **5**-2 이스라엘, 아라파트Arafat 팔레스타인 자치정부 수반 감금 해제.

연대	우리 나라	다른 나라
2002 (4335) 임오	**4-25** 민주당, 대통령후보에 노무현盧武鉉 고문, 대표최고위원에 한화갑韓和甲 의원을 선출함. **4-26** 김대중金大中 대통령, 청와대 대변인을 통해 세 아들(김홍일金弘一 · 김홍업金弘業 · 김홍걸金弘傑)이 물의 일으킨 데 대해 국민에게 사과함. 박근혜朴槿惠 의원, 한국미래연합(약칭 미래연합) 창당 발기인대회를 개최함. **4-28** 제4차 남북이산가족상봉단 1진, 금강산 향발: 30일 귀환. **4-29** 북한, 아리랑축전을 개막함. **4-30** 대우자동차, 미국 제너럴 모터스사에 매각됨. 제4차 남북이산가족상봉단 2진, 금강산 향발: 5-2 귀환. **5-1** 검찰, 권노갑權魯甲 전 민주당 고문을 소환함: 3일 알선수뢰 혐의로 구속. **5-2** 북한, 베트남 트란 둑 루옹Tran Duc Luong 주석 방북. **5-3** 정부, 금강산댐 붕괴에 대비하여 평화의 댐 보강공사를 시행한다고 발표함. **5-4** 농림부, 경기도 안성과 충청북도 진천의 돼지 의사 구제역이 진성이라고 발표함. **5-6** 김대중金大中 대통령, 민주당을 탈당함. 최경주崔京周 선수, 미국프로골프PGA에서 우승함. **5-7** 검찰, 문희갑文熹甲 대구시장과 최기선崔箕善 인천시장을 소환함: 10일 수뢰 혐의로 구속. **5-8** 탈북자 장길수 친척 5명, 중국 선양瀋陽 주재 일본 영사관에 진입하려다 실패함: 23일 필리핀 거쳐 입국. **5-9** 한나라당, 대통령 후보에 이회창李會昌 전 총재를 선출함. **5-10** 박근혜朴槿惠 한국미래연합 창당준비위원장, 북한을 방문함: 13일 김정일金正日 국방위원장과 환담. **5-13** 검찰, 김은성金銀星 전 국정원 2차장을 소환함: 분당 파크 뷰 사전분양사건 관련. **5-14** 한나라당, 대표최고위원에 서청원徐淸源 의원을 선출함.	**5-4** 나이지리아, 여객기 추락사고 발생함: 190여명 사망. **5-5** 프랑스 시라크Chirac 대통령, 대통령 선거에서 재선됨. **5-6** 미얀마 군사정부, 수치Suu Kyi 여사의 가택연금을 19개월만에 해제함. **5-7** 중국, 다롄大連 해역에서 여객기 추락사고 발생함: 112명 사망. **5-12** 미국 카터Carter 전 대통령, 쿠바를 방문함: 전현직 대통령으로 33년 만에 처음 방문. **5-13** 미국 · 러시아, 핵무기 감축협정에 합의함: 24일 양국 정상이 서명. **5-20** 동티모르東Timor, 독립국 선언식을 거행함. **5-21** 미국, 테러 지원국을 재지정함: 북한 · 쿠바 · 이란 · 이라크 · 리비아 · 수단 · 시리아 등. **5-22** 미국 부시Bush 대통령, 독일 · 러시아 · 프랑스 순방차 출국함. **5-23** 인도 · 파키스탄, 카슈미르Kashmir 지역에서 포격전을 벌임. **5-25** 타이완臺灣, 홍콩 행 여객기가 해상에 추락함: 225여명 사망. 모잠비크, 열차충돌사고가 발생함: 400여명 사상. **5-26** 일본 고고학회, 일본열도에서 전기 및 중기 구석기는 없었다고 공식 발표함. **5-28** 파키스탄, 세번째 탄도탄 요격 미사일 시험 발사에 성공함. **5-29** 국제축구연맹 블래터Blatter 회장, 회장에 재선됨. **5-31** 세네갈, 한 · 일 공동 개최 월드컵대회에서 지난 대회 우승팀 프랑스를 격파함.

연 대	우 리 나 라	다 른 나 라
2002 (4335) 임오	**5**–16 김대중金大中 대통령 3남 김홍걸金弘傑, 미국에서 귀국하여 검찰에 출두함: 18일 알선수재 혐의로 구속됨. **5**–20 한빛은행, 우리은행으로 명칭을 변경함. **5**–23 금융산업 노사, 7월부터 주5일근무제 시행에 합의함. **5**–25 임성남林聖男 전 국립발레단장 사망. **5**–26 임권택林權澤 감독, 칸영화제에서 〈취화선醉畵仙〉으로 감독상을 수상함. **5**–27 의문사진상규명위원회, 1973년에 사망한 전 서울대 법대 최종길崔鍾吉 교수의 민주화운동을 인정함. **5**–29 대한체육회, 제34대 회장에 이연택李衍澤 월드컵한국조직위원회 공동위원장을 선출함. **5**–30 이우정李愚貞 여성노동운동가 사망. **5**–31 한 · 일 공동 개최 월드컵축구대회가 서울 월드컵축구경기장에서 개막됨. **6**–4 한국 월드컵 축구팀, 폴란드에 2:0승: 사상 첫 승리. 14일 포르투갈에 1:0승: 16강 진출. 18일 이탈리아에 2:1승: 8강 진출. 22일 스페인에 승부차기승: 4강 진출 전적 기록. 종로서적, 부도로 영업정지됨. **6**–12 정승화鄭昇和 전 육군참모총장 사망. **6**–13 전국 동시 지방선거를 실시함: 야당(한나라당) 압승. 중국 공안 요원이 주중 한국 대사관 영사부 내 탈북자를 강제 연행함: 한국 외교관 폭행하여 양국 관계 긴장. **6**–15 북한, 최홍희崔泓熙 국제태권도연맹 총재 사망. **6**–19 검찰, 김대중金大中 대통령 차남 김홍업金弘業 전 아태재단 부이사장을 소환함: 21일 알선수재 혐의로 구속. **6**–25 한국 월드컵 축구팀, 4강전에서 독일에게 1:0으로 패배함. **6**–27 영국 피치사Fitch社가 한국의 국가신용등급을 A로 2단계 상향 조정함. **6**–29 서해 북방한계선 근해에서 남북한간 총격전이 발생함. 한국 월드컵 축구팀, 터키에 3:2로 패배함: 4위 확정.	**6**–10 이탈리아, 로마에서 세계식량 정상회의가 개막됨. **6**–14 일본, 월드컵 축구팀이 튀니지에 승리함: 사상 첫 16강 진출. **6**–20 중국, 헤이룽장성黑龍江省 청지해 탄광에서 가스 폭발사고 발생함: 111명 사망. **6**–23 미국, 애리조나주에 대형 산불 발생: 2만5천여명 대피. **6**–24 미국 부시Bush 대통령, 중동평화안을 발표함: 팔레스타인 새 지도부 선출 및 임시국가 창설 주장. 탄자니아, 열차 탈선사고 발생함: 1천여명 사상. **6**–26 러시아, 세계주요8개국 회원에 정식 가입함. **6**–30 브라질, 월드컵축구대회 결승에서 독일 꺾고 우승함. **7**–1 아프가니스탄, 미국군이 남부 마을을 오폭함: 100여명 사망. **7**–6 아프가니스탄, 카디르Qadder 부통령 피살. **7**–14 프랑스 시라크Chirac 대통령, 군대 사열 중 피습당함. **7**–18 인도 압둘 칼람Abdul Kalam, 대통령 선거에서 승리함. **7**–22 미국, 뉴욕 증권시장 불안정으로 주가가 폭락함. **7**–27 우크라이나, 에어쇼 전투기 추락사고 발생함: 83명 사망. **7**–31 브루나이, 제9차 아세안지역 안보포럼을 개최함. 이스라엘, 예루살렘 헤브류Hebrew 대학에서 폭탄테러 발생함: 한국유학생 포함 80여명 사상.

연대	우리 나라	다른 나라
2002 (4335) 임오	**7**-8 국회, 후반기 국회의장에 박관용朴寬用 한나라당 의원을 선출함. **7**-11 김대중金大中 대통령, 국무총리에 장상張裳 이화여자대학교 총장을 지명함. **7**-19 김대중金大中 대통령, 한덕수韓悳洙 청와대 경제수석 및 서규룡徐圭龍 농림부차관의 사표를 수리함: 한·중 마늘협상 파문 관련. **7**-20 강원도 양양과 북한 선덕 간 직항공로 시험비행에 성공함. **7**-25 북한, 6·29 서해 무력충돌에 대해 유감을 표명함: 남북장관급회담 개최 제의. **7**-29 국회, 장상張裳 국무총리 지명자에 대한 인사청문회를 개최함: 31일 인준안 부결. **8**-4 남북장관급회담 실무자회의. 부산아시아경기대회에 북한대표 참가에 합의함. **8**-9 김대중金大中 대통령, 국무총리에 장대환張大煥 매일경제 회장을 지명함. **8**-14 영남지방의 집중 호우로 낙동강 수계의 댐 방류를 시작함. **8**-15 남북한 공동 8·15민족통일대회가 서울에서 개막됨. **8**-18 북한 주민 21명이 어선 타고 귀순해 옴. **8**-20 북한 김정일金正日 국방위원장, 러시아를 방문함: 23일 블라디보스토크에서 푸틴Putin 대통령과 회담. **8**-26 작곡가 임원식林元植 사망. 탈북자 7명이 난민보호신청서 제출 위해 중국 베이징 소재 중국 외교부에 진입하려다 실패함. 국회, 장대환張大煥 국무총리 지명자에 대한 인사청문회를 개최함: 28일 인준안 부결. **8**-27 코미디언 이주일李朱一 사망. **8**-31 태풍 루사Rusa로 사상 최대 피해 입음: 강릉지방이 1일 강수량 897mm의 사상 최대 집중 호우를 기록함. **9**-5 부산아시아경기대회 성화가 한라산과 백두산에서 동시 채화됨. 북한 축구대표팀, 통일축구경기 참석차 서울에 입국함: 7일 서울 월드컵 축구경기장에서 한국 축구대표팀과 친선경기 벌임.	**8**-3 타이완臺灣 천수이볜陳水扁 총통, 타이완의 분리 독립 묻는 주민투표 실시를 제안함. **8**-7 콜롬비아, 대통령 취임식에 폭탄테러 발생함: 17명 사망, 60명 부상. **8**-13 유럽, 100년만의 호우로 피해 커짐: 독일·체코, 비상사태를 선포함. **8**-26 남아프리카공화국, 지구정상회의를 개최함. **9**-5 미국·영국, 이라크 서부를 공습함. **9**-9 일본 고이즈미小泉純一郎 총리, 미국을 공식 방문함. 인도, 고속열차추락사고 발생함: 250여명 사상. **9**-10 스위스, 유엔에 가입함. **9**-12 미국 부시Bush 대통령, 유엔총회 연설에서 이라크에 최후통첩 보냄. **9**-15 미국 몽고메리Montgomery 선수, 육상 남자 100m 경기에서 세계신기록 수립: 9초 78. **9**-16 이라크, 유엔 무기사찰단의 복귀를 무조건 수용한다고 발표함: 미국, 위기 회피용이라고 반박. **9**-17 일본 고이즈미小泉純一郎 총리, 북한을 방문함: 김정일金正日 국방위원장과 정상회담. **9**-22 독일 슈뢰더Schroeder 총리, 총선거에서 승리하여 재집권에 성공함. **9**-26 세네갈, 여객선 침몰사고 발생함: 700여명 사망. 미국·영국, 이라크의 민간공항 바스라Basrah 공항을 공습함.

연대	우리 나라	다른 나라
2002 (4335) 임오	**9**-6 급성출혈성결막염(아폴로눈병) 감염 학생이 57만명에 육박함: 699개교 휴교. **9**-7 제4차 남북적십자사회담을 개최함: 금강산에 남북이산가족면회소 설치 및 6·25 당시 행방불명자 생사확인 문제 협의에 합의함. **9**-8 민주노동당 권영길權永吉 대표, 제16대 대통령 선거 출마를 선언함. 제59회 베니스영화제에서 영화 〈오아시스〉가 감독상(이창동李滄東) 및 신인 배우상(문소리)을 수상함. **9**-10 김대중金大中 대통령, 국무총리에 김석수金碩洙 전 중앙선거관리위원장을 지명함. **9**-13 정부, 16개 시·도, 203개 시·군·구의 1,917읍·면·동 및 김해시 한림면, 함안군 법수면, 합천군 청덕면을 특별재해지역으로 지정함. 제5차 남북이산가족 상봉단, 금강산 향발. 하나은행, 서울은행 인수를 결정함. **9**-16 부산아시아경기대회 조직위원회, 북한 인공기를 처음으로 공식 게양함. **9**-17 북한, 일본 고이즈미小泉純一郎 총리 방북: 김정일金正日 국방위원장과 회담. **9**-18 남북한, 경의선·동해선 철도 및 도로 연결공사 착공식을 동시 거행함. **9**-20 김대중金大中 대통령, 아시아·유럽정상회의 참석차 덴마크 향발. 북한, 신의주 특별행정구역 기본법을 발표함: 24일 신의주 행정장관에 중국 어우야그룹 양빈楊斌 회장을 임명함. **9**-23 부산아시아경기대회 선수촌을 개장함: 북한 선수단 1진 입촌. 한화그룹, 대한생명 인수를 확정함. **9**-26 대구 와룡산에서 11년 전 실종된 '개구리 소년' 5명의 유골이 발견됨. **9**-29 제14회 부산아시아경기대회가 개막됨: 44개국 9900여명 전회원국 선수단 참가. **10**-1 국회, 김석수金碩洙 국무총리 지명자에 대한 인사청문회를 개최함: 5일 인준안 통과. **10**-3 북한, 미국 켈리Kelly 특사 방북. **10**-4 북한, 신의주 특별행정구역 양빈楊斌 행정장관이 탈세 혐의로 중국당국에 체포됨.	**10**-1 일본, 도쿄 수도권 일원이 강력한 태풍으로 피해 입음. **10**-10 미국 의회, 부시 행정부의 대이라크 무력 사용 허용함. **10**-11 미국 카터Carter 전 대통령, 노벨 평화상 수상자로 선정됨. **10**-12 인도네시아, 발리Bali섬 나이트클럽에 자동차폭탄테러 발생함: 500여명 사상. **10**-16 이라크 후세인Hussein 대통령, 국민투표에서100% 지지 얻어 연임에 성공함. **10**-17 필리핀, 삼보안가 시내 쇼핑점에서 연쇄 폭발사고 발생함: 150여명 사상. **10**-20 미국 파월Powell 국무장관, 북한의 핵개발 시인으로 북한과의 제네바 핵협정이 파기되었다고 선언함. **10**-24 체첸Chechen 반군, 러시아군 체첸 철수를 요구하며 모스크바 극장에서 인질 700여명 억류하고 러시아 경찰과 대치함: 26일 러시아 특수부대, 가스 사용해 진압함. **10**-25 중국 장쩌민江澤民 국가주석, 미국을 방문함: 부시Bush 대통령과 정상회담. **10**-27 브라질, 대통령선거 결선투표에서 노동당勞動黨 룰라Lula 후보가 당선됨: 최초의 좌파 대통령 탄생. **11**-4 미국 부시Bush 대통령, 대이라크전쟁을 강력 천명함. **11**-5 미국 공화당, 중간선거에서 상·하원을 동시 장악함.

연대	우리나라	다른나라
2002 (4335) 임오	**10**–14 제14회 부산아시아경기대회가 폐막됨: 한국 종합 2위, 북한 종합 9위. **10**–17 북한, 방북중인 미국 켈리Kelly 특사에게 핵 개발계획 실시를 시인함. **10**–21 장세동張世東 전 안기부장, 제16대 대통령선거 출마를 선언함. **10**–22 최기철崔基哲 전 서울대 교수 사망. **10**–24 김대중金大中 대통령, 아시아·태평양 경제협력체 정상회의 참석차 멕시코 향발: 27일 미국 부시Bush 대통령, 일본 고이즈미小泉純一郎 총리와 정상회담. 정부, 칠레와 첫 자유무역협정FTA을 타결함. **10**–25 북한, 미국에 불가침조약 체결을 제의함. **10**–26 부산 아시아·태평양 장애인경기대회가 개막됨. 북한 경제시찰단 18명, 인천국제공항 통해 입국함, **10**–29 북한, 일본과 말레이시아 쿠알라룸푸르에서 수교협상을 개최함. **10**–30 춘천박물관 개관. **10**–31 여군학교, 52년만에 해단됨. **11**–5 김정길金正吉 법무장관 및 이명재李明載 검찰총장, 검찰청 내 피의자 치사사건 책임지고 사임함. 국민통합21, 창당대회를 개최함: 당 대표 및 대통령 후보에 정몽준鄭夢準 의원 추대. **11**–6 검찰, 홍경령洪景嶺 검사를 구속함: 검찰청 내 피의자 치사사건 문책. **11**–13 북한, 개성공단 경제특구를 지정함. **11**–14 제7회 부산국제영화제가 개막됨. **11**–15 베를린올림픽대회 마라톤 우승자 손기정孫基禎 사망. 하나로국민연합, 창당대회를 개최함: 대통령후보에 이한동李漢東 전 국무총리 선출. 민주당 노무현盧武鉉 대통령 후보와 국민통합21 정몽준鄭夢準 대통령 후보, 여론조사에 의한 대통령 후보 단일화에 합의함: 25일 노무현盧武鉉 후보 결정. **11**–17 조중훈 趙重勳 한진그룹 회장 사망. **11**–19 한국미래연합 박근혜朴槿惠 대표, 한나라당에 복당함.	**11**–8 중국, 제16차 공산당 대표대회가 개막됨: 총서기에 후진타오胡錦濤 부주석을 선출함. **11**–12 이라크, 유엔 결의안을 거부함: 미국 부시Bush 대통령, 최대 병력 동원한 대이라크전쟁을 경고함. **11**–13 이라크, 유엔 무기 사찰을 조건 없이 수용한다고 선언함. 미국 부시Bush 대통령, 빈라덴Bin Laden의 생존 사실을 시사함. **11**–18 유엔 무기사찰단, 이라크에 입국함. **11**–19 스페인, 유럽 각국에 해저 침몰 유조선 프레스티지호의 중유 제거용 장비 지원을 요청함. **11**–21 미국 마이크로소프트사, 윈도 운영체제의 중대한 결함을 발견함: 보완 프로그램을 공개함. **11**–22 미국·러시아, 이라크 무장 해제안에 공동 서명함. **11**–23 나이지리아, 미스월드선발대회를 취소함: 이슬람교도와 크리스트교도 사이의 유혈충돌 결과. **11**–28 국제원자력기구IAEA, 북한에 핵특별사찰 수용 및 핵개발계획 포기를 요구함. 케냐, 이스라엘 국적 여객기와 호텔에 동시 테러 발생함. **12**–2 중국 장쩌민江澤民 국가주석, 러시아 푸틴Putin 대통령과 정상회담. **12**–3 중국, 2010년 상하이 세계박람회 유치에 성공함.

연 대	우 리 나 라	다 른 나 라
2002 (4335) 임오	**11**–20 정부, 제주도 4 · 3사건 희생자 1715명에 첫 명예회복 조처를 내림. **11**–23 북한, 금강산 관광지구법을 공포함. **11**–24 소설가 홍성유洪性裕 사망. **11**–27 미국 부시Bush 대통령이 한국의 여중생 사망사건과 관련하여 허버드Hubbard 미국대사 통해 사과함: **12**–13 김대중金大中 대통령에게 전화로 직접 사과함. **11**–28 국산 액체추진로켓 발사에 처음 성공함. **12**–1 통합 하나은행 출범. **12**–3 2010년 여수엑스포 유치에 실패함. 민주당 이인제李仁濟 의원, 자민련에 입당함: 5일 총재권한대행에 선임. **12**–11 북한, 화물선이 스커트 미사일 선적과 관련되어 예멘Yemen 인근 인도양에서 미국 해군에 억류됨: 예멘의 항의로 해제됨. **12**–12 황낙주黃珞周 전 국회의장 사망. 북한, 핵 동결 해제 및 핵 재가동을 발표함. **12**–14 한국 여중생 사망사건과 관련하여 한미행정협정 개정 요구하며 시청 광장에서 대규모 촛불시위가 개최됨: 31일 광화문에서 개최. **12**–16 제주도가 유네스코 생물권보전지역으로 지정됨. **12**–18 국민통합21 정몽준鄭夢準 대표, 민주당 노무현盧武鉉 후보 지지를 철회한다고 선언함. **12**–19 제16대 대통령 선거를 실시함: 민주당 노무현盧武鉉 대통령후보 당선. **12**–20 한나라당 이회창李會昌 대통령 후보, 선거 패배 책임지고 정계 은퇴를 선언함. **12**–22 북한, 영변원자로 봉인 및 감시 카메라를 제거함. **12**–25 노무현盧武鉉 대통령 당선자, 대통령직 인수위원장에 임채정林采正 민주당 의원을 임명함. **12**–26 신한금융지주, 조흥은행 매각 우선협상 대상자에 선정됨. **12**–29 MBC, 22년간 방영한 〈전원일기〉를 마지막으로 방송함. **12**–31 북한, 국제원자력기구 시찰단을 추방함.	**12**–4 동티모르東Timor, 수도 딜리Dili에서 대규모 폭동 일어남: 국가비상사태 선포. **12**–5 미얀마. 전 군부독재자 네 윈Ne Win 사망. **12**–7 이라크, 유엔에 대량살상무기 보유실태보고서를 제출함. 후세인 대통령이 1990년의 쿠웨이트 침공에 대해 사과함. **12**–13 유럽연합EU, 덴마크 코펜하겐에서 정상회담을 개최함: 동유럽 국가의 가입 승인. **12**–14 베네수엘라, 차베스Chaves 대통령 퇴진을 요구하는 대규모 시위 일어남. **12**–15 미국 고어Gore 전 부통령, 2004년 대통령선거에 출마하지 않는다고 선언함. **12**–21 미국 파월Powell 국무장관, 북한의 핵봉인 해제에 대한 대처 방안을 한국 · 중국 · 러시아 등과 논의함. **12**–26 프랑스 부아셀리 박사, 사상 첫 인간 복제아기 이브 탄생 사실을 발표함. **12**–27 체첸Chechen, 수도 그로즈니Grozny의 정부청사에서 차량을 이용한 폭탄테러가 발생함: 100여명 사망. **12**–29 케냐, 대통령 선거에서 야당 후보 키바키Kibaki가 당선됨: 24년만의 정권교체. **12**–30 중국, 무인우주선 선저우神舟 4호 발사에 성공함.

연대	우 리 나 라	다 른 나 라
2003 (4336) 계미	1-2 김대중金大中 대통령, 퇴임 후의 정치 불개입 선언함: '동교동계' 용어 사용 금지 요청. 1-7 대통령직인수위원회, 새 정부 10대 국정과제를 확정함. 1-8 노무현盧武鉉 대통령 당선자, 대통령 비서실장에 문희상文喜相 민주당 의원을 내정함. 1-10 북한, 핵확산금지조약NPT 탈퇴를 선언함. 1-11 이형택李亨澤 선수, 아디다스 인터내셔널 테니스 대회에서 우승함. 이찬李燦 전 서울대학교 교수 사망. 1-15 대법원, 대통령 선거 개표구 중 80개에 대한 재개표 실시를 결정함: 27일 실시. 1-21 제9차 남북장관급회담이 서울에서 개막됨. 이화여자대학교, 57년만에 금혼禁婚 학칙을 폐지함. 1-22 노무현盧武鉉 대통령 당선자, 국무총리 후보에 고건高建 전 국무총리를 지명함. 1-25 인터넷 대란 발생: 전국의 인터넷망이 일시 마비됨. 1-27 임동원林東源 외교안보통일특보, 대통령 특사로 북한을 방문함. 1-28 이종욱李鍾郁 박사, 세계보건기구 사무총장에 피선됨: 한국인 최초로 국제기구 수장 탄생. 1-30 감사원, 현대상선이 2억달러를 대북 관련 사업자금으로 사용했다고 발표함. 한나라당 서청원徐淸源 대표, 대표권한대행에 박희태朴熺太 최고위원을 지명함. 2-5 금강산 육로관광 사전답사팀, 동해선 도로로 비무장지대 통해 방북함. 2-11 무디스사Moody's社가 한국의 국가신용등급 전망을 2단계 하향 조정함. 2-14 김대중金大中 대통령, 대국민 사과문을 발표함: 대북한 송금 문제 관련. 2-17 원로작가 장덕조張德祚 사망. 2-18 대구지하철 전동차 내 방화사건 발생함: 193명 사망. 2-20 제6차 남북이산가족상봉단, 동해선 도로 통해 금강산에 도착함. 2-22 검찰, 최태원崔泰源 SK회장을 구속함: 부당 내부거래 혐의. 2-23 민주당 한화갑韓和甲 대표, 대표직을 사퇴함. 2-25 제16대 노무현盧武鉉 대통령 취임식 거행함: 참여정부 표방.	1-5 이스라엘, 텔아비브TelAviv에서 자살 폭탄테러 발생함: 120여명 사상. 1-6 국제원자력기구IAEA, 북한의 핵시설 원상회복 및 안전조치 이행 촉구 결의안을 채택함. 1-10 일본 고이즈미小泉純一郎 총리, 러시아를 방문함: 푸틴Putin 대통령과 정상회담. 1-14 일본 고이즈미小泉純一郎 총리, 야스쿠니신사靖國神祠를 참배함. 1-26 타이완臺灣, 여객기가 53년만에 중국 상하이上海 공항에 착륙함. 1-29 미국 부시Bush 대통령, 상하의원 합동회의에서 이라크 공격계획을 피력함. 이스라엘 샤론Sharon 총리, 총선거에서 승리하여 재집권에 성공함. 2-1 미국, 우주왕복선 컬럼비아호Columbia號가 텍사스 상공에서 폭발함. 2-14 스코틀랜드, 복제양 돌리를 폐 질환으로 도축했다고 발표함. 2-17 미국, 수도 워싱턴이 폭설로 도시 기능 마비됨. 2-19 이란, 군수송기 추락사고 발생함: 302명 사망. 2-20 프랑스 및 아프리카 45개국, 미국의 이라크 침공 반대를 결의함. 2-24 중국, 신장위구르新疆Uighur자치구에 지진 발생함: 260여명 사망, 4천여명 부상.

연 대	우 리 나 라	다 른 나 라
2003 (4336) 계미	**2**-26 국회, 대북한송금특검법 및 고건高建 총리지명자 인준동의안을 의결함. **3**-2 오웅진吳雄鎭 신부, 음성꽃동네 회장직을 사임함. **3**-8 원로시인 조병화趙炳華 사망. **3**-9 노무현盧武鉉 대통령, 전국 검사와의 대화 시간 가짐. 김각영金珏泳 검찰총장 사퇴함: 10일 후임에 송광수宋光洙 대구고검장이 내정됨. **3**-14 노무현盧武鉉 대통령, 대북한송금특검법 공포. **3**-16 베트남 출신 틱 낫한Tich NhatHanh 스님 내한. **3**-19 검찰, 미국에 도피중이던 이석희李碩熙 전 국세청 차장을 압송해 옴. **3**-26 노무현盧武鉉 대통령, 국정원장 후보에 고영구高泳耉 변호사를, 대한북송금사건 특별검사에 송두환宋斗煥 변호사를 내정함. **3**-29 서암西庵 전 조계종 종정 사망. **4**-2 노무현盧武鉉 대통령, 국회에서 국정연설을 함. 국회, 이라크 파병동의안을 의결함. **4**-3 국립보건원, 급속히 번지는 괴질(급성호흡기증후군)을 '사스SARS'로 명명한다고 발표함. **4**-15 육군, 서희부대 창설식을 거행함: 이라크 파견 공병부대. **4**-18 검찰, 이남기李南基 전 공정거래위원장을 구속함: 뇌물수수 혐의. **4**-20 김은하金殷夏 전 국회부의장 사망. **4**-23 국회, 고영구高泳耉 국정원장 후보 임명은 부적절하다는 보고서를 채택함: 25일 노무현盧武鉉 대통령, 임명 강행. **4**-24 국회의원 등 재보궐 선거를 실시함: 여당(민주당) 완패. **4**-25 북한, 베이징 3자회담에서 핵무기 보유 사실을 인정함. **4**-27 제10차 남북장관급회담이 평양에서 개막됨. **4**-28 경상남도 남해군~사천시 연륙교가 개통됨: 총길이 3.4km. **5**-1 노무현盧武鉉 대통령, MBC TV '100분 토론'에 출연함. **5**-2 전국운송하역 노조 포항지부, 화물 운송 거부 파업에 돌입함. **5**-9 건설교통부, 경기도 파주시와 김포시 신도시 건설계획을 발표함. **5**-11 노무현盧武鉉 대통령, 미국 방문차 출국함: 15일 부시Bush 대통령과 정상회담.	**3**-1 터키 의회, 미국군 주둔안을 부결시킴. **3**-6 알제리, 여객기 추락사고 발생함: 102명 사망. **3**-12 세르비아. 진지치Djindič 총리가 피살당함. **3**-15 중국 후진타오胡錦濤, 당주석에 선출됨. **3**-17 미국 부시Bush 대통령, 이라크 후세인Hussein 대통령에게 48시간 내에 국외로 나가라고 최후 통첩함. **3**-20 미국, 이라크 공습을 개시함: 22일 이라크 남부 유전油田 장악. **3**-24 이라크 후세인Hussein 대통령, 대미국 성전聖戰을 촉구함. 터키, 앙카라행 여객기가 공중 납치됨: 범인 투항으로 사태 해결. **4**-2 이라크, 미국군 · 영국군에게 수도 바그다드가 함락당함: 후세인Hussein 체제 붕괴. 세계보건기구, 중국에서 처음 발생한 괴질(사스SARS) 전파에 따라 중국의 광둥성廣東省 및 홍콩 등지 여행 자제를 권고함. **4**-13 미국 부시Bush 대통령, 이라크 후세인Hussein 정권 종말을 선언함: 15일 대이라크 전쟁 승리 선언. **4**-17 중국 북경대, 사스SARS 만연으로 휴업함. **4**-26 중국, 사스가 전국적으로 확산됨: 대중문화 오락장소 영업을 중지시킴. **4**-29 팔레스타인 의회, 압바스Abbas 초대 총리 내각 인준. **5**-1 터키, 동부지역에 지진이 발생함: 100여명 사망, 1천여명 부상.

연대	우리 나라	다른 나라
2003 (4336) 계미	**5-12** 검찰, 나라종합금융시 로비의혹사건과 관련하여 한광옥韓光玉 전 대통령 비서실장을 소환함: 14일 구속. 전국운송하역 노조 부산지부, 화물 운송거부 파업을 강행함: 부산항 완전 마비. **5-15** 화물운송거부 파업 노·정협상이 타결됨. 공주박물관, 공주의당금동보살입상 등 문화재를 도난당함: 26일 회수. **5-18** 한총련 대학생들, 광주 5·18묘역 입구에서 시위 벌임: 노무현盧武鉉 대통령, 후문으로 지각 입장. **5-20** 송두환宋斗煥 특별검사팀, 이근영李瑾榮 전 금융감독원장을 긴급 체포함: 대북한 송금 의혹 관련. **5-21** 작곡가 백영호白映湖 사망. **5-22** 특검, 임동원林東源 전 대통령 외교안보통일 특보를 소환 조사함: 대북한 송금 의혹 관련. **5-26** 교육부, 교육행정정보시스템NEIS 시행을 전면 재검토하기로 결정함. **5-28** 노무현盧武鉉 대통령, 기자회견에서 자신과 관련된 의혹에 대해 해명함. **5-30** 송두환宋斗煥 특별검사팀, 정몽헌鄭夢憲 현대아산 회장을 소환 조사함: 대북송금의혹 관련. **5-31** 송두환宋斗煥 특별검사팀, 이기호李起浩 전 청와대 경제수석을 구속함: 대북한 송금 의혹 관련. 환경단체연합, 새만금간척사업 반대 3보1배三步一拜 시위를 끝냄: 수경水耕 스님과 문규현文奎鉉 신부 중심. **6-2** 검찰, 김홍일金弘一 민주당 의원을 소환 조사함: 나라종합금융사 로비의혹사건 관련. **6-3** 필리핀 아로요Arroyo 대통령이 방한함: 노무현盧武鉉 대통령과 정상회담. **6-6** 노무현盧武鉉 대통령, 일본 방문차 출국함: 7일 고이즈미小泉純一郎 총리와 정상회담. **6-14** 경의선 철도 및 동해선 철도 연결식을 군사분계선에서 거행함. **6-16** 송두환宋斗煥 특별검사팀, 대북한 송금 의혹 관련 박지원朴智元 전 문화관광부장관을 소환함: 18일 구속. **6-18** 조흥은행 노조, 은행 매각에 반대하며 파업에 돌입함: 22일 협상 타결. **6-22** 노무현盧武鉉 대통령, 대북한 송금 특검 수사기간 연장 요청을 거부함. **6-25** 송두환宋斗煥 특별검사팀, 대북한 송금 의혹 수사결과를 발표함: 5억달러 규모의 대북한 송금 확인. **6-26** 한나라당, 새 대표에 최병렬崔秉烈 의원을 선출함. **6-28** 전국철도노조, 파업에 돌입함: 7-1 종료. **6-30** 개성공단開城工團 기공식을 거행함.	**5-2** 미국 부시Bush 대통령, 이라크전쟁 종결을 선언함. 인도 바지파이Vajpayee 총리, 파키스탄과 외교관계 재개에 합의함. 중국, 잠수함 침몰사고 발생함: 승무원 70명 사망. **5-4** 러시아, 소유즈Soyuz 우주선이 무사 귀환함. **5-8** 콩고, 비행중인 항공기의 뒷문이 열리는 사고가 발생함: 160명 추락 사망. **5-13** 사우디 아라비아, 연쇄 자살폭탄테러 발생함. **5-14** 아르헨티나, 대통령에 키르츠네르Kirchner 후보를 선출함. **5-22** 알제리, 북부지방에 지진이 발생함: 1700여명 사망, 7천여명 부상. **5-23** 일본 고이즈미小泉純一郎 총리, 미국을 방문함: 부시Bush 대통령과 정상회담. **5-25** 이스라엘, 팔레스타인 독립국 상설계획안 승인. **5-26** 중국 후진타오胡錦濤 국가주석, 러시아를 방문함: 푸틴Putin 대통령과 회담. 일본, 동북지방에 지진 발생함. **5-30** 미얀마 수치Suu Kyi 여사, 시위 중 머리 맞아 중상당함. **6-2** 프랑스, 에비앙Evian에서 세계주요8개국 정상회의 개최. **6-4** 미국 부시Bush 대통령, 요르단에서 이스라엘 샤론Sharon 총리 및 팔레스타인 압바스Abbas 총리와 정상회담: 팔레스타인 무장봉기 중단 및 이스라엘 불법 유대인 정착촌 철거에 합의. **6-6** 일본 의회, 유사법제有事法制 3개 법안을 의결함.

연 대	우 리 나 라	다 른 나 라
2003 (4336) 계미	7-1 서울특별시, 청계천 복원 기공식을 거행함. 7-2 2010년 평창동계올림픽대회 유치에 실패함. 7-7 노무현盧武鉉 대통령, 중국 방문차 출국함: 후진타오胡錦濤 국가 주석과 정상회담. 검찰, 오웅진吳雄鎭 신부를 소환 조사함: 음성 꽃동네사건 관련. 7-8 박동진朴東鎭 명창 및 조아라曺亞羅 광주 YWCA 명예회장 사망. 7-9 국회 2010년 평창동계올림픽특별위원회, 김운룡金雲龍 국제올림픽위원회 부위원장의 동계올림픽 유치 실패 책임 논란에 대한 진상규명에 착수함. 7-15 서울행정법원, 새만금간척사업 집행 중지를 결정함. 정대철鄭大哲 민주당 대표, 굿모닝시티 로비사건에 관련된 검찰 소환에 불응함: 18일 검찰, 사전 구속영장을 신청함. 7-20 영국 블레어Blair 총리가 방한함: 노무현盧武鉉 대통령과 정상회담. 7-23 민주당, 2002년 대통령선거자금 내용을 공개함. 7-24 산업자원부, 핵폐기물 관리시설 부지로 전라북도 부안군 위도蝟島를 선정함. 7-31 북한, 북한 핵 관련하여 6자회담을 수용한다고 한국정부에 직접 통보해 옴. **8**-1 양길승梁吉承 청와대 제1부속실장, 청주에서의 향응문제로 사표를 제출함. **8**-4 정몽헌鄭夢憲 현대그룹 회장, 사옥에서 투신 자살함. **8**-5 현대자동차, 47일만에 노사 협정을 타결함: 노조 경영 참여 등 합의. **8**-7 한총련 대학생들, 미국군 사격연습장에서 기습 시위 벌임. **8**-8 방일영方一榮 전 조선일보사 회장 사망. **8**-11 검찰, 현대그룹 비자금 관련하여 권노갑權魯甲 전 민주당 고문을 긴급 체포함: 15일 구속. **8**-14 전국 판사 144명, 대법원장에게 대법관 인사 재고 요청 건의서를 전달함. **8**-18 북한, 대구 하계유니버시아드 불참을 시사함. **8**-19 노무현盧武鉉 대통령, 8·15행사에서 북한 인공기 및 김정일金正日 국방위원장 초상화 불태운 일에 유감 표명함: 북한, 대구 하계유니버시아드 참석을 통보해옴. 전효숙全孝淑 고등법원 판사, 헌법재판소 재판관에 지명됨 : 첫 여성 대판관. 검찰, 김도훈金度勳 검사를 체포함: 양길승梁吉丞 전 청와대 제1부속실장의 향응 장면을 몰래카메라로 제작한 혐의.	**6**-11 미국, 영화배우 그레고리 펙Gregory Peck 사망. **6**-23 인도 바지파이Vajpayee 총리, 중국을 방문함: 티베트가 중국 영토의 일부라고 인정함. **6**-24 러시아 푸틴Putin 대통령, 129년만에 영국을 국빈 방문함. 세계보건기구, 사스 확산으로 인한 중국 베이징 여행 자제 권고를 해제함. 7-8 미국 부시Bush 대통령, 아프리카 5개국 순방차 출국함. 수단, 여객기 추락사고 발생함: 116명 사망. 7-9 방글라데시, 여객선 전복사고 발생함: 600여명 사망. 7-21 라이베리아, 정부군과 반군 간의 내전이 격화됨: 600여명 사상. 7-22 이라크, 후세인Hussein 전 대통령 두 아들이 교전 중 사망함. 7-26 일본, 동북부지방에서 1일 3회의 지진이 발생함. 7-27 필리핀, 소장파 장교들이 주도한 쿠데타 계획이 실패함. **8**-4 라이베리아, 평화유지군 200여명이 입국함. **8**-5 인도네시아, 자카르타에서 차량폭탄테러 발생함: 한국 교민 포함 160여명 사상. 러시아 푸틴Putin 대통령, 말레이시아를 공식 방문함. **8**-11 라이베리아 테일러Taylor 대통령, 사임 후 나이지리아로 망명함.

연 대	우 리 나 라	다 른 나 라
2003 (4336) 계미	**8**–21 대구 하계유니버시아드가 개막됨. 화물연대 파업이 다시 시작됨. **8**–25 타이 탁신Thaksin 총리가 방한함: 노무현盧武鉉 대통령과 정상회담. 아동문학가 이오덕李五德 사망. 윤성식尹聖植 고려대 교수, 감사원장에 내정됨: 9–26 국회, 동의안을 부결시킴. **8**–27 한국 · 북한 · 미국 · 일본 · 중국 · 러시아, 핵 관련 6자회담을 시작함. **8**–29 국회, 근로기준법 개정안을 의결함: 주5일근무제. **9**–1 충청북도 증평군 개청식을 거행함. **9**–2 김승훈金勝勳 신부 사망. **9**–3 국회, 김두관金斗寬 행정자치부장관 해임건의안을 의결함. 북한 최고인민회의, 김정일金正日 국방위원장을 재추대함. **9**–4 노무현盧武鉉 대통령, 국회의장 및 3당대표와 5자회동을 개최함. 민주당 김원기金元基 의원, 신당 창당주비위원회 위원장에 선임됨. **9**–8 권중휘權重輝 전 서울대 총장 사망. **9**–12 태풍 '매미' 통과로 제주도 및 남부지방 피해 속출함: 초속 60.0m로 최대 순간풍속 경신. **9**–15 일반인의 평양 관광이 시작됨: 남북 분단 이후 최초. **9**–19 해외 체류 '반체제인사' 33명, 30여년만에 입국함: 22일 독일 뮌스터대 송두율宋斗律 교수 입국. 신용호愼鏞虎 전 교보생명 명예회장 사망. **9**–20 민주당 신주류, 원내교섭단체 '국민참여통합신당' (통합신당統合新黨)을 등록함. 제8차 남북이산가족상봉단, 동해선 도로로 방북함. **9**–21 민주당 정대철鄭大哲 대표, 대표직을 사퇴함: 박상천朴相千 최고위원 승계. **9**–22 정부, 태풍 피해당한 14개 시 · 도, 156개 시 · 군 · 구, 1627개 읍 · 면 · 동을 특별재해지역으로 선포함. **9**–24 강삼재姜三載 한나라당 의원, 의원직 사퇴 및 정계은퇴 선언: 안기부 선거자금 지원 의혹사건 재판 관련. **9**–27 한국과학기술원 인공위성센터, 과학기술위성 1호를 발사함: 29일 첫 교신 성공. **9**–29 노무현盧武鉉 대통령, 민주당을 탈당함. **10**–2 이승엽李承燁 선수, 홈런 56개로 프로야구 시즌 아시아 최다 홈런 기록을 수립함.	**8**–14 미국 및 캐나다 동부지역에 대규모 정전사태 발생함. 우간다, 아민Amin 전 대통령 사망. **8**–18 프랑스, 폭염으로 5천명 이상이 사망함. **8**–19 이라크, 바그다드 유엔본부에 폭탄테러 발생함. **8**–24 라이베리아, 님바 카운티Nimba County 반군 공격으로 1천여명 사망. **8**–25 인도, 뭄바이Mumbai에서 연쇄 폭발사건 발생함: 200여명 사상. **8**–29 이라크, 나자프Najaf에서 차량폭탄테러 발생함: 시아파 지도자 알 하킨 등 300여명 사상. **8**–30 미국, 영화배우 찰스 브론슨Charles Bronson 사망. **9**–5 티베트 달라이 라마Dalai Lama, 미국을 방문함. **9**–6 팔레스타인, 압바스Abbas 총리가 사임함: 후임에 쿠레이Qorei 자치의회 의장 임명. **9**–18 미국, 동부 해안에 허리케인이 상륙함. **9**–20 일본 고이즈미小泉純一郎 총리, 자민당 총재에 재선됨. **9**–26 일본, 홋카이도北海島 태평양 연안에 지진이 발생함. 케냐 터갓Tergat 선수, 베를린마라톤대회에서 세계신기록 수립함: 2시간 4분 55초. **10**–4 이스라엘, 시리아를 공습함: 팔레스타인의 자살폭탄테러에 대한 보복.

연 대	우 리 나 라	다 른 나 라
2003 (4336) 계미	**10**-3 검찰, 송두율宋斗律 교수를 친북활동 혐의로 소환함: 22일 구속. **10**-6 노무현盧武鉉 대통령, 인도네시아 발리Bali에서 열리는 아세안+한중일 정상회의 참석차 출국함. 북한, 평양에 정주영鄭周永체육관을 개관함: 남측 참관단 1100여명 참석. **10**-10 노무현盧武鉉 대통령, 측근 비리 관련하여 국민의 재신임 묻겠다고 언명함. 전윤철田允喆 전 경제부총리, 감사원장 후보에 지명됨. **10**-13 노무현盧武鉉 대통령, 국회 연설에서 12월 15일 전후하여 재신임 투표하자고 제의함. **10**-16 검찰, 최도술崔導術 전 청와대 총무비서관을 구속함: SK비자금사건 관련. **10**-18 정부, 이라크 추가 파병을 결정함. **10**-19 노무현盧武鉉 대통령, 타이 방콕에서 열리는 아시아·태평양경제협력체 정상회의 참석차 출국함. 양주군·포천군, 각각 시市로 승격됨. **10**-22 한나라당 최병렬崔秉烈 대표, 최돈웅崔燉雄 의원이 SK로부터 대선자금 100억원 받은 사실에 대해 사과함. **10**-26 북한, 김용순金容淳 노동당 비서 사망. **10**-27 황장엽黃長燁 전 북한 노동당 비서, 한국 망명 후 처음 미국을 방문함. **10**-29 정부, 주택시장 안정 종합대책 발표. 북한, 중국 우방궈吳邦國 전국인민대회 상무위원장 방북. **10**-30 이회창李會昌 전 한나라당 총재, 대국민사과문을 발표함: SK대선자금 수수 관련. **11**-6 파키스탄 무샤라프Musharraf 대통령이 방한함: 노무현盧武鉉 대통령과 정상회담. **11**-7 판소리가 유네스코 세계인류구전 및 무형유산에 선정됨. **11**-10 국회, 노무현盧武鉉 대통령 측근 비리 특검법을 의결함. **11**-11 열린우리당, 창당대회를 개최함: 공동위원장에 김원기金元基 의원 등 선출. **11**-12 이강훈李康勳 전 광복회장 사망. **11**-14 경복궁景福宮 근정전勤政殿 복원공사가 준공됨. 농림부, 쌀 생산량이 23년만에 최저라고 발표함: 3,091섬. **11**-18 정대正大 전 조계종 총무원장 사망. **11**-25 노무현盧武鉉 대통령, 측근 비리 특검법안 거부권을 행사함.	**10**-6 터키, 이라크 파병을 결의함: **11**-7 번복하여 취소. **10**-7 미국, 캘리포니아 주지사 선거에서 영화배우 아널드 슈워제네거Arnold Schwarzenegger가 당선됨. **10**-10 이란, 여성 인권운동가 시린 에바디Shirin Ebadi가 노벨평화상 수상자로 선정됨. **10**-15 중국, 유인 우주선 선저우神舟 5호 발사에 성공함. **10**-16 유엔, 미국의 이라크 지원 결의안을 의결함. 말레이시아, 행정수도 푸트라자야Putrajava에서 이슬람회의기구 정상회의를 개최함. **10**-17 볼리비아 산체스Sanchez 대통령, 대통령직을 사임: 농민·노동자 시위에 굴복. **10**-23 타이완臺灣, 장제스蔣介石 전 총통 부인 쑹메이링宋美齡 사망. **10**-27 미국, 캘리포니아주에 산불 발생함: 재해지역 선포. **10**-31 말레이시아 마하티르Mahathir 총리, 22년만에 정계에서 은퇴함. **11**-8 사우디 아라비아, 자살폭탄테러 발생함: 100여명 사상. **11**-12 이라크, 남부 나시리의 이탈리아군 헌병사령부에 폭탄테러 발생함. **11**-18 미국 부시Bush 대통령, 영국을 국빈 방문함. **11**-20 터키, 이스탄불Istanbul 영국 영사관 및 은행에 자살폭탄테러 발생함: 27명 사망, 450여명 부상.

연대	우리나라	다른나라
2003 (4336) 계미	**11**-28 민주당, 전당대회를 개최함: 새 대표에 조순형趙舜衡 의원 선출. 극작가 이근삼 李根三 사망. **11**-30 한국 기업체 직원 2명, 이라크에서 피격 사망함. **12**-2 충남발전연구원, 공주시 의당면 수촌리 백제 고분군을 공개함. **12**-3 검찰, 노무현盧武鉉 대통령 측근 강금원姜錦遠 창신섬유 회장을 구속함. **12**-4 국회, 노무현盧武鉉 대통령이 거부권 행사한 노무현 대통령 측근 비리 특검법안을 재의결 처리함. 월하月下 전 조계종 종정 사망. **12**-6 세종 남극지지 연구원들 조난사고 발생함: 1명 사망, 7명 구조. **12**-8 검찰, 서정우徐廷友 전 한나라당 선거대책위 법률고문을 구속함. **12**-9 아동문학가 윤석중尹石重 사망. **12**-10 윤진식尹鎭植 산업자원부장관, 전북 부안 핵폐기물 관리시설 건립계획을 원점에서 재검토한다고 발표함. 서울대학교 연구진, 광우병에 안 걸리는 소 개발에 성공함. **12**-11 검찰, 이광재李光宰 전 청와대 국정상황실장을 소환 조사함. **12**-12 정부, 중국의 고구려 역사 왜곡에 범정부 차원의 대책을 수립한다고 발표함. **12**-13 서옹西翁 전 조계종 종정 사망. **12**-14 노무현盧武鉉 대통령, 여야 4당 대표와 회동함: 불법 대선자금이 한나라당의 1/10 넘을 시 정계 은퇴 용의 표명. 검찰, 안희정安熙正 열린우리당 충남도지부 창당준비위원장을 구속함. **12**-15 이회창李會昌 전 한나라당 총재, 불법 대선자금 수수 관련하여 대국민 사과 후 검찰에 자진 출두함. 충북 음성에 조류인플루엔자 발생함: 이후 충남 천안, 경북 경주, 전남 나주 등지로 확산. 김윤환金潤煥 전 민국당 대표 사망. **12**-16 노무현盧武鉉 대통령, 대통령 측근 비리 특별검사에 김진흥金鎭興 변호사를 임명함. **12**-24 국군포로 전용일全龍日, 52년만에 북한을 탈출하여 귀국함. **12**-29 검찰, 노무현盧武鉉 대통령이 측근 비리에 관여한 사실 드러났다고 발표함.	**11**-23 그루지야 세바르드나제Shevardnadze 대통령, 시위대에 굴복하여 하야함. **11**-25 콩고, 콩고강Congo江에서 여객선 충돌사고 발생함: 260여명 사망. **11**-27 미국 부시Bush 대통령, 이라크를 전격 방문함. **12**-4 미국, 외국산 철강 수입제한 긴급조치(세이프가드 safeguard)를 철회함. **12**-5 러시아, 예센투키Yessentuki에서 열차 폭탄테러 발생함: 220여명 사상. **12**-11 일본, 아세안 회원국 초청 정상회담을 개최함. **12**-14 이라크 후세인Hussein 전 대통령, 티크리트Tikrit에서 미국군 특공대에게 생포됨. 파키스탄, 무샤라프Musharraf 대통령을 노린 폭탄테러 발생함: 23일 다시 발생. **12**-16 교황청, 이라크 후세인Hussein 전 대통령 사형 반대 의사를 천명함. **12**-17 타이완臺灣, 사스SARS 환자가 발생함. **12**-19 리비아, 대량살상무기 포기를 선언함. **12**-21 미국, 국내 테러경보를 오렌지코드로 1단계 상향 조정함. **12**-23 중국, 충칭重慶 외곽의 천연가스전 폭발사고 발생함: 191명 사망, 6만여명 대피. **12**-24 미국, 워싱턴주에 광우병이 발생함. 이란, 밤시Bam市에 지진이 발생함: 4만여명 사망, 문화유적 파괴.

연대	우리 나라	다른 나라
2004 (4337) 갑신	**1**-1 노무현盧武鉉 대통령, 신년사에서 정치개혁을 강조함. **1**-9 김운룡金雲龍 의원, 개인비리 관련하여 의원직 사퇴 및 세계태권도연맹총재직 · 국기원장직 사퇴를 발표함. 검찰, 손길승孫吉丞 SK그룹 회장을 구속함: 특정경제범죄가중처벌법상 배임 및 조세포탈 혐의. **1**-10 검찰, 불법 대선자금 관련 정대철鄭大哲 · 김영일金榮馹 의원 구속함: 12일 최돈웅崔燉雄 의원 구속. **1**-11 열린우리당, 임시 전당대회를 개최함: 당의장에 정동영鄭東泳 의원 선출. **1**-13 박영석朴英碩 원정대, 남극점 탐험에 성공함. **1**-15 노무현盧武鉉 대통령, 외교통상부 공무원의 대통령 폄하 발언 관련하여 윤영관尹永寬 장관 사표를 수리함: 16일 후임에 반기문潘基文 대통령 외교보좌관 임명. **1**-16 원일한元一漢 연세대학교 재단이사 사망. **1**-17 한미동맹회의, 서울 용산기지를 2006년까지 평택지역으로 이전하기로 합의함. **1**-26 허웅許雄 한글학회 회장 사망. **1**-28 검찰, 이재정李在禎 전 민주당 의원과 서청원徐淸源 한나라당 의원, 이상수李相洙 열린우리당 의원(이상 정치자금법 위반) 및 김운룡金雲龍 전 국제올림픽위원회 부위원장(공금횡령 및 외화밀반출 혐의)을 구속함. **1**-31 영화 〈실미도實尾島〉가 최다관객 기록을 경신함(835만명): **2**-1 1천만명 돌파. **2**-3 제13차 남북장관급회담이 서울에서 개막됨: 남북장성급회담 개최에 합의함. **2**-4 안상영安相英 부산시장, 부산구치소에서 자살. **2**-6 강삼재姜三載 한나라당 의원, '안풍사건' 선거자금은 김영삼金泳三 당시 대통령으로부터 받았다고 진술함. 문화재청, 제주도 남제주군 바닷가에서 5만년 전 구석기시대 인류 발자국 화석을 발견하였다고 발표함. **2**-10 국회 법사위원회, 불법 대선자금 진상규명 청문회를 개최함. 검찰, 전두환全斗煥 전 대통령 차남(전재용全在庸)을 구속함: 조세포탈 혐의. **2**-12 황우석黃禹錫 · 문신용文信容 서울대 교수팀, 세계 최초로 인간 배아 줄기세포 배양에 성공함. **2**-13 노무현盧武鉉 대통령, 대통령 비서실장에 김우식金雨植 연세대 총장을 임명함. 국회, 이라크에 대한 국군부대 파병 동의안을 의결함.	**1**-1 일본 고이즈미小泉純一郎 총리, 야스쿠니신사靖國神社를 전격 참배함: 외교문제로 비화. **1**-3 이집트, 홍해에서 파리행 여객기 추락사고가 발생함: 148명 사망. **1**-4 미국, 화성 탐사로봇 스피릿Spirit 발사에 성공함. **1**-18 이라크, 바그다드 연합군사령부 부근에서 폭탄테러 발생함: 250여명 사상. **1**-21 미국 부시Bush 대통령, 상하원 합동회의에서 연두교서를 발표함: 북한의 핵포기를 강력 촉구함. **1**-23 타이, 조류인플루엔자가 발생함: 25일 인도네시아 · 베트남 등 동남아시아 7개국에 발생. **2**-1 이라크, 아르빌Arbil에서 자살폭탄테러 발생함: 300여명 사상. 사우디 아라비아, 하지Haji(성지순례) 종교의식에서 순례자 압사사고 발생함: 244명 사망. **2**-6 러시아, 모스크바에서 지하철 폭탄테러 발생함: 150여명 사상. **2**-8 일본 자위대, 이라크에 도착함. **2**-10 이라크, 바그다드 남부지역 경찰서에서 폭탄테러 발생함: 150여명 사상. **2**-18 이란, 네이샤부르시Neyshabur市 외곽에서 화물열차 폭발사고가 발생함. **2**-24 모로코, 북부지방에 지진이 발생함: 564명 사망, 300여명 부상.

연 대	우 리 나 라	다 른 나 라
2004 (4337) 갑신	**2**–15 김기덕金基悳 영화감독, 베를린영화제에서 〈사마리아〉로 감독상을 수상함. **2**–16 국회, 한 · 칠레 자유무역협정을 의결함. **2**–23 씨티은행, 한미은행을 인수한다고 발표함. **2**–25 제2차 6자회담이 중국 베이징에서 개막됨. **3**–3 중앙선거관리위원회, 노무현盧武鉉 대통령의 열린우리당 지지 발언은 선거법 위반이라고 결정함. **3**–4 중부지방에 100년만의 3월 폭설이 내림: 문산 22.8cm, 동두천 19cm, 서울 18.5cm. **3**–5 충청도지역 집중 폭설로 경부 · 중부 고속도로 일부 구간 통행이 전면 통제되고 각급 학교가 휴교함: 대전 49cm, 청주 32cm. 한나라당 · 민주당, 노무현盧武鉉 대통령 탄핵소추안을 발의함. 이회창李會昌 전 한나라당 총재, 검찰의 불법 대선자금 수사 결과 발표와 관련하여 대국민 사과문을 발표함: 노무현盧武鉉 대통령 동반책임론을 제기함. **3**–10 정부, 폭설피해 전역을 특별재해지역으로 지정함: 10개 시 · 도, 77개 시 · 군 · 구. **3**–12 국회, 노무현盧武鉉 대통령 탄핵소추안을 의결함: 고건高建 국무총리, 대통령 직무 대행에 오름. **3**–14 영화 〈태극기 휘날리며〉가 개봉 39일만에 관객 1천만명을 돌파함: 한국 영화사상 신기록. **3**–23 한나라당, 대표에 박근혜朴槿惠 의원을 선출함. **3**–30 철도청, 고속철도 개통식을 거행함. **3**–31 중앙선거관리위원회, 민주당 조순형趙舜衡 대표의 당인 및 대표자 직인 변경 신고는 적법하다고 의결함: 추미애秋美愛 선대위원장측의 공천 내용을 무효화시킴. **4**–1 열린우리당 정동영鄭東泳 당의장, 선거 유세에서 6, 70대는 투표 안 해도 된다고 노인 폄훼 발언함: 12일 선대위원장 및 비례대표후보 사퇴. **4**–15 제17대 총선거를 실시함: 여당(열린우리당) 과반 의석 확보(152석), 한나라당 개헌 저지선 확보(121석), 민주노동당(민노당) 원내 진출 성공(10석). 민주당 조순형趙舜衡 대표, 총선거 결과에 책임지고 대표직을 사퇴함. **4**–19 자민련 김종필金鍾泌 총재, 총재직 사퇴 및 정계 은퇴를 선언함: 3김정치 끝남. 북한 김정일金正日 국방위원장, 중국을 방문함: 후진타오胡錦濤 국가주석 및 장쩌민江澤民 국가위원회 주석과 정상회담.	**2**–26 마케도니아 트라이코프스키Traikovski 대통령, 여객기추락사고로 사망. **2**–28 타이완臺灣, 2 · 27사건 57주년 기념일 맞아 100만명의 군중시위를 벌임. **2**–29 아이티 아리스티드Aristide 대통령, 반정부군에 굴복하여 국외로 망명함. **3**–2 미국, 민주당 대통령 후보에 케리Kerry 상원의원을 선출함. 항공우주국에서 화성에 한때 생물체가 살기에 충분한 물이 있었다고 발표함. 이라크, 바그다드Baghdad와 카르발라Karbala 종교행사장에서 폭탄테러 발생함: 160여명 사상. **3**–11 스페인, 마드리드 기차역 3곳에서 연쇄폭탄테러가 발생함:190여명 사망, 1200여명 부상. **3**–14 러시아 푸틴Putin 대통령, 대통령 선거에서 승리함. 스페인 야당(사회노동당), 총선거에서 승리함: 주이라크군 철수를 선언함. **3**–20 타이완臺灣 천수이볜陳水扁 총통, 총통 선거에서 승리함: 야당의 불복투쟁으로 정국 혼미. **3**–22 팔레스타인, 하마스HAMAS의 지도자 야신Yassin이 이스라엘 공습으로 사망함. **4**–6 리투아니아 의회, 팍사스Paksas 대통령 탄핵안을 의결함: 독직 혐의.

연대	우리 나라	다른 나라
2004 (4337) 갑신	**4-22** 북한, 평안북도 용천역龍川驛에서 폭발사고 발생함: 3천여명 사상. **4-28** 광주지하철 1호선 1구간이 개통됨. 북한 용천龍川 구호품 선박이 남포항南浦港으로 출발함. **4-29** 박태영朴泰榮 전남지사, 검찰 조사 받던 중 한강교에서 투신 자살함. **4-30** 한만년韓萬年 일조각 사장 사망. **5-1** 서울특별시, 서울광장을 개장함. **5-2** 홍성철洪性徹 전 통일원장관 사망. **5-3** 여야 대표회담을 개최함: 열린우리당 정동영鄭東泳 당의장과 한나라당 박근혜朴槿惠 대표. **5-4** 제14차 남북장관급회담을 평양에서 개최함: 남북 군사당국자회담 개최에 합의함. **5-8** 군 검찰, 신일순申日淳 육군대장을 구속함: 업무상 횡령 혐의. **5-10** 주가 790선 추락으로 증권시장 공황상태가 됨. **5-11** 시인 구상具常 사망. **5-14** 헌법재판소, 노무현盧武鉉 대통령 탄핵심판사건에 기각을 결정함: 노무현盧武鉉 대통령, 업무에 복귀. **5-17** 정동영鄭東泳 열린우리당 당의장, 당의장직을 사퇴함: 신기남辛基南 상임중앙위원이 승계. 검찰, 이인제李仁濟 자민련 의원을 강제구인함: 정치자금법 위반 혐의. **5-19** 고병익高柄翊 전 서울대 총장 사망. **5-20** 노무현盧武鉉 대통령, 열린우리당에 입당함. **5-21** 검찰, 불법 대선자금 수사 결과를 발표함: 노무현盧武鉉 대통령 및 이회창李會昌 전 한나라당 총재 무혐의 처리. 법원, '양심적 병역 거부자'에 처음으로 무죄를 판결함. **5-22** 북한, 일본 고이즈미小泉純一郎 총리 방북: 김정일金正日 국방위원장과 회담 후 피랍자 가족 5명을 인솔하고 귀국함. **5-23** 박찬욱朴贊郁 감독, 칸영화제에서 〈올드보이〉로 최우수상을 수상함. **5-24** 고건高建 국무총리, 각료 임명 제청 거부하고 사표를 제출함: 25일 노무현盧武鉉 대통령, 사표 수리. **5-26** 제1차 남북장성급회담이 금강산지역에서 개최됨. **5-29** 경상북도 울진 동쪽 해역에서 규모 5.2의 지진이 발생함. 최형섭崔亨燮 전 과학기술처장관 사망. **6-2** 이기백李基白 전 서강대 교수 사망.	**4-7** 이라크, 미군 축출 위한 시아파Shia派-수니파Sunni派 연합전선을 결성함: 제2의 이라크전쟁 양상. 일본 후쿠오카 지방법원, 고이즈미小泉純一郎 총리의 야스쿠니신사靖國神社 참배는 위헌이라고 판결함. **4-12** 이라크, 미군의 집중 공격으로 팔루자Fallujah가 초토화됨: 600여명 사망, 1250여명 부상. **4-17** 팔레스타인, 하마스HAMAS 지도자 란티시Rantissi가 이스라엘의 미사일 공격으로 사망함. **5-1** 유럽 연합, 회원국이 25개국으로 확대됨: 동유럽 참여로 단일유럽 결성. **5-6** 미국 부시Bush 대통령, 미국군의 이라크 포로 학대에 대하여 사과함. **5-9** 체첸, 수도 그로즈니Grozny에서 폭탄테러 발생함: 카디로프Kadyrov 대통령 등 32명 사망. **5-13** 인도, 총선거에서 야당연합이 승리함: 바지파이Vajpay 총리 사퇴. **5-17** 이라크 살림 과도통치위원장, 차량폭탄테러로 사망함. **5-19** 인도 국민의회당, 총리에 간디Gandhi 당수가 지명한 싱Singh 재무장관을 선출함. 미얀마, 서부지역에 사이클론이 내습함: 사망 140여명, 이재민 1만 8천여명.

연 대	우 리 나 라	다 른 나 라
2004 (4337) 갑신	**6**-3 제2차 남북장성급회담이 설악산 지역에서 개최됨: 서해 무력충돌 방지 및 군사분계선 지역에서의 선전활동 중지에 합의함. **6**-5 제17대 국회가 개원함: 국회의장에 김원기金元基 열린우리당 의원. 지자체 재보선을 실시함: 여당(열린우리당) 참패, 한나라당 압승, 민주당 부활. **6**-6 민노당, 새 대표에 김혜경金惠敬 부대표를 선출함. **6**-7 노무현盧武鉉대통령, 제17대 국회 개원 축하 연설을 함. **6**-8 노무현盧武鉉 대통령, 국무총리 후보에 이해찬李海瓚 열린우리당 의원을 지명함. **6**-10 식품의약품안전청(식약청), 불량만두 관련 회사 명단을 발표함. **6**-14 북한과 서해 북방한계선NLL 인근 해상에서 해군 함정 간 무선교신에 성공함: 1953년 정전협정 체결 후 처음. 휴전선 주변 비무장지대에서의 확성기 선전전을 중지함. **6**-15 신행정수도추진위원회, 신행정수도 후보지를 발표함: 충청북도의 음성군 · 진천군 일원, 충청남도의 천안시 일원, 연기군 · 공주시 일원, 공주시 · 논산시 일원 등 4개소. **6**-21 가나무역 직원 김선일金鮮一, 이라크에서 저항세력에 납치됨: 22일 피살. **6**-24 국회, 이해찬李海瓚 총리지명자 인사청문회를 개최함: 29일 인준동의안 의결. **7**-1 서울특별시, 버스 중앙차로제 등 새 대중교통체제를 시행함: 4일 이명박李明博 시장, 준비 부족으로 인한 혼란 야기에 대해 사과. 북한, 고구려고분군이 유네스코 세계문화유산에 등재됨: 동명왕릉東明王陵 주변 고분군 등 5개 지역 63기. **7**-12 수도 이전 위헌 헌법소원 대리인단, 헌법 소원 및 수도 이전 추진 정지 가처분 신청을 제기함. **7**-18 경찰, 21명 살인 용의자 유영렬을 검거함. **7**-19 한나라당, 전당대회를 개최함: 대표최고위원에 박근혜朴槿惠 전 대표 선출. **7**-21 노무현盧武鉉 대통령, 제주도에서 일본 고이즈미小泉純一郎 총리와 정상회담. 서울 · 부산 · 대구 · 인천 지하철 노조가 파업에 돌입함. **7**-23 김영란金英蘭 고등법원 판사, 법관에 지명됨 : 첫 여성 대법관. **7**-27 탈북자 468여명이 동남아시아 거쳐 입국함.	**5**-23 독일, 대통령 선거에서 쾰러Koehler 전 국제통화기금 총재가 당선됨. **5**-29 사우디 아라비아, 알 카에다Al Queda 조직원에 의한 총격테러와 인질사건이 발생함: 22명 사망, 25명 부상. **6**-1 이라크 야와르Yawer 과도통치위원회 의상, 임시정부 대통령에 피선됨. **6**-3 미국 테닛Tenet 중앙정보국장, 테러정보 처리 관련 비판에 책임지고 사임함. **6**-5 미국, 레이건Reagan 전 대통령 사망. **6**-8 유엔, 이라크 새 결의안을 만장일치로 의결함: 이라크 주권 회복 재확인. **6**-20 필리핀, 아로요Arroyo 대통령 재선이 확정됨. **6**-28 미국, 이라크 임시정부에 주권을 이양함. 리비아와 외교관계를 복원함. **7**-1 유네스코 세계유산위원회, 중국 쑤저우蘇州에서 제28차 회의를 개최함: 북한과 중국의 고구려 고분과 유적을 세계문화유산으로 등재함. 이라크, 후세인Hussein 전 대통령에 대한 재판을 시작함. **7**-5 인도네시아, 첫 직선제 대통령선거를 실시함: 유도유노Yudhoyono 당선. **7**-11 일본, 참의원 선거를 실시함: 집권 자민당 패배. **7**-19 일본, 스즈키鈴木善幸 전 총리 사망. **8**-2 쿠웨이트, 이라크와 14년만에 외교관계를 복원함. **8**-3 인도, 몬순기간의 홍수가 발생함: 1천여명 사망.

연대	우 리 나 라	다 른 나 라
2004 (4337) 갑신	**7**–28 노무현盧武鉉 대통령, 강금실康錦實 법무부장관 및 조영길曺永吉 국방부장관 사표를 수리함: 후임에 김승규金昇圭 전 법무부차관 및 윤광웅尹光雄 대통령 국방보좌관 임명. **8**–5 중국 외교부 홈페이지에서 고구려 역사 및 대한민국 정부 수립 전 역사 기록 삭제됨: 외교문제로 비화. **8**–10 전국 낮 최고 기온이 10년만에 경신됨: 서산 37.2도, 서울 36.2도. **8**–11 정부, 신행정수도 후보지로 충남 연기군 · 공주시 일원을 확정 발표함: 야당, 원인 무효를 선언함. **8**–19 신기남辛基南 열린우리당 당의장, 선친의 친일문제로 사퇴함: 이부영李富榮 상임중앙위원이 승계. **8**–24 외교통상부, 중국으로부터 고구려 역사 왜곡 시정을 구두약속 받았다고 발표함. 서돈각徐燉珏 전 학술원회장 사망. **9**–9 북한, 김형직군金亨稷郡 월탄리에 대규모 폭발사건 발생함: 13일 백남순白南淳 외무상, 수력발전소 건설 위한 산악 폭파라고 해명. **9**–11 김기덕金基悳 영화감독, 베니스영화제에서 〈빈집〉으로 감독상을 수상함: 금년 두번째 수상. **9**–18 정부, 국제원자력기구IAEA의 조사와 관련하여 핵무기 개발 및 보유 의사 없다고 천명함. **9**–19 노무현盧武鉉 대통령, 카자흐스탄 및 러시아 방문차 출국함: 20일 카자흐스탄 나자르바예프Nazarbayev 대통령, 21일 러시아 푸틴Putin 대통령과 정상회담. **9**–22 자이툰 부대, 이라크 아르빌Arbil에 안착함. **9**–29 탈북자 44명이 중국 베이징 주재 캐나다 대사관에 진입하여 한국행을 요구함. **10**–1 정부, 알 카에다Al Queda의 테러 위협에 대비하여 경계 태세를 강화함. **10**–4 노무현盧武鉉 대통령, 인도 · 베트남 및 아시아 · 유럽정상회의 참석차 출국함: 5일 인도 싱Singh 총리, 10일 베트남 쩐 득 르엉Tran Duc Luong 국가주석과 정상회담. **10**–21 헌법재판소, 행정수도 이전은 위헌이라고 결정함: 여권 반발. **10**–26 국방부, 철원군 최전방 철책선 절단은 민간인 월북자 소행이라고 발표함. **10**–27 유달영柳達永 전 서울대 교수 사망.	**8**–9 일본, 후쿠이현福井縣 소재 미하마美浜 원자력발전소에서 증기 누출 사고 발생함: 11명 사상. **8**–10 국제 유가가 사상 최고치를 기록함: 45.04달러. **8**–12 싱가포르 리셴룽李顯龍 부총리, 3대 총리에 취임함: 1대 총리 리콴유李光耀의 아들로 권력 세습 비판. **8**–13 중국, 동부지역에 강력한 태풍이 상륙함: 115명 사망, 1800여명 부상. **8**–14 그리스, 아테네올림픽대회가 개막됨. **8**–15 인도, 아삼주Assam州 독립기념일 행사장에서 폭탄테러 발생함: 15명 사망. **8**–16 베네수엘라, 차베스Chaves 대통령에 대한 소환투표가 부결됨. **8**–31 미국 부시Bush 대통령, 차기 공화당 대통령 후보로 확정됨. **9**–1 러시아, 체첸Chechen 반군에 의해 북오세티아北Ossetia 초등학교 학생 등에 대한 인질사건이 발생함: 3일 러시아군에 의해 진압됨(1200여명 사상). **9**–9 인도네시아, 자카르타 주재 오스트레일리아 대사관 정문에서 폭발사고 발생함: 9명 사망, 100여명 부상. **9**–19 중국, 장쩌민江澤民 중앙군사위원회 주석이 사임함: 후진타오胡錦濤 국가주석 겸 공산당 총서기가 승계. **9**–26 미국, 플로리다주를 주요 재해지역으로 지정함: 연이은 허리케인으로 피해 입음.

연대	우리 나라	다른 나라
2004 (4337) 갑신	**10**-31 시조시인 김상옥金相沃 사망. **11**-1 북한, 구월산이 유네스코 생물권보전지역으로 지정됨. **11**-5 한국석유공사, 울산 앞바다의 '동해-1 가스전' 준공식을 거행함. **11**-12 노무현盧武鉉 대통령, 브라질 · 아르헨티나 · 칠레 등 3개국 방문 및 아시아 · 태평양경제협력체 정상회의 참석차 출국함. **11**-14 강석주姜昔珠 전 조계종 총무원장 사망. **11**-15 전국공무원노동조합(전노조), 파업에 돌입함. **11**-19 경찰, 광주지역 대학수학능력시험에서 휴대전화 이용 부정행위 적발함: 이후 전국에서 확인. **11**-20 조계종, 북한 불교계와 함께 금강산 신계사神溪寺 대웅전을 복원함. **11**-21 한글학자 한갑수韓甲洙 사망. **11**-25 노무현盧武鉉 대통령, 3부 요인 및 여야 4당 대표와 회동을 가짐: 해외 순방 결과 설명. 남재준南在俊 육군참모총장, 육군의 장성진급비리 의혹과 관련하여 사표를 제출함: 노무현 대통령, 사표를 반려함. **11**-26 국제원자력기구가 한국의 핵 물질 실험문제를 의장 성명 채택으로 종결함. **11**-28 노무현盧武鉉 대통령, 아세안+한중일 정상회의 참석 및 유럽 방문차 출국함. **11**-29 시인 김춘수金春洙 사망. **11**-30 숭산崇山 화계사 조실 사망. **12**-2 노무현盧武鉉 대통령, 영국 블레어Blair 총리와 정상회담: 3일 폴란드 크바스니에프스키Kwasniewski 대통령, 6일 프랑스 시라크Shirac 대통령과 정상회담. 8일 귀국길에 이라크 아르빌Arbil 지역 주둔 자이툰 부대를 방문함. **12**-7 대구~포항 고속도로가 개통됨. **12**-9 이민우李敏雨 전 신민당 총재 및 김동조金東祚 전 외무부장관 사망. **12**-15 북한 개성공단의 남북 합작 냄비가 출시됨. **12**-16 노무현盧武鉉 대통령, 주미대사에 홍석현洪錫炫 중앙일보사 회장을 내정함. **12**-17 노무현盧武鉉 대통령, 일본 가고시마鹿兒島를 방문함: 고이즈미小泉純一郎 총리와 정상회담. **12**-21 방송위원회, 경인방송 재허가 안건을 부결시킴: 재무구조 부실 사유. **12**-31 국회, 이라크파병 연기안을 의결함.	**9**-27 나이지리아, 저항세력이 정부에 전면전을 선포함: 그 여파로 국제유가 50달러선이 돌파됨. **10**-2 팔레스타인 자치지구, 비상사태를 선포함: 이스라엘 공격에 대비. **10**-21 일본, 25년만의 대형 태풍으로 최대 피해 입음: 가옥 10만여채 유실. **10**-23 일본, 니가타현新潟縣에 지진이 발생함: 23명 사망, 2100여명 부상. **11**-2 미국 부시Bush 대통령, 대통령 선거에서 재선됨. **11**-7 이라크, 쿠르드Kurd 지역을 제외한 전역에 비상사태를 선포함. **11**-11 팔레스타인 자치정부 아라파트Arafat 수반, 프랑스 페르시 군병원에서 사망함. **11**-13 미국, 이라크 팔루자Fallujah 저항세력 소탕작전 완료를 선언함. **11**-16 미국 부시Bush 대통령, 파월Powell 국무장관 후임에 라이스Rice 백악관 국가안보보좌관을 지명함. **12**-11 타이완臺灣, 총선거에서 야당이 승리함: 천수이볜陳水扁 총통의 타이완 독립 공약에 제동. **12**-20 영국 블레어Blair 총리, 중동을 방문함. **12**-21 이라크, 모술Mosul 미국군 부대가 피습당함: 70여명 사상. **12**-26 남아시아 및 동남아시아 지역에 지진과 해일이 발생함: 15만여명 사상. **12**-27 우크라이나, 대통령 선거 결선 재투표에서 유시첸코Yushchenko 야당 후보가 당선됨.

연대	우리 나라	다른 나라
2005 (4338) 을유	**1**-1 천정배千正培 열린우리당 원내대표, 국가보안법 등 쟁점 법안의 국회 처리를 못한 책임지고 사퇴함: 3일 이부영李富榮 당의장 등 지도부 일괄 사퇴. **1**-4 노무현盧武鉉 대통령, 부분 개각 실시함: 7일 이기준李基俊 교육부총리, 도덕성 문제 제기되어 3일만에 사임함. **1**-5 열린우리당, 임시 당의장에 임채정林采正 의원 선출. **1**-10 제일은행, 영국계 스탠다드 차타드Standard Chartared은행에 매각됨. **1**-11 한나라당, 당직을 개편함: 정책위의장에 박세일朴世逸 의원, 사무총장에 김무성金武星 의원 임명. 서귀포시, 결식학생에 제공한 점심도시락 부실에 대해 사과함: 13일 군산시에서도 사과. **1**-13 노무현盧武鉉 대통령, 신년 기자회견에서 경제문제 해결을 강조함. **1**-17 정부, 1965년 체결된 한일협정문서를 공개함. 유태흥兪泰興 전 대법원장, 한강에 투신 자살함. **1**-27 노무현盧武鉉 대통령, 교육부총리에 김진표金振杓 전 경제부총리를 내정함: 교육계 반발. **2**-1 한국정신문화연구원, 한국학중앙연구원으로 명칭 변경함. **2**-3 헌법재판소, 호주제의 헌법불일치를 결정함. 정부, 경부고속철도 천성산터널공사 위한 환경영향조사를 결정함: 지율知律 스님, 100일만에 단식을 중단함. **2**-10 북한, 핵무기 보유 및 6자회담 불참을 선언함. **2**-22 국가보훈처, 여운형呂運亨 등 좌파 독립운동가에의 서훈을 결정함. **2**-24 정부, 주한 일본공사를 소환함: 일본 다카노高野紀元 대사의 '독도는 일본땅' 발언에 항의. **2**-28 장우성張遇聖 화백 사망. **3**-2 국회, 행정중심 복합도시 건설 특별법과 호주제 개정안 및 동성동본 혼인금지제도 폐지안을 의결함. **3**-5 강원도 영동지역 및 경북 동해안 지역에 폭설 내림: 각급 학교 휴교. 부산지역에 37.5cm의 폭설 내림: 기상 관측 101년만의 3월 폭설 기록. **3**-7 이헌재李憲宰 부총리 겸 재정경제부장관, 부동산 투기 혐의로 사퇴함: 14일 후임에 한덕수韓悳洙 국무조정실장 임명. **3**-15 검찰, 이연택李衍澤 전 대한체육회장을 구속함: 알선수재 혐의. **3**-16 한·일 군용기가 독도 상공에서 일시 대치함. 한국전력공사, 북한 개성공단에 전력 공급을 시작함. **3**-27 북한, 조류인플루엔자 발생을 공식 확인함.	**1**-4 이라크, 하이다리Haidri 바그다드 주지사 피살. **1**-9 팔레스타인, 자치정부 수반 선거를 실시함: 압바스Abbas 팔레스타인해방기구 의장 당선. **1**-14 유럽 우주국, 토성의 위성 타이탄Titan에 탐사선 호이겐스Huygens가 7년만에 착륙했다고 발표함. **1**-17 중국, 자오쯔양趙紫陽 중국공산당 전 총서기 사망. **1**-30 이라크, 총선거 실시. **2**-8 이스라엘, 팔레스타인과 휴전에 합의함. **2**-10 미국, 작가 아서 밀러Arthur Miller 사망. 파키스탄, 샤키도르 댐 붕괴사고가 발생함: 1800여명 사망. **2**-20 미국 부시Bush 대통령, 유럽 순방차 출국함: 24일 러시아 푸틴Putin 대통령과 회담. **2**-22 이란, 자란드 지방에 지진이 재발함: 400여명 사망, 5천여명 부상. **3**-13 중국 후진타오胡錦濤 국가주석, 국가중앙군사위원회 주석에 피선됨. **3**-16 일본 시마네현島根縣 의회, '독도의 날' 조례안을 의결함. 이라크, 제헌의회가 개원함. **3**-25 키르기스스탄 아카예프Akayev 대통령, 사임문건에 공식 서명함. **3**-28 인도네시아, 수마트라섬 연안에 규모 8.7의 지진이 발생함: 300여명 사망. 타이완臺灣, 국민당 대표가 56년만에 중국을 공식방문함.

연 대	우 리 나 라	다 른 나 라
2005 (4338) 을유	**4**-2 열린우리당, 당의장에 문희상文喜相 의원을 선출함. 김용태金龍泰 전 국회의원 사망. **4**-5 강원도 양양 · 고성 지역 및 충남 서산 지역 등 23개소에 산불이 발생함: 양양 낙산사洛山寺 및 낙산사 동종 등 소실. **4**-7 정부, 산불 피해 큰 강원도 양양지역을 특별재해지역으로 선포함. **4**-10 노무현盧武鉉 대통령, 독일 및 터키 방문차 출국. **4**-25 원-달러 환율이 998.9원으로 세자릿수를 기록함. 만화가 고우영高羽榮 사망. **4**-26 검찰, 철도공사의 러시아 유전개발 투자의혹사건 관련하여 전대월全大月 하이앤드 대표를 긴급 체포함: **5**-8 김세호金世浩 전 건설교통부 차관 긴급 체포. **5**-9 신광순申光淳 전 철도공사 사장 구속. **4**-30 재보궐선거를 실시함: 여당(열린우리당) 완패. 한나라당 압승. **5**-1 박영석朴英碩 탐험대, 북극점에 도달함: 세계 최초로 산악그랜드슬램 달성. 북한, 함흥시咸興市 근방에서 지대함유도탄을 발사함. **5**-3 새천년민주당, 민주당民主黨으로 개명함. **5**-8 노무현盧武鉉 대통령, 러시아 방문차 출국함: 9일 푸틴Putin 대통령과 정상회담. 검찰, 양윤재梁鈗在 서울특별시 행정부시장을 구속함: 청계천 복원사업 관련 뇌물 수수 혐의. **5**-17 제주도동굴연구소, 지난 11일 북제주군 구좌읍 월정리에서 세계 최대 규모(2.5km)의 천연동굴을 발견했다고 발표함. **5**-19 황우석黃寓錫 서울대 교수, 난치병 환자 치료 줄기세포 배양에 성공함. **5**-21 정세영鄭世永 전 현대산업개발 명예회장 사망. **5**-23 박성용朴晟容 금호아시아나 명예회장 사망. **5**-24 검찰, 이남순李南淳 전 한국노총 위원장을 긴급 체포함: 건설사에서 리베이트 수수한 혐의. **5**-26 문정인文正仁 동북아시대위원회 위원장, 한국도로공사의 행담도行淡島 개발사업 지원 의혹과 관련하여 사의를 표명함: 27일 사표 수리. **6**-1 한 · 일 경비정 13척이 동해상에서 한국 어선 조업 문제로 밤새 대치함. **6**-9 노무현盧武鉉 대통령, 미국 방문차 출국함: 11일 부시Bush 대통령과 북한 핵 관련 정상회담. 한국 축구 대표팀, 2006년 독일월드컵 본선 직행 자격을 획득함: 6회 연속 월드컵 축구대회본선 진출.	**4**-3 교황청, 요한 바오로 Joannes Paulus 2세 교황 사망: 19일 새 교황 베네딕토 Benedictus 16세 선출. **4**-6 이라크, 새 대통령에 탈라바니Talabani 쿠르드 애국동맹 총재를 선출함: 7일 총리에 알자파리 시아파 지도자를 선출함. **4**-9 중국, 역사교과서 왜곡으로 반일시위 일어남. **4**-15 유럽 우주국, 160km 빙산의 남극대륙 충돌 장면 사진을 공개함. **4**-21 에콰도르 의회, 루시오 구티에레스Lucio Gutierrez 대통령을 탄핵하여 강제 축출함. **4**-25 일본, 효고현兵庫縣에서 열차탈선사고 발생: 500여명 사상. **4**-26 타이완臺灣, 국민당 롄잔連戰 주석이 처음 중국을 방문함: 29일 후진타오胡錦濤 국가주석과 회담. **5**-5 미국 부시Bush 대통령, 중국 후진타오胡錦濤 국가주석과 통화함: 북한 핵 문제 우려 표명. 영국 노동당, 총선거에서 승리함: 블레어Blair 총리, 연속 집권. **5**-13 우즈베키스탄 정부군, 반정부 시위를 무차별 발포로 진압함. **5**-17 쿠웨이트 의회, 여성 참정권 인정하는 선거법을 의결함. **5**-29 프랑스, 유럽헌법 찬반 국민투표를 실시함: 과반수 찬성 미달로 부결됨.

연 대	우 리 나 라	다 른 나 라
2005 (4338) 을유	**6**-14 김우중金宇中 전 대우그룹 회장, 해외도피 5년 8개월 만에 자진 귀국함: 검찰, 공항에서 연행 후 조사 시작. 북한, 남북한 공동 민족통일대축전을 평양에서 개최함. **6**-19 경기도 연천 중부전선 최전방 부대에서 사병 총기난사사건이 발생함: 장병 8명 사망, 4명 부상. **6**-21 제15차 남북장관급회담이 서울에서 개최됨: 23일 남북이산가족 상봉 등 12개항에 합의. 김성재金聖哉 일지사 사장 사망. **6**-24 정부, 176개 수도권 공공기관의 지방 재배치방안을 발표함. 김승규金昇圭 법무부장관, 국정원장에 내정되어 사임함: 28일 후임에 천정배千正培 의원 임명. **7**-4 해인사海印寺 법보전法寶殿 비로자나불상이 국내에서 가장 오래된 목불상으로 판명됨: 중화 3년=883년(신라 헌강왕 9). **7**-16 마지막 황세손 이구李玖 사망. **7**-17 아시아나항공 노조, 파업에 돌입함: **8**-8 정부, 긴급조정권을 발동함. **7**-21 대법원, 여성도 종중 회원이 될 수 있다고 판결함. **7**-22 MBC, 1997년 대통령선거 때 안기부(현 국정원)에서 불법 도청한 사실을 보도함:이학수李鶴洙 삼성그룹 회장 비서실장(현 구조본부장)과 홍석현洪錫炫 중앙일보 사장(현 주미대사) 간의 정치자금 제공 협의 내용. **7**-26 제4차 6자회담이 중국 베이징에서 개최됨. **7**-27 제주도, 주민투표에서 1도 2통합시로 바꾸는 혁신안이 통과됨. **7**-28 노무현盧武鉉 대통령, 한나라당이 주도하는 대연정大聯政을 제의함. **8**-3 황우석黃禹錫 서울대 교수팀, 세계 최초로 개 복제에 성공했다고 발표함. **8**-5 김승규金昇圭 국정원장, 불법 도청 관련 대국민사과문을 발표함. 조경희趙敬姬 한국수필가협회장 사망. **8**-14 북한민족통일대축전 대표, 국립현충원을 참배함. **8**-15 대한적십자사, 남북이산가족 화상 상봉을 실시함. 국립고궁박물관 개관. **8**-18 노무현盧武鉉 대통령, 차기 대법원장 후보에 이용훈李容勳 정부공직자윤리위원장을 지명함. 노회찬魯會燦 민노당 의원, 삼성그룹으로부터 뇌물 받은 전현직 검사 7명의 실명을 공개함:김상희金相喜 법무부차관 사표 제출. **8**-24 노무현盧武鉉 대통령, 비서실장에 이병완李炳浣 전 청와대 홍보수석을 임명함. **8**-26 현대아산, 개성 시범관광을 실시함. **8**-29 민족문제연구소, 친일인사 3090명의 명단을 발표함. **8**-31 정부, 부동산 종합대책을 발표함. 이태식李泰植 외교부차관, 홍석현洪錫炫 주미대사 후임에 임명됨.	**6**-1 미국, 워터게이트 Watergate사건(1974년)의 제보자는 마크 펠트 전 연방수사국 부국장으로 확인함. **6**-6 볼리비아 카를로스 메사Carlos Mesa 대통령, 반정부시위로 사임함. **6**-15 자메이카 포웰Powell 선수, 남자 100m 달리기에서 세계신기록을 수립함: 9초 77. **6**-21 필리핀, 하이메 신 Jaime Sin 추기경 사망. **6**-23 국제 유가가 사상 처음 60달러를 돌파함. **6**-25 이란, 대통령 선거를 실시함: 강경보수파 아마디네자드Ahmadinejad 테헤란 시장 당선. **7**-4 미국 항공우주국, 우주탐사선 딥 임팩트호 Deep Impeact號가 발사한 충돌체가 혜성 템펠 1과의 충돌에 성공했다고 발표함. **7**-6 영국, 2012년 하계 올림픽대회 유치에 성공함. **7**-7 영국, 런던 지하철과 버스에서 연쇄 폭탄테러 발생함: 500여명 사망, 1천여명 부상. **7**-21 중국, 위안화의 2.1% 절상을 결정함. **7**-26 미국 우주항공국, 우주왕복선 디스커버리호Discovery號 발사에 성공함: **8**-9 지구에 무사 귀환함. **8**-1 사우디 아라비아, 파드Fahd 국왕 사망: 압둘라Abdullah 왕세자 승계. **8**-8 일본 고이즈미小泉純一郎 총리, 중의원 해산을 결정함: 참의원의 우정사업민영화법안 부결에 반발.

연대	우리나라	다른나라
2005 (4338) 을유	**9**-7 노무현盧武鉉 대통령, 한나라당 박근혜朴槿惠 대표와 회담. **9**-8 노무현盧武鉉 대통령, 멕시코·코스타리카 및 유엔 방문차 출국함. **9**-11 법장法長 조계종 총무원장 사망. **9**-13 제16차 남북장관급회담을 평양에서 개최함. 제5차 6자회담이 중국 베이징에서 개최됨: 19일 6개항의 공동선언문 발표. **10**-1 서울특별시, 청계천 복원 기념식을 거행함. **10**-3 경북 상주 MBC가요콘서트장에서 압사사고 발생함: 11명 사망, 90여명 부상. **10**-6 검찰, 김은성金銀星 전 국정원 2차장을 체포함: 재임시 조직적 불법 도청 혐의. **10**-12 천정배千正培 법무부장관, 국가보안법 위반 사건에 관련된 강정구姜禎求 동국대 교수를 불구속수사하라고 지휘권을 발동함: 헌정사상 처음. **10**-14 김종빈金鍾彬 검찰총장, 법무부장관의 수사지휘권 수용 후 사표를 제출함. **10**-19 평화의 댐이 18년만에 완공됨. **10**-20 북관대첩비北關大捷碑가 100년만에 일본에서 이송됨. **10**-22 최영희崔永禧 전 국사편찬위원회 위원장 사망. 북한, 연형묵延亨默 국방위원회 부위원장 사망. **10**-26 4개 지역구 재선거를 실시함: 야당(한나라당) 전승, 북한, 중국 후진타오胡錦濤 주석 방북. **10**-28 국립중앙박물관, 용산에 이전 개관함. **10**-30 열린우리당, 임시 당의장에 정세균丁世均 원내대표를 선임함. **11**-1 통계청, 인구조사 결과를 발표함: 47,279,000명으로 집계(남 23,624,000명, 여 23,655,000명). **11**-2 방사성폐기물처분장 선정 위한 주민투표를 실시함: 경북 경주시 확정. **11**-11 전라남도, 무안務安 도청 신청사 개청식을 거행함. 정해영鄭海永 전 국회부의장 사망. **11**-15 검찰, 임동원林東源·신건辛建 전 국정원장을 구속함: 불법도청 관련. **11**-16 노무현盧武鉉 대통령, 부산에서 중국 후진타오胡錦濤 국가주석과 회담: 17일 미국 부시Bush 대통령, 18일 일본 고이즈미小泉純一郎 총리, 19일 러시아 푸틴Putin 대통령과 회담. **11**-18 부산아시아·태평양경제협력체 정상회의가 개막됨. **11**-20 이수일李秀一 전 국정원 차장 자살: 불법도청 사건 관련 조사중.	**8**-14 키프로스, 여객기 추락사고가 발생함: 탑승자 120여명 전원 사망. **8**-15 이스라엘, 팔레스타인 자치지역 가자지구 내의 유대인 정착촌을 철거하기 시작함. **8**-16 콜롬비아, 여객기 추락사고가 발생함: 탑승자 160명 전원 사망. **8**-18 중국·러시아, 합동 군사훈련을 실시함. **8**-28 미국, 멕시코만 일대에 초대형 허리케인이 상륙함: 부시Bush 대통령, 루이지애나 및 미시시피 일원에 비상사태를 선포함. **8**-29 국제유가가 배럴당 70달러를 돌파함. **8**-31 이라크, 바그다드 시아파Shia派 사원에서 순례객의 테러 대피 소동 일어남: 1200여명 사상. **9**-5 인도네시아, 여객기 추락사고 발생함: 120여명 사망. **9**-7 이집트 무바라크Mubarak 대통령, 사상 최초의 경선에서 재집권에 성공함. **9**-11 일본, 중의원 선거 실시: 고이즈미小泉純一郎 총리의 자민당이 과반 의석을 확보함. **9**-13 중국 후진타오胡錦濤 국가주석, 미국을 방문함: 부시Bush 대통령과 정상회담. **9**-14 이라크, 10여건의 테러가 발생함: 750여명 사상. **9**-18 독일, 총선거를 실시함: 집권당이 과반수 획득에 실패함. **9**-18 미국, 허리케인이 플로리다 남부를 강타함: 비상사태를 선포함. **9**-21 일본 중의원, 고이즈미小泉純一郎 총리를 재선출함.

연 대	우 리 나 라	다 른 나 라
2005 (4338) 을유	**11-23** 국회, 쌀 협상 비준안을 의결함. **11-24** 헌법재판소, 행정도시특별법의 합헌을 결정함. 황우석黃寓錫 서울대 교수, 여성 연구원 난자 취득 관련하여 대국민 사과문을 발표함. 국민중심당, 창당발기인대회를 개최함. **11-25** 강릉단오제가 유네스코 인류구전 및 무형유산에 선정됨. **12-4** MBC, PD수첩 취재진이 황우석黃寓錫 교수 배아 줄기세포 취재과정에서 취재윤리를 위반했다고 대국민 사과문을 발표함. **12-8** 노무현盧武鉉 대통령, 아세안+한중일정상회의 참석차 말레이시아를 방문함. 대한항공 노조, 파업에 돌입함: 11일 정부의 긴급조정권 발동으로 종결. **12-9** 국회, 사립학교법 개정안을 의결함: 개방형이사제 도입. 한나라당, 사립학교법에 반대하여 대외투쟁을 시작함. **12-12** 통영~대전고속도로 완공. **12-13** 제17차 남북장관급회담을 제주도에서 개최함. **12-15** 노성일盧聖一 미즈메디병원 이사장, 황우석黃寓錫 교수의 복제배아줄기세포는 없다고 주장함. **12-18** 농민·노동자 시위대 1천명이 홍콩에서 시위 벌이다 경찰에 체포됨. **12-21** 법원, 새만금간척사업의 재개를 판결함. 호남지방에 폭설 내림:호남고속도로 차량진입 금지. 제주지역, 폭설로 항공기 및 여객선 운항을 통제함. **12-23** 서울대학교, 황우석 교수팀의 맞춤 줄기세포는 없고 2005년 〈사이언스〉 논문 내용은 조작이라고 발표함. **12-27** 노무현盧武鉉 대통령, 서울 여의도 시위농민 사망사건 관련하여 대국민 사과문을 발표함: 29일 허준영許准榮 경찰청장 사퇴. **12-28** KT, 개성공업지구에서 남북통신 개통식을 거행함. **12-29** 정부, 호남지방 등 폭설 피해지역을 특별재해지역으로 선포함.	**9-30** 일본 오사카 고등법원, 고이즈미小泉純一郎 총리의 야스쿠니신사靖國神社 참배를 위헌으로 판결함. **10-1** 인도네시아, 발리Bali섬에서 연쇄 폭탄테러 발생: 20여명 사망. 멕시코·과테말라 등 중남미, 대형 허리케인 및 산사태 발생: 2천여명 사망. 파키스탄·인도·아프가니스탄, 지진이 발생함: 3만여명 사망. **10-12** 중국, 유인 우주선 선저우神舟 6호 발사에 성공함. **10-15** 이라크, 새 헌법에 대한 국민투표를 실시함. **10-17** 일본 고이즈미小泉純一郎 총리, 야스쿠니신사靖國神社를 참배함: 한국 및 중국과의 외교관계 악화. **10-18** 독일, 동독 출신 메르켈Merkel 기민당 당수가 총리에 당선됨: 사상 첫 여성·최연소 총리. **10-22** 나이지리아, 여객기 추락사고가 발생함: 117명 사망. **10-29** 인도, 수도 뉴델리에서 연쇄 폭탄테러가 발생함: 60여명 사망, 200여명 부상. **11-6** 프랑스 시라크Shirac 대통령, 특별안보회의를 소집함: 이슬람 및 아프리카계 청년들의 소요사태 관련. **11-10** 요르단, 수도 암만 호텔에서 자살폭탄테러 발생: 67명 사망, 300여명 부상. **11-22** 라이베리아, 대통령 선거에서 설리프Serleaf 후보가 당선됨: 아프리카 첫 여성 대통령. **12-11** 오스트레일리아, 시드니에서 백인과 중동 청년들간에 인종간 충돌이 발생함. **12-13** 중국, 홍콩에서 세계무역기구WTO 각료회의가 개막됨. **12-15** 이라크, 총선거 실시: 시아파 승리. **12-27** 브라질, 리우 데 자네이루 인근 해상에서 10억 배럴 규모의 유전이 발견됨. **12-28** 유럽, 폭설과 한파로 피해 속출함. **12-29** 일본, 중국 상하이 주재 총영사관 직원이 중국 공안당국의 협박 받아 지난해 5월 자살했다고 보도함.

연대	우리나라	다른나라
2006 (4339) 병술	**1**–1 한국은행, 새 5천원권을 발행함. **1**–2 노무현盧武鉉 대통령, 4개 부처 개각을 단행함: 부총리 겸 과학기술부장관에 김우식金雨植 전 대통령 비서실장, 통일부장관에 이종석李鍾奭 국가안전보장회의 사무차장, 산업자원부장관에 정세균丁世均 열린우리당 당의장, 노동부장관에 이상수李相洙 전 열린우리당 의원 내정. **1**–4 노무현盧武鉉 대통령, 보건복지부장관에 유시민柳時敏 열린우리당 의원을 내정함: 여야 정치권, 반대 성명 발표. **1**–5 제주지역 5개 사립고교, 개정 사학법에 반발하여 신입생 배정을 거부함: 7일 수용하기로 번복. **1**–6 열린우리당, 임시 당의장에 유재건柳在乾 의원을 선임함. **1**–8 북한, 경수로사업을 종료함: 한국 및 미국 인력이 완전 철수함. **1**–10 북한 김정일金正日 국방위원장, 중국을 방문함: 17일 후진타오胡錦濤 국가주석과 회담. **1**–12 황우석黃禹錫 서울대 교수, 논문조작사건과 관련하여 대국민 사과문을 발표함. **1**–16 민관식閔寬植 전 국회부의장 사망. **1**–17 국민중심당, 창당대회를 개최함: 공동대표에 심대평沈大平 충남지사 및 신국환辛國煥 의원 추대. **1**–18 노무현盧武鉉 대통령, 신년 TV연설에서 양극화현상 해소방안을 제시함. 《겨레말큰사전》 남북공동 편찬사업회가 결성됨. **1**–19 부산~진해 신항新港이 개장됨. 경찰, 속칭 '발바리'를 체포함: 10여년간 100여명의 여성 성폭행범. **1**–20 연세대학교 윤석진尹錫珍 교수팀, 〈사이언스〉지에 새로운 은하계 초기 생성이론을 발표함. **1**–23 감사원, 전국 모든 사학에 첫 직무특감을 시행함. 뉴라이트교사연합이 출범함: 그간의 전교조 운동방식에 대한 비판 세력. **1**–26 국정원 진실위원회, 1967년의 동베를린거점 대남공작단사건은 간첩사건이 아니었다고 발표함. 정부, 스크린쿼터의 절반 축소 방침을 발표함: 영화계, 쿼터사수투쟁 선언. **1**–28 북한, 장성택張成澤 제1부부장이 복권됨. **1**–29 백남준白南準 비디오 아티스트, 미국에서 사망함.	**1**–1 일본 고이즈미小泉純一郎 총리, 자신의 야스쿠니신사靖國神社 참배를 한국 및 중국이 문제삼는 것에 불만을 표함. **1**–6 일본, 니가타현新潟縣 등지에 폭설이 내림: 신칸센新幹線 철도 운행이 일시 중단됨. **1**–9 이란, 핵개발 연구 재개를 신언함. **1**–12 사우디아라비아, 메카Mecca 성지순례(하지Haji)에서 압사사고 발생함: 360여명 사망, 1천여명 부상. **1**–15 칠레, 대통령선거에서 바첼레트Bachelet 후보가 당선됨: 첫 여성 대통령. 쿠웨이트, 알 사바Al Sabah 국왕 사망. **1**–20 미국, 무인 명왕성 탐사선 뉴 호라이즌스호New Horizons號 발사에 성공함. **1**–21 코소보, 루고바Rugoba 대통령 사망. **1**–23 캐나다, 총선거를 실시함: 보수당保守黨 승리. **1**–25 팔레스타인, 총선거를 실시함:무장조직 하마스HAMAS가 압승함. **1**–28 인도, 지대공 미사일 발사에 성공함. **1**–29 핀란드 할로넨Halonen 대통령, 재선에 성공함. **1**–31 미국 부시Bush 대통령, 의회 국정연설에서 북한 및 이란·시리아·미얀마·짐바브웨 등을 비민주국가로 지정함. **2**–1 유럽 언론, 마호메트Mahomet 풍자만화 게재함: 이슬람교도 항의로 '문명충돌'. **2**–2 이집트, 홍해紅海에서 보카치오 98호 여객선침몰사고 발생: 1천여명 사망. 예멘, 알카에다Al Queda 요원이 탈옥함.

연대	우리나라	다른나라
2006 (4339) 병술	**2**-1 한나라당, 국회 운영에 참여한다고 선언함:사학법 재개정은 국회에서 논의하기로 여당과 합의. **2**-6 국회, 헌정사상 처음으로 국무위원 내정자 인사청문회를 개최함. **2**-7 노무현盧武鉉 대통령, 방한중인 인도 칼람Kalam 대통령과 정상회담. 삼성그룹 이건희李健熙 회장 일가, 사재 8천억원을 사회에 환원한다고 발표함. **2**-11 영화 〈왕의 남자〉가 관객 1천만명을 돌파함. **2**-12 충청남도, 새 도청 예정지를 홍성군 홍북면과 예산군 삽교읍 일대로 결정함. **2**-18 열린우리당, 전당대회를 개최함: 당의장에 정동영鄭東泳 상임고문을 선출함. **2**-20 한나라당 · 자민련, 합당을 선언함. **2**-22 정진석鄭鎭奭 대주교, 추기경에 서임됨. **2**-25 이규태李圭泰 전 조선일보 논설고문 사망. **3**-1 철도 노조, 파업에 돌입함: 4일 종료. 북한, 북관대첩비北關大捷碑를 인수해 감. **3**-3 숭례문崇禮門을 100년만에 개방함. **3**-6 노무현盧武鉉 대통령, 이집트 · 나이지리아 · 알제리 순방차 출국함. **3**-10 김연아金姸兒 선수, 세계주니어피겨스케이팅선수권대회에서 우승함: **11**-19 시니어대회 우승, **12**-16 세계시니어 그랑프리 파이널대회 우승. **3**-14 야구국가대표팀, 야구월드컵대회 WBC에서 미국 야구팀을 격파함: 16일 일본 꺾고 4강 진출. **3**-15 이해찬李海瓚 국무총리, 3 · 1절골프 파문과 관련하여 사퇴함. **3**-16 대법원, 새만금간척사업의 계속 추진을 확정 판결함. 대전지하철 1호선 1구간이 개통됨. **3**-23 국민은행, 외환은행 인수 우선협상대상자로 선정됨. 사상 처음으로 외국산 밥상쌀을 수입함: 미국 캘리포니아주 칼로스쌀. **3**-24 노무현盧武鉉 대통령, 국무총리 후보에 한명숙韓明淑 열린우리당 의원을 지명함. **4**-1 조흥은행, 신한은행에 통합됨. **4**-4 동원수산 동원호 선원들이 소말리아 해적에 피랍됨: **7**-30 석방. **4**-11 이광린李光麟 전 서강대 교수 및 신상옥申相玉 영화감독 사망.	**2**-3 이집트, 홍해에서 여객선 침몰사고 발생함: 1,000여명 사망. **2**-17 필리핀, 레이테Leyte 섬에서 대형 산사태가 발생함: 3천여명 사망. **2**-24 필리핀 아로요Arroyo 대통령, 국가비상사태를 선포함: 쿠데타 계획 적발. **2**-24 타이 탁신Thaksin 총리, 조기 총선계획 발표함. **2**-27 타이완臺灣 천수이볜陳水扁 총통, 국가통일강령을 폐지함: 독립 수순 착수. **3**-2 미국 부시Bush 대통령, 인도를 방문함: 싱Singh 총리와 정상회담. **3**-16 이라크, 의회 개원함. **3**-21 러시아 푸틴Putin 대통령, 중국을 방문함: 후진타오胡錦濤 국가주석과 정상회담. **3**-28 프랑스, 최초고용계약법 반대 시위가 확산됨. 중국, 일본을 제치고 외환보유액 세계 1위를 기록함. **3**-31 베네수엘라 차베스Chaves 대통령, 석유 등 천연자원 국유화를 선언함. **4**-10 프랑스 시라크Shirac 대통령, 최초고용계약법을 철회함. **4**-18 중국 후진타오胡錦濤 국가주석, 미국을 방문함: 20일 부시Bush 대통령과 정상회담. **4**-24 네팔 갸넨드라Gyanendra 국왕, 2002년에 해산된 의회를 복원한다고 발표함: 시위 및 파업 종료.

연대	우리 나라	다른 나라
2006 (4339) 병술	**4**–19 국회, 한명숙韓明淑 의원의 국무총리 인준동의안을 의결함: 헌정사상 첫 여성 총리 탄생. **4**–21 새만금방조제가 15년만에 연결됨: 세계 최장 33.9km. 제18차 남북장관급회담이 평양에서 개막됨. **4**–25 노무현盧武鉉 대통령, 담화문을 발표함: 독도獨島에 대한 일본 도발행위에 강력 대처 표명. **4**–28 검찰, 정몽구鄭夢九 현대 · 기아자동차 회장을 구속함. **5**–4 경찰, 평택 미군기지 이전 반대 시위대를 강제 해산시킴. **5**–7 노무현盧武鉉 대통령, 몽골 · 아제르바이잔 · 아랍에미리트 순방차 출국함. **5**–9 중국 지안시集安市 원펑雲峰 댐 건설지역에서 고구려고분 2360기가 발견됨. **5**–13 연극배우 김동원金東園 사망. **5**–14 유엔 아난Annan 사무총장이 방한함. **5**–17 재일본민단 · 조총련, 50년만에 화해를 선언함: 7–6 민단, 화해 선언을 철회함. **5**–20 박근혜朴槿惠 한나라당 대표, 서울 신촌의 선거 유세장에서 피습당함. **5**–22 이종욱李鍾郁 세계보건기구 사무총장 사망. **5**–31 전국 동시 지방선거를 실시함: 여당(열린우리당) 참패, 한나라당 압승. **6**–1 정동영鄭東泳 당의장, 지방선거 패배 책임지고 사퇴함: 9일 후임에 김근태金槿泰 의원. **6**–2 유치송柳致松 전 민한당 총재 사망. **6**–5 한미자유무역협정FTA 본협상이 미국 워싱턴에서 시작됨. **6**–6 극작가 차범석車凡錫 사망. **6**–10 북한 안경호安京浩 조평통 서기국장, 한국에서 한나라당이 집권하면 전쟁에 휩싸인다고 발언함. **6**–14 남북한 공동 민족통일대축전이 광주광역시에서 개막됨. **6**–19 국회, 국회의장에 임채정林采正 열린우리당 의원을 선출함. **6**–22 CJ푸드시스템, 학교급식사고로 급식을 전면 중단함: 26일 학교급식사업 포기 발표. **7**–1 제주도, 제주특별자치도청 개청 기념식을 거행함. **7**–2 조남철趙南哲 전 프로바둑 국수 사망.	**5**–1 볼리비아 모랄레스Morales 대통령, 천연가스와 석유시설 국유화를 선언함. **5**–15 미국, 리비아와 6년만에 외교관계를 복원하고 테러지원국에서 해제함. 브라질, 상파울루에서 범죄조직의 폭동이 발생함. **5**–20 중국, 세계 최대 싼샤三峽댐을 준공함: 저수용량 393억t, 발전용량 1820만kw. **5**–26 인도네시아, 자바에 지진이 발생함: 6천여명 사망. **6**–5 몬테네그로, 세르비아–몬테네그로 연방에서 분리 독립함: 신유고연방이 완전 해체됨. **6**–7 이라크, 알 카에다Al Queda 이라크 지부 책임자 알 자르카위가 미국군 폭격으로 사망함. **6**–10 독일, 2006년월드컵대회가 개막됨. **6**–13 미국 부시Bush 대통령, 이라크를 방문함: 말리키Maliki 총리와 회담. **7**–1 중국, 베이징~티베트 철도가 개통됨. **7**–4 미국, 우주왕복선 디스커버리호Discovery號 발사에 성공함. **7**–5 유엔 안전보장이사회, 북한의 미사일 문제를 토의함. **7**–6 멕시코 선거관리위원회, 대통령 선거에서 우파 후보 칼데론Calderon 당선을 선언함. **7**–9 러시아, 여객기 착륙사고가 발생함: 200여명 사상.

연대	우리 나라	다른 나라
2006 (4339) 병술	**7**–3 노무현盧武鉉 대통령, 부분 개각을 단행함: 경제 부총리에 권오규權五奎 청와대 정책실장, 교육부총리에 김병준金秉準 전 청와대 정책실장 내정. **7**–5 국립해양조사원, 독도 주변의 해류조사를 실시함. 북한, 장거리 로켓 은하銀河 1호(일명 대포동大浦洞 2호, 광명성光明星 2호 탑재)를 발사함. **7**–11 한나라당, 대표최고위원에 강재섭姜在涉 의원을 선출함. 제19차 남북장관급회담을 부산에서 개최함: 13일 합의사항 없이 하루 일찍 종료. **7**–12 경기 북부지방에 최고 400mm의 집중 호우 내림: 고양시 등 큰 피해. **7**–14 서울대학교, 일본 도쿄대학에서 반환한 〈조선왕조실록〉 오대산본을 인수함. **7**–16 중앙재난안전대책본부, 국가위기경고를 발령함: 중부지방 집중 호우에 대비. **7**–18 정부, 집중 호우로 수해당한 인제 · 진주 등 18개 시 · 군을 특별재해지역으로 선포함. **7**–19 북한, 남북이산가족 상봉 중단을 선언함: 20일 금강산면회소 건설인력 철수 요구. **7**–26 국회의원 4개 지역 재보궐선거를 실시함: 여당(열린우리당) 전패. 조순형趙舜衡 전 민주당 대표, 국회의원에 당선됨. **8**–2 김병준金秉準 교육부총리, 논문 표절 의혹으로 사퇴함: **9**–1 후임에 김신일金信一 서울대 명예교수. **8**–16 노무현盧武鉉 대통령, 헌법재판소장에 전효숙全孝淑 헌법재판관을 지명함: **9**–14 국회 임명동의 못얻어 헌법재판소장 공백 사태 초래. **8**–17 강원룡姜元龍 경동교회 명예목사 사망. **8**–18 친일반민족행위자 재산조사위원회가 공식 출범함. **8**–20 검찰, 성인오락실 '바다이야기' 프로그램 제조 및 판매업자 수사에 착수함. **8**–22 KT 및 국방연구소, 통신위성 무궁화 5호 발사에 성공함: 군사상 처음으로 통신위성 확보. **9**–2 영화 〈괴물〉이 관객 1230만명을 돌파함. **9**–3 노무현盧武鉉 대통령, 그리스 · 루마니아 · 핀란드 및 미국 방문차 출국함: 14일 부시Bush 대통령과 정상회담. **9**–21 정상명鄭相明 검찰총장 및 대한변호사협회, 이용훈李容勳 대법원장의 검찰 및 변호사 자극 발언에 반발함: 28일 이용훈 대법원장 해명 발언으로 진정. **10**–2 반기문潘基文 외교통상부장관, 유엔 사무총장에 내정됨: **12**–14 유엔본부에서 취임식 거행.	**7**–11 인도, 뭄바이Mumbai에서 열차 폭탄테러가 발생함: 170여명 사망. **7**–13 이스라엘, 레바논 베이루트공항을 공격함: 자국 병사 납치에 보복. **7**–16 유엔 안전보장이사회, 대북한제재결의안을 채택함: 북한의 미사일 발사 제재. **7**–17 인도네시아, 자바 남부 지역에 쓰나미가 발생함: 200여명 사상. **7**–31 쿠바 카스트로Castro 국가평의회 의장, 치료차 입원함: 동생 라울 카스트로 Raul Castro 국방장관에게 임시로 권력을 이양함. **8**–10 영국, 미국행 항공기 폭파 음모 용의자 24명을 체포함. **8**–11 유엔 안전보장이사회, 레바논 휴전결의문을 채택함. **8**–15 일본 고이즈미小泉純一郎 총리, 야스쿠니신사靖國神社를 참배함. **8**–22 러시아, 우크라이나 동부에서 여객기 추락사고가 발생함: 170명 사망. **9**–12 교황청, 베네딕트Benedictus 16세 교황이 이슬람교 비판하는 발언으로 물의 일으킴: 17일 이슬람권에 사과하여 사태진정시킴. **9**–17 스웨덴, 총선거에서 중도우파연합이 승리함. **9**–19 타이, 쿠데타가 발생함: 탁신Thaksin 총리, 미국 방문 중 실각.

연 대	우 리 나 라	다 른 나 라
2006 (4339) 병술	**10**-9 노무현盧武鉉 대통령, 청와대에서 일본 아베安倍晋三 총리와 정상회담: 13일 중국을 방문하여 후진타오胡錦濤 국가주석과 정상회담. 북한, 핵실험의 성공적 실시를 발표함. **10**-14 홍남순洪南淳 인권변호사 사망. 이겸로李謙魯 통문관通文館 대표 사망. **10**-22 최규하崔圭夏 전 대통령 사망. **10**-24 안병희安秉禧 전 국립국어연구원장 사망. **10**-25 국회의원 2개 지역 및 기초단체장 등 재보궐선거를 실시함: 여당(열린우리당) 전패. **10**-26 김일金一 전 프로레슬러 사망. **10**-27 국정원, '북한공작원 접촉사건'에 관련된 '일심회' 조직 수사 결과를 발표함. **10**-31 북한, 6자회담에 복귀한다고 선언함. **11**-1 노무현盧武鉉 대통령, 부분 개각을 단행함: 통일부장관에 이재정李在禎 민주평통 수석부의장, 외교통상부장관에 송민순宋旻淳 청와대 안보실장, 국방부장관에 김장수金章洙 육군참모총장, 국정원장에 김만복金萬福 국정원 1차장 내정. **11**-6 노무현盧武鉉 대통령, 국회 시정연설에서 부동산 문제 해결 의지를 표명함. 검찰, 이강원李康源 전 외환은행장을 구속함: 외환은행 매각 관련하여 자기자본비율을 조작한 혐의. **11**-8 외교통상부, 아프리카 27개국과 한-아프리카 포럼을 개최함: 서울선언 채택. **11**-14 추병직秋秉直 건설교통부장관과 청와대 이백만李百萬 홍보수석 및 정문수丁文秀 경제수석, 부동산정책 실패 관련하여 사표 제출함. **11**-15 정부, 부동산 종합대책을 발표함: 주택 공급물량 확대 및 분양가 23% 인하 등. **11**-17 노무현盧武鉉 대통령, 베트남 하노이에서 열리는 아시아·태평양경제협력체 정상회의 참석 및 캄보디아 국빈방문차 출국함. 법원, 음성 꽃동네사건 관련하여 오웅진吳雄鎭 신부에 무죄를 선고함. **11**-18 정부, 유엔의 북한인권결의안에 찬성 투표함. 이동원李東元 전 외무부장관 사망. **11**-19 서예가 김충현金忠顯 사망. **11**-22 전북 익산에 조류인플루엔자 발생이 확인됨: 이후 전북 김제 및 충남 아산에서도 발생. 한미자유무역협정 저지 범국민궐기대회가 폭력 시위로 확대됨.	**9**-20 일본 자민당, 총재에 아베安倍晋三 관방장관을 선출함: 26일 아베 내각 출범 지명. **9**-29 브라질, 항공기 추락사고가 발생함: 155명 사망. **10**-8 일본 아베安倍晋三 총리, 중국을 방문함: 후진타오胡錦濤 국가주석과 북한 핵문제 등 현안을 논의함. **10**-14 유엔 안전보장이사회, 북한 핵실험 제재 결의안을 채택함. **10**-15 미국, 하와이에 지진이 발생함. **10**-29 브라질 룰라Lula 대통령, 재선에 성공함. 콩고민주공화국, 46년만에 민주적 대통령 선거를 실시함: 카빌라Kabila 현 과도정부 대통령 당선. 나이지리아, 아부자Abuja 공항에서 여객기 추락사고 발생함: 100여명 사망. **11**-5 이라크 특별재판소, 후세인Hussein 전 대통령에 사형을 선고함: **12**-26 최고 항소법원에서 확정 판결. **11**-8 미국, 중간선거에서 민주당民主黨이 승리함: 부시Bush 대통령, 이라크전쟁 책임 물어 럼스펠드Rumsfeld 국방장관을 경질하고 후임에 게이츠Gates 전 중앙정보국장을 지명함. **11**-11 이라크, 바그다드에서 연쇄 차량폭탄테러가 발생함: 46명 사상. **11**-20 중국 후진타오胡錦濤 국가주석, 인도를 방문함: 23일 파키스탄 방문.

연 대	우 리 나 라	다 른 나 라
2006 (4339) 병술	**11-23** 미국 론스타Lone Star 펀드회사가 국민은행과의 외환은행 매각 협정 파기를 선언함. **11-24** 정부, 불법 · 폭력 시위에 무관용원칙을 천명함. 가수 신申카나리아 사망. **11-26** 노무현盧武鉉 대통령, 여 · 야 · 정 정치협상회의를 제안함: 27일 야당(한나라당) 거부. **11-27** 노무현盧武鉉 대통령, 전효숙全孝淑 헌법재판소장 후보자 지명을 철회함. **11-28** 노무현盧武鉉 대통령, 임기를 다 마치지 않은 대통령 되지 않기를 바란다고 발언함: 정가에 파문. 정상명鄭相明 검찰총장, 제이유JU 그룹사건 철저수사를 지시함. **12-3** 노무현盧武鉉 대통령, 인도네시아 · 오스트레일리아 · 뉴질랜드 방문차 출국함. **12-4** 정부, 경복궁景福宮 광화문光化門 제모습찾기 선포식을 거행함. **12-7** 국내 최장 솔안터널(16.2km)이 개통됨: 태백~삼척 영동선 철도 구간. **12-14** 궁중음식전문가 황혜성黃慧性 사망. **12-15** 박태환朴泰桓 선수, 도하Doha 아시아경기대회에서 수영 3관왕 및 최우수선수상 받음. **12-18** 북핵 관련 6자회담이 중국 베이징에서 재개됨. **12-21** 노무현盧武鉉 대통령, 고건高建 전 총리 기용은 잘못된 인사였다고 발언함: 정가에 파문. 이강국李康國 전 대법관, 헌법재판소 소장에 지명됨. **12-21** 행정도시건설추진위원회, 도시 명칭을 세종시世宗市로 결정함. 한화갑韓和甲 민주당 대표, 대법원에서 유죄 판결 받음: 의원직 상실로 장상張裳 공동대표가 대표직 맡음. **12-25** 한국우주항공연구원, 우주인 후보 2명을 선정함: 고산高山(남) 및 이소연李素姸(여) **12-26** 역대 군 수뇌부 76명, 노무현盧武鉉 대통령의 군 관련 발언 취소 및 사과 요구 성명을 발표함. **12-28** 열린우리당 김근태金槿泰 당의장과 정동영鄭東泳 전 당의장, '원칙 있는 국민의 신당' 창당에 합의함.	**11-21** 네팔, 반란 마오군Mao軍과 평화협정을 체결함: 11년 내전 공식 종료. 레바논, 제마엘Gemayel 산업장관 피살: 정파간 유혈충돌이 재연됨. **11-22** 이라크, 바그다드에서 발생한 연쇄 차량폭탄테러로 152명 사망, 236명 부상: 바그다드에 무기한 통행금지 조치. **11-23** 팔레스타인, 이스라엘에 제한적 휴전을 제안함. **11-26** 에콰도르, 대통령 선거를 실시함: 반미좌파 코레아Correa 후보 승리. **11-27** 교황청, 베네딕토Benedictus 16세 교황이 터키를 방문함: 터키 내의 방문 반대 시위로 경호가 강화됨. **12-1** 필리핀, 태풍 강습으로 1천여명이 사망함: 3일 국가재난사태 선포. 멕시코 칼데론Calderon 대통령, 야당 반대 속에 취임식 강행. **12-3** 베네수엘라 차베스Chaves 대통령, 대통령선거에서 승리함. **12-9** 미국, 우주왕복선 디스커버리호Discovery號 발사에 성공함. **12-10** 칠레, 독재자 피노체트Pinochet 전 대통령 사망. **12-23** 유엔 안전보장이사회, 이란 제재 결의안을 채택함. **12-26** 미국, 포드Ford 전 대통령 사망. 나이지리아, 송유관 폭발사고 발생함: 500여명 사망. **12-27** 타이완臺灣, 남부 해역에 지진 발생함: 해저 광케이블 손상으로 동북아시아 전산망이 마비됨. **12-30** 이라크, 후세인Hussein 전 대통령의 교수형을 집행함.

연대	우 리 나 라	다 른 나 라
2007 (4340) 정해	**1**-1 노무현盧武鉉 대통령, 신년사에서 부동산문제 해결을 강조함. **1**-3 북한, 백남순白南淳 외무상 사망. **1**-8 청와대, 노무현盧武鉉 대통령의 '평화의 바다' 발언에 대해 해명함: 지난해 아베安倍晋三 일본총리와의 정상회담에서 동해 명칭 변경 제안설 관련. **1**-9 노무현盧武鉉 대통령, 대국민담화문에서 대통령 4년 연임제 개헌을 제안함. **1**-10 대우건설 근로자 9명, 나이지리아 무장단체에 피랍됨: 13일 전원 석방. **1**-11 정부, 부동산 종합대책을 발표함: 민간택지 아파트의 분양가 상한제 적용 및 원가 공개 확대 등. **1**-12 현대자동차 노조, 성과급 문제에 항의하여 파업을 결의함: 17일 종결. **1**-13 노무현盧武鉉 대통령, 아세안+한중일정상회의 참석차 필리핀을 방문함. **1**-15 박홍우朴洪佑 부장판사, 판결에 불만 품은 소송당사자(김명호金明浩 교수)에 석궁石弓으로 피격당함. 과거사정리위원회, 1967년의 이수근 위장간첩사건은 국가기관의 조작이었다고 발표함. **1**-16 고건高建 전 총리, 제17대 대통령선거 불출마 및 정치활동 중단을 선언함. 납북어부 최욱일, 32년만에 중국을 통해 입국함. **1**-19 국회, 이강국李康國 헌법재판소장 임명동의안 의결. 법원, 열린우리당 당헌개정효력정지 결정 판결 내림. **1**-20 충남 천안에 조류인플루엔자가 발생함. 강원도 평창에 규모 4.8의 지진 발생함. **1**-22 한국은행, 새 1만원권 및 1천원권을 발행함. 시사주간지 〈시사저널〉, 직장폐쇄를 선언함: 삼성그룹 관련 기사 삭제에 항의한 노조 파업에 대응. **1**-23 노무현盧武鉉 대통령, 신년 TV 국정연설에서 민생문제 해결을 강조함. 법원, 1975년의 인혁당사건으로 사형 집행된 8명에게 무죄를 판결함. **1**-31 과거사정리위원회, 10월유신 시절 긴급조치 위반 사건 재판 관련 판사 492명의 실명을 공개함. **2**-1 서예가 김응현金膺顯 사망. **2**-6 열린우리당, 소속 의원 23명이 집단 탈당함: 한나라당, 원내 제1당으로 승격.	**1**-2 인도네시아, 여객기 추락사고가 발생함: 100여명 사망. **1**-10 미국 부시Bush 대통령, 이라크에 미국군 증파를 결정함. **1**-12 그리스, 아테네 소재 미국 대사관에 폭발사고가 발생함. **1**-15 이라크, 후세인Hussein 전 대통령 측근 2명을 처형함: 반대파의 차량 폭탄테러로 50여명 사망. 미국, 중서부에 눈폭풍 및 한파가 내습함: 40여명 사망. **1**-16 이라크, 바그다드 시내 대학 정문에 차량 폭탄테러가 발생함: 65명 사망, 140명 부상. **1**-18 유럽, 북서지방의 폭풍우로 피해가 속출함. 국제유가, 배럴당 50달러선이 붕괴됨. **1**-21 인도네시아, 북동부 근해에 규모 7.2의 지진 발생함: 쓰나미 경보 발령. **1**-22 이라크, 중부 시아파 상업지구에서 폭발사고 발생함: 200여명 사상. **1**-23 미국 부시Bush 대통령, 신년 국정연설에서 이라크전쟁의 국민적 지지를 호소함. 레바논, 반정부세력의 파업으로 무정부상태에 직면함.

연대	우 리 나 라	다 른 나 라
2007 (4340) 정해	**2**–8 제6차 6자회담이 중국 베이징에서 개최됨: 13일 공동선언문 채택에 합의. **2**–9 노무현盧武鉉 대통령, 강재섭姜在涉 한나라당 대표와 회담: 국정 현안 조속 처리에 합의함. **2**–11 노무현盧武鉉 대통령, 스페인 · 교황청 · 이탈리아 방문차 출국함. 전남 여수출입국관리사무소에 화재 발생함: 중국인 등 27명 사상. 경기 안성에 조류인플루엔자 발생함. **2**–12 열린우리당 탈당 의원들, 원내교섭단체 등록함(명칭:통합신당모임). **2**–14 열린우리당, 전당대회를 개최함: 신임 정세균丁世均 당의장, 대통합신당 추진을 강조함. **2**–15 이필상李弼商 고려대 총장, 논문 표절 의혹과 관련하여 사퇴 의사 표명함. **2**–24 한미국방장관회의, 2012. 4. 17.까지 전시작전통제권(전작권)의 한국군 이양 및 한미연합군사령부 해체에 합의함. **2**–27 제20차 남북장관급회담이 평양에서 개막됨. 한국군 주둔 아프가니스탄 바그람Bagram 기지에서 폭탄테러사건 발생함: 한국군 1명 등 20여명 사망. **2**–28 노무현盧武鉉 대통령, 열린우리당에서 탈당함. **3**–1 북한 김계관金桂官 외무성 부상, 미국을 방문함: 6일 뉴욕에서 힐Hill 국무부 차관보와 양국 관계 정상화 실무회담 시작. **3**–7 한명숙韓明淑 국무총리 퇴임. 이해찬李海瓚 전 국무총리, 북한을 방문함. 북한, 베트남 하노이에서 일본과 국교 정상화 실무회담을 시작함: 8일 성과 없이 종료. **3**–8 정부, '대통령 4년 연임제 개헌안'을 발표함. **3**–9 노무현盧武鉉 대통령, 국무총리 후보에 한덕수韓悳洙 전 경제부총리, 대통령 비서실장에 문재인文在寅 전 정무수석을 지명함. **3**–19 손학규孫鶴圭 전 경기도지사, 한나라당을 탈당함: 대통령선거 판도에 영향. **3**–21 김성일金成一 공군참모총장, 사의를 표명함: 전투기추락사고 등 관련. **3**–22 노무현盧武鉉 대통령, 3불정책三不政策 지속 추진 의지를 표명함: 고교등급제 · 기여입학제 · 대학본고사 불용.	**2**–11 이라크, 바그다드 북부 티크리트Tikrit 인근에서 경찰 겨냥한 자살폭탄테러가 발생함: 경찰 21명 사망. **2**–13 미국, 중부 및 동부지역에 380mm의 폭설 내림: 공항 및 철도 운행 중단. **2**–27 중국, 증권시장 주가가 대폭 하락함: 전세계 주식시장에 파급됨. **2**–21 이탈리아, 프로디Prodi 내각이 총사퇴함: 아프가니스탄 파병연장동의안 부결에 대한 책임. **3**–6 인도네시아, 수마트라섬에 규모 6.0 이상의 지진이 발생함: 80여명 사망. **3**–7 이라크, 바그다드 남서부 힐라드에서 자살폭탄테러가 발생함: 시아파Shia派 순례객 100여명 사망. 인도네시아, 자바 공항에서 여객기 화재사고가 발생함: 49명 사망, 50여명 부상. **3**–7 프랑스 시라크Shirac 대통령, 차기 대선 불출마를 선언함: 사실상의 정계 은퇴. **3**–25 일본, 이시카와현 바다에서 규모 6.9의 지진이 발생함: 쓰나미 주의보 발령. **3**–26 중국 후진타오胡錦濤 국가주석, 러시아를 방문함: 푸틴Putin 대통령과 정상회담. **4**–2 솔로몬제도, 규모 8.0의 지진이 발생함. **4**–3 일본 아베安倍晋三 총리, 미국 부시Bush 대통령과 전화통화: 일본군 위안부 문제에 대해 해명함.

연 대	우 리 나 라	다 른 나 라
2007 (4340) 정해	**3**–23 노무현盧武鉉 대통령, 사우디아라비아 · 쿠웨이트 · 카타르 방문차 출국함. **3**–25 박태환朴泰桓 선수, 세계수영선수권대회 남자 자유형 400m 경기에서 우승함. **3**–27 대구광역시, 2011년 세계육상선수권대회 유치에 성공함. 대한적십자사, 남북이산가족화상상봉을 실시함. **4**–1 기상청, 전국에 황사경보를 발령함. **4**–2 한미자유무역협정 협상이 최종 타결됨. 국회, 한덕수韓悳洙 국무총리 인준동의안을 의결함. **4**–3 민주당, 전당대회를 개최함: 대표에 박상천朴相千 전 의원 선출. **4**–5 행정자치부, 도로명주소 표기를 시행함. 문화재청, 북악산 일원을 전면 개방함: 1 · 21사태 이후 40년만의 조처. **4**–9 코스피KOSPI지수가 1500선을 돌파함: 1501.06으로 51년만에 최고치를 경신함. **4**–10 중국 원자바오溫家寶 총리가 방한함: 노무현盧武鉉 대통령과 정상회담. 제8차 남북적십자사회담을 금강산에서 개최함. **4**–11 국회 원내대표 6인, 개헌 문제를 차기 18대 국회에서 처리하기로 합의함: 노무현盧武鉉 대통령에게 임기 중 개헌 발의 유보 요청. **4**–12 노무현盧武鉉 대통령, 방한 중인 이라크 말리키Maliki 총리와 정상회담. **4**–14 노무현盧武鉉 대통령, 임기 중 개헌안 발의를 철회하기로 결정함: 6개 정파 원내대표의 요청 수용. **4**–17 정부, 한국인 재미교포 학생에 의한 미국 버지니아공대 총기난사사건에 애도와 유감을 표명함. 인천광역시, 2014년 아시아경기대회 유치에 성공함. 대전지하철 1호선 전구간이 개통됨. **4**–25 국회의원 3개 지역 및 기초단체장 등 재보궐선거를 실시함. **4**–26 신현확申鉉碻 전 국무총리 사망. **4**–29 경찰, 보복 폭행사건 관련하여 김승연金昇淵 한화그룹 회장을 소환함: **5**–7 수감. **4**–30 정운찬鄭雲燦 전 서울대학교 총장, 제17대 대통령선거 불출마를 선언함.	**4**–3 이란 아마디네자드Ahmadinejad 대통령, 3월 23일 나포한 영국 해군 15명의 석방을 발표함. **4**–12 중국 원자바오溫家寶 총리, 일본을 방문함: 중의원 연설에서 행동으로 사과할 것을 촉구함. 이라크, 의사당 식당에서 폭탄사건이 발생함: 의원 3명 포함 8명 사망, 30명 부상. **4**–17 미국, 버지니아Virginia 공학대학에서 한국인 재미교포 학생에 의한 총기난사 사건이 발생함: 32명 사망. **4**–18 이라크, 수도 바그다드에서 4건의 연쇄 폭탄테러 발생함: 200여명 사망, 수백명 부상. **4**–23 러시아, 옐친Yeltsin 초대 대통령 사망. **4**–25 에티오피아 반군, 중국 석유회사 유전지를 습격함: 중국인 9명 등 74명 사망. **4**–26 일본 아베安倍晋三 총리, 미국을 공식 방문함: 일본군 위안부 문제에 대해 사과. **5**–4 미국, 캔사스주Kansas州 그린버그에 강한 돌풍이 발생함: 재해지역 선포. **5**–6 케냐, 케냐항공 소속 여객기가 카메룬에서 추락함: 탑승자 114명 전원 사망. **5**–6 프랑스, 대통령 선거에서 우파 사르코지Sarkozy 후보가 당선됨. **5**–12 파키스탄, 카라치Karachi에서 여야 지지세력간의 유혈충돌이 발생함:36명 사망.

연대	우리나라	다른나라
2007 (4340) 정해	5-1 경남 창원에서 남북노동자 축구대회가 개최됨. 5-6 외교통상부, 유럽연합과의 자유무역협정 협상 개시를 공식 선언함. 5-7 중도개혁통합신당(통합신당統合新黨) 창당: 대표에 김한길 의원. 5-8 남북장성급회담을 판문점에서 개최함: 17일 경의선 철도 및 동해선 철도 시험운행하기로 합의함. 5-9 남북이산가족 상봉을 금강산에서 실시함. 5-12 제주선적 화물선, 중국 화물선과 충돌하여 침몰함: 한국인 선원 7명 포함 16명 사망. 5-15 원양 어선 마부노호, 소말리아 근해에서 해적에게 피랍됨: 11-4 174일만에 석방. 김성은金聖恩 전 해병대사령관·국방부장관 사망. 5-16 부산지하철 노조, 3년만에 파업에 돌입함: 18일 협상 타결. 5-17 남북간 열차 시험운행 실시: 경의선 철도 및 동해선 철도로 반세기만에 군사분계선을 통과함. 5-21 유시민柳時敏 보건복지부장관, 장관직 사퇴 및 열린우리당 복귀를 선언함. 5-22 국정홍보처, 취재시스템 지원 선진화방안을 마련함: 정부의 브리핑룸 통폐합 및 취재통제 내용. 5-25 해군·현대중공업, 국내 첫 이지스Aegis 구축함 세종대왕함 진수식을 개최함. 홍영기洪永基 서울지방경찰청장, 한화그룹 김승연金昇淵 회장 보복폭행사건 수사 외압 논란 관련하여 사의를 표명함. 피천득皮千得 서울대 명예교수 사망. 5-27 영화배우 전도연, 칸영화제에서 〈밀양〉으로 여우주연상을 수상함. 5-29 제21차 남북장관급회담을 서울에서 개최함: 쌀 차관 지연문제로 결렬. 5-30 포스코, 세계 첫 파이넥스FINEX 공장을 준공함: 비용 절감 및 친환경 공법 개발에 성공. 5-31 코스피지수가 1700선을 돌파함: 6-18 1800선 돌파. 7-11 1900선 돌파. 7-24 2000선 돌파. 6-4 통합신당·민주당, 중도통합민주당(통합민주당)으로 합당을 선언함: 27일 공식 창당. 6-5 한나라당, 노무현盧武鉉 대통령을 선거법 위반으로 중앙선거관리위원회에 고발함: 7일 중앙선거관리위원회, 노무현盧武鉉 대통령에게 선거중립의무 준수 요청 공문을 발송함.	5-14 이라크, 자이툰 부대 주둔 아르빌Arbil 부근에서 차량폭탄테러가 발생함: 60여명 사망. 5-27 중국, 쓰촨성四川省 다저우達州 광구에서 매장량 3조8천억m³ 규모의 천연가스전을 발견함. 6-1 중국, 라디오·TV방송용 통신위성 시노새트 3호 발사에 성공함. 6-3 중국, 윈난성雲南省 푸얼시普珥市에서 규모 6.4의 지진이 발생함: 12만명이 긴급 대피함. 6-6 독일, 하일리겐담Heiligendamm에서 세계주요 8개국정상회의를 개최함. 6-17 아프가니스탄, 수도 카불Kabul에서 경찰학교 버스 폭발테러가 발생함: 35명 사망. 6-18 베트남 찌엣Triet 주석, 통일(1975년) 후 처음 미국을 방문함: 22일 부시Bush 대통령과 정상회담. 6-24 영국 브라운Brown 재무장관, 집권 노동당 당수에 지명됨: 27일 총리에 취임. 7-10 파키스탄 정부군, 수도 이슬라마바드Islamabad의 '붉은사원' 점거한 이슬람 무장세력을 무력진압함: 86명 사망. 7-16 일본, 니가타현新潟縣 및 나가노長野 지역에 규모 6.6의 지진이 발생함: 원자력발선소 가동 중단. 브라질, 상파울루SaoPaulo에서 여객기가 화물터미널에 충돌함: 200여명 사망.

연대	우 리 나 라	다 른 나 라
2007 (4340) 정해	**6**-8 열린우리당, 초 · 재선 의원 16명이 집단 탈당함: 해체 국면 맞음. **6**-9 북한, 평북 선천군宣川郡에서 송유관 폭발사고가 발생함: 110여명 사망. **6**-12 열린우리당 김근태金槿泰 전 당의장, 제17대 대통령 선거 불출마 및 탈당을 선언함.**6**-15 열린우리당 정대철鄭大哲 고문 및 문희상文喜相 전 당의장 등 17명, 탈당을 선언함. **6**-14 조선왕조 의궤, 고려대장경판 및 제경판이 유네스코 세계기록유산에 등재됨. **6**-15 열린우리당 정대철鄭大哲 고문 및 문희상文喜相 전 당의장 등 17명, 탈당을 선언함. **6**-18 열린우리당 정동영鄭東泳 전 당의장, 탈당을 선언함. 중앙선거관리위원회, 노무현盧武鉉 대통령의 선거중립의무 조항 위반을 결정함: 사전선거운동 여부는 판단 유보. **6**-21 노무현盧武鉉 대통령, 헌법재판소에 헌법소원을 청구함:중앙선거관리위원회의 선거중립의무 위반 결정에 이의. 산업자원부 · 한국전력공사, 개성공단에서 평화변전소 준공식을 거행함: 남북 송신 59년만에 재개. 북한, 미국 힐Hill 차관보 방북: 비핵화 해법 모색. **6**-24 산업자원부, 동해에서 가스 하이드레이트(불타는 얼음)를 채취하는 데 성공했다고 발표함: 매장량 6억t 추정. **6**-27 제주 화산섬과 용암동굴이 유네스코 세계자연유산에 등재됨. **6**-30 노무현盧武鉉 대통령, 과테말라 방문차 출국함: 평창平昌 동계올림픽대회 유치 지원. 7-5 2014년 평창平昌동계올림픽대회 유치에 실패함. 7-10 연세의료원 노조, 비정규직 문제 등으로 파업에 돌입함: **8**-6 28일만에 종료. 7-12 동국대학교, 신정아申貞娥 교수의 박사학위 위조 사실을 발표함: 이후 허위 학력 소지자 확산으로 사회적 파문. 7-13 민복기閔復基 전 대법원장 사망. 7-14 북한, 국제원자력기구 감시검증단 입북: 영변寧邊 핵시설 가동을 중단함. 7-16 문화재청 · 조계종문화유산발굴조사단, 안동 보광사普光寺 목조관음보살좌상에서 1007년 개성 총지사摠持寺에서 간행된 보협인다라니경寶篋印陀羅尼經 등 문화재를 발견했다고 발표함. 7-18 6자회담 수석대표회담이 중국 베이징에서 재개됨.	7-21 인도, 대통령 선거에서 파틸Patil 후보가 당선됨: 인도 사상 첫 여성 대통령. 7-22 터키, 총선거에서 여당 정의개발당이 압승함: 이슬람주의파 승리. 7-26 인도네시아, 북말루쿠北Maluku 연안에서 규모 6.6의 지진이 발생함: 전국에 쓰나미 경보가 발령됨. 7-29 일본, 참의원 선거를 실시함: 집권 자민당이 참패함. 영국 브라운Brown 총리, 미국을 방문함: 부시Bush 대통령과 정상회담. 7-30 미국 하원, 일본군 위안부 관련 결의안을 채택함: 강제 동원 사과 요구. **8**-5 아프가니스탄 카르자이Karzai 대통령, 미국을 방문함: 부시Bush 대통령과의 정상회담에서 한국 인질 사태 양보 불가에 합의. **8**-8 미국 항공우주국, 우주왕복선 엔데버호Endeavour號 발사에 성공함: 여교사 모건Morgan이 탑승하여 교육적 효과 거둠. **8**-14 이란 아마디네자드Ahmadinejad 대통령, 사상 처음 아프가니스탄을 방문함: 카르자이Karzai 대통령과 정상회담. 이라크, 서북부지역에서 트럭에 의한 자살폭탄테러 발생함: 250여명 사망. **8**-16 페루, 남부지방에 규모 8.0의 지진이 발생함: 500여명 사망.

연 대	우 리 나 라	다 른 나 라
2007 (4340) 정해	**7**-20 행정중심복합도시(세종시世宗市) 기공식을 거행함. 경찰, 이랜드 매장 점거 노조원을 20여일만에 강제 해산시킴. 경기도 분당 샘물교회 봉사단원 23명, 아프가니스탄에서 탈레반 무장세력에 의해 피랍됨: **8**-28 한국군 연내 철수 및 아프가니스탄 내 선교 금지 조건으로 인질 석방에 합의. **7**-24 문화재청, 충남 태안 근흥면 앞바다에서 12세기에 침몰된 고려 선박 발견 사실을 발표함: 1만여점의 고려청자 수습. **8**-5 대통합민주신당 창당: 대표 오충일 吳忠一 목사. **8**-8 정부, 28~30일 평양에서 제2차 남북정상회담을 개최한다고 발표함: 18일 북한 수해로 10월 2~4일 개최에 합의. 노무현盧武鉉 대통령, 부분 개각을 단행함: 정성진鄭城鎭 법무부장관, 임상규任祥奎 농림부장관, 유영환柳英煥 정보통신부장관 등 7개 부처 장관급 임명. **8**-13 대한적십자사, 전국 8개 도시에서 남북이산가족 화상상봉을 실시함. **8**-15 북한, 1주일간의 호우로 극심한 수해 입음: 유엔기구에 구호 요청. **8**-18 열린우리당, 임시 전당대회에서 대통합민주신당과의 합당을 결의함: 3년 9개월만에 소멸. 국악인 김천흥金千興 사망. **8**-20 한나라당, 제17대 대통령 후보에 이명박李明博 전 서울시장을 선출함. **9**-3 홍콩상하이은행HSBC이 미국 론스타Lone Stav 펀드회사와 외환은행 인수에 합의함. **9**-5 과학기술부, 국내 첫 우주인으로 고산高山 후보를 선정함. **9**-6 노무현盧武鉉 대통령, 오스트레일리아 시드니에서 열리는 아시아·태평양경제협력체 정상회의 참석차 출국함: 7일 중국 후진타오胡錦濤 국가 주석 및 미국 부시Bush 대통령과 정상회담. 검찰, 부산 건축업자 김상진 대표를 구속함: 뇌물 공여 혐의. **9**-10 노무현盧武鉉 대통령, 변양균卞良均 청와대정책실장의 사표를 수리함: 학력 위조 신정아申貞娥 전 동국대 교수 연루 관련. **9**-15 민주노동당, 제17대 대통령 후보에 권영길權永吉 의원을 선출함.	**8**-24 그리스, 대형 산불이 발생함: 국가비상사태 선포. 터키, 대통령 선거에서 압둘라 굴Abdullah Gul 외무장관 당선: 첫 이슬람주의 정당 출신. **9**-3 미국 부시Bush 대통령, 이라크를 전격 방문함: 미국군 감축 시사. **9**-6 이탈리아, 테너가수 파바로티Pavarotti 사망. **9**-10 자메이카 포웰Powell 선수, 남자 100m 달리기에서 자신의 세계신기록을 경신함: 9초 74. **9**-12 일본 아베安倍晋三 총리, 지지율 하락으로 사의를 표명함: 25일 후쿠다福田康夫 내각이 발족됨. 인도네시아, 수마트라 남서부에 규모 8.2의 지진이 발생함: 인도양 전지역에 지진해일 경보를 발령함. 러시아 푸틴Putin 대통령, 내각 해산을 단행함: 총리에 주브코프Zuvkov 연방재정국장 지명. **9**-16 타이, 푸껫Phuket 공항에서 여객기 충돌사고 발생함: 120여명 사상. **9**-26 미얀마, 반정부 시위가 격화됨: 생활고와 군부 폭압정치에 항거. **9**-30 에티오피아 게브르셀라시에Gebrselassia 선수, 베를린마라톤대회에서 세계 신기록을 수립함: 2시간 4분 26초.

연 대	우 리 나 라	다 른 나 라
2007 (4340) 정해	**9**–16 태풍 '나리'로 제주지역 피해 속출함: 강수량 563mm로 사상 최고 기록 경신. **9**–20 정부, 태풍 피해당한 제주도를 특별재난지역으로 선포함. **9**–27 제6차 6자회담 2단계 회의가 중국 베이징에서 개막됨: 30일 북한의 비핵화 조처에 합의. **10**–2 노무현盧武鉉 대통령, 북한 방문 등정: 육로로 걸어서 군사분계선을 통과함. 4일 김정일金正日 국방위원장과 남북관계발전 평화번영 선언에 서명함. **10**–10 국민중심당, 제17대 대통령 후보에 심대평沈大平 대표를 선출함. **10**–13 조계종, 북한 불교계와 함께 금강산 신계사神溪寺 낙성법회를 개최함. **10**–15 대통합민주신당, 제17대 대통령 후보에 정동영鄭東泳 전 통일부장관을 선출함. **10**–16 민주당, 제17대 대통령 후보에 이인제李仁濟 의원을 선출함. 북한, 베트남 농득마인Nong Duc Manh 공산당 서기장 방북. **10**–23 삼성전자, 세계 최초로 30나노 64기가비트 낸드플래시 메모리 개발에 성공함. **10**–30 창조한국당 창당: **11**–4 제17대 대통령 후보에 문국현文國現 전 유한킴벌리 사장을 선출함. **11**–6 검찰, 전군표全君杓 국세청장을 뇌물 수수 등 비리혐의로 구속함. **11**–7 이회창李會昌 전 한나라당 총재, 한나라당 탈당 및 제17대 대통령선거 출마를 선언함. **11**–8 무안務安국제공항 개항. **11**–12 대통합민주신당 · 민주당, 합당 및 대통령후보 단일화를 선언함: 23일 협상 실패로 무산됨. **11**–14 북한 김영일金英日 내각총리, 남북총리회담 참석차 서울에 도착함: 16일 한덕수韓悳洙 국무총리와 남북 경제협력 확대에 합의. **11**–16 김경준金景俊 BBK투자자문회사 대표, 미국에서 6년만에 국내에 송환됨: 대선정국에 영향. **11**–19 노무현盧武鉉 대통령, 아세안+한중일 정상회의 참석차 싱가포르 방문함: 20일 중국 원자바오溫家寶 총리 및 일본 후쿠다福田康夫 총리와 회담. **11**–23 국회, 삼성그룹 비자금 특검법을 의결함.	**10**–15 미국 고어Gore 전 부통령, 노벨평화상 공동 수상자로 선정됨: 지구온난화문제에 대한 노력. **10**–16 러시아 푸틴Putin 대통령, 이란을 방문함: 64년만의 러시아 정상 방문. **10**–18 파키스탄, 부토Bhutto 전 총리가 망명 끝내고 8년만에 귀국함: 전 수도 카라치에서 차량 폭발 사건이 발생하여 130여명이 사망함. 미국 의회, 방미중인 티베트의 달라이 라마에게 황금메달을 수여함: 중국, 강력 반발. **10**–23 중국, 최초의 달 탐사위성 창어嫦娥 1호 발사에 성공함. 미국, 캘리포니아주에 대형 산불이 발생함: 비상사태 선포. **10**–28 아르헨티나, 대통령 선거에서 현 대통령의 부인인 페르난데스Fernandez 상원의원이 당선됨: 사상 처음으로 부부 대통령이 탄생함. **11**–1 파키스탄 무샤라프Musharraf 대통령, 국가비상사태를 선언함: 최고재판소 무력화 의도. **11**–17 방글라데시, 초강력 사이클론이 남서부 해안지역을 강타함: 3천여명 사망 확인. **11**–24 오스트레일리아, 노동당勞動黨이 총선거에서 보수 여당에 승리함: 12년만에 좌파정부 성립. **11**–25 프랑스 사르코지Sarkozy 대통령, 중국을 방문함. **11**–28 중국, 미사일 구축함 선전호深圳號가 사상 처음으로 일본에 입항함.

연 대	우 리 나 라	다 른 나 라
2007 (4340) 정해	**11**-27 여수시, 2012년 여수엑스포 유치 성공. 김장수金章洙 국방부장관, 남북국방장관회담 참석차 평양 도착. **11**-28 청원淸原~상주尙州 고속도로가 개통됨. **11**-29 북한 김양건金養建 통일전선부장, 서울을 방문함: 30일 노무현盧武鉉 대통령 예방. **12**-2 이일규李一珪 전 대법원장 사망. **12**-4 남북경제협력공동위원회 제1차회의를 서울에서 개최함: 6일 남북경제의 균형발전과 공동번영 노력에 합의. **12**-5 검찰, BBK투자자문회사 관련한 수사 결과를 발표함: 이명박李明博 한나라당 대통령 후보의 연루의혹에 무혐의 결론. 현대아산, 일반인의 개성관광을 시작함: 경의선 도로 이용. **12**-6 강화도에서 해병 상대 총기 탈취사건이 발생함: 12일 서울에서 범인 검거. **12**-7 태안泰安 앞바다에서 유조선 원유 유출사고가 발생함: 11일 정부, 태안 · 서산 · 서천 · 보령 · 홍성 · 당진 등 6개 시 · 군을 특별재난지역으로 선포함. **12**-11 경의선 철도 남북열차 정기운행을 56년만에 개시함: 남측 문산~북측 봉동(개성공단). **12**-12 하남시, 전국 최초로 지방자치단체장 및 지방의원에 대한 주민소환투표를 실시함. **12**-13 익산益山~장수長水 고속도로가 개통됨. **12**-17 국회, 한나라당 이명박李明博 대통령 후보의 주가조작 등 진상 규명 위한 특검법(이명박 특검법)을 의결함. **12**-19 제17대 대통령 선거에서 한나라당 이명박李明博 후보가 당선됨: 10년만에 보수 정당으로 정권교체. **12**-20 노무현盧武鉉 대통령, 삼성 비자금 특별검사에 조준웅趙俊雄 전 인천지검장을 내정함. **12**-24 교육과정평가원, 2008학년 대학수학능력시험 물리Ⅱ의 복수정답을 인정한다고 발표함. **12**-25 이명박李明博 대통령 당선인, 대통령직 인수위원회 위원장에 이경숙李慶淑 숙명여대 총장을 임명함. **12**-28 노무현盧武鉉 대통령, 이명박李明博 대통령 당선인과 만찬회동 가짐. 서울외곽순환고속도로가 20년만에 완전 개통됨: 전장 128km 왕복 8차로. **12**-31 정부, 사면을 단행함 : 김우중金宇中 · 박지원朴智元 · 한화갑韓和甲 · 임동원林東源 · 신건辛建 등.	**11**-30 터키, 남서부 지역에서 여객기 추락사고가 발생함: 57명 사망. **12**-2 러시아, 총선거에서 통합러시아당이 압승함: 푸틴Putin 대통령 신임 획득. **12**-11 알제리, 수도 알제Alger 시내에서 차량폭탄테러가 발생함: 유엔 직원을 포함하여 67명이 사망함. **12**-18 일본, 해상배치형 요격미사일 실험에 성공함. **12**-22 중국, 남중국해에서 800년 전 남송시대의 무역선을 인양함: 100조원 상당의 보물 발견. **12**-23 타이, 총선거에서 쿠데타로 물러난 친 탁신Thaksin계 '국민의 힘'이 제1당으로 부상함: 군부쿠데타 세력 패배. **12**-27 일본 후쿠다福田康夫 총리, 중국을 방문함: 후진타오胡錦濤 국가주석 등 고위층과 연쇄회담. **12**-27 파키스탄, 부토Butto 전 총리가 유세 중 자살폭탄테러에 의해 사망함: 전국 유혈폭동으로 정국이 혼미해짐. **12**-30 케냐, 키바키Kibaki 대통령이 재선에 성공함: 부정선거 시비로 유혈폭동 발생.

연 대	우 리 나 라	다 른 나 라
2008 (4341) 무자	**1**-1 호남지방에 폭설 내림: 정읍 51.9cm, 광주 41.9cm로 사상 최고치 기록. **1**-4 한국항공우주연구원, 1999년에 발사한 다목적 실용위성 아리랑 1호가 통신두절 상태라고 발표함. **1**-7 노무현盧武鉉 대통령, 이명박李明博 특검법 검사에 정호영鄭鎬瑛 전 대전지검장을 내정함. 경기도 이천 물류창고 화재사건 발생함: 40명 사망, 10명 부상. 김연준金連俊 전 한양한원 이사장 사망. **1**-10 대통합민주신당, 대표에 손학규孫鶴圭 전 경기도지사를 선출함: 이해찬李海瓚 전 국무총리, 이에 반발하여 탈당. 이회창李會昌 전 한나라당 총재, 자유신당 창당발기인대회를 개최함: **2**-1 자유선진당으로 창당대회 개최. **1**-15 김만복金萬福 국정원장, 방북 중 북한 김양건金養建 통일전선부장과의 대화록 내용 유출에 책임지고 사의를 표명함: **2**-11 노무현盧武鉉 대통령, 사표를 수리함. **1**-16 법원, 1961년 사형당한 민족일보 조용수趙鏞壽 사장 등에게 무죄를 선고함. **1**-18 정부, 유조선 원유 유출사고 관련 영광군·무안군·신안군을 특별재난지역으로 지정함. **1**-28 이명박李明博 대통령 당선인, 국무총리 후보에 한승수韓昇洙 유엔기후변화특사를 지명함: **2**-1 대통령실장에 유우익柳佑益 서울대 교수 내정. **2**-4 교육과학기술부, 로스쿨(법학전문대학원) 예비인가 25개 대학을 발표함: 5일 김신일金信一 교육부총리, 인가과정 관련 물의로 사퇴. 심상정沈相奵 민노당 비대위 대표, 혁신안 부결에 책임지고 대표직을 사퇴함. **2**-10 숭례문崇禮門이 화재로 붕괴됨. **2**-11 대통합민주신당·민주당, 통합민주당(약칭 민주당民主黨)으로 합당을 선언함. **2**-12 자유선진당, 국민중심당과 합당함. **2**-18 이명박李明博 대통령 당선인, 현 직제대로 국무위원 후보자 15명 명단을 발표함: 정부조직법 개정안 협상 결렬에 대응.	**1**-1 국제유가가 배럴당 100달러를 돌파함. **1**-8 미국 부시Bush 대통령, 중동 순방차 출국함: 이스라엘·팔레스타인 평화협정 모색 주목적. **1**-10 콜롬비아, 로하스Roxas 선부통령 후보가 반군에 납치된 지 6년만에 석방됨. **1**-11 뉴질랜드, 산악인 힐러리Hillary경 사망: 1953년 최초로 에베레스트산 등정. **1**-13 타이완臺灣, 총선거에서 야당(국민당)이 압승함: 타이완 독립 움직임에 제동. 인도 싱Singh 총리, 중국을 공식 방문함: 14일 원자바오溫家寶 총리와 경제 관련 협정문에 서명. **1**-18 영국 브라운Brown 총리, 중국 및 인도 방문차 출국함. **1**-27 인도네시아, 수하르토Suharto 전 대통령 사망. **1**-28 중국, 50년만의 폭설로 피해 확산됨: 이재민 1억명. **2**-3 차드Chad, 내전 격화로 정국이 불안정해짐. **2**-11 동티모르 라모스-호르타Ramos-Horta 대통령, 반군 지도자에게 피습당함. **2**-17 코소보Kosovo, 세르비아로부터 독립을 선언함. **2**-18 파키스탄, 총선거를 실시함: 야당 대승. **2**-19 쿠바 카스트로Castro 국가평의회 의장, 49년만에 사임을 발표함: 24일 후임에 동생 라울 카스트로Raul Castro 국방장관 선출.

연 대	우 리 나 라	다 른 나 라
2008 (4341) 무자	**2**-21 정호영鄭鎬瑛 특검, BBK투자자문회사 관련한 이명박李明博 대통령 당선인의 연루 의혹에 무혐의 결론을 내림. **2**-23 국무회의, 정부조직법 개정안을 의결함: 18부 4처를 15부 2처로 조정. **2**-25 제17대 이명박李明博 대통령 취임식을 거행함. 김병관金炳琯 전 동아일보 명예회장 사망. **2**-26 북한, 미국 뉴욕 필하모닉 오케스트라가 평양에서 공연함. **2**-29 국회, 한승수韓昇洙 총리지명자 인준동의안을 의결함. **3**-2 진보신당 창당발기인대회를 개최함: 민주노동당 분열. **3**-5 성경린成慶麟 전 국립국악원장 사망. **3**-10 교육과학기술부, 한국인 첫 탑승 우주인을 고산高山에서 이소연李素姸으로 교체한다고 발표함: 복무규정 위반 관련. **3**-15 진보신당, 창당대회를 개최함: 상임 공동대표 심상정沈相奵·노회찬魯會燦 전 의원. **3**-23 한나라당 강재섭姜在涉 대표, 총선거 불출마를 선언함: 공천 관련 당내 분란에 대응. **3**-26 이명박李明博 대통령, 국정원장에 김성호金成鎬 전 법무부장관, 방송통신위원장에 최시중崔時仲 언론인을 임명함. **4**-2 이동욱李東旭 전 동아일보 회장 사망. **4**-3 전북 김제시에 조류인플루엔자 발생이 확인됨: 5일 정읍시, 13일 전남 영암군, 15일 경기도 평택시, **5**-5 서울에서도 확인됨. **4**-4 삼성그룹 비자금 특검팀, 이건희李健熙 삼성그룹 회장을 소환 조사함: 17일 특정경제범죄가중처벌법 위반 및 조세포탈 혐의로 불구속 기소. **4**-8 한국인 최초 우주인 이소연李素姸 태운 러시아 우주선 소유즈호Soyuz號가 카자흐스탄 바이코누르Baikonur에서 성공적으로 발사됨: 19일 무사 귀환. **4**-9 제18대 총선거를 실시함:여당(한나라당)이 과반수 획득(153석). **4**-15 이명박李明博 대통령, 미국 및 일본 방문차 출국함: 19일 미국 부시Bush 대통령과 정상회담. 21일 일본 후쿠다福田康夫 수상과 정상회담 후 일본 왕 면담.	**2**-21 세르비아, 코소보Kosovo 독립에 반대하는 대규모 시위 벌임: 미국 대사관에 방화. **3**-2 러시아, 대통령 선거를 실시함: 메드베데프Medvedev 제1부총리 당선. 이란 아마디네자드Ahmadinejad 대통령, 이라크를 방문함: 1979년 이슬람혁명 후 처음. **3**-14 중국, 티베트 자치구의 독립 요구 시위에 '인민전쟁' 을 선포하여 강력한 진압 의지를 밝힘. **3**-22 타이완臺灣, 총통 선거에서 국민당 마잉주馬英九 후보가 압승함: 8년만에 정권 교체. **3**-24 부탄, 사상 첫 총선거를 실시함: 100년 역사의 왕정 종식. **4**-6 미국 부시Bush 대통령, 러시아 소치Sochi에서 푸틴Putin 대통령과 정상회담을 개최함. **4**-15 교황청, 베네딕트Benedictus 16세 교황이 미국을 방문함. **5**-1 중국, 세계 최장 항저우만대교杭州灣大橋가 개통됨: 36km. **5**-5 미얀마, 열대성 태풍으로 비상사태를 선포함: 사망 6만 3천여명, 이재민 100여만명 발생. **5**-6 중국 후진타오胡錦濤 국가주석, 일본을 방문함.

연 대	우 리 나 라	다 른 나 라
2008 (4341) 무자	**4**-22 이건희李健熙 삼성그룹 회장, 비자금 관련 대국민 사과문 및 경영 퇴진 성명을 발표함. **5**-5 소설가 박경리朴景利 사망. **5**-22 이명박李明博 대통령, 담화문을 발표함: 미국산 쇠고기 파문에 대한 유감 표명 및 한미자유무역협정 비준안 처리 협조 요청. **5**-23 자유선진당·창조한국당, 정책 연대 통한 원내교섭단체 구성에 합의함: **8**-6 '선진과 창조의 모임'으로 교섭단체 등록. **5**-27 이명박李明博 대통령, 중국 방문차 출국함: 후진타오胡錦濤 국가주석과 정상회담. **5**-29 농림수산식품부, 미국산 쇠고기 수입 관련 장관 고시를 발표함: **6**-2 행정안전부, 야당 및 시민단체 강력 반대로 관보 게재를 연기함. **5**-30 기상청, 수도권 및 충청권에 황사경보를 발령함. **6**-4 기초단체장 및 지방의원 재보궐선거를 실시함: 여당(한나라당), 민심 이반으로 참패. **6**-5 제18대 국회가 개원하지 못함: 야 3당, 미국과의 쇠고기 재협상 요구하며 등원 거부. **6**-6 유우익柳佑益 대통령실장 및 수석비서관, '쇠고기 정국'에 책임지고 일괄 사표를 제출함: 10일 한승수韓昇洙 국무총리, 내각 일괄사표를 제출함(곧 반려됨). **6**-10 미국산 쇠고기 수입 반대 촛불집회가 서울 등 전국에서 개최됨: 충돌 없이 평화적인 시위로 끝남. **6**-13 화물연대의 파업으로 물류대란이 발생함: 19일 노사간 운송료 인상 등 협상안이 타결됨. **6**-19 이명박李明博 대통령, 기자회견을 통해 미국산 쇠고기 파문 등 국정 혼란에 대해 사과함. **6**-20 이명박李明博 대통령, 청와대 비서진을 대폭 개편함: 대통령실장에 정정길鄭正佶 울산대학교 총장 내정. **6**-21 정부, 미국산 쇠고기 수입 추가 협상 결과를 발표함: 야당 및 시민단체, 다시 재협상을 요구함. **6**-26 행정안전부, 미국산 쇠고기 수입 위생조건 고시 수정안을 관보에 게재함: 미국산 쇠고기 검역 재개. 북한, 핵프로그램 신고서를 중국(6자회담 의장국)에 제출함: 27일 영변 냉각탑 폭파.	**5**-12 중국, 쓰촨성四川省에 규모 7.8의 지진 발생함: 8만여명 사망, 매몰·실종자 수만명. **6**-1 자메이카 볼트Bolt 선수, 남자 100m 달리기에서 세계신기록을 수립함: 9초 72. **6**-3 미국 오바마Obama 상원의원, 민주당 대통령 후보 지명이 확정됨: 공화당 매케인McCain 후보와 대결 구도. **6**-10 수단, 카르툼Khartoum 공항에서 여객기 화재 사고 발생함: 120여명 사망. **6**-14 중국, 남부지방에 홍수 발생함: 200여명 사망, 3800만여명의 이재민 발생. **6**-21 필리핀, 중부해에서 여객선 침몰사고 발생함: 800여명 사망. **7**-1 몽골 엥흐바야르Enkhbayer 대통령, 4일간의 비상사태를 선언함: 총선거 부정 규탄 시위 격화에 대응. **7**-2 콜롬비아 베탕쿠르Betancourt 전 대통령 후보, 좌익 무장단체에 의한 피랍 6년여만에 구출됨.

연대	우리 나라	다른 나라
2008 (4341) 무자	**6**-30 천주교정의구현사제단, 서울광장에서 미국산 쇠고기 파문 관련 시국미사를 개최함: 이후 개신교 · 불교 등 종교계도 행사 개최. 7-3 한나라당, 전당대회를 개최함: 대표최고위원에 박희태朴熺太 전 국회 부의장 선출. 반기문潘基文 유엔 사무총장, 취임 후 첫 방한함: 4일 이명박李明博 대통령과 요담. 7-6 통합민주당, 전당대회를 개최함: 대표에 정세균丁世均 의원 선임. 당명을 민주당民主黨으로 변경. 7-7 이명박李明博 대통령, 부분 개각을 단행함: 교육과학기술부장관에 안병만安秉萬 대통령 직속 미래기획위원회 위원장, 농림수산식품부장관에 장태평張太平 전 국가청렴위원회 사무처장, 보건복지가족부장관에 전재희全在姬 한나라당 의원 내정. 오정숙吳貞淑 명창 사망: 동초제東超制 소리 대가. 7-8 이명박李明博 대통령, 일본에서 개최된 세계 주요 20개국 정상회의 참석차 출국함: 9일 미국 부시Bush 대통령, 러시아 메드베데프Medredev 대통령과 정상회담. 정부, 수입 쇠고기 원산지 표시제를 실시함. 7-9 기상청, 전국 대부분에 폭염주의보를 내림. 7-10 제18대 국회가 개원함: 국회의장에 김형오金炯旿 한나라당 의원 선출. 6자회담이 중국 베이징에서 개막됨. 한나라당, 친박근혜계 의원들의 일괄 복당을 결정함: 의원 182명의 거대 여당이 됨. 7-11 이명박李明博 대통령, 국회에서 시정연설함: 북한에 남북간 대화 제의. 금강산 관광객 1명이 북한군 총격으로 사망함: 현대아산, 금강산 관광 중단. 7-12 경찰, 김귀환金貴煥 서울시의회 의장을 긴급체포함: 서울시의회 의장단 선거에서 금품 살포한 혐의. 7-14 국회, 한미 쇠고기 수입협상 특별심사에 착수함. 정부, 일본의 독도獨島 영유권 관련 일본 중학교 학습 지도요령 해설서 내용에 항의하여 권철현權哲賢 주일대사를 일시 소환함: 8-5 귀임. 7-25 민주노동당, 대표에 강기갑姜基甲 의원을 선출함.	7-4 중국, 59년만에 타이완臺灣과의 직통 정기항공노선을 운항함. 7-6 일본, 홋카이도北海島에서 세계 주요 8개국 정상회의가 개최됨. 7-7 아프가니스탄, 수도 카불Kabul에서 자살 폭발테러 발생함: 인도 외교관 등 41명 사망, 100여명 부상. 7-9 이란, 이스라엘을 사정권에 둔 미사일 9기를 시험발사함: 이스라엘, 강력 반발. 미국, 캘리포니아주에 21일째 산불 계속됨: 주민대피령 발포. 7-21 네팔, 초대 직선대통령에 야다브Yadav 국민회의당 사무총장이 당선됨. 7-22 중국 · 러시아, 동북 국경에 대한 의정서에 서명함: 4,300km 국경선 확정. 7-24 미국 항공우주국, 오로라의 비밀을 밝혀냄: 지구와 달 사이의 자기폭발 결과. **8**-3 러시아, 솔제니친Solzhenisyn 사망. **8**-4 인도, 북부의 힌두교 사원에서 순례객 압사사고 발생함: 140여명 사망. **8**-8 중국, 베이징올림픽대회가 개막됨. 그루지야, 친러시아 남오세티아南Ossetia 자치공화국을 공격함: 러시아, 보복 공격 단행.

연대	우리 나라	다른 나라
2008 (4341) 무자	**7**-28 외교통상부, 독도 문제 관련하여 대국민 사과문 발표함: 미국의 지명위원회에서 독도를 '주권미지정지역'으로 표기한에 대응 부족. **7**-31 소설가 이청준李淸俊 사망. **8**-2 문홍주文鴻柱 전 문교부장관 사망. **8**-3 북한, 금강산 관광지구 내의 불필요한 남측 인원을 추방한다고 발표함. **8**-5 미국 부시Bush 대통령이 방한함: 6일 이명박李明博 대통령과 정상회담. **8**-8 이명박李明博 대통령, 중국 베이징올림픽 대회 개막식 참석차 출국함: 후진타오胡錦濤 중국 국가주석 등 각국 수뇌와 정상회담. KBS 이사회, 정연주鄭淵珠 사장에 대한 해임제청안을 의결함: 25일 이병순李炳淳 KBS 비즈니스 사장이 KBS 사장에 임명제청됨(26일 임명). **8**-10 박태환朴泰桓 선수, 베이징올림픽대회 남자 수영 400m에서 우승함: 한국수영에서 최초. **8**-19 국회, 개원 82일만에 정상화됨: 여야간 가축전염병예방법 개정안 절충안 도출 결과. **8**-21 문대성文大成 동아대 교수, 국제올림픽위원회IOC 선수위원에 선출됨: 아시아인으로는 처음. **8**-22 정진숙鄭鎭肅 을유문화사 회장 사망. **8**-23 베이징올림픽대회 야구팀, 9연승으로 우승함: 한국야구에서 최초. **8**-24 베이징올림픽 선수단, 금메달 13개로 종합순위 7위에 오름: 역대 최고 성적. **8**-25 중국 후진타오胡錦濤 국가주석이 방한함: 이명박李明博 대통령과 정상회담. **8**-26 북한, 영변寧邊 핵시설 불능화 조치 중단하고 원상복구 고려한다고 발표함: 미국의 북한 테러지원국 삭제 지연에 대한 대응조치. **8**-27 불교계, 범불교도대회를 개최함: 정부의 종교 편향에 항의. 합동수사본부, 탈북자 위장 여간첩 원정화를 구속 기소함. **8**-28 장기봉張基鳳 전 신아일보 사장 사망.	**8**-11 베트남, 북부지역의 태풍으로 홍수 발생함: 140여명 사망·실종. **8**-13 시리아·레바논, 62년만에 국교 수립에 합의함. **8**-16 자메이카 볼트Bolt 선수, 베이징올림픽대회 남자 100m 달리기에서 세계신기록을 수립함: 20일 200m 달리기에서 세계신기록 수립. 22일 400m 계주에서 세계신기록으로 우승하여 3관왕에 오름. **8**-17 미국 펠프스Phelps 선수, 베이징올림픽대회 남자 수영경기에서 8개의 금메달을 획득함. **8**-18 파키스탄 무샤라프Musharraf 대통령, 탄핵 압력에 굴복하여 사임함. **8**-19 잠비아, 음와나와사Mwanawasa 대통령 사망. **8**-20 중국, 화궈펑華國鋒 전 당주석 겸 총리 사망. 스페인, 마드리드 공항에서 여객기 추락사고 발생함: 154명 사망. **8**-24 키르기스스탄, 마나스Manas 공항에서 여객기 추락사고 발생함: 71명 사망. **8**-25 러시아 의회, 그루지야의 남오세티아南Ossetia와 압하지야Abkhazia의 독립국 승인 촉구 처리안을 의결함: 26일 메드베데프Medvedev 대통령이 서명함. **8**-26 인도네시아, 자바 앞바다에서 규모 6.6의 지진이 발생함: 쓰나미 경보 발령. 수단, 100여명 태운 여객기가 반군에 의해 공중납치됨: 27일 범인들이 리비아에서 승객 풀어준 후 자수함.

연 대	우 리 나 라	다 른 나 라
2008 (4341) 무자	**9-1** 국토해양부, 국토 면적(남한 기준)이 10만㎢를 초과했다고 발표함: 공유수면 매립으로 10만32㎢에 이름. **9-5** 국회, 김황식金滉植 감사원장 내정자에 대한 임명동의안을 의결함. **9-9** 이명박李明博 대통령, 국무회의에서 종교편파 논란과 관련하여 불교계에 사과함. 국민과의 TV대화 시간에 출연하여 경제 회생에 진력 의지 피력함. **9-10** 정부, 북한 김정일金正日 국방위원장이 8월 중순 뇌수술 받고 회복중이라고 발표함. **9-17** 이항녕李恒寧 전 홍익대하교 총장 사망. **9-19** 홍콩상하이은행HSBC이 외환은행 인수 의사를 철회함. **9-22** 국방부, 군사시설보호구역 4억5411㎡를 해제 또는 완화함: 여의도 면적의 72배. **9-23** 스티븐스Stephens(한국명 심은경) 주한 미국 대사가 부임함:첫 여성 주한 미국대사. **9-24** 식품의약품안전청, 중국산 분유 성분이 함유된 과자류의 수입을 잠정 중단시킴: 수입과자에서 멜라민 성분 검출에 대응. **9-25** 이명박李明博 대통령, 민주당 정세균丁世均 대표와 청와대에서 영수회담 개최함: 경제및 남북문제에 초당적 협조에 합의. **9-28** 이명박李明博 대통령, 러시아 방문차 출국함: 29일 메드베데프Medvedev 대통령과 정상회담. **10-2** 탈렌트 최진실催眞實 자살: 9월 8일 자살한 탈렌트 안재환 관련 루머 등에 충격. **10-12** 북한, 미국이 20년 9개월만에 테러 지원국에서 해제함: 13일 영변 핵시설에 대한 유엔검증단의 접근 허용. **10-17** 한승수韓昇洙 국무총리, 쌀 소득 보전 직불금(쌀 직불금) 관련 대책을 발표함: 공무원 등 부당 수령액 전액 회수 등. 미국 부시Bush 대통령이 한국 등 7개국을 비자 면제 가입국으로 공식 발표함. **10-20** 이봉화李鳳和 보건복지가족부 차관, 쌀 직불금 부당 수령 의혹 관련하여 사의를 표명함. **10-21** 전택부全澤鳧 서울 YMCA 명예총무 사망.	**8-30** 중국, 쓰촨성四川省에 규모 6.1의 지진이 발생함: 500여명 사상, 70만여명의 이재민 발생. **8-31** 미국, 멕시코만 일대에 허리케인 상륙 경보가 발령됨: 뉴올리언스시가 주민대피령으로 공동화됨. **9-1** 일본 후쿠다福田康夫 총리, 지지율 하락으로 사의를 표명함. **9-2** 타이 사막Samak 총리, 수도 방콕에 비상사태를 선포함: 친정부 · 반정부 시위대 충돌에 대응. **9-6** 파키스탄, 대통령선거에서 자르다리Zardari 후보가 당선됨: 암살당한 부토 Butto 전 총리 남편. **9-8** 중국, 산시성山西省에 산사태 발생함: 250여명 사상. **9-9** 타이 헌법재판소, 사막 Samak 총리 사퇴를 명령함: 상업TV 출연으로 공직자 윤리규정 위반 판결. **9-11** 볼리비아, 친정부 · 반정부 시위대간에 유혈충돌 발생함. **9-13** 미국, 텍사스주에 초대형 허리케인이 상륙함: 재해지역으로 선포. **9-15** 미국, 금융시장에 연쇄 부도사태 발생함: 리먼 브러더스Lehman Brothers 파산, 메릴린치Merrill Lynch 매각 등.

연 대	우 리 나 라	다 른 나 라
2008 (4341) 무자	**10**–23 이명박李明博 대통령, 중국 베이징에서 열리는 아시아 · 유럽정상회의 참석차 출국함: 24일 금융위기 극복 국제공조 역설. **10**–27 이명박李明博 대통령, 국회에서 2009년 정부예산안 관련 시정연설을 함. **10**–28 제10차 람사르Ramsar 총회가 경남 창원에서 개막됨: 습지 보전과 지속 가능한 이용 추구. 북한, 박성철朴成哲 전 정무원 총리 사망. **10**–30 한국은행, 미국과 통화스와프협정을 체결했다고 발표함: 300억 달러 이내에서 달러 자금 공급 가능. **11**–3 국내 첫 민항기 여성기장이 탄생함: 대한항공 신수진 · 홍수인 기장. 일본 구마모토현熊本縣에서 7세기 후반의 백제계 청동불상이 출토되었다고 보도됨: 기쿠치성鞠智城 축조에 백제인이 기술 지도한 물적 증거. **11**–9 김연아金姸兒 선수, 중국 베이징에서 열린 프리스케이팅대회에서 우승함: 대회 연속 5회 우승 달성. **11**–10 GS칼텍스 정보유출사건 피해 고객 13,000명이 손해배상 청구 소송을 제기함. **11**–12 북한, 전방위적인 대남 압박 조처를 발표함: 남북 직통전화 단절, 판문점 적십자연락대표부 폐지, 핵시설 시료 채취 거부, 군사분계선 통한 육로통행 제한 등. **11**–13 헌법재판소, 종합부동산세의 세대별 합산 및 1가구 1주택자 과세는 위헌이라고 판결함: 종합부동산세 유명무실. **11**–14 이명박李明博 대통령, 세계 주요20개국 경제정상회의(미국)와 아시아 · 태평양경제협력체 정상회의(페루) 참석 및 브라질 방문차 출국함. **11**–17 미국 비자 면제 여행이 시작됨. **11**–21 북한, 한국의 유엔 북한인권결의안 공동 제안국 참여에 강력 항의함.	**9**–17 타이, 총리에 솜차이Somchai 교육부총리를 선출함: 탁신Thaksin 전 총리의 매제로 족벌정권 논란. **9**–21 파키스탄, 수도 이슬라마바드Islamabad의 미국계 호텔에서 차량폭탄테러 발생함: 체코 대사 등 53명 사망. **9**–22 일본 자민당, 총재에 아소麻生太郎 간사장을 선출함: 24일 총리에 지명. **9**–23 중국 원자바오溫家寶 총리, 멜라민 분유파동에 대해 사과함. **9**–25 중국, 유인우주선 선저우神舟 7호를 발사함: 27일 우주유영 성공. **9**–26 미국, 영화배우 폴 뉴먼Paul Newman 사망. **9**–28 에티오피아 게브르셀라시에Gebrselassie 선수, 베를린 마라톤대회에서 세계 신기록을 수립함: 2시간 3분 59초로 4분대 벽을 깸. **10**–12 미국, 캘리포니아주에 대형 산불 발생함: 14일 로스앤젤레스 등지에 비상사태 선포. **10**–28 인도, 북동부 아삼주Assam州에서 연쇄 폭탄테러 발생: 32명 사망. **10**–29 파키스탄, 발루치스탄주Baluchistan州에 규모 6.4의 지진이 발생함: 215명 사망, 500여명 부상. **11**–4 중국 · 타이완, 삼통三通 실시에 합의함: 59년 만에 물류 · 우편 · 인적교류 가능해짐. 미국, 대통령 선거에서 민주당 오바마Obama 후보가 당선됨: 첫 흑인 대통령.

연 대	우 리 나 라	다 른 나 라
2008 (4341) 무자	**11–24** 북한, 개성관광과 남북철도운행 중단 및 개성공단 남측 상주인원 선별 추방 방침을 발표함. **11–28** 법원, 국내 첫 존엄사 인정 판결을 내림: 식물인간 상태 환자의 연명치료 중단 허용. **12–1** 검찰, 노무현盧武鉉 전 대통령의 형 노건평盧建平을 세종증권 매각 비리 의혹과 관련하여 소환, 조사함: 4일 구속. **12–2** 차주환車柱環 전 서울대학교 교수 사망. **12–4** 가천의과대학 · 한국생명공학연구원, 한국인 게놈지도를 완성함: 표준유전체 구축 첫 단계 성공. **12–5** 경기도 이천利川 물류창고 화재사건 발생함: 7명 사망, 2명 부상. **12–8** 6자회담이 중국 베이징에서 개막됨: 11일 성과 없이 폐막. **12–10** 검찰, 박연차朴淵次 태광실업 회장을 세종증권 매각 비리 의혹과 관련하여 소환, 조사함: 12일 구속. **12–13** 이명박李明博 대통령, 일본 후쿠오카에서 개최된 한중일 정상회담 참석차 출국함: 3국간 협력체제 기틀 마련. **12–17** 검찰, 공정택孔貞澤 서울시 교육감을 소환, 조사함: 서울시 교육감 선거 비용 불법 조성 의혹 관련. **12–18** 이중재李重載 한나라당 상임고문 사망. **12–19** 이라크 주둔 자이툰 부대가 철수를 완료함. 남상국南相國 전 대우건설 사장 유족, 노무현盧武鉉 전 대통령을 명예훼손으로 고소함: 남상국南相國 사장 자살 관련. **12–22** 검찰, 권정달權正達 한국자유총연맹 총재를 업무상 배임 등으로 구속함. **12–26** 전국언론 노조, 여당의 미디어 법안 처리에 반대하는 파업에 돌입함. **12–29** 정부, 4대강(낙동강 · 한강 · 금강 · 영산강) 정비공사 기공식을 거행함. **12–30** 김형오金炯旿 국회의장, 질서유지권을 발동함: 야당 의원의 국회 본회의장 점거에 대응.	**11–12** 타이완 천수이볜陳水扁 전 총통, 직권남용 수뢰 및 해외 돈세탁 혐의로 구속됨. **11–15** 미국, 캘리포니아주에 산불 발생함: 비상사태 선포. **11–21** 유엔, 북한 인권결의안을 채택함. **11–26** 타이, 반정부 시위대가 수완나품Suwannaphum 공항을 점령함: 승객 3천여명 고립. 인도, 뭄바이Mumbai에서 동시다발 테러 발생함: 174명 사망, 239명 부상. **12–1** 미국, 오바마Obama 대통령 당선자, 국무장관에 경선 상대 힐러리Hillary 상원의원, 국방장관에 현 게이츠Gates 장관을 내정함. **12–2** 타이 헌법재판소, 연립정부 구성 집권당의 해체 및 당 간부의 정치활동금지를 명령함: 솜차이Somchai 총리 등 내각 총사퇴. **12–6** 프랑스 사르코지Sarkozy 대통령, 폴란드 방문중 티베트 달라이 라마Dalai Lama를 면담함: 중국, 내정간섭이라고 반발. **12–14** 미국 부시Bush 대통령, 이라크를 전격 방문함. **12–15** 타이, 총리에 민주당 아비씻Abhisit 총재를 선출함: 7년 6개월만에 정권교체.**12–28** 이스라엘, 팔레스타인 가자Gaza 지구 전역을 폭격함: 29일 하마스HAMAS 무장단체 상대 전면전을 선언함.

연 대	우 리 나 라	다 른 나 라
2009 (4342) 기축	1-1 이명박李明博 대통령, 신년 국정연설에서 경제위기 극복 위한 국민 단결을 호소함: 비상경제정부 운용 언급. 1-8 검찰, 인터넷 경제논객 '미네르바'(박대성)를 체포함: 허위사실 유포 혐의. 1-9 쌍용자동차, 법원에 법정관리 신청을 결정함: 최대주주 상하이차 철수 여파. 1-11 일본 아소麻生太郎 총리가 방한함: 12일 이명박李明博 대통령과 정상회담. 1-15 북한, 김정일金正日 국방위원장 3남 김정은金正恩이 후계자로 지명되었다고 보도함. 1-18 이명박李明博 대통령, 국정원장에 원세훈元世勳 행정안전부장관, 경찰청장에 김석기金碩基 서울지방경찰청장, 주미대사에 한덕수韓悳洙 전 국무총리를 내정함: 19일 기획재정부장관에 윤증현尹增鉉 전 금융감독위원장, 통일부장관에 현인택玄仁澤 고려대 교수 내정. 1-19 국립문화재연구소, 익산 미륵사지 출토 금제사리봉안기를 공개함: 미륵사彌勒寺 창건연대(639년, 무왕 40년) 및 무왕 비 신분(좌평 사택적덕沙宅積德의 딸) 규명됨. 1-20 서울 용산 재개발 반대 농성 철거민과 진압 경찰이 충돌함: 화재로 경찰 1명 포함 6명 사망, 23명 부상. 1-23 북한 김정일金正日 국방위원장, 왕자루이王家瑞 중국 공산당 대외연락부장을 접견함: 건강악화설 이후 첫 대외행사. 1-30 북한 조선평화통일위원회(조평통), 남북한 정치군사적 합의사항의 무효화를 선언함. 경찰, 군포 여대생 살해범 강호순이 경기 서남부에서 실종된 부녀자 7명을 살해한 범인이라고 발표함. 2-1 야당 및 시민단체, 서울 청계광장에서 용산철거민참사규탄대회를 개최함: 22년만의 야당 · 시민단체 연대 장외집회. 2-6 법원, 쌍용자동차의 법정관리를 결정함. 2-7 김연아金姸兒 선수, 4대륙 세계피겨스케이팅선수권대회에서 우승함. 2-9 민주노총 지도부, 소속 조합원 성폭력사건 파문에 책임지고 총사퇴함. 창녕 화왕산火旺山에서 실시된 민속놀이 '억새 태우기'가 산불로 번짐. 검찰, '용산참사' 수사 결과를 발표함: 농성 참여자 20명 기소. 성균관대학교 동아시아학술원 및 한국고전번역원, 정조 친필 서찰 299통을 공개함: 노론 벽파 우의정 심환지沈煥之에게 보낸 편지 등.	1-1 타이, 수도 방콕의 나이트클럽에서 화재 발생함: 59명 사망, 212명 부상. 1-3 이스라엘, 팔레스타인 가자Gaza 지구에 지상군이 진입함: 하마스HAMAS 무장단체의 무력화 시도. 1-7 러시아, 우크라이나 경유하는 유럽 가스 공급을 중단함: 유럽 에너지 대란 초래. 1-8 유엔 안전보장이사회, 이스라엘군의 팔레스타인 가자Gaza 지구 퇴각 및 휴전 촉구 결의안을 채택함. 1-11 인도네시아, 인근 해역에서 여객선 침몰사고 발생함: 250여명 실종. 1-17 이스라엘, 대팔레스타인 휴전을 선언함. 1-21 미국, 오바마Obama 대통령 취임. 1-26 국제형사재판소, 콩고민주공화국 민병대 지도자 루방가Lubanga의 대량 학살죄에 대한 공판을 개시함: 설립 이래 첫 재판. 2-1 오스트레일리아, 남동부 빅토리아주에 최악의 산불이 발생함: 300여명 사망.

연 대	우 리 나 라	다 른 나 라
2009 (4342) 기축	2–10 김석기金碩基 경찰청장 내정자, '용산 참사'에 도의적 책임지고 사퇴의사 표명함: 16일 후임에 강희락姜熙洛 해양경찰청장 내정. 2–11 북한, 인민무력부장에 김영춘金永春 차수를 임명함. 2–13 경부고속철도 부산 금정산金井山 터널 관통 기념식을 거행함: 국내 최장 20.3km. 소말리아 해적에 납치되었던 선원 5명이 90일만에 석방됨. 2–15 영화 〈과속스캔들〉이 관객 800만명을 돌파함. 경기도 판교신도시 공사현장에서 붕괴사고가 발생함: 3명 사망, 8명 부상. 2–16 교육과학기술부, 전국 학업성취도 평가 결과를 발표함: 19일 임실교육청의 허위보고 탄로나 전면 재검토 결정. 김수환金壽煥 추기경 사망: 20일 교황장으로 장례식 거행. 2–19 미국 힐러리Hillary 국무장관이 방한함. 대한체육회, 제37대 회장에 박용성朴容晟 전 국제올림픽위원회 위원을 선출함. 2–20 독립영화 〈워낭소리〉가 관객 100만명을 돌파함: 3–1 200만명 돌파. 2–23 이라크 탈라바니Talabani 대통령이 방한함: 24일 이명박李明博 대통령과의 정상회담에서 바스라Basrah 지역 유전 개발에 합의. 노사민정勞使民政 비상대책위원회, 경제위기 극복 위한 사회적 대타협 합의문을 발표함: 고통분담 통한 일자리 나누기 등. 2–25 한나라당, 미디어 법안을 전격적으로 위원회에 상정함: 전국언론 노조, 파업에 돌입. 2–27 전여옥田麗玉 한나라당 의원, 국회 내에서 부산 민주화실천가족운동협의회(민가협民家協) 회원들에게 폭행당함: 동의대학교 사건 재심 관련 불만 표출. 3–2 이명박李明博 대통령, 뉴질랜드 · 오스트레일리아 · 인도네시아 방문차 출국함. 국회, 여야 간에 미디어 법안 처리 방안에 합의함: 사회적 논의기구에서 100일간 논의 후 표결 처리. 3–3 해군, 소말리아 파견 청해淸海 부대 창설식을 거행함: 한국형 구축함 문무대왕함 및 장병 300명 규모. 3–5 대법원, 신영철申暎澈 대법관의 '촛불시위 재판' 개입 진상위원회를 구성함. 북한, 동해를 통과하는 남측 민항기의 안전을 보장하지 못한다고 선언함: 국내 항공, 일본측 항로로 우회 운행함.	2–11 아프가니스탄, 수도 카불의 정부청사가 탈레반Taliban에 의해 집중 공격당함. 미국 항공우주국, 미국과 러시아의 통신위성이 시베리아 상공에서 충돌했다고 발표함. 2–12 미국, 뉴욕주 버팔로Buffalo 주택가에 여객기 추락사고가 발생함: 50명 사망. 2–15 베네수엘라, 국민투표에서 대통령 연임제한 철폐 개헌안이 통과됨: 차베스Chaves 현 대통령의 장기집권 가능. 2–16 미국 힐러리Hillary 국무장관, 취임 후 첫 아시아 순방길에 오름: 일본 · 인도네시아 · 한국 · 중국 등. 2–23 일본 아소麻生太郎 총리, 미국을 방문함: 24일 오바마Obama 대통령과 정상회담. 2–25 터키, 네덜란드행 여객기가 착륙 직전 추락함: 9명 사망, 50여명 부상. 3–5 일본, 정액급부금 지급을 시작함: 내수 진작 위해 일정액을 국민에게 지급하는 제도.

연 대	우 리 나 라	다 른 나 라
2009 (4342) 기축	3-6 황패강黃浿江 전 단국대 교수 및 하선정河善貞 요리연구가 사망. 3-8 변태섭邊太燮 전 서울대 교수 사망. 북한, 최고인민회의 대의원선거를 실시함. 3-9 북한, 한미연합훈련에 대응하여 군사 통신선을 차단한다고 발표함: 21일 정상화. 3-11 대한항공 여객기 폭파범 김현희金賢姬, 북한에서 자신에게 일본어를 가르친 다구치(북한명 이은혜) 가족을 부산에서 면담함. 송상현宋相現 국제형사재판소 재판관, 재판소장에 선출됨. 3-13 청해부대, 소말리아로 출항함: 첫 전투함 파병. 3-14 경찰, 자살한 탈렌트 장자연張自然 관련 기획사 등을 압수수색함: 자살 의혹 규명차. 3-15 현인택玄仁澤 통일부장관, 개성공단 입주기업 대표들과 간담회 가짐: 북한의 남북간 육로 통행 차단조처에 대응. 한국인 관광단이 예멘 시밤Shibam에서 발생한 알 카에다Al-Queda의 자살폭탄테러로 희생당함: 4명 사망, 4명 부상. 3-17 국립고궁박물관, 국외로 반출되었던 대한제국 고종의 국새國璽를 공개함: 100년만에 국외 반출 문화재 구입. 북한, 미국의 식량 지원을 거부함: 식량 배급 위한 구호단체의 출국 요구. 3-18 방송통신위원회, KT와 KTF의 합병계획을 승인함. 3-19 북한, 미국 여기자 2명이 두만강변에서 취재 중 북한군에게 억류되었다고 보도함. 3-22 야구국가대표팀, 야구월드컵대회 WBC에서 결승에 진출함: 24일 일본에 패하여 준우승. 정동영鄭東泳 전 민주당 대통령 후보, 미국에서 8개월만에 귀국함: 재선거 공천 관련 민주당 내분 격화. 3-26 이광재李光宰 민주당 의원, 박연차朴淵次 태광실업 회장으로부터 불법정치자금 받은 혐의로 구속됨: 의원직 사퇴 및 정계 은퇴 선언. 3-27 검찰, 박진朴振 한나라당 의원을 소환하여 조사함: 박연차朴淵次 태광실업 회장으로부터 불법 정치자금 받은 혐의. 3-28 이재오李在五 전 한나라당 의원, 미국에서 10개월만에 귀국함: 정계에 파문.	3-8 이란, 신형 장거리 미사일을 시험 발사함: 미국에 압박 수단. 3-10 티베트, 무장봉기 50주년 맞아 사실상 계엄상태에 돌입함. 이라크, 수도 바그다드에서 자살폭탄테러 발생함: 기자 등 33명 사망, 50여명 부상. 3-11 독일, 중등학교에서 17세 졸업생의 총기난사사건 일어남: 교사 등 16명 사망. 3-16 파키스탄, 반정부 시위대의 요구를 수용함: 전 대법원장 등 해직 법관 복직 허용. 3-27 인도네시아, 수도 자카르타 교외의 높이 10m 제방이 호우로 붕괴됨: 58명 사망. 3-29 리비아 연안 지중해에서 이민선 3척이 침몰함: 수백명 사망. 4-3 중국, 허난성河南省의 후이족回族 수백명이 정부청사를 공격함: 교통사고당한 후이족에 대한 부당한 처사에 항의. 4-6 유엔 안전보장이사회, 북한의 장거리 로켓 발사 제재 위한 비공식 협의회를 개최함: 중국 및 러시아의 비협조로 합의문 작성 실패.

연대	우 리 나 라	다 른 나 라
2009 (4342) 기축	**3-29** 진보신당, 대표에 노회찬魯會燦 전 의원을 선출함. 김연아金妍兒 선수, 세계피겨스케이팅선수권대회에서 우승함. 양정모梁正模 전 국제그룹 회장 사망. **3-30** 검찰, 박연차朴淵次 태광실업 회장이 노무현盧武鉉 전 대통령 친인척에게 보낸 50만달러(50억원)의 입금전표를 확보함. 북한, 개성공단에서 근무하는 현대아산 직원 1명을 억류하여 조사 중이라고 통보해 옴: 북한체제 비판 등 이유. **3-31** 이명박李明博 대통령, 영국 런던에서 열리는 세계주요 20개국 금융정상회의 참석차 출국함. 정부, 112층(높이 555m)의 제2롯데월드 건축을 허용함. **4-1** 은행, 영업시간을 30분 앞당겨 시행함: 오전 9시~오후 4시. **4-2** 식품의약품안전청, 일부 베이비 파우다에서 석면이 검출되었다고 발표함. **4-5** 북한, 장거리 로켓 은하 2호(일명 대포동 2호, 광명성 2호 탑재)를 발사함: 궤도 진입 실패. **4-6** 이명박李明博 대통령, 여·야 3당 대표와 회동함: 북한의 장거리 로켓을 발사에 초당적 대응. 민주당, 정동영鄭東泳 전 대통령 후보의 전주 덕진 선거구 공천 배제를 의결함: 민주당 내분 격화. 검찰, 박관용朴寬用 전 국회의장 및 정상문鄭相文 전 청와대 총무비서관을 소환 조사함: 박연차朴淵次 태광실업 회장으로부터 로비 불법정치자금 받은 혐의. 검찰, 강금원姜錦遠 창신섬유 회장을 소환 조사함: 횡령 및 세금포탈 혐의. **4-7** 노무현盧武鉉 전 대통령, 박연차朴淵次 태광실업 회장 로비 의혹사건 관련하여 홈페이지 통해 대국민사과문을 발표함: 부인(권양숙權良淑)의 금품 수수 시인. 검찰, 김원기金元基 전 국회의장을 소환 조사함: 박연차朴淵次 태광실업 회장으로부터 불법정치자금 받은 혐의. 충북 영동 및 전북 임실 등지에서 산불이 계속됨. **4-9** 북한 최고인민회의, 김정일金正日 국방위원장을 재추대함. **4-10** 이명박李明博 대통령, 타이 방콕에서 개최되는 아세안+한중일 정상회의 참석차 출국함: 12일 타이 정국 불안으로 조기 귀국. 정동영鄭東泳 전 민주당 대통령 후보, 민주당 탈당 및 무소속으로 전주 덕진 선거구에서 재보궐선거 출마를 선언함.	**4-6** 이라크, 7건의 차량폭탄 공격이 연이어 발생함: 37명 사망, 100여명 부상. 미국 오바마Obama 대통령, 이라크를 방문함. 이탈리아, 중세도시 라킬라시L'Aquila에서 진도 6.2의 지진 발생함: 235여명 사망, 1500여명 부상. 중세유적 붕괴. **4-10** 타이, 아세안 정상회의를 개최함: 11일 반정부시위대의 회의장 난입으로 연기. 12일 수도 방콕 일원에 비상사태 선포. **4-12** 유엔 안전보장이사회, 북한의 로켓 발사 제재를 위한 의장 성명을 발표함. **4-13** 미국, 쿠바계 미국인의 쿠바 여행과 송금을 허용함: 50년간의 대쿠바 봉쇄 조치 완화. **4-25** 세계보건기구, 신종 인플루엔자 확산으로 '국제적 공중보건 비상우려 사안'을 선포함: 멕시코·미국 및 유럽 등지에 발생. **4-26** 멕시코, 신종 인플루엔자 확산으로 감염자 증가함: 미국, 신종 인플루엔자에 대비하여 비상사태를 선포함.

연대	우리 나라	다른 나라
2009 (4342) 기축	4-11 검찰, 박연차朴淵次 태광실업 회장 로비 의혹사건 관련하여 노무현盧武鉉 전 대통령 부인(권양숙權良淑)을 소환 조사함: 10일 조카사위(연철호), 12일 아들(노건호盧建昊) 소환조사. 경북 경주와 전북 군산 · 남원에서 산불이 계속됨. 4-14 북한, 북한 핵 관련 6자회담 불참 및 기존 합의사항 폐기를 선언함: 유엔 안전보장이사회의 대북한 제재 선언에 반발. 영변寧邊 핵불능화작업에 관여하는 국제원자력기구 요원의 추방을 발표함. 4-20 법원, 인터넷 경제논객 '미네르바' (박대성)에게 무죄를 선고함. 4-21 북한, 남북당국자 접촉에서 개성공단사업의 제도적인 특혜조처를 재검토하겠다고 통보함: 개성공단 토지 임대계약 및 북측 노동자 노임 조정 등. 4-22 검찰, 노무현盧武鉉 전 대통령에게 서면조사서를 발송함: 박연차朴淵次 태광실업 회장 로비 의혹사건 관련. 4-25 정부, 신종 인플루엔자에 대비하여 멕시코 · 미국 · 캐나다에서 수입되는 돼지고기 바이러스 검사를 실시키로 함. 4-28 국내 첫 신종 인플루엔자 '추정환자' 가 발생함: 정부, 신종인플루엔자 진원지 멕시코 여행 제한조처를 내림. 4-29 국가생명윤리심의위원회, 차병원의 체세포 복제 통한 줄기세포 연구계획을 승인함: 황우석黃禹錫식 줄기세포 연구의 사실상 승인. 국가경쟁력강화위원회, 보행규칙을 좌측통행에서 우측통행으로 함: 88년만에 변경. 재보궐선거를 실시함: 여당(한나라당) 패배. 4-30 노무현盧武鉉 전 대통령, 검찰에 출두함: 박연차朴淵次 태광실업 회장 로비 의혹 관련. 5-6 이명박李明博 대통령, 한나라당 박희태朴熺太 대표와 조찬회동함: 4 · 29 재보궐선거 완패에 따른 당 쇄신방안 논의. 5-8 대법원 공직자윤리위원회, 신영철申暎澈 대법관의 '촛불시위 재판' 개입 관련하여 대법원장에게 경고 · 주의 조처를 권고함: 일부 판사들 반발. 5-10 이명박李明博 대통령, 우즈베키스탄 및 카자흐스탄 방문차 출국함: 우즈베키스탄 카리모프Karimov 대통령 및 카자흐스탄 나자르바예프Nazarbayev 대통령과 자원 협력 방안 논의.	5-8 중국, 신종 인플루엔자 감염을 우려하여 1주일째 봉쇄한 홍콩 메트로파크Metropark 호텔 투숙객 및 직원의 격리조처를 해제함. 일본, 신종 인플루엔자 감염자가 4명으로 증가함: 17일 74명으로 증가하여 비상방역 체제에 돌입. 5-10 세계보건기구, 신종 인플루엔자 감염자가 4천명을 돌파했다고 발표함: 17일 39개국, 8480명으로 증가했다고 발표. 5-11 중국, 첫 신종 인플루엔자 확진자가 발생함. 이란, 간첩혐의로 억류된 미국 출신 여기자를 4개월 만에 석방함. 5-14 미얀마 수치Suu Kyi 여사, 가택 연금 해제 2주 남기고 교도소에 수감됨: 방문 미국인 숙박 허용 혐의. 5-17 스리랑카, 37년간 지속된 내전이 종료됨: 타밀Tamil 반군, 패배를 시인함. 6-1 프랑스, 자국 에어프랑스 여객기가 브라질 연안 상공에서 실종됨: 승객 228명 사망.

연 대	우 리 나 라	다 른 나 라
2009 (4342) 기축	5-15 북한, 개성공단사업과 관련하여 기존 계약의 무효를 선언함: 북측 제시 조건에 무조건 수용 요구. 5-18 의정부 지방법원 단독판사회의, 신영철申暎澈 대법관의 용퇴를 주장함. 5-19 검찰, 천신일千信一 세종나모여행사 회장을 소환 조사함: 박연차朴淵次 태광실업 회장의 세금조사 로비 의혹 관련. 5-21 대법원, 존엄사尊嚴死를 처음 인정함. 법원, 1980년 5·18민주화운동 때 일어난 '아람회사건' 관련 피고인에 전원 무죄를 선고함. 박영석朴英碩 원정대, 에베레스트산 남서벽 코리안 루트 개척에 성공함. 쌍용자동차 노조, 구조조정에 반발하여 파업에 돌입함. 5-22 탈렌트 여운계呂運計 사망. 5-23 노무현盧武鉉 전 대통령, 김해 봉화산烽火山에서 투신 사망함: 29일 국민장 거행. 5-25 북한, 노무현盧武鉉 전 대통령 서거와 관련하여 유가족에게 조전을 보내옴. 2차 지하 핵실험 실시 및 미사일 발사를 강행함. 5-26 정부, 대량살상무기확산방지구상PSI에 전면 참여한다고 선언함: 북한의 핵실험 및 장거리 로켓 발사 등 일련의 사태에 대응. 신안다도해가 유네스코 생물권 보전지역으로 지정됨. 북한, 동해안에서 미사일 3발을 추가 발사함. 묘향산이 유네스코 생물권 보전지역으로 지정됨. 5-28 서천~공주 고속도로 및 당진~대전 고속도로 개통. 6-1 한·아세안 특별정상회의가 제주도 서귀포시에서 개막됨. 6-2 국정원, 북한 김정일金正日 국방위원장 3남 김정은金正恩이 후계자로 지명됐음을 확인함. 6-3 임채진林采珍 검찰총장, 노무현盧武鉉 전 대통령 서거와 관련하여 사표를 제출함. 이상득李相得 한나라당 의원, 정계 제이선으로 퇴진한다고 선언함. 서울대학교 및 중앙대학교 교수 192명, 현정권의 소통정치를 촉구하는 시국선언문을 발표함. 6-8 북한, 억류 중인 미국 여기자 2명에게 12년 노동교화형을 선고함. 6-11 교육과학기술부, 나로羅老 우주센터 준공식을 개최함. 6-13 북한, 우라늄 농축작업에 착수했다고 선언함.	6-7 유럽의회, 총선거에서 우파 정당들이 사회주의 정당들을 크게 압도함. 6-8 가봉, 봉고Bongo 대통령 사망: 42년간의 장기집권 종식. 6-12 유엔, 북한의 2차 핵실험 제재 결의안을 채택함. 세계보건기구, 신종 인플루엔자의 위험도를 6단계로 높임. 그루지야 의회, 독립국가연합 탈퇴를 의결함. 6-13 이란, 아마디네자드Ahmadinejad 대통령이 재선에 성공함: 부정선거 규탄 시위로 유혈사태 발생. 6-15 예멘, 반정부군이 납치한 외국인 9명(한국 1, 영국 1, 독일 7)을 살해함: 알카에다Al-Queda 소행 추정. 6-26 미국, 가수 마이클 잭슨Michael Jackson 사망. 6-28 온두라스, 쿠테타 발생함: 셀레야Zalaya 대통령, 국외로 추방당함. 6-30 유엔 총회, 온두라스 쿠테타에 반대 성명을 채택함. 이라크, 주둔 미군이 6년 만에 대도시에서 철수함.

연 대	우 리 나 라	다 른 나 라
2009 (4342) 기축	6-15 이명박李明博 대통령, 미국 방문차 출국함: 16일 오바마Obama 대통령과 정상회담. 6-17 조세형趙世衡 민주당 상임고문 사망. 6-23 한국은행, 새 5만원권을 발행함. 〈순교자殉教者〉 저자 김은국金恩國 사망. 6-29 이명박李明博 대통령, 임기 내에는 한반도 운하공사 안 한다고 언명함. 6-30 조선왕릉 40기가 유네스코 세계유산으로 등재됨. 영화 감독 유현목俞賢穆 사망. 7-1 경의선 복선전철(DMC~문산)이 개통됨. 7-5 장을병張乙炳 전 성균관대학교 총장 사망. 7-6 이명박李明博 대통령, 소유 재산 331억 4200만원을 사회에 기부함: 재단법인 청계淸溪 설립. 7-7 이명박李明博 대통령, 폴란드 · 이탈리아 · 스웨덴 등 방문차 출국함: 9일 교황 베네딕토Benedictus 16세 예방. 청와대 · 국방부 · 국정원 등 국가 주요기관이 사이버 테러 당함. 7-11 고미영高美英 여성 산악인, 히말라야 등정 후 하산길에 실족사함. 7-13 정부, 유럽연합EU과 자유무역협정FTA을 타결함: 이명박李明博 대통령, 유럽연합 의장국 스웨덴 라인펠트Reinfeldt 총리와 최종 합의. 7-14 천성관千成寬 검찰총장 내정자, 자신과 관련된 의혹 책임지고 사퇴함. 서정범徐廷範 전 경희대학교 교수 사망. 7-15 서울~춘천 고속도로가 개통됨. 북한 김영남金永南 최고인민회의 상임위원장, 앞으로 6자회담은 개최되지 못한다고 언명함: 미국 및 동맹국 태도에 불만 표출. 7-17 KT 노조, 조합원 95%의 찬성으로 민주노총 탈퇴를 결정함. 7-20 최석우崔奭祐 신부 사망. 7-21 전국언론 노조, 파업에 돌입함: 한나라당의 미디어 법안 국회 상정 계획에 항의. 7-22 전국에 부분 일식日蝕이 나타남. 국회, 미디어 법안 개정안을 의결함: 민주당 등 야권, 강력 반발하며 장외투쟁 선언. 7-24 서울지하철 9호선 1단계 구간(신논현~김포공항)이 개통됨. 7-27 박세직朴世直 재향군인회장 사망.	6-30 예멘, 인도양에서 여객기 추락사고 발생함: 150여명 사망. 7-5 중국, 신장 위구르新疆Uighur 자치구의 수도 우루무치Urumqi에서 유혈시위 발생함: 180여명 사망, 1680여명 부상. 미주기구OAS, 쿠테타 일으킨 온두라스를 회원국에서 제명함. 7-6 미국 오바마Obama 대통령, 러시아를 방문함: 메드베데프Medvedev 대통령과 핵무기 추가 감축에 합의. 7-7 미국, 국가 주요기관이 연달아 사이버 테러당함. 7-8 중국 후진타오胡錦濤 국가주석, 세계주요8개국정상회의 취소하고 급거 귀국함: 신장 위구르新疆Uighur 자치구 유혈사태 수습차. 7-9 이탈리아, 라퀼라L' Aquila에서 세계주요8개국정상회의를 개최함. 7-10 미국, GM 회사가 뉴GM 회사로 재출발함. 7-13 일본 아소麻生太郎 총리, 총선거 실시를 선언함: 도쿄도 의원 선거 참패에 대응.

연대	우 리 나 라	다 른 나 라
2009 (4342) 기축	7-28 이명박李明博 대통령, 검찰총장에 김준규金晙圭 전 대전고검장을 내정함. 박삼구朴三求 금호아시아나그룹 회장, 동생 박찬구朴贊求 석유부문 회장과 동반 퇴진함: 대우건설 인수 관련 갈등. 7-29 정부, 약 100년간 시행한 인감증명印鑑證明의 개선방안을 마련함: 5년 내에 완전 폐지. 귀화 독일인 이참, 한국관광공사 사장에 임명됨. 7-30 어선 연안호가 동해 북방한계선 넘어갔다 북한에 예인됨: 8-29 송환. 7-31《동의보감東醫寶鑑》이 유네스코 세계기록유산에 등재됨. 작곡가 김동진金東振 사망. 8-1 서울 광화문광장이 준공 개방됨. 8-2 정부, 집중 호우로 피해당한 양평 · 홍천 · 제천 · 금산 · 완주 · 광양 · 김해 · 하동 등 8개 시 · 군을 특별재난지역으로 선포함. 8-3 조오련趙五連 전 수영 선수 사망. 북한, 미국 클린턴Clinton 전 대통령 방북: 4일 특별사면된 미국 여기자 2명과 함께 귀국함. 8-6 쌍용자동차, 노사협정이 타결됨: 노조, 76일 만에 농성해제. 8-7 인천 송도국제도시에서 인천세계도시축전이 개막됨: 120개국 500여 도시 참가. 8-10 정부, 첨단의료복합단지 후보지 선정 결과를 발표함: 대구광역시 신서 혁신도시 및 충북 오송五松 생명과학단지. 정부, 생계형 서민 약 152만명을 광복절 기해 사면함. 김영삼金泳三 전 대통령, 입원중인 김대중金大中 전 대통령을 문병함: '정치적 화해' 선언. 현정은玄貞恩 현대그룹 회장, 북한을 방문함: 16일 김정일金正日 국방위원장 면담. 8-11 이명박李明博 대통령, 입원중인 김대중 전 대통령을 문병함. 한운사韓雲史 방송작가 사망. 8-13 북한, 136일간 억류하였던 현대아산 직원을 돌려보냄. 8-15 신종 인플루엔자로 국내 첫 사망자가 발생함. 8-17 현대그룹, 북한 아태평화위원회와 공동보도문을 발표함: 남북이산가족상봉 · 금강산 관광 재개 등. 양용은梁容銀 선수, 한국인 최초로 메이저골프대회에서 우승함. 8-18 김대중 전 대통령 사망: 23일 국장으로 국립현충원에 안장.	7-15 이란, 서북부 지역에서 여객기 추락사고 발생함: 168명 사망. 7-22 인도 · 중국 · 일본, 500년만에 개기일식이 관측됨. 7-27 나이지리아, 북부지역 이슬람 반군의 공격으로 유혈사태 발생함: 100여명 사망. 7-28 일본, 신장 위구르新彊Uighur 자치구 독립운동의 대모 카디르Kadeer의 방문을 허가함: 중국정부 반발. 8-1 필리핀, 코라손 아키노Corazon Aquino 전 대통령 사망. 8-3 스페인, 북동부에서 시작된 산불이 전국으로 확산됨: 주민 수천명 대피. 8-11 중국, 태풍 모라꽃으로 900만명의 이재민이 발생함. 타이완, 50년만의 최악의 태풍 모라꽃으로 피해 속출함. 일본, 태풍과 지진으로 약 3천채의 가옥이 침수됨. 미얀마 법원, 민주화운동가 수치Suu Kyi 여사에게 18개월간의 가택연금을 선고함.

연 대	우 리 나 라	다 른 나 라
2009 (4342) 기축	8-19 한국 첫 우주발사체 나로호羅老號 발사가 연기됨: 고압탱크의 압력저하로 발사 예정시간 7분 56초 전에 중지. 김찬국金燦國 전 상지대 총장 사망. 8-20 북한, 육로통행 및 체류 관련 제한조치를 21일부터 해제한다고 발표함: 21일 김대중金大中 전 대통령 조문단 파견. 8-22 현인택玄仁澤 통일부 장관, 북한조문단 김양건金養建 통일선전부장과 요담함. 8-23 이명박李明博 대통령, 북한조문단 김기남金基南 노동당 비서 일행을 접견함. 8-25 한국 첫 우주발사체 나로호羅老號 발사에 성공함: 위성궤도 진입에는 실패. 신종 인플루엔자 국내 환자가 3300여명에 이름: 각급 학교 개학 연기. 경찰, 고 최진실崔眞實 유골함 절도범을 검거함. 8-26 남북적십자사 회담이 1년 9개월만에 금강산에서 개최됨: 남북이산가족 상봉 등 현안 협의. 제주도선거관리위원회, 김태환金泰煥 지사의 주민소환투표가 투표율 미달로 무효로 되었다고 선언함: 해군기지 유치문제 관련. 8-27 민주당, 조건 없는 국회 등원을 선언함. 안필준安弼濬 대한노인회장 사망. 8-29 북한, 이란행 불법무기 운반 화물선이 아랍에미리트에 억류됨. 8-30 자유선진당, 심대평沈大平 대표가 탈당함. 9-3 이명박李明博 대통령, 국무총리 후보에 정운찬鄭雲燦 전 서울대 총장을 지명함. 9-6 북한, 황강댐을 무단 방류함: 연천 임진강변에서 6명 사망. 9-7 박희태朴熺太 한나라당 대표, 보궐선거 출마 위해 대표직을 사퇴함: 정몽준鄭夢準 의원이 승계. 9-10 보수성향의 지식인 1200명, 세종시世宗市 건설의 전면 수정과 국민투표를 요구하는 성명서를 발표함. 9-18 북한 김정일金正日 국방위원장, 핵문제 해결 위해 양자 또는 다자 대화에 응하겠다고 언급함. 9-20 이명박李明博 대통령, 미국 방문차 출국함: 기후변화 정상회의 · 유엔총회 · 세계주요20개국 금융정상회의 참석. 이병완李炳浣 전 대통령 비서실장, 국민참여당 창당주비위원장에 선출됨.	8-17 자메이카 볼트Bolt 선수, 남자 100m 달리기에서 9초 58로 세계신기록을 수립함: 21일 남자 200m 달리기에서도 19초 19로 세계신기록 수립. 8-19 이라크, 수도 바그다드 중심지에서 차량폭탄테러 발생함: 600여명 사상. 8-23 그리스, 80여건의 산불로 국가비상사태를 선포함. 8-25 미국, 에드워드 케네디Edward Kennedy 상원의원 사망. 8-29 영국 브라운Brown 총리, 아프가니스탄 군사기지를 전격 방문함. 8-30 일본, 총선거를 실시함: 야당 민주당民主黨 대승으로 54년만에 정권교체 이룸. 미국, 캘리포니아주에 대형 산불 발생함. 9-9 아랍에미리트, 자동 무인 전철이 세계 최초로 개통됨. 9-10 중국 우방궈吳邦國 전국인민대표대회 상무위원장, 미국을 공식방문함: 오바마Obama 대통령과 첫 회동. 시에라리온Sierra Leone, 선박 전복사고로 200여명이 사망함.

연대	우리 나라	다른 나라
2009 (4342) 기축	9-22 통합공무원노조가 출범함: 민주노총에 가입. 9-25 헌법재판소, '야간 옥외집회 금지'는 헌법불일치라고 결정함. 9-26 남북이산가족 상봉을 금강산에서 실시함. 9-30 처용무 · 강강술래 · 남사당놀이 · 제주칠머리당영등굿 · 영산재가 유네스코 인류무형문화유산에 등재됨. 10-1 북한 주민 11명이 동해상으로 귀순해 옴. 10-4 북한, 중국 원자바오溫家寶 총리 방북: 5일 김정일金正日 국방위원장, 미국과의 양자 회담 결과에 따라 6자 회담에 복귀하겠다고 언급. 10-9 이명박李明博 대통령, 일본 하토야마鳩山由紀夫 총리와 청와대에서 정상회담 개최함: 10일 중국 베이징에서 열린 한중일 정상회담에 참석. 10-12 북한, 동해상에 단거리 미사일 5발을 발사함. 10-15 유럽연합과 자유무역협정에 가조인함. 10-16 인천대교 개통식을 거행함: 연장 21.38km로 국내 최장. 10-18 김연아金姸兒 선수, 프랑스 파리에서 열린 세계시니어 그랑프리 1차대회에서 우승함: 세계 신기록 달성. 10-20 이명박李明博 대통령, 베트남 · 캄보디아 · 타이 등 동남아시아 3개국 방문차 출국함: 24일 아세안+한중일 정상회의 참석. 10-22 창조한국당 문국현文國現 대표, 의원직을 상실함: 선거법 위반으로 유죄판결 결과. 10-27 보건복지가족부, 신종 인플루엔자 예방백신 접종을 시작함. 10-28 국회의원 5개 선거구 재보궐선거를 실시함: 여당(한나라당), 수도권과 충북지역에서 완패. 10-29 헌법재판소, 한나라당이 단독 처리한 미디어 법안 개정안은 유효하다고 결정함. 공정택孔貞澤 서울시 교육감, 선거법 위반 판결로 중도 사퇴함. 10-31 이후락李厚洛 전 중앙정보부장 사망. 11-3 정부, 신종 인플루엔자 재난단계를 최고 수준인 '심각'으로 격상시킴. 11-4 정운찬鄭雲燦 국무총리, 세종시世宗市 관련 대국민담화문을 발표함: 민관위원회 구성하여 내년 1월까지 최종안 제시 계획. 문화재청, 충남 태안 앞바다 침몰선에서 고려의 죽간竹簡 48점을 발굴했다고 발표함. 박용오朴容旿 전 두산그룹 회장 자살.	9-11 타이완 법원, 부정부패 혐의로 기소된 천수이볜陳水扁 전 총통 부부에게 무기징역을 선고함. 9-16 일본, 민주당 하토야마鳩山由紀夫 내각이 출범함. 9-27 필리핀, 강력한 태풍으로 호우와 산사태가 발생함: 240여명 사망, 독일, 총선거에서 우파 기민당 · 기사당 연합이 승리함: 메르켈Merkel 총리 재집권. 9-30 인도네시아, 진도 7.6의 강력한 지진이 발생함: 수천명 매몰. 사모아Samoa 제도, 근해에서 진도 8.0의 강력한 지진이 발생함: 한국인 3명 포함 20여명 사망, 10-3 미국, 캘리포니아주에 대형 산불 발생함: 주민 수천명 긴급대피. 국제올림픽위원회, 2016년 하계올림픽대회 개최지를 브라질 리우데자네이루Rio de Janeiro로 결정함: 남아메리카 대륙 최초. 10-9 미국 오바마Obama 대통령, 노벨평화상 수상자로 선정됨: 비핵화 노력 평가.

연 대	우 리 나 라	다 른 나 라
2009 (4342) 기축	11-8 민족문제연구소, 《친일인명사전》을 발간함: 4389명의 주요 친일인사를 수록하여 학계에 논란 일으킴. 11-10 정부, 4대강 정비공사에 착수함: 환경단체 등 반발. 남북 해군함정, 서해 북방한계선 해상에서 교전함: 북한 경비정의 불법 남하에 대응하여 이를 격퇴함. 11-11 이명박李明博 대통령, 방한중인 칠레 바첼레트Bachelet 대통령 및 페루 가르시아Garcia 대통령(12일)과 정상회담: 13일 싱가포르에서 개최되는 아시아·태평양경제협력체 정상회의 참석차 출국. 11-14 부산 실내사격장에서 화재 발생함: 일본인 관광객 10명 등 15명 사망. 11-18 미국 오바마Obama 대통령이 방한함: 19일 이명박李明博 대통령과 정상회담. 11-23 문화재청, 순천 송광사松廣寺 목조관음보살좌상에서 조선중기 추정 문화재가 발견되었다고 발표함. 11-26 전국 철도노조, 회사측의 단체협약 해지에 반발하여 파업함: 12-4 현안 타결되어 파업 철회하고 현업에 복귀. 11-27 이명박李明博 대통령, TV 프로그램 〈대통령과의 대화〉에 출연하여 세종시世宗市 수정안의 불가피성을 공식 언급함: 대통령 선거 공약 지키지 못하는 것에 대해 사과. 11-28 장미란張美蘭 선수, 세계역도선수권대회 여자 초중량급에서 우승함: 29일 안용권 선수, 남자 최중량급에서 우승하여 첫 남녀 동반 우승을 차지함. 11-30 북한, 17년만에 화폐개혁을 단행함: 100대 1 비율. 12-1 헝가리 쇼욤Soiyom 대통령 방한: 이명박李明博 대통령과 정상회담. 12-3 이완구李完九 충청남도지사, 세종시 수정안에 반발하여 지사직을 사퇴함. 국방과학연구소에서 폭발사고 발생함: 6명 사상.	10-10 터키·아르메니아, 양국간 수교의정서를 체결함: 100년만의 화의. 10-12 파키스탄, 탈레반Taliban의 자살 폭탄테러로 40여명이 사망함: 18일 탈레반 근절 위한 대규모 소탕작전 전개. 10-25 미국, 신종 인플루엔자 사망자가 1천명에 이름: 국가비상사태 선포. 10-28 파키스탄, 미국 힐러리Hillary 국무장관 방문 중 북서부에서 차량 폭탄테러 발생함: 90여명 사망, 200여명 부상. 10-30 프랑스, 인류학자 레비 스트로스Levi Strauss 사망. 11-2 아프가니스탄 카르자이Karzai 대통령, 부정선거 논란 끝에 재선에 성공함. 11-5 미국, 텍사스주 군사기지에서 미국군 군의관이 총기를 난사함: 동료 군인 40여명 사상. 11-9 엘살바도르, 허리케인 영향으로 3일간 호우 내림: 150여명 인명피해. 11-12 미국 오바마Obama 대통령, 일본·중국·한국 방문 및 싱가포르에서 개최되는 아시아·태평양경제협력체 정상회의 참석차 출국함. 11-19 유럽연합, 첫 상임의장에 판롬파위Van Rompuy 벨기에 총리를 선출함. 11-20 사이판Saipan섬 관광지에서 총기난사사건 발생함: 한국인 6명 등 10여명 사상.

연 대	우 리 나 라	다 른 나 라
2009 (4342) 기축	12-4 노사정위원회, 복수노조 및 노조전임자 임금문제에 대해 합의함: 복수노조 허용, 노조 전임자 임금 지급 금지 등. 12-8 북한, 미국 보스워스Bosworth 대북정책 특별대표 방북. 12-12 북한, 평양발 그루지아 수송기가 타이 돈무앙Don Mueang 공항에서 억류됨: 미사일 등 무기 탑재. 12-15 대우엘렉트릭스 인천공장에 화재 발생함: 냉장고 1만 5천여대 소실. 12-16 경북 경주에서 관광버스 추락사고가 발생함: 경로당 노인 30여명 사상. 중국 시진핑習近平 국가부주석이 방한함: 17일 이명박李明博 대통령을 예방하고 요담. 12-17 이명박李明博 대통령. 덴마크 코펜하겐Copenhagen에서 열린 유엔 기후협약 당사국 총회에 참석함: 2010년 녹색성장 국제기구 설립계획 발표. 12-18 검찰, 한명숙韓明淑 전 국무총리에 대한 체포영장을 집행함: 대한통운회사 사장으로부터 5만 달러 받은 혐의. 12-20 전남 여수 향일암向日庵에 화재 발생함: 향일암 대웅전 등 문화재 소실. 12-27 이명박李明博 대통령. 아랍 에미리트를 방문하여 칼리파Khalifa 대통령과 요담: 한국전력공사 컨소시엄이 주도하는 400억 달러 규모의 원자력발전소 건설사업자 낙점 관련. 서석재徐錫宰 전 총무처 장관 사망. 12-29 북한, 한국계 미국인 로버트 박의 입북 사실을 확인함. 12-30 '용산참사' 문제가 345일만에 타결됨: 장례식 및 보상액 등에 합의. 금호아시아나그룹, 계열사 금호산업과 금호타이어의 워크아웃을 결정함. 12-31 정부, 이건희李健熙 전 삼성그룹 회장에 대한 사면을 단행함.	11-23 중국, 헤이룽장성黑龍江省 광산에서 가스폭발사고 발생함: 100여명 사망. 11-24 인도 싱Singh 총리, 미국을 공식방문함: 오바마Obama 대통령과 정상회담. 11-25 사우디 아라비아, 성지순례 '하지Haji' 기간 호우로 100여명이 사망함. 11-26 두바이Dubai, 대외부채 상환 연기를 선언함: 세계경제 혼란. 11-27 러시아, 열차 폭발사고 발생함: 100여명 사상. 12-3 소말리아, 수도 모가디슈Mogadishu에서 자살폭탄테러 발생함: 장관 3명 등 57명 사망, 200여명 부상. 12-4 이집트, 나일강Nile江에서 여객선 충돌사고 발생함: 80여명 사망. 12-5 러시아, 나이트클럽 화재 발생함: 112명 사망. 12-7 덴마크, 수도 코펜하겐에서 유엔 기후협약 당사국 총회가 개막됨. 12-13 미국, 폴 새뮤얼슨Paul Samuelson 경제학자 사망. 12-25 미국, 디트로이트공항에서 알카에다Al-Queda에 의한 여객기 폭파 미수사건 발생함, 12-27 중국, 허난성河南省에서 위魏나라 조조曹操 능묘를 발견함. 12-29 파키스탄, 카라치에서 종교행사 겨냥한 자살폭탄테러 발생함: 30여명 사망.

연 대	우 리 나 라	다 른 나 라
2010 (4343) 경인	1-1 이명박李明博 대통령, 신년 국정연설에서 '더 큰 대한민국'을 열어 나아가겠다고 강조함. 1-4 서울 등 수도권에 25.8cm의 폭설이 내림: 적설 관측사상 최대 강설량 기록. 유기정柳琦諪 삼화인쇄 회장 사망. 1-5 삼성물산, 두바이Dubai의 부르즈 칼리파Burj Khalifa 빌딩을 준공함: 162층 828m 규모로 세계 최고층 기록. 1-11 정부, 세종시世宗市의 성격을 행정중심복합도시에서 교육과학경제도시로 선환하여 건설할 계획이라고 발표함: 행정부처 이전 전면 백지화로 야권 등 강력 반발. 북한, 정전협정을 평화협정으로 바꾸는 회의를 개최하자고 제의함. 1-12 쇄빙선碎氷船 아라온호Araon號가 남극으로 출항함: 남극대륙기지 후보지 정밀조사 및 쇄빙능력 시험 목적. 1-17 국민참여당, 창당대회를 개최함: 대표에 이재정李在禎 전 통일부장관 선출. 1-20 법원, MBC의 'PD수첩' 제작진에 무죄를 선고함: 미국산 쇠고기 광우병 위험성 보도 관련. 1-24 이명박李明博 대통령, 인도 방문 및 스위스 다보스Davos포럼 참석차 출국함. 1-25 외국영화 〈아바타Avatar〉가 누적 관객수 1천만명을 돌파함: 3D영화로 구현. 경찰, 미국 대학입학자격시험 SAT 문제지 빼낸 학원강사를 구속함. 1-27 북한, 서해 백령도白翎島 인근 북방한계선NLL 북측 해상에서 해안포를 잇달아 발사함: 정부, 안보대책회의 소집. 1-30 이혜구李惠求 전 서울대 교수 및 길창덕吉昌悳 만화가 사망. 2-6 이영덕李榮德 전 국무총리 사망. 북한, 북쪽 국경 통해 불법 입북한 한국계 미국인 로버트 박을 석방함. 2-7 경찰, 민주노동당 홈페이지 서버 보관장소를 압수수색함: 전교조 및 전노조의 당원 가입 수사 관련. 2-8 북한 김정일金正日 국방위원장, 왕자루이王家瑞 중국 공산당 대외연락부장을 접견함: 후진타오胡錦濤 주석의 구두친서 접수. 2-9 경기도 시흥시 북부 8km 지역에 규모 3.0의 지진 발생함: 1978년 계기 관측 이래 최대. 2-12 친박연대, 당명을 미래희망연대로 바꿈: 4-2 한나라당과의 합당을 의결함.	1-1 파키스탄, 북서부 라키마르와트의 운동장에서 자살폭탄테러 발생함: 89명 사망, 100여명 부상. 1-3 중국, 베이징에 59년만의 폭설과 한파가 내습함: 고속도로 및 공항 폐쇄. 미국·영국, 알 카에다Al-Queda의 테러공격 위협에 대응하여 예멘 주재 대사관을 폐쇄함: 4일 프랑스도 폐쇄. 1-8 토고 축구팀, 앙골라 카빈다Cabinda에서 반군의 기관총 습격 받음: 3명 사망, 8명 부상. 1-12 아이티, 수도 포르토프랭스Port-au-Prince 부근에 규모 7.3의 지진 발생함: 대통령궁 붕괴되고 20여만명 사망. 1-17 칠레, 대통령 선거에서 야당연합 피네라Pinera 후보가 당선됨: 20년만에 우파정권 집권. 1-19 유엔, 아이티에 3500명의 추가 파병을 승인함: 지진 피해 구호활동 지원 목적. 1-20 나이지리아, 중부 조스Jos에서 이슬람교와 기독교 세력간에 종교분쟁 확산됨: 460여명 사망.

연대	우 리 나 라	다 른 나 라
2010 (4343) 경인	2-16 모태범牟太釩 선수, 밴쿠버동계올림픽대회 스피드스케이팅 남자 500m에서 우승함: 17일 이상화李相花 선수, 여자 500m에서 우승. 2-23 코미디언 배삼룡裵三龍 사망. 2-24 이승훈李承勳 선수, 밴쿠버동계올림픽 스피드스케이팅 남자 1만m에서 우승함. 2-25 헌법재판소, 사형제도를 합헌으로 결정함. 국회, 아프가니스칸 파병 동의안을 의결함: 경호 및 경비 업무 담당. 2-26 김연아金姸兒 선수, 밴쿠버동계올림픽 피겨스케이팅 여자 싱글에서 우승함. 3-6 조경철趙慶哲 전 연세대 교수 사망. 3-8 북한, 러시아에 나진항羅津港 사용권을 50년간 허가함. 3-10 전국에 폭설 내림: 부산 등 초·중교 대부분 휴교. 경찰, 부산 여중생 납치 살해범 김길태를 검거함. 3-11 법정法頂 스님 사망. 3-14 작곡가 박춘석朴椿石 사망. 3-17 정치학자 양호민梁好民 사망. 3-18 북한 아태평화위원회, 금강산 내 부동산 남측 소유자들은 25일 금강산에 들어와 조사 받으라고 통보함. 3-19 여성부, 여성가족부로 확대 개편됨. 3-22 법원, 한명숙韓明淑 전 국무총리의 뇌물 수수 혐의에 대한 현장검증을 총리공관에서 실시함 : 첫 공관 현장 검증. 한일역사공동연구회, 임나일본부설任那日本府說을 학문적으로 공식 폐기함. 3-24 이건희李健熙 전 삼성그룹 회장, 삼선전자 회장으로 일선에 복귀함. 3-25 심대평沈大平 의원, 국민중심연합 창당대회를 개최함. 현대아산 등 금강산 관광 관련 회사 실무자들이 북한 당국과 금강산 내 부동산 내용 협의 위해 금강산을 방문함. 3-26 해군 초계함 천안함이 서해 백령도白翎島 인근에서 침몰함: 46명 실종. 3-29 이응백李應百 전 서울대 교수 사망. 3-30 황장엽黃長燁 전 북한 노동당 비서, 미국을 방문함: 귀국길에 일본 방문. 4-4 한국인 5명이 탑승한 원유 수송선 삼호드림호가 인도양 해상에서 소말리아 해적에 납치당함: 11-6 무사히 귀환함.	1-25 이라크, 바그다드 도심 호텔 인근에서 3건의 폭탄테러 발생함: 36명 이상 사망. 1-25 이디오피아, 여객기가 레바논 베이루트 공항 이륙 후 추락함: 902명 사망. 1-29 일본, 도요타 자동차가 주력 차종의 부품 결함으로 1천만대 규모의 리콜과 판매 중지 조처를 발표함. 2-3 이라크, 시아파Shia派 성지 케르발라Kerbala에서 폭탄테러 발생: 100여명 사상. 2-7 미국, 동부 해안지방에 기록적인 폭설 내림: 워싱턴 등 도시 기능 마비. 2-16 파키스탄, 탈레반Taliban의 2인자 바라다르Baradar를 체포함. 2-17 티베트 달라이 라마Dalai Lama, 미국을 방문함: 오바마Obama 대통령과 회담. 2-20 네덜란드, 중도우파 연립정부가 붕괴됨: 아프가니스탄 파병 연장문제로 갈등. 2-24 미국 의회, 일본 도요타 자동차 대량 리콜 사태에 대한 청문회를 개최함: 도요타 자동차 사장, 공식 사과함.

연 대	우 리 나 라	다 른 나 라
2010 (4343) 경인	4-8 현대제철, 당진공장에서 일관제철소一貫製鐵所 종합 준공식을 가짐: 포스코와 경쟁체제 돌입. 한화갑韓和甲 전 민주당 대표, 평화민주당平和民主黨(평민당平民黨) 창당: '김대중 정신' 계승 표방. 북한, 금강산 내 남측 자산 동결 및 관리 인원 추방 방침을 발표함. 인천 강화에서 구제역 발생함: 20일 김포, 22일 충주로 확산. 4-11 이명박李明博 대통령, 미국 워싱턴에서 개최되는 핵안보정상회의 참석차 출국함. 4-12 북한, 중국 관광객 400명이 처음 입국함. 4-13 한국이 2012년 제2차 핵안보정상회의 개최국으로 결정됨. 무디스Moody's사가 한국의 국가신용등급을 A1으로 상향 조정함: 1997년 외환위기 전으로 원상 회복. 북한, 남측의 금강산 내 부동산 동결조처를 취함. 4-20 이명박李明博 대통령, 한나라당 정몽준鄭夢準 대표와 민주당 정세균丁世均 대표 및 자유선진당 이회창李會昌 대표와 청와대에서 회동함: 천안함 사건 등 현안 논의. 검찰 · 국정원, 황장엽黃長燁 전 북한 노동당 비서 살해 목적으로 남파된 위장 탈북자 2명을 구속함. 4-21 대검찰청, 경남 · 부산지역 일부 검사('스폰서 검사')들의 향응 및 성접대사건 의혹 관련하여 진상규명위원회를 구성함: 외부 민간인을 위원장으로 위촉. 4-23 북한, 금강산관광지구 내 남북이산가족면회소 등 5개 남측 부동산을 몰수한다고 발표함. 4-27 새만금방조제가 19년만에 개통됨: 세계 최장 33.9km. 여성산악인 오은선吳銀善, 히말라야 14좌 등정에 성공함: 이후 등정 사실 여부로 논란 발생. 4-28 103년만에 이상저온현상과 일조량 부족현상이 계속됨: 광주 최저 -1.5℃, 서울 최고 7.8℃, 설악산에 봄눈 4㎝. 4-29 박대선朴大善 전 연세대 총장 사망. 4-30 이명박李明博 대통령, 중국 상하이 엑스포 참석차 출국함: 후진타오胡錦濤 주석과 정상회담. 북한, 남측의 금강산 내 부동산 동결 조치를 마침: 금강산 관광 사실상 중단. 5-2 충남 청양축산기술연구소에서 구제역 발생함:공기관에서의 발생으로 비상사태. 5-3 현대아산 직원 등 24명이 금강산 관광지구에서 철수함: 기본 인원 16명만 잔류. 북한 김정일金正日 국방위원장, 중국을 방문함: 5일 후진타오 주석과 정상회담.	2-24 그리스, 공공 · 민간 부문 노조가 파업에 돌입함: 정부의 긴축정책에 항의. 2-27 칠레, 규모 8.8의 지진이 발생함: 1천여명 사망. 3-3 미국 항공우주국, 하루의 길이가 100만분의 1초 짧아졌다고 계산함: 칠레 지진 충격으로 지구 자전축 움직임 결과. 3-4 타이완, 가오슝현高雄縣에 규모 6.4의 지진 발생함: 철도 등 운행 중단. 인도, 힌두교 사원 자선행사 중 압사사고 발생함: 65명 사망. 3-7 이라크, 총선거를 실시함: 친미 성향의 집권당 패배. 나이지리아, 이슬람교와 크리스트 세력 간에 종교분쟁이 재발함: 500여명 사망. 3-8 터키, 동부지역에 규모 6.0의 지진이 발생함: 100여명 사상. 3-15 미국, 위키리스크WikiLeaks가 국방부의 2008년도 기밀보고서를 공개함. 3-20 중국, 화베이華北지방에 최대 규모의 황사 발생함.

연대	우리나라	다른나라
2010 (4343) 경인	5-4 이명박李明博 대통령, 전군 주요지휘관회의를 직접 주재함: 안보태세 전면 재점검. 5-5 원로가수 백설희 사망. 5-10 한·일 지식인 214명이 한일병합은 원천무효라는 성명서를 발표함. 5-12 북한, 핵융합 기술 개발에 성공했다고 발표함. 5-15 북한, 경비정이 서해 북방한계선을 두 차례 침범함: 한국 해군의 경고사격 받고 퇴각. 5-18 국무회의, 국장·국민장에 관한 법률 개정안을 의결함: 국가장國家葬으로 통합. 5-20 민군합동조사단, 천안함 침몰원인 조사 결과를 발표함: 북한제 중어뢰 수중폭발에 의한 것으로 결론. 5-23 정부, 민주노동당에 가입한 교사 및 공무원에 대해 파면·해임 조처함. 5-24 이명박李明博 대통령, 천안함 사건 관련 담화문을 발표함: 남북간 교류 중단 및 교역 중단 등 조처. 5-28 중국 원자바오溫家寶 총리가 방한함: 이명박李明博 대통령과 회담 후 천안함 사건 관련하여 누구도 비호하지 않겠다고 언급. 5-29 이명박李明博 대통령, 일본 하토야마鳩山由紀夫 총리와 제주도에서 정상회담을 개최함: 30일 한중일 정상회담을 개최함. 5-30 프로야구 관중 수가 1억 명을 돌파함. 6-1 강원도 대관령의 기온이 영하 1.7도로 내려감: 1971년 기상관측 이후 최저 기록. 6-2 전국 동시 지방선거를 실시함: 여당(한나라당) 패배, 야당 약진. 광릉숲이 유네스코 생물권보전지역으로 지정됨. 6-3 정몽준鄭夢準 한나라당 대표, 지방선거 패배에 책임지고 대표직을 사퇴함. 유창순劉彰順 전 국무총리 사망. 6-4 세계주요20개국 재무장관·중앙은행총재회의가 부산에서 개막됨: 재정건전성 문제 집중 논의. 이명박李明博 대통령, 아시아안보회의 참석차 싱가포르를 방문함: 5일 리셴룽李顯龍 총리와 정상회담. 6-7 자유선진당 이회창李會昌 대표, 지방선거 패배에 책임지고 대표직을 사퇴함: 17일 업무에 복귀. 김국영 선수, 전국육상경기대회 남자 100m 달리기에서 10초 23을 기록함: 31년 만에 한국 신기록 수립. 6-8 국회, 국회의장에 박희태朴熺太 한나라당 의원을 선출함.	3-20 시에라리온Sierra Leone, 무허가 금광 붕괴사고 발생함: 200여명 사망. 3-21 미국 의회, 건강보험 개혁법안을 의결함: 오바마Obama 대통령의 최대 업적 평가. 3-28 중국, 산시성山西省 탄광 갱내에서 침수사고 발생함: 150여명 매몰. 미국 오바마Obama 대통령, 아프가니스탄을 방문함. 3-29 러시아, 모스크바 지하철에서 체첸Chechen 반군의 폭탄테러 발생함: 39명 사망, 20여명 부상. 4-7 키르기스스탄, 바키예프Bakiyev 대통령 퇴진을 요구하는 반정부시위 일어남: 대통령, 수도 탈출. 야당, 과도정부 구성. 4-10 타이, 유혈 반정부시위 발생함: 21명 사망, 800여명 부상. 폴란드, 카진스키Kaczynski 대통령 부부가 탑승한 항공기가 러시아 공항에서 추락함: 탑승자 96명 사망. 4-14 중국, 칭하이성青海省에서 규모 7.1의 지진 발생함: 2200여명 사망, 1만 2천여명 부상.

연대	우리 나라	다른 나라
2010 (4343) 경인	6-10 과학기술위성 2호가 나로호羅老號에 실려 발사됨: 발사 137초 후 70㎞ 상공에서 추락. 6-11 법원, 이광재李光宰 강원도지사 당선자에게 유죄 판결을 내림: 도지사 직무정지 위기. 6-12 북한, 한국의 진보연대 한상렬韓相烈 목사가 6·15남북공동선언 10주년 기념행사 참석차 평양에 도착했다고 발표함: 8-12 판문점板門店 통해 귀환 즉시 체포됨. 6-14 이명박李明博 대통령, 방송 통해 6·2지방선거 이후의 국정운영 기조를 밝힘: 청와대 및 내각內閣 개편 및 세종시世宗市 건설 관련 국회 의견 중시 의사 표시. 6-19 이만갑李萬甲 전 서울대 교수 사망. 6-22 국회 국토해양위원회, 세종시世宗市 수정안을 부결시킴: 29일 본회의에서도 부결. 6-23 한국 월드컵 축구팀, 사상 첫 원정 16강에 진출함. 소설가 손창섭孫昌涉 사망. 6-26 이명박李明博 대통령, 세계주요20개국 정상회의 참석차 캐나다를 방문함: 27일 미국 오바마Obama 대통령과 전시작전통제권 이양 시점 연장에 합의. 채문식蔡汶植 전 국회의장 사망. 6-27 기상 관측 위성 천리안이 남미 가이아나Guyana 우주센터에서 성공적으로 발사됨: 세계 7번째 독자 기상 관측 위성 보유국가가 됨. 6-29 국회, '스폰서 검사 특별법'을 의결함: 7-16 이명박李明博 대통령, 특별검사에 민경식閔京植 변호사 임명. 7-3 인천대교 인근 고속도로에서 고속버스 추락사고 발생함: 25명 사상. 충남 태안 앞바다에서 군 작전용 보트 전복사고 발생함: 민간인 탑승 관광으로 물의. 7-5 노동부, 고용노동부로 확대 개편됨. 국무총리실, 산하 공직윤리지원관실에서 민간인 불법사찰을 하였다고 인정함: 이인규李仁圭 공직윤리지원관 등 4명을 검찰에 수사의뢰. 7-6 이상득李相得 한나라당 의원, 대통령 특사로 리비아를 방문함: 한국 외교관 첩보활동 오해 해명 목적. 민주당, 영포회(영일·포항 출신 5급 이상 중앙부처 공무원 사조직)의 배후를 밝히라고 요구함. 7-8 이명박李明博 대통령, 대통령실장에 임태희任太熙 고용노동부장관을 내정함.	4-14 아이슬란드, 남부 예이야프얄라요쿨Eyjafjallajoekull 화산이 폭발함: 다량의 재 유출로 유럽공항 운항 중단. 4-20 미국, 멕시코만에 침몰한 원유 시추시설에서 다량의 원유가 유출됨: 비상사태 선포. 4-21 스페인, 사마란치Samaranch 전 국제올림픽위원회 위원장 사망. 5-5 나이지리아, 야라두아Yar'Dua 대통령 사망. 5-6 영국, 보수당이 총선거에서 13년 만에 제1당이 됨: 11일 캐머런Cameron 당수가 총리에 취임함. 5-9 그리스, 국제통화기금의 금융지원이 승인됨. 5-10 필리핀, 대통령선거에서 아키노Aquino 상원의원이 당선됨: 첫 모자母子 대통령 탄생. 아프가니스탄 카르자이Karzai 대통령, 미국을 방문함: 12일 오바마Obama 대통령과 정상회담. 5-12 리비아, 트리폴리Tripoli 공항에서 여객기 추락사고 발생함: 103명 사망.

연 대	우 리 나 라	다 른 나 라
2010 (4343) 경인	7-9 검찰, 국무총리실 산하 공직윤리지원관실을 압수수색함: 민간인 불법사찰 혐의 관련. 민노당, 새 대표에 이정희李正姬 의원을 선출함. 7-14 한나라당, 전당대회를 개최함: 대표최고위원에 안상수安商守 의원 선출. 7-20 대한항공 여객기 폭파범 김현희金賢姬, 일본을 방문함: 납북피해자 가족 면담. 7-21 한미 외교 · 국방 장관회의(2+2회의)가 개최됨: 대북한 압박 메시지. 7-24 윤필용尹弼鏞 전 수도경비사령관 사망, 7-25 한미연합훈련이 동해에서 시작됨: 북한, '보복성전'을 공언. 7-26 장태완張泰玩 전 수도경비사령관 사망. 7-29 국회의원 8개 선거구 재보궐선거를 실시함: 이재오李在五 후보 등 여당(한나라당) 후보 5명 당선. 코미디언 백남봉 사망. 7-31 안동 하회마을과 경주 양동마을이 유네스코 세계유산에 등재됨. 북한의 목함지뢰가 떠내려와 2명이 부상당함. 8-1 20세 이하 여자축구대표팀, 독일 여자월드컵축구대회에서 사상 첫 3위에 입상함. 수필가 전숙희田淑禧 사망. 8-2 민주당, 정세균丁世均 대표 등 지휘부가 총사퇴함: 재보궐선거 패배 책임. 8-8 이명박李明博 대통령, 국무총리 후보에 김태호金台鎬 전 경남지사를 지명함. 어선 대승호가 동해에서 북한에 나포됨: 9-7 무사 귀환. 8-9 서울에서 천연가스CNG 시내버스 폭발사고 발생함: 17명 부상. 북한, 서해에서 해안포 130여 발을 백령도와 연평도 부근에 발사함, 8-10 일본 간菅直人 총리가 한일병합의 강제성 인정하고 사과함. 8-12 행정안전부, 내년부터 행정고시 대신 5급 공무원 공채시험으로 한다고 발표함: 9-9 명칭만 '5급 공채 시험'으로 바꾸기로 수정. 디자이너 앙드레 김 사망. 8-14 이대호李大浩 선수, 프로야구에서 9경기 연속 홈런 세계신기록을 수립함. 8-15 이명박李明博 대통령, 광복절 경축사에서 '공정한 사회' 구현과 통일 대비 통일세 도입 등을 제시함. 경복궁 광화문光化門이 복원 개방됨.	5-15 타이, 반정부시위 격화로 200여명의 사상자 발생함: 19일 시위 지도부 집단 투항. 5-22 인도, 망갈로르Mangalore 공항에서 여객기 추락사고 발생함: 158명 사망. 5-31 이스라엘, 팔레스타인 구호 선박을 공격함. 6-2 일본. 하토야마鳩山由紀夫 총리가 사의를 표명함: 4일 후임 총리에 간菅直人 민주당 대표 선출. 6-11 남아프리카공화국, 2010년 월드컵대회가 개막됨. 6-13 키르기스스탄, 오쉬시Osh市에서 키르기스Kirgiz인과 우즈베크Uzbek인 사이에 민족분규가 발생함: 100여명 사망, 1500여명 부상. 6-24 오스트레일리아 길러드Gillard 부총리, 노동당 대표 겸 총리에 선출됨: 첫 여성총리. 6-29 중국 · 타이완, 경제협력기본협정에 서명함: 경제통합 확대 전망. 7-2 콩고민주공화국, 유조차 폭발사고 발생함: 230여명 사망.

연대	우리 나라	다른 나라
2010 (4343) 경인	8-17 북한, 미그기로 보이는 군용기가 국경 넘어 중국 푸순撫順에서 추락함. 8-21 이명박李明博 대통령, 청와대에서 한나라당 박근혜朴槿惠 전 대표와 회동함: 정권 재창출에 노력하기로 합의. 전국 140개 시·군에 폭염특보가 내려짐: 22일 156개 시·군으로 확대. 북한, 호우로 압록강 하류가 범람함: 신의주 전역 침수. 8-25 볼리비아 모랄레스Morales 대통령 방한: 26일 이명박李明博 대통령과 리듐 개발사업에 협력하기로 합의함. 북한, 미국 카터Carter 전 대통령 방북: 억류 중인 미국인 석방 목적. 8-26 북한 김정일金正日 국방위원장, 중국을 전격 방문함: 27일 창춘長春에서 후진타오胡錦濤 국가주석과 회동. 8-29 김태호金台鎬 국무총리 후보, 인사청문회에서 제기된 의혹 관련하여 자진 사퇴함: 신재민申載旻 문화체육관광부 장관, 이재훈李載勳 지식경제부장관 내정자도 사퇴. 정부, 주택거래 활성화대책을 발표함: 총부채상환비율DTI 규제를 한시적으로 폐지. 8-31 정부, 페루와 자유무역협정을 타결함. 9-1 경찰, 민홍규閔弘圭 전 국새제작단장을 소환 조사함: 국새國璽 제작 전통기법이 없었다는 진술 받아냄. 9-2 헌법재판소, 이광재李光宰 강원도지사 관련 지방자치법 조항은 위헌 소지 있다고 결정함: 이광재 강원도지사, 업무에 복귀함. 국회, 횡령 혐의 강성종康聖鍾 민주당 의원 체포동의안을 의결함. 태풍 '곤파스'가 서해 통해 상륙함: 서울·경기 지역 전철 운행 중단. 9-4 유명환柳明桓 외교통상부 장관, 딸 특채 의혹 관련하여 자진 사퇴함. 9-6 소설가 김성한金聲翰 사망. 9-8 정부, 핵개발 의혹 관련하여 대이란 제재 방안을 발표함. 9-9 이명박李明博 대통령, 러시아 방문차 출국함: 푸틴Putin 총리 및 메드베데프Medvedev 대통령과 회담. 경제학자 최호진崔虎鎭 사망. 9-10 북한, 추석 기해 남북이산가족 상봉을 금강산에서 실시하자고 제의함. 9-16 이명박李明博 대통령, 국무총리 후보에 김황식金滉植 감사원장을 지명함.	7-4 폴란드, 대통령선거에서 코모로프스키Komorowski 하원의장이 당선됨. 7-9 유엔 안전보장이사회, 한국 천안함에 대한 공격을 비난하는 의장 성명을 채택함. 7-21 중국, 양쯔강揚子江 유역 호우로 중남부 일대에 대홍수 발생함: 1천여명 사망, 1억여명 대피. 7-23 베트남, 하노이에서 아세안지역안보포럼ARF 외교장관회의가 개최됨: 24일 한국 천안함 관련 의장 성명 발표. 7-24 페루, 46년만에 최악의 한파가 내습함. 7-27 파키스탄, 수도 이슬라마바드Islamabad 인근에서 여객기 추락사고 발생함: 탑승자 152명 전원 사망. 7-29 러시아, 모스크바 인근에서 대형 산불 발생함. 8-1 파키스탄, 북서부에 홍수 발생함: 1600여명 사망, 이재민 2천만명. 8-16 중국, 국내총생산GDP에서 일본을 제치고 세계 2위 경제대국에 오름. 8-19 이라크, 미국군 전투여단이 완전 철수함.

연대	우 리 나 라	다 른 나 라
2010 (4343) 경인	9-17 통일쌀보내기국민운동본부, 경의선京義線 육로 통해 북한에 쌀 200여톤을 보냄: 이명박李明博 정부에서 처음. 9-21 서울 및 수도권에 집중 호우 내림: 1만여 가구 침수. 9-26 17세 이하 여자축구대표팀, 월드컵축구대회에서 우승함: 한국축구사상 처음. 9-27 북한, 김정일金正日 국방위원장 3남 김정은金正恩에게 인민군 대장 칭호를 수여함: 후계 공식인정. 9-28 '스폰서 검사' 특별검사팀, 전 · 현직 검사 4명을 기소함. 북한, 44년만에 노동당 대표자회를 개최함: 김정일金正日 국방위원장을 당 총비서에 재추대함. 9-30 주민등록상 인구가 5천만 명을 돌파함. 10-1 정부, 중국산 배추 수입을 결정함: 배추값 안정 목적. 10-3 이명박李明博 대통령, 아시아 · 유럽정상회의 참석차 벨기에를 방문함. 민주당, 대표에 손학규孫鶴圭 전 대표를 선출함. 제주도, 유네스코가 인증한 세계지질공원이 됨. 10-6 이명박李明博 대통령, 유럽연합EU과 자유무역협정에 정식 서명함. 10-10 황장엽黃長燁 전 북한 노동당 비서 사망. 10-11 황인성黃寅性 전 국무총리 사망. 10-17 이현희李炫熙 성신여대 명예교수 사망. 10-21 검찰, 임병석林炳石 C&그룹 회장을 전격 체포함: 정관계 로비 의혹 관련. 10-22 전남 영암에서 자동차경주대회 F1 그랑프리가 개막됨. 10-23 경북 경주에서 세계주요20개국 재무장관회의 개최됨: 환율 문제에 합의. 10-28 이명박李明博 대통령, 베트남 하노이에서 개최되는 아세안+한중일 정상회의 참석차 출국함. 경부고속철도(서울~부산)가 전구간 개통됨: 2시간 18분 소요 10-30 나응찬羅應燦 신한금융지주 회장, 금융실명제법 위반 관련 책임지고 사퇴함. 남북이산가족 상봉을 금강산에서 실시함: 11-3 2차 상봉 실시. 10-31 손보기孫寶基 전 연세대 교수 사망. 11-1 서울특별시 교육청, 초중고교의 체벌금지 규정을 시행함. 11-2 예멘 남부지역에서 한국석유공사 소유의 송유관 폭발사고 일어남: 알카에다Al-Queda 소행 추정. 11-5 진홍섭秦弘燮 전 이화여자대학교 교수 사망. 11-6 북한, 조명록趙明祿 전 국방위원회 제1부위원장 사망.	8-21 중국, 압록강 유역 범람으로 단둥丹東 일대가 침수됨 : 9만여명 대피. 8-24 중국, 헤이룽장성黑龍江省에서 여객기 추락사고 발생함: 90여명 사상. 8-29 인도네시아, 시나붕Sinabung 화산이 폭발함: 1만 2천여명 대피. 8-31 미국, 북한 제재 대상을 발표함: 개인 4명, 기관 8개처. 9-1 미국 오바마Obama 대통령, 이라크전쟁 종결을 선언함: 7년 5개월간의 전투 종식. 9-3 파키스탄, 탈레반Taliban에 의한 폭탄테러 발생함: 65명 사망, 150여명 부상. 9-4 뉴질랜드, 크라이스트처치Christchurch에 규모 7.1의 대형 지진 발생함: 500여 동의 건물 붕괴. 9-14 일본 간菅直人 총리, 민주당 대표 선거에서 승리함: 총리직 유지 성공. 9-17 교황청, 베네딕트Benedict 16세 교황이 영국을 방문함. 9-18 중국, 국치일國恥日(만주사변 발발일) 맞아 전국적인 반일 시위 벌임.

연 대	우 리 나 라	다 른 나 라
2010 (4343) 경인	11-10 세계 주요20개국 비지니스 서밋Business Summit 개막 총회가 서울에서 개막됨: 세계 정상급 경제계 인사 120여명 참석. 이명박李明博 대통령, 방한 중인 러시아 메드베데프Medvedev 대통령 및 오스트레일리아 길러드Gillard 총리와 정상회담 개최함: 11일 미국 오바마Obama 대통령, 중국 후진타오胡錦濤 국가주석, 영국 캐머런Cameron 총리, 독일 메르켈Merkel 총리, 브라질 룰라Lula 대통령과 연쇄 정상회담. 11-11 세계 주요20개국 정상회의가 서울에서 개막됨: 12일 서울선언 발표하고 폐막. 롯데그룹, 높이 555m, 지상 123층의 초고층 빌딩 건축허가를 받음. 11-12 이명박李明博 대통령, 방한 중인 프랑스 사르코지Sarkozy 대통령과 정상회담 개최함: 병인양요丙寅洋擾 때 약탈해 간 외규장각外奎章閣 도서의 대여방식 반환에 합의. 11-13 이명박李明博 대통령, 일본 요코하마에서 열리는 아시아·태평양경제협력체 정상회의 참석차 출국함: 14일 일본 간菅直人 총리와의 정상회담에서 약탈 도서 1205책의 반환에 합의. 11-15 국토해양부, 4대강 정비공사의 하나인 경상남도의 낙동강 살리기 사업권을 회수함: 김두관金斗寬 경남도지사, 법적 대응 의지 표명. 페루 가르시아Garcia 대통령이 방한함: 자유무역협정FTA에 가서명. 11-16 매사냥이 유네스코 인류무형문화유산에 등재됨. 11-21 타이완 정부가 광저우廣州 아시아경기대회에서 자국 태권도 선수가 실격패한 것은 한국 정부와 무관하다고 통보해 옴: 타이완 내의 반한 감정 관련. 북한, 우라늄 농축시설을 미국 전문가에게 공개했다고 보도됨. 11-23 북한, 연평도延坪島에 해안포 200여발을 발사함: 20여명 사상. 연평도 주민들의 육지로의 피난 사태 벌어짐. 11-25 이명박李明博 대통령, 김태영金泰永 국방부장관을 경질함: 북한군의 연평도 공격 대처 미흡 관련. 하나금융, 론스타Lone Star 펀드회사와 외환은행 인수계약을 체결함. 11-26 이명박李明博 대통령, 국방부장관에 김관진金寬鎭 전 합참의장을 내정함. 11-29 이명박李明博 대통령, 북한의 연평도 포격사건과 관련한 담화 발표함: 국민의 생명과 재산 못 지킨 책임 통감 표명. 경북 안동에서 구제역 발생함: 이후 예천·영양·봉화·영주·의성·영덕·청송·경주로 확산.	9-22 인도, 몬순으로 인한 홍수 발생함: 이재민 300만명. 9-24 일본, 센카쿠尖閣 열도(중국명 댜오위다오釣魚島) 해역 침입한 중국인 선장을 석방함: 굴욕외교 논란. 9-26 러시아 메드베데프Medvedev 대통령, 중국을 방문함: 27일 후진타오胡錦濤 국가주석과 정상회담. 9-30 에콰도르, 복지혜택 삭감 법안에 반발하여 폭동 발생함. 10-1 중국, 무인 달 탐사위성 창어嫦娥 2호 발사에 성공함. 10-8 중국, 류사오보劉曉波가 노벨 평화상 수상자로 선정됨. 10-12 프랑스, 정부의 연금개혁에 반대하는 노동계 파업 일어남. 10-13 칠레, 69일간 지하에 매몰되었던 광부 33명을 구조함. 10-18 중국 시진핑習近平 부주석, 중앙군사위 제1부주석이 됨. 10-19 중국, 금리 인상 조치를 단행함. 10-25 인도네시아, 수마트라 서부에서 규모 7.7의 지진으로 쓰나미 발생함: 700여명 사망.

연대	우 리 나 라	다 른 나 라
2010 (4343) 경인	12-4 한미자유무역협정 추가협상이 타결됨. 12-5 이영희李泳禧 전 한양대 교수 사망. 12-7 검찰, 천신일千信一 세중나모여행 회장을 구속함: 금품 수수 혐의. 12-8 이명박李明博 대통령, 인도네시아와 말레이시아 방문차 출국함. 정진석鄭鎭奭 추기경, 주교단 의견이 4대강정비공사 반대는 아니라고 언급함: 13일 사제 25명이 이에 반발하여 추기경의 퇴진 요구. 전북 익산에 조류인플루엔자 발생함: 이후 충남 서산 · 천안, 경남 사천도 발생. 12-11 방글라데시 소재 한국 영원무역 근로자들이 임금인상 요구하며 시위 벌임. 12-12 고흥길高興吉 한나라당 정책위 의장, 예산안 처리내용에 책임지고 사퇴함. 12-13 거가대교(거제도~부산 가덕도)가 개통됨: 총연장 8.3km 중 해저터널 3.7km 포함. 원양 어선 제1인성호가 남극 해역에서 침몰함: 한국인 7명 포함 22명 사망 또는 실종. 조계종, 정부 및 한나라당과 더 이상 대화 않겠다고 언명함: 템플스테이 예산 등과 관련한 갈등. 서울외곽순환고속도로 중동 나들목 부근에서 유조차 화재사건 일어남. 12-15 경기도 양주 · 연천에서 구제역 발생함: 이후 파주 · 고양 · 포천 · 가평 · 김포 · 여주 · 양평 등지로 확산. 12-19 유엔 안전보장이사회가 한반도 긴장 완화 방안 모색 위해 개최됨: 중국 · 러시아의 반대로 성명 채택 실패. 12-20 군, 연평도延坪島 해상에서 사격연습 훈련을 실시함. 북한, 유엔 핵사찰단 북한 복귀를 허용하기로 함. 12-21 경춘선 복선 전철이 개통됨. 12-22 강원도 평창에서 구제역 발생함: 이후 화천 · 춘천 · 원주 · 횡성 및 인천 강화 · 서구 · 계양구 등지로 확산. 12-28 헌법재판소, 인터넷 허위 글 처벌은 위헌이라고 판결함. 충북 충주에서 구제역 발생함. 12-29 정부, 구제역 관련 담화문을 발표함: 경보단계를 최고수준인 '심각'으로 격상. 12-30 KT, 통신 · 방송 위성 올레olleh 1호 발사에 성공함. 서울특별시 의회, 서울특별시교육청의 무상급식 예산안을 의결함: 오세훈吳世勳 서울특별시장, 이에 반대하여 무상급식 예산 집행이 불가함을 언명함. 12-31 정동기鄭東基 전 청와대 민정수석, 감사원장에 내정됨.	10-31 이라크, 바그다드 성당에서 알카에다Al-Queda에 의한 인질사건 발생함: 120여명 사상. 브라질, 대통령선거에서 집권당 호세프Rousseff 후보가 당선됨: 첫 여성 대통령. 11-1 러시아 메드베데프Medvedev 대통령, 일본과 분쟁 중인 쿠릴Kuril 열도를 방문함: 일본, 주 러시아 대사 소환. 쿠바, 국내 여객기추락사고 발생함: 68명 사망 11-8 미국 오바마Obama 대통령, 인도를 방문함. 11-13 미얀마, 수치Suu Kyi 여사의 가택연금을 7년만에 해제함. 11-22 캄보디아, 수도 프놈펜에서 열린 물축제에서 압사사고 발생함: 700여명 사망. 11-28 아일랜드, 유럽연합과 구제금융에 합의함. 12-4 코트디부아르Cote d'Ivoire, 2명의 대선 후보가 연달아 취임식을 가짐: 남북간 내전 위기. 12-20 유럽, 폭설로 공항 · 고속도로 · 철도가 마비됨. 12-26 미국, 동부지역 폭설로 비상사태 선언함.

연 대	우 리 나 라	다 른 나 라
2011 (4344) 신묘	1-1 강원도 강릉에서 구제역 발생함: 이후 충남 천안 · 보령, 경기 의정부 · 용인, 강원 철원 · 양양 · 횡성, 충북 괴산 · 진천 등지에서도 발생하여 전국적인 현상을 보임. 1-3 이명박李明博 대통령, 신년 특별연설에서 안보와 경제를 강조함. 포항지역에 28.7cm의 폭설 내림: 기상 관측 69년만의 폭설 기록. 1-6 이명박 대통령, 구제역 관계 장관회의를 주재함. 1-8 동양 최대 대관령 목장에 구제역 발생함. 1-10 검찰, 함바식당 비리사건 관련하여 강희락姜熙洛 전 경찰청장을 소환 조사함: 12일 이길범李吉範 전 해경청장을 소환 조사함. 한나라당, 정동기鄭東基 감사원장 내정자에 대해 부적격하다는 의견을 발표함: 12일 정동기 감사원장 내정자 사퇴 의사 표명. 1-11 이돈명李敦明 변호사 사망. 1-21 해군 청해부대, 소말리아 해적에 피랍된 삼호주얼리호와 선원을 구출함: 아덴만Aden灣 여명작전 성공. 검찰, 태광그룹 이호진李豪鎭 회장을 구속함: 비자금 의혹 관련. 경기도 파주에 조류인플루엔자 발생함: 24일 경북 성주, 전남 보성 · 영암에도 발생. 1-22 소설가 박완서朴婉緖 사망. 1-23 경북 상주 · 문경, 경남 김해에 구제역이 발생함: 29일 경남 양산에도 발생. 1-26 정부, 구제역 관련 담화문 발표함: 설 연휴에 귀성 자제 당부. 1-27 이광재李光宰 강원도지사, 대법원의 유죄판결로 도지사직을 상실함: 박연차朴淵次 태광실업 회장 로비 불법정치자금 받은 혐의. 1-30 삼호주얼리호를 납치한 소말리아 해적 5명을 국내로 압송함. 2-1 구제역이 충남 연기와 논산에 발생함: 2일 홍성에도 발생. 황수영黃壽永 전 동국대 총장 사망. 2-2 구제역으로 살처분 가축이 300만 마리를 넘어섬: 경북 울진 · 경산 등지에도 발생.	1-1 이집트, 북부의 교회에서 차량폭탄테러 발생함: 이슬람교와 크리스트교 사이의 종교 갈등 야기. 1-8 미국, 애리조나주에서 총기난사사건 발생함: 기퍼즈Giffords 의원 등 19명 사상. 1-9 이란, 북서부지역에서 여객기 추락사고 발생함: 70여명 사망. 1-12 오스트레일리아, 퀸즐랜드Queensland에 사상 최대의 호우 내림: '내륙 쓰나미' 로 표현. 1-14 튀니지 알리Ali 대통령이 민주화 요구 시위대에 쫓겨 사우디 아라비아로 피신함: 23년간의 독재정치 종식. 1-19 중국 후진타오胡錦濤 국가주석, 미국을 방문함:오바마Obama 대통령과 정상회담. 1-24 러시아, 모스크바 공항에서 자살폭탄테러 발생함: 200여명 사상. 1-26 이집트, 무바라크Mubarak 대통령 퇴진 요구하는 반정부 시위 일어남. 1-28 일본, 신모에다케新燃岳 화산이 폭발함: 2-7 규슈九州 남쪽에서도 연이어 화산 폭발. 2-2 이집트 무바라크 대통령, 차기 대통령선거 불출마를 선언함: 11일 군부에 실권 위임하고 하야. 2-4 타이 · 캄보디아, 국경지역에서 총격전 벌임: 힌두교 사원 소유권 다툼.

연대	우리나라	다른나라
2011 (4344) 신묘	2-5 정부, 구제역 및 조류인플렌자 발생지역의 초중고교 개학 연기방안 검토를 지시함. 북한 주민 31명이 북방한계선 넘어 연평도延坪島로 월남함. 2-6 부산 지역 및 천안 국립축산과학원에 구제역이 발생함: 국가 가축유전자원 보존에 비상사태. 2-9 소말리아 해적에 피랍된 금미호가 124일만에 석방됨. 2-11 강원도 영동지방에 100년만의 폭설이 내림: 삼척 120cm, 강릉 77.5cm. 2-14 영남지방에 80년만의 폭설이 내림: 각급학교 휴교. 대전 지역에 구제역이 발생함. 2-16 이명박李明博 대통령, 감사원장에 양건梁建 한양대 교수를 내정함. 인도네시아 대통령 특사단 숙소에 남녀 3명이 잠입함: 국정원 직원으로 밝혀져 파문. 2-17 금융위원회, 부산저축은행 등 2개 계열사에 영업정지 처분 내림: 19일 4개 저축은행 추가 영업정지 처분. 2-18 충남 태안 안면도安眠島와 경북 청도에서 구제역이 발생함. 2-20 리비아 트리폴리Tripoli의 국내 건설사 공사현장에 현지인들이 난입함: 한국인 3명 부상. 2-21 경기 남양주와 양평에서 구제역 매몰로 인한 침출수浸出水 뽑기작업을 실시함. 2-27 울산지역에 구제역 발생함. 유승국柳承國 전 성균관대 교수 사망. 2-28 이석제李錫濟 전 감사원장 및 김영일金永逸 광복회장 사망. 3-2 사법연수원생들이 입소식에 집단 불참함: 법무부의 로스쿨 출신 검사 우선 임용 방침에 반발. 3-3 정부, 폭설 피해당한 강원 강릉·삼척과 경북 울진을 특별재난지역으로 선포함. 시사만화가 백인수白寅洙 사망. 3-4 수도권 서북부 지역에서 위성위치정보시스템 GPS 수신장애현상 발생함: 북한 교란전파 영향. 청와대 등 주요기관이 디도스DDos(분산서비스거부) 공격받음.	2-19 바레인, 반정부 시위대에 광장 집회를 허용함: 야당과 대화 모색. 2-20 리비아, 반정부 시위가 격화됨: 600여명 사망. 2-22 뉴질랜드, 크라이스트처치Christchurch에 규모 6.3의 지진 발생함: 147명 사망, 200여명 실종. 3-9 티베트 달라이 라마Dalai Lama, 최고지도자 지위에서 물러날 것이라고 발표함. 3-11 일본, 동북부지방 해저에서 규모 9.0의 지진 발생함:일본 역사상 최악의 지진으로 막대한 피해 생김. 3-12 일본, 지진으로 후쿠시마福島 원자력발전소가 폭발함: 방사능 공포 확산. 3-13 미국 지질조사국, 일본 본토가 규모 9.0의 지진으로 2.42m 이동한 것으로 추정된다고 발표함: 이탈리아 지구물리학화산연구소, 지구 자전축이 10㎝ 정도 움직였다고 발표함. 3-14 아랍 연합군, 정국 불안한 바레인에 진입함: 반정부시위대 진압 목적. 3-16 일본, 지진 피해로 엔 달러 가치가 전후 최저 수준을 기록함: 1달러당 76.52엔. 3-18 유엔 안전보장이사회, 리비아 상공 비행금지구역 결의를 가결함: 카다피Gaddafi 국가원수에 대한 군사 개입 허용.

연대	우리 나라	다른 나라
2011 (4344) 신묘	**3**-6 김상문金相文 전 동아출판사 회장 사망. **3**-8 국무총리실, 중국 상하이 주재 한국영사관 영사들의 국가기밀 유출사건을 발표함: 중국 여성 덩신명鄧新明 관련 '상하이 스캔들'. **3**-12 이명박李明博 대통령, 아랍 에미리트 방문차 출국함: 석유가스 개발 및 유전계약 서명식 참석. **3**-16 한국천문연구원, 일본 지진으로 한반도가 동쪽으로 3㎝ 정도 움직였다고 발표함. **3**-17 한국원자력안전기술원, 인천국제공항 입국객에 방사선 감염 여부 검사를 실시함. **3**-19 국민참여당, 대표에 유시민柳時敏 전 의원을 선출함. **3**-21 이희건李熙健 신한은행 명예회장 사망. **3**-29 한국원자력안전기술원, 서울 등 12개소에서 방사성 물질 검출되었다고 발표함: 일본 후쿠시마福島 원전의 방사선 영향. 남북 백두산 화산 전문가회의가 남북출입국사무소에서 개최됨: 백두산 화산 공동연구 목적. **3**-30 정부, 독도獨島를 일본 영토로 표현한 일본 고교 교과서에 대해 일본정부에 항의함. 정부, 동남권 신공항 건설 계획을 백지화함: 영남지역 의원과 주민 반발. **4**-1 이명박李明博 대통령, 선거 공약인 동남권 신공항 건설 계획을 백지화한 데 대해 대국민 사과문을 발표함. **4**-8 북한, 현대그룹의 금강산 관광사업 독점권의 효력을 취소한다고 발표함. **4**-10 현대캐피탈, 42만명의 고객정보 해킹과 1만3천명의 금융거래 신용정보 유출 사실을 발표함. **4**-12 고리 원자력1호발전기가 전기 고장으로 가동 중지됨. **4**-14 병인양요丙寅洋擾 때 프랑스에 약탈되었던 외규장각外奎章閣 의궤儀軌 1차분 75권을 145년 만에 이관받음. 농업협동조합중앙회, 전산망 오류 관련하여 대국민 사과문을 발표함: **5**-3 검찰, 원인은 북한의 사이버 테러로 추정된다고 발표. 카이스트 이사회, 잇단 학생들의 자살사태에 대한 수습방안 논의함: 서남표徐南杓 총장의 개혁 방안 일부 수정. **4**-16 경북 영천에서 돼지 구제역이 발생함. **4**-26 북한, 미국 카터Carter 전 대통령 방북: 28일 한국 방문. **4**-27 국회의원 3개 선거구 및 광역·기초 단체장 재보궐선거를 실시함: 여당(한나라당), 경기 분당과 강원도에서 패배.	**3**-19 다국적군, 리비아를 공습함: 오디세이Odyssey 새벽 작전. **3**-23 미국, 여배우 엘리자베스 테일러Elizabeth Taylor 사망. **4**-1 콩고, 킨샤샤Kinshasa 공항에서 유엔기의 추락사고 발생함: 32명 사망. **4**-5 일본, 후쿠시마福島 원저력발전소의 방사능 오염수를 바다에 무단 방류함: 주변국에 악영향. 코트디부아르 그바그보Gbagbo 대통령, 유엔 평화유지군에 항복함: 내전 종식. **4**-6 포르투갈, 유럽연합에 구제금융을 신청함. **4**-7 일본, 미야기현宮城縣 앞바다에서 규모 7.4의 추가 지진 발생함: 4명 사망, 140여명 부상. **4**-12 일본, 후쿠시마福島 원자력발전소 사고 등급을 최악인 7등급으로 올림: 체르노빌Chernobyl 핵발전소 사고 이후 두번째. **4**-16 나이지리아, 대통령 선거에서 조너선Jonathan 현 대통령이 당선됨: 야당 후보들의 반대 시위.

연대	우리나라	다른나라
2011 (4344) 신묘	4-30 한국인 선장 등 4명이 포함된 싱가포르 화물선이 소말리아 해적에게 납치됨. 5-1 기상청, 전국에 황사 경보 및 주의보를 발령함. 5-4 국회, 한·유럽연합 자유무역협정 비준안을 의결함. 5-6 이명박李明博 대통령, 5개 부처의 개각을 단행함: 기획재정부장관에 박재완朴宰完 고용노동부장관 내정. 5-8 이명박李明博 대통령, 독일·덴마크·프랑스 방문차 출국함. 5-16 정부, 국제과학비즈니스벨트를 대전 대덕지구에 조성한다고 발표함: 호남 및 영남 지역 반발. 5-19 세계주요20개국 국회의장회의가 서울에서 개최됨: 20일 세계평화와 반테러 내용 담은 공동선언문 채택. 5-20 북한 김정일金正日 국방위원장, 중국을 방문함: 25일 후진타오胡錦濤 국가주석과 정상회담. 5-21 이명박李明博 대통령, 한중일 정상회담 참석차 일본을 방문함: 22일 원자력 안전과 재난관리 협력 강화에 합의. 5-23 정부, 주한미군과 함께 경북 칠곡의 고엽제 매립에 대한 공동조사에 착수함. 통계청, 경제총조사를 실시함(~6. 24): 정책 입안 기초자료 이용 목적. 5-25 《일성록日省錄》과 5·18 광주 민주화운동 기록물이 유네스코 세계기록유산에 등재됨. 한국항공우주산업, 인도네시아와 T-50고등훈련기 수출 계약을 체결함: 사상 첫 해외 수출. 5-27 검찰, 프로축구 승부조작에 연루된 선수 3명을 구속함. 5-30 검찰, 은진수殷辰洙 전 감사원 감사위원을 긴급 체포함: 저축은행 비리사건 관련. 6-1 북한, 남북비밀접촉에서 남측이 제의한 남북정상회담을 거부했다고 주장함. 6-7 김준엽金俊燁 전 고려대 총장 사망. 검찰, 김광수金光洙 금융정보분석원장을 구속함: 저축은행 비리사건 관련. 6-8 북한, 중국과 황금평黃金坪 공동개발 착공식을 개최함.	4-18 미국 스탠더드앤드푸어스S&P, 미국의 국가신용등급 전망을 '부정적'으로 하향 조정함: 주가 폭락. 케냐 무타이Mutai 선수, 보스턴 마라톤대회에서 비공식 세계신기록 수립함: 2시간 3분 2초. 4-24 시리아, 아사드Assad 대통령의 장기집권에 반대하는 반정부 시위가 격화됨: 120여명 사망. 4-27 티베트, 물러난 달라이 라마Dalai Lama 후임에 상가이Sangay 국제법 전문가를 선출함. 4-28 미국, 중앙부 일대에 토네이도tornado가 엄습함: 350여명 사망. 5-2 미국 오바마Obama 대통령, 9·11테러의 주범 빈 라덴bin Laden이 파키스탄에서 미군에 의해 사살되었다고 발표함. 5-13 파키스탄, 북서부에서 연속 자살폭판 테러 발생함: 80여명 사망. 5-14 미국, 중부 일대의 호우로 미시시피강 수문을 개방함. 프랑스, 스트로스 칸Straus Kahn 국제통화기금 총재가 미국 뉴욕에서 성범죄 혐의로 체포됨. 5-18 영국 엘리자베스 2세, 아일랜드를 방문함. 5-21 아이슬란드, 그림스포튼Grimsvotn 화산이 폭발함: 영공 잠정폐쇄. 5-22 미국, 중부 미주리주Missouri州에 토네이도tornado가 엄습함: 100여명 사망.

연 대	우 리 나 라	다 른 나 라
2011 (4344) 신묘	6-9 검찰, 김종창金鍾昶 전 금융감독원장을 소환 조사함: 저축은행 비리사건 관련. 6-10 반값등록금 요구하는 대학생들의 촛불시위 일어남. 6-11 한진중공업 정리해고 근로자 격려 위한 '희망버스'가 부산에 집결함: 민주노총 김진숙 지도위원의 크레인 고공 농성 격려. 6-12 K-pop 한류 콘서트가 프랑스에서 개최됨: 이후 전 유럽에 한류 확산. 6-13 임상규任祥奎 순천대 총장 자살: 함바식당 비리사건 관련. 6-15 교육과학기술부, 2012년부터 초중고교에서 주5일 수업이 전면 실시된다고 발표함. 서부도서방위사령부가 창설됨: 서부 5개 도서 방어 전담. 6-22 반기문潘基文 유엔 사무총장, 유엔 총회에서 만장일치로 재선됨. 6-24 한국계 미국인 성 김(한국명 김성용) 대북특사가 주한 미국 대사에 지명됨. 6-25 경북 왜관倭館의 '호국의 다리'(왜관철교)가 붕괴됨: 4대강정비공사 부실 논란. 6-26 태풍 '메아리'가 장마와 함께 통과함: 48년만의 6월 태풍. 6-27 이명박李明博 대통령, 민주당 손학규孫鶴圭 대표와 청와대에서 회담함: 민생문제 중점 협의. 한진중공업, 노조 파업 190일만에 노사협정 도출함. 6-30 국회, 검찰과 경찰의 수사권 조정 관련 내용의 형사소송법 개정안을 의결함: 검찰, 이에 반발하여 지휘부의 사표 제출 이어짐. 7-2 이명박李明博 대통령, 남아프리카공화국 · 콩고민주공화국 · 에티오피아 방문차 출국함: 평창동계올림픽대회 유치활동 지원. 7-4 한나라당, 전당대회를 개최함: 대표최고위원에 홍준표洪準杓 의원 선출. 김준규金畯圭 검찰총장, 검찰과 경찰의 수사권 조정 합의안이 국회에서 파기된 데 대해 책임지고 사퇴함. 7-7 2018년 평창동계올림픽대회 유치에 성공함: 4대 국제대회 유치 달성.	6-5 페루, 대통령 선거에서 좌파진영 우말라Humala 후보가 당선됨. 6-13 미국 스탠더드앤드푸어스S&P, 그리스의 국가신용등급을 3단계 하향 조정함. 6-16 알카에다Al-Queda, 빈 라덴bin Laden의 후계자로 이집트 출신 아이만 알 자와히리Ayman al-Zawahiri를 지명함. 6-18 중국, 중서부 지역의 호우로 재산피해 속출함: 13개 성에서 67만여명의 이재민 발생. 6-21 러시아, 국내선 여객기가 운항 중 추락함: 40여 명 사망. 6-28 국제통화기금, 새 총재에 프랑스 라가르드Lagarde 재무장관을 선출함: 사상 첫 여성 총재. 6-30 중국, 베이징~상하이 고속철도가 개통됨: 1310km를 4시간 48분에 주파. 7-3 타이, 총선거에서 제1야당이 승리함: 친나왓Shinawatra(탁신Thaksin 전 총리의 여동생) 첫 여성 총리 탄생. 7-8 미국, 우주왕복선 아틀란티스호Atlantis號를 발사함: 마지막 우주왕복선. 콩고민주공화국, 여객기 추락사고 발생함: 50여명 사망. 7-9 남수단, 수단으로부터 독립을 선포함: 193번째로 유엔 가입을 이룸. 7-13 인도, 뭄바이Mumbai에서 연쇄 테러 발생함: 160여명 사상.

연대	우리나라	다른나라
2011 (4344) 신묘	7-14 일본 외무성이 1개월간 대한항공 이용 자제를 소속 공무원들에게 지시함: 대한항공의 독도 시험비행에 반발. 7-15 이명박李明博 대통령, 법무부장관에 권재진權在珍 민정수석, 검찰총장에 한상대韓相大 서울중앙지검장을 내정함. 7-20 한국항공우주산업, 소형항공기 '나라온'의 초도비행에 성공함: 세계 28번째 항공기 자체제작. 7-21 보건복지부, 48개 일반의약품을 의약외품으로 고시함: 일반소매점 판매 허용. 7-22 교육행정정보시스템NEIS 오류 발생함: 중고생 1만 7천여명 내신성적 재산정. 인도네시아 발리Bali에서 남북 6자회담 수석대표 회담이 열림: 6자회담 결렬 후 2년 7개월 만에 개최. 7-26 민족화해협력범국민협의회, 북한에 밀가루 300톤을 보냄: 6개월만의 지원. 7-27 서울 등 중부지방에 102년만의 호우 내림: 서울 우면산 산사태로 16명 사망. 7-29 도로명주소가 법정주소로 확정고시됨: 2013. 12. 31.까지 기존주소와 병용. 8-1 독도영유권 문제 쟁점 위해 울릉도 방문하려는 일본 의원 3명이 김포공항에 내림: 정부, 입국금지 조치 취하고 돌려보냄. 8-3 한국낙농육우협회, 납품가 인상 요구하며 우유 원액 공급을 중단함: 16일 타결. 8-8 정부, 수해당한 경기도 동두천·남양주·파주·광주·양주·포천·연천·가평과 강원도 춘천 등 9개 시·군을 특별재난지역으로 선포함. 8-9 코스피지수 1800선이 붕괴됨: 사이드카(프로그램매도호가 효력정지) 발동. 8-12 오세훈吳世勳 서울특별시장, 무상급식 주민투표 관련 기자회견에서 다음 대통령 선거 불출마를 선언함: 21일 주민투표 결과에 따라 시장직 사임하겠다고 언명. 8-18 이명박李明博 대통령, 차기 대법원장 후보에 양승태梁承泰 전 대법관을 지명함.	7-19 영국 머독Murdoch 뉴스코퍼레이션 회장, 하원 청문회에 출석함: 휴대전화 해킹사건 관련. 7-23 중국, 고속열차 추락사고 발생함: 250여명 사상. 노르웨이, 극우 민족주의자에 의한 연쇄 테러 발생함: 70여명 사망. 7-31 시리아, 정부군이 탱크 동원하여 하마Hama 지역에 발포함: 120여명 사상. 8-5 아프가니스탄, 미국군 헬기가 탈레반Taliban의 공격으로 추락함: 빈 라덴bin Laden 사살한 특수부대원 포함 38명 사망. 미국 스탠더드앤드푸어스S&P, 미국의 국가신용등급을 AAA에서 94년만에 한 단계 강등시킴: 세계 금융시장 충격. 8-6 영국, 경찰관 총격으로 흑인이 사망하자 폭동 일어남: 10일 전국적으로 확산. 8-15 미국 구글Google, 휴대전화 제조업체 모토로라Motorola를 인수함. 8-17 이라크, 미국군 철수 앞두고 전국 10여개 도시에서 폭탄테러 발생함: 300여명 사상. 8-23 무디스사Moody's社, 일본의 국가신용등급을 1단계 강등함:재정적자와 정부부채 이유. 리비아 반군, 수도 트리폴리Tripoli에 입성함: 카다피Gaddafi 최고지도자가 42년만에 실각함.

연 대	우 리 나 라	다 른 나 라
2011 (4344) 신묘	8-20 북한 김정일金正日 국방위원장, 러시아를 방문함: 24일 메드베데프Medvedev 대통령과 정상회담. 8-21 이명박李明博 대통령, 몽골 · 우즈베키스탄 · 카자흐스탄 등 중앙아시아 3국 순방차 출국함. 북한, 금강산 내 남측 모든 재산에 대한 법적 처분을 단행한다고 발표함. 8-24 서울특별시 선거관리위원회, 무상급식 주민투표가 투표율 미달로 개표가 무산되었다고 발표함. 리비아 한국대사관, 리비아 반군에게 습격당함. 8-25 경찰청, 서귀포경찰서장을 전격 경질함: 제주 강정마을 해군기지 건설 반대 시위 관련 8-26 오세훈吳世勳 서울특별시장, 무상급식 주민투표 무산에 책임지고 시장직을 사임함. 8-27 대구세계육상선수권대회 개막: 202개국, 1975명 참가. 8-28 곽노현郭魯炫 서울특별시교육감, 서울시 교육감 선거 때 중도 사퇴한 박명기朴明基 서울교대 교수에게 2억원 건넸다고 시인함. 8-30 이명박李明博 대통령, 부분 개각을 시행함: 통일부장관에 유우익柳佑益 전 중국대사, 문화체육관광부장관에 최광식崔光植 문화재청장 내정. 8-31 검찰, 부산저축은행 구명 청탁 관련하여 박태규 로비스트를 구속함. 9-5 검찰, 곽노현郭魯炫 서울시 교육감을 상대 후보 매수 의혹 관련하여 소환 조사함: 9일 구속. 9-6 안철수安哲秀 서울대 교수, 서울시장 선거에 불출마를 선언함: 박원순朴元淳 변호사 지원 약속. 9-13 탈북자 9명이 일본 이시카와현石川縣 앞바다에서 구조됨: 10-4 한국에 송환. 9-15 사상 처음 전국적인 정전사태 발생함: 전력수요 예측 착오로 발전소 가동 중단 원인. 9-18 금융위원회, 7개 부실 저축은행에 대해 6개월간 영업 정지시킴: 업계 2위 토마토저축은행과 3위 제일저축은행 포함. 최중경崔重卿 지식경제부장관, 전국적인 정전사태에 대해 대국민 사과문 및 피해보상대책 발표함.	8-23 미국, 워싱턴 등 동부지역에 규모 5.8의 지진 발생함. 8-24 미국, 스티브 잡스Steve Jobs 애플 최고경영자가 건강 이유로 은퇴함. 8-26 일본, 간菅直人 총리가 총리직에서 사퇴함: 30일 후임에 노다野田佳彦 재무상 선출. 8-27 미국, 북동부 해안에 허리케인이 상륙함: 6500만여명 피해. 9-10 탄자니아, 동부 해역에서 여객선 침몰사고 발생함: 300여명 사망. 9-12 케냐, 수도 나이로비Nairobi 산업단지에서 송유관 폭발사고 발생함: 100여명 사망. 9-13 인도, 남부지역에서 열차 추돌사고 발생함: 100여명 사상. 9-15 리비아, 영국 캐머론Cameron 총리와 프랑스 사르코지Sarkozy 대통령이 수도 트리폴리Tripoli를 방문하여 민주화 지원을 약속함. 9-16 덴마크, 총선거에서 야당인 사회민주당이 승리함: 토르닝 슈미트Thorning Schmidt 여성 총리 탄생. 9-18 예멘, 정부군이 반정부 시위대에 무차별 발포함: 700여명 사상. 9-20 일본, 15호 태풍 '로키'가 중부지방을 강타함: 나고야名古屋 주민 등 140여만명에게 피난 명령. 아프가니스탄, 라바니Rabbani 전 대통령이 자살폭탄테러로 암살당함.

연 대	우 리 나 라	다 른 나 라
2011 (4344) 신묘	9-20 이명박李明博 대통령, 유엔총회 참석차 미국을 방문함, 이춘구李春九 전 국회부의장 사망. 9-21 검찰, 김두우金斗宇 전 청와대 홍보수석을 부산저축은행 구명 청탁 의혹 관련하여 소환 조사함: 27일 구속. 9-30 홍준표洪準杓 한나라당 대표, 개성공단을 방문함. 10-3 박원순朴元淳 변호사, 제1야당(민주당) 후보 누르고 범야권 서울시장 단일후보로 선출됨. 10-5 전라선(익산~여수) 복선전철이 개통됨. 10-9 검찰, 신재민申載旻 전 문화체육관광부차관을 피의자 신분으로 소환 조사함: 이국철李國哲 SLS 회장으로부터 10억여원의 금품을 수수 혐의 관련. 10-11 이명박李明博 대통령, 미국을 국빈방문함: 13일 오바마Obama 대통령과 정상회담 후 상·하원 합동회의에서 연설. 10-12 미국이 한미자유무역협정 비준 절차를 완료함. 10-17 김인종金仁鍾 대통령 경호처장, 대통령의 '내곡동 사저' 논란 관련하여 사의를 표명함: 27일 후임에 어청수魚淸秀 전 경찰청장 내정. 10-18 일본 노다野田佳彦 총리가 방한함: 일제강점기의 약탈 도서 중 조선왕실의궤 등 일부 반환. 박영석朴英碩 원정대장, 히말라야 안나푸르나Annapurna 등반 중 실종됨. 10-26 서울시장 선거에서 박원순朴元淳 범야권 후보가 당선됨. 11-1 이명박李明博 대통령, 러시아 방문차 출국함: 2일 러시아 메드베데프Medvedev 대통령과 정상회담 후 프랑스 세계주요20개국정상회의에 참석. 국민노동조합총연맹이 공식 발족됨. 11-7 교육과학기술부, 순천 명신대학교明信大學校와 강진 성화대학成和大學의 폐쇄를 결정함: 부실대학 정리 차원. 11-9 이익주李益柱 역사교과서 집필위원장, 새 중학교 역사교과서 집필기준에 반발하여 사퇴함. 11-10 한진중공업 노조, 노사 간 정리해고 합의안을 가결함: 김진숙 민주노총 지도위원 크레인 고공 농성 해제.	9-25 케냐 마카우Makau 선수, 베를린마라톤대회에서 세계신기록을 수립함: 2시간 3분 38초. 9-29 중국, 우주정거장 톈궁天宮 1호 발사에 성공함. 10-4 무디스사Moody's社, 이탈리아 국가신용등급을 A2로 3단계 강등함. 10-5 미국, 스티브 잡스Steve Jobs 애플 창업주 사망. 10-11 타이, 홍수로 국토의 절반 이상이 피해당함: 비상사태 선언. 10-19 그리스, 공무원과 노조가 새 긴축안에 반발하여 전면파업에 돌입함: 국가 기능 마비. 10-20 리비아, 카다피Gaddafi 최고지도자가 고향 시르테Sirte에서 사살됨. 10-23 터키, 동부지방에 지진이 발생함: 1500여명 사망.. 10-30 타이, 수도 방콕의 침수위기를 모면함. 10-31 팔레스타인, 유엔 산하 유네스코에 가입함. 리비아, 임시 총리에 엘 키브El Keib 국가과도위원회 위원을 선출함. 유엔, 세계 인구가 70억명을 돌파했다고 발표함. 11-1 중국, 우주선 선저우神舟 8호 발사에 성공함: 3일 톈궁天宮 1호와 도킹에 성공. 11-9 이탈리아, 베를루스코니Berlusconi 총리가 재정위기 등에 책임지고 사임의사를 밝힘: 유로존 위기 증폭.

연대	우 리 나 라	다 른 나 라
2011 (4344) 신묘	11-12 이명박李明博 대통령, 아시아·태평양경제협력체 정상회의 참석차 미국 하와이를 방문함. 제주도가 세계7대자연경관에 선정됨. 11-14 안철수安哲秀 서울대 교수, 1500억원대 재산을 사회에 기부함 11-15 이명박李明博 대통령, 국회를 방문함: 한미자유무역협정 발효 후 3개월 내에 투자자국가소송제도ISD 문제를 미국과 재협상하겠다고 제안. 11-17 이명박李明博 대통령, 인도네시아 발리Bali에서 개최되는 아세안+한중일 정상회의 참석차 출국함. 11-18 광주광역시, 인화학교 설립허가를 취소함: 영화 〈도가니〉의 실제 성폭력사건 관련. 11-22 국회, 한미자유무역협정 비준안을 의결함: 민주당 등 야당 반발로 국회 파행. 11-23 박병선朴炳善 재프랑스 역사학자 사망. 11-28 택견·줄타기·한산모시짜기가 유네스코 인류무형문화유산에 등재됨. 11-30 한상대韓相大 검찰총장, '벤츠 여검사' 사건 진상규명 위한 특임검사에 이창재李昌宰 검사를 임명함. 12-3 경찰, 한나라당 최구식崔球植 의원 보좌관을 구속함: 10·26 서울시장 선거 때 선거관리위원회 홈페이지를 디도스DDos(분산서비스거부) 공격한 혐의. 12-5 수출 1조달러를 달성함: 세계 9번째. 통합진보당이 공식 출범함: 민주노동당·국민참여당·새진보통합연대 통합. 12-6 일본에 강탈되었던 조선왕실도서 147종 1200책이 90여년 만에 귀환함. 12-7 시민통합당이 정식 출범함: 당 대표에 이용선李庸瑄 '혁신과 통합' 상임대표 선출. 12-9 한나라당 홍준표洪準杓 대표, 대표직에서 전격 사퇴함: 당내 혼란 책임. 12-10 전국에서 개기월식이 관측됨. 12-11 이명박李明博 대통령, 대통령실장에 하금렬河今烈 SBS 상임고문을 내정함. 민주당, 전국대의원대회에서 야권통합 안건을 의결함: 반대파 반발로 폭력사태 야기. 이상득李相得 한나라당 의원, 19대 총선 불출마를 선언함: 이명박李明博 대통령 친형으로서 당 쇄신과 화합에 기여 표명.	11-11 그리스, 과도연립정부 총리에 파파데모스Papademos 전 유럽중앙은행 부총재가 선출됨: 구제금융안 확보 임무. 11-13 이탈리아, 새 거국내각 총리에 몬티Monti 상원의원이 지명됨. 11-23 예멘 살레Saleh 대통령, 권력이양안에 서명함: 33년간의 철권통치 종식. 11-29 이란, 시위대가 영국대사관에 난입함: 이란의 핵무기 개발 막기 위한 영국의 경제제재에 반발. 11-30 영국, 공공부문 근로자들이 24시간 파업에 돌입함: 정부의 연금 개혁에 반발. 12-4 이란, 자국 영공을 침범한 미국 무인기를 격추했다고 발표함. 12-8 벨기에, 수도 브뤼셀에서 유럽연합 정상회의가 열림: 유로존 재정 위기 해결 목적. 12-9 인도, 동부 콜카타Kolkata의 한 병원에 화재 발생함: 89명 사망. 12-10 러시아, 총선거 부정을 규탄하는 최대 시위 일어남. 12-13 벨기에, 동남부 리에주시Liege市 도심에서 무차별 총격사건 일어남: 125명 사상. 12-15 미국, 이라크전쟁 종결을 선언함: 8년 8개월 만에 이라크에서 종전 기념식 개최.

연 대	우 리 나 라	다 른 나 라
2011 (4344) 신묘	12-12 해경 대원이 서해에서 불법 중국 어선 선장에게 살해됨: 양국 외교문제로 비화. 12-13 박태준朴泰俊 포스코 명예회장 사망: 17일 사회장 거행. 12-14 조계종, 제13대 종정에 동화사桐華寺 조실 진제眞際 스님을 추대함. 일본군 위안부 문제 해결을 촉구하는 수요집회가 1000회를 맞음. 검찰, 이명박李明博 대통령 사촌처남 김재홍金在烘 KT&G 이사장을 구속함: 저축은행 비리사건 관련 뇌물수수 혐의. 12-16 야권통합의 민주통합당이 출범함: 민주당 · 시민통합당 · 한국노총 합당. 12-17 이명박李明博 대통령, 일본을 방문함: 노다野田佳彦 총리와의 정상회담에서 일본군 위안부 문제 조속 해결 요구. 쇄빙선碎氷船 아라온호Araon號가 남극 빙하 해역에서 조난당한 러시아 어선 구조 위해 출항함. 12-19 한나라당, 전국위원회를 개최함: 비상대책위원회 위원장에 박근혜朴槿惠 전 대표 선출. 검찰, 최태원崔泰源 SK회장을 소환 조사함: 동생 최재원崔再源 부회장에 이어 횡령 · 배임 혐의. 북한, 김정일金正日 국방위원장이 17일 사망했다고 발표함. 12-23 한국수력원자력 원자력발전소 건설 후보지로 강원 삼척과 경북 영덕이 선정됨. 12-26 이희호李姬鎬 김대중 전 대통령 부인 및 현정은玄貞恩 현대그룹 회장 등 민간인 18명, 북한 김정일金正日 국방위원장 조문차 방북함: 김정은金正恩 후계자에 직접 조의 표시. 정봉주鄭鳳柱 전 민주당 의원, BBK사건 관련 유죄판결로 수감됨. 12-28 서울대학교, '국립'에서 '독립법인'으로 전환됨: 인사 · 예산 등에서 자율권 확보. 12-29 헌법재판소, 소셜네트워크서비스SNS와 인터넷 매체를 이용한 선거운동 금지는 위헌이라고 결정함. 검찰, 박희태朴熺太 국회의장 전 보좌관을 구속함: 10 · 26 서울시장 선거 때 선거관리위원회 홈페이지 디도스DDos(분산서비스거부) 공격 관련 혐의. 검찰, 최재원崔再源 SK 부회장을 구속함: 횡령 · 배임 혐의. 12-30 김근태金槿泰 민주통합당 상임고문 사망. 북한, 김정은金正恩 후계자를 군 최고사령관으로 추대함.	12-16 필리핀, 남부 민다나오Mindanao 섬에 열대 폭풍우가 강습함: 1400여 명 사망. 러시아, 세계무역기구WTO에 가입함: 18년만에 154번째 가입국으로 서명함. 12-18 러시아, 오호츠크해Okhotsk海에서 시추선 전복사고 발생함: 50여명 사망. 체코, 하벨Havel 전 대통령 사망: 생전에 공산독재정권 붕괴에 기여한 정치인. 12-22 이라크, 미국군이 철수한 지 4일만에 수도 바그다드Baghdad에서 연쇄 폭탄테러 발생함: 250여명 사상. 12-25 일본 노다野田佳彦 총리, 중국을 방문함: 후진타오胡錦濤 국가주석과 북한 김정일金正日 국방위원장 사후의 한반도 안정과 평화문제에 대하여 협의함. 나이지리아, 이슬람 급진 테러단체에 의한 가톨릭 성당과 보안당국 건물에 폭탄테러 발생함: 100여명 사상. 12-26 시리아, 아랍연맹 감시단이 수도 다마스쿠스Damascus에 도착함: 반정부 시위대에 대한 무자비한 유혈진압 중단 사실 확인 목적.

연 대	우 리 나 라	다 른 나 라
2012 (4345) 임진	1-1 충남 당진군, 당진시로 승격됨. 북한, 공동사설에서 선군정치와 강성국가 건설을 강조함. 1-2 이명박李明博 대통령, 신년 국정연설에서 한반도 평화와 안보를 강조함: 측근 및 친인척 비리에 사과 표명. 지관智冠 전 조계종 총무원장 사망. 1-3 검찰, 한국방송예술진흥원 김학인 이사장을 횡령 및 탈세 혐의로 구속함: 정관계 로비 의혹. 1-5 고승덕高承德 한나라당 의원, 전당대회 때 당 대표 후보로부터 받은 돈봉투를 되돌려 준 적 있다고 발언함: 11일 검찰, 박희태朴熺太 국회의장 비서를 소환 조사함. 1-9 이명박李明博 대통령, 중국 방문차 출국함: 후진타오胡錦濤 국가주석과의 정상회담에서 한반도 정세 논의. 검찰, 정윤재鄭允在 참여정부 당시 청와대 비서관을 조사함: 파랑새저축은행으로부터 수뢰한 혐의. 1-11 SC제일은행, 스탠다드차타드은행Standard Chartered銀行으로 명칭을 변경함. 1-12 월성원자력1호 발전이 가동 정지됨. 1-15 민주통합당, 대표에 한명숙韓明淑 전 국무총리를 선출함. 인천 자월도紫月島 부근에서 유류운반선 두라3호의 폭발 사고 발생함: 선체 두 동강 나 11명 사망. 1-16 검찰, 한나라당 돈봉투 관련하여 안병룡安秉龍 당협위원장을 구속함. 1-17 국토해양부, 남극에 장보고張保皐 과학기지 부지 확정 기념식을 개최함: 세종남극기지 이어 제2기지. 미국이 이란산 원유 수입 감축을 공식 요구해 옴: 이란 핵문제 제재 동참 차원. 1-18 박희태朴熺太 국회의장, 한나라당 전당대회 때의 돈봉투 사건 관련하여 검찰 수사 결과에 따라 책임지겠다고 언명함: 4 · 11총선거 불출마도 선언. 증권선물위원회, 카메룬Cameroon 다이아몬드 자원개발업체 CNK와 오덕균 대표를 주가 조작 혐의로 검찰에 고발함: 조중표趙重杓 전 국무총리실장 등 고위공직자 연루된 '다이아몬드 스캔들'. 1-19 검찰, 한나라당 전당대회 때의 돈봉투 사건 관련하여 박희태朴熺太 국회의장 부속실을 압수수색함: 헌정사상 처음.	1-2 이란, 호르무즈Hormuz 해협에서 장거리 미사일 발사에 성공함: 미국의 석유금수 조치에 대응. 1-5 시리아, 수도 다마스쿠스에서 자살폭탄테러 발생함: 80여명 사상. 1-8 이란, 새 핵시설에서 우라늄 농축 프로그램에 착수함. 1-10 인도네시아, 서부 해안에 규모 7.3의 지진 발생함: 쓰나미 경보 발령. 1-13 미국 스탠더드앤드푸어스S&P, 프랑스와 이탈리아 등 유로존 9개국 신용등급을 하향 조정함. 이탈리아, 호화 유람선 콩코르디아호Concordia號가 좌초함: 40여명 사상. 1-14 타이완 마잉주馬英九 총통, 총통 선거에서 재선됨. 1-15 러시아, 화성 위성 탐사선 포보스-그룬트호Phobos Gruntg號의 잔해가 태평양에 추락함. 1-19 미국, 코닥사Kodak社가 132년만에 파산신청을 함: 필름과 디지털카메라 처음 개발한 회사. 1-22 미국 해양대기청, 태양 표면의 대규모 폭발로 태양폭풍이 발생했다고 발표함: 방사능 방출 경고. 1-23 유럽연합EU, 이란의 석유 수입 금지를 결의함: 이란 중앙은행 및 공공기관과의 거래도 금지.

연대	우리나라	다른나라
2012 (4345) 임진	1-26 신상우辛相佑 전 국회부의장 사망. 1-27 최시중崔時仲 방송통신위원장, 측근의 비리 의혹과 관련하여 사퇴함. 금융위원회, 하나금융지주의 외환은행 인수를 승인함. 1-30 검찰, CNK사건과 관련하여 외교통상부를 압수수색함: 김은석金殷石 에너지자원대사 사무실 등. MBC 노조, 무기한 파업에 돌입함 : 김재철金在哲 사장 및 보도국 책임자 퇴진 요구. 2-2 전국에 한파 주의보 및 대설 주의보가 발령됨:철원 영하 24.6도로 55년만의 2월 최저기록 수립. 한나라당, 당명을 새누리당으로 변경함. 2-4 이명박李明博 대통령, 터키 · 사우디아라비아 · 카타르 · 아랍에미리트 등 중동 방문차 출국함: 원유의 안정적 수급 도모. 2-7 전주시 의회, 대형마트와 기업형슈퍼마켓의 영업시간 제한 및 의무 휴업일 지정 등에 관한 조례를 의결함: 전통시장 소상인 보호 차원. 검찰, 프로배구 승부조작 혐의로 KEPCO배구팀 전 · 현직 선수 및 브로커를 구속함: 16일 흥국생명여자배구팀 선수도 적발. 2-9 박희태朴熺太 국회의장, 한나라당 전당대회 때의 돈봉투사건 관련해 사퇴함: 10일 김효재金孝在 청와대 정무수석 사의 표명. 고리원자력1호발전기에서 전원 중단사고 발생함: 사고 은폐 밝혀져 파문. 2-13 '국민생각' 창당대회를 개최함: 당 대표에 박세일朴世逸 한반도선진화재단 이사장. 2-14 이명박李明博 대통령, 방송통신위원장에 이계철李啓徹 전 정보통신부 차관을 내정함. 2-15 검찰, 김효재金孝在 전 청와대 정무수석을 소환 조사함: 옛 한나라당 전당대회 때의 돈봉투 사건 관련. 2-18 조영식趙永植 경희대학교 설립자 사망. 2-19 검찰, 박희태朴熺太 국회의장을 공관에서 방문조사함: 옛 한나라당 전당대회 때의 돈봉투 사건 관련. 2-22 이명박李明博 대통령, 취임 4주년 기자회견에서 정치권의 선심성 공약 남발을 우려함. 강용석康容碩 무소속 의원, 박원순朴元淳 서울시장 아들의 병역비리 의혹 제기 잘못을 인정하고 의원직 사퇴를 밝힘.	1-25 일본, 31년만에 무역적자를 기록함: 엔고 및 원자력발전소 사고 결과. 1-27 이라크, 바그다드 인근 지역에서 차량 이용 폭탄테러 발생함: 80여명 사상. 1-27 시리아, 반정부 시위대 및 반군 소탕작전 벌임: 3일간 200여명 사망. 1-30 영국 피치사Fitch社, 이탈리아 등 유로존 5개국의 국가신용등급을 하향 조정함. 2-1 이집트, 축구경기장에서 관중 충돌사고 발생함: 70여명 사망, 1천여명 부상. 2-6 필리핀, 세부Cebu 인근 지역에서 규모 6.8의 지진 발생함: 80여명 사망. 2-11 미국, '팝의 여왕' 휘트니 휴스턴Whitney Houston 사망. 2-13 시리아, 정부군이 반정부 시위대 중심지인 홈스Homs 지역을 맹공함: 500여명 사망. 2-13 미국 무디스사Moody's社, 이탈리아 등 유로존 6개국의 국가신용등급을 하향 조정함: 영국 · 프랑스 · 오스트리아는 향후 전망을 '부정적'으로 평가. 2-14 온두라스, 코마야구아Comayagua 교도소에 화재 발생함: 375명 사망.

연 대	우 리 나 라	다 른 나 라
2012 (4345) 임진	2-23 검찰, 이철규李喆圭 경기지방경찰청장을 제일저축은행으로부터 금품 수수한 혐의로 소환 조사함: 29일 구속. 2-24 국회 외교통상통일위원회, 중국의 탈북자 강제북송 중단 촉구 결의안을 채택함. 2-25 검찰, 하이마트 본사와 선종구宣鍾九 하이마트 회장 자택에 대해 압수수색함: 재산 해외 도피 및 탈세 혐의. 2-27 전국 휘발유값이 사상 처음 2천원대를 돌파함: 2001원 7전. 2-28 검찰, 프로야구 승부조작 혐의로 LG야구팀 현직 선수를 구속함. 2-29 북한, 북미회담에서 핵실험 잠정중단과 식량지원에 합의함. 3-1 이명박李明博 대통령, 3 · 1절행사 기념사에서 일본군 위안부 문제 조속 해결 촉구함. 3-2 이명박李明博 대통령, 선거관리위원회 디도스DDos(분산서비스거부) 공격 수사 특별검사에 박태석朴泰錫 변호사를 내정함. 초중고교에서 주5일 수업이 전면 실시됨. 3-5 문화재청, 경주 · 공주 · 부여 · 익산을 고도지구古都地區로 지정함: 각각 특별보존지구와 역사문화관광지구로 나누어 정비. 3-7 해군, 제주 해군기지 예정지 서귀포시 강정마을 구럼비 해안 발파작업을 시작함: 야당 및 시민단체 반대 시위. 3-12 한광옥韓光玉 전 의원, 정통민주당을 창당함 : 옛 민주계 인사 규합. 3-15 한미자유무역협정이 공식 발효됨. 보령화력발전소에 화재 발생함: 1호기 가동 일시 중단. 3-17 김각중金珏中 경방 회장 사망. 3-19 통합진보당 이정희李正姬 공동대표, 총선거 야권 단일후보로 결정됨: 여론조사 조작 의혹으로 야권연대 위기상황 초래. 3-20 이영호 전 청와대 비서관, 자신이 단독으로 국무총리실 민간인 불법사찰 은폐 사건을 주도했다고 발언함.	2-16 유엔총회, 시리아의 시위대 유혈진압 규탄 결의안을 채택함: 아사드Assad 대통령의 퇴진 요구. 2-21 예멘, 새 대통령 선거를 실시함: 하디Hadi 부통령이 당선되어 살레Saleh 대통령의 33년 장기집권이 종식됨. 2-22 아르헨티나, 수도 부에노스아이레스에서 열차 충돌사고 발생함: 650여명 사상. 3-3 중국, 후진타오胡錦濤 · 원자바오溫家寶 체제 하에서의 마지막 양회兩會를 개최함: 전국인민정치협상회의와 전국인민대표대회. 3-4 러시아, 대통령 선거를 실시함: 푸틴Putin 총리, 3선에 성공. 콩고공화국, 군 탄약고 폭발사고 발생함: 200여명 사망, 1천여명 부상. 3-11 아프가니스탄, 칸다하르Kandahar에서 미국군 총기난사 사건 발생함: 16명 사망. 3-13 미국 엔사이클로피디어 브리태니카사Encyclopedia Britanica社, 브리태니카 백과사전의 인쇄본을 244년만에 절판하다고 발표함: 온라인 통해 정보 제공.

연 대	우 리 나 라	다 른 나 라
2012 (4345) 임진	**3-23** 김용金墉 미국 다트머스Dartmouth 대학교 총장, 세계은행 총재 후보로 지명됨. 통합진보당 이정희李正姬 공동대표, 총선거 불출마를 선언함: 여론조사 조작 의혹 책임. 경찰, 나경원羅卿瑗 전 의원을 소환 조사함: 남편 김재호金載昊 판사의 기소청탁 의혹 관련. **3-25** 이명박李明博 대통령, 핵안보정상회의 참석차 방한 중인 미국 오바마Obama 대통령과 정상회담함: 26일 중국 후진타오胡錦濤 국가주석, 러시아 메드베데프Medvedev 대통령과 정상회담. **3-26** 핵안보정상회의가 서울에서 개최됨: 53개국 정상 등 58명 참석. 하이닉스hynix 반도체, 'SK 하이닉스' 로 명칭 변경하여 공식 출범함. 작곡가 겸 가수 반야월半夜月 사망. **3-29** 이기웅李起雄 파주출판도시 이사장, 아랍에미리트의 셰이크 자이예드Sheikh Zayed 도서상을 수상함. **3-30** 배후령背後嶺 터널(춘천시~양구군)이 개통됨: 국내 최장 도로터널(5.1km). 경찰, 강원랜드 카지노 몰래카메라사건 관련자 2명을 구속함. **4-2** 무디스사Moody's社가 한국 국가신용등급 전망을 '안정적' 에서 '긍정적' 으로 올림. 미국 오이코스Oikos 신학대학에서 한국계 미국인 남성에 의한 총기난사사건이 발생함: 10명 사상. **4-3** 검찰, 민간인 불법사찰 관련하여 이영호 전 청와대 비서관과 최종석 전 행정관을 구속함: 증거인멸 및 공공물건손상 교사 혐의. **4-9** 조현오趙顯五 경찰청장, 수원 20대 여성 납치살해사건 관련하여 사퇴의사를 표명함: 112신고센터 및 상황실 운영체계 전면개편 강조. **4-11** 제19대 총선거를 실시함: 여당(새누리당), 과반수 의석을 획득함(152석). 북한 김정은金正恩 후계자, 노동당 제1서기에 추대됨: 13일 국방위원회 제1위원장에 추대되어 최고지도자 위치에 오름. **4-13** 민주통합당 한명숙韓明淑 대표, 총선거 결과에 책임지고 대표직에서 사퇴함. 북한, 장거리 로켓 은하3호(광명성 3호 탑재)를 발사함: 발사 직후 공중폭발. **4-17** 검찰, 선종구宣鍾九 하이마트 회장을 기소함: 횡령 · 배임 등 비리 의혹 관련.	**3-14** 일본, 홋카이도北海道와 도호쿠東北 지방 앞바다에서 규모 6.1의 지진 발생함. 중국, 보시라이薄熙來 충칭시重慶市 당서기가 해임됨: 계층간 권력투쟁 시작. **3-18** 시리아, 정부기관 겨냥한 폭탄테러가 연달아 발생함: 30여명 사망, 160여명 부상. 독일, 대통령선거에서 가우크Gauck 동독 출신 민주화운동가를 선출함: 대통령 · 총리 모두 동독 출신 기록. **3-19** 프랑스, 알 카에다Al-Queda에 의한 총기난사사건 발생함: 유대인 어린이 포함 7명 사망. **3-20** 멕시코, 남부 게레로주Guerrero州에서 규모 7.4의 지진 발생함: 수도 멕시코시티까지 지진 여파. **3-25** 칠레, 중부지방에서 규모 7.2의 지진 발생함. **3-26** 교황청, 베네딕토Benedict 16세 교황이 쿠바를 방문함: 새롭고 열린 사회 건설 촉구. **3-31** 타이, 남부지역에서 세 차례의 연쇄 폭탄테러 발생함: 13명 사망, 130여명 부상. **4-1** 미얀마 수치Suu Kyi 여사, 보궐선거에서 당선됨: 23년만에 제도권 정치에 진출.

연 대	우 리 나 라	다 른 나 라
2012 (4345) 임진	4-20 여당(새누리당), 당선자 2명의 탈당으로 과반수 의석이 무너짐: 성추행사건 의혹 김형태金亨泰 당선자(18일) 및 논문 표절 의혹 문대성文大成 당선자. 4-21 작곡가 김성태金聖泰 서울대 명예교수 사망. 4-30 검찰, 최시중崔時仲 전 방송통신위원장을 구속함: 파이시티Pi City로부터 금품 수수한 혐의. 미국에서 광우병 발생함: 미국산 쇠고기 수입 반대 여론 일어남. 5-2 통합진보당, 4·11총선 비례대표 경선 결과가 부정선거였다고 스스로 진상을 밝힘. 5-3 김찬경金贊慶 미래저축은행 회장, 공금 인출해 중국으로 밀항하려다 체포됨. 5-6 금융위원회, 솔로몬·한국·미래·한주 등 4개 저축은행에 대해 6개월간의 영업정지 처분을 내림: 부실 금융기관 지정. 5-7 검찰, 박영준朴永俊 전 지식경제부 차관을 구속함: 파이시티Pi City로부터 금품 수수한 혐의. 5-9 검찰, 조현오趙顯五 전 경찰청장을 소환 조사함: 노무현盧武鉉 전 대통령 차명계좌 발언 관련. 5-10 이순신대교(광양시-여수시)가 여수엑스포에 맞춰 임시 개통됨: 최초의 순수 국내 기술 현수교(총연장 2260m, 주탑 높이 세계최고 270m, 주탑간 거리 국내 최장 1545m). 조계종 실무 집행부, 조계사曹溪寺 주지 등 승려 도박사건과 관련하여 일괄 사퇴함. 5-12 이명박李明博 대통령, 중국 베이징에서 개최되는 한중일 정상회담 참석차 출국함: 연내 한중일 자유무역협정 협상 개시에 합의. 여수엑스포가 개막됨. 통합진보당, 당 진로 모색한 운영위원회가 공동대표단에 대한 집단폭행으로 중단됨. 5-14 이명박李明博 대통령, 아웅산사건 이후 29년만에 미얀마를 국빈방문함: 테인 세인Thein Sein 대통령과 정상회담. 15일 야당지도자 수치Suu Kyi 여사 면담. 통합진보당, 운영위원회에서 비상대책위원회 구성과 비례대표 사퇴안이 통과됨: 비상대책위원장에 강기갑姜基甲 원내대표. 5-15 새누리당, 전당대회를 개최함: 대표최고위원에 황우여黃祐呂 의원 선출. 검찰, 임석林錫 솔로몬저축은행 회장을 체포함: 공금횡령 및 불법대출 혐의.	4-2 러시아, 시베리아 튜멘주Tyumen州에서 여객기 추락사고가 발생함: 41명 사망. 4-4 소말리아, 수도 모가디슈Mogadishu에서 폭탄테러 발생함: 올림픽위원회 위원장 및 축구협회장 등 10명 사망. 4-8 시리아, 반정부군에 대한 대대적 공세로 100여명 사망함: 양측 간 휴전합의 무산 위기. 나이지리아, 카두나Kaduna에서 차량폭탄테러 발생함: 38명 사망. 4-11 인도네시아, 서부 아체주Aceh州 해상에서 규모 8.6의 강력한 지진 발생함: 인도양에 쓰나미 경보 발령. 4-16 유엔, 북한의 장거리 로켓 발사 규탄 의장 성명을 채택함. 4-20 파키스탄, 수도 이슬라마바드Islamabad 인근에서 여객기 추락 사고 발생: 127명 사망. 4-26 중국, 시각장애인 인권변호사 천광청陳光誠이 중국 주재 미국대사관으로 피신함: 5-19 미국으로 유학 허용. 5-1 미국 오바마Obama 대통령, 아프가니스탄을 방문함: 빈 라덴bin Laden 사살 1주년 계기.

연 대	우 리 나 라	다 른 나 라
2012 (4345) 임진	5-16 한국계 프랑스인 펠르랭Pellerin(한국명 김종숙)이 프랑스 내각 경제장관에 임명됨. 5-18 다목적 실용위성 아리랑 3호가 일본 다네가시마種子島 우주센터에서 성공적으로 발사됨. 5-20 이회창李會昌 전 자유선진당 대표, 자유선진당을 탈당함: 당명 및 정강정책 변경 시도에 반발. 통합진보당 구당권파, 비상대책위원회에 맞서 당원 비상비상대책위원회를 구성함. 5-22 검찰, 통합진보당 당원명부를 압수함: 비례대표 부정경선 등 의혹 수사 방침 발표. 5-24 대법원, 일제하 강제징집자의 손해배상 청구소송에서 원고 승소 판결을 내림: 일본 최고재판소의 판결 번복. 5-25 경인아라뱃길이 개통됨: 서해와 한강을 잇는 내륙 뱃길. 북한지역에서 발굴된 국군 유해 12구가 62년만에 귀환함. 5-29 자유선진당, 당명을 선진통일당으로 변경함: 당대표에 이인제李仁濟 의원 선출. 5-30 이명박李明博 대통령, 국빈 방한 중인 스웨덴 구스타프Gustav 국왕과 정상회담 개최함: 양국 간 현안 논의. 북한, 웹사이트에서 개정 헌법에 핵보유국임을 명시했다고 밝힘. 6-1 검찰, 김임순 한주저축은행 대표를 구속함: 불법대출 주도 혐의. 6-6 한국천문연구원, 금성일식이 400분간 진행되었다고 발표함. 통합진보당, 이석기李石氣 · 김재연金在姸 국회의원에 대한 제명을 결정함. 페루 헬기 추락사고로 한국인 탑승자 8명이 사망함. 중국이 옛 고구려 · 발해의 성까지 포함시켜 만리장성의 길이를 2만 1,000㎞라고 과장 발표함: 동북공정東北工程의 일환으로 판단. 6-9 민주통합당, 전당대회를 개최함: 대표최고위원에 이해찬李海瓚 의원 선출. 6-17 이명박李明博 대통령, 멕시코 · 브라질 · 칠레 · 콜롬비아 등 4개국 순방차 출국함: 18일 멕시코에서 개최되는 세계주요 20개국 정상회의에 참석. 6-20 전국 택시업계 파업이 1일간 벌어짐: 정부의 재정 지원 및 요금 현실화 요구.	5-2 일본, 일본열도의 상업용 원자로 생산을 전면 중단함: 42년만에 정기점검. 미얀마 수치Suu Kyi 여사, 국회의원 선서 마치고 의회에 등원함: 의원 취임선서문 반발 등원 거부에서 선회. 5-6 일본, 도쿄 동북부지방에 초대형 토네이도tornado가 발생함: 500여명 사상, 가옥 500여채 파손. 프랑스, 대통령 선거에서 사회당 올랑드Hollande 후보가 당선됨: 17년만에 좌파정권 탄생. 5-9 러시아, 중형 여객기가 인도네시아에서 시험비행 중 추락함: 승무원 등 45명 사망. 5-15 프랑스 올랑드Hollande 대통령, 취임 직후 독일을 방문함: 메르켈Merkel 총리와 유럽 경제현안 논의. 그리스, 연정 구성 실패로 뱅크런bank run 사태 일어남: 1일 1조원의 예금 인출. 5-21 예멘, 수도 사나Sanna에서 자살폭탄테러 발생함: 훈련 중이던 군인 등 400여명 사상. 5-21 일본, 영국 피치사Fitch社가 국가 신용등급을 A+로 2단계 하향 조정함: 공공부채 비율 상승 이유.

연 대	우 리 나 라	다 른 나 라
2012 (4345) 임진	6-21 소방방재청 주관으로 정전 대비 위기대응 훈련을 실시함: 전력 부족에 대비하여 전국적으로 처음 실시. 6-23 인구가 5천만명을 돌파함:세계 일곱 번째로 20-50클럽(국민소득 2만 달러, 인구 5천만명)에 가입. 중부지방의 104년만의 가뭄으로 큰 피해가 발생함: 산정호수山井湖水 물이 마름. 6-25 한 · 콜롬비아 자유무역협정FTA이 타결됨. 화물연대, 정부의 표준요율제 법제화 등 요구하며 파업에 돌입함: 운송료 인상 합의로 업무 복귀. 6-26 정부, 한일군사정보보호협정 안건을 비공개로 통과시킴: 29일 비판 여론 확산으로 체결 연기 결정. 국립문화재연구소, 강원도 고성문암리유적에서 신석기시대 밭을 발굴했다고 밝힘: 동아시아 최초의 밭. 6-27 청주시 · 청원군, 주민투표에서 행정구역 통합을 확정지음. 건설노조, 파업에 돌입함: 체불 임금 근절 대책 수립 등 요구. 6-30 수인선水仁線이 재개통됨. 7-1 세종특별자치시가 출범함: 기초자치단체 없는 특수형태 광역 지방자치단체. 7-2 19대 국회가 한 달 늦게 개원함: 국회의장에 강창희姜昌熙 새누리당 의원 선출. 7-3 검찰, 이명박李明博 대통령의 친형 이상득李相得 전 의원을 소환 조사함: 저축은행 퇴출 저지 로비 관련 금품수수 혐의. 7-5 검찰, 정두언鄭斗彦 새누리당 의원을 소환 조사함: 솔로몬저축은행에서 불법자금 받은 혐의. 노수희 범민련 부의장, 불법 방북 후 판문점 통해 귀환함. 7-9 1인 창무극 대가 공옥진孔玉振 사망. 7-10 검찰, 이명박李明博 대통령의 친형 이상득李相得 전 의원을 금품수수 혐의로 구속함. 헌정사상 첫 대통령 친형 구속. 7-13 김희중 청와대 제1부속실장, 저축은행 비리사건 관련하여 사의를 표명함. 7-15 통합진보당, 대표에 신당권파인 강기갑姜基甲 전 의원을 선출함. 북한, 이영호李英浩 총참모장을 전격 해임함: 북한 정세의 불확실성 노출. 7-18 북한, 김정은金正恩 국방위원회 제1위원장에게 '원수' 칭호를 수여함.	5-23 이집트, 민주적 방식의 대통령 선거를 처음 실시함. 5-26 시리아, 정부군과 민병대의 무차별 공격으로 반정부시위대 90여명이 사망함. 6-2 영국, 엘리자베스Elizabeth 2세 즉위 60주년 기념 축하행사를 개최함. 6-3 나이지리아, 라고스Lagos에서 민간 여객기 추락사고 발생함: 160여명 사망. 6-5 러시아 푸틴Putin 대통령, 중국을 국빈방문함: 후진타오胡錦濤 국가주석 및 시진핑習近平 국가부주석과 회담. 6-6 시리아, 정부군에 의한 민간인 학살이 발생함: 여성 · 어린이 포함 100여명 피해. 6-9 스페인, 유럽연합으로부터 구제금융을 받기로 함. 6-13 미얀마 수치Suu Kyi 여사, 24년만에 유럽 순방길에 오름: 16일 1991년도에 선정된 노벨평화상 수상연설을 함. 6-16 중국, 유인 우주선 선저우神舟 9호 발사에 성공함: 첫 여성 우주인 탑승. 6-17 그리스, 2차 총선거를 실시함: 구제금융 조건 수락 공약한 신민당이 승리함.

연대	우리 나라	다른 나라
2012 (4345) 임진	7-20 김영환 북한인권운동가, 중국 당국에 구금된 지 113일만에 석방되어 귀국함. 7-24 검찰, 김희중 청와대 제1부속실장을 구속함: 저축은행 비리사건 관련 금품 수수 혐의. 이명박李明博 대통령, 긴급 기자회견에서 측근 및 집안의 비리에 대해 사과함. 7-26 통합진보당, 이석기李石氣·김재연金在姸 국회의원 제명안을 부결시킴: 신당권파 당원 1천여명 탈당. 8-1 정부, 한·터키자유무역협정에 공식 서명함. 기상청, 서울에 첫 폭염경보를 내림. 8-3 장도영張都暎 전 국가재건최고회의 의장, 미국에서 사망. 8-5 런던올림픽대회 축구팀, 개최국 영국에 승리함: 11일 일본 꺾고 첫 동메달 획득. 8-6 전력 수용 최고기록을 경신함: 정부청사의 냉방시설 가동 중단. 양학선梁鶴善 선수, 올림픽 사상 처음으로 체조 부문에서 우승함. 8-9 한강에 조류藻類 주의보 내림: 4년 만에 녹조綠藻 발생. 8-10 이명박李明博 대통령, 독도를 전격 방문함: 일본, 주한 일본대사 소환 등 반발. 8-12 런던올림픽대회 선수단, 금메달 13개로 종합 5위 기록함: 원정 올림픽대회에서 최고 기록 수립. 8-13 검찰, 조기문 전 새누리당 부산시당 홍보위원장을 구속함: 현영희玄永姬 의원으로부터 금품 수수하여 현기환玄伎煥 전 의원에게 공천대가로 건넨 혐의. 대한축구협회, 런던올림픽대회 기간 중 '독도 세레머니'에 대해 해명 이메일 보냄:사과 여부 논란 일어남. 북한 장성택張成澤 국방위원회 부위원장, 중국을 방문함: 황금평黃金坪 및 나진시羅津市 공동개발 협의 후 후진타오胡錦濤 국가주석 예방. 8-14 이명박李明博 대통령, 일본 왕 사과가 선행되어야 방한 가능하다고 언급함: 일본 우익단체의 반한감정 격화. 민주노총, 통합진보당에 대한 지지를 철회함: 조합원과 국민의 기대에 부응 못하는 이유.	6-17 프랑스, 총선거에서 집권 사회당이 과반수 의석을 확보함. 6-22 파라과이 루고Lugo 대통령, 우파가 장악한 의회의 탄핵받아 사임함. 6-24 이집트, 대통령 선거에서 무르시Morsy 후보가 당선됨: 첫 이슬람주의 대통령 탄생. 7-4 스위스 유럽입자물리연구소, 힉스higgs(신神의 입자)라는 소립자素粒子를 발견함. 7-12 시리아, 정부군에 의해 민간인 200여명이 학살당함: 최악의 대량 학살. 7-15 일본, 주중 일본 대사를 귀국 조치함: 양국간 영토분쟁 대상인 센카쿠尖閣 열도(중국명 댜오위다오釣魚島) 국유화 반대 발언 관련. 7-18 시리아, 수도 다마스쿠스의 국가안보청사에서 자살폭탄테러 발생함: 국방 장·차관 등 사망. 7-20 미국, 콜로라도주 영화관에서 총기난사사건이 발생함: 70여명 사상. 7-22 중국, 수도 베이징에 61년 만의 최악의 호우 내림: 1만 4500여명 대피. 인도, 대통령에 무커지Mukherjee 전 재무장관이 당선됨. 7-24 일본, 가고시마鹿兒島에서 화산이 폭발함: 국도 및 철도 일부 교통 통제. 7-28 영국, 런던올림픽대회가 개막됨.

연대	우 리 나 라	다 른 나 라
2012 (4345) 임진	8-15 이명박李明博 대통령, 광복절 경축사에서 일본군 위안부 문제 등 피해자에 대한 일본의 성의를 촉구함. 영화 〈도둑들〉이 개봉 22일 만에 관객 1천만 명을 돌파함. 8-16 법원, 김승연金昇淵 한화그룹 회장을 법정 구속함: 특정범죄가중처벌법상 배임 혐의. 8-17 일본 노다野田佳彦 총리가 이명박李明博 대통령의 독도 방문과 일왕의 사과 요구 발언 등에 대해 유감의 뜻을 밝히는 서한 보내옴: 23일 접수 않고 반송함. 8-19 코스타리카 친치야Chinchilla 대통령이 방한함: 21일 이명박李明博 대통령과 정상회담. 경상북도, 대통령 친필 새긴 독도 표지석을 세움: 신라의 우산국于山國 진출 1500주년 기념 및 강력한 영토 수호 의지 천명 목적. 8-20 새누리당, 대통령 후보에 박근혜朴槿惠 전 비상대책위원회 위원장을 선출함. 장준하張俊河 전 사상계사 대표 유족, 고인의 사망경위 재조사 촉구하는 진정서를 청와대에 전달함. 8-21 일본이 독도 문제를 국제사법재판소에 제소하자는 외교문서를 보내옴: 정부, 기존 입장 고수하며 거부. 문화재청, 주미 대한제국 공사관 건물의 매입계약을 체결함: 일본에 빼앗긴 지 102년 만에 되찾음. 8-23 헌법재판소, 인터넷실명제는 위헌이라고 결정함. 8-24 법원, 미국 애플Apple이 삼성전자의 무선통신 기술을 침해했다고 판결함: 미국 법원은 삼성전자가 애플에 10억 5천만불 배상하라고 평결함. 8-27 삼한문화재연구원, 울진죽변리유적의 나뭇조각이 8천 년 전인 신석기시대 목선木船과 노櫓라고 발표함: 창녕비봉리유적에 이어 국내 두 번째 사례. 무디스사Moody's社가 한국 국가신용등급을 Aa3로 한 단계 상향 조정함: 역대 최고 수준으로 중국 · 일본과 동급. 8-28 태풍 볼라벤BOLAVEN이 제주도 및 서해안 통해 북상함: 각급 학교 휴교. 검찰, 양경숙梁敬淑 라디오21 전 대표 구속: 민주통합당 공천헌금 관련.	8-6 시리아 히자브Hijab 총리, 장관과 고급장교 대동하고 요르단으로 망명함. 미국, 화성탐사 로봇 큐리오시티호Curiosity號가 화성에 도착함. 8-11 멕시코 축구팀, 런던올림픽대회에서 브라질 축구팀 꺾고 우승함. 이란, 아자르바이잔Azarbaijan 지역에서 규모 6.2의 지진 발생함: 300여명 사망, 2천여명 부상. 8-12 자메이카 볼트Bolt 선수, 런던올림픽대회 남자 400m 계주에서 36초 84로 세계신기록을 수립함: 2회 연속 3관왕에 오름. 우간다 키프로티치Kiprotich 선수, 런던올림픽대회 마라톤 경기에서 케냐 선수 꺾고 우승함. 8-15 중국, 홍콩 시민단체 활동가 7명이 댜오위다오釣魚島(일본명 센카쿠尖閣 열도)에 상륙함: 일본, 즉시 체포하여 조사 후 추방. 8-19 일본, 구의원 등 10명이 센카쿠尖閣 열도(중국명 댜오위다오釣魚島)에 상륙하여 일장기 게양함: 중국, 일장기 불태우며 반일 시위. 8-20 라오스, 북부의 동굴에서 미국 · 프랑스 연구진에 의해 아시아에서 가장 오래된 현생 인류 두개골이 발견됨. 8-25 시리아, 정부군의 공격으로 440명이 사망함: 3주간에 4천여명 사망. 미국, 인류 최초로 달에 도착한 우주비행사 암스트롱Armstrong 사망.

연 대	우 리 나 라	다 른 나 라
2012 (4345) 임진	8-30 북한 김영남金永南 최고인민회의 상임위원장, 이란 테헤란에서 개최된 비동맹회의에 참석함: 9-1 반기문潘基文 유엔 사무총장과 요담. 8-31 안동 건동대학교乾同大學校, 운영 부실로 자진 폐교함. 9-2 이명박李明博 대통령, 박근혜朴槿惠 새누리당 대선 후보와 요담함: 야당, 대통령의 선거 중립 위반이라고 비난. 9-3 문선명文鮮明 통일교 창시자 사망. 9-4 가수 싸이, 뮤직비디오 〈강남스타일〉 유튜브 조회 수가 1억 건을 돌파함: 12-22 10억 건 돌파로 세계신기록 수립. 9-6 국회, 현영희玄永姬 의원 체포동의안을 의결함: 7일 법원, 구속영장 기각. 금태섭琴泰燮 변호사, 새누리당 정준길鄭濬吉 공보위원이 안철수安哲秀 교수측을 협박하여 대선 불출마를 종용했다고 폭로함. 법원, 휴대전화 요금의 원가자료를 공개하라는 참여연대에 승소 판결 내림. 영국 피치사Fitch社가 한국의 국가신용등급을 AA-로 상향 조정함: 중국·일본보다 한 단계 높은 등급. 9-7 이명박李明博 대통령, 러시아 블라디보스토크에서 개최되는 아시아·태평양경제협력체 정상회의 참석 및 노르웨이·카자흐스탄 방문차 출국함: 10일 프레데릭Frederik 덴마크 세자 및 클라이스트Kleist 그린란드 총리와 북극을 방문함. 9-8 김기덕金基德 영화감독, 베니스영화제에서 〈피에타Pieta〉로 최고상인 황금사자상을 수상함: 한국영화사상 최고의 상. 9-9 가수 조미미 사망. 9-10 통합진보당 강기갑姜基甲 대표, 대표직 사퇴와 탈당을 선언함: 분당 사태에 책임. 가수 최헌 사망. 북한, 청진항清津港을 중국에 개방했다고 보도됨. 9-14 정부, 세종시世宗市로 이전을 시작함: 국무총리실 필두로 2014년까지 완료 예정. 미국 스탠더드앤드푸어스S&P가 한국의 국가신용등급을 A+로 한 단계 높임.	8-30 이란, 비동맹운동 정상회의를 개최함: 북한 등 129여 개국 참석. 9-2 예멘, 미국 무인기 오폭으로 민간인 14명이 사망함. 9-5 코스타리카, 규모 7.6의 지진 발생함: 쓰나미 경보 발령. 9-7 중국, 윈난雲南·구이저우貴州 접경에서 규모 5.7의 강진 발생함: 80명 사망, 700여 명 부상. 9-8 니카라과, 산 크리스토발San Cristobal 화산이 폭발함: 주민 3천여명 대피. 9-10 일본, 센카쿠尖閣 열도(중국명 댜오위다오釣魚島) 국유화를 선언함: 중국, 영해기선 선언. 9-11 미국, 주 리비아 미국대사가 무장세력의 공격으로 피살됨: 미국 제작 영화의 이슬람 모독에 대한 보복. 9-18 중국, 만주사변 발발일 맞아 100여 도시에서 반일시위 벌임. 9-21 일본 노다野田佳彦 총리, 민주당 대표에 재선됨: 총리직 유지. 9-25 타이완, 순시선과 어선 40여척이 센카쿠尖閣 열도(중국명 댜오위다오釣魚島) 일본측 영해에 진입함: 일본 감시선과 물대포 충돌. 10-1 중국, 홍콩 인근 해상에서 선박충돌사고 발생함: 25명 사망. 10-3 터키, 시리아의 포탄 발사에 보복공격을 가함.

연 대	우 리 나 라	다 른 나 라
2012 (4345) 임진	9-16 민주통합당, 대통령 후보에 문재인文在寅 의원을 선출함. 9-17 태풍 산바SANBA가 제주도 및 남해안을 지나 동해로 통과함: 카눈KHANUN, 볼라벤BOLAVEN, 텐빈TEMBIN 이어 50년 만에 연속 한반도에 상륙 기록. 9-19 안철수安哲秀 서울대 교수, 대통령 선거 출마를 선언함. 9-21 북한, 월드비전World Vision에서 지원한 밀가루 500톤을 받음: 수해당한 안주安州와 개천价川에 전달. 9-24 박근혜朴槿惠 새누리당 대통령 후보, 5·16군사정변과 10월유신, 인혁당人革黨 사건 피해자와 가족들에게 공식사과함: 국민대통합위원회 설치계획 발표. 9-25 북한, 최고인민회의에서 12년 의무교육제도 시행을 의결함. 9-26 웅진그룹, 웅진홀딩스와 극동건설의 법정관리를 신청함. 9-27 곽노현郭魯炫 서울특별시 교육감, 대법원의 유죄 판결로 교육감직을 상실함. 구미산업단지 화학공장에서 불산弗酸가스 누출사고 발생함: 인명 및 농작물 피해 속출. 10-2 영화 〈도둑들〉이 누적 관객 1302만명을 돌파함: 역대 흥행 1위 기록. 프로야구가 한 해 관중 수 700만 명을 돌파함. 10-5 이명박李明博 대통령, 내곡동 사저 부지 매입 의혹 다룰 특별검사에 이광범李光範 변호사를 임명함. 10-7 한미 미사일 지침 개정안이 확정됨: 사거리 300km를 800km로 늘여 북한 전체 포함. 북한군 1명이 개성공단 초소에서 소대장과 분대장 사살하고 귀순함. 10-8 정부, 구미 불산弗酸가스 누출지역을 특별재난지역으로 선포함. 미얀마 테인 세인Thein Sein 대통령이 국빈 방한함: 9일 이명박李明博 대통령과 정상회담. 정문헌鄭文憲 새누리당 의원, 5년 전 노무현盧武鉉 대통령이 북한 김정일金正日 국방위원장과의 정상회담에서 북방한계선NLL을 고집하지 않겠다고 언급했다고 주장함: 여야간 정치쟁점화. 민주통합당, 정수장학회正修獎學會의 문화방송 및 부산일보 지분매각 추진에 대해 국정조사를 요구함. 10-11 일본 법원이 1965년 한일기본조약과 관련한 일본측 문서 공개를 결정함: 일본군 위안부 문제 피해자측 승소.	10-7 베네수엘라, 차베스Chaves 대통령이 대통령 선거에서 승리함: 4선에 성공. 10-10 터키, 자국 영공에 들어온 시리아 여객기를 강제 착륙시킴: 불법 무기 운반 의심. 10-11 중국 모옌莫言, 노벨문학상 수상자로 결정됨. 10-12 유럽연합EU, 노벨 평화상 수상자로 선정됨: 60년간 유럽 평화에 기여한 공로. 10-15 캄보디아, 시아누크Sihanouk 전 국왕 사망. 10-19 레바논, 경찰정보기관 수장이 피살됨: 시리아를 배후로 지목하고 군중시위 벌임. 10-21 시리아, 유엔 특사와 휴전 논의 시기에 폭탄테러 발생함: 40여명 사상. 10-29 미국, 초강력 허리케인이 동부 해안을 강습함: 사상 최악의 피해로 뉴욕·워싱턴 등에 비상사태 선언. 11-5 중국, 허베이성河北省과 베이징 일대에 폭설 내림: 만리장성 관광객 사망사고.

연대	우 리 나 라	다 른 나 라
2012 (4345) 임진	10-15 김관진金寬鎭 국방부장관, 북한군 '노크 귀순' 당시 군의 경계태세와 보고체계 관련하여 대국민 사과문을 발표함: 합참 작전본부장 등 14명 문책. 10-18 한국이 17년만에 유엔 안전보장이사회 비상임이사국에 또 선출됨. 10-20 한국이 녹색기후기금GCF 사무국을 인천 송도국제도시에 유치함: 연간 3,800억원의 경제파급효과 기대. 구평회具平會 LG 창업고문 사망. 10-21 통합진보당, 대통령 후보에 이정희李正姬 전 의원을 선출함. 통합진보당 탈당 주도한 진보정의당이 창당됨: 대통령 후보에 심상정沈相奵 전 의원 선출. 영화 〈광해〉가 관객 1천만명을 돌파함. 10-25 새누리당, 선진통일당과의 합당을 공식 선언함: 원내 과반 확보. 이광범李光範 특검팀, 이명박李明博 대통령 아들(이시형李始炯)을 소환 조사함: 내곡동 사저 부지 매입 의혹 관련. 10-26 우주발사체 나로호羅老號 발사가 연기됨: 발사체 하부와 발사대 사이 잠금장치 결함 원인. 10-29 국토해양부, 독도 동도東島와 서도西島의 봉우리 명칭을 각각 우산봉于山峯과 대한봉大韓峯으로 결정 고시함. 반기문潘基文 유엔 사무총장, 서울평화상 수상차 내한함: 30일 국회 연설에서 북한 방문 가능성 언급. 10-31 정읍 내장사內藏寺 대웅전이 화재로 불탐: 불상 및 불화 소실. 11-1 이광범李光範 특검팀, 이명박李明博 대통령의 형 이상은 다스DAS 회장을 내곡동 사저 부지 매입 의혹 관련하여 소환 조사함: 2일 김인종金仁鍾 전 대통령 경호처장 소환, 조사. 11-2 연극인 장민호張民虎 사망. 11-5 월성원자력 5호, 6호 가동을 정지함: 품질보증서 위조 부품 사용 발견. 11-6 문재인文在寅 · 안철수安哲秀 야권 대통령 후보, 후보 등록 전 단일화에 합의함. 11-7 이명박李明博 대통령, 인도네시아 발리Bali에서 열리는 '민주주의 포럼' 참석차 출국함: 9일 정상으로는 31년만에 타이 방문.	11-6 미국 오바마Obama 대통령. 대통령 선거에서 재선됨. 11-12 미국, 중앙정보국 국장과 아프가니스탄 사령관의 불륜 스캔들 기사가 보도됨: 군사 기밀 유출 논란. 11-14 이스라엘, 팔레스타인 가자Gaza 지구를 공습하여 하마스HAMAS의 군 수장을 폭사시킴: 16일 하마스HAMAS, 이스라엘 예루살렘을 42년 만에 로켓 공격함. 11-15 중국, 제18차 중앙위원회에서 시진핑習近平 국가부주석을 당 총서기로 추대함: 제5세대 이끌어 갈 최고 지도부 선출. 11-18 미국 오바마Obama 대통령, 재선 후 첫 순방지 타이 · 미얀마 · 캄보디아 등 동남아시아를 방문함: 아시아를 중심축으로 하는 외교정책 상징. 11-20 무디스사Moody's社, 프랑스 국가 신용등급을 Aa1으로 하향 조정함. 11-21 이스라엘, 팔레스타인 하마스HAMAS 세력과 휴전에 합의함: 8일간의 전투가 종료됨. 11-22 영국 피치사Fitch社, 일본 소니Sony와 파나소닉Panasonic의 신용등급을 투자 부적격 수준으로 하향 조정함: 일본 전자업계 신화의 몰락으로 세계 경제에 충격.

연대	우 리 나 라	다 른 나 라
2012 (4345) 임진	11-8 행정안전부, 한글날을 공휴일로 지정하는 내용의 규정개정안을 입법예고함. 11-13 김황식金滉植 국무총리, 김광준金光浚 검사 금품수수 의혹 관련 수사에 대해 검찰과 경찰의 상호협력 처리를 지시함: 검찰, 검·경수사협의회 개최를 제안하며 대화를 모색함. 11-14 안철수安哲秀 무소속 대통령 후보 측, 민주통합당 문재인文在寅 대통령 후보 측에 단일화 협상을 잠정 중단한다고 선언함: 안철수 후보 양보설에 반발. 11-15 평상시 필요로 하는 가정상비약을 편의점에서도 판매하기 시작함. 11-18 이명박李明博 대통령, 캄보디아에서 개최되는 아세안+한중일 정상회의 및 동아시아 정상회의 참석차 출국함: 20일 아랍에미리트 방문을 끝으로 임기 중의 해외방문을 마무리함. 민주통합당, 이해찬李海瓚 대표 등 최고위원 전원이 사퇴함: 안철수安哲秀 대통령 후보 측과의 단일화 협상 촉구 차원. 11-19 특임검사팀, 금품수수 의혹 관련 김광준金光浚 검사를 구속함. 11-22 전국 버스업체들이 택시를 대중교통 수단으로 인정하는 법안에 반대하여 운행을 중단함: 지자체 설득으로 곧 정상 운행. 11-23 안철수安哲秀 무소속 대통령 후보, 후보직 사퇴를 선언함: 새누리당 박근혜朴槿惠 대통령 후보 및 민주통합당 문재인文在寅 대통령 후보의 양자 대결로 압축. 대검찰청 감찰본부, 여성 피의자와 성관계 가진 일선 담당 검사를 긴급체포함. 11-26 심상정沈相奵 통합진보당 대통령 후보, 후보직을 사퇴함: 야권후보 단일화 일환. 11-28 국립해양문화재연구소, 전남 진도珍島 오류리 해역에서 명량대첩鳴梁大捷 때 사용된 것으로 보이는 소소승자총통小小勝字銃筒 3점을 발굴했다고 발표함. 대검찰청 감찰본부, 최재경崔在卿 중수부장에 대한 감찰에 착수함: 뇌물 수수 혐의 김광준金光浚 검사에게 언론대응 방안 조언한 의혹 관련. 11-29 우주발사체 나로호羅老號 발사가 사전 준비 미흡으로 다시 연기됨: 원인은 추적방향제어기 이상 원인으로 조사됨.	11-24 방글라데시, 수도 다카Dacca 인근 의류공장에서 화재 발생함: 120여명 사망. 11-25 파키스탄, 시아파Shia派 종교행사 겨냥한 폭탄테러 발생함: 누계 30여명 사망. 11-27 팔레스타인, 의문사한 아라파트Arafat 전 자치정부 수반의 시신을 발굴함: 불투명한 사인 규명을 위한 표본 채취 목적. 11-28 파키스탄, 핵탄두 장착 가능한 탄도미사일을 시험발사함. 시리아, 수도 다마스쿠스에서 차량 폭탄테러 발생함: 170여명 사망. 이집트, 무르시Morsy 대통령의 대통령 권한 강화 내용의 헌법개정안에 반대하는 시위가 전국 주요도시로 확산됨. 11-29 팔레스타인, 유엔에서 비회원 옵서버 국가 지위를 얻음: 간접적인 '국가' 승인. 11-30 이라크, 바그다드 인근 시아파Shia派 밀집지역에서 폭탄테러 발생함: 200여명 사상.

연대	우리 나라	다른 나라
2012 (4345) 임진	11-30 한상대韓相大 검찰총장, 대국민 사과문 발표 후 사퇴함: 일선 검사의 뇌물 수수와 피의자 상대 성행위 관련. 12-1 행정안전부, 본인서명사실확인제를 실시함: 100년간 실시된 인감증명印鑑證明을 대체하는 효력 지님. 소말리아 해적에게 피랍되었던 한국인 선원 4명이 582일만에 석방됨. 12-3 안철수安哲秀 전 무소속 대통령 후보, 자신의 대통령 선거 캠프 해단식에서 정권교체 강조함. 12-5 무역 규모가 2년 연속 1조 달러를 기록함: 이탈리아 제치고 세계 8위 무역대국에 진입. 〈아리랑〉이 유네스코 인류무형문화유산에 등재됨. 12-10 유현진柳賢振 선수, 박찬호朴贊浩 선수에 이어 미국 로스앤젤레스 다저스 프로야구팀에 입단함. 12-12 북한, 장거리 로켓 은하 3호(광명성 3호 2호기 탑재) 발사에 성공함: 정부의 대북한 정보력 부족이 논란됨. 12-19 제18대 대통령 선거에서 새누리당 박근혜朴槿惠 후보가 당선됨: 첫 과반수 득표, 여성대통령, 부녀 대통령 탄생. 서울특별시 교육감 선거에서 보수진영에서 추천된 문용린文龍鱗 후보가 당선됨. 경상남도 지사 보궐선거에서 홍준표洪準杓 새누리당 후보가 당선됨. 12-27 박근혜朴槿惠 대통령 당선인, 대통령직 인수위위원회 위원장에 김용준金容俊 전 헌법재판소장을 임명함. 무등산無等山 국립공원이 지정됨. 12-28 이명박李明博 대통령, 박근혜朴槿惠 대통령 당선인과 회동함: 순조로운 정권 이양 논의. 민주통합당, 원내대표에 비주류 박기춘朴起春 의원을 선출함. 남부지방에 대설특보 내림: 12월 최대 적설량 기록. 중부내륙고속도로(양평~마산)가 완공됨. 12-30 황수관黃樹寬 전 연세대 교수 사망. 12-31 국회, 대형마트의 영업시간을 규제하는 '유통법'과 택시를 대중교통으로 인정하는 '택시법'을 통과시킴: 버스업체의 반발. 지상파 텔레비전의 아날로그방송시대가 종료됨: 디지털방송시대 개막.	12-4 필리핀, 남부 지역의 초대형 태풍으로 1600여명 사망함: 해당 지역에 국가재난사태를 선포함. 12-7 일본, 도호쿠東北 지방 앞바다에 규모 7.3의 강력한 지진이 발생함: 신칸센新幹線 철도 등 운행이 일시 중단되는 등 혼란사태 일어남. 12-12 유엔 안전보장이사회, 북한의 장거리 로켓 발사가 안전보장이사회 결의안을 위반한 행위라고 규탄하는 성명을 발표함. 12-13 중국, 자국 항공기를 댜오위다오釣魚島(일본명 센카쿠尖閣 열도) 영공에 진입시켰다 회항시킴: 일본, 전투기를 발진하여 이에 대응함. 12-14 미국, 코네티컷주Connecticut州 소재 초등학교에서 총기난사사건이 발생함: 27명 사망. 12-16 일본, 중의원 선거에서 여당인 민주당을 누르고 야당인 자민당이 압승함: 26일 아베安倍晋三 내각 출범. 12-26 중국, 베이징北京~광저우廣州 고속철도(2298㎞)가 개통됨: 세계에서 가장 긴 단일 고속철도로 기록됨.

연 대	우 리 나 라	다 른 나 라
2013 (4346) 계사	1-1 이명박李明博 대통령, 신년사에서 새해는 도약 위한 절호의 기회가 될 것이라고 강조함. 국회, 새해 예산안을 의결함: 헌정사상 처음 해를 넘겨 처리. 북한 김정은金正恩 국방위원회 제1위원장, 육성으로 신년사를 발표함:김일성金日成 주석 이후 19년만의 육성 연설. 1-3 이동흡李東洽 헌법재판관, 헌법재판소장에 지명됨:2-13 각종 의혹 관련되어 자진 사퇴. 법원, 일본 야스쿠니신사靖國神社에 방화한 혐의로 일본측의 송환 요구 받아온 중국인의 인도를 거부하는 판결 내림. 1-4 중국 언론에 지난해 7월 길림성吉林省 마셴촌麻線村에서 고구려비高句麗碑가 발견되었다고 보도됨:고구려 역사 연구에 중요 자료로 평가. 1-7 북한, 미국 슈미트Schmidt 구글 회장과 리처드슨Richardson 전 뉴멕시코 주시사 일행 방북. 1-9 민주통합당, 비상대책위원회 위원장에 문희상文喜相 의원을 내정함. 1-10 탈렌트 고 최진실 전 남편 조성민趙成珉 자살. 1-17 감사원, 4대강 보洑의 안전성과 수질에 문제가 있다고 감사 결과를 발표함. 1-22 이명박李明博 대통령, 택시를 대중교통으로 인정하는 '택시법 '에 거부권을 행사함. 1-24 김용준金容俊 대통령직 인수위원장, 국무총리 후보에 지명됨:29일 부동산 문제 및 아들 병역 문제 관련하여 자진 사퇴함. 법원, 1974년 긴급조치 1호 위반으로 징역 15년형 선고받은 고 장준하張俊河 전 사상계사 대표에게 무죄를 선고함:재판부, 고인과 유족에게 뒤늦은 무죄판결을 사과함. 1-26 대통령직 인수위원회, 관행적인 대통령의 임기 말 사면에 반대 입장 밝힘. 1-27 삼성전자 화성사업장에서 불산가스 누출사고로 사상자 발생함:늑장 처리 및 신고로 비난 여론 고조. 1-28 미얀마 수치Suu Kyi 여사가 방한함:29일 평창동계스페셜올림픽 개막식 참석, 1-29 정부, 최시중崔時仲 · 천신일千信一 · 박희태朴熺太 등에 대해 사면을 단행함 : 대통령직 인수위원회 및 여야 정치권의 비난받음. 평창동계스페셜올림픽대회 개막식이 거행됨.	1-1 미국 의회, '재정절벽fiscal cliff' 예산을 의결함:여야 합의로 재정 위기 극복. 1-3 이라크, 시아파Shia派 순례자 겨냥한 차량폭탄테러 발생함:어린이 포함 20여 명 사상. 1-10 중국, 군용기 10여대를 댜오위다오釣魚島(일본명 센카쿠尖閣열도)에 진입시킴:일본 전투기 발진 직전에 철수. 파키스탄, 3개 지역에서 연속 폭탄테러 발생함:125명 사망, 270명 부상. 베네수엘라, 차베스Chaves 대통령이 병세 악화로 자신의 4기 취임식에 참석하지 못함:국내외 정국에 영향. 1-14 중국, 베이징 일대에 최악의 스모그 현상 발생함:한국 자동차공장 등 일시 휴업. 일본, 도쿄 일대에 8cm의 첫눈 내림:교통마비 및 정전 사태 속출. 시리아 아사드Assad 대통령, 수도 다마스쿠스를 탈출해 지중해의 러시아 군함에 체류중이라고 보도됨.

연대	우리 나라	다른 나라
2013 (4346) 계사	1-30 한국 첫 우주발사체 나로호羅老號가 성공적으로 발사됨:세계 11번째 스페이스 클럽Space Club에 가입. 2-4 15년만에 2월 상순에 폭설 내림:서울 16.5cm, 의정부·포천 24cm 기록. 대한의사협회·대한의학회, 제약업체로부터 불법적인 리베이트를 받지 않겠다고 공개적으로 선언함:제약업체 영업사원의 의료기관 출입 금지 결의. 2-5 문인구文仁龜 전 대한변호사협회 회장 사망. 2-7 박근혜朴槿惠 대통령 당선인, 새누리당 황우여黃祐呂 대표 및 민주통합당 문희상文喜相 비상대책위원회 위원장과 회동함:북한의 핵실험 반대 및 국정 논의 위한 여야협의체 구성에 합의. 국가인권위원회, 대통령에게 불법사찰 재발 방지 대책 수립을 권고함. 이순신대교(광양시~여수시)가 정식 개통됨:세계 4대 현수교. 2-9 박근혜朴槿惠 대통령 당선인, 국무총리 후보에 정홍원鄭烘原 전 법무연수원장을 지명함:국가안보실장에 김장수金章洙 전 국방부장관, 대통령 경호실장에 박흥렬朴興烈 전 육군참모총장 지명 2-10 북한, 나이지리아 병원에 근무하는 의사 3명이 무장괴한에 살해됨:이슬람 급진단체 소행 추정. 2-12 정광모鄭光謨 한국소비자연맹 회장 사망. 북한, 3차 핵실험을 실시함:한반도 비핵시대화 무산. 2-15 금융위원회, 서울·영남 저축은행 등 2개 계열사에 퇴출 처분 내림. 2-18 박근혜朴槿惠 대통령 당선인, 대통령 비서실장에 허태열許泰烈 전 의원을 내정함. 2-20 법원, 조현오趙顯五 전 경찰청장을 법정구속함:노무현盧武鉉 전 대통령 차명계좌 발언 유죄 판결. 2-22 정부, 일본의 '다케시마竹島의 날' 행사에 일본 중앙정부 인사가 참석한 것에 강력 항의함. 2-23 통합진보당, 새 대표에 이정희李正姬 전 의원을 선출함. 2-24 김광수金光洙 미래엔(옛 대한교과서) 명예회장 사망. 2-25 제18대 박근혜朴槿惠 대통령 취임식을 거행함:헌정사상 처음 정부조직 미정인 채 출범. 최필립 정수장학회正修獎學會 이사장, 이사장직을 사퇴함:정치적 쟁점 논란 차단 목적. 박노수朴魯壽 화백 사망.	1-15 쿠바, 53년만에 해외여행 자유화됨. 1-16 미국 오바마Obama 대통령, 총기폭력을 막기 위한 행정명령에 서명함:총기규제 관철 위한 방안. 1-17 알제리 정부군, 외국인을 납치한 이슬람 무장단체를 공격함:인질 등 80여명 사망. 1-21 미국, 오바마Obama 대통령의 제2기 취임식이 거행됨. 1-23 유엔 안전보장이사회, 북한의 장거리 로켓 발사 제재 결의안을 채택함:북한, 한반도 비핵화가 불가능할 것임을 선언. 1-28 이란, 원숭이 태운 로켓의 무사 귀환에 성공함:유인 우주선 발사 위한 실험. 브라질, 산타마리아Santa Maria 시내의 나이트클럽 화재로 230여명 사망함:호세프Rousseff 대통령, 외교 일정 중단하고 귀국. 말리Mali, 반군이 팀북투Timbuktu에서 퇴각하면서 중세 고문서가 보관된 건물을 불태움:인류문화유산 파괴에 대한 비난 고조.

연 대	우 리 나 라	다 른 나 라
2013 (4346) 계사	2-26 국회, 정홍원鄭烘原 국무총리 내정자에 대한 임명동의안을 의결함. 쌍용건설, 주채권은행인 우리은행에 워크아웃을 신청함:건설업계 불황 여파. 2-28 북한 김정은金正恩 국방위원회 제1위원장, 방북중인 로드먼Rodman 미국 전 농구선수와 농구경기를 함께 관람함. 3-1 골목상권살리기소비자연맹, 일본 상품 불매운동을 전개함:일본의 독도 침탈 야욕과 역사 왜곡 규탄 차원. 김인기金仁基 전 공군참모총장 사망. 3-2 박근혜朴槿惠 대통령, 국정원장에 남재준南在俊 전 육군참모총장을 지명함. 3-4 박근혜朴槿惠 대통령, 담화문을 발표함:정부조직법 개정안 국회 처리 촉구 및 대국민 사과. 김종훈金鍾勳 미래창조과학부 장관 내정자, 장관 후보자직을 사퇴함:미래창조과학부 관련한 정치적 논란 이유. 3-5 북한, 정전협정 백지화와 판문점 대표부 활동 전면 중지를 선언함:한미 군사훈련 비난. 3-6 법원, 김종성金鍾聲 충남교육감을 구속함:장학사 시험문제 유출 돈거래 지시 혐의. 3-7 이병용李炳勇 전 대한변호사협회 회장 사망. 3-8 북한, 판문점板門店 남북직통전화 단절 및 남북간 불가침 합의 파기를 선언함:유엔의 북한 제재 결의안에 반대의사 표시. 3-9~10 포항 · 울산 · 공주 · 남원 등 26개소에서 산불 발생함:임야 및 주택 소실 피해. 3-10 정부합동수사반, 동아제약으로부터 리베이트 받은 의사 119명을 사법처리함. 이상화李相花 선수, 월드컵대회 스피드 스케이팅 여자 500m에서 우승함:4개 국제대회 석권 그랜드 슬램 달성. 3-11 박근혜朴槿惠 대통령, 취임 2주만에 첫 국무회의를 소집함:정부조직법 개정안 국회 처리를 다시 촉구. 안철수安哲秀 전 대통령 후보, 미국 체류 생활 끝내고 귀국함:정치계에 큰 파문. 법원, 강동희姜東熙 프로농구 감독을 구속함:프로농구 승부조작 혐의. 3-13 단군 이래 최대 역사로 불린 용산국제업무지구개발사업이 채무 불이행으로 파산 위기에 처함:용산지역 주민과 부동산시장에 큰 충격.	2-6 시리아, 수도 다마스쿠스 시내에서 정부군과 반군 간에 교전 벌어짐:40여명 사망. 2-10 중국, 지난해 무역 총액에서 미국 제치고 세계 1위에 오름. 인도, 알라하바드Allahabad 기차역에서 힌두교 축제 참석자들의 압사사고 발생함:36명 사망. 2-11 교황청, 베네딕토Benedictus 16세 교황이 고령으로 직무수행이 어려워 이달 28일 사임한다고 발표함:598년만의 재임중 사임 교황. 2-12 미국, 동북부 지역 눈폭풍과 남부 지역 토네이도로 비상사태 선포함:대규모 정전사태 및 항공기 운행 중지. 2-15 러시아, 우랄Ural 산맥 부근 첼랴빈스크Chelyabinsk 등지에 운석우隕石雨가 떨어짐:1200여명 부상. 2-16 파키스탄, 서남부 지역에서 시아파 이슬람교도를 목표로 한 원격 조정 폭탄테러가 발생함:60여명 사망, 200여명 부상.

연대	우 리 나 라	다 른 나 라
2013 (4346) 계사	3-14 대법원, 뇌물 수수 혐의로 기소되어 재판을 받아 온 한명숙韓明淑 전 국무총리에게 무죄를 선고함. 여수국가산업단지 내 대림산업 공장에서 폭발사고 발생함:17명 사상. 3-17 김연아金姸兒 선수, 세계피겨스케이팅선수권대회 시니어 여자 싱글에서 우승함:올림픽 피겨 종목에서 3장의 출전권 획득 성과. 3-18 황철주黃喆周 중소기업청장 내정자, 보유 주식 처분문제와 관련하여 사의를 표명함. 양학선梁鶴善 선수, 월드컵대회 도마 결선에서 우승함. 3-19 검찰, 외환은행 본점을 압수수색함:중소기업의 대출금리 조작 관련. 3-20 KBS · MBC · YTN 등 방송사와 신한은행 · 농협 · 제주은행 등 금융기관 전산망이 사이버 테러당함:4-10 정부, 북한 정찰총국에서 8개월 전부터 준비한 소행이라고 발표. 3-21 박근혜朴槿惠 대통령, 박한철朴漢徹 헌법재판관을 헌법재판소장에 내정함:첫 검사 출신. 헌법재판소, 유신체제 때 긴급조치 1호 · 2호 · 9호는 위헌이라고 결정함. 김학의金學義 법무부차관, 임명 8일만에 사퇴함:건설업자 별장 '성접대 사건' 연루 의혹 관련. 검찰, 원세훈元世勳 전 국정원장에 대해 출국금지 조처 취함:시민단체 및 야권으로부터 고소 · 고발당한 사건 관련. 3-22 국회, 정부조직법 개정안을 의결함:신설 미래창조과학부 · 해양수산부 등 17부 3처 17청. 김병관金秉寬 국방부장관 내정자, 자신의 여러 의혹 관련하여 후보직을 사퇴함:박근혜朴槿惠 대통령, 김관진金寬鎭 현 국방부장관을 유임시킴. 통일부, 유진벨Eugene Bell 재단의 북한 지원 위한 결핵약 반출을 승인함:박근혜 정부 출범 후 첫 민간단체의 대북한 인도적 지원. 3-24 박근혜朴槿惠 대통령, 방송통신위원장에 이경재李敬在 전 의원을 내정함. 이상화李相花 · 모태범牟太釩 선수, 세계스피드스케이팅선수권대회 500m에서 각각 우승함:대회 2연패 달성. 3-25 한만수韓萬守 공정거래위원장 내정자, 거액의 비자금 계좌 운용 및 및 탈세 의혹 관련하여 후보직을 사퇴함:사전 인사검증 부실 논란 확산.	2-22 일본, '다케시마竹島의 날' 행사를 개최함:중앙정부 차관급 인사 및 국회의원 다수 참석. 2-22 일본 아베安倍晋三 총리, 미국을 방문함:오바마Obama 대통령과 정상회담 후 미일동맹 복원 선언. 2-23 수단, 무장 민병대원들이 다르푸르Darfur 지역에 기관총 공격을 가함:민간인 53명 사망. 2-26 이탈리아, 총선거 결과 긴축과 개혁 지지하는 중도좌파의 정부구성이 실패함:세계 금융시장 불안감 확대. 3-1 미국, 연방정부의 시퀘스터sequester(자동예산삭감)가 발동됨. 3-3 중국, 양회兩會(전국인민정치협상회의와 전국인민대표대회)가 시작됨: 5일 시진핑習近平 총서기와 리커창李克强 총리 중심의 5세대 지도부 공식 출범. 3-4 시리아, 반군이 라카 주의 주도州都 라카Raqqa를 무력으로 장악함: 아사드Assad 대통령의 아버지 하페즈 알 아사드Hafiz al-Assad 동상을 철거함.

연대	우리 나라	다른 나라
2013 (4346) 계사	3-26 방송문화진흥회 이사회, 김재철金在哲 문화방송 사장 해임안을 의결함:운영제도 위반 및 공적 책임 방기 등의 사유. 북한, '1호전투근무태세'를 선포함:한·미 양국의 군사적 압박에 대한 반발. 3-28 제2서해안고속도로(평택~시흥)가 개통됨. 3-30 허태열許泰烈 대통령 비서실장, 새 정부의 인사 실패 관련하여 대국민 사과문 발표함:대변인 통한 짧은 사과로 진정성 논란. 4-1 정부, 부동산시장 정상화 위한 대책을 발표함:취득세·양도세 면제 등. 이라크 안바르Anbar의 한국가스공사 가스전이 습격당함. 가수 박상규朴祥奎 사망. 북한 최고인민회의, 박봉주朴鳳柱 전 총리를 다시 내각총리로 선출함. 4-2 국립문화재연구소, 불국사삼층석탑(석가탑釋迦塔)을 47년만에 해체함:옥개석屋蓋石 아래의 사리공舍利孔 노출 원인 조사 목적. 북한, 영변 흑연감속로를 재가동한다고 발표함. 4-3 경상남도, 진주의료원의 한 달간 휴업을 강행함:폐업 방침 이후 찬반 갈등 심화. 북한, 개성공단으로의 남측 인원 출경을 금함:남쪽으로의 입경만 허용. 4-4 국제 해킹단체 어나니머스Ananymous가 북한의 선전용 사이트 '우리민족끼리'의 회원 명단 9천명의 신원을 공개함:6일 6200명의 추가 명단을 발표하여 파장 확대. 4-5 북한, 평양 주재 외국 대사관 직원 철수를 권유함:한반도 긴장 고조 위한 의도적 발언으로 판단. 4-8 코레일 이사회, 용산국제업무지구 개발사업 청산을 의결함:사업 착수 6년만에 파국. 북한 김양건金養建 노동당 대남비서, 개성공단의 북측 종업원들을 모두 철수시킨다고 선언함:개성공업사업 잠정 중단. 4-9 박근혜朴槿惠 대통령, 여야 정치권과 연쇄 회동함:9일 새누리당 황우여黃祐呂 대표 등 당 지도부, 10일 강창희姜昌熙 국회의장 등 국회 의장단, 12일 민주통합당 문희상文喜相 비상대책위원회 위원장 등 당 지도부. 검찰, 최근덕崔根德 성균관장을 구속함:국고보조금 유용 및 공금 착복 혐의. 서울에 늦은 눈이 내림:20년 만에 처음. 북한, 한국 주재 외국인들에게 대피 대책 세우라고 경고함:대외 교란 작전으로 판단.	3-5 베네수엘라, 차베스Chaves 대통령 사망: 14년간의 장기집권 마감. 3-8 유엔 안전보장이사회, 대북한 제재 결의안을 채택함: 3차 핵실험 시행에 대한 제재. 3-13 교황청, 새 교황에 아르헨티아의 베르골리오Bergoglio 추기경(교황 즉위명 프란치스코Franciscus 1세)이 선출됨: 비유럽권에서는 1282년만에, 아메리카 대륙의 사상 첫 교황. 3-14 중국 전국인민대회대표대회, 시진핑習近平 총서기를 국가주석에 선출함: 15일 총리에 리커창李克强 부총리 선출. 3-20 키프로스Cyprus 의회, 유로존 구제금융협상안을 부결시킴: 예금자에게 세금 부담 지우는 방식에 반대. 나이지리아, 상업도시 카노Kano의 크리스트교도 거주지에서 자살폭탄 차량이 버스 정류장에서 폭발함:41명 사망, 44명 부상. 3-21 유엔 인권이사회, 북한인권결의안을 채택함:북한인권조사기구 설치.

연대	우리 나라	다른 나라
2013 (4346) 계사	4-11 유길재柳吉在 통일부장관, 대북한 성명에서 남북대화를 제의함:14일 북한의 거부로 긴장상태 지속. 동북아역사재단, 중국 길림성吉林省에서 발견된 고구려비는 광개토왕이 아버지 고국양왕의 천추총千秋塚에 세운 비석이라고 밝힘:현존 3개의 고구려비 중 가장 이른 시기의 것으로 판단. 북대서양조약기구NATO의 라스무센Rasmussen 사무총장이 방한함:12일 박근혜朴槿惠 대통령과 한반도 안보문제 논의. 4-12 새누리당 · 민주통합당, 양당 대표와 원내대표 · 정책위의장이 참여하는 첫 '6인협의체' 회의를 개최함:공통의 대선공약 실천 방안 등 논의. 미국 케리Kerry 국무장관이 방한함:박근혜朴槿惠 대통령 및 윤병세尹炳世 외교부장관과의 회담에서 대북 공조방안 논의. 경주 안강의 산대山垈 저수지가 붕괴됨:농경지 및 주택가 침수 피해. 4-13 강원도 고성 비무장지대DMZ 북측 야산에서 산불 발생함:3일간 확산 후 진화. 가수 싸이, 뮤직비디오 〈젠틀맨〉을 공개함:유튜브 조회 수가 17일 1억 건, 22일 2억 건, 5-9 3억 건 돌파. 4-16 한화 프로야구팀, 개막 13연패 후 처음 승리함:개막전 연패 기록 수립. 4-17 북한, 개성공단 입주 기업 대표들의 공단 방문을 불허함:19일 중소기업 대표단의 방북도 불허. 4-19 선거관리위원회, 4 · 24 재보궐선거 사전투표제를 처음 실시함:투표율 상승에 효과. 경찰, 국정원 여직원의 인터넷 댓글 통한 '대통령선거개입 의혹사건'은 정치개입이지만 선거개입은 아니라고 수사 결과를 발표함:권은희權垠希 전 수서경찰서 수사과장, 수사 과정에서 경찰 고위층의 개입 있었다고 폭로함. 4-20 순천만국제정원박람회가 개막됨. 4-21 전남 신안 앞바다에서 규모 4.9의 지진 발생함. 미국 빌 게이츠Bill Gates 마이크로소프트Microsoft 창업자가 산업통상자원부 초청으로 방한함:22일 박근혜朴槿惠 대통령과 요담. 4-22 윤병세尹炳世 외교부장관, 일본 아소麻生太郎 부총리 등 각료들의 야스쿠니신사靖國神社 참배에 항의하여 한일 외교회담 참석 위해 방일하려던 계획을 취소한다고 언급함.	3-22 중국 시진핑習近平 국가주석, 취임 후 러시아를 처음 방문함: 푸틴Putin 대통령과의 정상회담에서 양국간 긴밀한 공조 과시. 미얀마, 메이크틸라Meiktila에서 불교도 · 이슬람교도 주민간에 유혈충돌 발생함 : 20명 사망, 6천여명 피난. 3-23 프랑스, 알카에다Al-Queda 북아프리카 지도자 아부 자이드Abu Zayd가 말리Mali 북부에서 프랑스군 공격으로 피살되었다고 발표함. 3-24 중앙아프리카공화국, 반군들이 수도 방기Bangui를 점령함. 보지즈Bozize 대통령, 콩고민주공화국으로 도주. 3-25 유로존 재무장관 회의체, 키프로스Cyprus에 대한 구제금융안을 최종 승인함:100억 유로 규모. 4-2 아프가니스탄, 탈레반Taliban 무장세력이 동료 죄수 구출 위해 법원을 습격함:50여명 사망. 4-4 인도, 뭄바이Mumbai 외곽에서 건물 붕괴사고 발생함:72명 사망.

연대	우 리 나 라	다 른 나 라
2013 (4346) 계사	4-23 대검찰청 중앙수사부가 32년만에 활동을 종료함: 대신 '특별수사 지휘 및 지원 부서' 신설. 조현오趙顯五 전 경찰청장, 노무현盧武鉉 전 대통령 차명계좌 제보자는 임경욱 전 국가안보전략연구소 이사장이라고 밝힘. 국방부, 김관진金寬鎭 국방부장관 앞으로 비방 문구 담긴 괴문서와 백색가루 괴소포가 배달되었다고 발표함: 백색가루는 밀가루로 판명되었으나 테러행위로 간주. 신월성원전 1호기가 고장 일으켜 정지함:전력수급경보발령. 4-24 정부, 한미원자력협정 만료 시기를 2년 늦추기로 합의함:이후 3개월마다 개정협상 개최 합의. 국회의원 등 재보궐선거를 실시함:안철수安哲秀 · 김무성金武星 · 이완구李完九 후보 등 중진 당선. 4-25 정부, 개성공단 사태 관련 남북 당국간 실무회담을 제의함:26일 북한 거부로 개성공단 체류 전 인원 철수 결정. 4-26 대법원, 부산저축은행 구명 청탁 의혹 관련하여 기소된 김두우金斗宇 전 청와대 홍보수석에게 무죄를 확정함. 용인경전철이 완공 3년만에 개통됨:기흥~에버랜드 구간(18.1km). 4-27 김영배金令培 전 국회부의장 사망. 4-28 이세호李世鎬 전 주월남 한국군사령관 · 육군참모총장 사망. 4-29 검찰, 국정원 '대선 개입 의혹' 사건 관련하여 원세훈元世勳 전 국정원장을 소환 조사함:5-27 재소환 조사. 일본 조텐사承天寺에서 14세기 후반의 윤왕좌輪王坐 수월관음도水月觀音圖가 처음 발견됨:오른팔을 오른 무릎에 올리고 왼손은 바닥을 짚은 자세의 고려불화. 4-30 국회, 정년연장법을 의결함:2016년부터 300인 이상 대기업 및 공공기관에 60세 정년 적용. 검찰, 국정원에 대해 압수수색을 실시함: '대선 개입 의혹' 사건 관련. 5-1 베트남 출신 틱 낫한Thich Nhat Hanh 스님이 내한함:집중 명상수행과 강연 실시. 4일 시행 예정이던 미국 대학입학자격시험이 취소됨:시험문제 사전 유출된 이유.	4-6 중국, 신형 조류인플루엔자가 발생하여 6명이 사망함:상하이, 닭 · 오리 등 2만 마리를 살처분함. 4-8 영국, 대처Thatcher 전 총리 사망. 4-9 이란, 남부 지역에 규모 6.1의 지진 발생함:37명 사망, 850명 부상. 4-10 프랑스, 파리 루브르Louvre 박물관의 잠정 폐쇄를 결정함:소매치기들의 대담한 범행 이유. 4-11 주요8개국G8 외무장관, 북한의 전쟁 위협 발언과 핵무기 및 탄도미사일 발사 강행 시 추가 제재할 것이라고 경고함. 4-12 일본, 효고현兵庫縣에서 규모 6.3의 지진 발생함:건물 1200여채 붕괴. 4-14 베네수엘라, 대통령 재선거에서 마두로Maduro 임시 대통령이 1.59% 차로 승리함:야권 후보, 재개표 요구하며 불복 선언. 4-15 미국, 보스턴마라톤대회 결승선 근처의 폭발테러로 3명 사망, 180여명 부상당함:21일 러시아 출신 청년 2명이 이슬람 보호 구실로 압력밥솥으로 폭발장치 제조 범행 사실 밝혀짐.

연대	우 리 나 라	다 른 나 라
2013 (4346) 계사	5-3 문성근文盛瑾 전 민주통합당 대표권한대행, 탈당을 선언함:친노 핵심 유시민柳時敏 전 의원, 명계남明桂南 당원 등의 탈당과 함께 정계에 파문. 5-4 민주통합당, 전당대회에서 새 대표에 비주류 김한길 의원을 선출함:당명을 다시 민주당으로 변경. 숭례문崇禮門 복구식이 거행됨:화재 피해 5년 3개월만에 복구 완료. 5-5 박근혜朴槿惠 대통령, 미국을 방문함:7일 오바마Obama 대통령과의 정상회담에서 한미동맹 60주년 맞아 동맹관계 강조. 5-7 SBS, 작가 황석영黃晳暎 등의 소설을 출판사 측에서 베스트셀러 조작 위해 사재기한 의혹을 제기함:작가들이 자신의 저서에 대한 절판 선언. 북한, 중국은행이 조선무역은행의 계좌를 폐쇄함:유엔의 북한 핵무기 제재에 동참. 5-8 전국편의점가맹점사업자협의회, 남양유업 제품 불매운동을 시작함:남양유업 영업사원의 대리점주 상대 폭언 규탄. 5-9 박근혜朴槿惠 대통령, 윤창중尹昶重 청와대 대변인을 전격 경질함:미국 방문 기간 중 성추행사건에 연루괴어 국가품위 손상한 책임 문책. 한국은행, 기준금리를 0.25% 포인트 인하함:경기회복 효과 기대. 대법원, 새누리당(전 한나라당) 돈봉투 관련하여 기소된 안병용安秉龍 당협위원장에게 무죄를 확정함. 경찰, 별장 '성접대 사건' 연루 의혹 관련하여 윤중천 건설업자를 소환 조사함. 5-10 이남기李南基 청와대 홍보수석, 윤창중尹昶重 청와대 대변인의 미국 방문 기간중의 성추행사건 관련하여 사의를 표명함:12일 허태열許泰烈 대통령 비서실장이 대국민 사과문을 발표함. 13일 박근혜朴槿惠 대통령이 대국민 사과함. 5-15 검찰, 4대강 사업 참여 건설사 등 30여 회사에 대해 압수수색을 실시함:입찰담합 및 비자금 조성 의혹 관련. 스웨덴에서 개최된 북극이사회 각료회의에서 정식옵서버 지위를 획득함:북극의 자원 개발 참여 가능.	4-16 이란, 동남부 사라반Saravan 인근에서 규모 7.8의 지진이 발생함:70여명 사망. 4-17 미국, 오바마Obama 대통령과 상원의원에게 독극물 편지 보낸 용의자가 체포됨. 텍사스주 웨이코Waco 소재 비료공장에서 연쇄 폭발사고 발생함:170여명 사상. 4-19 러시아, 쿠릴Kuril 열도에 규모 7.2의 지진이 발생함:일본 도쿄에까지 여진이 감지되어 긴장상태. 4-20 중국, 쓰촨성四川省에 규모 7.0의 지진이 발생함:200여명 사망, 13,000여명 부상. 4-21 일본, 아소다로麻生太郎 부총리 등 각료들이 야스쿠니신사靖國神社를 참배함:23일 국회의원 168명이 집단으로 참배. 파라과이, 대통령 선거에서 중도우파 카르테스Cartes 후보가 당선됨. 4-23 일본, 아베安倍晋三 총리가 1995년 일본의 침략전쟁과 식민지 지배 사과한 무라야마村山富市 총리의 담화와 관련하여 '침략'이라는 정의는 정해진 것이 없다고 망언함:24일 각료들의 야스쿠니신사靖國神社 참배는 당연한 일이라고 언급. 센카쿠尖閣(중국명 댜오위다오釣魚島) 열도에 극우단체자들 실은 배 10척이 진입함:중국, 이에 대응하여 처음으로 군용기 40여대를 출동시켜 맞대응함.

연대	우리나라	다른나라
2013 (4346) 계사	5-16 북한 김영남金永南 최고인민회의 상임위원장, 일본 아베安倍晋三 총리의 특사를 면담함. 5-17 박영숙朴英淑 전 평화민주당 총재 권한대행 사망. 5-18 백령도白翎島 인근 해역에서 규모 4.9의 지진이 발생함:19일 규모 2.3의 여진 발생. 대한항공, 미국을 방문하는 미얀마 세인 테인Thein Sein 대통령 일행의 수송을 담당함. 남덕우南悳祐 전 국무총리 사망. 북한, 동해상에 단거리 발사체 3발을 발사함:19일 1발, 20일 2발 발사. 5-20 검찰, 국정원의 '대선개입 의혹사건' 수사 외압 의혹 관련하여 서울지방경찰청 사이버범죄수사대를 압수수색함. 서울시교육청, 영훈·대원 국제중학교의 조직적인 입학성적 조작 비리를 적발함:관계자 11명을 검찰에 고발. 김창호金昌浩 산악대장, 최단 시일 내 8,000m급 히말라야 14좌의 무산소 등정에 성공함. 5-21 질병관리본부, 국내에서 야생 진드기에 의한 중증열성혈소판감소증후군 사망자가 확인되었다고 발표함:27일 전국에 30명의 의심 환자 발생. 채널A, 5·18 민주화운동에 북한군 개입했다는 방송내용에 대해 사과함:22일 조선TV도 사과. 검찰, 국정원의 '대선개입 의혹사건' 수사 외압 의혹 관련하여 김용판金用判 전 서울지방경찰청장을 소환 조사함. 5-22 검찰, CJ그룹 본사를 압수수색함: 해외 비자금 조성 의혹 관련. 뉴스타파Newstapa, 버진 아일랜드 Virgin Island 등 조세피난처에 한국인 페이퍼컴퍼니 paper company(서류상 회사)가 245개소 있다고 공개함:이수영李秀永 전 경총 회장, 조중건趙重建 대한항공 부회장, 조욱래趙旭來 동성개발 회장, 최은영崔恩瑛 한진해운 회장, 윤석화尹錫和 연극배우 등 포함. 북한, 최용해崔龍海 인민군 총정치국장이 김정은金正恩 국방위원회 제1위원장의 특사로 중국을 방문함:24일 시진핑習近平 국가주석 예방하여 김정은 국방위원회 제1위원장의 친서 전달. 5-27 문병곤 감독, 칸영화제에서〈세이프〉로 단편 황금종려상을 수상함. 5-28 고창군이 유네스코 생물권보전지역으로 지정됨. 검찰, CJ그룹 비자금 조성 혐의 관련하여 신한은행 본점을 압수수색함:29일 이재현李在賢 CJ그룹 회장 자택 압수수색.	4-24 방글라데시, 수도 다카Dacca 외곽에서 건물 붕괴사고 발생함:1천여명 사망, 1200여명 부상. 4-29 일본 아베安倍晋三 총리, 러시아를 방문함: 푸틴Putin 대통령과 정상회담. 이라크, 중부와 남부의 시아파Shia派 지역에서 연쇄 폭탄자살테러 발생함:39명 사망. 4-30 네덜란드, 베아트릭스Beatrix 여왕이 알렉산더르Alexader 왕자에게 왕위를 물려 줌:123년만에 남성 국왕 즉위. 5-3 이스라엘, 시리아의 수도 다마스쿠스 부근 군사기지를 공습함:5일 추가 공격으로 시리아인 40여명 사망. 5-5 말레이시아, 총선거에서 집권 여당이 승리함:56년만의 정권교체 무산. 5-11 파키스탄, 총선거에서 야당 승리로 샤리프 Sharif 전 총리가 집권에 성공함: 건국 이후 첫 민주적 정권 교체. 5-13 필리핀, 총선거에서 아키노Aquino 3세 대통령의 여당 진영이 승리함:이멜다Imelda 전 대통령 부인과 아로요Arroyo 전 대통령이 하원의원에 당선됨.

연대	우 리 나 라	다 른 나 라
2013 (4346) 계사	5-29 국회, 경남 밀양 송전탑공사의 송전방식을 전문가협의체에서 연구하게 하는 중재안을 제시함:한국전력공사 및 밀양 주민 수용으로 공사 일시 중단에 합의. 경상남도, 진주의료원 폐업을 발표함:103년 역사에 종지부. 육군, 육군사관학교에서 발생한 생도생 간의 성폭력 사건에 대해 사과함:30일 박남수 육군사관학교 교장 전역 등 간부 장교 11명 징계. 라오스에서 추방한 탈북 청소년 9명이 북한으로 압송됨:정부의 정보 부재 논란. 5-30 박근혜朴槿惠 대통령, 방한 중인 우간다 무세비니Museveni 대통령과 정상회담 가짐:에너지 자원 협력 방안 논의. 검찰, 원전비리수사단을 구성함:원전 납품 제품 시험성적표 위조 관련하여 JS전선과 새한티이피 등을 압수수색함. 방송인 이종환李鍾煥 사망. 6-3 뉴스타파Newstapa, 전두환全斗煥 전 대통령 장남 전재국全宰國 시공사 대표가 조세피난처에 페이퍼컴퍼니paper company(서류상 회사)를 설립했다고 공개함:전두환 전 대통령의 비자금 증여 의혹 확산. 6-4 박근혜朴槿惠 대통령, 방한 중인 모잠비크 게부자Guebuza 대통령과 정상회담 가짐:자원 개발 협력 방안 등 논의. 6-6 북한, 개성공단 정상화 및 금강산 관광 재개, 남북이산가족 상봉 개최 관련한 남북 당국자 간 실무회담을 제의함:정부, 12일 장관급 회담 열자고 역제의. 6-8 손연재孫延在 선수, 우즈베키스탄에서 열린 리듬체조 아시아선수권대회에서 3관왕에 오름:개인종합 · 후프 · 곤봉에서 금메달 획득. 6-9 남북당국회담 위한 실무회담이 판문점에서 개최됨:12~13일 서울에서 개최하기로 합의함. 6-11 남북당국회담이 수석대표 격格 문제로 무산됨. 6-14 검찰, 국정원 '대선 개입 의혹' 사건 관련하여 원세훈元世勳 전 국정원장과 김용판金用判 전 서울지방경찰청장을 불구속 기소함. 6-15 뉴스타파Newstapa, 예금보험공사가 조세피난처에 직원 개인 명의로 페이퍼컴퍼니paper company(서류상 회사)를 설립했다고 공개함. 한국일보사, 노사갈등으로 편집국을 폐쇄함:지면 축소하여 발행.56년만의 정권교체 무산.	5-17 일본 아베安倍晋三 총리, 야스쿠니신사靖國神社 참배는 미국 알링턴Arington 국립묘지 참배와 동일한 것이라고 망언함:18일 이시하라石原愼太郎 일본유신회 공동대표, 일본은 주변국 침략한 적 없다고 망언. 19일 하시모토橋下徹 오사카 시장, 일본군 위안부는 성노예 아니라고 망언. 5-20 미국, 오클라호마주에 토네이도가 엄습함:대형 재난지역으로 선포. 오바마Obama 대통령이 47년만에 미얀마 세인 테인Thein Sein 대통령을 공식 초청함: '버마' 대신 '미얀마' 국호 사용. 5-23 니제르, 프랑스 원전회사와 니제르 군부 노린 이슬람 테러단체의 자살폭탄테러 발생함:50여명 사상. 5-24 일본 무라야마村山富市 전 총리, 일본군 위안부는 성노예 아니라고 망언한 하시모토橋下徹 오사카 시장에게 사과 표명과 발언 내용 정정을 요구함. 5-27 이라크, 수도 바그다드에서 폭탄테러 발생함:55명 사망.

연대	우리나라	다른나라
2013 (4346) 계사	6-16 문화재청, 울산광역시와 반구대 암각화盤龜臺岩刻畫 보호를 위해 카이네틱 댐Kinetic Dam 방안을 도입하기로 합의함:폴리카보네이트 보호막으로 암각화 주변을 둘러싸서 보호하는 방법. 북한, 미국에 긴장 완화 등 양측 현안 논의 위한 고위급회담을 제의함:외무성 대신 국방위원회 명의로 발표. 6-18 《난중일기亂中日記》와 새마을운동 기록물이 유네스코 세계기록유산에 등재됨. 북한 김계관金桂寬 외무성 부상, 중국을 방문함:19일 북미회담 제안에 대한 전략 논의. 6-20 검찰, 한국수력원자력 본사와 서울사무소 등 9개소를 압수수색함:원전 납품 제품 시험성적표 위조사건 관련. 6-21 정부, 검찰, 웅진그룹 본사등 관계 회사를 압수수색함:사기성 기업어음 발행 의혹 관련. 정부, 김규식金奎植 대한민국 임시정부 부주석 등 274명을 6·25전쟁 납북자로 인정함:누계 2,265명 공식 인정. 코미디언 남철 사망. 북한 신선호 유엔대사, 주한미군의 철수 주장하는 기자회견 가짐:핵개발 포기 의사 없다고 언명. 6-22 전북 군산시 어청도於靑島 인근 해역에서 규모 2.3의 지진이 3차례 발생함:7-13 규모 3.5의 지진 또 발생. 6-23 정부, 거시경제금융회의를 개최함:미국 버냉키Bernanke 연방준비제도이사회 의장의 양적 완화 방침에 대한 대응 방안 논의. 21세기한국대학생연합, '국정원의 대통령선거 개입' 규탄 촛불집회를 가짐. 북한, 개성역사유적지구가 유네스코세계문화유산에 등재됨:개성성곽·개성남대문·개성첨성대開城瞻星臺·고려성균관高麗成均館·만월대滿月臺·숭양서원崧陽書院·선죽교善竹橋·표충사表忠祠·왕건릉王建陵·칠릉군七陵群·명릉明陵·공민왕릉恭愍王陵 등 포함. 6-24 국정원, 2007년 남북정상회담 회의록을 공개함: '2급 비밀문서' 를 '일반문서' 로 분류.	6-3 중국, 지린성吉林省 소재 닭고기 가공공장에 화재 발생함:119명 사망. 6-6 러시아 푸틴Putin 대통령, 자신의 이혼 사실을 인정함. 6-7 중국 시진핑習近平 국가주석, 미국을 방문하여 캘리포니아에서 오바마Obama 대통령과 첫 정상회담 가짐:한반도 비핵화 및 북한 핵 불용 방침에 합의. 중국, 푸젠성福建省에서 통근버스 방화사건 발생함:47명 사망. 6-9 중부 유럽에 10여일간의 호우 내림:독일·체코·오스트리아·헝가리 등 피해. 6-11 중국, 유인 우주선 신저우神舟 10호 발사에 성공함. 6-13 미국, 스노든Snowden 전직 중앙정보국CIA 직원이 홍콩에서 미국 국가안보국이 중국 등 국내외 정보에 대해 해킹작전을 벌였다고 폭로함. 6-15 예멘, 반정부군이 납치한 외국인 9명(한국 1, 영국 1, 독일 7)을 살해함:알카에다Al-Queda 소행 추정. 6-16 인도, 우타라칸드주Uttarakhand州에 호우 내림:5천여명 사망, 3만여명 대피. 이란, 대통령 선거에서 개혁파 성직자 로하니Rowhani 후보가 당선됨. 6-17 영국, 주요8개국G8 정상회의가 북아일랜드 로크에른Lough Erne에서 개최됨:시리아 사태 등 외교문제 논의. 체코, 네차스Necas 총리가 부정부패에 연루되어 사임함.

연 대	우 리 나 라	다 른 나 라
2013 (4346) 계사	6-25 청와대와 국무조정실 등의 홈페이지가 해킹당함:국제해킹단체 어나니머스Anonymous, 북한 소행으로 추정된다고 주장. 검찰, 탈세 및 비자금 조성 의혹 관련하여 이재현李在賢 CJ그룹 회장을 소환 조사함:7-1 구속. 입학비리 및 공금횡령 혐의 관련하여 김하주 영훈학원 이사장을 소환 조사함:7-2 구속. 6-27 박근혜朴槿惠 대통령, 중국을 국빈방문함: 시진핑習近平 국가주석과의 정상회담에서 북한 비핵화 및 한중자유무역협정FTA 등 현안 논의. 국회, 공무원 범죄에 관한 몰수 특별법 개정안(일명 '전두환 추징법')을의결함:추징시효를 3년에서 10년, 추징대상을 가족까지 확대. 7-1 박인비朴仁妃 선수, 세계여자골프 메이저대회에서 3년 연속 우승함:63년만의 대기록 수립. 7-2 국회, 국정원의 대선 개입 의혹에 대한 국정조사를 시작함. 국회의원 '특권 내려놓기' 위한 일련의 법안을 의결함:국회의원 겸직 금지 등. 국가기록원 보관 2007년 남북정상회담 자료 제출 요구안을 의결함:회의록 · 녹음기록물 등. 7-3 북한, 개성공단 입주 기업인과 관리위원회 인원들의 방북을 허용하다고 통보해 옴:4일 정부, 6일 판문점에서 당국자 간 실무회담 개최하자고 역제의함. 김계관金桂寬 외무성 부상이 러시아를 방문함:4일 핵문제 관련한 6자회담 재개 방안 협의. 7-4 검찰, 원세훈元世勳 전 국정원장을 개인비리 의혹 관련하여 소환 조사함:10일 구속. 김종신金鍾信 전 한국수력원자력 사장을 뇌물 수수 혐의로 긴급 체포함:7일 구속. 7-6 개성공단 문제 논의 위한 남북 당국 간 실무회담이 판문점에서 개최됨:25일 개성공단에서의 6차 회담까지 합의문 없이 결렬. 7-7 아시아나항공 여객기가 미국 샌프란시스코 공항에 착륙 중 충돌사고 일으킴:중국인 여학생 3명 사망, 181명 부상.	6-19 베트남 쯔엉떤상ruong Tan Sang 국가주석, 중국을 방문함: 시진핑習近平 국가주석과 정상회담. 유엔 반기문潘基文 사무총장, 중국을 방문하여 시진핑習近平 국가주석과 회담함:한반도 긴장 완화 및 시리아 사태 논의. 미국 버냉키Bernanke 연방준비제도이사회 의장, 양적 완화정책이 연내에 종결될 것이라고 발언함:출구전략 가능성 및 시기 표명. 6-21 캐나다, 갤거리시Galgary市에 홍수 발생함:10만여명 대피. 6-22 일본, 후지산富士山이 유네스코 세계문화유산에 등재됨. 6-25 카타르 칼리파 알타니Khalifa Al Thani 국왕, 하마드 알 타니 Hamad Al Thani 왕세자에게 왕위를 이양함. 러시아 푸틴Putin 대통령, 미국 국가안보국NSA이 중국 등 국내외 정보에 대해 해킹작전을 벌였다고 폭로한 스노든Snowden 전직 중앙정보국CIA 직원이 홍콩을 떠나 러시아에 머물고 있다고 밝힘:미국, 즉각 송환 요구하며 러시아에 압력 가함. 중앙아프리카공화국, 중부지역의 금광에서 붕괴사고 발생함:37명 사망. 6-26 중국, 신장위구르新疆Uighur 자치구에서 위구르족 분리주의자들에 의한 유혈충돌 발생함: 27명 사망. 오스트레일리아, 러드Rudd 전 총리가 집권 노동당 대표 경선에서 길러드Gillard 총리에 승리함:3년만에 재집권 성공.

연 대	우 리 나 라	다 른 나 라
2013 (4346) 계사	7-10 감사원, 이명박李明博 정부가 4대강사업 시행하면서 대운하사업 재추진을 염두에 두고 설계하였다고 발표함. 검찰, 한국중공업 본사를 압수수색함:한국수력원자력과의 비리 의혹 관련. 북한, 남북이산가족 상봉 및 금강산 관광 재개 위한 회담을 제의함:11일 북한, 남측의 남북이산가족 상봉회담만 개최하자는 제의에 두 회담 모두 보류하겠다고 통보해 옴. 7-11 홍익표洪翼杓 민주당 원내대변인, 박정희朴正熙 전 대통령을 태어나지 말아야 할 귀태鬼胎라고 표현함:12일 홍익표 의원이 대변인직을 사퇴하고 김한길 대표가 사과하여 수습. 7-12 개성공단 입주 기업들의 완제품 및 자재 반출을 시작함:20일까지 업종별로 시행. 경찰, 100억원 변조수표 사기사건의 주범을 검거함. 7-13 국회, 공공의료 정상화를 위한 국정조사를 끝냄:홍준표洪準杓 경상남도지사를 증인 불출석 이유로 검찰에 고발. 7-15 국회, 국가기록원 보관 2007년 남북정상회담 대화록과 관련 자료 열람을 시작함. 북한, 파나마가 쿠바에서 파나마 운하 통해 북한으로 항해하던 청천호를 나포함:미사일 부품 탑재 의심. 7-16 검찰, 미납 추징금 관련하여 전두환全斗煥 전 대통령 자택에 대한 재산 압류 처분과 장남 전재국全宰國 대표의 시공사時空社 등 압수수색을 실시함:17일 전두환 전 대통령의 친인척 자택 등 압수수색. 7-17 강창희姜昌熙 국회의장, 내년 초부터 개헌 논의하여 19대 국회에서 마무리 짓자는 의견을 제시함. 검찰, 장재구張在九 한국일보사 회장을 소환 조사함:회사 노조에 의한 배임 혐의 고발 관련. 경찰, 건설업자 윤중천 대표의 유력 인사 성접대 등 불법로비 의혹 수사 결과를 발표함:김학의金學義 전 법무부차관 등 18명을 검찰에 송치.	6-27 미국 오바마Obama 대통령, 세네갈·탄자니아·남아프리카공화국 등 아프리카 3개국을 순방함:30일 만델라Mandela 전 남아프리카공화국 대통령이 수감되었던 로벤Robben섬 방문. 6-30 미국, 국가안보국이 유럽연합EU 본부 등 38개국 대사관에 대해 도청했다고 보도됨:한국·일본 등 우방국 포함되어 파문 확산. 이집트, 무르시Morsy 대통령 퇴진 요구하는 반정부시위 벌어짐:수도 카이로 등 전역에서 수백만명 참가. 7-1 브루나이Brunei, 아세안지역안보포럼ARF을 개최함:2일 한반도 비핵화 지지 및 북한의 유엔 안전보장이사회 결의안 준수를 촉구함. 크로아티아Croatia, 유럽연합EU에 가입함:28번째 회원국. 7-2 중국, 스촨성四川省과안후이성安徽省에 호우 내림:79명 사망. 러시아, 인공위성 3개 실은 로켓이 발사 20초만에 폭발함:나로호羅老號 1단 로켓 만든 흐루니체프Khrunichev 우주센터에서 제작. 7-3 볼리비아, 모랄레스Morales 대통령이 탑승한 항공기가 프랑스와 포르투갈 영공 진입을 거부당함:미국의 해킹작전 폭로한 스노든Snowden 전직 중앙정보국CIA 직원의 탑승 가능성 이유. 이집트 군부, 무르시Morsy 대통령을 축출하고 헌법재판소장을 임시대통령에 임명함:국민의 요구 충족 실패 이유.

연 대	우 리 나 라	다 른 나 라
2013 (4346) 계사	7-18 국회 운영위원회, 국가기록원에서 찾지 못한 2007년 남북정상회담 대화록관련하여 긴급회의를 개최함:박경국朴景國 국가기록원장, 최종 재가 목록에 대화록 없었다고 언급. 방송통신위원회, 이동전화 보조금 과열경쟁 주도한 KT에 7일간 영업정지와 과징금 부과 처분 내림:SK텔레콤 및 LG유플러스에게는 과징금만 부과. 국방부, 연예병사제도를 폐지한다고 발표함:일부 연예병사의 탈선에 대한 특별감사 결과. 공주사대부고 학생 5명이 충남 태안에서 사설 '해병대 캠프' 중 사망함:22일 교육부, 유사 캠프 참여금지 지시. 북한 여자축구 선수단이 동아시아연맹 축구선수권대화 참가차 서울을 방문함. 7-19 광주광역시, 2019년 세계수영선수권대회 유치에 성공함:정부보증서 위조사건으로 후유증 발생. 7-21 진보정의당, 당명을 정의당으로 변경함:당 대표에 천호선千皓宣 최고위원 선출. 울산 현대자동차 '희망버스'가 노사간 충돌로 번짐:비정규직의 정규직화 촉구 시위. 7-22 국회 대화록 열람위원단, 국가기록원에서 2007년 남북정상회담 대화록 원본을 찾는 데 실패함:대화록 행방 두고 정치권에 파문. 7-23 노무현재단, 노무현盧武鉉 전 대통령의 지시로 조명균趙明均 전 청와대 안보정책비서관이 이지원e-知園 시스템에서 2007년 남북정상회담 대화록을 삭제했다고 보도된 언론 내용을 전면 부인함. 7-25 새누리당, 2007년 남북정상회담 대화록 실종 관련 혐의 인사들을 검찰에 고발함:사초史草 폐기의 국기문란 행위 엄벌 차원. 개성공단 문제 논의 위한 제6차 남북 당국간 실무회담이 합의문 없이 결렬됨:북한, 개성에 군부대 주둔시킬 수 있다고 엄포.	7-8 이집트, 무르시Morsy 대통령 지지하는 무슬림형제단 등의 시위대에게 군대가 발포하여 사태 악화됨:70여명 사망, 500여명 부상. 7-11 중국, 쓰촨성四川省에 30년만의 대홍수 발생함:200여명 사망, 200만여명 대피. 일본, 군마현群馬縣의 기온이 39.4도에 이르고 각지에 35도 이상의 무더위가 계속됨:일사병 환자 속출. 인도네시아, 수마트라 북부 메단Medan의 교도소에서 재소자들이 방화 후 탈옥함:115명의 행방 추적. 7-13 중국, 태풍 솔릭Soulik이 남부지방 강타함:이재민 162만여명 발생. 7-14 일본, 주일 미국대사에 캐롤라인Caroline 전 케네디Kennedy 대통령 장녀가 내정되었다고 보도됨. 미국, 흑인 소년을 총으로 살해한 지머먼Zimmerman에 대한 무죄 평결에 항의하는 시위 확산됨. 7-17 파나마, 미사일 부품 탑재 의심받은 북한의 청천호 선원 36명을 전원 기소함:유엔, 전문가 보내 정밀조사 착수. 7-18 미국, 디트로이트시Ditroit市가 파산신청을 함:자동차산업 퇴조로 역대 최대 규모의 부채 발생. 7-21 일본, 참의원 선거에서 연립여당이 과반수 의석을 확보함:아베安倍晋三 총리 내각 독주체제 전망. 벨기에 알베르Albert 2세, 필립Phillippe 왕세자에게 왕위를 물려줌:1831년 이후 처음. 7-22 중국, 깐수성甘肅省에 규모 6.6의 지진 발생함:90여명 사망, 600여명 부상. 이라크, 알 카에다Al-Queda 계열 무장세력들이 수도 바그다드 교외의 아부그라이브Abu Ghraib 교도소 등을 공격함:재소자 500여명 탈출.

연 대	우 리 나 라	다 른 나 라
2013 (4346) 계사	7-26 검찰, 2019년 세계수영선수권대회 유치과정에서의 정부보증서 위조사건 관련하여 광주광역시를 압수 수색함:8-21 김윤석金鈗錫 유치위원회 사무총장 구속. 7-27 정부, 6·25전쟁 정전 60주년 맞아 '유엔군 참전의 날' 공포함:첫 공식 감사행사. 경기도 가평군과 강원도 춘천시·홍천군·평창군·인제군을 특별재난지역으로 선포함:8-9 경기도 이천시·여주군을 추가 지정. 검찰, 허병익許炳翊 전 국세청 차장을 구속 수감함:CJ그룹으로부터 금품 받은 혐의. 북한, 중국 리위안차오李源潮 부주석이 '전승절'(정전협정 체결일) 60주년 기념식에 참석함:한반도 비핵화 의지 전달. 7-29 통일부, 개성공단 문제 논의 위한 남북 당국 간 실무회담을 마지막으로 제안함:민간단체의 대북 지원 및 유엔아동기금(유니세프UNICEF) 영유아 사업 지원 승인. 한국인 등산객 4명이 일본의 '중앙알프스' 히노키오다케檜尾岳에서 조난사고로 사망함. 7-30 미국 캘리포니아주 글렌데일시Glendale市 시립공원에 일본군 위안부 피해를 기리는 '평화의 소녀상'이 건립됨. 검찰, CJ그룹에서 금품 받은 혐의로 전군표全君杓 전 국세청장 자택을 압수수색함:8-1 소환 조사 후 긴급 체포. 7-31 김한길 민주당 대표, 전면적인 장외투쟁을 선언함:민주주의 회복과 국정원 개혁 촉구 국민본부 설치. 한국문화관광연구원, 상반기 해외 한국인 관광객이 700만명을 돌파했다고 발표함:722만9천명으로 최고 기록 수립. 김원홍 전 SK해운 고문, 해외 도피 중 타이완에서 체포됨:SK그룹 계열사 자금 횡령사건 연루. 8-1 송광조宋光朝 서울지방국세청장, CJ그룹 세무조사 무마사건에 연루되어 사의를 표함. 8-3 현정은玄貞恩 현대그룹 회장, 4년 만에 금강산을 방문함:정몽헌鄭夢憲 전 회장 10주기 추모행사 참석차. 8-4 기상청, 49일간의 긴 장마가 끝났다고 발표함:1973년 이래 최장 장마 기록 수립. 8-5 박근혜朴槿惠 대통령, 대통령 비서실장에 김기춘金淇春 전 법무부장관을 임명함. 검찰, 장재구張在九 한국일보사 회장을 구속 수감함:업무상 배임 혐의. 김영윤金永潤 도화엔지니어링 회장에 대한 구속영장을 청구함:4대강 공사 관련 비자금 조성 혐의.	7-24 스페인, 갈리시아주Galicia州에서 고속열차의 과속으로 인한 탈선사고 일어남:80명 사망, 140명 부상. 7-25 튀니지, 제1야당 브라흐미Brahmi 사무총장이 피격 사망함:야당 의원들, 항의 표시로 의원직 사퇴. 7-26 일본, 중국 군함 5척이 일본 열도를 일주하는 항해를 했다고 보도됨. 7-27 미국 오바마Obama 대통령, 현직 대통령으로는 처음 한국전쟁 정전 60주년 기념식에 참석함:한국전쟁에서의 한국 승리 천명. 이집트, 무르시Morsy 대통령을 지지하는 시위대를 무력진압함:200여명 사망. 리비아, 벵가지Benghazi의 교도소에서 1200여명의 재소자들이 탈출함:28일 벵가지의 법원에서 폭탄테러 발생. 7-28 캄보디아, 총선거에서 훈센HunSen 총리의 여당이 승리함:야당, 부정선거라고 반발. 7-29 일본 아소麻生太郎 부총리, 개헌을 독일 나치 정권 본받아 조용히 추진하겠다고 발언함:8-1 비판 일어나자 발언을 철회함.

연대	우리나라	다른나라
2013 (4346) 계사	8-7 외교부, 예멘 현지 거주민에게 일시 출국을 권고함:알카에다Al-Queda의 보복 테러에 대비. 여야, '국정원 댓글사건 국정조사' 증인으로 원세훈元世勳 전 국정원장과 김용판金用判 전 서울지방경찰청장 등 29명 채택에 합의함. 북한, 개성공단 문제 논의 위한 제7차 남북 당국 간 실무회담을 14일에 개최하자고 제의함:개성공단 정상 운영을 어떠한 경우에도 보장한다는 입장 표명. 8-8 기획재정부, 세제개편안을 발표함:12일 박근혜朴槿惠 대통령, 중산층 세금부담 여론에 원점에서 재검토 지시. 기상청, 강릉의 최저기온이 30.9도, 울산의 최고기온이 40도에 달함:첫 '초열대야' 기록. 8-10 '국정원 정치공작 대선개입 시국회의'가 서울광장에서 개최됨: 전국에서 10만여명이 촛불집회에 참여했다고 주장. 8-12 정부, 공공기관 냉방시설 가동을 전면 중지시킴:당진·서천 화력발전소 이상 발생으로 전력난 우려. 전국에 폭염 특보 발령됨:서울 및 강원도 일부 학교의 개학 연기. 검찰, 이창석李昌錫 전두환全斗煥 전 대통령 처남을 미납 추징금 수사 관련하여 소환 조사함:19일 탈세 혐의로 구속. 8-14 국회, '국정원 댓글사건 국정조사' 회의가 증인 원세훈元世勳 전 국정원장과 김용판金用判 전 서울지방경찰청장 불참으로 무산됨:16일 동행명령장 발부. 제7차 남북 당국 간 실무회담이 개성공단에서 개최됨:재발방지 보장 등5개항에 합의. 8-15 박근혜朴槿惠 대통령, 광복절 경축사에서 남북이산가족 상봉과 비무장지대세계평화공원 조성을 제안함. 검찰, 이종찬李鍾讚 한국전력 부사장을 구속함:원전 제어 케이블 시험성적표 위조 혐의. 8-16 대한적십자사, 북측에 남북이산가족 상봉 위한 실무회담을 23일 판문점에서 개최하자고 제의함:18일 북한, 금강산 관광 회담도 22일 개최하자고 역제의함. 국회, '국정원 댓글사건 국정조사' 회의를 개최함:원세훈元世勳 전 국정원장과 김용판金用判 전 서울지방경찰청장이 증인으로 출석. 검찰, 국가기록원을 압수수색함:2007년 남북정상회담 대화록 실종사건관련.	8-3 미국 오바마Obama 대통령, 애플Apple의구형 스마트폰 제품에 대해 수입 금지한 국제무역위원회의 결정에 거부권을 행사함:삼성전자, 유감의 뜻 표명. 짐바브웨 무가베Mugabe 대통령, 대통령 선거에서 7선에 성공함:89세의 고령으로 장기 집권. 8-4 일본, 화물 운반 로봇 발사에 성공함:우주인 위한 일용품과 말동무 로봇 탑재. 8-5 미국, 136년의 역사를 지닌 〈워싱턴 포스트〉가 아마존닷컴Amazon. com 창업자 베조스Bezos에게 매각됨. 8-6 일본, 사상 최대 규모(248m)의 헬기 모함을 공개함. 이라크, 수도 바그다드 등 전역에서 폭탄테러 발생함:40여명 사망, 120여명 부상. 예멘, 알카에다Al-Queda 공격에 대비하여 수도 사나Sanna에 군 차량이 진입함:미국·영국, 자국 대사관 직원 및 거류민을 철수시킴. 8-7 중국, 해양경찰선이 댜오위다오釣魚島(일본명 센카쿠尖閣열도) 해역에서 일본 순시선을 몰아내고 24시간 이상 열도 내에서 체류함.

연대	우리나라	다른나라
2013 (4346) 계사	8-17 유종수柳鍾守 유니세프UNICEF 사무총장이 연초에 해임됐다고 보도됨:차명계좌로 후원금 받은 혐의. 이두현李斗鉉 서울대 명예교수 사망. 8-18 검찰, LS전선 본사를 압수 수색함: 제어케이블 등 원전 납품가 담합 혐의. 8-19 제수노, 90년만의 가뭄으로 백록담白鹿潭 물이 마름:제주칠머리당영등굿(중요무형문화재 제71호) 보존회원들이 '기우제' 지냄. 8-20 정부, 북측에 금강산 관광 재개 위한 남북 당국 간 회담을 내달 25일 개최하자고 제의함:27일 10월 2일로 수정 제의. 8-22 한국항공우주연구원, 다목적 실용위성 아리랑 5호가 러시아에서 발사되었다고 발표함. 8-23 남북적십자사, 판문점에서 남북이산가족 찾기 실무회담을 개최함:내달 25일부터 30일에 상봉행사 갖기로 합의. 양건梁建 감사원장, 사의를 표명함:26일 이임식에서 '외풍' 언급하여 파문. 8-25 충주세계조정선수권대회가 개최됨:75개국 1,940여명 참가. 8-26 재능교육, 노사간 합의문에 조인함: 2,076일만에 농성 해제. 8-27 검찰, 구속 중인 박영준朴永俊 전 지식경제부 차관을 소환 조사함:원전 납품업체로부터 금품 수수한 혐의. 8-28 정부, 전·월세 안정대책을 발표함:수요자 중심의 금융세제 지원 강화. 국정원, 통합진보당 이석기李石基 의원의 내란예비음모 및 국가보안법 위반 혐의 관련하여 자택과 의원실 등에 대한 압수수색을 실시함. 남북한이 개성공단 남북공동위원회 구성·운영 합의서에 서명함. 8-30 국정원, 홍순석洪珣碩 통합진보당 경기도당 부위원장 등 3명을 혁명조직 RO 에서 내란 모의한 혐의로 구속함.	8-8 타이완, 수도 타이베이臺北의 최고기온이 39.3도로 117년만의 최고기록 세움:11일 중국, 저장성浙江省 사오싱시紹興市 신창현新昌縣의 최고기온이 44.1도를 기록함. 12일 일본, 시코쿠四國 고치현高知縣 시만토시四万十市 최고기온이 41.0도를 기록함 8-11 이라크, 라마단Ramadan 연휴 마지막 날 수도 바그다드 등 전역에서 폭탄테러 발생함:60여명 사망, 200여명 부상. 8-14 이집트, 600여명이 사망한 반정부 시위대의 유혈사태로 엘바라데이ElBaradei 부통령이 사임함:16일 '분노의 금요일' 예배시위로 100여명이 사망. 8-16 필리핀, 세부항Cebu港에서 여객선과 화물선의 충돌사고 발생함:사망·실종 100여명. 8-18 일본, 가고시마현鹿兒島의 사쿠라지마櫻島 화산이 폭발함:화구火口에서 5,000m까지 연기 상승. 자메이카 볼트Bolt 선수, 남자 200m 달리기에서 우승하여 사상 첫 3연패 신기록 수립함:19일 남자 400m 계주 우승으로 사상 첫 단거리 3관왕 2회 달성. 8-20 필리핀, 태풍 '짜미'로 600mm의 호우가 쏟아짐:수도 마닐라가 절반 이상 침수되는 피해당함. 이집트, 반정부 시위를 주도한 무슬림형제단의 바디에Badie 의장을 체포함. 8-21 시리아, 정부군이 수도 다마스쿠스 인근 반군지역을 화학무기로 공격함:1,300여명 사망.

연 대	우 리 나 라	다 른 나 라
2013 (4346) 계사	8-31 대구역에서 열차 삼중추돌사고 발생함:무정차 통과로 승객 불편. 9-2 개성공단 남북공동위원회 1차회의가개성공단에서 개최됨. 9-3 검찰, 장석효張錫孝 한국도로공사 사장을 4대강공사 설계업체에서 금품 받은 혐의로 소환 조사함:6일 구속. 전두환全斗煥 전 대통령 차남(전재용全在庸)을 소환 조사함:세금 포탈 혐의. 충남 서천 해양자연사박물관이 화재로 전소함. 9-4 박근혜朴槿惠 대통령, 러시아에서 개최되는 주요20개국 정상회의에 참석차 출국함:10일 베트남 국빈 방문 중 쯔엉떤상ruong Tan Sang 국가주석과 정상회담. 국회, 내란 음모 혐의 통합진보당 이석기李石氣 의원에 대한 체포동의요구서를 통과시킴. 노태우盧泰愚 전 대통령, 미납 추징금 230억여원을 국가에 자진 납부함:16년만에 종결. 9-5 개성공단 남북공동위원회, 서해 군통신선 복구에 합의함:6개월 만에 재개통. 9-6 정부, 일본 후쿠시마福島 해역의 방사능 오염수 대량 유출 관련하여 주변 수산물 수입을 전면 금지함:16일 일본이 수산청 간부 보내 강력 항의.9-12 북한, 아시안클럽역도선수권대회를 개최함:14일 한국 선수 금 · 은메달 획득으로 사상 처음 북한 지역에서 태극기 게양 및 애국가 연주. 9-8 북한, 통합진보당 이석기李石氣 의원의 내란예비음모 및 국가보안법 위반 혐의 관련하여 북측과의 연계설을 전면 부인함. 9-10 전두환全斗煥 전 대통령, 장남 전재국全宰國 시공사時空社 대표를 통해 미납 추징금 1,672억원을 자진 납부하겠다고 밝힘:대국민 사죄문도 발표. 개성공단 남북공동위원회, 16일부터 개성공단 재가동하기로 합의함. 9-11 검찰, 원전비리 수사 중간결과를 발표함:김종신金鍾信 전 한국수력원자력 사장 등 43명 구속 기소, 박영준朴永俊전 지식경제부 차관 등 54명 불구속 기소.	8-22 중국, 보시라이薄熙來 전 충칭시重慶市 당서기의 뇌물수수 및 직권 남용 혐의 재판 시작됨:9-22 무기징역 선고. 이집트, 무바라크Mubarak 전 대통령이 교도소에서 석방됨:2년 4개월만에 석방. 9-2 미국, 요세미티Yosemite 국립공원 산불이 보름째 계속됨:소방헬기 못 떠 진화에 어려움. 핀란드, 노키아Nokia의 휴대폰 사업 부문이 미국 마이크로소프트Microsoft에게 매각됨:모바일 시장 판도 변동 예고, 9-7 국제올림픽위원회, 2020년 하계올림픽 개최지를 일본 도쿄로 결정함. 9-8 오스트레일리아, 총선거에서 야당연합이 집권 노동당에 승리함:애벗Abbott 자민당 당수 집권. 9-10 중국, 해경선단을 센카쿠尖閣(중국명 댜오위다오釣魚島) 해역에 진입시켜 무력시위벌임: 일본의 센카쿠 열도 국유화 조치 1주년 계기. 국제올림픽위원회, 차기 위원장에 독일 출신 바흐Bach 부위원장을 선출함. 9-14 일본, 자체 개발한 신형 고체연료 로켓 발사에 성공함. 미국, 콜로라도주에 홍수 발생함:80여명 실종 · 사망. 9-16 미국, 워싱턴 소재 해군사령부 내에서 총격사건이 발생함:13명 사망.

연 대	우 리 나 라	다 른 나 라
2013 (4346) 계사	9-13 채동욱蔡東旭 검찰총장, 법무부의 감찰 계획에 반발하여 사표를 제출함: '혼외 아들' 보도 관련. 검찰, 전두환全斗煥 전 대통령 장남(전재국全宰國)을 소환 조사함:추징금 납부 및 비자금 의혹 관련. 9-16 박근혜朴槿惠 대통령, 국회 내에서 황우여黃祐呂 새누리당 대표 및 김한길 민두당 대표와 3자회담 가짐:합의점 없이 종료. 9-17 국정원, 통합진보당 홍성규洪性奎 대변인 등 5명에 대해 압수수색을 실시함: 내란예비음모 혐의 관련. 9-18 테라젠이텍스, 세계 최초로 한국호랑이 게놈지도를 완성함:에버랜드 · 게놈연구재단 · 서울대학교 등과 공동 연구. 9-21 북한, 남북이산가족 상봉 및 금강산관광 회담을 연기한다고 발표함:남측의 대결구도 비난. 9-23 민주당, 국회 등원을 결정함:비상국회 운영본부 설치. 경기도 여주군, 여주시로 승격됨. 9-25 전경(전투경찰) 마지막 합동 전역식이 치러짐:42년만에 폐지. 소설가 최인호崔仁浩 사망. 9-26 박근혜朴槿惠 대통령, 대선공약인 기초연금 지급계획을 수정한 데 대하여사과함:소득 하위 70%에게만 차등 지급 결정. 9-27 SK 그룹, 비상경영체제로 돌입함:최재원崔再源 부회장이 횡령 · 배임 혐의로 법정 구속되어 그룹 총수 형제 구속 초래. 9-30 박근혜朴槿惠 대통령, 기초연금과국민연급을 연계시킨 방침에 항의하여 사의 표명한 진영陳永 보건복지부 장관 사표를 수리함:대선공약인 기초연금 관련 갈등 수습 차원. 채동욱蔡東旭 검찰총장, 취임 6개월 만에 퇴임식을 가짐: '혼외아들' 의혹 규명 위한 유전자 검사 의지 표명. 검찰, 김명수金明洙 서울시의회 의장을 긴급 체포함:뇌물수수 혐의. 동양그룹, 3개 계열사에 대한 법정 관리를 신청하기로 결정함:10-1 주력기업 동양시멘트도 법정 관리를 신청함. 10-1 검찰, 장세동張世東 전 안기부장을 소환 조사함: 전두환全斗煥 전 대통령의 비자금을 조성한 의혹과 관련.	9-20 일본, 후쿠시마福島 지역에서 규모 4.3 및 5.9의 지진이 연이어 발생함:방사능 누출 불안감 확산. 9-21 이라크, 수도 바그다드 등 각지에서 연쇄폭탄테러 발생함:96명 사망. 9-22 파키스탄, 페샤와르 Peshawar의 한 교회 부근에서 자살폭탄테러가 발생함: 78명 사망, 140여명 부상. 독일, 총선거에서 집권 여당이 승리함:메르켈Merkel 총리, 3선 연임에 성공. 케냐, 수도 나이로비Nairobi의 쇼핑몰에서 무장괴한의 테러공격 벌어짐:한국인 1명 포함 120여명 사망 · 실종, 200여명 부상. 9-24 파키스탄, 발루치스탄주Baluchistan州에서 규모 7.8의 지진 발생하여 500여명 사망함:바다에 높이 9m, 길이 100m 규모의 섬이 생김. 9-29 케냐 킵상Kipsang 선수, 베를린마라톤대회에서 세계신기록을 수립함:2시간 3분 23초. 나이지리아, 이슬람 무장단체가 요베Yobe 주립대학 기숙사에 총기를 난사함:40여명 사망. 10-1 미국, 오바마Obama 대통령과 공화당 사이에 예산안 협상이 결렬됨 : 연방정부가 셧다운shut down(부분 업무 정지) 상태가 됨.

연대	우 리 나 라	다 른 나 라
2013 (4346) 계사	10-2 검찰, 2007년 남북정상회담 대화록이 국가기록원으로 이관되지 않았다고 발표함:청와대 문서관리시스템인 이지원e-知園에서 삭제되었다고 잠정 결론. 한국전력공사, 밀양 송전탑 공사를 재개함:공사 반대 주민 및 시민단체와 충돌. 10-5 검찰, 2007년 남북정상회담 대화록 폐기 의혹 관련하여 조명균趙明均 전 청와대 안보정책비서관을 소환 조사함:7일 임상경林相景 전 대통령기록관장, 14일 김만복金萬福 전 국정원장, 15일 김경수金慶洙 전 청와대 연설기획비서관소환조사. 10-6 박근혜朴槿惠 대통령, 인도네시아 발리에서 열리는 아시아·태평양경제협력체 정상회의 참석차 출국함:7일 중국 시진핑習近平 국가주석과의 회담에서 북한의 추가 핵실험 반대에 합의. 10-7 안병욱安秉煜 숭실대 명예교수 사망. 10-8 태풍 다나스DANAS가 남해안 통과함:15년만의 10월 태풍. 10-9 박근혜朴槿惠 대통령, 브루나이 수도 반다르스리브가완Bandar Seri Begawan에서 열린 아세안+한중일 정상회의에서 '한·아세안 안보대화' 신설을 제안하여 동의받음:12일 인도네시아를 국빈 방문하여 유도요노Yudhoyono 대통령과 정상회담. 10-10 검찰, 효성그룹 본사 및 조석래趙錫來 회장 자택 등을 압수수색함:탈세 및 비자금 의혹 관련. 10-14 민주당, 국군사이버사령부에서 지난 대통령 선거 기간 정치적 댓글 작업 했다고 폭로함:22일 국방부 조사본부, 사이버사령부에 대한 압수수색 실시. 10-17 박근혜朴槿惠 대통령, 방한 중인 필리핀 아키노Aquino 대통령과 정상회담 가짐. 검찰, 국정원 직원 3명을 체포하여 조사 후 석방함:대통령 선거 여론조작 및 정치개입 혐의. 10-21 교육부, 국사편찬위원회의 검정 심사에 통과한 고교 한국사 교과서 8종에 대해 수정·보완을 권고함:교과서 내용의 편중 서술 관련.	10-3 미국, 일본 도쿄에서 외교·국방 장관 참여한 안전보장협의위원회를 개최함:일본의 '집단적 자위권' 행사 지지. 이탈리아, 인근 해역에서 아프리카 난민 태운 선적이 침몰함:350여명 사망·실종. 10-9 미국 오바마Obama 대통령, 연방준비제도Fed 의장에 옐런Yellen 부의장을 지명함:첫 여성 의장. 10-11 캐나다 먼로Munro, 노벨문학상 수상자로 결정됨. 10-12 화학무기금지기구OPCW, 노벨 평화상 수상자로 선정됨. 10-13 인도, 라탄가르Ratangarh 힌두사원 부근 교량 붕괴사고 발생함:힌두교 축제 참가자 200여명 사상. 10-15 필리핀, 세부Cebu 인근 지역에서 규모 7.2의 지진 발생함:110여명 사망. 10-16 일본, 태풍 위파WIPHA가 관동지방을 강습함:60여명 사망·실종. 라오스, 국내선 여객기가 메콩강Mekon江으로 추락함:한국인 3명 포함 49명 사망. 10-17 미국 상·하원, 예산안 협상안에 합의함 : 연방정부의 채무불이행 사태 4개월 늦춤. 10-18 오스트레일리아, 뉴사우스웨일스주New South Wales州에 100여건의 산불이 연이어 발생함 : 세계자연문화유산 소실.

연대	우리나라	다른나라
2013 (4346) 계사	10-22 박근혜朴槿惠 대통령, 방한 중인 폴란드 코모로프스키Komorowski 대통령과 정상회담 가짐: 양국 관계를 '전략적 동반자 관계'로 격상시키는 데 합의함. 검찰, KT 본사 및 이석채李錫采 회장 자택 등을 압수수색함: 업무상 배임 혐의. 조영곤曺永昆 서울중앙지검장, 대검찰청에 자신에 대한 감찰을 요청함:국정원의 트위터 정치개입에 대한 수사외압 논란 관련. 김열규金烈圭 서강대 명예교수 사망. 10-23 외교부, 일본의 독도 영유권 주장 담은 동영상 유포에 대해 항의함. 문재인文在寅 전 민주당 대통령 선거 후보, 지난 선거가 불공정했다는 내용의 성명서를 발표함:국가기관의 선거 개입 의혹 관련. 이광규李光奎 서울대 명예교수 사망. 10-24 고용노동부, 전교조에 대해 법외노조임을 통보함:해직자를 조합원으로 인정하는 규약 수정 않은 데 대한 대응. 10-25 박근혜朴槿惠 대통령, 감사원장에 황찬현黃贊鉉 서울중앙지법원장, 보건복지부 장관에 문형표文亨杓 한국개발연구원 선임연구원을 내정함. 북한, 억류 중이던 월북자 6명을 판문점 통해 인계함. 10-27 박근혜朴槿惠 대통령, 검찰총장에 김진태金鎭太 전 대검찰청 차장을 내정함. 10-28 정홍원鄭烘原 국무총리, 대국민 담화문을 발표함: 민생법안 조속처리 당부 및 국정원의 대통령 선거 개입 의혹 철저 수사 의지 표명. 10-30 국회 외교통상위원회, 개성공단에 대한 첫 현장 국정감사를 실시함. 국회의원 재보궐선거에서 여당(새누리당)이 완승함:서청원徐淸源 후보 당선으로 정치판도 변화 예상. 10-31 대법원, 제일저축은행 금품수수 혐의로 구속된 이철규李喆圭 전 경기지방경찰청장에게 무죄를 확정함. 11-2 박근혜朴槿惠 대통령, 프랑스 · 영국 · 벨기에 · 유럽연합 순방차 출국함:4일 프랑스 올랑드Hollande 대통령과 정상회담, 5일 영국 엘리자베스Elizabeth 2세 여왕과 국빈만찬 회동 후 캐머런Cameron 총리와 정상회담, 7일 벨기에 총리, 8일 유럽연합 지도부와 정상회담.	10-23 독일, 미국 정보기관이 메르켈Merkel 총리의 휴대폰을 도청했다고 발표함:26일 영국, 35개국 정상들이 도청당했다고 보도. 10-26 일본, 동부 해안에 규모 7.1의 지진 발생함: 28일 규모 5.5의 지진 관측. 10-28 중국, 베이징 톈안먼天安門 광장에서 차량 돌진사건이 발생함:소수민족 위구르인의 테러 가능성으로 비상사태에 대비. 11-5 인도, 화성 탐사선을 탑재한 로켓 발사에 성공함:아시아 최초. 11-9 필리핀, 초강력 태풍 하이옌Haiyen이 중남부 지역을 강타함:6,800여명 사망, 1천만여명 피해로 국가재난사태 선포. 러시아, 국제우주정거장에서 우주인이 소치Sochi 동계올림픽 성화봉송 퍼포먼스를 벌임: 사상 처음. 11-17 중국, 서해 인근 발해만渤海灣에서 육해공군 야간상륙작전을 실시함:첫 3군 연합훈련. 러시아, 타타르스탄Tatarstan 자치공화국 카잔Kazan 공항에서 착륙사고 발생함:탑승객 50명 전원 사망.

연 대	우 리 나 라	다 른 나 라
2013 (4346) 계사	11-5 정부, 헌법재판소에 통합진보당 해산을 청구함:헌법사상 초유. 11-6 검찰, 2007년 남북정상회담 대화록 폐기 의혹 관련하여 문재인文在寅 의원을 소환 조사함. 11-8 검찰, 전국공무원노동조합(전공노) 홈페이지 서버를 압수수색함:대통령 선거 개입 의혹 고발사건 관련. 11-11 박근혜朴槿惠 대통령, 숭례문崇禮門 부실 복구 등 문화재 행정비리에 대한 철저 조사를 지시함:15일 변영섭邊英燮 문화재청장 문책 경질. 박동진朴東鎭 전 외무부장관 사망. 11-13 박근혜朴槿惠 대통령, 방한 중인 푸틴Putin 러시아 대통령과 정상회담:나진羅津~하산Nasan철도 프로젝트에 한국 기업 참여에 합의. 검찰, 김무성金武星 의원을 소환 조사함.2007년 남북정상회담 대화록 사전 유출 및 불법 열람 의혹 관련. 11-15 검찰, 2007년 남북정상회담 대화록은 노무현盧武鉉 전 대통령의 지시로 폐기되었다고 발표함:백종천白鍾天 전 청와대 외교안보실장과 조명균趙明均 전 청와대 안보정책비서관 기소. 변영섭 邊英燮 문화재청장, 숭례문崇禮門 부실 복구에 대한 문책으로 경질됨. 11-16 민간 헬리콥터가 서울 삼성동 아파트에 충돌함:조종사 2명 사망. 11-17 범야권 '민주와 평화를 위한 국민동행' 창립총회가 개최됨:김덕룡金德龍 · 권노갑權魯甲 · 정대철鄭大哲 · 이부영李富榮 전 의원 등 33명 주도, 이상화李相花 선수, 월드컵대회 스피드스케이팅 여자 500m에서 36초 36으로 세계신기록을 수립함:세 경기 연속 신기록 작성. 11-18 박근혜朴槿惠 대통령, 국회에서 내년도 예산안에 대한 시정연설을 함. 박인비朴仁妃 선수, 미국 여자골프 투어 '올해의 선수'로 선정됨:한국인 최초. 검찰, 민속씨름 승부조작에 연루된 선수 2명을 구속함. 11-19 박근혜朴槿惠 대통령, 방한 중인 키르기스탄 아탐바예프Atambaev 대통령과 정상회담 가짐:유라시아 구상 강조. 검찰, 원전비리수사단을 구성함:원전 납품 제품 시험성적표 위조 관련하여 JS전선과 새한티이피 등에 대한 압수수색을 실시함. 정문헌鄭文憲 의원을 소환 조사함.2007년 남북정상회담 대화록 사전 유출 및 불법 열람 의혹 관련. 국가기록원, 일제강점기 3 · 1운동 및 관동대진재關東大震災 시 피살자, 피징용자 명단 22만 9천여 건을 공개함:1953년 이승만李承晩 정부 때의 자료 조사 분석.	11-18 미국 항공우주국, 무인 화성탐사선 메이븐MAVEN 발사에 성공함:화성에서 물이 없어진 이유 탐색 목적. 11-19 유엔, 북한인권 결의안을 채택함:정치범 즉각 석방 촉구. 레바논, 베이루트 주재 이란 대사관에 폭탄테러 발생함:23명 사망, 146명 부상. 11-20 베트남, 중부지방에 태풍 하이옌Haiyen의 영향받은 홍수 발생함:42명 사망, 주택 43만채 침수. 이라크, 수도 바그다드에서 시아파Shia派 겨냥한 연쇄 폭탄테러 발생함:24명 사상. 이스라엘 네타냐후Netanyahu 총리, 러시아를 방문함:이란과의 핵협상 반대 압박 목적. 이집트, 시나이 반도의 군 버스에 자살 폭탄테러 발생함:군인 48명 사망. 미국, 북한산 마약을 반입하려던 국제마약조직을 적발하여 기소함.

연 대	우 리 나 라	다 른 나 라
2013 (4346) 계사	11-21 과학기술위성 3호가 러시아 야스니Yasny 발사장에서 발사됨:국내 첫 적외선 천문관측 위성. 독도기념사업회, 이날을 독도대첩일로 선포함: 1954년 일본 순시선 격파하고 독도에 '한국령韓國領' 새긴 사실 기념. 검찰, 국정원이 지난 대통령 선거 및 총선거에서 선거 개입 목적으로 트위터에 올린 글 121만건을 추가로 찾아냈다고 발표함: 여야간 정치 쟁점화. 11-22 천주교 정의구현사제단 전주교구 박창신 신부, 시국미사에서 박근혜朴槿惠 대통령 사퇴 촉구 및 연평도 포격사건 옹호 발언함: 24일 염수정廉洙定 대주교, 사제司祭의 정치 개입은 잘못이라는 입장 밝힘. 11-23 박영식朴煐植 학술원 회장 사망. 11-24 금융감독원, 국민은행에 대해 특별감사를 실시하기로 함: 국민은행 도쿄지점 비자금 의혹 및 국민주택 채권 위조 횡령사건 등 관련. 11-25 채명신蔡命新 초대 주월남 한국군사령관 사망. 11-26 검찰, 지난 20일 서울 서초구청 행정지원국을 압수수색하였다고 발표함: 채동욱蔡東旭 검찰총장의 '혼외 아들' 개인정보 유출 의혹 관련. 11-28 안철수安哲秀 의원, '새정치 추진위원회' 출범을 밝힘: 정치세력화 공식 선언. 12-2 민주당, 강창희姜昌熙 국회의장에 대한 사퇴촉구결의안을 제출함: 황찬현黃贊鉉 감사원장 후보 임명동의안 강행처리에 반발. 12-3 박근혜朴槿惠 대통령, 방한 중인 그리스 파풀리아스Papoulias 대통령과 정상회담: 상호 협력방안 논의.	11-21 일본, 오가사와라제도小笠原諸島 니시노시마西之島 인근에서 해저화산이 폭발함: 지름 200m의 새로운 섬 생김. 이라크, 사디아Sadiyah 지역 농수산물시장 등지에서 연쇄 폭탄테러 발생함: 48명 사망. 라트비아, 수도 리가Riga에서 슈퍼마켓 붕괴사고 발생함: 54명 사망. 11-22 중국, 산둥성 칭다오青島에서 송유관 폭발사고 발생함: 47명 사망, 166명 부상. 11-23 중국, 방공식별구역을 설정함: 한국 이어도와 일본 센카쿠尖閣(중국명 댜오위다오釣魚島) 포함되어 파문. 11-24 이란, 핵 협상이 10년만에 타결됨: 70억달러의 경제효과 기대. 11-26 타이, 반정부시위대가 탁신Thaksin 전 총리 사면에 반대하여 정권 퇴진 요구하며 정부기관을 점령함: 친나왓Shinawatra 총리, 국가안전조치 발동. 인도네시아 유도요노Yudhoyono 대통령, 한국과 싱가포르가 오스트레일리아의 도청 행위를 지원했다는 의혹을 해명케 하라고 지시함. 미국, B-52 폭격기 2대가 중국의 방공식별구역을 관통해 비행훈련함: 중국에 사전 통보 안 해 긴장 고조. 11-27 일본, 국가안전 보장회의법 및 특정비밀보호법이 의회에서 통과됨: 방위력 강화정책 일환. 11-28 타이 의회, 친나왓Shinawatra 총리에 대한 불신임안을 부결시킴. 리비아, 남부의 탄약고에 폭발사고 발생함: 40여명 사망. 11-29 중국, 방공식별구역 선포 이후 처음으로 자국 공군기를 긴급 발진시킴: 미군 초계기와 일본 자위대의 조기경보기 견제 목적.

연 대	우 리 나 라	다 른 나 라
2013 (4346) 계사	12-4 여야, 국회 일정 정상화에 합의함:국정원 개혁 및 정치 개혁 특별위원회 설치 합의. 북한, 장성택張成澤 국방위원회 부위원장 실각설이 제기됨: 12일 국가 전복 음모 행위로 처형. 12-5 정부, 오스트레일리아와의 자유무역협정이 실질적으로 타결되었다고 발표함. 서울시, 미세먼지 주의보를 발령함. 12-6 박근혜朴槿惠 대통령, 방한 중인 미국 바이든Biden 부통령을 접견함: 중국 방공식별구역 및 일본 자위권 문제 등 주요 현안 논의. 강창희姜昌熙 국회의장, 중국 방문 중 시진핑習近平 국가주석을 면담함: 양국간 협력관계 내실화 논의. 김장이 유네스코 인류무형문화유산에 등재됨. 대한축구협회, 20세 이하 월드컵 축구대회 유치에 성공함: 국제축구연맹 주관 4개 주요 대회 모두 개최 기록. 12-7 북한, 관광차 방북 중 억류되었던 뉴먼Newman 미국인을 석방함. 12-8 정부, 방곡식별구역KADIZ을 선포함:이어도·마라도·홍도 등 포함. 장하나 민주당 의원, 지난 대통령 선거 불복을 선언함: 현역 의원 중 처음 박근혜朴槿惠 대통령 사퇴 주장. 12-9 국회, 국군부대의 필리핀 재해 복구 지원을 위한 파견 동의안을 의결함: 의무대·공병대·복구대 등 540여명의 아라우ARAW 부대 파견 계획. 전국철도노조, 회사측의 수서발 KTX 자회사 신설 계획에 반발하여 취소를 요구하며파업에 돌입함. 12-10 검찰, 조석래趙錫來 효성그룹 회장을 소환 조사함: 탈세 및 비자금 불법 조성 의혹 관련. 12-11 박근혜朴槿惠 대통령, 방한 중인 싱가포르 리셴룽李顯龍 총리와 정상회담 가짐: 제3국 공동진출 협력에 합의.	12-1 미국 바이든Biden 부통령, 일본·중국·한국순방차 출국함: 중국의 방공식별구역 설정 둘러싼 동북아 갈등 해소 관심. 12-2 중국, 달 탐사위성 창어嫦娥 3호를 발사함: 14일 달 착륙에 성공. 우크라이나, 반정부 시위가 격화됨: 친러시아정책에 반발. 12-3 타이, 반정부 시위진압을 일시 중단함: 푸미폰Phumiphon 국왕 생일 계기. 12-5 남아프리카공화국, 만델라Mandela 전 대통령 사망. 중앙아프리카공화국, 수도 방기Bangui에서 정부군과 민병대 간에 교전 발생함: 200여명 사망. 12-8 싱가포르, 인도 출신 근로자의 교통사고 사망으로 44년만에 폭동 일어남: 엄격한 준법국가에서 이례적 사건. 12-9 타이 친나왓Shinawatra 총리, 의회 해산 및 조기 총선거 실시를 선언함: 반정부 시위대 반발. 12-10 미국, 동북부 지방에 폭설 내림: 연방정부의 임시휴무 사태 속출. 12-15 미국 케리Kerry 국무장관, 중국 왕이王毅 외교부장과 전화로 요담함: 북한의 장성택張成澤 국방위원회 부위원장 처형 관련하여 긴급사태 논의. 칠레, 대통령 선거에서 바첼레트Bachelet 전 여성 대통령이 재당선됨: 중도좌파 집권. 독일, 메르켈Merkel 총리가 국방장관에 라이엔Leyen 노동장관을 지명함: 사상 첫 여성 국방장관. 이집트, 112년만에 폭설 내려 피해당함: 인근 이스라엘·요르단 등지에도 눈 피해.

연 대	우 리 나 라	다 른 나 라
2013 (4346) 계사	12-13 고려대학교 교정에 「안녕들하십니까?」 제목의 대자보 붙음: 이후 사회적 이슈로 확산됨. 12-16 박근혜朴槿惠대통령, 국가안전보장회의NSC의 상설 사무조직 설치를 지시함: 20일 외교·안보 컨트럴타워로 출범. 검찰, 현재현玄在賢동양그룹 회장을 소환 조사함: 사기성 회사채·기업어음 발행 의혹 등 관련. 12-18 대법원, 근로의 대가로 받는 상여금은 통상임금에 해당된다고 판결함:임금체계 수정 필요성 초래. 12-19 국방부, 국군사이버사령부의 정치적 댓글 의혹사건 중간 수사 결과를 발표함: 정치적 중립 위반 혐의로 11명 형사입건. 파주 적군묘지에서 6·25 때 숨진 중국군 유해 개토제開土祭를 실시함:425구 송환 위한 절차. 12-22 경찰, 전국철도노조 지휘부 검거 위해 처음 민주노총 본부에 진입함: 지휘부 도피로 검거 실패. 12-23 국방부, 남수단 주재 한빛부대가 반군세력 방어 위해 일본 자위대로부터 총탄을 지급받았다고 발표함: 창군 이래 처음으로 비정상 사항이라고 물의. 12-24 검찰, 서상기徐相箕의원을 소환 조사함. 2007년 남북정상회담 대화록의 사전 유출 및 불법 열람 의혹 관련. 철도 노조 간부들이 경찰 검거 피하여 서울 조계사曹溪寺로 도피함: 27일 민주당사에도 진입하여 피신. 12-26 유진룡劉震龍문화체육관광부 장관, 일본 아베安倍晋三총리의 야스쿠니신사靖國神社에 개탄과 분노를 금할 수 없다는 비난 성명 발표함 : 정부 대변인 자격으로 강도 높은 비판. 12-27 정부, 수서발 KTX 자회사에 대한 사업 면허를 발급함: 114년만에 철도 독점체제 끝남. 12-28 민주노총, 서울광장에서 총파업 결의대회를 개최함: 철도 민영화 시도 반대. 12-30 철도 노조, 역대 최장기 22일의 파업을 철회함: 국회 철도산업발전소위원회 구성 조건.	12-16 중국, 남중국해에 전투기 40대를 파견함: 미국 군함과의 대치 상황에 대처 목적. 베트남, 북부 지역에 최고 20cm 폭설 내림: 열대지방의 이상기후. 12-17 일본, 국가안전전략을 확정 발표함: 중국·북한에 대한 군사적 강화 목적. 우크라이나 야누코비치Yanukovych 대통령, 러시아 방문 중 푸틴Putin 대통령과 정상회담 가짐: 천연가스 가격 인하에 합의. 뉴질랜드, 남섬에 규모 6.1의 지진 발생함: 북섬 남단의 웰링턴Wellington에서도 감지. 12-18 미국 연방준비제도 이사회, 양적 완화정책이 내년에도 계속하기로 결정함: 미국 경제 안정 자신감 발로. 남수단, 정부군과 반군 사이에 총격전 발생함: 1300여명 사상. 12-19 유럽우주기구, 은하 관찰 위성 가이아Gaia 발사에 성공함: 은하 진화의 단서 제공 목적. 12-24 일본 아베安倍晋三총리, 야스쿠니신사靖國神社를 참배함: 정권 출범 1주년 계기. 유엔 안전보장이사회, 남수단 내분 격화에 대응하여 추가 파병을 결의함: 7천명 수준에서 1만 2500명 수준으로 증강. 12-28 중국 양제츠楊潔篪 부총리, 일본 아베安倍晋三총리는 역사의 실패자가 될 것이라고 비난함: 야스쿠니신사靖國神社참배에 대한 강력한 경고.

연 대	우 리 나 라	다 른 나 라
2013 (4346) 계사	12-31 국회, 국정원 개혁 관련 법안을 의결함: 국정원 정보관의 정부기관 상시 출입 금지 등 법제화. 새해 예산을 연내에 처리하지 못함: 연속 2년 해를 넘김. 산업통상자원부, 금년의 무역규모 1조 달러, 수출 5,597억 달러, 무역 수지 흑자 442억 달러로 집계함: 트리플 크라운 달성.	12-29 러시아, 볼고그라드역Volgograd驛 안에서 자살폭탄테러 발생함: 30일 연이은 테러로 총 30여명 사망, 70여명 부상. 12-31 바흐Bach 국제올림픽위원회 위원장, 러시아의 연속자살테러를 비열한 행위라고 비난함: 소치동계올림픽 대비 경계태세 강조.

연대	우리 나라	다른 나라
2014 (4347) 갑오	1-1 박근혜朴槿惠 대통령, 신년사에서 경제 활성화와 민생 안정을 강조함. 도로명주소가 전면 시행됨. 대체공휴일제가 시행됨:설이나 추석 등 연휴가 다른 공휴일과 겹칠 경우 연휴 바로 다음 첫번째 비공휴일을 공휴일로 지정. 북한 김정은金正恩 국방위원회 제1위원장, 육성으로 신년사를 발표함:남북 관계 개선의 필요성 강조. 1-2 질병관리본부, 인플루엔자 유행 주의보를 발령함. 김재춘金在春 전 중앙정보부장 사망. 1-3 박근혜朴槿惠 대통령, 청와대에서 열린 신년인사회에서 올해 국정 운영 기조를 설명함:김한길 민주당 대표 등 200여명 참석. 1-5 한국수력원자력, 신고리 1 · 2호기와 신월성 1호기의 재가동을 결정함:부품위조사건 7개월만에 재개. 1-6 박근혜朴槿惠 대통령, 신년 기자회견에서 경제혁신3개년계획 추진 의사를 밝힘:국민행복시대 추구 언명. 통일부, 설 전후한 남북이산가족 상봉 위해 10일 실무접촉 갖자고 북측에 제의함:9일 북한, 금강산 관광과 연계 주장하며 거부함. 교육부, 교학사에서 발행한 한국사 교과서 선정을 철회한 고등학교에 대한 특별조사를 실시한다고 발표함. 1-8 북한, 방북 중인 로드먼Rodman 미국 전 농구 선수가 김정은金正恩 국방위원회 제1위원장의 생일을 축하하는 노래를 부름:미국 내 찬반 의견 대립. 1-9 이화여자대학교, 총장 후보 자격을 남성도 가능하게 규정을 고쳤다고 발표함:개교 128년만에 성별 제한 폐지. 1-12 염수정廉洙定 대주교, 추기경에 서임됨:교황 서임권 및 교황 피선거권 보유. 1-14 김명환 전국철도노조 위원장 등 13명이 경찰에 자진 출두함:철도노조 파업사태 일단락. 1-15 박근혜朴槿惠 대통령, 인도와 스위스 국빈방문 및 다보스포럼 참석차 출국함:16일 인도 싱Singh 총리와 정상회담, 20일 스위스 부르크할터Burkhalter 대통령과 수교 후 첫 정상회담 가짐, 22일 다보스Davos 포럼에서 연설.	1-1 일본 아베安倍晋三 총리, 신년사 통해 평화헌법 개헌과 적극적 평화주의 추진을 강조함: '새로운 국가 만들기' 주장. 1-3 캄보디아, 경찰이 임금 인상 요구하는 시위대에 발포함:30여명 사상. 1-5 미국, 동북부지역에 폭설과 한파 내습하여 비상사태 선언함:7일 체감 온도 영하 70도 기록하여 이상기온 우려. 1-10 중앙아프리카 조토디아Djotodia 대통령, 이슬람계 반군과 크리스트교계 민병대 간의 유혈분쟁 속에서 사임을 발표함:11일 베냉Benin으로 망명. 1-11 중국, 유네스코 세계문화유산 샹그릴라香格里拉에 화재 발생함:300여 고건축이 소실. 이스라엘, 샤론Sharon 전 총리 사망. 1-13 타이, 반정부시위대가 수도 방콕의 주요도로를 점거함:정부부처 행정마비 기도. 1-15 이라크, 바그다드 등 전국에서 연쇄 자살폭탄 테러 발생함:58명 사망, 90여명 부상. 1-17 미국 의회, 일본정부에게 2007년의 '일본군 위안부 관련 결의안'을 준수토록 하는 법안을 의결함.

연 대	우 리 나 라	다 른 나 라
2014 (4347) 갑오	1-16 북한, 설 명절 기해 30일부터 남북 간의 비방중상과 군사적 적대행위를 전면 중단하자고 제안함:정부, 먼저 행동으로 보이라고 공식 입장 밝힘. 1-17 전북 고창 · 부안에 조류인플루엔자 발생함:21일 전남 나주에서도 발생. 1-19 안중근安重根 의사 기념관이 중국 하얼빈에 개관됨:2013년 박근혜朴槿惠 대통령과 중국 시진핑習近平 국가주석과의 정상회담 후속 조치 일환. 1-20 KB국민카드 · NH농협카드 · 롯데카드의 개인정보 1억여건 유출이 확인됨:2- 17 3개월간 영업정지 처분받음. 한석우 한국무역진흥공사KOTRA 트리폴리 무역관장이 리비아에서 무장대원에게 피랍됨:22일 무사히 구출됨. 영화 〈변호인〉이 관객 1천만명을 돌파함. 1-22 대검찰청, 방송인 에이미의 성형수술비 반환문제 해결에 개입한 검사를 구속기소함: '해결사 검사' 오명, 1-23 국립해양문화재연구소, 진도 오류리 해역에서 500여점의 유물을 발굴했다고 발표함: 삼국시대 토기, 고려시대 청자류, 임진왜란 당시 포탄 등. 1-24 국민건강보험공단, 국내외 담배회사를 상대로 흡연 피해 배상 요구하는 소송을 제기함. 북한, 남북이산가족 상봉을 금강산에서 실시하자고 제의함. 북한 신선호 유엔대사가 기자회견 자청하여 다음 달 예정된 한미군사훈련을 중지하라고 요구함. 1-27 농림수산식품부, 경기도 · 충청남도 · 충청북도 · 대전광역시 · 세종특별자치시에 12시간 '일시이동중지 명령' 을 발동함:조류인플루엔자가 충남 서천 및 부여, 경기 화성, 충북 진천 등지로 확산되는 데 대한 대응. 정부, 북한측에서 제의한 남북이산가족 상봉을 다음 달 17일에서 22일 사이에 실시하자고 답신함.	1-22 중국, 시진핑習近平 국가주석 및 원자바오溫家寶 전 총리 등 최고지도자의 친인척이 조세피난처로 재산 유출하여 탈세했다고 보도됨. 일본 아베安倍晋三 총리. 다보스Davos 포럼 기자간담회에서 현재 중국과 일본 관계를 제1차세계대전 전 영국과 독일 관계와 비슷한 상황이라고 언급함. 타이, 수도 방콕 일원에 60일간의 비상사태를 선포함:반정부시위대에 대응. 1-23 미국, 버지니아주 상원에서 공립학교 교과서에 동해와 일본해 병기를 의무화하는 법안이 통과됨:2-6 하원에서도 통과. 남수단, 정부군과 반군이 휴전에 합의함:1개월 간의 내전으로 1만여명 사망, 50만명의 난민 발생. 1-25 일본 NHK 모미이 井勝人 회장, 종군 위안부는 어디에나 있었다고 망언함:28일 전직원에게 전산망 통해 사과함. 1-28 나이지리아, 북동부지역 마을에서 급진 이슬람단체의 테러 발생함:99명 사망. 2-1 중국, 신종 조류 인플루엔자가 유행함:108명 감염, 22명 사망. 인도네시아, 수마트라 시나붕Sinabung 화산이 폭발함:16명 사망. 2-2 타이, 조기 총선거를 실시함: 야당과 반정부 단체 시위 격화. 2-7 러시아, 소치Sochi 동계올림픽 대회가 개막됨. 2-8 일본, 45년만의 폭설로 1천여명의 사상자 발생함:최고 45cm 기록.

연대	우 리 나 라	다 른 나 라
2014 (4347) 갑오	1-28 헌법재판소, 총선거에서 의석을 얻지 못하거나 득표율 2% 얻지 못한 정당의 등록을 취소하도록 한 정당법 조항은 위헌이라고 결정함. 외교부, 일본정부가 일본 교과서 학습지도요령 해설서에 독도가 자국 영토임을 명시한 데 대해 강력 항의함. 경남 밀양에서조류인플루엔자가 발생함. 1-30 우리나라의 일본군 위안부 기획진 〈지지 않는 꽃〉이 프랑스 앙굴렘 국제만화 페스티벌에 선보임. 서울동물원, 조류 인플루엔자 감염 방지책으로 임시 휴장함. 1-31 여수 앞바다에 원유 유출사고 발생함:유조선이 GS칼텍스 원유부두에 충돌. 2-5 남북적십자사, 판문점에서 남북이산가족찾기 실무회담을 개최함:20~25일에 상봉행사 갖기로 합의. 2-6 박근혜朴槿惠 대통령, 윤진숙尹珍淑 해양수산부 장관을 경질함:여수 앞바다 원유 유출사고 관련 언행 문책. 2-8 윤지충尹持忠 등 124명이 복자福者로 결정됨. 2-10 강원도 영동지역 및 경북 동해안지역에 24년만의 폭설 내림:16일 강릉지역에 110cm 내려 103년만의 폭설 기록. 서울특별시 인구가 25년만에 1천만명 이하로 감소됨:998만 9762명으로 집계. 2-11 이상화李相花 선수, 소치Sochi동계올림픽대회 스피드스케이팅 여자 500m에서 우승함. 일본 무라야마村山富市 전 총리가 방한함:일본군 위안부 희생자 첫 면담. 2-12 해양수산부, 남극에 장보고과학기지를 준공함. 남북고위급접촉이 북측 제의로 판문점에서 열림:14일 2차 접촉에서 이산가족 상봉행사를 예정대로 실시하기로 합의함. 2-15 부산 앞바다에 원유 유출사고가 발생함:유류 운반선과 화물선의 충돌 여파. 2-16 한국인 탑승 관광버스가 이집트 시나이반도Sinai半島에서 폭탄테러당함:3명 사망, 14명 부상. 2-17 새정치연합 창당 발기인대회가 개최됨:중앙운영위원회 의장에 안철수安哲秀 의원 선출. 서울 광희문光熙門(수구문水口門 · 시구문屍口門)이 39년만에 개방됨. 경주 리조트 체육관이 폭설 여파로 붕괴됨:부산외국어대학교 학생 등 10명 사망, 100여명 부상. 영화배우 황정순黃貞順 사망.	2-11 중국 · 타이완, 분단 65년만에 첫 장관급회담을 개최함:상시적 소통기구 설치에 합의. 알제리, 공군 소속 군용기 추락사고 발생함:103명 사망. 2-13 예멘, 반군들이 수도 사나Sanna의 중앙교도소를 습격함:재소자 다수 탈옥. 2-17 유엔 인권위원회, 북한에서 조직적이고 광범위한 인권침해가 자행되었다는 내용의 보고서를 발표함. 이탈리아, 렌치Renzi 민주당 대표가 총리에 지명됨:30세 최연소 총리. 2-18 중국 시진핑習近平 국가주석, 롄잔連戰 타이완 국민당 명예주석을 면담함:하나의 중국 강조. 2-19 보츠와나Botswana, 북한과의 모든 외교적 관계를 단절한다고 발표함:유엔 인권위원회의 북한 인권 침해 보고서 관련. 2-20 우크라이나, 야권 시위대와 경찰이 휴전 하루 만에 무력충돌함:100여명 사망, 500여명 부상으로 독립 후 최악의 유혈사태로 번짐.

연대	우리 나라	다른 나라
2014 (4347) 갑오	2-18 박근혜朴槿惠 대통령, 방한중인 리투아니아 그리바우스카이테Grybauskaite 대통령과 정상회담 가짐:여성대통령, 미혼, 외국어 능통 등 공통점 공유. 외교부, 한반도클럽 발족식을 개최함:서울 주재 21개 남북한 겸임 공관과의 협의체. 2-20 국회, 선행학습 금지법을 의결함:8월부터 시행. 남북이산가족 상봉을 금강산에서 실시함:3년 4개월만에 실시. 2-21 김연아金姸兒 선수, 러시아 소치Sochi 동계올림픽대회 피겨스케이팅 은퇴경기에서 은메달을 받음:심판의 편파판정 논란. 2-22 검찰, 서울시 공무원 간첩조작 의혹 관련하여 조백상趙百相 중국 선양瀋陽 주재 총영사를 소환 조사함:28일 이인철 영사 소환 조사. 2-23 정홍원鄭烘原 국무총리, 러시아 소치Sochi 동계올림픽대회 폐막식에 참석함:푸틴Putin 대통령과의 면담에서 차기 평창동계올림픽대회에 적극적인 협조 요청. 2-25 박근혜朴槿惠 대통령, 취임 1주년 맞아 경제혁신 3개년계획을 발표함:경제성장률 4%, 고용률 70%, 1인당국민소득 4만달러 지향. 기상청, 서울 등 전국 곳곳에 미세먼지 주의보를 발령함:평소의 3배 이상 수치 기록. 2-26 정부, 주택 임대차시장 선진화방안을 발표함:월세 세입자 지원 강화 내용 포함. 2-27 북한, 지난해 10월 입북한 김정욱 선교사의 기자회견 모습을 공개함. 동해안에서 탄도미사일 4발을 발사함:한미연합훈련에 대응 추정. 3-2 민주당·새정치연합, 통합 신당 창당에 합의했다고 발표함:기초선거 정당 공천제 폐지를 공약으로 내세움. 국립축산과학원이 조류인플루엔자에 감염됨. 3-3 경주박물관, 경주 천마총天馬塚 출토 천마문天馬文 말다래 2점을 처음 공개함. 북한, 일본과 중국 선양瀋陽에서 적십자사 실무회담을 개최함:일본인 납북자 문제 등 현안 논의. 동해안에서 탄도미사일 2발을 발사함:4일 방사포 7발 또 발사.	2-21 파키스탄, 정부군의 탈레반 기지 공습으로 20여명 사망함:탈레반의 폭탄테러에 대한 보복. 우크라이나, 야누코비치Yanukovych 대통령이 의회의 탄핵받아 카르키프시Kharkiv市로 피신함:22일 티모센코Tymoshenko 전 총리가 석방됨. 미국 오바마Obama 대통령, 방미중인 티베트 달라이 라마Dalai Lama를 면담함:중국, 내정간섭이라고 반발. 2-22 중국, 베이징 등 중동부 지역에 최악의 스모그 현상이 발생함:전국토의 15% 이상이 피해당함. 일본, 시마네현島根縣에서 '다케시마의 날' 행사를 강행함:정부의 차관급 대표 및 국회의원 참석. 멕시코, 마약 왕 구스만Guzman이 도피13년만에 체포됨. 2-24 러시아, 소치Sochi 동계올림픽대회가 폐막됨:한국에서 귀화한 빅토르 안(안현수安賢洙) 선수의 금메달 3개 획득으로 종합 1위에 오름. 3-1 중국, 지난해 무역총액이 미국을 제치고 세계 1위에 올랐다고 발표함:4조 1600억 달러. 윈난성雲南省 쿤밍昆明 기차역에서 신장위구르新疆Uighur 자치구 독립운동 세력의 흉기난동사건이 발생함:30명 사망, 140여명 부상. 러시아 의회, 우크라이나 내 군사개입 요청안을 의결함:크림Crim 반도로 병력 이동.

연대	우 리 나 라	다 른 나 라
2014 (4347) 갑오	3-5 윤병세尹炳世 외교부장관, 유엔 인권이사회 기조연설에서 일본의 일본군 위안부 문제에 대한 태도를 강력 비판함:1945년 유엔 창설 후 처음 제기. 3-6 KT 홈페이지 가입 고객 1200만명의 개인정보 유출이 확인됨:7일 황창규黃昌圭 회장, 대국민사과문에서 재발 방지 약속. 3-9 북한, 최고인민회의 대의원선거를 실시함:김정은金正恩 국방위원회 제1위원장의 수행자로 여동생 김여정이 공식적으로 처음 소개됨. 3-10 대한의사협회, 집단휴진에 돌입함:정부의 원격진료 및 영리병원 허용에 반대 의사 표명. 육군사관학교, 삼금三禁(금연 · 금주 · 금혼) 제도를 완화하기로 했다고 발표함. 3-11 박근혜朴槿惠 대통령, 방한중인 캐나다 하퍼Harper 총리와 정상회담 개최함:한 · 캐나다 자유무역협정FTA 타결 발표. 경북 경주에 조류 인플루엔자 발생함. 3-12 충남 천안에서 조류 인플루엔자에 감염된 개가 포유류로는 처음 발견됨:24일 부여에서도 추가 발견됨. 이은관李殷官 명창 사망. 3-13 미래창조과학부, 이동통신 3사(KT · LG유플러스 · SK텔레콤)에 대해 45일간의 영업정지 처분을 내림:불법보조금 경쟁 제재. 3-14 농림축산식품부, 조류 인플루엔자로 인한 살처분 가금류가 1,080만 마리 이상이라고 발표함:역대 최고 기록. 3-15 박근혜朴槿惠 대통령, 일본 아베安倍晋三 총리가 무라야마村山富市 담화와 고노河野洋平 담화를 인정한다고 언급한 데 대하여 다행이라고 평가함. 3-16 민주당 · 새정치연합, 창당 발기인대회를 개최함:당명을 새정치민주연합(약칭 새정치연합)으로 확정함. 극지연구소, 경남 진주에서 발견된 색다른 암석이 모두 운석隕石이라고 발표함. 북한, 동해안에서 단거리 로켓 25발을 발사함:한미연합훈련에 대응한 발사로 추정. 인공기 게양한 유조선이 리비아 반군이 제공한 원유 싣고 도주하다 미국 해군에 나포되어 리비아로 압송됨.	3-5 미국, 버지니아주 하원에서 공립학교 교과서에 동해와 일본해 병기를 의무화하는 법안의 교차 표결에서 안건을 의결함:31일 버지니아주 지사 서명으로 7월부터 시행. 3-8 말레이시아, 남인도양에서 중국 베이징행 여객기 추락사고 발생함:329명 사망. 3-12 터키, 반정부시위가 격화됨:최루탄 맞은 어린이 사망 계기. 미국, 뉴욕 주거용 빌딩 2채가 가스 누출로 폭발 붕괴됨:60여명 사상. 3-14 일본 아베安倍晋三 총리, 일본의 침략행위와 식민 지배 사과한 무라야마村山富市 담화와 일본군 위안부 문제에 대해 사과한 고노河野洋平 담화를 인정한다고 언급함. 3-15 이라크, 수도 바그다드에서 연쇄 차량폭탄테러가 발생함:70여명 사상. 3-16 우크라이나, 크림Crim 공화국에서 실시된 주민투표에서 96.8%가 러시아 귀속에 찬성함. 칠레, 북부지역에서 규모 7.0의 지진이 2회 발생함:주민대피령 발동.

연대	우리 나라	다른 나라
2014 (4347) 갑오	**3-18** 정부, 제주도 4·3사건을 국가기념일로 지정함:66년만에 재평가. 문화체육관광부, 중국·미국 합작회사에 외국인 전용 카지노 신청을 허가함:2018년 영종도에 건설 예정. **3-20** 박근혜朴槿惠 대통령, 민관합동 규제개혁회의를 주재함:160여명 참석하여 끝장토론으로 진행. **3-22** 북한, 동해안에서 단거리 로켓 30발을 발사함:23일 16발 추가 발사. **3-23** 박근혜朴槿惠 대통령, 네덜란드 헤이그에서 열리는 핵안보 정상회의 참석 및 독일 방문차 출국함:24일 중국 시진핑習近平 국가주석과 정상회담 후 헤이그 핵안보정상회의에서 기조연설. 25일 미국 오바마Obama 대통령 및 일본 아베安倍晋三 총리와의 한미일 정상회담. 27일 독일 메르켈Merkel 총리와 정상회담. **3-24** 한국거래소, 금金시장 개장식을 개최함:증권시장과 유사한 형태. 경기도 파주에 북한 것으로 판명된 무인기가 추락함:31일 백령도에서도 같은 형태의 것이 추락함. **3-26** 새정치민주연합 창당:공동대표에 김한길·안철수 의원. 북한, 평양 북방에서 동해쪽으로 미사일(노동蘆洞미사일) 2발을 발사함:정부, 유엔 안전보장이사회 결의안 위반이라고 비난. **3-27** 헌법재판소, 야간집회 금지는 위헌이라고 결정함. **3-28** 박근혜朴槿惠 대통령, 독일 방문 중 드레스덴Dresden에서 대북한 3대제안을 발표함:남북 주민의 인도적 문제 해결, 남북 공동번영 위한 민생인프라 구축, 남북 주민간 동질성 회복. 국방부, 파주 적군묘지에 안치되어 있던 중국군 유해 437구를 중국측에 인도함. **3-29** 장병우張秉佑 광주지방법원장, 허재호許宰晧 전 대주그룹 회장에 대한 '황제노역' 판결에 책임지고 사표를 제출함:일당 5억원 판결로 여론 악화. **3-30** 미국 할리우드 영화 〈어벤져스 2〉의 촬영이 서울에서 시작됨:촬영 일정에 따라 수도권 교통 통제. **3-31** 북한, 서해 북방한계선에 포탄을 발사함:일부가 남쪽 해상에 떨어져 군이 대응사격하고 백령도·연평도 주민 대피소로 이동.	**3-17** 미국, 하버드-스미소니언 천체물리센터에서 우주 형성의 직접적 증거인 중력파 탐지에 성공했다고 발표함:138억년 전 우주 탄생 비밀 밝힐 지표. **3-19** 러시아 푸틴Putin 대통령, 크림Crim 공화국 합병조약에 서명함. **3-22** 타이 헌법재판소, 2월 2일 실시한 총선거는 무효라고 결정함. **3-24** 세계주요7개국, 러시아를 세계주요8개국 정상회의에서 제외시킴:크림Crim 공화국 합병조약에 제재. **3-27** 필리핀, 이슬람 반군 모로Moro 이슬람해방전선과 평화협정에 서명함:44년간 15만명의 인명 희생. **4-1** 칠레, 북부 해안에 규모 8.2의 지진이 발생함:2일 규모 7.8의 지진이 또 발생하여 비상사태 돌입. **4-4** 중국, 일본이 초등학교 교과서에 댜오위다오釣魚島(일본명 센카쿠尖閣 열도)를 일본 영토로 표기한 데 대해 도발행위라고 비난함. 일본, 초등학교 교과서에 독도를 일본 영토라고 표기함:한일관계 냉각. 에콰도르, 퉁구라화Tungurahua. 화산이 폭발함:10km 상공까지 화산재 분출.

연대	우리 나라	다른 나라
2014 (4347) 갑오	**4**-1 기상청, 3월 전국 평균기온(7.7도)이 최고기록을 경신했다고 발표함:개화 시기 빨라져 전국 봄꽃축제 앞당겨 개최. 충남 태안 앞바다에서 규모 5.1의 지진 발생함:수도권에서도 감지. **4**-4 울산 에쓰오일 온산공장에서 원유유출사고 발생함. 여수 앞바다에서 몽골 국적의 화물선이 침몰함:북한 선원 16명 중 3명 구조. **4**-6 강원도 삼척에서 무인기가 발견됨:지난해 10월에 발견한 주민이 신고. 손연재孫延在 선수, 포르투갈 리스본에서 열린 국제체조연맹 리듬체조 월드컵에서 우승함:볼 · 리본 · 곤봉에서 우승하여 4관왕에 오름. **4**-7 국방부, 전군 주요지휘관회의를 개최함:무인기 관련 방공망 보완책 논의. 한미일 6자회담 수석대표회담이 미국 워싱턴에서 개최됨:북한의 핵 실험 발언에 대응책 모색. **4**-8 박근혜朴槿惠 대통령, 방한중인 오스트레일리아 애벗Abbott 총리와 정상회담:양국간 자유무역협정에 서명. 새정치민주연합, 기초선거 정당공천제 폐지 관련하여 당원 투표와 국민 대상 론조사에 따르기로 함:10일 정당공천제 유지하기로 최종 결정. **4**-9 금융감독원, 일본 등 해외 은행지점에 대한 일제점검을 시행하기로 함:국민은행 · 우리은행 · 기업은행 등 일본지점의 부당대출 비리 관련. 북한 최고인민회의, 김정은金正恩 국방위원회 제1위원장을 재추대함. **4**-10 대법원, 흡연 피해자들이 KT&G와 국가를 상대로 낸 손해배상 청구소송에서 패소 판결 내림:담배소송 관련 첫 판결. **4**-11 완도국제해조류박람회가 개막됨:세계 최초 해조류 주제 박람회. **4**-14 박근혜朴槿惠 대통령, 국정원 서천호徐千浩 2차장의 사표를 수리함:서울시 공무원 간첩 조작 의혹 관련. 북한 국방위원회, 무인기 추락사건에 대한 공동조사를 제의함:정부, 북한 소행으로 규정하고 거절.	**4**-7 아일랜드, 하긴스Higgins 대통령이 독립 이후 처음 영국을 방문함:8일 엘리자베스Elizabeth 2세와 회동. **4**-8 우크라이나, 도네츠크Donetsk · 루간스크Lugansk · 하르키우Kharikiv 등 동부도시의 러시아계 주민들이 독립을 요구하는 시위 벌임:정부군, 유혈 진압하여 시위 종식. **4**-9 파키스탄, 수도 이슬라마바드Islamabad 인근 시장에서 폭탄테러 발생함:60여명 사상. **4**-13 솔로몬제도Solomon諸島, 진도 7.6의 지진이 발생함:쓰나미경보 발령. 칠레, 중부지역의 발파라이소Valparaiso 외곽 지역에서 대형 산불이 발생함:500여채의 건물 소실. **4**-14 나이지리아, 이슬람 무장단체 보코하람Boko Haram이 여학생 276명을 납치함:서양식 교육 반대. **4**-15 우크라이나, 정부군이 도네츠크Donetsk에서 친러시아 무장세력을 진압함. **4**-22 미국 오바마Obama 대통령, 일본 · 한국 · 말레이시아 · 필리핀 등 아시아 순방길에 오름. **4**-23 콩고민주공화국, 카탕가주Katanga州에서 과속으로 인한 화물열차탈선사고 발생함:120여명 사상.

연대	우 리 나 라	다 른 나 라
2014 (4347) 갑오	4-15 박근혜朴槿惠 대통령, 국정원의 서울시 공무원 간첩 조작 의혹 관련하여 사과함:남재준南在俊 국정원장과 황교안黃敎安 법무부장관도 사과. 금융감독원, 긴급 은행장회의를 소집함:잇따른 금융사고에 대한 대책 마련 목적. 검찰, 강덕수姜德壽 전 STX 회장을 구속 수감함:횡령배임 혐의. 4-16 인천~제주 여객선 세월호가 진도 앞바다에서 침몰함:승선자 476명 중 안산 단원고 수학여행 학생 등 304명 사망 · 실종. 한일 외교부 국장급 협의회가 서울에서 개최됨:일본군 위안부 문제만을 위한 첫 대면. 4-18 박근혜朴槿惠 대통령, 세월호 침몰사고 현장인 진도 팽목항彭木港을 직접 방문함:실종자 가족 요구사항 반영을 약속함. 4-20 정부, 세월호 침몰사고 관련하여 경기 안산시와 전남 진도군을 특별재난지역으로 지정함. 4-23 북한, 조선적십자회에서 세월호 침몰사고 관련한 위로통지문을 대한적십자사에 보내옴. 4-24 최연혜崔然惠 한국철도공사 사장, 평양에서 열리는 국제철도협력기구 사장단회의에 참석함:정부 고위층 중 처음으로 중국 베이징역에서 열차를 이용하여 평양에 도착한 사례. 검찰, 청해진해운 실소유자 유병언俞炳彦 전 세모그룹 회장의 자택과 관련 기관 등을 압수 수색함:세월호 침몰사고 관련. 4-25 미국 오바마Obama 대통령이 방한함:박근혜朴槿惠 대통령과 정상회담 후 6 · 25전쟁 때 미군에 의해 반출된 황제지보皇帝之寶 등 대한제국 국새國璽 9점 반환. 4-29 박근혜朴槿惠 대통령, 세월호 침몰사고에 대해 공식 사과함. 국회, 출판문화산업진흥법 개정안을 의결함:도서할인율을 15%로 제한. 검찰, 김한식 청해진해운 대표를 소환 조사함:유병언俞炳彦 전 세모그룹 회장의 비자금 불법조성 연루 혐의. 북한, 북방한계선 인근 두 곳에서 50여 발의 해안포 사격훈련을 실시함.	4-24 중국, 깐수성甘肅省과 신장위구르新疆Uighur 자치구 등 서부지역에 모래폭풍이 엄습함:고속도로와 철도 등 마비. 4-28 미국, 남동부 6개 주에 이틀 연속 토네이도tornado가 엄습함:35명 사망. 4-29 우크라이나, 도네츠크Donetsk · 루간스크Lugansk · 하르키우Kharikiv 등 동부 14개 도시가 친러시아 세력에 점거됨:통제 불능 상태. 4-30 중국, 신장위구르新疆Uighur 자치구의 수도 우루무치Urumqi기차역에서 자살폭탄테러 발생함:시진핑習近平 국가주석 방문 직후 발생. 5-2 아프가니스탄, 바다흐산주Badakhshan州 아비바리크 마을에서 일어난 대형 산사태로 2,500여명이 사망함:매몰 인원 구조 불가능하여 '집단무덤'으로 선포함. 5-5 나이지리아, 이슬람 무장단체 보코하람Boko Haram이 민간인에게 무차별 공격을 가함:300여명 사망. 5-7 타이 헌법재판소, 친나왓Shinawatra 총리의 해임을 결정함:직권남용 혐의. 5-9 베트남, 하노이와 호찌민 등지에서 중국을 비난하는 시위 벌어짐:남중국해에서의 양국 선박 충돌사건 이유. 5-13 터키, 마니사주Manisa州에서 탄광붕괴사고로 300여명이 사망함:14일 정부 규탄 시위 벌어짐.

연대	우리 나라	다른 나라
2014 (4347) 갑오	4-30 홍순영洪淳瑛 전 외교통상부 장관 사망. 5-1 해양경찰청, 이용욱李鎔旭 정보수사국장을 전보 발령함:청해진해운과 관련 있는 (주)세모에서 근무한 경력이 있는 기독교복음침례회(구원파) 신도로서 수사 당당 부적격 이유. 5-2 국회, 기초연금법을 의결함:65세 이상의 저소득층에게 매월 10만~20만 원 지급. 서울지하철 2호선 상왕십리역에서열차추돌사고 발생함:200여명 부상. 묵계월墨桂月 명창 사망. 5-3 박준규朴浚圭 전 국회의장 사망. 5-8 새누리당, 원내대표에 이완구李完九 의원을 선출함:새정치민주연합, 박영선朴映宣 의원을 최초 여성 원내대표로 선출. 합동수사본부, 김한식 청해진해운 대표를 긴급 체포함:세월호 침몰사고 관련. 5-9 합동참모본부, 북한의 무인기 사건에 대해 경고 성명을 발표함:북한, 사실 부인하며 다시 공동조사 제의. KBS 길환영吉桓永 사장, 청와대 앞에서 연좌농성 중인 세월호 유가족에게 공개사과함:자사 보도국장의 세월호 관련 부적절한 발언 사과. 5-10 검찰, 탤런트 전양자全洋子 금수원 대표를 소환 조사함:유병언俞炳彦 전 세모그룹 회장의 비자금 불법조성 연루 혐의. 5-12 국토해양부, 지난 1년간 국토 면적이 78㎢ 증가해 10만266㎢라고 발표함:간척지 신규 등록 결과. 5-14 검찰, 유병언俞炳彦 전 세모그룹 회장의 장남(유대균)에 대해 A급지명수배를 내림:검찰 소환에 불응하고 잠적 이유. 5-16 박근혜朴槿惠 대통령, 세월호 침몰사고 유가족 대표를 면담함:정부의 부족했던 부분에 대해 사과 후 의견 청취. 유병언俞炳彦 전 세모그룹 회장, 검찰 소환에 불응함:구원파 신도들이 금수원에 집결하여 정부당국에 항의. 5-18 북한 조선중앙통신, 평양에서 지난 13일 23층 아파트 붕괴사고 발생했다고 보도함:책임자 공개사과 모습 방영.	5-15 일본 아베安倍晋三 총리, 집단자위권 행사 추진 방침을 선언함:해외에서의 일본 군사력 사용 근거를 마련하기 위한 사전 포석. 5-16 방글라데시, 메그나강Meghna江에서 여객선 침몰사고 빌생함:250여명 사망. 5-17 인도, 총선거에서 야당이 승리함:21일 모디Modi 총리 집권. 5-18 보스니아 · 세르비아, 발칸반도의 집중 호우로 120년 만의 최악 홍수와 산사태 발생함:40여명 사망, 수만 명의 이재민 발생. 콜롬비아, 푼다시온Fundacion 지역에서 버스화재사고 발생함:어린이 30여명 사망. 5-20 타이, 군부에서 정치적 위기에 대응하여 계엄령을 선포함:22일 쿠데타 선언하고 군대와 경찰에 대한 통제권 장악. 러시아 푸틴Putin 대통령, 중국 방문 중 시진핑習近平 국가주석과 정상회담:외부의 내정간섭에 반대 인식 피력. 나이지리아, 조스Jos에서 두 차례 차량폭탄테러 발생함:118명 사망. 5-22 중국, 신장위구르新疆Uighur 자치구의 수도 우루무치Urumqi에서 차량폭탄테러 발생함:30여명 사망, 90여명 부상. 유엔 안전보장이사회, 이슬람 무장단체 보코하람Boko Haram 제재 결의안을 의결함:나이지리아에서 여학생 납치 등 유혈사태 초래에 대한 징벌.

연 대	우 리 나 라	다 른 나 라
2014 (4347) 갑오	5-19 박근혜朴槿惠 대통령, 세월호 침몰사고 관련 대국민담화문을 발표함:해양경찰청 해체 등 안전 관련 조직 혁신방안 제시. 아랍에미리트 방문차 출국함:바라카Barakah 원전 1호기 원자로 설치식 참석. 5-20 대한적십자사, 북한측에 평양에서 발생한 아파트 붕괴사고와 관련하여 위로 통지문을 발송함. 5-21 염수정廉洙定 추기경, 개성공단을 방문함: 평양교구장 서리로서 현지 탐방 성격. 검찰, 경기도 안성시 소재 금수원을 압수수색함:유병언兪炳彦 전 세모그룹 회장 부자 검거에는 실패. 5-22 박근혜朴槿惠 대통령, 국무총리 후보에 안대희安大熙 전 대법관을 지명함:남재준南在俊 국정원장과 김장수金章洙 국가안보실장 경질. 북한, 서해 북방한계선NLL 이남의 남측 해군함정 향해 포탄 2발을 발사함:연평도 주민 790여명 긴급 대피. 5-23 북한, 인천아시아경기대회에 참가하겠다는 의사를 밝혀 옴. 5-24 노승환盧承煥 전 국회부의장 사망. 5-25 검찰, 유병언兪炳彦 전 세모그룹 회장과 장남(유대균)에 대한 현상금을 5억원 및 1억원으로 인상함:역대 최고액. 5-26 한국문화유산연구원, 경기도 화성에서 1,600년 전의 백제금관을 발굴함:경기도 지역에서 처음 발견된 귀중 문화재 평가. 다음Daum 커뮤니케이션, 모바일 메신저업체 카카오KAKAO를 흡수 합병한다고 공시함:다음카카오로 출범. 경기도 고양종합터미널 화재로 65명의 사상자 발생함:안전불감증 논란. 중국 왕이王毅 외교부장 방한:시진핑習近平 국가주석 방한 및 북한 핵문제 협의 목적. 5-27 유병언兪炳彦 전 세모그룹 회장의 장녀(유섬나)가 프랑스에서 인터폴에 의해 체포됨. 제주도에 첫 5월 열대야가 발생함:29일 강원도 강릉에서도 발생.	5-25 미국 오바마Obama 대통령, 아프가니스탄 주둔 미국군 공군기지를 전격 방문함. 우크라니나, 대통령 선거에서 포로센코Poroshenko 후보가 당선됨. 5-26 파키스탄 샤리프Sharif 총리, 인도 모디Modi 총리 취임식에 참석함:1847년 독립 이후 처음. 5-29 이라크, 바그다드와 모술Mosul 등지에서 차량폭탄테러가 발생함:74명 사망. 5-31 시리아, 알레포Aleppo 소재 정부군 지하기지에서 폭탄테러 발생하여 42명이 사망함:반군 중 1명이 미국 시민이어서 충격. 6-1 나이지리아, 이슬람 무장단체 보코하람Boko Haram이 아마다와주에서 TV 축구경기 관람자들에게 폭탄테러 가함:40여명 사상. 6-2 스페인, 카를로스Carlos 국왕이 퇴위함:19일 펠리페Felipe 6세 즉위. 6-3 이집트, 대통령 선거에서 쿠데타 주도한 엘시시el-Sisi 전 국방장관이 당선됨. 6-8 교황청, 프란치스코 Franciscus 1세 교황이 바티칸 교황청에서 평화 기원 기도회를 개최함:이스라엘 페레스Peres 대통령과 팔레스타인 자치정부 아바스Abbas 수반의 역사적 만남 중재. 6-9 파키스탄, 카라치Karachi 공항에서 탈레반의 총기테러 발생함:28명 사망. 이란과의 접경지역에서 자살폭탄테러 발생함:시아파Shia派 순례자 23명 사망.

연대	우 리 나 라	다 른 나 라
2014 (4347) 갑오	5-28 안대희安大熙 국무총리 후보자, 전관예우 논란 관련하여 후보직을 사퇴함. 전남 장성요양병원에서 화재 발생함:21명 사망, 7명 부상. 5-29 국회, 국회의장에 정의화鄭義和 의원을 선출함. KBS 노조, 길환영吉桓永 사장 퇴진 요구하며 파업에 돌입함:방송 중립성 확보 결의. 한국광복군 제2지대 주둔지 표석 제막식이 중국 시안西安에서 개최됨:한중 역사 공조 성과. 북한, 일본과 일본인 납치 피해자에 대한 전면 재조사에 합의함:일본, 대북한 제재 해제 독자 결정. 5-30 6·4지방선거 사전선거를 전국 단위로는 처음 시행함:31일 2일간 투표율 11.49퍼센트 기록. 외교부, 평화클럽 발족식을 개최함:평양에 상주 공관 둔 21개 국가 공관과의 협의체. 5-31 대구의 낮 기온이 37.4도를 기록함:기상관측 이래 5월 기온으로 최고 기록. 6-1 박근혜朴槿惠 대통령, 국가안보실장에 김관진金寬鎭 국방부장관, 국방부장관에 한민구韓民求 전 합참의장을 내정함. 6-2 국가기록원, 관동대진재關東大震災 피해자 318명의 명단을 공개함. 6-4 전국 동시 지방선거를 실시함:여당(새누리당)이 세월호 침몰사고 악재 속에 선전, 6-5 KBS 이사회, 길환영吉桓永 사장 해임을 의결함:6일 KBS 노조, 파업 중지하고 업무에 복귀. 6-6 아웅산Aung San 순국사절 추모비가 미안마 수도 양곤Yangon 국립묘지에서 개최됨:1983년 미얀마에서 순국한 17명의 외교사절 추모. 6-7 베니스 비엔날레 국제건축전에서 한국관이 최고상인 황금사자상을 수상함:남북한 건축 100년을 조망. 세월호 침몰사고 관련 촛불집회가 서울 청계광장에서 개최됨:처음으로 유가족 참여하여 세월호 침몰사고 진상규명특별법 제정 촉구 1천만명 서명운동 전개. 6-8 국회 세월호국정조사특별위원회, 여야 간사와 유가족 참여하는 협의체 구성에 합의함:진도에 현장본부 설치하고 의원 상주 결정.	6-10 이라크, 수니파Sunni派 무장단체가 무력으로 제2의 도시 모술Mosul을 장악함:11일 티크리트Tikrit를 장악하고 수도 향해 남진. 6-14 우크라이나, 정부군 수송기가 친러시아 무장세력의 공격으로 추락함:49명 사망. 6-16 케냐, 소말리아 무장괴한 50여명이 휴양도시 음페케토니Mpekitoni를 습격함:주민 48명 사망. 6-18 말레이시아, 말래카해협Malaca海峽에서 선박전복사고 발생함:60여명 사망. 6-19 나이지리아, 프래퓨주 이슬람교도 주민이 무장괴한 습격 피해 피난하다 선박전복사고당함:100여명 사망. 6-20 일본 정부, 고노河野洋平 담화를 검증한 보고서를 의회에 보냄:작성 과정에서 한국정부와 문안 조율했다고 폄하. 6-23 미국, 알래스카 연안에 규모 8.0의 지진이 발생함. 6-29 나이지리아, 보코하람Boko Haram으로 추정되는 무장세력이 북부지역 교회들을 공격함:100여명 피살. 이라크, 반군세력이 북서부지역에 이슬람국가 IS 수립을 선언함.

연 대	우 리 나 라	다 른 나 라
2014 (4347) 갑오	6-9 김흥수金興洙 화백 사망. 북한 조평통, 유엔 북한 인권사무소의 한국 설치계획에 대해 적대행위라고 비난함. 6-10 박근혜朴槿惠 대통령, 국무총리 후보에 문창극文昌克 전 중앙일보 주필을 지명함:국정원장에 이병기李丙琪 주일대사 내정. 경기도 고양시 일산 일대에 용오름 현상 일어나 화훼농가 비닐하우스가 붕괴됨:12일 광주광역시 첨단단지 일대에서도 발생. 6-11 경찰, 구원파 본산 금수원에 공권력을 투입함:유병언兪炳彦 전 세모그룹 회장 도피 조력자 체포 실패. 합동참모본부, 유병언 전 세모그룹 회장 밀항 대비해 감시경계태세를 강화함:사상 처음 민간인 대상 군 동원. 밀양시, 송전탑 공사 반대 농성장을 강제 철거함. 6-12 여석기呂石基 고려대 명예교수 사망. 6-13 박근혜朴槿惠 대통령, 7개 부처 개각을 단행함:경제부총리 겸 기획재정부장관에 최경환崔炅煥 의원, 사회부총리 겸 교육부장관에 김명수金明洙 한국교육학회 회장 내정. 안전행정부, 전국에서 임시 반상회를 개최함:유병언兪炳彦 전 세모그룹 회장 검거 지원 목적. 경찰, 유병언 전 세모그룹 회장 도피 지원한 신엄마(신명희)가 자수했다고 발표함:7-28 김엄마(김명숙), 29일 운전기사(양회정) 자수. 6-16 박근혜朴槿惠 대통령, 중앙아시아 3개국 순방차 출국함:17일 우즈베키스탄 카리모프Karimov 대통령, 19일 카자흐스탄 나자르바예프Nazarbayev 대통령, 20일 투르크메니스탄 베르디무하메도프Berdymukhammedov 대통령과 경제 협력방안 논의. 한국선사문화연구원, 충북 단양군 적성면 수중보 건설지역에서 후기구석기시대 유물 1만 5천여점을 발굴함:눈금새김돌 등 출토. 6-18 대구 달성군에 조류인플루엔자가 발생함. 6-19 서울행정법원, 고용노동부의 전교조에 대한 법외 노조 통보는 정당하다고 판결함. 6-20 검찰, 오갑렬吳甲烈 전 체코대사 부부를 체포함:유병언兪炳彦 전 세모그룹 회장 매제로서 도피경위 조사 관련.	7-1 일본, 각의에서 집단자위권 행사가 허용된다는 결정문을 의결함:전쟁 가능 국가로 전환. 7-4 일본, 각의에서 북한에 대한 제재를 일부 해제하기로 의결함:북한측의 일본인 납치 피해자 조사 방안의 실효성 인정. 7-6 이스라엘, 팔레스타인 10대 소년을 불태워 죽인 용의자 6명을 체포함:이스라엘 10대 3명 피살사건 보복 추정. 7-7 중국, 루거우차오사건蘆溝橋事件 77주년 기념식을 개최함:시진핑習近平 국가주석 및 리커창李克强 총리 등 참석하여 대일 공세 강화 의지 표명. 7-8 이스라엘, 10대 어린이 3명 피살사건 보복으로 팔레스타인 가자Gaza 지구의 하마스HAMAS 무장단체 근거지 50곳을 공습함:하마스가 예루살렘 등 세 곳에 로켓포 공격. 7-9 인도네시아, 대통령선거를 실시함:20일 위도도Widodo 자카르트 특별주지사 당선 확정. 7-10 이스라엘, 팔레스타인 가자Gaza 지구 250여곳을 공습함:80명 사망. 7-12 일본, 후쿠시마현福島縣 앞바다에서 규모 6.8의 지진 발생함:쓰마미주의보 발령.

연대	우리 나라	다른 나라
2014 (4347) 갑오	6-21 강원도 고성 동부전선 최전방 부대에서 사병의 총기 난사사건 발생함:5명 사망, 7명 부상. 검찰, 유병언兪炳彦 전 세모그룹 회장 부인(권윤자)을 체포함. 6-22 남한산성이 유네스코 세계유산에 등재됨:군사방어술 집대성 평가. 검찰, 유병언兪炳彦 전 세모그룹 회장 동생(유병호)을 체포함. 6-23 외교부, 일본 정부의 고노河野洋平 담화 검증 보고서에 대해 항의함:담화 내용의 진정성 훼손에 유감 표명. 6-24 문창극文昌克 국무총리 후보, 자신의 친일 논란 등 관련하여 후보직을 사퇴함. 6-25 검찰, 이석환 금수원 상무를 체포함:유병언兪炳彦 전 세모그룹 회장 도피 도운 혐의. 6-26 박근혜朴槿惠 대통령, 정홍원鄭烘原 국무총리의 사의를 반려함. 북한, 동해상에 방사포 추정 3발을 발사함:29일 탄도미사일 2발 발사. 6-30 북한, 다음 달 4일부터 남북 간의 비방중상과 군사적 적대행위를 전면 중단하자고 제안함:7-1 정부, 핵포기 등 진정성 보이라고 거절 의사 밝힘. 7-1 통합 청주시가 출범함:청원군과 청주시 의 행정구역 통합. 7-2 북한, 동해상에 방사포 2발을 발사함:중국 시진핑習近平 국가주석 한국 방문 앞둔 시위성 행위. 7-3 중국 시진핑習近平 국가주석이 국빈 방한함:박근혜朴槿惠 대통령과의 정상회담에 서 한반도 핵무기 반대한다고 발표. 북한, 칠보산七寶山이 유네스코 생물권보전지역으로 지정되었다고 보도함. 7-9 북한, 황해도 지역에서 동해상으로 탄도미사일 2발을 발사함. 7-10 박근혜朴槿惠 대통령, 여야 원내대표 및 정책위의장과 회동하여 현안 의견을 교환함:정례회동 약속. 7-13 북한, 개성 북쪽 지역에서 동해상으로 탄도미사일 2발을 발사함:군사분계선에서 20km 떨어진 최단거리에서 발사. 7-14 새누리당, 전당대회를 개최함:대표최고위원에 김무성金武星 의원 선출. 북한, 고성 군사분계선 북방에서 동해상에 방사포와 해안포 100여 발을 발사함.	7-13 이스라엘, 지상군이 팔레스타인 가자Gaza 지구에 진입해 하마스HAMAS 군사시설을 공격함. 7-15 러시아, 수도 모스크바에서 지하철탈선 사고 발생함:20여명 사망, 160여명 부상. 7-17 말레이시아, 우크라이나 상공에서 쿠알라룸푸르행 여객기가 미사일 공격으로 격추됨:298명 사망. 유엔, 북한의 잇단 단거리 미사일 발사는 유엔 안전보장이사회 결의안 위반이라는 규탄성명을 발표함. 7-23 타이완, 소형 여객기가 펑후도澎湖島에 바상착륙하다 불탐:47명 사망. 우크라이나, 전투기 2대가 말레이시아 여객기 피격 현장 부근에서 격추됨:반군 소행 추정. 7-24 알제리, 여객기추락사고로 116명 실종됨:인접국 말리Mali에서 여객기 잔해 발견. 7-27 이스라엘, 하마스 무장단체와의 휴전협상 결렬 후팔레스타인 가자Gaza 지구에 지상군 공격.을 계속함:1천여명 사망.

연 대	우 리 나 라	다 른 나 라
2014 (4347) 갑오	7-15 박근혜朴槿惠 대통령, 사회부총리 겸 교육부장관에 황우여黃祐呂 의원을 내정함:김명수金明洙 후보자 내정 철회. 대통령 직속 통일준비위원회가 출범함:민간전문가 포함 50명 위원으로 구성. 7-16 정성근鄭成根 문화체육관광부장관 후보, 자질 논란 관련하여 후보직을 사퇴함:8-3 후임에 김종덕金鍾德 홍익대 교수 내정. 7-17 강원도소방본부 53소속 헬기가 광주광역시 도심에 추락함:진도 팽목항 세월호 수색 지원 출동 소방관 5명 사망. 인천아시아경기대회 참가 관련한 남북 실무접촉이 판문점에서 진행됨:합의점 없이 결렬. 7-18 이동필李棟弼 농림축산식품부장관, 내년부터 국내 쌀시장 개방을 한다고 발표함:농민단체 반발. 7-21 박근혜朴槿惠 대통령, 방한 중인 포르투갈 실바Silva 대통령과 정상회담 개최함:양국 간 실질협력 확대 방안 논의. 7-22 경찰, 지난달 12일 순천에서 발견된 변사체가 유병언俞炳彦 전 세모그룹 회장이라고 발표함. 남측 개성 만월대滿月臺 발굴조사단이 방북함:2년 7개월 만에 발굴조사 재개. 7-23 경북 의성에서 돼지 구제역이 발생함:28일 고령에서도 발생. 7-25 경찰, 유병언俞炳彦 전 세모그룹 회장 장남(유대균)과 조력자(박수경)를 체포함. 7-26 북한, 황해도 장산곶에서 동해상으로 탄도미사일 1발을 발사함. 7-27 전남 함평에 조류인플루엔자 발생함:7월 발생으로는 처음. 7-29《겨레말큰사전》남북공동편찬회의가 중국 선양瀋陽에서 개최됨:5년만에 재개. 7-30 국회의원 15개 지역 재보궐선거에서 여당(새누리당)이 승리함:이정현李貞鉉 · 나경원羅卿瑗 여당 후보, 호남지역과 서울에서 당선. 손학규孫鶴圭 · 김두관金斗官 야당 후보, 수도권에서 낙선. 북한, 평안남도 묘향산 인근에서 동해상으로 방사포 4발을 발사함.	7-30 이스라엘, 팔레스타인 가자Gaza 지구내의 유엔 학교를 폭격함:100여명 사상. 아르헨티나, 디폴트(채무불이행) 상태로 됨:세계 금융시장 타격. 8-1 세계보건기구WHO, 서아프리카의 라이베리아 · 시에라리온 · 기니에 1300여명의 에볼라Ebola 환자가 발생했으나 통제 불능이라고 발표함:예방약 · 치료제 없어 다수 사망. 8-3 중국, 윈난성雲南省 자오퉁시昭通市에서 규모 6.5의 지진 발생함:400여명 사망, 가옥 1만2천채 파괴. 8-4 이스라엘, 팔레스타인 하마스HAMAS 무장단체와 이집트의 72시간 휴전안을 수락함. 방글라데시, 파드마강Padma江에서 여객선 침몰사고 발생함:150여명 사망. 8-7 캄보디아, 크메르루주Khmer Rouge 정권에서 민간인 200만명을 학살한 킬링필드Killing Fields의 핵심 전범 2명에 종신형을 선고함:35년만의 단죄. 미국 오바마Obama 대통령, 이라크에서 이슬람국가IS에 의한 민간인 희생 저지 위해 선별적 공습을 승인함:8일 에르빌Erbil 인근에 첫 공습.

연대	우리나라	다른 나라
2014 (4347) 갑오	7-31 새정치민주연합, 김한길 · 안철수安哲秀 공동대표와 최고위원들이 선거 패배에 책임지고 총사퇴함:박영선朴映宣 원내대표가 대표 직무대행 수행. 손학규孫鶴圭 새정치민주연합 상임고문, 자신의 선거 패배로 정계 은퇴를 선언함. 8-1 기상청, 서울과 경기 북부에 첫 폭염경보를 내림. 8-2 영화〈명량〉이 1일 관객 100만명을 기록함:10일 최단시일에 1천만명을 기록함. 16일 1362만여명으로 우리나라 최다 관객수를 기록함. 8-4 정부, 에볼라 바이러스Ebola virus 환자 발생한 라이베리아 · 시에라리온 · 기니에 대한 여행 자제를 권유함. 새정치민주연합, 비상대책위원장에 박영선朴映宣 원내대표를 선출함. 한민구韓民求 국방부 장관, 전방부대 사병의 폭력사망사고에 대해 대국민사과문을 발표함:5일 권오성權五晟. 육군참모총장 사의 표명. 8-5 이성한李晟漢 경찰청장, 유병언兪炳彦 전 세모그룹 회장 부실수사 책임지고 사의를 표명함:6일 후임에 강신명姜信明 서울지방경찰청장이 내정됨. 8-6 국방부, 민관군 병영문화혁신위원회를 출범시킴:병사의 인권 보장 방안 마련. 검찰, 조현룡趙顯龍 의원을 철도부품 수뢰 혐의로 소환 조사함:7일 박상은朴商銀 의원을 정치자금법 위반 혐의로 소환 조사. 8-10 한국천문연구원, 슈퍼 문Super Moon이 12시간 동안 떴다고 발표함:유난히 크고 밝은 달. 8-11 정부, 남북간 현안 논의 위해 남북고위급회담을 19일에 개최하자고 제의함. 새정치민주연합, 여당(새누리당)과 합의한 세월호특별법안에 대한 재협상을 당론으로 결정함:13일 여당의 재협상 거부로 본회의 상정 무산. 8-12 검찰, 신계륜申溪輪 의원을 서울예술실용학교 입법청탁 관련하여 소환 조사함:14일 김재윤金才允 · 신학용辛鶴用. 의원 소환 조사. 팬택Pantech, 부도위기로 법정관리를 신청함:국내 3위의 휴대전화업체. 8-13 세계수학자대회가 서울에서 개막됨. 김수창金秀昶 제주지검장, 음란행위 혐의로 경찰에 체포됨:18일 사표 제출.	8-8 세계보건기구WHO, 에볼라 바이러스Ebola virus에 대해 국제적 공중보건비상사태를 선언함. 8-9 중국, 티베트자치구에서 관광버스추락사고 발생함:44명 사망. 세계보건기구WHO, 에볼라 바이러스Ebola virus에 의해 스페인 신부가 사망했다고 발표함:사망자 1천여명 중 아프리카 밖에서는 최초 사망자 발생. 8-10 이란, 테헤란에서 여객기추락사고 발생함:40여명 사망. 8-16 미국, 미주리주 퍼거슨시Ferguson市에서 경찰에 의한 흑인소년 총격사망에 대한 항의시위 격화에 대응하여 비상사태 선포함:18일 사태악화로 군대 동원. 8-20 일본, 히로시마廣島에 집중호우에 의한 산사태 발생함:70여명 사망, 1천여명 대피. 8-24 미국, 샌프란시스코 북동쪽에서 규모 6.0의 지진이 발생함:비상사태 선언. 페루, 남부 페키오에서 규모 7.0의 지진이 발생함. 8-26 이집트, 이스라엘과 팔레스타인 무장단체 하마스HAMAS가 장기 휴전에 합의했다고 발표함.

연 대	우 리 나 라	다 른 나 라
2014 (4347) 갑오	8-14 북한, 원산에서 동해상으로 방사포 5발을 발사함. 교황 프란치스코Franciscus 1세 가 방한함:15일 당진 솔뫼성지의 아시아가톨릭청년대회에서 연설. 16일 서울 광화문에서 윤지충尹持忠과 순교자 123위 시복미사 집전. 8-16 고려인 랠리rally팀, 러시아 모스크바를 출발하여 백두산, 평양 거쳐 41일만에 서울에 도착함:고려인 러시아 이주 150주년 기념. 8-17 남경필南景弼 경기도지사, 장남의 후임사병 가혹행위 가담사건에 대하여 사과함. 북한, 김대중金大中 전 대통령 서거 5주기 맞아 김정은金正恩 국방위원회 제1위원장 명의의 조화 보내옴:박지원朴智元 의원 등이 개성공단에서 인수. 8-25 남해안 지방에 호우 내림:부산지하철역 침수, 고리원자력2호발전기 가동 중단, 창원 시내버스 승객 사망 등 피해. 리틀야구팀, 미국에서 열린 세계리틀야구선수권대회에서 우승함. 8-26 최경환崔炅煥 기획재정부장관, 대국민담화문을 발표함:민생 법안 조속 처리 촉구. 새정치민주연합, 세월호특별법 제정을 촉구하며 장외투쟁에 돌입함:청와대와 광화문에서 연좌 농성. 8-28 서울특별시, 석촌 지하차도 동공洞空은 삼성물산의 서울지하철 9호선 부실시공에 의한 것이라고 발표함. 8-29 정홍원鄭烘原 국무총리, 대국민담화문을 발표함:국회에 계류 중인 경제 활성화 법안과 민생 법안 조속 처리 촉구. 전남 해남에 메뚜기가 습격하여 농작물에 피해 줌:긴급 방제작업 실시. 9-1 북한, 자강도 용림龍林에서 단거리 발사체 1발을 동해로 발사함:중국과의 국경 60km 남쪽 지점. 9-2 국방부, 신현돈申鉉惇 1군사령관을 전역조치함:군사대비태세 소홀 문책. 육군, 특전사 부사관 2명이 포로체험훈련 중 호흡곤란으로 사망했다고 발표함:사전준비 부족 지적. 9-3 국회, 철도부품비리 혐의로 사전구속영장이 청구된 송광호宋光浩 의원에 대한 체포동의안을 부결시킴:방탄국회 여론 악화.	8-30 인도 모디Modi 총리, 일본 방문하여 아베安倍晋三 총리와의 정상회담에서 거액의 경제원조 약속받음. 레소토, 군사 쿠데타 발생함:타바네Thabane 총리, 남아프리카공화국으로 피신. 9-3 중국, 항저우杭州 대한민국임시정부 청사유적을 국가급으로 격상시킴. 9-10 미국 오바마Obama 대통령, 시리아 공습을 승인함. 9-14 인도, 카슈미르 지역과 파키스탄 국경지대에 최악의 홍수 발생함:500여명 사망, 200만여명 이재민 발생. 9-18 중국 시진핑習近平 국가주석, 인도를 방문함:모디Modi 총리와의 정상회담에서 국경문제 이견 보임. 9-19 영국, 스코틀랜드 분리독립 주민투표안이 부결됨:307년 만의 독립국가 기도 무산. 9-20 일본, 도이土井たか子 전 사회당 위원장 사망. 9-21 중국, 신장위구르新疆Uighur 자치구에서 위구르족 분리주의자들에 의한 테러 발생함:50여명 사망. 9-22 미국, 동맹국들과 함께 시리아 내 이슬람국가IS를 상대로 한 공습을 개시함.

연 대	우 리 나 라	다 른 나 라
2014 (4347) 갑오	9–4 금융감독원, 전산시스템 교체과정에서 갈등 빚은 임영록林英鹿 KB금융지주 회장과 이건호李建鎬 국민은행장에 대한 중징계를 결정함:이건호 행장 사임, 임영록 회장 사임 거부. 국방부, 한민구韓民求 국방부 장관 앞으로 협박편지와 식칼이 담긴 괴소포가 배달되었다고 발표함. 9–5 정부, 수해당한 부산광역시 기장군과 금정구·북구 등 3개 지역을 특별재난지역으로 선포함. 9–6 북한, 원산에서 단거리 발사체 3발을 동해로 발사함. 9–11 정부, 금연대책 일환으로 담뱃값을 2000원 정도 올리는 방안을 추진하기로 함. 9–15 김효주 선수, 프랑스 에비앙에서 열린 미국여자프로골프LPGA 투어 메이저 대회에서 우승함. 9–17 새정치민주연합 박영선朴映宣 원내대표, 탈당의사 철회하고 업무에 복귀함:비상대책위원장 직책은 사퇴. 9–18 새누리당, 보수혁신위원회가 발족됨:위원장에 김문수金文洙 전 경기도지사 위촉. 현대차그룹, 서울 삼성동 한국전력 부지 입찰에 낙찰자로 선정됨.. 9–19 제17회 인천아시아경기대회가 개막됨 : 45개국 1만 3천여명 전회원국 선수단 참가. 새정치민주연합, 비상대책위원장에 문희상文喜相 의원을 선출함. 합동참모본부, 북한 단속정 1척이 서해 백령도 인근 북방한계선을 침범했다가 경고사격 받고 북상해 돌아감. 9–20 송광용宋光鏞 청와대 교육문화수석비서관, 임명 3개월만에 사퇴함:서울교대 총장 때의 행정적 책임 문제 관련. 박근혜朴槿惠 대통령, 캐나다 국빈방문과 유엔총회 참석차 출국함:22일 캐나다 하퍼Harper 총리와 정상회담 후 한·캐나다자유무역협정에 최종 서명. 25일 유엔총회 연설에서 북한 핵 포기 및 전시 여성 성폭력 문제 언급. 9–22 새정치민주연합 문희상文喜相 비상대책위원장, 새누리당 김무성金武星 대표를 예방함:조속한 국회정상화에 합의. 9–23 공주대학교 박물관, 충남 공주 공산성公山城에서 백제 멸망 당시의 유물을 다량 발굴함:목관고木槨庫에서 1400년 전 모습 확인.	9–24 인도, 화성 탐사선이 화성궤도 진입에 성공함:아시아 국가로는 최초. 9–27 일본, 온타케御嶽山 화산이 폭발하여 등산객 49명이 사망함:전후戰後 일본 최악의 화산재해. 9–28 홍콩, 시민단체 및 .학생 중심의 민주화 시위 일어남:행정장관의 직선제를 요구함. 10–7 중국, 윈난성雲南省 남서부에서 규모 6.6의 지진이 발생함:320여명 사상. 10–9 인도네시아, 높이 75m, 길이 32km의 방조제 축조공사를 시작함:수도 자카르타 수몰 위기 대처. 술라웨시Sulawesi섬 마로스Maros 동굴에서 약 4만년 전의 동굴벽화가 발견되었다고 보도됨:사람 손바닥 표현. 프랑스 모디아노Modiano, 노벨문학상 수상자로 결정됨. 10–10 파키스탄, 17세 소녀 유사프자이Yousafzai가 소녀들의 교육권 위한 공로로 노벨평화상 수상자로 선정됨:인도 사이야르티Satyarthi, 아동권리 위한 공로로 공동 수상. 10–12 볼리비아, 대통령 선거에서 모랄레스Morales 대통령이 3선에 성공함. 10–13 일본 기상청, 태풍 봉퐁VONGFONG의 상륙으로 태풍피해경계령 내림:90여만 가구에 대피 지시.

연대	우 리 나 라	다 른 나 라
2014 (4347) 갑오	9-25 대법원, 부림사건釜林事件 재심청구에서 무죄를 확정함:33년만의 최종 판결. 9-27 북한 이수용李洙墉 외무상, 유엔총회에서 연설함: 반기문潘基文 유엔 사무총장에게 김정은金正恩 국방위원회 제1위원장의 친서 전달. 9-30 국회, 여야의 세월호특별법 쟁점사항 합의로 167일만에 정상화됨:90개 민생 법안 의결. 전남 홍도 인근에서 유람선이 좌초됨:승객 110명 전원 구조. 10-1 휴대전화 보조금 공개를 주내용으로 하는 단말기유통구조개선법(단통법)이 시행됨:11-5 정홍원鄭烘原 국무총리, 국회에서 시장 혼란 야기에 대해 사과. 10-2 박근혜朴槿惠 대통령, 방한 중인 베트남 쫑Trong 서기장과 정상회담. 박영선朴映宣 새정치민주연합 원내대표, 세월호특별법 타결 계기로 원내대표직을 사퇴함. 10-3 경찰, 김현金玄 의원을 소환 조사함:세월호 유가족의 대리기사 폭행사건 관련하여 대리기사와 대질 신문. 10-4 제17회 인천아시아경기대회가 폐막됨 : 한국 종합 2위, 북한 종합 7위. 북한, 황병서黃炳瑞 인민군 총정치국장과 최용해崔龍海 노동당 비서, 김양건金養建 통일전선부장 등 실세 3인이 인천아시아경기대회 폐막식을 참관함:남북고위급회담 개최에 합의함. 10-6 몽골 엥흐바야르Enkhbayer 전 대통령이 최근 한국에 망명했다고 보도됨:최초의 국가 원수 망명. 10-7 박근혜朴槿惠 대통령, 방한 중인 코트디부아르 와타라Ouattara 대통령과 정상회담:양국 협력 방안 논의. 북한 경비정 1척이 연평도 인근 서해 북방한계선에 침입했다 퇴각함:남북한 간에 상호 교전 발생. 김혜경 한국제약 대표, 유병언兪炳彦 전 세모그룹 회장의 재산관리인으로 미국에 불법체류하다 강제추방되어 귀국함. 10-8 전국에서 개기월식이 관측됨. 10-9 새정치민주연합, 원내대표에 우윤근禹潤根 의원을 선출함. 검찰, 크라운제과 임직원 3명을 구속 기소함: 폐기 대상 어린이용 제품을 유통 시킨 혐의. 강원도 삼척시 주민들이 원자력발전소 유치와 관련하여 주민투표를 실시함:약 85%가 유치에 반대.	10-14 세계보건기구 WHO, 에볼라Ebola 환자가 9천여명, 사망자가 4500여명에 달한다고 발표함. 10-15 히말라야 안나푸르나봉Annapurna峯 주변에 폭설과 눈사태 발생함:100여명 사망. 10-18 세계보건기구 WHO, 세네갈에서 에볼라Ebola가 완전히 퇴치되었다고 선언함:20일 나이지리아에서도 완전히 퇴치되었다고 선언. 10-19 중국, 신장위구르新疆Uighur자치구에서 위구르인이 한인 상인들에게 폭탄테러 가함:22명 사망. 10-22 캐나다, 오타와의 국회의사당 등에서 무장괴한 총기난사사건 발생함:미국과 함께 경계태세 강화. 10-26 브라질 호세프Rousseff 대통령, 대통령 선거에서 재선됨. 10-27 이라크, 수니파Sunni派 거주지 주르프알사카르에서 차량폭탄테러 발생함:시아파Shia派 민병대 등 38명 사망. 미국, 하와이 킬라우에아Kilauea 화산의 용암이 분출됨:주민 4천여명 대피.

연 대	우 리 나 라	다 른 나 라
2014 (4347) 갑오	10-10 목포 해양경찰, 서해상에서 중국 불법어선 단속 중 상호 충돌함:선장 1명 사망, 선원 3명 구속. 육군, 부하 여군 상대 성추행사건 일으킨 사단장을 구속함:한민구韓民求 국방부장관, 지휘관회의 통해 군 기강 확립 강조. 북한, 연천지역에서 대북한 전단지 향해 고사총을 발사함:한국군 맞대응으로 총격전 발생. 10-13 새누리당 김무성金武星 대표, 중국 공산당 초청으로 중국을 방문함:14일 시진핑習近平 국가주석 면담에서 북한 핵 해결 위한 영향력 행사 촉구. 16일 개헌 불가피론 폈다가 이튿날 시기 부적절했다고 박근혜朴槿惠 대통령에게 사과함. 이석우李碩佑 다음카카오 대표, 수사당국의 검열 논란 관련하여 감청영장 집행에 응하지 않겠다고 언급함:사용자들의 불안감 증폭 차단. 10-14 박근혜朴槿惠 대통령, 아시아 · 유럽정상회의 ASEM 참석차 이탈리아를 방문함:정상회의에서 유라시아 구상 강조. 17일 나폴리타노Napolitano 이탈리아 대통령 및 프란치스코Franciscus 1세 교황 면담. 김치수金治洙 전 이화여자대학교 교수 사망. 10-15 한국은행, 기준금리를 연 2.0%로 인하한다고 발표함:역대 최저 금리. 서울특별시, 한강 세빛섬을 전면 개방함:가빛섬 · 채빛섬 · 솔빛섬 등 3개 인공섬을 8년만에 완공. 남북 군사당국자회담이 판문점에서 비공개로 개최됨:합의사항 없이 종료. 10-16 검찰, 동서식품 본사를 압수수색함:대장균 섞인 시리얼 제품 판매 의혹 관련. 문화체육관광부, 정형민鄭馨民 국립현대미술관장을 직위해제함:학예사 부정채용 의혹 관련. 10-17 보건복지부, 서아프리카에 보건의료인력 파견을 결정함:에볼라Ebola 환자 구호활동 일환. 경기도 성남시 판교테크노밸리 야외공연 중 환기구 추락사고 발생함:16명 사망, 11명 부상. 서건창徐建昌 선수, 한 시즌 201안타의 신기록 세움:종전 196안타 기록 경신. 10-19 합동참모본부, 남북한군이 파주지역 군사분계선에서 총격전 벌였다고 발표함:북한군의 군사분계선 접근에 대응.	10-29 미국 연방준비제도 이사회, 양적 완화정책을 끝낸다고 발표함:6년만에 종결. 잠비아, 사타Sata 대통령이 영국 런던에서 병원 치료 중 사망하여 백인 스콧Scott 부통령이 임시대통령이됨:20년만에 아프리카의 백인 대통령이 탄생함. 10-30 이라크, 이슬람국가IS에 의해 수니파Suni派 부족 220명이 살해되었다고 보도됨:31일 50명이 또 희생됨. 코스타리카, 투리알바Turialba 화산이 폭발하여 화산재가 35km 떨어진 수도 산호세San Jose까지 번짐:화산비상경보 발령. 11-1 부르키나파소Burkina Faso, 군부 쿠데타가 발생함:5선 연임 기도하던 콩파오레Compaore 대통령을 축출함. 11-2 파키스탄, 인도와의 국경검문소에서 10대 소년에 의한 자살폭탄테러 발생함:55명 사망, 120명 부상. 11-5 미국, 중간선거에서 야당(공화당)이 상 · 하원을 동시 장악함:오바마Obama 대통령의 레임덕 가속화 전망. 11-7 스페인, 카탈루냐주Catalonia州에서 분리 · 독립의 찬반의사를 묻는 비공식 주민투표를 실시함:80% 찬성. 멕시코, 실종된 대학생 43명이 경찰과 연루된 마약조직에 의해 피살되었다고 발표함.

연대	우리 나라	다른 나라
2014 (4347) 갑오	10-20 국제전기통신연합ITU 전권회의가 부산에서 개막됨:170여개국 3천여명 참가. 경기도 화성시 남양동이 남양읍으로 전환됨:대학입시 농어촌특별전형 등 혜택 위한 국내 최초 사례. 10-21 북한, 억류 중인 미국인(파울Fowle)을 석방함. 10-22 김포 해병대, 애기봉 전망대를 43년만에 철거함:안전진단 결과. 북한, 양강도 일대에 12일 산불이 발생하여 소백수특별구小白水特別區까지 번졌다고 보도됨:김정일金正日 생가라는 백두산 밀영密營 있는 곳. 10-23 한미안보협의회, 전시작전통제권(전작권) 이양 시기를 재연기함:한반도 안보상황 개선 후 결정에 합의. 새누리당 김태호金台鎬 최고위원, 개헌과 경제활성화 법안 처리 요구하며 최고위원직을 사퇴함:11-3 사퇴 의사 철회하고 복귀. 장병림張秉琳 전 서울대 교수 사망. 10-25 대북전단보내기국민연합, 파주 임진각과 통일전망대에서 대북한전단지 보내려다 파주 주민과 진보단체 반대로 실패함:남남갈등 야기. 경기도 군포 물류창고 화재사건 발생함:광역 1호 발령하여 관할 소방서 인력·장비 총출동. 10-27 가수 신해철, 병원 치료 중 사망함:사인 관련하여 유가족측과 병원 간에 법정 소송. 10-29 박근혜朴槿惠 대통령, 국회 시정연설에서 공무원연금개혁안과 경제 법안 연내처리를 요청함:여야 지도부와 회동. 10-30 헌법재판소, 국회의원 선거구에 대해 헌법불일치 결정을 내림:인구편차를 현 3대 1에서 2대 1로 조정. 10-31 여야, 세월호특별법과 정부조직법, 유병언법(범죄수익은닉 및 처벌에 관한 법) 등 세월호 3법을 타결함:11-7 국회에서 의결. 서울시교육청, 자율형사립고(자사고) 6개교의 지정을 취소함:해당 학교 반발로 진통. 11-1 정부, 독도입도지원센터 건립계획을 취소함:관계 부처 협의 미흡. 북한 조평통, 대북한 전단지 살포 중단 조치 전에는 남북간 대화는 없다고 선언함:남북 고위급 접촉 계획 무산.	11-8 미국 오바마Obama 대통령, 법무장관에 린치Lynch 뉴욕 연방검사장을 지명함:첫 흑인 여성 법무장관. 11-10 중국 시진핑習近平 국가주석, 아시아·태평양경제협력체 정상회의 참석차 방문한 일본 아베安倍晋三 총리와 정상회담 가짐:중국측 냉대로 25분만에 종료. 11-10 나이지리아, 이슬람 무장단체 보코하람Boko Haram이 고등학교에서 자살폭탄테러 벌임:학생 48명 사망. 11-13 유럽우주국, 혜성 탐사선 로제타Rosetta에서 분리된 로봇 필레Philae가 혜성에 착지했다고 발표함:10년간 64억km 비행. 그리스, 앰피폴리스Amphipolis에서 발견된 알렉산더대왕 시대의 거대 무덤에서 유골이 발굴되었다고 보도함:주인공 신분 규명에 주력. 11-15 중국, 원격 탐지 위성 발사에 성공함:우주공간 진입. 인도네시아, 몰루카제도Molucca諸島에 규모 7.3의 지진 발생함:쓰나미 경보 발생. 11-17 중국, 후강퉁滬港通이 시행됨:상하이와 홍콩 증권시장의 교차거래 허용. 미국, 뉴욕 일대에 150cm의 폭설이 내림:38년만의 11월 한파.

연 대	우 리 나 라	다 른 나 라
2014 (4347) 갑오	11-3 박근혜朴槿惠 대통령, 방한중인 네덜란드 알렉산더르 Alexander 국왕과 정상회담:네덜란드 원자로 개선 계약 체결. 11-5 박근혜朴槿惠 대통령, 방한중인 카타르 알 타니Al Thani 국왕과 정상회담:보건협력 등 7건의 양해각서 체결. 국립해양문화재연구소, 태안 마도馬島 해역에 침몰된 선박에서 조선백자 111점을 인양함. 11-6 정홍원鄭烘原 국무총리, 공무원연금 개혁 관련한 대국민담화문을 발표함:공무원 집단행동 자제 요청. 11-7 국회, 정부조직법 개정안을 의결함:국민안전처 및 교육사회문화 부총리 신설, 안전행정부를 행정자치부로 명칭 변경. 전북 김제에 조류인플루엔자가 발생:11일 전남 곡성에서도 발생. 11-8 이동찬李東燦 코오롱 명예회장 사망. 북한, 억류 중인 미국인 2명(케네스 배Kenneth Bae, 밀러Millet)을 석방함. 11-9 박근혜朴槿惠 대통령, 중국 베이징에서 열리는 아시아·태평양경제협력체 정상회의 참석차 출국함. 11-10 정부, 중국과 자유무역협정FTA을 타결함:쌀과 자동차 제외. 11-11 국무회의, 도서정가제 시행안을 의결함:모든 도서의 15% 내 할인 허용. 정부, 실종자 9명 남기고 209일만에 세월호 실종자 수색작업을 끝낸다고 발표함:실종자 가족도 수색작업 중단 요청. 11-12 박근혜朴槿惠 대통령, 미얀마 수도 네피도Naypidaw에서 열리는 동아시아정상회의 및 아세안+한중일정상회의에 참석함:14일 세계주요20개국정상회의 참석차 오스트레일리아 방문. 11-13 중부고고학연구소, 경기도 양평에서 신라시대 돌방무덤을 발견함:6세기 신라 귀족 무덤으로 추정. 11-15 한·뉴질랜드 자유무역협정이 체결됨. 전남 담양의 펜션에서 화재 발생함:대학생 등 10명 사상. 11-16 탈렌트 김자옥金慈玉 사망. 11-17 북한, 최용해崔龍海 노동당 비서가 김정은金正恩 국방위원회 제1위원장의 특사로 러시아를 방문함:푸틴Putin 대통령 면담 후 김정은의 친서를 전달함. 11-20 전국학교비정규직연대회의, 정규직과의 차별 철폐 및 처우 개선 요구하며 파업 벌임:학교급식 차질.	11-18 일본 아베安倍晋三 총리, 중의원 해산 후 총선거 실시계획을 발표함:소비세 인상 연기의 정당성 확보 목적. 이스라엘, 예루살렘의 유대교 예배당에 팔레스타인 무장괴한이 난입하여 테러 가함:미국계 유대인 등 4명 사망, 8명 부상. 11-20 콩고민주공화국, 동부지역에서 100여명이 학살당했다고 보도됨:반군의 소행으로 추정. 11-22 중국일본, 같은 날 쓰촨성四川省과 나가노현長野縣에서 규모 6.0 이상의 지진 발생함:지각판 충돌에 의한 대규모 지진 발생 우려. 11-23 아프가니스탄, 팍티카주Paktika州의 배구경기장에서 자살폭탄테러 발생함:50명 사망, 60명 부상. 나이지리아, 이슬람 무장단체 보코하람Boko Haram이 보르노주Borno州 소재 시장 내에서 상인 48명을 살해함.

연 대	우 리 나 라	다 른 나 라
2014 (4347) 갑오	11-21 정부, 경북 울진군과 신한울원전 건설협상을 타결함:15년만에 대안사업 합의서에 서명. 방산비리합동수사단이 설치됨:방위산업 비리 의혹 규명 임무. 11-24 감사원, 방산비리특별감시단을 설치함:방위산업 비리에 즉시 대응 목적. 한국교육과정평가원, 대학수학능력시험 2문제를 복수정답으로 처리함:수험생의 혼란 야기하여 비난 고조. 국립문화재연구소, 경남 하동에서 공룡 화석 1점을 확인했다고 발표함:1억 2천만 년 전의 뼈 화석. 11-25 김필배 전 문진미디어 대표, 미국 도피 중 자진귀국하여 검찰에 체포됨:유병언兪炳彦 전 세모그룹 회장 최측근. 11-26 삼성그룹, 석유화학 및 방위산업 부문 4개 계열사를 한화그룹에 매각함:외환위기 이후 최대 빅딜로 관심. 서해5도 어민들이 해상시위 벌임:중국 불법 어선 조업에 대한 피해보상 및 재발방지 촉구. 북한, 〈아리랑〉이 유네스코 세계무형유산으로 등재됨. 11-27 농악이 유네스코 인류무형문화유산에 등재됨. 11-28 청와대의 '정윤회 국정개입' 문건 작성 및 외부 유출 의혹 기사가 보도됨:박근혜朴槿惠 대통령의 국회의원 시절 비서실장의 국정개입 의혹 보도. 12-1 사조산업 소속 원양어선 오룡호가 베링해에서 조업 중 침몰함:한국인 선원 등 54명 실종. 러시아산 유연탄 싣고 북한 나항을 출발한 화물선이 포항에 도착함:나진~하산 물류 협력 시범운행. 12-3 검찰, 서울경찰청 정보1분실을 압수 수색함:청와대의 '정윤회 국정개입' 문건 작성 및 외부 유출 의혹 관련. 충북 진천에 돼지 구제역 발생함:20일 충남 천안 및 충북 증평 · 음성까지 확산. 12-4 검찰, 청와대 박관천 경정을 소환 조사함:청와대의 '정윤회 국정개입' 문건 작성 및 외부 유출 의혹 관련. 12-5 조현아趙顯娥 대한항공 부사장, 미국 뉴욕 공항에서 땅콩 서비스 문제 삼아 운행 준비 중인 여객기를 회항시킴:땅콩회항사건. 12-8 정창호鄭彰鎬 크메르루즈 특별재판소 유엔재판관, 국제형사재판소 재판관에 선임됨. 검찰, 박동렬朴東烈 전 대전지방국체청장을 소환 조사함:청와대의 '정윤회 국정개입' 문건 작성 및 외부 유출 의혹 관련.	11-24 미국 오바마Obama 대통령, 헤이글Hagel 국방장관의 사임 계획을 발표함:이슬람국가 격퇴작전에서의 갈등 이유. 러시아, 소유즈 우주선이 국제우주정거장과의 도킹에 성공함:러시아 · 미국 · 이탈리아 우주인 3명 탑승. 11-30 홍콩, 학생 시위대가 정부청사 출입문 봉쇄를 시도함:경찰과 충돌. 교황청, 프란치스코Franciscus 1세 교황이 이슬람교 믿는 터키의 동방정교회를 방문함. 우루과이, 대통령 선거에서 바스케스Vazquez 후보가 당선됨:중도 좌파 승리. 12-1 일본, 무디스사Moody's社가 국가신용등급을 A1으로 1단계 강등시킴:한국 · 중국보다 낮은 단계. 12-4 이라크, 바그다드 시아파Shia派 거주지역 사드르시Sadr市의 시장에서 이슬람국가IS에 의한 차량폭탄테러가 2차례 발생함:33명 69명 부상. 미국, 뉴욕 중심가에서 인종차별 항의시위 벌어짐:백인 경찰의 흑인 범죄 용의자 사살 관련.

연 대	우 리 나 라	다 른 나 라
2014 (4347) 갑오	**12-10** 한 · 베트남자유무역협정이 체결됨. 조현아趙顯娥 대한항공 부사장, 사표를 제출함:땅콩회항사건에 책임지고 사퇴. **12-11** 한-아세안특별정상회의가 부산에서 개막됨:12일 미래 협력의 청사진 제시. 국민안전처, 제2롯데월드 수족관 누수와 관련하여 정밀안전진단을 요구하는 행정명령 내림. **12-12** 한진그룹 조양호趙亮鎬 회장, 큰딸 조현아趙顯娥 전 대한항공 부사장의 땅콩회항 사건과 관련하여 대국민사과문을 직접 발표함. **12-13** 정부, 에볼라 대응 긴급구급대 1진을시에라리온으로 파견함:3회 총 30명 파견 계획. 서울경찰청 최경락 경위, 청와대의 '정윤회 국정개입' 문건 작성 및 외부 유출 의혹 관련하여 검찰 조사 받은 후 자살함:자신의 결백 주장. **12-14** 검찰, 이재만李在萬 청와대 비서관을 소환 조사함:청와대의 '정윤회 국정개입' 문건 작성 및 외부 유출 의혹 관련. 신은미 재미동포를 소환 조사함:종북從北 콘서트 개최 관련. **12-15** 박지만朴志晩 EG 회장, 검찰에 출두하여 청와대의 '정윤회 국정개입' 문건 작성 및 외부유출 의혹 관련하여 조사받음:박근혜朴槿惠 대통령 동생으로서 진술 내용에 관심 집중. 한국수력원자력, 자칭 '원전반대그룹' 에 의해 내부 기밀이 외부로 유출됨:18일 추가 기밀 유출 및 원전 가동 중지 위협으로 검찰에 수사 의뢰. **12-16** 검찰, 청와대 박관천 경정을 체포함: '정윤회 국정개입' 문건을 외부로 유출한 혐의. **12-17** 감사원, 황기철黃基鐵 해군참모총장에 대한 인사조치를 국방부에 통고함:통영함 납품비리 관련. 검찰, 조현아趙顯娥 전 대한항공 부사장을 소환 조사함: 땅콩회항사건 관련. **12-19** 헌법재판소, 통합진보당 해산을 결정함:소속 의원 5명의 의원직 상실도 결정. 문희상文喜相 새정치민주연합 비상대책위원장,대한항공에게 처남의 취업 청탁한 의혹 관련하여 사과함.	**12-5** 소말리아, 바이다보 Baydhabo의 한 식당에서 두 차례에 걸친 자살폭탄테러 발생함:기자 2명 포함 20명 사망, 40여명 부상. **12-9** 미국 상원, 중앙정보국의 탈레반을 대상으로 한 고문사실조사보고서를 공개함. **12-11** 나이지리아, 조스Jos의 식품가판대에서 연쇄 폭탄테러 발생함:31명 사망. **12-12** 콩고, 동남부의 한 호수에서 여객선 침몰사고 발생함:129명 사망. **12-14** 일본, 총선거에서 집권 자민당이 대승함:아베安倍晋三 총리의 장기집권 체제 구축. **12-15** 미국, 필라델피아 교외 주택가에서 연속 총격 사건이 발생함:친인척 6명 살해. 오스트레일리아, 시드니 도심지에서 이슬람 추종자에 의한 인질사건이 발생함:인질 포함 3명 사망. **12-16** 파키스탄, 페샤와르의 육군 부설 학교에서 탈레반의 총기난사사건 발생함:140여명 사망, 120여명 부상. **12-17** 미국 · 쿠바, 국교 재개에 합의함:53년만의 조치.

연 대	우 리 나 라	다 른 나 라
2014 (4347) 갑오	12-20 박근혜朴槿惠 대통령, 러시아 푸틴Putin 대통령으로부터 내년 제2차세계대전 승전 70주년 기념일 행사에 초청받음:북한 김정은金正恩 국방위원회 제1위원장도 초청되어 외교적 결단 숙고. 12-23 서울특별시 인권보호관, 박현정朴炫貞 서울시립교향악단 대표의 막말 및 성희롱 사실을 확인한 후 징계할 것을 권고함:29일 박현정 대표 사임. 법전法傳 전 조계종 종정 사망. 12-24 재야 인사들이 진보신당 성격의 '국민모임' 출범 선언문을 발표함:명진明盡 스님과 이수호李秀浩 전 민주노총 위원장 등 105명 참여. 북한, 현대그룹 현정은玄貞恩 회장 및김성재金聖在 전 문화광부장관 등 김대중평화센터 관계자들을 개성공단으로 초청함:김양건金養建 통일전선부장이 남북대화 의지 밝히는 김정은金正恩 국방위원회 제1위원장의 친서 전달. 12-29 정부, 내년 1월 중 남북당국자간회담 개최하자고 제의함:대통령 직속 통일준비위원회 명의. 국방부, 북한 핵 · 미사일 위협에 관한 한미일 정보공유 약정을 체결함. 국토교통부, 대한항공 땅콩회항사건 관련하여 관련 공무원 8명을 징계함. 경기도 성남시 모란시장이 50년만에 휴당함:조류 인플루엔자 확산 방지 목적. 12-30 법원, 조현아趙顯娥 전 대한항공 부사장에 대한 구속 영장을 발부함:땅콩회항사건 관련. 경기도 이천과 경북 영천에 돼지 구제역이 발생함. 12-31 동부건설, 자금난으로 법정관리를 신청함:2천여 협력업체에 영향.	12-18 미국 소니픽처스사, 북한 김정은金正恩 국방위원회 제1위원장 암살을 소재로 제작한 영화 〈인터뷰〉의 상영을 북한의 테러를 우려하여 포기한다고 발표함:25일 여론 악화로 일부 영화관에서 상영을 강행함. 유엔 총회, 북한 인권 결의안을 의결함:국제형사재판소에 북한 인권 상황 회부. 12-21 튀니지, 첫 직선 대통령 선거에서 에셉시Essebsi 후보가 당선됨:'아랍의 봄' 진원지에서의 민주적 선거로 평가. 12-22 유엔 안전보장이사회,북한 인권 상황을 정식 안건으로 채택함.12-27 중국, 양쯔강 물을 베이징 일대까지 끌어올리는 남북수조南北水調 사업이 56년만에 완성됨:1432km의 수로 통해 15일만에 도착. 12-28 인도네시아, 인근 해상에 싱가포르행 여객기추락사고 발생함:한국인 3명 등 162명 탑승. 그리스, 이탈리아행 페리호화재사건 발생함:427명 구조, 10명 사망. 미국, 아프가니스탄 전쟁을 공식적으로 종료함:13년간의 최장기 전쟁. 12-29 그리스 의회, 조기 대통령 선거에서 대통령 선출에 실패함:긴축 재정에 반대하는 야당 승리. 12-31 예멘, 입브주의 시아파Shia派 종교행사에서 자살폭탄테러 발생함:49명 사망, 70여명 부상.

연 대	우 리 나 라	다 른 나 라
2015 (4348) 을미	1-1 박근혜朴槿惠 대통령, 신년사에서 광복 70년 분단 70년 맞아 통일 기반을 구축하고 통일의 길을 열 것이라고 강조함. 정부, 담뱃값을 평균 2000원 인상함. 북한 김정은金正恩 국방위원회 제1위원장, 신년사에서 남북 관계 개선에 최선 다하겠다고 강조함:남북고위급회담 및 남북정상회담 가능성도 언급. 1-4 경북 안동과 의성에 돼지 구제역 발생함. 1-5 북한동포돕기운동, 민통선 인근에서 북한 체제 비난하는 대북한 전단지를 살포함. 북한, 탈영병 1명이 작년 말 중국 길림성 국경 부근에 건너가 주민 4명을 살해한 사건이 발생했다고 보도됨:중국, 북한측에 공식 항의. 1-6 경기도 용인에서 돼지 구제역, 안성에서 소 구제역이 발생함:9일 안성에 돼지 구제역도 발생. 1-7 가수 바비킴(김도균), 미국행 대한항공 여객기 내에서 취중난동사건 일으킴:미국 연방수사국 조사 받음. 1-8 세종시에 돼지 구제역이 발생함. 1-9 청와대 김영한金英漢 민정수석비서관, 국회 출석 거부하고 사퇴함:항명사태 발생. 1-10 경기도 의정부에서 아파트화재사건 발생함:4명 사망, 120여명 부상. 검찰, 종북從北 콘서트 관련된 신은미 재미동포를 강제 출국시킴:미국 로스앤젤레스 공항에서 보수단체와 진보단체 충돌. 북한, 한미연합훈련을 임시 중지하면 핵실험을 임시 중지하겠다고 제의함:정부, 연계될 사항 아니라고 거부. 1-11 새정치민주연합 정동영鄭東泳 상임고문, 탈당하고 국민모임에 참여한다고 선언함. 1-12 박근혜朴槿惠 대통령, 신년 기자회견에서 경제활성화와 청와대 개편계획을 밝힘:청와대 문건유출사건에 대해 사과. 경기도 파주 LG디스플레이공장에서 질소누출사고 발생함:2명 사망, 4명 부상. 1-13 법원, 황선黃羨 희망정치연구포럼 대표에 대한 구속영장을 발부함:종북從北 콘서트 관련. 영화 〈국제시장〉이 28일만에 관객수 1천만명을 기록함.	1-1 중국, 상하이에서 신년맞이 행사 중 압사사고 발생함:36명 사망, 47명 부상. 1-2 미국, 소니픽처스사 해킹사건 관련하여 대북한 제재 행정명령을 발동함:북한의 정찰총국, 조선광업개발무역회사, 조선단군무역회사 등 대상. 1-4 이집트, 4500년 전 통치자 네페레프레Neferefre의 왕비 켄타카웨스Khentakawess의 무덤으로 보이는 분묘가 발견됨:체코 고고학자들이 아부시르Abusir 지역에서 발견. 1-7 프랑스, 주간지《샤를리 에브도》사무실에 알카에다에 의한 총기난사사건으로 편집장 등 12명 사망함:이슬람교 창시자 무함마드 풍자한 만화 게재 보복. 미국, 서부 텍사스산 원유가가 배럴당 47.93달러로 체결됨:2009년 이후 처음 50달러선 붕괴. 1-9 일본 문부과학성, 고등학교 공민 교과서에서 '종군 위안부 강제 동원' 기술을 삭제하도록 승인함:역사 왜곡 노골화. 1-10 레바논, 트리폴리 시내 카페에서 알카에다에 의한 자살폭탄테러 발생함:40여명 사상. 1-11 프랑스, 테러사건 규탄하는 대규모 군중집회가 개최됨:영국 · 독일 · 이스라엘 · 팔레스타인자치정부 등 34개국 정상 및 370만명 참가. 1-17 미국, 델라웨이주 바이든Biden 부통령 자택에 괴한의 총격사건 발생함:테러경계 분위기 확산.

연 대	우 리 나 라	다 른 나 라
2015 (4348) 을미	1-14 청와대, 음종환 행정관을 면직 처리함:청와대 문서 유출사건 배후에 새누리당 김무성金武星 대표와 유승민劉承旼 의원 있다고 발설한 혐의. 1-17 농림수산식품부, 전국에 닭·오리 등 가금류와 농장 종사자의 36시간 '일시이동중지 명령'을 발동함:조류 인플루엔자 확산 방지 대책. 법원, 원생 상습 폭행 혐의로 인천 연수구 어린이집 보육교사에 대한 구속영장을 발부함:23일 부평구 어린이집 보육교사에 대한 구속영장도 발부. 1-18 충남 천안 부탄가스공장 화재사건 발생함:최고 비상단계인 광역 3호 발령. 1-19 중원문화재연구원, 충북 충주시 호암동 철기시대 무덤에서 청동 유물 7종 19점을 발굴함:단일 무덤 출토품 중 국내 최대 수준. 충남 공주에 돼지 구제역이 발생함:24일 충북 보은에서도 발생. 1-20 최경환崔炅煥 기획재정부장관, 세금 부담 적정화 위한 세제개편 방안 마련하겠다고 언급함:연말정산 논란 관련. 검찰, 최민호崔珉鎬 판사를 구속함:사채업자로부터 금품 수수한 혐의. 1-21 서울지방경찰청 국제범죄수사대, 터키의 킬리스Kilis에서 행방 감춘 18세 한국인 소년의 납치 가능성은 없다고 발표함:시리아로 넘어가 이슬람국가IS에 합류 여부 수사 의지 표명. 1-22 대법원, 이석기李石record 전 통합진보당 의원의 내란 선동 및 국가보안법 위반 혐의에 유죄를 확정함:내란 음모는 무죄 판단. 1-23 박근혜朴槿惠 대통령, 국무총리 후보에 이완구李完九 새누리당 원내대표를 내정함.경기도 포천에 조류 인플루엔자 발생함. 1-25 진주교육대학교 한국지질유산연구소, 경북 칠곡군 왜관읍 금무봉에서 1억 3천만 년 전의 공룡 화석을 발견했다고 발표함:국내에서 가장 오래된 화석 추정. 북한 국방위원회 정책국, 남북대화에 대한 진정성을 모독하지 말라는 경고 성명을 발표함:정부, 대화의 장으로 나오라고 촉구. 1-31 법원, 정옥근丁玉根 전 해군참모총장에 대한 구속영장을 발부함:군함 장비 납품 대가로 STX 등으로부터 뇌물 받은 혐의. 2-1 해군, 진해기지에 잠수함사령부를 창설함:세계 6번째	1-19 교황청, 프란치스코Franciscus 1세 교황이 필리핀 방문 강연에서 약자에 대한 배려 강조함:역대 최대 관중 700만명 운집. 1-20 예멘, 시아파 반군이 대통령궁을 포위하여 점령함:쿠데타 위기 고조. 1-22 사우디아라비아, 압둘라Abduiiah 국왕 사망:살만Salman 왕세제가 승계. 유럽중앙은행, 초대형 양적완화를 단행함:예상의 2배 달하는 1조 1400억 유로(1435조원) 규모. 1-25 일본, 이슬람국가IS에 의해 납치된 인질 1명이 살해됨:2-1 나머지 1명도 살해되어 여론 악화. 그리스, 총선거에서 긴축정책 폐지를 주장한 급진좌파연합(시리자SYRIZA)이 승리함:40대 당 대표 치프라스Tsipras가 집권에 성공. 1-26 필리핀, 남부지역에서 경찰과 이슬람 반군 사이에 교전 발생함:경찰 포함 55명 사망. 1-27 리비아, 수도 트리폴리의 호텔에 이슬람국가IS 무장괴한이 습격함:외국인 포함 10명 사망. 1-29 이집트, 시나이 반도에서 이슬람국가IS 관련 세력에 의한 차량 폭탄테러 발생함.

연대	우리 나라	다른 나라
2015 (4348) 을미	2-2 새누리당, 원내대표에 유승민劉承旼 의원을 선출함. 경남 고성에 조류인플루엔자 발생함:개에서 조류인플루엔자 바이러스 발생하여 비상사태 돌입. 장지량張志良 전 공군참모총장 사망: '빨간 마후라 상징 창안 주역. 2-4 한중 국방장관회담이 서울에서 개최됨:중국 창안취안常萬全 국방부장, 주한미군의 사드THADD(고고도高高度 미사일방어체계) 배치 우려 표명. 2-5 충북 제천에 소 구제역 발생함:9일 단양에 돼지 구제역 발생. 2-7 충남 천안과 홍성에 돼지 구제역이 발생함:경기도 이천에 소 구제역 발생. 2-8 새정치민주연합 문재인文在寅 의원, 당 대표에 선출됨:9일 야당 대표 최초로 이승만李承晩·박정희朴正熙 전 대통령 묘소 참배. 서울 중랑천中浪川에서 조류 인플루엔자 바이러스 확인됨:산책로 등 출입구 통제. 북한, 원산에서 동해상으로 단거리 미사일 5발을 발사함:무력 시위 차원 추정. 2-11 영종대교에서 짙은 안개로 106중 추돌사고 발생함:2명 사망, 외국인 포함 63명 부상. 2-15 충남 보령에 돼지 구제역 발생함. 2-16 국회, 이완구李完九 국무총리 후보 임명동의안을 의결함. 2-17 박근혜朴槿惠 대통령, 일부 개각을 단행함 : 통일부장관에 홍용표洪容杓 청와대 통일비서관, 국토교통부장관에 유일호柳一鎬 의원, 해양수산부장관에 유기준兪奇濬 의원. 2-19 충북 충주에 돼지 구제역 발생함:20일 괴산에서도 발생. 2-23 국방부, 황기철黃基鐵 해군참모총장을 경질함:통영함 납품비리 관련. 2-25 한중자유무역협정이 가서명됨:개성공단 생산품에 한국산 원산지 지위 부여 2-26 헌법재판소, 간통죄는 위헌이라고 결정함: 제정 62년만에 폐지 2-27 박근혜 대통령, 대통령 비서실장에 이병기李丙琪 국정원장을 임명함. 국정원장에 이병호李炳浩 전 국정원 2차장 내정.	1-30 러시아, 모스크바의 사회과학정보대학 도서관에 화재 발생함:귀중 장서 200만점 훼손. 2-3 요르단, 이슬람국가에게 생포된 조종사가 불에 태워져 살해되자 복수를 천명함:4일 테러범 2명 사형 집행. 2-4 타이완, 국내선 여객기가 고가도로와 충돌한 후 추락한 사고 발생함:53명 사망·실종. 2-5 요르단, 자국 조종사 살해한 이슬람국가IS에 대한 보복 공습을 실시함:57명 살해. 2-10 미국, 이슬람국가IS에 의해 납치된 여성 인질 1명이 살해됨: 이슬람국가 점령지에 지상군 투입 추진. 2-11 리비아, 유럽으로 향하던 난민선 4척이 지중해 해상에서 침몰한 사고 발생함:300여명 사망. 2-14 덴마크, 코펜하겐에서 개최된 프랑스《샤를리 에브도》테러 관련 토론회에 총기난사사건 발생함:8명 사상. 2-16 이집트, 리비아 내 이슬람국가 거점을 공습함:자국 콥트Copt 교도 21명 참수에 보복. 2-17 일본, 도호쿠東北 지방에 규모 6.9의 지진이 발생함:이와테현岩手縣에 쓰나미 주의보 발령. 아이티, 수도 포르토프랭스Port-au-Prince에서 카니발 행사 중 감전사고 발생함:20여명 사망.

연 대	우 리 나 라	다 른 나 라
2015 (4348) 을미	3-1 박근혜朴槿惠 대통령, 쿠웨이트 · 사우디아라비아 · 아랍에미리트 · 카타르 등 방문차 출국함:2일 알사바Al-Sabah 쿠웨이트 국왕과 정상회담 후 9건의 양해각서 체결, 3일 살만Salman 사우디아라비아 국왕과 정상회담 후 중소형 원자로 스마트SMART 건설 양해각서 체결, 5일 모하메드Mohammed 아랍에미리트 왕세제와 정상회담 후 할랄halal 수출 양해각서 체결, 8일 타밈Tamim 카타르 국왕과 정상회담에서 카타르 월드컵 기반시설 건설 협력 합의. 3-2 북한, 남포에서 단거리 탄도미사일 2발을 동해로 발사함:한미연합훈련에 대한 무력 시위. 3-3 국회, 부정청탁 및 금품수수 금지법(김영란법金英蘭法)을 의결함:공직자 · 언론인 · 사립학교 교원 및 가족 적용 대상. 3-5 행정자치부, 공공 아이핀I-PIN(인터넷상 주민번호) 75만 개가 해킹당했다고 발표함. 리퍼트Lippert 주한 미국대사가 김기종金基宗 우리마당 대표에게 테러당함:전쟁 훈련 반대 명분. 3-11 충북 진천에 돼지 구제역이 발생함. 3-12 이완구李完九 국무총리, 대국민담화문에서 부정부패 척결을 강조함:대기업 · 방위산업 · 해외자원개발 비리 거론. 한국은행, 기준금리를 1.75%로 인하함:사상 첫 1%대 금리. 방위산업비리합동수사단, 일광공영 이규태 회장을 체포함:방위산업 비리 관련. 북한, 함남 선덕宣德 일대에서 지대공 미사일 7발을 동해로 발사함:한미연합훈련 키 리졸브Key Resolve에 대한 대응 추정. 3-13 전남 신안군 가거도可居島 해상에서 헬기 추락사고 발생함:해경 4명 사망. 3-17 박근혜朴槿惠 대통령, 새누리당 김무성金武星 대표 및 새정치민주연합 문재인文在寅 대표와 회담:경제 재도약 위한 초당적 협력 요청. 검찰, 황기철黃基鐵 전 해군참모총장을 통영함 납품비리 관련하여 소환 조사함:22일 구속. 3-18 개성공단 입주기업 대표단, 북한의 노동규정 개정 시도에 남북 당국간 협의 통해 시행하자는 건의문을 북측에 전달함:북측의 접수 거부로 갈등 고조.	2-20 리비아, 중부 도시 시르테Sirte가 이슬람국가IS에게 완전히 점령됨. 2-22 일본, 시마네현島根縣에서 '다케시마의 날' 행사를 강행함:정부의 차관급 대표 참석. 방글라데시, 파드마강Padma江에서 여객선 전복사고 발생함:48명 사망. 2-27 러시아, 야권 지도자 넴초프Nemtsov 전 부총리가 총격으로 피살됨:푸틴Putin 대통령의 정적 살해 비난. 3-9 일본, 방일중인 독일 메르켈Merkel 총리가 과거사 정리 필요성 강조함:가해국의 올바른 역사관 주문. 3-15 파키스탄, 펀자브주Punjab州 라호르Lahore의 기독교도 거주지역의 성당과 교회에서 자살폭탄테러 발생함:15명 사망, 70여명 부상. 3-18 튀니지, 수도 튀니스의 바르도Bardo 박물관에서 이슬람국가IS에 의한 테러 발생함:외국인 관광객 등 23명 사망, 40여명 부상. 3-20 예멘, 수도 사나Sanaa의 이슬람교당 2개소에서 자살폭탄테러 발생함:120여명 사망, 300여명 부상. 3-24 예멘 하디Hadi 대통령, 사우디아라비아로 탈출하여 피신함:후티Houthi 반군 공격에 후퇴. 독일, 프랑스 알프스 산지에서 여객기 추락사고 발생하여 승객 150명 전원이 사망함:부조종사의 자살비행으로 확인.

연 대	우 리 나 라	다 른 나 라
2015 (4348) 을미	**3**-21 한중일 외교부장관 회담이 서울에서 개최됨: 한중일 정상회담 조속 개최에 합의. **3**-22 인천 강화캠핑장 텐트에서 화재사고 발생함:7명 사상. 송인상宋仁相 전 재무부 장관 사망: 자유당 정권 때의 관료로 '근대사 최후의 증인' **3**-23 박근혜朴槿惠 대통령, 방한 중인 뉴질랜드 키Key 총리와 정상회담 가짐:한·뉴질랜드 자유무역협정에 서명. **3**-24 박태환朴泰桓 선수, 국제수영연맹으로부터 금지약물 위반으로 18개월 자격정지 처분 받음: 인천아시아경기대회에서 획득한 메달 무효 처리. **3**-25 일본 도쿄 소재 한국문화원에 방화사건 발생함:4-12 39세의 범인 구속. **3**-26 한국항공우주연구원, 다목적 실용위성 아리랑 3A호가 러시아 야스니Yasny 발사장에서 발사되었다고 발표함:국내 첫 고성능 적외선 센서 장착으로 24시간 지구 관측. 정부, 아시아인프라투자은행AIIB에 참여하기로 결정함:중국 주도 국제금융기구. **3**-27 북한, 중국으로부터 아시아인프라투자은행 AIIB 가입을 거절당했다고 보도됨:세계 금융시장의 불신 이유. **3**-28 박근혜朴槿惠 대통령, 싱가포르 리콴유李光耀 전 총리 장례식 참석차 출국함:장남 리센룽李顯龍 총리 위문. **3**-30 삼성물산, 베트남 주재 직원 48명이 출국 금지됨:베트남 항만부두 공사장에서 42명 사상자 낸 사고 관련. **4**-1 호남고속철도(서울~광주) 개통식이 거행됨:1시간 33분에 주파. **4**-3 경남기업 성완종成完鍾 회장, 자원개발 정부 융자금 유용 및 비자금 조성 혐의로 검찰에 소환됨:9일 서울 북한산에서 자살. 북한, 평북 철산군 동창리 일대에서 단거리 미사일 4발을 발사함. **4**-6 정부, 일본군 위안부 내용 삭제 및 독도獨島를 일본 영토로 표현한 일본 중학교 교과서 관련하여 일본 대사 불러 항의함:7일 일본이 외교청서外交靑書에서도 독도를 일본 영토로 표현.	**3**-26 일본, 조총련 허종만許宗萬 회장이 경찰에 의해 압수수색당함:북한산 송이버섯 불법수입 관련. **3**-29 파푸아뉴기니Papua New Guinea, 규모 7.7의 지진 발생함:쓰나미경보 발령. **3**-31 이라크, 이슬람국가IS에 점령된 티크리트Tikrit를 탈환함. 터키, 이스탄불 검찰청사 내에서 테러조직에 의한 인질극이 발생함:검사 포함 3명 사망. **4**-1 나이지리아, 대통령 선거에서 야당 부하리Buhari 후보가 당선됨:첫 평화적 정권교체. **4**-2 이란, 미국 등 주요 6개국과 핵협상을 잠정 타결함:핵개발 활동 중단 선언. 케냐, 가리사Garissa 대학에 이슬람 테러단체 알샤바브Ai-Shabab에 의한 총격테러 발생함. **4**-11 미국 오바마Obama 대통령, 파나마에서 개최된 미주기구OAS 정상회의에서 쿠바의 라울 카스트로Raul Castro 국가평의회 의장과 처음 대좌함:59년만의 공식 대화. **4**-16 이탈리아, 리비아 해안에서 출발한 난민선 내에서 종교싸움 벌어져 이슬람교도들이 기독교인 12명을 지중해에 던져 살해했다고 발표함. **4**-18 리비아, 지중해에서 난민선 전복사고 발생함:700여명 사망.

연대	우 리 나 라	다 른 나 라
2015 (4348) 을미	4-10 주리비아 한국대사관에 이슬람국가IS 무장세력에 의한 총기난사사건 발생함:현지인 경비원 3명 사상. 4-12 박근혜朴槿惠 대통령, 검찰에 성완종成完鍾 전 경남기업 회장 정치권 금품 제공 의혹에 대해 철저 수사를 당부함:허태열許泰烈 · 김기춘金淇春 · 이병기李丙琪 전 현직 대통령 비서실장, 유정복劉正福 인천시장, 홍문종洪文鍾 의원, 홍준표洪準杓 경남지사, 서병수徐秉洙 부산시장, 이완구李完九 국무총리 등 8명 대상. 세계 물 포럼이 대구에서 개막됨:북한과 물 파트너십 기대. 4-14 박근혜朴槿惠 대통령, 방한 중인 투르크메니스탄 베르디무하메도프Berdymukhammedov 대통령과 정상회담:호혜적 동반자 관계 강화에 합의. 4-16 박근혜朴槿惠 대통령, 콜롬비아 · 페루 · 칠레 · 브라질 등 순방차 출국함:19일 산토스Santos 콜롬비아 대통령과 정상회담 후 한국전쟁 참전용사 초청 면담, 21일 우말라Humala 페루 대통령과 정상회담 후 국산 훈련기 공동생산 기념식 참석, 23일 바첼레트Bachelet 칠레 대통령과의 정상회담에서 청년창업 진출 등 합의, 23일 호세프Rousseff 브라질 대통령과의 정상회담에서 경제 · 통상협정 확대에 합의. 4-20 이완구李完九 국무총리, 사퇴 의사를 표명함:성완종成完鍾 전 경남기업 회장으로부터 정치자금 받은 혐의 관련. 4-21 검찰, 장세주張世宙 동국제강 회장을 불법 비자금 조성 및 해외 원정 도박 혐의로 소환 조사함:5-7 구속. 4-22 한미원자력협정 개정 협상이 42년만에 타결됨:핵 재처리 첫 단계 돌입. 정부, 세월호 선체를 인양하기로 결정함:기간 12~18개월, 비용 1천억~1천500억 원 소요. 4-24 러시아산 유연탄 싣고 북한 나진항 출발한 화물선이 당진에 도착함:나진~하산 물류 협력 2차 시범운행. 4-27 박근혜朴槿惠 대통령, 이완구李完九 국무총리의 사표를 수리함:최경환崔炅煥 경제부총리가 총리직 대행. 4-28 박근혜朴槿惠 대통령, 대국민담화문에서 이완구李完九 전 국무총리가 성완종成完鍾 전 경남기업 회장으로부터 정치자금 받은 혐의로 사퇴한 데 대하여 유감을 표명함. 정부, 민간단체의 대북한 비료 지원을 승인함:2010년 5 · 24조치 이후 처음.	4-20 일본, 오키나와현 沖繩縣 요나구니지마與那國島 근해에서 규모 6.8의 지진이 발생함:해일 주의보 발령. 타이완, 동부 해역에 규모 6.3의 지진이 발생함. 4-22 칠레, 칼부코Calbuco 화산이 42년만에 폭발함:주민대피령 발령. 4-25 네팔, 수도 카트만두 Kathmandu에서 규모 7.8의 지진으로 사망 8천여명, 부상 1만5천여명의 인명 피해가 발생함:인근 인도 · 방글라데시 · 티베트 등에도 여진 발생. 4-27 미국, 볼티모어에서 흑인청년 사망 관련하여 대규모 폭동 일어남:비상사태 선언. 4-28 일본 아베安倍晋三 총리, 미국 방문 중 오바마 Obama 대통령과의 정상회담에서 일본 자위대의 집단자위권 행사에 합의함:29일 상하원 합동연설에서 침략전쟁 및 일본군 위안부에 대한 사과 안함. 5-4 중국 시진핑習近平 국가주석, 타이완 집권 국민당의 주리룬朱立倫 주석과 수뇌회담 가짐: 7년만의 국공國共회담. 5-5 파푸아뉴기니Papua New Guinea, 규모 7.4의 지진 발생함:쓰나미경보 발령.

연 대	우 리 나 라	다 른 나 라
2015 (4348) 을미	4-29 국회의원 등 재보궐선거가 실시됨:여당(새누리당) 압승, 야당(새정치민주연합) 전패. 4-30 식품의약품안전처, 백수오 제품에서 가짜 백수오 성분이 검출되었다고 발표함:건강기능식품 매출 타격. 검찰, 박범훈朴範薰 전 대통령 교육문화비서관을 중앙대학교 특혜 제공 의혹 관련하여 소환 조사함:5-7 구속. 5-6 정의화鄭義和 국회의장, 박상옥朴商玉 대법관 후보자의 임명동의안을 직권상정함:여당 단독 처리로 야당 반발. 5-7 새정치민주연합, 원내대표에 이종걸李鍾杰 의원을 선출함. 5-8 검찰, 홍준표洪準杓 경남지사를 소환 조사함:성완종成完鍾 전 경남기업 회장에게서 정치자금 받은 혐의. 북한, 잠수함 탄도미사일 수중 발사에 성공했다고 발표함:11일 정부, 당정협의에서 대책 논의. 5-11 북한, 김격식金格植 전 인민무력부장 사망:천안함 폭파사건 주도 인물. 5-13 새정치민주연합 문재인文在寅 대표, 정청래鄭清來 최고위원에게 출석정지 처분을 내림:주승용朱昇鎔 최고위원에게 '공갈 막말' 발언에 대한 징계조치. 북한, 서해 북방한계선 인근 해역에서 야간 해상사격훈련을 실시함:합동참모본부, 유사시 대비하여 비상대기 태세 강화. 현영철玄永哲 인민무력부장이 불경죄로 처형되었다고 보도됨:고사총으로 총살. 5-14 검찰, 이완구李完九 전 국무총리를 소환 조사함:성완종成完鍾 전 경남기업 회장으로부터 정치자금 받은 혐의. 대법원, 강기훈姜基勳 유서대필 사건에 무죄를 선고함:24년만의 무죄 판결. 5-15 검찰, 박용성朴容晟 전 두산그룹 회장을 소환 조사함:박범훈朴範薰 전 대통령 교육문화비서관에게 중앙대학교 특혜 관련 금품 제공 혐의. 미국계 펀드회사 론스타Lone Star와 투자자·국가간 소송이 워싱턴에서 개시됨:5조원대의 국가 소송. 5-18 박근혜朴槿惠 대통령, 방한 중인 인도 모디Modi 총리와 정상회담:'특별 전략적 동반자 관계'로의 격상에 합의.	5-8 파키스탄, 외교사절 탑승한 군용헬기 추락사고 발생함:노르웨이·필리핀 대사 등 8명 사망. 영국 보수당, 총선거에서 승리함:과반수 얻어 단독내각 수립. 5-9 이라크, 칼리스 교도소에서 이슬람국가IS 주동의 폭동 발생함:63명 사망, 40명 탈옥. 러시아, 제2차세계대전 전승 70주년 기념식을 거행함:중국 시진핑習近平 국가주석 참석하여 단극세계單極世界 건설 반대에 합의. 5-12 네팔, 17일만에 규모 7.3의 지진이 또 발생하여 국가 재난사태가 계속됨:80여명 사망, 2700여명 부상. 5-13 일본, 도호쿠東北지방에서 규모 6.8의 지진이 발생함:도쿄에서도 진동 감지. 파키스탄, 카라치에서 무장괴한에 의한 버스 총기난사사건 발생함:43명 사망, 20여명 부상. 5-14 중국 시진핑習近平 국가주석, 인도 모디Modi 총리를 이례적으로 시안西安으로 가서 직접 영접함 : 미국의 패권주의에 대한 견제 의도. 필리핀, 신발공장 화재사건 발생함:72명 사망. 5-16 이집트, 무르시Morsy 전 대통령에게 사형이 선고됨:자유선거로 당선 후 군부 쿠데타로 축출. 5-24 폴란드, 대통령 선거에서 두다Duda 후보가 현직 대통령 제치고 당선됨:43세 최연소 대통령. 5-25 에콰도르, 울프Wolf 화산이 33년만에 폭발함:분홍 이구아나iguana 서식지 피해 우려.

연 대	우 리 나 라	다 른 나 라
2015 (4348) 을미	5-19 검찰, 정동화鄭潼和 전 포스코 건설 회장을 소환 조사함:포스코 운영 비리 의혹 관련. 5-20 메르스MERS(중동호흡기증후군) 환자가 발생함:감염 경로 불명확한 신종 바이러스. 북한, 반기문潘基文 유엔 사무총장의 개성공단 방문 승인을 철회함. 5-21 박근혜朴槿惠 대통령, 국무총리 후보에 황교안黃敎安 법무부장관을 내정함. 5-25 기상청, 폭염주의보를 발령함:26일 최고 35.5도, 27일 평균 18.1도로 5월 최고기온 기록. 경기도 김포 제일모직 물류창고 화재사건 발생함. 5-26 북한, 연평도 앞 갈도葛島에 122mm 방사포 진지 구축 사실이 확인됨. 5-28 헌법재판소, 전교조의 법외노조 통보 근거인 교원노조법 제2조가 합헌이라고 결정함:해직자를 조합원으로 인정하지 않는 판결. 5-29 국회, 공무원연금법 개정안을 의결함. 5-31 문형표文亨杓 보건복지부 장관, 메르스MERS 확산 초기대응 부실에 대해 대국민사과문을 발표함. 6-1 한중자유무역협정이 서명됨:12조 달러 거대시장 탄생. 메르스 환자 2명이 사망함:3차 감염자 2명 포함 25명 환자 발생으로 비상사태. 개성 만월대滿月臺 발굴조사단이 방북함:6개월간 진행 예정. 검찰, 강영원姜泳元 전 대한석유공사 사장을 회사에 1조원대 손실 입힌 혐의로 소환 조사함:30일 구속. 6-3 박근혜朴槿惠 대통령, 메르스 대응 회의를 주재함:의료인 2명 포함 35명의 환자 발생, 격리치료 1364명, 휴교 585개교. 국방과학연구소, 충남 태안의 안흥시험장에서 탄도미사일 현무-2B 시험 발사에 성공함:북한 전역 타격 가능한 사거리 500km 이상. 한국은행, 우리나라 외환보유액이 3,715억 달러로 역대 최대치 기록했다고 발표함:5월 말 기준 세계 6위. 6-4 박근혜朴槿惠 대통령, 방한 중인 세네갈 살Sall 대통령과 정상회담 가짐:양국간 협력 증진 방안 협의. 6-7 최경환崔炅煥 국무총리 대행, 메르스 대응조치 관련한 기자회견을 가짐:평택성모병원·삼성서울병원 등 확진환자 발생 또는 환자 경유한 병원 24개소 공개.	5-29 일본, 가고시마鹿兒島 남쪽 구치노에라부지마口永良部島의 산 정상에서 분화噴火 발생함:9km의 연기 분출. 5-30 일본, 오가사와라 제도小笠原諸島 인근에서 규모 8.5의 지진 발생함:31일 규모 6.4의 지진이 또 발생. 인도, 50도에 육박하는 폭염이 지속됨:2천여명 사망. 6-1 중국, 양쯔강에서 여객선 침몰사고 발생함:441명 실종·사망. 한국인 메르스MERS(중동호흡기증후군) 의심환자의 무단 입국으로 66명의 승객이 격리치료 받음:한국정부의 안이한 대처 비난. 6-3 국제축구연맹 블래터Blatter 회장이 사임함:뇌물 스캔들로 17년만에 사퇴. 6-8 독일, 세계주요7개국정상회의를 개최함:러시아 제재 강화에 합의. 6-10 미국 스탠더드앤드푸어스S&P, 그리스 국가 신용등급을 CCC로 강등시킴:채권단과의 협상 타결 압력. 6-11 중국 시진핑習近平 국가주석, 중국을 방문 중인 미얀마의 수치Suu Kyi 여사와 회담함:양국 우호관계 확인. 6-13 유럽우주국, 혜성 탐사로봇 필레Philae와 7개월만에 교신에 성공함. 6-16 알카에다Al-Queda, 최고지도자 알와히시가 미국의 드론drone(무인항공기) 공격으로 사망함.

연대	우리 나라	다른 나라
2015 (4348) 을미	6-8 보건복지부, 메르스 확진 환자가 87명이라고 발표함:사우디아라비아 이어 세계 2위 발병국 불명예. 서울시교육청, 강남구와 서초구의 유치원 · 초등학교에 5일간의 휴교령 내림:경기도교육청, 수원 · 용인 · 평택 · 안성 · 화성 · 오산 · 부천의 유치원과 초등학교에 5일간의 휴교령 내림. 검찰, 홍문종洪文鍾 의원을 소환 조사함:성완종成完鍾 전 경남기업 회장으로부터 정치자금 받은 혐의. 세계보건기구의 메르스 합동평가단이 입국함:한국정부와 공동으로 선파 양상 및 바이러스 특성 분석. 6-10 박근혜朴槿惠 대통령, 메르스 사태로 14일 계획된 미국 방문을 연기함:확진환자 108명, 격리환자 3,439명, 휴교 2,704개소로 비상사태. 서울의 낮 최고 기온이 34.9도로 6월 초 날씨로는 108년만에 최고치를 기록함:대구 34도, 대전 34.6도 등으로 폭염주의보 발령. 6-11 한국은행, 기준금리를 1.50%로 인하함:메르스 확산으로 인한 소비심리 위축 고려. 6-12 정부, 고리원자력1호 발전기의 폐로閉爐를 결정함:국내 첫 원전으로 2017년 6월 폐쇄 예정. 6-14 정부, 삼성서울병원에 부분폐쇄명령을 내림:메르스 재확산 차단 목적. 북한, 동해안에서 미사일 3발을 발사함:1000km 비행 추정. 6-15 정의화鄭義和 국회의장, 행정입법에 대한 국회의 시정 요구권 부여 내용의 국회법 개정안을 정부에 이송함:6-25 박근혜朴槿惠 대통령, 위헌이라고 거부권 행사하여 반송. 박인비朴仁妃 선수, 미국여자프로골프 투어 메이저대회에서 3년 연속 우승함:역대 3번째 기록. 6-16 경찰, 손석희孫石熙 JTBC 사장을 소환 조사함:작년 6 · 4지방선거 때 지상파의 출구조사 무단 사용한 혐의. 6-18 국회, 황교안黃敎安 국무총리 후보 임명동의안을 의결함. 여자축구대표팀, 여자월드컵 축구대회에서 사상 첫 승 거두고 16강에 진출함. 6-21 박근혜朴槿惠 대통령, 법무부장관에 김현웅金賢雄 서울고검장을 내정함:호남 출신 법무장관. 6-22 박근혜朴槿惠 대통령, 서울에서 일본정부 주최로 개최되는 한일 국교 정상화 50주년 기념 리셉션에서 축사를 함:도쿄에서는 일본 아베安倍晋三 총리가 참석. 신경숙申京淑 작가, 자신의 단편소설 〈전설〉이 일본 소설 〈우국〉을 표절했다고 인정함. 북한, 광주 하계유니버시아드 불참을 통보해 옴:유엔 북한인권사무소의 서울 개소에 반발.	6-23 파키스탄, 최고기온이 50도에 육박하는 폭염이 계속됨:470여명 사망. 프랑스, 미국 국가안보국이 전현직 대통령 3명을 도청했다고 위키리스크 WikiLeaks를 인용해 항의함:미국 오바마Obama 대통령.프랑스 올랑드 Hollande 대통령에게 재발 방지 약속. 6-26 이슬람국가 IS, 프랑스 · 튀니지 · 쿠웨이트에서 동시다발 테러 일으켜 66명이 사망함:건국 1주년 앞둔 계획적 테러 추정 6-28 그리스 의회, 치프라스Tsipras 총리가 제안한 국제금융 수용에 대한 국민투표안을 수용함:국제통화기금과 유럽연합 등 채권단 반대로 파국 위험. 6-29 이집트, 바라카트Barakat 검찰총장이 폭탄테러로 사망함:이슬람 국가IS의 보복 테러.

연 대	우 리 나 라	다 른 나 라
2015 (4348) 을미	6-23 검찰, 김양金揚 전 국가보훈처장을 해상작전 헬기 비리 의혹 관련하여 소환 조사함:27일 구속. 이재용李在鎔 삼성전자 부회장, 메르스와 관련한 삼성서울병원의 미숙한 대응에 대해 사과함:병원의 전면적 시스템 개선 약속. 서울에서 유엔 북한인권사무소 개소식을 거행함:북한 인권상황 감시. 6-24 국토교통부, 수도권 고속철도 율현터널(50.3km)의 관통행사를 거행함:국내 최장, 세계 3위의 길이. 검찰, 노무현盧武鉉 전 대통령의 형 노건평盧建平을 소환 조사함:성완종成完鍾 전 경남기업 회장 특별사면 관련. 6-30 임기택林基澤 부산항만공사 사장, 국제해사기구IMO 사무총장에 선출됨:해운조선사업 파급효과 기대. 서울특별시, 한강 하류에 녹조경보를 발령함:팔당댐 방류량 감소로 15년만에 경보 발령. 평택~제천 고속도로가 개통됨. 7-1 중국 지안集安에서 지방행정공무원 교육생들의 버스추락사고 발생함:공무원 등 11명 사망. 오전 9시 기해 윤초閏秒가 시행됨. 7-3 광주 하계유니버시아드가 개막됨:149개국 1만3천여명 참가로 역대 최대 규모. 7-4 백제역사유적지구가 유네스코 세계유산에 등재됨:공주송산리고분군 · 공산성公山城 · 부여능산리고분군 · 부여나성 · 부소산성扶蘇山城 · 정림사지定林寺址 · 익산왕궁리유적 · 미륵사지彌勒寺址 등 포함. 7-8 새누리당 유승민劉承旼 원내대표, 의원총회의 사퇴 권고안을 수용하여 사퇴함:14일 후임에 원유철元裕哲 전 정책위의장 피선. 7-9 김국영 선수, 광주 하계유니버시아드 남자 100m 달리기에서 10초 16을 기록함:5년 만에 한국 신기록 경신. 7-10 국정원의 인터넷 휴대전화 해킹 의혹이 언론에 보도됨:15일 새정치민주연합, 안철수安哲秀 의원을 국정원불법사찰의혹진상조사위원회 위원장에 임명하여 진상을 조사케 함. 7-13 하나금융, 외환은행 노조와 통합에 합의함:거대 은행 탄생.	6-30 중국, 쓰촨성四川省 등 남부지역에 70년만의 기록적 호우 내림:이재민 24만여명 발생. 일본, 하코네산箱根山에 분화噴火가 발생함:주민대피령 발표. 인도네시아, 북수마트라주 메단Medan에서 군수송기 추락사고 발생함:116명 사망. 그리스, 국제통화기금IMF의 채무를 상환하지 못해 디폴트(채무불이행) 상태에 빠짐:선진국 중 첫 사례로 세계경제에 악영향. 7-1 미국 · 쿠바, 폐쇄 54년만에 외교관계 복원에 공식 합의함:대사관 재개설에도 합의. 7-4 나이지리아, 이슬람 무장단체 보코하람Boko Haram에 의한 자살폭탄테러가 발생함:55명 사망. 7-5 일본, 근대산업시설이 유네스코 세계문화유산에 등재됨:조선인의 강제노역 사실 반영 조건. 그리스, 국민투표에서 국제통화기금과 유럽연합 등 채권단의 긴축안이 부결됨. 7-12 러시아, 시베리아 옴스크Omsk 인근 군부대 병영건물 붕괴사고 발생함:40여명 사상. 7-13 그리스, 국제 채권단의 고강도 개혁안을 수용하기로 함:구제금융 지원 대가. 7-14 이란, 주요 6개국과 핵협상을 타결함:13년만에 핵 위기 해결. 미국, 명왕성 탐사선 뉴호라이즌스호New Horizons號가 가장 가까운 거리인 1만 2,550km에 접근함:9년 6개월간 56억 7천만km 비행.

연대	우리나라	다른나라
2015 (4348) 을미	7-14 광주 하계유니버시아드가 폐막됨:한국 대표팀, 첫 종합 순위 1위. 경북 상주에서 농약 사이다 사건 발생함:농약 든 사이다 마시고 2명 사망, 4명 중태. 7-17 검찰, 김신종金信鍾 전 한국광물자원공사 사장을 소환 조사함:자원개발 비리 의혹 관련. 삼성물산, 주주총회에서 제일모직과의 합병을 의결함. 7-18 정의당, 당 대표에 심상정沈相奵 의원을 선출함. 7-20 박근혜朴槿惠 대통령, 방한 중인 온두라스 에르난데스Hernandez 대통령과 정상회담 가짐:자유무역협정 조기 타결에 합의. 7-22 추신수秋信守 선수, 메이저리그에서 사이클링히트를 작성함:아시아 선수 최초. 7-24 국회, 형사소송법 개정안(태완이법)을 의결함:살인죄 공소시효 폐지. 오준吳俊 주유엔대사, 유엔경제사회이사회 의장에 선출됨:28개 산하기관 총괄 조정. 7-26 대법원, 형사사건 변호사의 성공수당 계약은 무효라고 판결함:사회질서에 반하는 법률행위로 규정. 전인지 선수, 한국여자골프대회에서 우승함:한 시즌에 한국·미국·일본 메이저 대회 석권 기록 수립. 7-28 정부, 메르스의 사실상 종식을 선언함:국민의 일상생활 정상화 당부. 롯데그룹, 창업주 신격호辛格浩 총괄회장을 강제 퇴진시킴:신동빈辛東彬 회장의 입지 강화. 7-29 금융감독원, 2017년 9월부터 종이통장 발급을 중지한다고 발표함:무통장 거래 정착 목표. 검찰, 박기춘朴起春 의원을 소환 조사함:업자로부터 금품수수한 혐의. 8-1 우편번호를 6자리에서 5자리로 바꾸어 실시함:지번주소 기반에서 국가기초구역 기반으로 전환. 8-2 박인비朴仁妃 선수, 브리티시여자오픈대회에서 우승함:4대 메이저 타이틀 획득하여 아시아 선수로 처음 커리어 그랜드 슬램 달성. 8-3 제주도 서귀포에 규모 3.7의 지진이 발생함. 8-4 박근혜朴槿惠 대통령, 메르스 사태 초기 대응 실패한 문형표文亨杓 보건복지부 장관을 경질함:후임에 정진엽鄭鎭燁 분당서울대학교병원 교수 내정. 박상천朴相千 전 민주당 대표 사망.	7-15 그리스 의회, 구제 금융 관련 법안을 의결함:반대 세력의 시위 격화. 7-16 중국 시진핑習近平 국가주석, 북한 국경지대 옌볜延邊조선족자치주의 옌지시延吉市를 방문함:취임 후 첫 방문. 일본 중의원, 집단자위권 법안을 의결함. 7-17 이라크, 이슬람국가IS에 의한 폭탄테러 발생함:115명 사망, 170명 부상. 7-20 터키, 시리아 접경 수루치Suruc에서 이슬람국가IS에 의한 자살폭탄테러 발생함:30명 사망, 100여명 부상. 7-20 일본, 방위백서에서 '독도는 일본땅'이라는 일방적 주장을 게재함:11년째 같은 논조. 7-23 영국, 127년 역사의 파이낸셜 타임스FINANCIAL TIMES가 일본 니혼게이자이日本經濟 신문사에 매각됨:동서양 시장 공략 예상. 7-24 미국, 오바마Obama 대통령이 아버지의 나라 아프리카 케냐를 방문함:취임 후 처음. 항공우주국이 태양계 밖의 '또 다른 지구' 케플러-452b를 발견함:지구의 1.6배 크기, 거리 1.3경km, 공전주기 385일, 나이 60억년. 7-25 일본 미쓰비시三菱, 제2차세계대전 때 강제 노역한 중국에게 사과와 배상을 하기로 결정함:한국 제외시켜 논란.

연 대	우 리 나 라	다 른 나 라
2015 (4348) 을미	8-5 정부, 경원선 철도 남측구간 복원 기공식을 거행함:백마고지역~월정리역 9.3km 구간. 이희호李姬鎬 김대중평화재단 이사장, 서해 직항로로 북한을 방문함:평양산원 · 애육원 · 묘향산 등 방문. 국립수산과학원, 남해안 일대에 적조赤潮 주의보를 발령함:13일 적조경보 발령. 8-6 박근혜朴槿惠 대통령, 대국민담화문을 발표함:노동 · 공공 · 교육 · 금융 등 4대개혁 추진 방침 피력. 천경자千鏡子 화백, 미국 뉴욕에서 사망. 8-7 무용가 이매방李梅芳 사망. 8-8 남부지방에 폭염경보 발령함:닭 사육 농가 비상. 8-10 국방부, 지난 4일 비무장지대 지뢰폭발사고는 북한군이 매설한 목함지뢰에 의한 것이라고 발표함:대북한 확성기 방송 재개. 8-11 롯데그룹 신동빈辛東彬 회장, 대국민사과문을 발표함:경영권 분쟁 사과 및 지배구조 개선 의지 피력. 8-13 정부, 광복 70주년 맞아 최태원崔泰源 SK 회장 등에 특별사면을 단행함:특별사면 6,422명, 특별감면 220만명, 가석방 588명. 8-15 박근혜朴槿惠 대통령, 광복절 경축사에서 '원칙이 바로 선 투명한 나라' 건설의지를 피력함. 8-16 새정치민주연합 문재인文在寅 대표, 남북한 경제영역 설정을 제안함:남북한 경제공동체로 북한과 대륙 진출 주장. 8-17 롯데홀딩스 임시주주총회, 신동빈辛東彬 회장의 제안 안건을 지지함. 8-18 개성공단 임금협상이 타결됨:최저임금 5% 인상에 합의. 8-20 대법원, 한명숙韓明淑 전 국무총리의 뇌물 수수 혐의에 대해 유죄를 확정함:국회의원직 상실 및 법정 구속. 북한, 대북 확성기에 포격을 가함:정부, 대응 포격 및 인근 주민대피령 발령. 8-21 북한 김정은金正恩 국방위원회 제1위원장, 준전시상태를 선언함:박근혜朴槿惠 대통령, 북한 도발 시 강력 대응 지시. 8-22 남북고위급회담이 판문점에서 개최됨:김관진金寬鎭 국가안보실장과 홍용표洪容杓 통일부장관이 북한 황병서黃炳瑞 총 정치국장과 김양건金養建 통일전선부장 상대로 회담.	7-29 아프가니스탄, 탈레반 최고지도자 오마르Omar가 2년 전 파키스탄에서 사망했다고 확인함. 8-5 리비아, 근해 지중해에서 난민 태운 어선전복사고 발생함:200여명 사망. 8-6 이집트, 제2수에즈운하 개통식을 개최함:선박 통과시간 7시간 단축. 8-11 중국, 위안화 가치를 평가절하함:국제 금융시장에 타격. 일본, 후쿠시마福島 원자력발전소 사고로 중단된 원자력발전을 재가동함:시민단체의 반대시위 일어남. 8-12 중국, 톈진항天津港에서 대형 폭발사고 발생함:200여명 사망. 8-13 나이지리아, 보코하람Boko Haram에 의한 주민습격사건 발생함:1,150여명 사망. 8-14 일본 아베安倍晋三 총리, 종전 70주년 담화문을 발표함:침략전쟁 사과 없어 비난받음. 8-16 인도네시아, 파푸아주Papua州에서 여객기 추락사고 발생함:54명 사망. 시리아, 반군 장악지역을 공격함:80여명 사망, 220여명 부상. 8-17 타이, 수도 방콕에서 관광객 겨냥한 폭발사건 발생함:140여명 사상. 8-20 그리스 치프라스Tsipras 총리, 조기 총선을 요청하며 사임함.

연대	우 리 나 라	다 른 나 라
2015 (4348) 을미	8-24 북한, 특별경제구역 나선시가 태풍 고니에 의해 홍수 피해당함:1천여 가옥 파손, 1만여 이재민 발생. 8-25 남북고위급회담이 타결됨:북한, 목함지뢰에 의한 한국군 부상에 유감 표명. 8-26 국립해양문화재연구소, 지난해 태안 마도馬島 해역에 침몰된 마도 4호선은 조선시대 조운선이라고 발표함:첫 조선시대 조운선 실물. 김정기金正基 전 국립문화재연구소장 사망. 9-1 정부, 박근혜朴槿惠 대통령을 일본에 암살된 명성황후明成皇后에 비유한 산케이신문産經新聞에 기사 삭제를 요구함:표현의 자유 들어 거부. 검찰, 조양호趙亮鎬 한진그룹 회장을 소환 조사함:문희상文喜相 의원 처남 취업 청탁 의혹. 통합 삼성물산이 출범함:삼성물산과 제일모직의 합병. 9-2 박근혜朴槿惠 대통령, 중국 전승절 70주년 기념행사 참석차 출국함:시진핑習近平 국가주석 및 리커창李克强 총리와 연쇄회담, 3일 열병식 참석, 4일 상하이 임시정부 청사 재개관 현장 참석. 9-6 행정자치부, 6월 말 현재 주민등록 인구통계에서 여성 인구가 남성 인구보다 많았다고 발표함:여초시대女超時代 돌입. 금호타이어, 직장폐쇄를 단행함:노조의 장기간 전면파업에 대응. 제주 추자도楸子島에서 낚시 어선 돌고래호 전복사고 발생함:18명 사망 · 실종. 9-7 MBK파트너스, 홈플러스를 인수함:7조 2천억원으로 역대 최고 가격. 9-11 박근혜朴槿惠 대통령, 방한 중인 요르단 압둘라Abdullah 2세와 정상회담 가짐:경제협력 확대에 서명. 9-12 능인선원能仁禪院, 개원 30주년 기념해 약사대불 점안법회를 개최함:높이 38m로 세계 최대 약사불 좌상. 9-13 노사정위원회, 노동시장 개혁 위한 대타협에 합의함:일반해고와 취업규칙 타결. 리디아 고 선수, 프랑스 에비앙에서 열린 미국여자프로골프 LPGA 투어 메이저대회에서 우승함:18세 4개월로 최연소 신기록 수립.	9-1 일본, 집단자위권 법안에 반대하는 시위가 벌어짐:국회 포위 하고 아베정권 퇴진 요구. 9-4 영국 캐머런Cameron 총리, 시리아 어린이 난민 사망사건 계기로 난민을 더 수용하겠다고 발표함:미국 · 독일 · 오스트리아도 동참. 리비아, 인근 해역에서 난민선 전복사고가 발생함:200여명 사망. 9-8 일본 아베安倍晋三 총리, 집권 자민당 총재에 재선됨. 9-9 영국 엘리자베스Elizabeth 2세, 재위 63년 7개월로 최장수 군주가 됨:빅토리아Victoria 여왕 재위 기간(1837~1901) 초과. 9-10 일본, 간토關東와 도호쿠東北 지방의 호우로 제방이 무너짐: 1만여 채 가옥 침수. 9-12 사우디아라비아, 확장 공사 중이던 메카 소재 이슬람교당 붕괴사고 발생함:100여명 사망, 230여명 부상. 9-13 그리스, 에게해 해역에서 난민선 전복사고로 34명이 사망함:15일 또 다른 난민선 전복사고로 13명 사망. 9-15 헝가리, 국가비상사태를 선포함:난민 저지 이민법 발효 계기. 9-16 일본, 스탠더드앤드푸어스S&P가 국가신용등급을 A+로 한 단계 강등시킴:경제 회생 및 디플레 종식 전망에 부정적 평가. 칠레, 수도 산티아고 인근에 규모 8.3의 지진이 발생함:100만여명 대피.

연대	우리 나라	다른 나라
2015 (4348) 을미	9-16 새정치민주연합 중앙위원회, 공천혁신안을 의결함:비주류 반발로 갈등 심화. 9-17 국회, 롯데그룹 신동빈辛東彬 회장을 증인으로 출석시킴:경영권 분쟁 재발 방지 주문. 9-18 전남 나주·강진에 조류인플루엔자 발생함:21일 광주光州·담양에서도 발생하여 비상체제. 9-20 박근혜朴槿惠 대통령, 추석 기해 부사관 이하 전 병사에게 1박2일의 특별휴가증을 수여함:북한 도발에 단호한 대응 치하. 9-23 이태원 살인사건 피의자 페터슨이 미국에서 국내로 송환됨:16년 전의 사건 관련. 9-24 청와대 민정수석실, 한국형 전투기KF-X 사업 조사에 착수함:방위사업청에 미국과의 협상과정 자료 요구. 9-25 박근혜朴槿惠 대통령, 유엔총회 참석차 미국 뉴욕으로 출국함:26일 유엔개발정상회의 연설에서 새로운 개발 의제 이행을 강조, 28일 유엔총회 연설에서 한반도 통일비전 제시. 9-28 새누리당 김무성金武星 대표, 새정치민주연합 문재인文在寅 대표와 부산에서 회동함:안심번호 국민공천제 의견 접근. 10-1 환경부, 폭스바겐 디젤차의 배출가스 실태조사에 착수함:대기오염물질 농도 측정. 한국판 블랙프라이데이 행사가 시행됨:2만6천여 점포에서 내수 진작 위해 50~70% 할인율 적용. 10-2 문경 세계군인체육대회가 개막됨:120여개국, 7,300여명 참가. 테임즈Thames선수, 40홈런-40도루 기록을 달성함:프로야구 34년만에 첫 수립 10-5 검찰, 이상득李相得 전 의원을 소환 조사함:포스코 비리 연루 혐의. 10-6 우당장학회友堂奬學會, 서울 사직동에 김경천金擎天 장군 집터 표지석을 세움:'진짜 김일성'으로 불린 항일무장독립투쟁 공훈 선양. 10-8 충남 보령시·서산시·당진시·서천군·청양군·홍성군·예산군·태안군에 제한 급수를 실시함. 10-9 한국의 유교책판과 KBS 특별생방송 '이산가족을 찾습니다' 기록물이 유네스코 세계기록유산에 등재됨.	9-19 일본 참의원, 집단자위권 법안을 의결함:전후 70년만에 '전쟁 가능 국가'로 전환. 9-20 그리스, 조기 총선거에서 급진좌파연합(시리자SYRIZA)이 승리함:치프라스Tsipras 전 총리 재신임. 교황청, 프란치스코Franciscus 1세 교황이 쿠바 방문 중 피델Fidel 카스트로Castro 전 국가평의회 의장과 회동함:23일 미국을 방문하여 오바마Obama 대통령과 회동, 24일 미국 의회 연설에서 이민자에 대한 배려 강조. 9-23 독일, 폭스바겐Volkwagen회사의 빈터코른Winterkorn 최고경영자가 사퇴함:배출가스 저감장치 조작사건 파문 책임. 9-24 사우디아라비아, 메카 인근에서 순례객 압사사고 발생함:700여명 사망, 800여명 부상. 예멘, 수도 사나Sanaa에서 이슬람교당 겨냥한 자살폭탄테러 발생함:30여명 사망. 9-25 중국 시진핑習近平 국가주석, 미국 방문 중 오바마Obama 대통령과 정상회담 가짐:한반도 비핵화 및 북한 핵불용 방침 재합의. 9-28 예멘, 모카Mocha 인근 예식장이 사우디아라비아가 주도한 연합군에게 폭격당함:130여명 사망. 9-29 미국 항공우주국, 화성 표면에 액체 상태의 물이 존재한다고 발표함:미래 인간의 탐사에 영향 가능.

연 대	우 리 나 라	다 른 나 라
2015 (4348) 을미	10-10 북한, 노동당 창건 70주년 기념 열병식을 거행함:중국공산당 류윈산劉雲山 상무위원 등 참석. 10-12 박근혜朴槿惠 대통령, 방한 중인 독일 가우크Gauck 대통령과 정상회담 가짐:북한 비핵화에 공감. 교육부, 역사 교과서를 2017년부터 국정으로 발행하기로 함: '올바른 역사 교과서'로 명명. 10-13 박근혜朴槿惠 대통령, 미국 방문차 출국함:15일 사상 처음 국방부(펜타곤Pentagon) 방문, 17일 오바마Obama 대통령과 정상회담 후 북한 관련 첫 공동성명 발표. 10-20 한일 국방장관회담이 서울에서 개최됨:일본 자위대의 한반도 진출 관련하여 이견 표출. 남북 이산가족 상봉을 금강산에서 실시함:24일 2차 상봉 실시. 10-21 조성진 피아니스트, 폴란드 바르샤바에서 열린 쇼팽 국제피아노 콩쿠르에서 우승함:한국인 최초. 10-22 박근혜朴槿惠 대통령, 새누리당 김무성金武星 대표와 원유철元裕哲 원내대표 및 새정치민주연합 문재인文在寅 대표와 이종걸李鍾杰 원내대표를 초청하여 회동함:역사교과서 국정화 등 현안 논의. 10-27 박근혜朴槿惠 대통령, 국회 시정연설에서 민생법안 처리에 대한 초당적 협조를 요청함:역사 교과서 국정화 의지 표명. 10-28 정부, 남중국해를 둘러싼 미국과 중국의 분쟁에 대하여 국제규범에 의한 평화적 해결을 촉구함. 질병관리본부, 건국대학교 면역유전학 실험실에서 16명이 원인 불명의 폐렴 증세 보였다고 발표함:11-6 55명으로 증가. 10-29 이대호李大浩 선수, 일본시리즈에서 최우수선수에 선정됨:한국 선수로는 처음으로 일본 야구왕에 등극. 10-30 박근혜朴槿惠 대통령, 검찰총장에 김수남金秀南 대검찰청 차장을 내정함. 북한, 평양에서 남북 노동자 축구대회를 개최함. 10-31 박근혜朴槿惠 대통령, 방한 중인 중국 리커창李克强 총리와 정상회담 가짐:한국산 쌀 · 삼계탕 · 김치의 대중국 수출 합의. 11-1 한중일 정상회담을 서울에서 개최함: '동북아 평화협력 위한 공동선언' 채택. 통계청, 인구주택총조사를 실시함:15일까지 표본가구 선정하여 실시.	10-1 중국, 광시廣西 자치구 류저우柳州에서 택배폭탄테러 발생함:17차례 연쇄 폭발. 미국, 오리건주 엄프콰Umpqua 전문대학에서 종교 관련 총격사건 발생함:범인 등 13명 사망. 10-3 이라크, 바그다드 북부 시아파 거주 지역에서 자살폭탄테러 발생함:80여명 사상. 아프가니스탄, 쿤두즈주Kunduz州 소재 국경없는의사회 병원이 미국군의 오폭으로 피해당함:19명 사망. 과테말라, 수도 과테말라시티 외곽에 대형 산사태 발생함:600여명 사망 · 실종. 10-4 필리핀, 태풍 '무지개'의 영향으로 해상 피해당함:선박 16척, 선원 71명 실종. 10-5 환태평양경제동반자협정TPP이 타결됨:미국 · 일본 등 12개국 가입한 세계 최대 무역협정. 이라크, 수도 바그다드 동북부에 이슬람국가에 의한 연쇄 차량폭탄테러 발생함:57명 사망. 10-9 중국, 〈난징대학살 문건〉이 유네스코 기록유산에 등재됨. 튀니지, '튀니지 국민4자 대화기구'가 노벨평화상 수상자로 선정됨:튀니지의 다원적 민주주의 구축에 공헌. 10-10 터키, 수도 앙카라 기차역에서 자살폭탄테러 발생함:95명 사망, 245명 부상. 10-15 미국 오바마Obama 대통령, 아프가니스탄 주둔 미국군 철수 연기를 발표함:탈레반 영향력 확대에 대응.

연 대	우 리 나 라	다 른 나 라
2015 (4348) 을미	11-2 박근혜朴槿惠 대통령, 방한 중인 일본 아베安倍晋三 총리와 정상회담 가짐:일본군 위안부 문제 협의 가속화에 합의. 한국선사문화연구원, 충북 단양 수양개유적에서 얼굴 모양의 돌조각을 발굴함:구석기인들의 작품 추정. 11-3 황교안黃教安 국무총리, 대국민담화문을 발표함:역사 교과서 국정화 확정 고시 관련. 11-4 박근혜朴槿惠 대통령, 방한 중인 프랑스 올랑드Hollande 대통령과 정상회담 가짐:외교 · 국방 고위급 대화 정례화에 합의. 11-5 청년희망재단이 공식 출범함:청년일자리사업 추진. 11-9 박근혜朴槿惠 대통령, 방한 중인 아이슬란드 그림손Grimsson 대통령과 정상회담 가짐:북극항로 개척에 합의. 한국수력원자력, 신월성 1호기와 2호기 준공식을 개최함. 남북종교인평화대회가 금강산에서 개최됨:민족의 화해와 단합, 평화와 통일 위한 모임. 11-10 국토교통부, 서귀포시에 제주제2공항 건설계획을 발표함:2025년 완공 예정. 11-13 검찰, 조남풍趙南豊 재향군인회 회장을 금품선거 · 매관매직 혐의로 소환 조사함:30일 구속, 11-14 박근혜朴槿惠 대통령, 세계 주요20개국정상회의(터키), 아시아태평양경제협력체정상회의(필리핀), 아세안+한중일정상회의 및 동아시아정상회의(말레이시아) 참석차 출국함. 민주노총, 서울광장에서 '민중총궐기' 집회를 개최함. 11-16 한상균 민주노총 위원장, 폭력시위 주도한 혐의로 경찰 검거를 피하여 서울 소재 조계사曹溪寺로 피신함:12-10 경찰에 자진 출두하여 사태 해결. 11-18 새정치민주연합 문재인文在寅 대표, 안철수安哲秀 전 공동대표와 박원순朴元淳 서울시장에게 공동지도체제를 제안함:안철수 전 공동대표, 이를 거부하고 혁신전당대회 개최를역제안함. 11-21 검찰, 현경대玄敬大 민주평통자문회의 수석부회장을 소환 조사함:불법 정치자금 수수 혐의. 11-22 김영삼金泳三 전 대통령 사망:26일 첫 국가장國家葬으로 국립현충원에 안장. 양김시대兩金時代 종막. 11-24 검찰, 최윤희崔潤喜 전 합참의장을 소환 조사함:방위산업 비리 혐의관련. 신건辛建 전 국정원장 사망.	10-16 팔레스타인, '분노의 날' 명명하여 대규모 이스라엘 반대시위 벌임:이스라엘군에 의한 팔레스타인 시민 사망사건에 항거. 10-19 캐나다, 총선거에서 트뤼도Trudeau의 자유당이 승리함:아버지 이어 집권 성공. 10-23 나이지리아, 동북부의 이슬람교당 2개소에서 자살폭탄테러 발생함:55명 사망. 10-25 폴란드, 총선거에서 여성 의원 시드워Szydio의 극보수당이 승리함:좌파 정당 전멸. 과테말라, 대통령 선거에서 중도 성향의 모랄레스Morales가 당선됨:첫 코미디언 출신 대통령. 10-26 아프가니스탄, 북동부 파키스탄 접경지역에서 규모 7.5의 지진 발생함:파키스탄인 포함 400여명 사망. 10-27 미국, 중국이 영유권 주장하는 남중국해의 인공섬 12해리 안쪽에 군함을 진입시킴:양국의 군사적 긴장 고조. 10-28 네팔, 대통령 선거에서 반다리Bhandari 여성운동가가 당선됨:첫 여성 대통령. 10-29 중국, 1자녀정책을 공식 폐기함:35년만에 2자녀정책으로 전환.

연 대	우 리 나 라	다 른 나 라
2015 (4348) 을미	11-25 한국철도시설공단, 원주~강릉 복선전철의 대관령터널 관통행사를 개최함:21.755km로 국내 최장 산악터널. 11-29 박근혜朴槿惠 대통령, 프랑스 파리에서 열리는 기후변화 정상회의 참석차 출국함:12-3 체코 방문하여 체코·폴란드·헝가리·슬로바키아 등 비세그라드Visegrad 그룹과 정상회담. 금융위원회, 인터넷은행에 카카오kakao 주도의 카카오뱅크와 KT 주도의 케이뱅크를 선정함. 11-30 국회, 한중자유무역협정을 의결함. 남북역사학자협의회, 개성 만월대滿月臺 지역 남북공동발굴조사에서 건물지 19동, 유물 3500여점을 발굴했다고 발표함:고려시대 금속활자 1점 발굴. 12-2 줄다리기가 유네스코 인류무형문화유산에 등재됨. 검찰, 김창호金蒼浩 전 국정홍보실장을 긴급 체포함:불법 정치자금 수수 혐의. 12-3 서해대교 주탑 와이어에서 낙뢰에 의한 화재 발생함:19일 재개통. 12-7 최경림崔京林 주제네바대표부 대사, 유엔 인권이사회 의장에 선출됨. 중국 백두산 지역에서 우리 기업이 생산한 생수가 북한 나진항 거쳐 부산항에 도착함:첫 민간상업용 컨테이너 화물. 12-9 지난 달 23일 발생한 야스쿠니신사靖國神社 폭발사건 한국인 용의자가 일본에 재입국하려다 체포됨:화약 등 폭발 관련 물질 반입. 12-10 대법원, 이명박李明博 정부의 4대강사업은 적법하였다고 판결함:홍수 예방 위한 최선의 수단. 12-11 문화재청, 충남 공주 공산성公山城 관청건물지에서 나무 사다리를 출토했다고 발표함:못을 사용하지 않은 백제시대 목조기술 우수성 증거. 남북 차관급 당국회담이 개성공단에서 개최됨:12일 성과 없이 결렬. 12-12 북한, 모란봉악단의 중국 베이징 공연이 취소됨:북중관계 악화 전망. 12-13 새정치민주연합 안철수安哲秀 전 공동대표, 탈당을 선언함:정치혁신세력 결집 목표. 천정배千正培 의원, 국민회의 창당발기인대회에서 창당준비위원장에 선출됨.	10-31 러시아, 이집트 시나이 반도에서 자국의 여객기 추락사고로 승객 224명 전원이 사망함:테러행위 결과로 단정하고 보복 절차에 착수. 11-4 남수단, 수도 주바Juba에서 화물기 추락사고 발생함:40여명 사망. 11-7 중국·타이완, 시진핑習近平 중국 국가주석과 마잉주馬英九 타이완 총통이 싱가포르에서 만나 66년만에 정상회담 가짐: '하나의 중국' 재확인. 11-8 미얀마, 25년만에 자유 총선거를 실시함:13일 수치Suu Kyi 여사의 야당이 과반수 의석 확보. 11-10 독일, 슈미트Schmidt 전 총리 사망. 11-13 프랑스, 수도 파리에서 동시다발 테러 발생하여 국가비상사태를 선포함:129명 사망, 350여명 부상. 11-14 일본, 가고시마鹿兒島 서남해안에 규모 7.0의 지진이 발생함:쓰나미 주의보 발령. 11-20 유엔 안전보장이사회, 이슬람국가 척결 결의안을 의결함. 말리Mali, 수도 바마코Bamako에서 이슬람 무장단체의 호텔 인질극 벌어짐:테러범 2명 등 22명 사망. 11-22 미얀마, 북부지역 카친주Kachin州에서 폐광석 붕괴사고 발생함:175명 사망. 11-24 일본, 상업위성 발사에 처음으로 성공함. 터키, 영공 진입한 러시아 전투기를 격추함:나토 가맹국과 러시아 관계 긴장 유발.

연대	우리 나라	다른 나라
2015 (4348) 을미	12-14 이만섭李萬燮 전 국회의장 사망. 12-16 정부, 제주해녀를 국가중요어업유산 제1호로 지정함:전통생태적 어업 시스템 및 고유한 공동체문화 평가. 검찰, 조희팔曺喜八의 최측근 강태용을 중국에서 송환함:4조원대 다단계판매 사기사건 연루. 12-16 검찰, 민영진閔泳珍 전 KT&G 사장을 구속함:협력업체로부터 금품 수수 혐의. 12-18 보건복지부, 중국 영리병원인 녹지국제병원 설립을 승인함:첫 투자개방형 외국병원. 국제신용 평가사 무디스Moody's가 한국 신용등급을 Aa2로 올림:사상 최고 등급. 12-19 해양수산부, 쇄빙碎氷 연구선 아라온호Araon號가 남극에서 좌초된 원양어선 썬스타호를 구조했다고 발표함. 12-21 박근혜朴槿惠 대통령, 일부 개각을 단행함:경제부총리 겸 기획재정부장관에 유일호柳一鎬 의원, 사회부총리 겸 교육부장관에 이준식李俊植 서울대 교수, 행정자치부장관에 홍윤식洪允植 전 국무조정실 1차장, 산업자원통상부장관에 주형환周亨煥 기획재정부 1차관, 여성가족부장관에 강은희姜恩姬 의원 내정. 12-22 광주~대구고속도로가 공식 개통됨:88올림픽고속도로를 4차선으로 확장. 전북 익산에 규모 3.9의 지진 발생함. 12-23 헌법재판소, 한일청구권협정이 위헌심판 대상이 아니라고 결정함. 주민등록번호 변경을 금한 현행법은 헌법불일치라고 결정함:2018년부터 변경 가능. 기획재정부, 2018년부터 종교인에 대한 과세가 시행된다고 발표함:47년간의 사회적 논란 해소. 미얀마 난민 22명이 재정착 난민정책에 따라 입국함:난민법 시행 2년만에 첫 입국. 12-24 보건복지부, 메르스 사태가 종료되었다고 공식 발표함. 미래에셋, 대우증권 인수 우선협상대상자로 선정됨.	12-2 미국, 로스앤젤레스 동부의 샌버나디노San Bernadino에서 이슬람교도에 의한 총기난사사건으로 35명의 사상자 발생함:6일 오바마Obama 대통령, 테러행위로 규정. 12-3 인도, 첸나이Chennai에 100년만의 홍수 발생하여 188명 사망함:현대차 공장 가동 중단. 12-6 베네수엘라, 총선거에서 우파야당연합이 대승함:16년만에 좌파집권당 패배. 12-7 중국, 수도 베이징에 스모그 적색경보 발령함:차량 홀짝제, 휴교령 실시. 타지키스탄, 동부 지역에 규모 7.2의 지진 발생함. 12-9 일본, 금성 탐사선의 궤도 진입에 성공함:금성 둘러싼 구름층과 대기 관찰 수행. 12-12 사우디아라비아, 건국 후 83년만에 여성 출마가 보장된 지방선거를 실시함:첫 여성의원 당선. 유엔 기후협약 당사국총회, 파리협정을 체결함:2020년 이후 신기후체제 수립 위한 합의문. 12-16 미국 연방준비제도이사회, 기준금리를 0.25%포인트 인하함 : 제로금리시대 종막. 12-17 중국, 드론drone(무인항공기) 차이홍彩虹이 지난 6일 이라크의 이슬람국가 진지를 폭격했다고 보도함. 12-18 유엔 안전보장이사회, 시리아 평화정착 결의안을 채택함. 12-20 중국, 선전深圳 공단에서 대형 산사태 발생함:건물 33동 매몰, 59명 실종. 인도네시아, 술라웨시Sulawesi 섬 해역에서 폭풍우에 의한 여객선침몰사고 발생함:83명 사망 · 실종.

연대	우 리 나 라	다 른 나 라
2015 (4348) 을미	12-28 한일외교회담이 서울에서 개최됨:일본군 위안부 문제에 대한 일본정부의 책임 통감, 일본 아베安倍晋三 총리의 사죄, 일본정부 예산 10억엔 각출 등 합의. 새정치민주연합, 당명을 더불어민주당(약칭 더민주당)으로 바꿈. 12-29 서울시립교향악단 정명훈鄭明勳 예술감독, 재계약 보류에 사퇴함:박현정朴炫貞 전 대표와의 갈등. 북한, 김양건金養建 통일전선부장 사망. 12-31 청와대, 〈일본군 위안부 문제 합의와 관련해 국민께 드리는 말씀〉을 발표함:근거 없는 유언비어 자제 당부. 한중 국방부 핫라인이 개통됨:북한 돌발사태에 공조. 검찰, 아동학대 사건 관리 회의를 개최함:인천 아동학대사건 관련.	12-21 중국, 수도 베이징 등지에 스모그 적색경보를 발령함:한반도 면적의 3배 크기의 스모그 현상 발생. 12-25 인도 모디Modi 총리, 11년만에 파키스탄을 방문함:양국 관계 강화 강조. 12-28 이라크, 안바르주Anbar州 주도 라마디Ramadi를 이슬람국가로부터 탈환함. 12-29 파키스탄, 주민센터에서 자살폭탄테러 발생함:25명 사망, 70여명 부상.

연 대	우 리 나 라	다 른 나 라
2016 (4349) 병신	**1-1** 박근혜朴槿惠 대통령, 신년사에서 4대 개혁 완수해 미래 성장 기반 마련하겠다고 강조함: 튼튼한 안보태세 강조. 정의화鄭義和 국회의장, 헌법불일치 판결받은 국회의원 선거구가 효력 상실되어 선거구가 없는 국가가 되었다고 발표함: 직권상정 방침 표명. 산업통상자원부, 지난해 무역액이 1조 달러 미만이었다고 발표함: 5년만의 미달. 북한, 김정은金正恩 국방위원회 제1위원장이 신년사에서 남북대화와 관계개선에 노력하겠다고 언급함. **1-3** 김한길 의원, 새 정치질서 구축 위해 더불어민주당을 탈당하다고 선언함: 새정치민주연합 공동창업주 모두 탈당. **1-6** 북한, 4차 핵실험을 실시함: 수소폭탄 실험에 성공했다고 보도. 기상청, 북한의 핵실험으로 규모 4.8의 인공지진 발생했다고 발표함: 북한·중국 국경지역에 주민대피령 내렸다고 보도. **1-8** 국방부, 대북한 확성기 방송을 재개함: 북한의 핵실험 응징 차원. 연극배우 백성희 사망. **1-10** 국민의당 창당발기인대회를 개최함: 안철수·김한길 의원 등 더불어민주당 탈당 의원 참여. **1-12** 더불어민주당 권노갑權魯甲 상임고문, 탈당을 선언함: 김대중계와 노무현계의 결별. 전북 김제에 돼지 구제역 발생함: 13일 고창에서도 발생. **1-13** 박근혜 대통령, 대국민담화문에서 강력한 대북한 재재안 도출 위해 외교적 노력 기울일 것이라고 언명함: 중국의 적극적인 역할 강조. **1-17** 이준식李俊植 사회부총리 겸 교육부장관, 사회관계장관회의를 개최함: 부천 초등학생 아들 시신 훼손 사건 관련. **1-18** 박근혜 대통령, 경기도 판교역 광장에서 '민생 구하기 입법 촉구 천만 서명운동'에 직접 참여하여 서명함. **1-19** 한국노총, 노사정 대타협 파기를 선언함: 정부의 '일반해고'와 '취업규칙 지침' 등 2대 지침에 반발. **1-20** 한국문화재재단, 충남 부여 쌍북리 유적에서 구구표九九表 목간을 확인했다고 발표함: 한반도 최초의 구구단 목간.	**1-1** 인도, 차량 홀짝제를 처음 실시함: 세계 최악 수준 대기오염 해결책. **1-2** 사우디아라비아, 반정부 시아파 유력인사 4명을 처형함: 이란 시위대, 자국 사우디아라비아 대사관과 총영사관 공격. **1-3** 사우디아라비아, 이란과의 외교관계를 단절함: 자국 대사관과 총영사관 피습 이유. **1-4** 중국, 증권시장이 6.9% 폭락하여 거래가 중단됨: 아시아·유럽 증시 동반 하락. 인도, 임팔Imphal 서북지방에서 규모 6.8 지진 발생함. **1-11** 이라크, 바그다드 쇼핑몰 등지에서 이슬람국가IS 테러집단에 의한 연쇄 자살폭탄테러 발생함: 50여명 사망. **1-13** 국제 유가가 30달러 미만을 기록함: 11년만에 최저 기록. **1-14** 인도네시아, 수도 자카르타에서 이슬람국가IS 테러집단에 의한 자살폭탄테러 및 총격전이 발생함: 첫 아시아 도시 공격으로 테러범 등 7명 사망. **1-15** 중국, 하이얼海爾 그룹이 미국 제너럴엘렉트릭GE 가전사업 부문을 인수함: 6조5천억원의 사상 최대 규모. 베네수엘라, 2개월 간의 국가경제비상사태를 선언함: 높은 인플레이션과 생활필수품 부족난에 대응.

연 대	우 리 나 라	다 른 나 라
2016 (4349) 병신	**1**-22 더불어민주당 박지원朴智元 전 원내대표, 탈당을 선언함. **1**-23 원윤종·서영우 선수, 캐나다 휘슬러에서 개최된 봅슬레이 월드컵대회에서 우승함: 아시아 출신으로 최초. **1**-24 전국에 한파특보가 발령됨: 서울 -18도, 파주 -20도, 제주 -5.8도 기록. **1**-25 민주노총, 총파업에 돌입함: 정부의 '일반해고'와 '취업규칙 지침'에 빈발. 안철수安哲秀 의원 주도의 국민의당과 천정배千正培 의원 주도의 국민회의가 통합에 합의함: 당명은 국민의당으로 결정. 더불어민주당 문재인文在寅 대표, 정의당 심상정沈相奵 대표와 범야권 전략협의체 구성에 합의함. **1**-27 더불어민주당 문재인 대표, 당 대표직을 사퇴함: 김종인金鍾仁 선거대책위원장에게 권한 위임. 통합신당 박주선朴柱宣 의원, 국민의당에 합류함. **1**-29 검찰, 이병석李秉錫 전 국회부의장을 소환 조사함: 포스코 비리 연루 의혹 관련. **1**-30 박준영朴晙瑩 전 전남지사 주도의 신민당과 김민석金民錫 전 의원 주도의 원외 민주당이 통합에 합의함: 당명은 민주당으로 결정. **1**-31 중국 군용기 2대가 이어도 인근 상공에서 한국 방공식별구역을 침범함: 한국군측 경고방송으로 회항. **2**-2 정부, 소두병小頭病 유발하는 지카 바이러스zika virus 대책회의를 개최함: 보건복지부와 질병관리본부 중심으로 비상 대응책 수립. 국민의당 창당대회가 개최됨: 공동대표에 안철수安哲秀·천정배千正培 의원 선출. **2**-3 현대로템, 자기부상열차 개통식을 개최함: 인천국제공항 교통센터~공항철도 용유역 6.1km 구간. **2**-4 국회, 기업활력제고특별법(원샷법)을 의결함: 법안 제출 210일만에 처리. 경남 진주 사슴농장에서 광록병狂鹿病이 발생함: 3-28 경기도 화성에서도 발생. **2**-5 박근혜朴槿惠 대통령, 중국 시진핑習近平 국가주석과 전화통화함: 대북한 재재에 적극적인 참여 요청. 윤성빈 선수, 스위스 생모리츠St. Moritz에서 개최된 봅슬레이 스켈레톤월드컵대회에서 우승함: 아시아 출신으로 최초. **2**-7 북한, 평북 동창리에서 장거리미사일(광명성 4호)을 발사함. **2**-8 북한, 장거리미사일 발사 하루 만에 경비정이 서해 북방한계선NLL을 침입함: 경고사격 받고 퇴각.	**1**-16 타이완, 총통 선거에서 야당 차이잉원蔡英文 후보가 당선됨: 사상 첫 여성 총통. 이란, 핵무기 개발 의혹 관련된 경제금융 제재를 해제함: 국제사회에 복귀. 부르키나파소, 수도 와가두구Ouagadougou의 호텔에서 알카에다에 의한 인질극 발생함: 18개국 29명 사망. **1**-20 파키스탄, 바차칸Bacha Khan 대학에 파키스탄탈레반TTP에 의한 총기난사사건 발생함: 20여명 사망, 60여명 부상. **1**-23 중국, 북부지방에 -46도의 강추위 엄습함: 한파경보 발령. 시진핑習近平 국가주석이 이란 방문하여 로하니Rowhani 대통령과 정상회담 가짐: 이란 경제제재 해제 후 첫 정상 방문. 미국, 워싱턴 등 동부지역에 거대한 눈폭풍으로 비상사태 선언함: 전인구의 1/4 이상이 피해. **1**-25 이란 로하니 대통령, 경제제재 해제 후 처음 유럽을 방문함: 경제외교 본격화. **1**-29 일본, 기준금리를 -0.1%로 인하함: 경기부양 위해 마이너스 금리 채택.

연 대	우 리 나 라	다 른 나 라
2016 (4349) 병신	**2**-9 박근혜 대통령, 미국 오바마Obama 대통령 및 일본 아베安倍晋三 총리와 전화통화함: 대북한 강력 제재 논의. **2**-10 정부, 북한의 핵실험 및 장거리미사일 발사에 대응하여 개성공단 가동 전면 중단을 결정함: 11일 전원 철수. 북한, 이영길李永吉 총참모장을 경질함: 후임에 이명수李明洙 임명. **2**-11 북한, 개성공단 폐쇄하고 군사통제구역으로 선포함: 군통신과 판문점 연락통로 폐쇄. 한국계 플라세Place(한국명 권오복)가 프랑스 내각 국가개혁장관에 임명됨. **2**-12 주식시장이 공황상태에 빠짐: 코스닥지수 폭락으로 거래일시중지(서킷 브레이커circuit breaker) 발동. **2**-14 이상화李相花 선수, 러시아 콜롬나에서 열린 스피드스케이팅 여자 500m에서 우승함. **2**-16 박근혜朴槿惠 대통령, 국회에서 국정에 관한 연설을 함: 대북한정책 변경 선언. **2**-17 충남 공주와 천안에서 돼지 구제역이 발생함. **2**-19 경상북도, 도청 이전 기념행사를 개최함: 120년만에 대구광역시에서 안동 신청사로 이전. **2**-20 이기택李基澤 전 민주당 총재 및 김성집金晟集 대한체육회 고문 사망. **2**-24 더불어민주당 은수미殷秀美 의원, 테러방지법 의결을 막기 위한 필리버스터filibuster(무제한 토론)에서 10시간 18분으로 최장 발언 기록을 경신함: **3**-2 더불어민주당 이종걸李鍾杰 의원, 12시간 31분 기록. **2**-26 제주해군기지를 준공함: 민·군 복합형 관광미항. **2**-27 이철승李哲承 전 신민당 대표 사망. **2**-28 미래창조과학부, 우주탐사 프로젝트인 달 탐사 사업 계획을 확정함: 29일 미국 항공우주국NASA과 우주협력협정 타결. **3**-2 국회, 발의 15년만에 테러방지법을, 11년만에 북한인권법을 의결함. 박성수朴成壽 전 한국학중앙연구원 교수 사망. 북한, 단거리미사일 6발을 동해로 발사함: 유엔의 대북한 제재결의안에 대한 반발 차원. 더불어민주당 김종인金鍾仁 대표, 야권 통합을 공식 제의함: 4일 국민의당 당론으로 거부. **3**-3 박근혜 대통령, 방한 중인 이집트 알시시al-Sisi 대통령과 정상회담 가짐: 이집트 인프라 구축사업 참여에 합의.	**1**-30 터키, 에게해 연안에서 난민선 침몰사고 발생함: 39명 사망. 콜롬비아, 임산부 2천여명이 소두병小頭病 유발하는 지카 바이러스zika virus에 감염됨: 브라질, 하계올림픽대회 앞두고 비상사태. **1**-31 시리아, 수도 다마스쿠스의 시아파Shia派 성지에서 이슬람국가IS에 의한 연쇄 폭탄공격 발생함: 60여명 사망. **2**-1 국제보건기구WHO, 지카 바이러스에 대해 국제공중보건 비상사태를 선포함. **2**-6 타이완, 가오슝시高雄市에서 규모 6.4의 지진 발생함: 114명 사망. **2**-7 유엔 안전보장이사회, 북한의 장거리미사일 발사 규탄 의장 성명을 채택함: 중국도 지지 성명. **2**-10 시리아, 정부군이 반군의 거점 알레포Aleppo 공격함: 500여명 사망. 나이지리아, 동북부 디크와 지역의 난민촌에서 보코하람Boko Haram에 의한 2건의 자살폭탄테러 발생함: 130여명 사망. **2**-11 멕시코, 몬테레이Monterrey 교도소에서 수감자 간에 파벌싸움이 벌어짐: 52명 사망.

연 대	우 리 나 라	다 른 나 라
2016 (4349) 병신	**3**-5 북한, 화물선 진텅호Jin Teng號가 필리핀 당국에 몰수당함: 유엔 안전보장이사회 결의안에 따른 첫 제재. 허문도許文道 전 국토통일원 장관 사망. **3**-7 한미연합훈련인 키리졸브Key Resolve 연습이 사상 최대 규모로 시작됨: 북한 핵심 시설 타격 초점. 충남 논산에서 돼지 구제역이 발생함: 22일 홍성에서도 발생. **3**-8 정부, 독자적 대북한 제재 방안을 발표함: 금융제재·해운통제·수출입통제 등. 러시아에 나진~하산 물류협력 중단 방침을 전달함: 대북한 제재 일환. **3**-9 이세돌李世乭 바둑기사, 인공지능 알파고AlphaGo와의 대결에서 패배함: 15일 1승 4패 기록. **3**-10 북한, 남북한 간의 경제협력 및 교류사업과 관련된 모든 합의 무효화를 선언함: 북한 내 남측 자산 청산 선언. 단거리 탄도미사일 2발을 동해로 발사함: 대북한 제재 및 한미연합훈련에 대한 무력시위. **3**-14 민주당 박준영朴晙瑩 공동대표, 국민의당에 입당함. **3**-18 북한, 평남 숙천肅川에서 중거리 탄도미사일(노동蘆洞미사일) 1발을 동해로 발사함: 21일 함남 함흥에서 단거리 발사체 5발을 동해로 발사. **3**-20 전남 신안군 전체가 유네스코에 의해 생물권보전지역으로 확대 지정됨. **3**-21 더불어민주당 김종인金鍾仁 대표, 자신의 비례대표 공천에 문제 제기한 중앙위원회의 결정에 반발하여 당무를 거부함: 23일 비례대표 2번 배정받고 복귀. **3**-22 질병관리본부, 전남 광양에서 지카 바이러스 환자가 발생했다고 발표함: 브라질 방문 후 귀국한 40대 남성. **3**-23 유승민劉承旼 새누리당 의원, 탈당 선언하고 무소속 출마 의사 밝힘: 당의 공천 지연에 반발. **3**-24 대우건설·한화건설, 사우디아라비아와 다히야트 알푸르산 신도시 건설사업 업무협약을 체결함: 분당신도시 2배의 23조원 프로젝트. 새누리당 김무성金武星 대표, 공천관리위원회가 추천한 6명을 당헌·당규에서 벗어난 공천으로 규정하고 공천장에 직인 날인을 거부하는 '옥새 투쟁' 일으킴: 25일 3곳의 무공천으로 봉합. **3**-26 프랑스 보르도에서 개최된 국제장애인기능올림픽대회에서 우리 선수단이 종합 우승함: 대회 6연패 달성. 경기도 이천에 조류 인플루엔자가 발생함.	**2**-12 미국 의회, 대북한 제재 법안 의결: 핵실험 및 장거리미사일 발사한 북한만을 겨냥한 첫 제재법안. 교황 프란치스코Franciscus 1세, 쿠바 국제공항에서 러시아정교회 키릴 총대주교와 회동: 1천년만의 화해의 장. **2**-17 터키, 수도 앙카라의 공군사령부 앞에서 폭탄테러 발생함: 군인 포함 90여명 사상. **2**-19 이탈리아, 작가 움베르토 에코Umbert Eco 사망. **2**-27 시리아, 정부군과 반군 간의 내전이 임시 휴전에 돌입함: 미국과 러시아의 합의 결과. **2**-29 이라크, 이슬람국가IS의 연이은 테러가 발생함: 2일간 100여명 사망. **3**-2 인도네시아, 수마트라섬 남서부 해안에 규모 7.8의 지진 발생함: 주민대피령 발령. 유엔 안전보장이사회, 대북한 제재 결의안을 채택함: 북한의 핵실험 및 장거리미사일 발사에 대한 고강도 응징. **3**-6 이라크, 힐라Hillah 치안검문소에서 이슬람국가IS에 의한 차량폭탄테러 발생함: 130여명 사망. 미국, 레이건Reagan 전 대통령 부인 낸시Nancy 사망.

연 대	우 리 나 라	다 른 나 라
2016 (4349) 병신	**3**-29 북한, 강원도 원산에서 단거리 발사체 1발을 중국 쪽으로 발사함: 200km 거리의 양강도 지역 목표물 명중. **3**-30 박근혜朴槿惠 대통령, 미국 핵안보정상회의 참석 및 멕시코 공식 방문차 출국함: 31일 미국·일본·중국과의 정상회담에서 북한 핵 공조 확인. **4**-4 멕시코 니에토Nieto 대통령과의 정상회담에서 자유무역협정 실무협의체 개최에 합의. **3**-31 헌법재판소, 자발적 성매매도 처벌하도록 한 성매매특별법 조항은 합헌이라고 결정함. 미래창조과학부, 수도권과 강원 지역에 위성항법장치GPS 전파혼선 주의보를 발령함: 북한 해주·연안·평강·금강산에서 교란 확인. KB금융, 현대증권 매각 우선협상대상자로 선정됨. 검찰, 허준영許准榮 전 코레일 사장을 용산국제업무지구 개발사업 비리 의혹 관련하여 소환 조사함: 7일 구속. **4**-1 북한, 함남 선덕宣德에서 단거리 미사일 1발을 동해상으로 발사함: 국제사회의 대북한 제재에 반발. **4**-2 진경준陳炅準 검사장, 재산등록 관련하여 사의를 표명함: 넥슨 게임회사 비상장 주식 투자 비리 의혹. **4**-3 질병관리본부, 일본뇌염주의보를 발령함: 경상남도와 제주에서 매개체인 작은 빨간집 모기 발견. **4**-4 뉴스타파Newstapa, 노태우盧泰愚 전 대통령의 장남(노재헌盧載憲)이 조세피난처에 페이퍼컴퍼니paper company(서류상 회사)를 설립했다고 공개함: 한국인 196명 이름 게재. **4**-6 황교안黃教安 국무총리, 국가핵심시설 보안관리시스템 재검토를 지시함: 공무원시험 응시자의 정부서울청사 침입사건 관련. **4**-8 통일부, 중국 닝보寧波 소재 유경식당柳京食堂 북한 종업원 13명이 탈출해 한국에 도착했다고 발표함: 외화 상납 요구 가중에 결행. 대한체육회, 통합 대한체윤회 출범식을 개최함: 국민생활체육회와 통합. **4**-9 북한, 신형 대륙간탄도미사일ICBM 엔진 발사에 성공함: 미국 본토 타격 가능 주장. **4**-11 정부, 북한 정찰총국 출신의 인민군 대좌大佐가 2014년말 한국에 망명했다고 확인함: 북한군 출신 최고위급.	**3**-7 튀니지, 리비아와의 국경 지역에서 정부군과 무장대원 사이에 총격전 벌어짐: 53명 사망. **3**-13 터키, 수도 앙카라에서 차량폭탄테러 발생함: 34명 사망, 125명 부상. **3**-15 미얀마, 대통령에 수치Suu Kyi 여사의 최측근인 틴 쩌Htin Kyaw 후보가 당선됨: 54년만의 첫 문민정부 대통령. **3**-19 러시아, 로스토프 온 돈Rostov-on-Don 공항에서 여객기추락사고 발생함: 62명 사망. **3**-20 미국 오바마Obama 대통령, 쿠바를 공식 방문함: 88년만의 역사적 행보. **3**-22 벨기에, 수도 브뤼셀의 국제공항과 지하철역에서 이슬람국가IS에 의한 연쇄 자살폭탄사건 발생함: 34명 사망. **3**-25 이라크, 수도 바그다드 축구장에서 이슬람국가IS에 의한 자살폭탄테러 발생함: 30여명 사망. **3**-27 파키스탄, 라호르의 어린이공원에서 파키스탄텔레반에 의한 자살폭탄테러 발생함: 60여명 사망, 300여명 부상. 시리아, 정부군이 고대 유적지 팔미라를 장악함: 알 아사드al-Assad 정권의 상징적 승리. 미국, 알래스카 파블로프Pavlof 화산이 폭발함: 화산재가 6km 치솟음.

연 대	우 리 나 라	다 른 나 라
2016 (4349) 병신	**4**-13 제20대 총선거를 실시함: 여당(새누리당) 참패, 더불어민주당 제1당 확보, 국민의당 제3당 위치 확보로 16년만의 여소야대, 20년만의 3당체제 출현. **4**-14 새누리당, 비상대책위원회 체제로 전환함: 위원장에 원유철元裕哲 원내대표. 김무성金武星 새누리당 대표, 총선거 참패에 책임지고 대표직을 사퇴함. **4**-15 박근혜朴槿惠 대통령, 방한 중인 노르웨이 솔베르그Solberg 총리와 정상회담 가짐: 조선 해양 플랜트 분야 협력 강화에 합의. 북한, 무수단 중거리 탄도미사일 발사가 공중폭발로 실패함: 김일성金日成 생일 태양절 계기 시도. **4**-18 박근혜朴槿惠 대통령, 총선거 결과 관련하여 민의民意 겸허히 받들고 새 국회와 긴밀히 협력하겠다고 언급함. 롯데마트, 가습기 살균제 사망사건 관련하여 5년만에 사과문을 발표함: 21일 영국계 업체 옥시Oxy도 공식 사과. **4**-19 극작가 신봉승辛奉承 사망. **4**-23 북한, 동해에서 잠수함탄도미사일 1발을 발사함: 공중폭발로 실패. **4**-26 박근혜朴槿惠 대통령, 청와대에서 언론사 편집·보도국장과의 간담회 가짐: 여소야대 국회에서 협치정치 선언. 통계청, 서울 인구가 28년만에 1천만명 아래로 줄었다고 발표함: 집값 상승과 전세난 원인. 검찰, 신현우申鉉宇 전 옥시 대표 피의자 신분으로 소환 조사함: 가습기 살균제 사망사건 수사 관련. **4**-27 국민의당, 원내대표에 박지원朴智元 의원을 선출함: 세번째 원내대표 피선. **4**-28 북한, 원산에서 무수단중거리탄도미사일을 2차례 1발씩 발사함: 추락·공중폭발로 모두 실패. **5**-1 박근혜朴槿惠 대통령, 54년만에 이란 방문차 출국함: 2일 로하니Rowhani 대통령과의 정상회담에서 한반도 비핵지대화 및 평화통일 원칙에 합의. 하메네이Khamenei 최고지도자 면담에서 지역평화협력에 합의. **5**-2 검찰, 국민의당 박준영朴晙瑩 국회의원 당선인을 피의자 신분으로 소환 조사함: 공천헌금 수수 혐의. 옥시Oxy, 가습기 살균제 사망사건 관련하여 공식 사과하고 포괄적 피해 보상을 약속함: 형식적 사과라고 피해자측 반발.	**3**-29 이집트, 국내선 여객기가 공중납치되어 키프로스에 강제 착륙함: 범인이 키프로스 망명 요구하다 체포됨. **4**-5 파나마, 조세피난처 다룬 파나마 페이퍼Panama Paper에 이용자 명단이 공개됨: 아이슬란드 귄뢰이그손Gunnlaugsson 총리, 러시아 푸틴 대통령, 중국 시진핑 국가주석 친척 연루. **4**-10 인도, 케랄라주Kerala州 콜람Kollam의 힌두교 사원에서 불꽃놀이 폭죽 폭발사고 발생함: 100여명 사망, 350여명 부상. **4**-11 미국, 방일 중인 케리Kerry 국무장관이 히로시마 평화기념공원에 헌화함: 원자폭탄 투하 71년만의 참배. **4**-14 일본, 구마모토현熊本縣에 규모 6.5의 지진 발생함: 16일 규모 7.3의 2차 지진으로 총 66명 사망, 2천여명 부상, 20만여명 피난자 발생. **4**-16 에콰도르, 태평양 해안 지점에서 규모 7.8의 지진 발생함: 650여명 사망, 4천여명 부상. **4**-19 아프가니스탄, 카불에서 탈레반 반군에 의한 폭탄테러와 총격전 발생함: 30명 사망, 327명 부상.

연 대	우 리 나 라	다 른 나 라
2016 (4349) 병신	5-3 새누리당, 원내대표에 정진석鄭鎭碩 당선인을 선출함. 조양호 평창올림픽조직위원장, 사퇴를 선언함: 한진해운 사정 악화 이유. 검찰, 네이처 리퍼블릭Nature Republic 본사를 압수수색함: 정운호鄭芸虎 대표의 법조계 로비사건 관련. 5-4 더불어민주당, 원내대표에 우상호禹相虎 의원을 선출함. 5-6 북한, 제7차 노동당대회가 36년만에 개막됨: 9일 김정은金正恩 국방위원회 재1위원장을 노동당 위원장으로 추대. 5-7 구태회具泰會 LS전선 명예회장 사망. 5-8 방우영方又榮 조선일보 명예고문 사망. 5-10 강영훈姜英勳 전 국무총리 사망. 5-13 박근혜 대통령, 여야 3당 원내대표·정책위의장과 청와대에서 회동함: 여소야대 정국에서 소통과 협치 시험대. 검찰, 최유정崔有晶 변호사를 구속함: 정운호鄭芸虎 네이처 리퍼블릭Nature Republic 대표 관련 법조비리사건 첫 사법처리. 5-14 검찰, 신현우申鉉宇 전 옥시 대표 등 4명을 구속함: 가습기 살균제 사망사건 관련. 5-15 박근혜 대통령, 대통령 비서실장에 이원종李元鍾 지역발전위원장을 임명함. 새누리당, 혁신위원장에 김용태金容兌 의원을 선임함: 16일 상임전국위원회 무산으로 사퇴. 5-16 박근혜 대통령, 방한 중인 인도네시아 위도도Widodo 대통령과 정상회담 가짐: 동반자 관계 강화. 한강韓江, 소설 〈채식주의자〉로 맨부커상Man Booker賞(인터내셔널 부문)을 받음: 한국인 최초 세계 3대 문학상 수상. 5-17 김재순金在淳 전 국회의장 사망. 5-18 북한, 스위스가 북한 정부와 노동당 자산에 대해 동결 조치를 취함: 19일 러시아가 북한과의 금융거래 중단. 5-19 박근혜朴槿惠 대통령, 방한 중인 몽골 엘벡도르지Elbegdorj 대통령과 정상회담 가짐: 협력 방안 논의. 기상청, 5월 중순 기준 84년만의 폭염 기록했다고 발표함: 서울 31.9도, 홍천 32.5도. 김신金信 전 공군참모총장 사망. 5-20 기상청, 서울에 폭염주의보를 발령함: 5월 중 첫 발령 기록. 북한, 김정은金正恩 노동당 위원장의 남북군사당국자회담 개최 제안에 회답하라고 요구함: 21일 5월 말에서 6월 초에 군사당국회담 위한 실무회담 하자는 통지문 발송. 강석주姜錫柱 전 노동당 국제담당 비서 사망. 5-22 서울지방경찰청, 서울 강남역 인근 화장실 살인사건은 정신질환자의 '묻지마 범죄'라고 발표함.	4-20 필리핀, 산타마리아 동북쪽에서 규모 5.0의 지진 발생함: 일본·에콰도르와 '불의 고리'에 속하는 환태평양 조산대에 위치. 멕시코, 중남부의 포포카테페틀Popocatepetl 화산이 분출함: 화산재가 3km까지 분출. 4-28 바누아투Vanuatu, 규모 7.0의 지진 발생함: '불의 고리' 남단. 4-30 이라크, 반정부 시위대가 의회를 점령함: 비상사태 선포. 5-2 쿠바, 미국 크루즈 관광선이 50년만에 아바나항에 입항해 정박함: 양국간 화해 이정표. 5-5 캐나다, 앨버타주Alberta州에 사상 최대의 산불 발생함: 비상사태 선언. 5-9 필리핀, 대통령 선거에서 두테르테Duterte 다바오Davao 시장이 당선됨: 범죄와의 전쟁 선포. 5-12 브라질, 상원이 호세프Rousseff 대통령 탄핵 심판 개시에 동의함: 테메르Temer 부통령이 권한대행. 일본, 미쓰비시三菱 자동차가 일산日産 자동차에 인수됨: 연비 조작 여파. 5-19 이집트, 지중해에서 항공기 추락사고 발생함: 66명 사망.

연 대	우 리 나 라	다 른 나 라
2016 (4349) 병신	**5**–23 국방부, 북한의 남북군사당국자회담 실무접촉 개최 제안에 비핵화 입장 표명 요구하는 통지문을 발송함. **5**–25 박근혜 대통령, 아프리카 3개국 및 프랑스 방문차 출국함: 26일 에티오피아 하일레마리암Hailemariam 총리와의 정상회담 후 국방협력 양해각서 체결. 27일 아디스아바바Addis Ababa의 아프리카 본부 연설에서 아프리카와 포괄적 협력 청사진 제시. 남수단 파병 한빛부대 장병 초청하여 격려. 29일 우간다 무세비니Museveni 대통령과의 정상회담에서 북한과의 안보·군사·경찰 분야 협력 중단에 합의. 31일 케냐 케냐타Kenyatta 대통령과의 정상회담에서 케냐의 원자력 에너지 시장 진출 합의. 프랑스 올랑드Hollande 대통령과의 정상회담에서 파리클럽 가입 의사 밝힘. 반기문潘基文 유엔 사무총장, 제주 방문 중 관훈클럽 간담회에서 대통령 선거 출마 뜻 시사. **5**–26 헌법재판소, 국회선진화법이 의원들의 표결심의권을 침해하지 않는다고 결정함: 현행대로 유지. 새누리당, 혁신비대위원장에 김희옥金熙玉 전 정부공직자윤리위원장을 내정함. 정의화鄭義和 국회의장, '새 한국의 비전' 창립 기념식을 개최함: 새 정치세력 목표. **5**–27 정부, 임시 국무회의에서 '상시 청문회법' 재의 요구를 의결함: 박근혜朴槿惠 대통령, 에티오피아 방문 중 전자결재. 검찰, 정운호鄭芸虎 네이처 리퍼블릭 대표 법조비리사건 관련하여 홍만표洪滿杓 변호사를 소환 조사함: **6**–2 2인 모두 구속. 북한, 단속정 및 어선 각 1척이 서해 연평도 인근 북방한계선NLL을 침범함: 우리 군의 경고사격으로 퇴각. **5**–30 20대 국회가 개원함: 여야협상 실패로 파행. **5**–31 북한, 원산 일대에서 무수단 중거리 탄도미사일 1발을 발사함: 공중 폭발로 네 번째 실패. **6**–1 경기도 남양주 지하철 건설현장에서 폭발사고 발생함: 4명 사망, 10명 부상. 중국 산시성陝西省의 북한 식당 종업원 3명이 탈출해 한국에 도착함. 북한, 미국에 의해 '주요 자금세탁 우려 대상국'으로 지정됨: 통치자금 송금 타격. 중국을 방문 중인 이수용李洙墉 노동당 중앙위원회 부위원장이 시진핑習近平 국가주석을 면담함: 지역평화 안정 수호 입장 전달받음.	**5**–20 인도, 북서부 사막지대의 최고기온이 51도에 달함: 역대 최고기온 기록. **5**–21 인도네시아, 시나붕Sinabung 화산이 폭발함: 화산재가 3km 상공으로 4.5km까지 날아감. 아프가니스탄, 탈레반 최고지도자 만수르Mansour가 미군 드론(무인항공기) 공습으로 사망했다고 보도됨. **5**–23 시리아, 정부 통제하의 2개 도시에서 이슬람국가IS에 의한 연쇄 폭탄테러 발생함: 148명 사망. 미국 오바마Obama 대통령, 베트남 방문 중 쩐 다이 꽝Tran Dai Quang 국가주석과의 정상회담에서 대베트남 무기수출 금지 해제에 합의함: 27일 일본 방문 중 71년만에 원자폭탄 투하 히로시마廣島 방문. **5**–26 일본, 세계주요7개국정상회의를 개최함: 북한 핵실험 규탄. **5**–30 인도네시아, 지난 27일 자국 영해 침범한 중국 어선에 발포하고 어선과 승무원을 억류했다고 발표함: 남중국해 갈등 확산. **6**–3 미국, 권투선수 알리Ali 사망. 프랑스, 수도 파리에 150년만의 집중 호우 내림: 루브르박물관 등 명소 휴관. 그리스, 크레타 섬 남부에서 난민선 전복사고 발생함: 350여명 사망.

연 대	우 리 나 라	다 른 나 라
2016 (4349) 병신	**6**−3 검찰, 이승한李承漢 전 홈플러스 회장 및 이철우李哲雨 전 롯데마트 대표를 소환 조사함: 가습기 살균제 사망사건 관련. 가수 겸 화가 조영남趙英男을 소환 조사함: 대작代作 의혹사건 관련. **6**−5 윤병세尹炳世 외교부장관, 카리브국가연합 정상회의 초청받아 외교 수장으로는 처음 쿠바를 방문함: 로드리게스Rodriguez 외교장관과의 회담에서 수교修交 의사 전달. 연평도延坪島 어민들이 불법조업하는 중국 어선 2척을 나포함: 꽃게철 삶의 터전 수호 의지. **6**−7 통계청, 경제총조사를 실시함(~7. 22.) **6**−8 검찰, 최은영崔恩瑛 전 한진해운 회장을 소환 조사함: 미공개 정보 주식 거래 의혹 관련. **6**−9 국회, 국회의장에 정세균丁世均 더불어민주당 의원을 선출함: 14년만의 야당 출신 의장. 한국은행, 기준금리를 0.25%포인트 인하함: 기업의 구조조정의 충격을 완충시킬 효과 기대. **6**−10 합동참모본부, 민정경찰 동원해 한강하구지역에서 불법 조업하는 중국 어선을 퇴거시킴: 1953년 정전협정 체결 이후 최초의 군대·해양경찰·유엔사령부 합동 작전. 검찰, 롯데그룹 본사 등 17곳을 압수수색함: 비자금 조성 의혹 관련. **6**−11 퀴어Queer 문화축제가 서울광장에서 개최됨: 레즈비언·게이·양성애자·성전환자 등 성 소수자들의 축제. **6**−13 박근혜朴槿惠 대통령, 제20대 국회 개원식에서 연설함: 국정 운영 동반자로서 국회 존중 의지 표명. **6**−16 새누리당 혁신비상대책위원회, 유승민劉承旼 의원 등 탈당파 무소속 의원 7명의 복당을 결정함: 원내 제1당 복귀. **6**−21 국토교통부, 영남권 신공항 건설 대안으로 김해신공항을 2026년까지 확장 개항하는 안을 채택함: 밀양과 가덕도加德島는 탈락. **6**−22 북한, 중거리 탄도미사일(화성-10) 시험발사에 성공함: 1413.6km 상승 비행해 400km 전방에 낙하. **6**−23 검찰, 국민의당 김수민金秀玟 의원을 소환 조사함: 4·13 총선거 홍보비 리베이트 의혹 관련.	**6**−5 스위스, 성인에게 매달 300만원을 지급하는 '국민기본소득' 안이 국민투표에서 부결됨: 국가재정 부실 우려. **6**−7 터키, 이스탄불 도심에서 차량폭탄테러 발생함: 경찰관 등 11명 사망, 36명 부상. **6**−11 시리아, 다마스쿠스의 시아파 밀집지역에서 이슬람국가에 의한 자살폭탄테러 발생함: 12명 사망, 55명 부상. **6**−12 미국, 플로리다주 올랜도Orlando 게이클럽에서 이슬람국가 추종자에 의한 총기난사사건 발생함: 50명 사망하고 53명 부상. **6**−16 영국, 콕스Cox 여성 하원의원이 총격으로 사망함: 유럽연합EU 잔류 주장 의원. **6**−20 이탈리아, 로마 시장에 신생 정당의 라지Raggi 변호사가 당선됨: 700년 역사상 최초의 여성 시장 탄생. **6**−21 인도, 북동부 지역에 2일간 벼락이 집중됨: 80명 사망. **6**−23 중국, 장쑤성 옌청鹽城에 강력한 토네이도가 발생함: 98명 사망, 840여명 부상. 영국, 브렉시트Brexit(영국의 유럽연합 탈퇴) 국민투표를 실시함: 43년만애 브렉시트 선택. **6**−27 미국, 캘리포니아주에 발생한 9건의 산불로 비상사태 선포함: 여의도의 98배 면적 피해. 미래학자 토플러Toffler 사망.

연 대	우 리 나 라	다 른 나 라
2016 (4349) 병신	6-27 검찰, 국민의당 박선숙朴仙淑 의원을 소환 조사함: 4·13총선거 홍보비 리베이트 의혹 관련. 남상태南相兌 전 대우조선해양 사장을 소환 조사 중 체포함: 경영비리 의혹 관련. 6-29 국민의당, 안철수安哲秀·천정배千正培 공동대표가 4·13총선거 홍보비 리베이트 의혹 책임지고 대표직을 사퇴함: 박지원朴智元 원내대표를 비상대책위원장에 추대. 여야 3당이 모두 비상대책위원회 체제로 운영되는 초유의 사태 발생. 북한, 최고인민회의에서 김정은金正恩 국방위원회 제1위원장을 국무위원회 위원장으로 추대함. 6-30 검찰, 김병원金炳沅 농협중앙회장을 소환 조사함: 불법선거 의혹 관련. 7-1 검찰, 신영자辛英子 롯데복지재단 이사장을 정운호鄭芸虎 네이처 리퍼블릭 대표의 롯데면세점 입점 로비 의혹과 관련하여 소환 조사함: 7일 구속. 7-2 북한, 마천령에서 버스추락사고 발생했다고 보도됨: 26명 사망, 7명 부상. 7-3 박준병朴俊炳 전 보안사령관·국회의원 사망. 7-4 검찰, 고재호高載浩 전 대우조선해양 사장을 회계사기 지시 혐의로 소환 조사함: 9일 구속. 7-5 울산 동쪽 해상에 규모 5.0의 지진이 발생함: 전국에서 충격 감지. 7-6 김수남金秀南 검찰총장, 이금로李今魯 인천지검장을 특임검사로 지명함: 진경준陳炅準 검사장 주식투자 비리 의혹 수사. 7-8 국방부, 북한의 핵과 미사일 위협에 대응하여 미국의 사드THADD(고고도高高度 미사일 방어체계)를 주한미군에 배치하기로 미국과 합의했다고 발표함: 13일 경북 성주에 배치 결정. 7-9 북한, 함남 신포해상에서 잠수함 탄도미사일 1발을 발사함: 주한미군에 사드THADD 배치 결정에 대한 반발 추정. 7-12 교육부, 나향욱羅向栯 정책기획관에 대해 인사혁신처에 파면을 요청함: 민중은 개돼지' 발언 징계. 7-13 검찰, 넥슨 창업주 김정주金正宙 회장을 소환 조사함: 진경준陳炅準 검사장 주식 투자 비리 의혹 관련.	6-28 터키, 이스탄블 공항에서 이슬람국가에 의한 자살폭탄테러 발생함: 42명 사망, 239명 부상. 7-1 방글라데시, 다카Dacca의 음식점에서 무장괴한의 인질테러 발생함: 일본인·이탈리아인 등 20명 사망. 7-3 이라크, 바그다드 상업지구에서 이슬람국가에 의한 자살폭탄테러 발생함: 200여명 사망, 200여명 부상. 7-4 미국, 항공우주국NASA의 무인 탐사선 주노Juno가 태양계 최대 행성인 목성 궤도에 진입함: 약 5년간 27억km 비행. 7-5 중국, 남부지역에 집중호우 발생함: 170여명 사망, 2,300만여명의 이재민 발생. 7-7 이라크, 바그다드 북부의 이슬람 시아파 사원에 반군에 의한 폭탄공격 발생함: 100여명 사상. 7-8 남수단, 수도 주바Juba에서 대통령과 부통령 경호부대 사이에 총격전 벌어짐: 270여명 사망. 7-9 타이완, 61년만의 최강태풍 네파탁NEPARTAK이 타이둥현台東縣을 강타함: 이재민 1만7천여명, 정전 50만여 가구. 7-10 일본, 참의원 선거에서 연립 여당이 승리함: 개헌 발의선 확보.

연대	우리 나라	다른 나라
2016 (4349) 병신	7-14 박근혜朴槿惠 대통령, 아시아·유럽정상회의ASEM 참석 및 몽골 공식방문차 출국함: 몽골 엘벡도르지Elbegdorj 대통령과의 정상회담에서 경제협력 확대 및 북한 핵 대응 협력에 합의. 검찰, 정명훈鄭明勳 전 서울 시립교향악단 예술감독을 소환 조사함: 박현정朴炫貞 전 대표와의 법적 공방 관련. 7-15 경전선慶全線(진주~광양) 복선철도를 개통함: 영호남 철도 수송 확대. 7-16 검찰, 진경준 검사장을 주식 투자 비리 의혹 관련하여 긴급 체포함: 현직 검사장으로는 사상 처음. 7-18 국방부 공동취재단, 미군 괌Guam 사드기지의 레이더 전자파를 측정함: 기준치의 0.007% 수준. 7-19 북한, 황해도 황주 일대에서 탄도미사일 3발 동해상으로 발사함: 주한미군에 사드THADD 배치 결정에 대한 무력 시위. 7-27 라오스에서 열린 아세안지역안보포럼ARF 외교장관회의 의장성명에서 북한 핵실험 및 로켓발사에 대한 우려를 포함시킴: 주한미군의 사드THADD 내용은 제외. 7-28 헌법재판소, 부정청탁 및 금품수수 금지법(김영란법金英蘭法)에 대해 합헌을 결정함: 경제보다 부패 방지에 무게. 화해치유재단이 발족됨: 일본군 위안부 문제 치유 목적. 7-31 기상청, 대구 달성군의 낮 최고기온이 37.8도를 기록했다고 발표함: 창원 36.7도, 광주광역시 36도. 8-2 검찰 부패범죄특별수사단, 강만수姜萬洙 전 산업은행장 자택을 압수수색함: 대우조선해양 비리 관련. 8-3 북한, 황해도 은율에서 노동미사일 1발을 동해상으로 발사함: 1천km 비행하여 일본 배타적경제수역EZZ에 낙하. 8-4 검찰, 이군현李君賢 의원을 소환 조사함: 정치자금법 위반 혐의. 8-5 기상청, 서울 낮 최고기온이 36도를 기록했다고 발표함: 동해안 제외한 전국에 폭염경보 발효. 현대상선, 창립 40년만에 산업은행 자회사로 편입함: 현대그룹, 재계 1위에서 중견그룹으로 새 출발. 8-7 영화 〈부산행〉이 관객 1천만명을 기록함.	7-12 상설중재재판소PCA, 중국의 남중국해 구단선九段線이 법적 근거 없다고 판결함: 필리핀 승소 판결. 7-13 영국, 새 총리에 메이May 내무장관이 취임함: 대처Thatcher 이후 26년만의 여성 총리. 7-14 프랑스, 해변도시 니스Nice 축제에서 트럭테러 발생함: 80여명 사망, 100여명 부상. 7-15 터키, 민주적 질서 보호 명분의 쿠데타 발생함: 에르도안Erdogan 대통령, 6시간만에 진압하고 업무에 복귀. 7-22 중국, 베이징 등 중북부 지역에 98년만의 최악 홍수가 발생함: 170여명 사망·실종, 이재민 173만여명. 이라크, 남부 바스라Basrah의 최고기온이 53.9도를 기록함: 전세계 폭염 피해 발생. 7-23 아프가니스탄, 수도 카불에서 시아파 하자라족Hazara族 시위대 겨냥한 이슬람국가의 자살폭탄테러 발생함: 60여명 사망, 230여명 부상 7-26 일본, 가나가와현神奈縣 장애인 시설에 전직 직원에 의한 칼부림사건 발생함: 19명 사망, 45명 부상. 프랑스, 루앙시의 성당에서 이슬람국가에 의한 신부 살해 사건 발생함: 종교전쟁 우려.

연대	우리나라	다른나라
2016 (4349) 병신	**8**-8 미국 스탠더드앤드푸어스S&P가 우리나라 신용등급을 AA로 높임: 역대 최고등급. 검찰, 이장석李章碩 프로야구 넥센히어로즈 구단주를 소환 조사함: 사기·횡령 혐의. **8**-9 새누리당, 대표에 이정현李貞鉉 의원을 선출함: 보수여당 첫 호남 출신 대표. **8**-11 기상청, 경북 영천의 낮 최고기온이 39도를 기록했다고 발표함: 사상 처음 전국에 폭염특보 발령. **8**-12 기상청, 경북 경산 하양읍의 낮 최고기온이 40.3도를 기록했다고 발표함: 무인기상관측망에서 측정된 비공식 기온. 산업통상자원부, 최대 전력수요가 8,518kw를 기록했다고 발표함: 사상 최고치. **8**-13 기상청, 경북 영천의 낮 최고기온이 39.6도를 기록했다고 발표함: 1994년 이후 최고. 리우데자네이루 올림픽대회 양궁팀, 남녀 개인, 단체 전 종목 우승을 달성함: 올림픽사상 처음. **8**-14 부산기상청, 부산의 가장 높은 최저기온이 28도를 기록했다고 발표함: 112년만의 폭염. **8**-17 통일부, 북한 태영호 영국 주재 공사가 가족과 함께 한국에 귀순했다고 발표함: 탈북 북한 외교관 중 최고위급. **8**-18 박형규朴炯圭 목사 사망: 민주화운동 거목. **8**-19 유승민柳承敏 삼성생명 탁구팀 코치, 국제올림픽위원회IOC 선수위원에 선출됨: 한국인으로는 두번째. **8**-21 박인비朴仁妃 선수, 116년만에 부활한 리우데자네이루 올림픽대회 여자골프에서 우승함: 골든 커리어 그랜드 슬럼 달성. **8**-22 김항곤金恒坤 성주군수, 국방부에 사드THADD(고고도高高度 미사일 방어체계) 배치 장소를 성산포대를 제외한 제3의 장소로 변경해 줄 것을 요청함. 태백산국립공원이 정식 개장됨: 22번째 국립공원. 한국 리우데자네이루 올림픽 선수단, 금메달 9개로 종합 8위를 기록함: 4회 연속 종합 10위 이내 달성. **8**-24 검찰, 이청연李淸淵 인천시교육감을 소환 조사함: 뇌물수수 의혹 관련. 북한, 함남 신포新浦 해상에서 잠수함 탄도미사일 1발을 발사함: 500km 비행하여 일본 방공식별구역에 낙하. **8**-26 이인원李仁源 롯데그룹 정책본부장, 검찰 소환 앞두고 자살함: 롯데그룹 총수 일가 배임 및 횡령 혐의 관련.	**7**-27 미국, 민주당이 힐러리Hillary 전 국무장관을 대통령 후보로 선출함: 공화당 트럼프Trump 후보와 대결 구도. **7**-31 일본, 됴쿄 지사 선거에서 고이케小池百合子 무소속 여성 후보가 당선됨: 69년만의 첫 여성 지사. **8**-2 리비아, 뱅가지Benghazi 외곽 구와르샤alQawarsha에서 이슬람주의 민병대에 의한 자살폭탄테러 발생함: 23명 사망, 20명 부상. **8**-4 이집트, 시나이 반도를 공습함: 이슬람국가 지도자 등 45명 사망. **8**-6 브라질, 리우데자네이루 올림픽대회가 개막됨. **8**-8 일본, 아키히토明仁 일왕이 생전 퇴위 의향을 영상 연설로 표명함: 아베安倍晋三 정권의 개헌 추진에 변수. **8**-15 자메이카, 볼트Bolt 선수가 리우데자네이루 올림픽대회 남자 육상 100m에서 우승함: 19일 200m, 20일 400m 계주에서 우승하여 3연속 3관왕 기록. **8**-16 중국, 도청·감청이 불가능한 양자통신量子通信 위성 발사에 처음 성공함: 묵자호墨子號 탑재한 창정長征 2-D로켓 발사.

연 대	우 리 나 라	다 른 나 라
2016 (4349) 병신	**8**-27 더불어민주당, 대표에 추미애秋美愛 의원을 선출함: 야당 첫 영남 출신 대표. **8**-29 검찰, 우병우禹柄宇 청와대 민정수석 가족회사와 서울지방경찰청 차장실을 압수수색함: 비위 의혹 관련. 이석수李碩洙 특별감찰관, 검찰의 사무실 압수수색으로 사의를 표명함: 우병우 청와대 민정수석 감찰 내용 유출 의혹 관련. **8**-31 통일부, 북한 김용진金容鎭 교육부총리가 공개 처형되었다고 발표함: 태도 불량 이유. 한진해운, 법정관리를 신청함: 수출입 물량 운송 혼란. 검찰, 김수천金壽天 부장판사 소환 조사 중 긴급 체포함: 정운호鄭芸虎 네이처 리퍼블릭대표로부터 금품 수수한 혐의. **9**-1 검찰, 신동주辛東主 전 일본롯데홀딩스 부회장을 소환 조사함: 부당 급여 수령 의혹 관련. **9**-2 박근혜朴槿惠 대통령, 러시아·중국·라오스 순방차 출국함: 3일 러시아 블라디보스토크에서 열린 동방경제포럼EEF 후 푸틴Putin 대통령과의 정상회담에서 북한 핵 미사일 해소에 합의. 5일 중국 항저우杭州에서 열린 세계 주요20개국 정상회의 후 시진핑習近平 국가주석과의 정상회담에서 사드THADD 한국 배치 불가피성 설명. 6일 아세안 정상회의 참석차 방문한 라오스 비엔티안Viantiane에서 열린 미국 오바마Obama 대통령과의 정상회담에서 사드 한국 배치에 공감대 확인. 7일 일본 아베安倍晋三 총리와의 정상회담에서 미래지향적 한일관계 발전에 합의. 9일 라오스 보라치트Vorachith 대통령과의 정상회담에서 양국 협력 방안 논의. **9**-3 북한, 두만강 유역에 사상 최대의 홍수가 발생했다고 발표함: 15일 500여명 사망·실종, 2만 채 가옥 붕괴, 14만명의 이재민 발생했다고 보도. **9**-4 북한인권법이 발의 11년만에 시행됨: 북한 인권침해 행위 공식 기록 시작. **9**-5 북한, 황해도 황주에서 동해상으로 탄도미사일 3발을 발사함: 군사적 긴장 위한 무력시위. **9**-6 보건복지부, C형간염 예방관리대책을 발표함: 환자 전수 조사로 확산 방지. 김수남金秀南 검찰총장, 김형준金瀅俊 부장검사의 스폰서 청탁 의혹 관련하여 철저한 수사를 지시함: 29일 구속.	**8**-20 터키, 남동부 가지안테프Gaziantep의 결혼식장에서 자살폭탄테러 발생함: 51명 사망, 69명 부상. **8**-24 미얀마, 중부 마궤주Magwe州에 규모 6.8의 지진 발생함: 바간Bagan 불교 유적 파손. 인도, 카슈미르에서 분리주의 시위가 1개월여에 걸쳐 이어짐: 경찰과 충돌로 68명 부상. 이탈리아, 중부지역에 규모 6.2의 지진 발생함: 290여명 사망, 400여명 부상. **8**-31 브라질, 상원에서 호세프Rousseff 대통령 탄핵안을 의결함: 테메르Temer 부통령 승계. **9**-2 필리핀, 두테르테Duterte 대통령 고향 다바오시의 야시장에서 폭탄테러 발생함: 14명 사망, 67명 부상. **9**-8 아세안 정상회의, 북한의 핵실험과 탄도 미사일 발사를 규탄하는 성명을 채택함: 미국·중국·러시아·일본 참여. 유엔 안전보장이사회, 북한 핵실험과 탄도 미사일 발사 규탄하는 언론 성명을 채택함. **9**-10 시리아, 반군 점령지 이들리브주Idlib州를 공습함: 어린이 포함 80여명 사망. **9**-12 시리아, 정부군과 반군 사이의 내전이 잠정 휴전에 들어감: 미국과 러시아 간 합의 결과.

연대	우리나라	다른나라
2016 (4349) 병신	**9**-8 검찰, 신격호辛格浩 롯데그룹 총괄회장을 방문조사함: 탈세·배임 혐의. 하일성河日成 야구해설가 자살함: 사기혐의 관련 추정. **9**-9 북한, 5차 핵실험을 실시함: 정권 수립 68주년 자축 의도. **9**-12 박근혜 대통령, 여야 3당 대표와 청와대에서 회동함: 사드THADD 배치 등 이견 노출. 경북 경주에서 규모 5.1, 5.8의 지진이 잇달아 발생함: 지신 관측 후 역대 최강 규모. **9**-14 질병관리본부, 필리핀을 방문한 남성이 국내 12번째 지카 바이러스zika virus 환자로 확진 판정받았다고 발표함: 추석 연휴 기간 비상 연락 체계 유지. 이승엽李承燁 선수, 한일 통산 600홈런을 달성함: 메이저리그 8명, 일본 2명뿐인 진기록. **9**-18 더불어민주당, 원외 민주당과 합당함. 소설가 이호철李浩哲 사망. **9**-19 검찰, 강만수姜萬洙 전 산업은행장을 소환 조사함: 대우조선해양에 부당한 투자 압력 의혹 관련. 경북 경주에서 규모 4.5의 지진이 또 발생: 전국에 여파. **9**-20 검찰, 신동빈辛東彬 롯데회장을 소환 조사함: 2천억원 규모의 배임 횡령 혐의. **9**-22 정부, 지진 피해당한 경주시를 특별재난지역으로 선포함: 지진 이유로는 첫 사례. **9**-23 금융노조, 성과연봉제 도입에 반대하여 파업 벌임: 참가율 저조로 은행 창구 정상 영업.. **9**-24 국회, 김재수金在水 농림축산식품부 장관에 대한 해임건의안을 의결함: 26일 박근혜朴槿惠 대통령, 수용 불가 밝힘. 경강선京江線 복선 철도 일부 구간(성남~여주)을 개통함: 인천~강릉 중 57km 구간. **9**-27 철도노조·지하철노조, 정부의 성과연봉제 도입 계획에 반대하여 연대파업 벌임: 22년만의 동시 파업. **9**-30 국방부, 사드THADD 배치 지역을 성주군 초전면 성주골프장으로 정함: 지자체 건의로 성산포대에서 변경 결정. **10**-5 태풍 차바CHABA가 제주도와 울산·부산 등지를 강타함: 10월 최고 물폭탄 기록. **10**-9 최재석崔在錫 전 교려대학교 교수 사망.	**9**-14 타이완, 120년만의 최고 위력 태풍 므란티Meranti가 남부지방을 강타함: 이재민 11만여명. **9**-15 중국, 실험용 우주정거장 톈궁天宮 2호 발사에 성공함: 우주정거장 프로젝트에 관한 실험수행. 기상관측 후 최고 위력의 태풍 므란티가 동남부지방을 강타함: 이재민 70만여명. 일본, 제1야당 민진당 대표에 렌호蓮舫 대표대행이 선출됨: 타이완 출신 첫 여성 대표. **9**-17 시리아, 미국 주도 연합군 전투기들이 육군기지를 공습하여 160여명의 사상자 냈다고 발표함: 미국, 오폭 인정. **9**-23 이집트, 유럽행 난민선 침몰사고로 160여명이 사망했다고 발표함: 정원의 3배 초과 승선. **9**-26 미국, 항공우주국NASA이 목성 위성 유로파Europa에서 수증기 발산 흔적을 찾아냈다고 발표함: 생명체 존재 여부 관심. **9**-28 이스라엘, 페레스Peres 전 대통령 사망. **10**-7 콜롬비아, 산토스Santos 대통령이 노벨평화상 수상자로 선정됨: 내전 종식 평화협정 체결 주역. 아이티, 허리케인이 전국을 강타함: 840여명 사망, 35만여명의 이재민 발생.

연 대	우 리 나 라	다 른 나 라
2016 (4349) 병신	**10**-10 정부, 태풍 피해당한 울산광역시 북구와 울주군을 특별재난지역으로 선포함. 화물연대, 정부의 화물운송 시장 발전 방안에 반대하여 파업에 돌입함: 화물시장 규제 완화 철회 요구. 북한, 우크라이나가 비자면제협정을 폐기함: 입국 시 비자 신청 의무화. **10**-11 삼성전자, 신제품 갤럭시 노트Galaxy Note 7의 단종을 선언함: 영업 손실 7조원 추정. **10**-15 북한, 무수단 중거리 탄도미사일 1발을 발사했지만 실패함: 20일 또 다시 실패. **10**-17 정부, 태풍 피해당한 제주도, 부산광역시 사하구, 경북 경주시, 경남 거제시·양산시·통영시를 추가로 특별재난지역으로 선포함. **10**-19 이화여자대학교, 최경희崔京姬 총장이 사퇴함: 미래라이프대학 설립 및 특혜 입학 의혹 항의 학생 시위 관련. **10**-20 손학규孫鶴圭 전 민주당 대표, 정계 복귀 및 탈당을 선언함. **10**-24 박근혜朴槿惠 대통령, 국회에서 내년도 예산안 관련 시정연설을 함: 임기 내 개헌 제안. **10**-25 박근혜 대통령, 방한 중인 덴마크 라스무센Rasmussen 총리와 정상회담에서 교역 투자 등에서 실질협력 확대 방안을 논의함. 비선 실세 의혹받는 최순실崔順實에게 각종 연설문과 발언자료들이 사전 유출되었다는 의혹과 관련하여 대국민사과문을 발표함: 새누리당도 대국민 사과. **10**-27 검찰, 최순실 비선 실세 국정 개입 의혹 수사 본부장에 이영렬李永烈 서울중앙지검장을 지명함. **10**-29 검찰, 청와대를 압수수색함: 최순실 국정 개입 의혹 수사 관련. **10**-30 박근혜 대통령, 최순실 비선 실세 국정 개입 의혹 관련하여 이원종李元鍾 비서실장 및 우병우禹柄宇·안종범安鍾範 비서관을 경질함: '문고리 3인방' 안봉근·이재만·정호성 비서관도 경질. **10**-31 검찰, 국정 개입 관련 최순실 피의자를 조사함. **11**-2 박근혜 대통령, 국무총리 후보에 김병준金秉準 국민대 교수, 경제부총리에 임종룡任鍾龍 금융위원장을 내정함: 야당 반발로 취임 무산. 검찰, 안종범 전 대통령 비서관을 소환 조사함: 직권 남용 혐의.	**10**-8 일본, 아소산阿蘇山에서 36년만에 폭발적 분화 발생함: 1.1km 상공까지 치솟음. **10**-9 사우디아라비아, 예멘 반군 장례식장을 공습함: 155명사망, 525명부상. **10**-13 타이, 푸미폰Phumiphon 국왕 사망: 세계 최장 70년간 재위. 미국, 밥 딜런Bob Dylondl이 노벨문학상 수상자로 결정됨: 포크 록 가수이자 음유시인. 유엔, 사무총장에 구테헤스Guterres 전 포르투갈 총리를 선출함. **10**-15 이라크, 바그다드의 시아파 종교행사에서 자살폭탄테러 발생함: 35명 사망, 60여명 부상. **10**-17 중국, 유인우주선 선저우神舟 11호 발사에 성공함. **10**-21 일본, 돗도리현鳥取縣에 규모 6.6의 지진 발생함. 카메룬, 수도 야운데Yaunde에서 두알라Douala 운행하는 열차 탈선사고 발생함: 70명 사망, 600여명 부상. **10**-24 파키스탄, 발루치스탄주Baluchistan州의 경찰대학에서 총격테러 발생함: 60여명 사망, 100여명 부상. **10**-30 이탈리아, 중부지방에 규모 6.5의 지진 발생함: 로마 등 전역에 진동.

연 대	우 리 나 라	다 른 나 라
2016 (4349) 병신	**11**-3 박근혜朴槿惠 대통령, 대통령 비서실장에 한광옥韓光玉 국민대통합위원장을 임명함. **11**-4 박근혜 대통령, 최순실崔順實 비선 실세 국정 개입 의혹과 관련하여 다시 대국민사과문을 발표함: 검찰 조사 및 특별검사 수사 수용 의사 피력. 검찰, 정호성 전 청와대 비서관을 체포함: 박근혜 대통령 연설문을 최순실 실세에게 유출한 혐의. **11**-5 백남기白南基 농민 영결식이 사망 37일만에 개최됨: 시위 중 물대포 실수로 인한 사망 논란. **11**-6 검찰, 우병우禹柄宇 전 청와대 민정수석을 소환 조사함: 가족회사 관련 비위 혐의. **11**-7 검찰, 송성각宋星珏 전 한국콘텐츠진흥원장을 체포함: 뇌물 강요 혐의. **11**-8 박근혜 대통령, 국회를 방문하여 정세균丁世均 국회회장을 면담함: 국회 추천 국무총리 수용 의사 표명. 검찰, 삼성전자와 한국마사회를 압수수색함: 정유라(국정 개입 의혹 최순실 딸) 학생 특혜 지원 의혹 관련. 인천 국제공항에서 차은택 전 창조경제추진단장을 체포함: 최순실 비선 실세로 문화체육계 이권과 인사 개입 의혹 관련. 경기도 수원 축만제祝萬堤와 전북 김제 벽골제碧骨堤가 세계관개시설물유산으로 등재됨. **11**-9 박승주朴昇柱 국민안전처장 내정자, 내정 1주일만에 자진 사퇴함: 도심 굿판 참석 및 논문 표절 의혹 관련. **11**-10 검찰, 이영복 엘시티LCT 회장을 체포함: 500여억원대 횡령 및 사기 혐의. **11**-12 법원, 박근혜 대통령 퇴진을 요구하는 민중총궐기투쟁본부의 청와대 인근 행진을 처음 허용함: 사직로와 율곡로까지 가능. 박근혜 대통령 퇴진 요구하는 민중총궐기 집회가 개최됨: 100만여명 참여로 1987년 6월항쟁 이래 최대 규모. 검찰, 미르재단과 K-스포츠재단 모금 관련하여 박근혜 대통령을 독대한 7개 그룹 총수 소환 조사를 시작함: 최순실 비선 실세 국정 개입 의혹 일환. **11**-13 우리은행, 정부 소유 은행에서 민간은행으로 돌아감: 15년만에 민영화 성공. **11**-14 국방부, 한일군사정보보호협정에 가서명함: 23일 야당 반대 불구 양국 정부 서명. 검찰, 안봉근·이재만 전 청와대 비서관을 소환 조사함: 최순실 비선 실세 국정 개입 의혹 관련 혐의. 한국천문연구원, 슈퍼문Super Moon이 가장 작은 보름달보다 14% 더 크게 떴다고 발표함: 유난히 크고 밝은 달.	**11**-2 인도네시아, 서부 바탐Batam 섬 근해에서 여객선 전복사고 발생함: 50여명 사망. **11**-6 니카라과, 대통령 선거에서 오르테가Ortega 현 대통령이 4선에 성공함: 런닝메이트 아내 무리요Murlllo와 세계 첫부부 정부통령 탄생. **11**-8 미국, 대통령 선거에서 공화당 트럼프Trump 후보가 당선됨: 첫 아웃사이더 미국 대통령. **11**-12 파키스탄, 발루치스탄주Balochistan州의 수피교Sufi敎(이슬람 신비주의) 성지에서 폭판테러 발생함: 50여명 사망, 100여명 부상. **11**-13 뉴질랜드, 크라이스트처치Christ-church 인근에서 규모 7.8의 지진 발생함: 쓰나미 경보 발령. **11**-18 말레이시아, 쿠알라룸푸르에서 라작Razak 총리 퇴진을 요구하는 시위 벌어짐: 비자금 조성 의혹 관련.

연 대	우 리 나 라	다 른 나 라
2016 (4349) 병신	**11**-16 검찰, 김종金鍾 전 문화관광체육부 차관을 소환 조사함: 최순실 실세 국정 개입 의혹 관련 혐의. 전남 해남에 조류인플루엔자 발생함: 이후 전남 구례·무안·나주·장성, 전북 김제·정읍·고창·부안, 충북 음성·청주·충주·괴산·진천·옥천, 충남 아산·천안, 경기 양주·포천·안성·화성·평택·파주·광주·과천·김포·양평·여주·용인·이천, 강원 철원·인제·횡성, 세종시 등지로 확산. **11**-17 검찰, 조원동趙源東 청와대 경제수석비서관을 소환 조사함: 이미경李美敬 CJ그룹 부회장 퇴진 압력 혐의. **11**-18 검찰, 장시호(최순실 조카) 전 한국동계스포츠센터 사무총장을 소환 조사함: 자금 횡령 혐의. **11**-19 박근혜朴槿惠 대통령 퇴진 요구하는 촛불집회가 전국 각처에서 개최됨: 96만여명 참여. 북한, 신두만강교가 개통됨: 함북 나진·선봉경제특구와 중국 훈춘琿春 연결하는 549m의 왕복 4차선 규모. **11**-20 검찰, 박근혜 대통령을 최순실 비리사건 공동정범으로 규정하는 수사 결과를 발표함: 헌정사상 첫 피의자 대통령. **11**-22 검찰, 이화여자대학교를 압수수색함: 정유라(최순실 딸) 학생 부정입학 의혹 관련. **11**-24 검찰, 문형표文亨杓 전 보건복지부 장관을 소환 조사함: 삼성물산과 제일모직 합병에 영향력 행사 혐의. **11**-26 박근혜 대통령 퇴진 요구 촛불집회가 서울 등 전국에서 개최됨: 190만여명 참여. 검찰, 최순득(최순실 언니)을 참고인 신분으로 소환 조사함. **11**-28 박근혜朴槿惠 대통령, 검찰의 대통령 피의자 입건에 책임지고 제출한 김현웅金賢雄 법무부장관의 사표를 수리함. 교육부, 중고등학교 국정 역사교과서 현장검토본을 공개함: 좌우진영 찬반 논란. **11**-29 박근혜 대통령, 대국민담화문에서 하야 의사를 표명함: 임기 단축 등 국회에서 결정해 주기를 요청. 검찰, 현기환玄伎煥 전 청와대 정무수석을 소환 조사함: 엘시티 LCT 비리사건 관련. **11**-30 박근혜 대통령, 최순실崔順實 비선 실세 국정 개입 사건 특별검사에 박영수朴英洙 전 서울고검장을 임명함. 제주해녀문화가 유네스코 인류무형문화유산에 등재됨. 대구 서문시장에 대형 화재 발생함: 점포 800여 곳 전소.	**11**-19 시리아, 정부군이 북부 알레포Aleppo 지역의 반군을 5일째 집중 공격함: 119명 사망. **11**-20 인도, 북부 지역 푸크라얀Pukhrayan 부근에서 열차탈선사고 발생함: 100여명 사망. **11**-22 일본, 북동부 후쿠시마 앞바다에서 규모 7.3의 지진 발생함: 쓰나미 경보 발령. **11**-23 이스라엘, 예루살렘 등 네 곳에 대규모의 산불 발생함: 주민 대피 등 혼란. **11**-24 중국, 장시성江西省에서 발전소 공사장 붕괴사고 발생함: 67명 사망. 이라크, 힐라Hillah 주유소에서 트럭 이용한 자살폭탄테러 발생함: 이란 순례객 등 67명 사망. 엘살바도르, 규모 7.0의 지진 발생함: 인접 니카라과와 함께 쓰나미 경보 발령. **11**-25 쿠바, 카스트로Castro 전 국가평의회 의장 사망. **11**-29 브라질, 프로축구팀 비행기추락사고 발생함: 선수 포함 76명 사망. **11**-30 유엔 안전보장이사회, 대북한 제재 결의안을 채택함: 북한의 5차 핵실험 응징.

연 대	우 리 나 라	다 른 나 라
2016 (4349) 병신	**12-1** 검찰, 강만수姜萬洙 전 산업은행장을 구속함: 대우조선해양 경영 비리 관련. **12-2** 박근혜 대통령 탄핵소추안이 야당 및 무소속 의원 171명에 의해 발의됨: 뇌물죄 및 세월호 참사 부실 대응. 법원, 박근혜 대통령 퇴진 요구하는 시위대 행진을 청와대 앞 100m까지 허용함. **12-3** 박근혜 대통령 퇴진 요구 촛불집회가 서울 등 전국에서 개최됨: 232만여명 참여로 최다 인원수 기록. 김계원金桂元 전 대통령 비서실장 사망. **12-6** 국회 국정조사특별위원회, '최순실 국정농단사건' 청문회를 개최함: 롯데·삼성·CJ·SK·LG·전경련·한진·한화·현대차 그룹 회장 대상. **12-8** 수서고속철도SRT 개통식이 거행됨: KTX와 경쟁체제 시작. **12-9** 국회, 박근혜 대통령 탄핵소추안을 의결함: 황교안黃敎安 국무총리, 대통령 직무대행에 오름. **12-13** 정부, 전국에 48시간 '일시이동중지 명령'을 발동함: 가금류 1천만여 마리 살처분되는 조류인플루엔자 확산에 대응. **12-14** 국회 국정조사특별위원회, '최순실崔順實 국정농단사건' 청문회를 개최함: 박근혜朴槿惠 대통령 불법 시술과 세월호 사고 7시간 동정에 집중. **12-16** 새누리당, 이정현李貞鉉 대표가 사퇴함: 정우택鄭宇澤 원내대표의 대표권한대행 체제. 정부, 조류인플루엔자 위기경보를 '심각' 단계로 상향 조정함: 살처분 가금류가 1,600만여 마리 초과하는 비상사태. **12-17** 박근혜 대통령 퇴진 요구하는 촛불집회가 헌법재판소 앞에서 개최됨: 보수단체의 '맞불집회' 개최. 경북 경산에 조류인플루엔자 발생함: 영남지역 방역망 붕괴로 전국에 비상상태. **12-22** 농림축산검역본부, 조류인플루엔자 확산에 대비하여 백신 개발 방침을 발표함: 살처분 가금류 2천만 마리 초과하는 비상사태. **12-23** 국회 국정조사특별위원회, '최순실 국정농단사건' 청문회를 개최함: 우병우禹柄宇 전 청와대 민정수석 참석. 새누리당, 비상대책위원장에 인명진印明鎭 전 윤리위원장을 내정함.	**12-2** 미국, 트럼프Trump 대통령 당선인이 타이완 차이잉원蔡英文 총통과 37년 만에 전화통화함: '하나의 중국' 부인 오해 야기. **12-4** 이탈리아, 렌치Renzi 총리가 사퇴를 선언함: 헌법 개정 국민투표에서 패배. **12-7** 인도네시아, 아체주에서 규모 6.5의 지진 발생함: 98명 사망, 610명 부상. 파키스탄, 하벨리안에서 여객기추락사고 발생함: 탑승자 48명 사망. **12-9** 솔로몬 제도諸島, 규모 7.7의 지진 발생함: 쓰나미경보 발령. **12-10** 나이지리아, 우요시Uyo市에서 교회붕괴사고 발생함: 160여명 사망. **12-11** 이탈리아, 새 총리에 젠틸로니Gentiloni 외교장관을 지명함. **12-14** 시리아, 정부군과 반군 사이에 반군의 알레포Aleppo 철수와 상호 공격 중지에 합의함. **12-17** 파푸아뉴기니Papua New Guinea, 남태평양 해역에서 규모 7.9의 지진이 발생함: 쓰나미 경보 발령. **12-19** 터키, 앙카라에서 러시아 대사가 현직 경찰에게 피격 사망함: 러시아의 시리아 내전 개입 보복.

연 대	우 리 나 라	다 른 나 라
2016 (4349) 병신	**12-24** 박영수朴英洙 특검팀, 최순실·김종 국정 개입 의혹 관련자들을 소환 조사함: 업무 개시 후 첫 소환. **12-26** 국회 국정조사특별위원회, '최순실 국정농단사건' 청문회를 19년만에 서울구치소 및 서울 남부구치소에서 개최함: 최순실·안종범·정호성 등 관련자 불응으로 수감동에서 조사. 농림축산식품부, 조류인플루엔자 살처분 가금류가 2600만 마리를 넘었다고 발표함: 경남 양산·고성, 경북 김천, 부산 기장군 등지까지 확산. 검찰, 송희영宋熙永 전 조선일보 주필을 소환 조사함: 남상태南相兌 전 대우조선해양 사장 연임 로비 의혹 관련. 박영수 특검팀, 김기춘金淇春 전 대통령 비서실장과 조윤선趙允旋 문화체육관광부 장관, 문형표文亨杓 전 보건복지부 장관 등의 집무실과 자택을 압수수색함: 문화예술계 블랙리스트 및 삼성물산·제일모직 합병 의혹. 홍완선洪完善 전 국민연금 기금운용본부장을 소환 조사함: 삼성물산·제일모직 합병 특혜 의혹. **12-27** 새누리당, 탈당한 비주류 의원 30명이 개혁보수신당(가칭) 창당을 선언함. 교육부, 중고교 국정 역사교과서 전면 적용 시기를 2018년으로 1년 연기한다고 발표함: 국정교과서와 검인정교과서 중 선택 기회 부여 방침. 박영수朴英洙 특검팀, 문형표文亨杓 전 보건복지부 장관과 안종범安鍾範 전 비서관을 소환 조사함: 박근혜 대통령의 제삼자 뇌물수수 의혹 수사 초점. LG그룹, 전경련 탈퇴를 공식 선언함: 전경련 해체 도미노 시작. **12-29** 박영수 특검팀, 이화여자대학교와 최경희崔京姬 전 총장 사무실 및 자택을 압수 수색함: 정유라(최순실 딸) 학생 입학 특혜 의혹 관련. **12-30** 부산광역시 동구청, 초량동 일본영사관 앞 소녀상 설치를 허가함: 일본정부 반발. 박영수 특검팀, 김종덕金鍾德 전 문화체육관광부 장관과 모철민牟喆敏 주프랑스 대사를 소환 조사함: 문화예술계 블랙리스트 의혹. **12-31** 박영수 특검팀, 유철균柳哲鈞 이화여자대학교 교수를 긴급 체포함: 정유라(최순실 딸) 학생 학사비리 관련. 경기도 포천에서 조류인플루엔자에 감염된 고양이가 발견됨: 인체 감염 여부 조사. 반기문潘基文 유엔 사무총장, 유엔본부에서의 마지막 기자회견에서 개헌 필요성을 언급함: 23만 달러 수수 의혹 부인.	**12-20** 독일, 베를린 명품거리에서 튀니지 난민에 의한 트럭돌진사건 발생함: 12명 사망, 48명 부상. 멕시코, 수도 멕시코시티 외곽에서 폭죽폭발사고 발생함: 31명 사망, 72명 부상. **12-22** 시리아, 정부군이 내전 격전지 알레포Aleppo를 장악했다고 발표함. **12-25** 러시아, 흑해에서 시리아행 군용기추락사고 발생함: 합창단 단원 등 92명 사망. 영국, 팝스타 조지 마이클George Michael 사망. **12-26** 중국, 첫 항공모함 랴오닝호遼寧號가 서태평양 거쳐 타이완 동부 해역에 진출함: 타이완, 전투기를 야간에 발진시킴. **12-28** 일본 아베安倍晋三 총리가 미국 방문 중 오바마Obama 대통령과 함께 하와이 진주만 애리조나Arizona 기념관을 방문함: 제2차세계대전 희생자 추모. **12-29** 일본, 이나다稲田 방위상이 야스쿠니 신사를 참배함: 방위상으로는 처음. **12-30** 미국, 트럼프Trump 대통령 당선인이 러시아가 자국 외교관 추방 등 고강도 제재 조치한 데 대한 대미국 제재 유보 결정을 훌륭한 조치라고 언급함: 양국 밀월관계 기대.

연 대	우 리 나 라	다 른 나 라
2017 (4350) 정유	**1**-1 박근혜朴槿惠 대통령, 청와대 기자단과 신년인사회를 가짐: 최순실崔順實 비선 실세 국정개입 의혹에 대해 입장 표명. 황교안黃敎安 대통령 권한대행, 신년사에서 국민적 단합을 강조함. 북한, 김정은金正恩 국방위원회 제1위원장이 신년사에서 자주통일 대통로 열어야 한다고 강조함. **1**-2 이정현李貞鉉 전 새누리당 대표, 탈당을 선언함: 인명진印明鎭 비대위원장의 전 주요 당직자 탈당 수용 요구. 박영수朴英洙 특검팀, 이병기李丙琪 전 국정원장 자택을 압수 수색함: 국정원의 문화예술계 블랙리스트 작성 의혹 관련. 정유라(최순실 딸), 덴마크에서 불법체류 혐의로 체포됨. **1**-3 정부, 처음으로 달걀을 수입하기로 결정함: 살처분 가금류가 3천만 마리를 넘는 비상사태에 대비. 서적 도매업체 송인서적이 부도처리됨: 국내 2위 규모로 2천여 출판사 피해. **1**-4 가야문화연구소, 함안 성산산성城山山城에서 발굴한 목간木簡 23점을 공개함: 신라 율령체계의 발달과정 보여주는 최고의 목간. **1**-8 박영수 특검팀, 김종덕金鍾德 전 문화체육관광부 장관과 김상률金尙律 전 청와대 교육문화수석을 소환 조사함: 문화예술계 블랙리스트 의혹 관련. 개혁보수신당(가칭), 당명을 바른정당으로 결정함. **1**-9 부산 일본영사관 앞 소녀상 설치에 항의하여 나카미네長嶺安政 주한 일본대사와 모리모토森本 康敬 부산 총영사가 귀국함. **1**-10 제주도 철새 도래지에서 조류인플루엔자 발생함: 전국에서 발생 기록. **1**-12 박영수 특검팀, 이재용李在鎔 삼성전자 부회장을 소환 조사함: 박근혜 대통령에 대한 뇌물 공여 혐의. 반기문潘基文 전 유엔 사무총장, 10년 임기 마치고 귀국함: 사실상 대권 도전 선언. **1**-14 미국산 달걀 260만개가 처음 수입됨: 조류인플루엔자로 인한 달걀 부족 사태에 대처. **1**-15 국민의당, 대표에 박지원朴智元 의원을 선출함. 전남 여수 수산시장에 화재 발생함: 점포 116개소 피해. **1**-16 박영수朴英洙 특검팀, 이재용李在鎔 삼성전자 부회장에 대해 뇌물 공여 혐의로 구속 영장을 청구함: 19일 법원에서 기각.	**1**-1 터키, 이스탄불 나이트 클럽에서 무장괴한의 총격난사사건 발생함: 39명 사망, 69명 부상. **1**-3 피지, 규모 7.2의 지진 발생함: 쓰나미 경보 발령. **1**-6 브라질, 호라이마주Roraima州 몬치 크리스투 교도소에서 폭동 발생함: 수감자 30여명 피살 **1**-10 타이, 남부지역에 30년만의 큰 홍수 발생함: 가옥 37만여채 침수, 이재민 110만여명. 아프가니스탄, 카불 등지에서 연쇄 폭탄테러 발생함: 외교관 등 56명 사망, 100여명 부상. **1**-15 미국, 스페이스X사가 재활용 로켓 팰콘Falcon9을 성공적으로 발사 후 회수에 성공함: 통신위성 10개 탑재. **1**-16 터키, 화물 항공기가 키르기스스탄 민가에 추락함: 35명 사망. **1**-16 시리아, 동부지역에서 정부군과 이슬람국가IS 간의 교전이 벌어짐: 80여명 사망. **1**-17 감비아, 자메Jammeh 대통령이 대통령 선거 패배에 불복하여 국가비상사태를 선포함: 바로우Barrow 당선인 간의 갈등 격화.

연대	우리 나라	다른 나라
2017 (4350) 정유	**1**–17 박영수 특검팀, 김기춘金淇春 전 대통령 비서실장과 조윤선趙允旋 문화체육관광부 장관을 문화예술계 블랙리스트 관련해 소환 조사함: 21일 구속. **1**–18 박영수 특검팀, 최경희崔京姬 전 이화여자대학교 총장을 소환 조사함: 정유라(최순실 딸) 입학 특혜 의혹 관련. **1**–19 새누리당 윤리위원회, 박희태朴熺太 전 국회의장, 이병석李秉錫 전 국회부의장, 현기환玄伎煥 전 청와대 정무수석, 이한구李漢久 전 공천관리위원장을 제명함: 국민 지탄 대상자로 지목. **1**–22 박맹호朴孟浩 민음사 회장 사망. **1**–23 황교안黃教安 대통령 직무대행, 신년 기자회견에서 국정 운영 계획을 밝힘. **1**–24 바른정당 창당대회가 개최됨: 당 대표에 정병국鄭柄國 의원. **1**–26 대전지방법원, 일본 쓰시마섬對馬島 사찰에서 절도단에 의해 반입된 금동관음보살좌상을 서산 부석사에 인도하라고 판결함: 650여년 전 왜구에게 약탈당한 불상. **1**–30 황교안 대통령 직무대행, 미국 트럼프Trump 대통령과 처음 전화통화함: 북한 핵 문제 공조 확인. **1**–31 헌법재판소, 박한철朴漢徹 소장이 임기 마치고 퇴임함: **2**–1 이정미李貞美 재판관 권한대행 체제로 8인이 박근혜 대통령 탄핵 심판 계속. 대림산업·SK그룹, 세계 최장(3.7km) 터키 현수교 공사 수주에 성공함:일본 제치고 3조5천억원 규모 수주. 강봉균康奉均 전 재경경제부 장관 사망. **2**–1 박영수 특검팀, 유재경柳在景 주미얀마 대사를 소환 조사함: 최순실 국정 개입 의혹 관련. 반기문潘基文 전 유엔 사무총장, 대통령 선거 불출마를 선언함. **2**–2 미국 매티스Mattis 국방장관이 방한함: 3일 한민구韓民求 국방부장관과의 회담에서 사드 배치 계획 추진에 합의. **2**–3 박영수朴英洙 특검팀, 박근혜朴槿惠 대통령 비위 의혹 관련하여 청와대 압수수색을 시도함: 청와대측의 경내 집입 불허로 실패. **2**–4 서영훈徐英勳 전 대한적십자사 총재 사망. **2**–6 충북 보은에 젖소 구제역 발생함: 이후 전북 정읍, 경기 연천에서도 발생. 삼성전자, 전경련 탈퇴를 선언함: 16일 SK그룹, 21일 현대차그룹도 탈퇴.	**1**–18 나이지리아, 이슬람 무장단체 보코하람Boko Haram 상대로 군사작전 벌이던 공군이 민가를 오폭함: 100여명 사망. **1**–19 이란, 수도 테헤란 고층빌딩이 화재로 붕괴함: 소방관 30명 사망, 70여명 부상. **1**–21 미국, 트럼프 대통령이 취임함: 미국 우선주의 표방. 인도, 동부 지역 쿠네루역에서 고속열차 탈선사고 발생함: 39명 사망, 100여명 부상. **1**–29 미국, 트럼프 대통령이 반이민행정명령에 서명함: 이슬람권 7개국 국민의 미국 입국을 90일간 제한하여 전국에 반대 시위 전개. 캐나다, 퀘벡시 이슬람사원에 괴한의 총기난사사건 발생함: 6명 사망, 8명 부상. **1**–31 이란, 미국의 반이민행정명령에 반발하여 미국인에 대한 비자 발급을 중단함. **2**–5 아프가니스탄, 폭설에 의한 눈사태로 임시 공휴일을 선포함: 54명 사망, 50여명 부상. **2**–9 미국, 트럼프 대통령이 중국 시진핑習近平 국가주석과 전화통화함: '하나의 중국' 원칙 존중 의사 표명.

연대	우리 나라	다른 나라
2017 (4350) 정유	**2**-12 북한, 중거리 탄도미사일 '북극성 2형'을 동해상으로 발사함: 고체연료 사용한 신형 미사일. **2**-13 새누리당, 당명을 자유한국당(약칭 한국당)으로 변경함. **2**-14 북한, 김정은金正恩 국방위원회 제1위원장의 이복형 김정남金正男이 말레이시아에서 피살됨: 24일 독살로 판명. **2**-15 법원, 최경희崔京姬 전 이화여자대학교 총장에 대한 구속 영장을 발부함: 정유라(최순실 딸) 입시 특혜 제공 혐의. **2**-16 법원, 이재용李在鎔 삼성전자 부회장 구속 영장을 발부함: 경영권 승계 특혜 대가로 박근혜 대통령에게 뇌물 준 혐의. 한진해운, 법원으로부터 파산선고 받음: 40년만의 몰락. **2**-18 영화배우 김민희金敏姬, 베를린영화제에서 〈밤의 해변에서 혼자〉로 여우주연상을 수상함. **2**-19 북한, 중국이 북한산 석탄 수입을 전면 중단한다고 발표함: 유엔의 대북한 제재 결의 이행 차원. **2**-21 국립문화재연구소, 경남 진주시 충무공동에서 중생대 백악기 포충류의 뒷발자국 화석 9쌍을 발견했다고 발표함: 뜀걸음형 포유류 발자국 화석. **2**-27 황교안黃敎安 대통령 직무대행, 박영수朴英洙 특검팀의 수사 기간 연장 요청을 승인하지 않기로 결정함: 야권 강력 비난. 전북 익산 소재 하림 육용종계농장에 조류인플루엔자 발생함: **3**-1 충남 논산에서도 발생함. **3**-1 박근혜朴槿惠 대통령 탄핵 찬성과 반대 집회가 서울 도심에서 각각 개최됨: 촛불 집회와 태극기 집회로 양분. 롯데그룹, 중국 홈페이지가 해킹 공격당함: 사드 부지 제공에 대한 보복. **3**-2 중국이 중국인의 한국 관광을 전면 금지함: 한국의 사드 배치 계획에 대한 보복. **3**-4 북한, 말레이시아가 김정남金正男 암살사건 관련하여 강철 주국 대사를 추방하기로 결정함: 6일 비자면제협정도 파기. **3**-6 북한, 평북 동창리東倉里에서 동해상으로 탄도미사일 4발을 발사함: 한미 독수리훈련에 반발 추정. **3**-7 주한미군이 사드THADD에 설치될 발사대 2기 등 일부 장비를 들여옴: 중국측 반발 고조. 북한, 김정남金正男 암살사건 조치에 대응하여 자국 내 말레이시아 국민의 출국 금지 조치 취함: 말레이시아, 이에 대응하여 자국 주재 북한 외교관의 출국 금지 조치.	**2**-10 필리핀, 민다나오섬에 규모 6.7의 지진 발생함: 초등학교 붕괴 등 피해. 미국, 트럼프 대통령이 방미 중인 일본 아베安倍晋三 총리와 정상회담 가짐: 북한핵 및 남중국해 영유권 문제 공조 확인. **2**-13 유엔 안전보장이사회, 한국·미국·일본의 요청에 따라 긴급회의를 개최함: 북한의 중거리 탄도미사일 '북극성 2형' 발사를 만장일치로 규탄. **2**-16 파키스탄, 수피교 성지에서 이슬람국가IS에 의한 자살폭탄테러 발생함: 70여명 사망, 250여명 부상. **2**-22 미국 항공우주국NASA, 지구에서 39광년(369조km) 떨어진 거리에서 지구 크기의 행성 7개를 거느린 항성계를 발견했다고 발표함: 트라피스트TRAPPIST-1을 공전하는 지구형 행성. **3**-7 미국, 중국의 통신장비 기업 ZTE(중싱中興통신)에 사상 최대의 벌금(1조 3702억원)을 부과함: 북한과 이란에 불법 수출한 혐의에 대한 제재.

연 대	우 리 나 라	다 른 나 라
2017 (4350) 정유	**3**-8 김종인金鍾仁 더불어민주당 전 대표, 탈당을 선언함: 개헌 통해 새 정치질서 구축 언급. **3**-10 헌법재판소, 박근혜 대통령 탄핵 소추안을 인용함: 헌정사상 첫 대통령 파면. 경찰, 서울지역에 최상위 경계태세인 '갑호비상'을 발령함: 박근혜 대통령 탄핵 심판에 대한 헌법재판소의 결정에 불복한 폭력행위에 대비. **3**-15 국무회의, 조기 대통령 선거일을 5월 9일로 지정함: 황교안 대통령 직무대행, 대통령 선거 불출마 선언. **3**-17 미국 틸러슨Tilleson 국무장관이 공식 방한함: 기자회견에서 대북한 전략적 인내 종식 선언. **3**-18 인천 소래포구 어시장에 화재 발생함: 점포 240여 곳 피해. 검찰, 최태원崔泰源 SK회장을 소환 조사함: 사면 특혜 의혹 관련. **3**-21 검찰, 박근혜朴槿惠 전 대통령을 소환 조사함: 직권남용·뇌물수수 등 13가지 혐의. **3**-22 정부, 상하이 샐비지Shanghai Salvage 회사 지원하여 세월호 인양작업에 착수함: 25일 반잠수선에 선적, 31일 목포신항에 거치. **3**-24 검찰, 청와대 민정수석실을 압수수색함: 우병우禹柄宇 전 민정수석 비위 의혹 관련. **3**-26 박이문朴異汶 포항공과대학교 명예교수 사망. **3**-28 바른정당, 대통령 후보에 유승민劉承旼 의원을 선출함. **3**-31 법원, 박근혜 전 대통령에 대한 구속영장을 발부함: 전직 대통령으로 세번째. 정부, 일본정부가 초·중학교 사회과 학습자료요령에 독도를 일본 영토라는 내용을 관보에 게재한 데 대해 항의함. 자유한국당, 대통령 후보에 홍준표洪準杓 경남 도지사를 선출함. **4**-1 김종길金宗吉 고려대학교 명예교수 사망. 북한, 12년제 의무교육을 전면 시행함: 유치원 1년, 초등학교 5년, 중학교 3년, 고등학교 3년. **4**-3 더불어민주당, 대통령 후보에 문재인文在寅전 대표를 선출함. 인터넷은행 케이뱅크가 출범함: 낮은 대출금리로 가입자 2만명 돌파. **4**-4 국민의당, 대통령 후보에 안철수安哲秀 전 대표를 선출함. **4**-5 북한, 함남 신포新浦 일대에서 동해상으로 탄도미사일을 발사함: 미중 정상회담 앞둔 무력시위 관측.	**3**-15 시리아, 수도 다마스쿠스에서 연쇄 자살폭탄 테러 발생함: 32명 사망, 100여명 부상. 미국 연방준비제도, 기준금리를 0.25% 포인트 인상함: 1%대로 복귀. **3**-22 영국, 수도 런던 국회의사당 앞에서 테러사건 발생함: 4명 사망, 한국인 포함 40여명 부상함. **3**-24 멕시코, 시우다드 빅토리아Ciudad Victoria 교도소에서 땅굴 통해 29명이 탈옥함: 길이 40m, 깊이 4m 땅굴. **3**-25 일본, 가고시마鹿兒島의 사쿠라지마櫻島 화산이 분화噴火함: 500m 이상 연기 상승. 이라크, 모술Mosul 서부 지역이 미국 주도 국제동맹군에 의해 폭격당함: 민간인 200여명 사망. **3**-26 홍콩, 행정장관 선거에서 친중국파인 람Lam 전 정무시장이 당선됨: 첫 여성 행정장관. **3**-31 콜롬비아, 남서부 모코아Mocoa에서 호우로 인한 산사태 발생함: 400여명 사망. **4**-3 러시아, 상트페테르부르크에서 키르기스인에 의한 지하철 테러사건 발생함: 11명 사망, 45명 부상.

연 대	우 리 나 라	다 른 나 라
2017 (4350) 정유	4-6 군軍, 국방과학연구소 안흥시험장에서 사거리 800km의 탄도미사일 시험발사에 성공했다고 발표함: 북한 전역 사정권. 4-6 검찰, 우병우 전 청와대 민정수석을 소환 조사함: 비선 실세 최순실崔順實 국정농단 묵인 혐의. 4-7 검찰, 롯데그룹 신동빈辛東彬 회장을 소환 조사함: 뇌물수수 등 혐의. 김용환金龍煥 전 재무부 장관 사망. 4-8 시인 황금찬黃錦燦 사망. 4-11 검찰, 고영태 전 블루케이 이사를 긴급체포함: 비선 실세 최순실 측근으로 인사청탁 의혹 관련. 4-12 김종인 더불어민주당 전 대표, 대통령 출마 선언을 번복함. 4-15 북한, 김일성金日成 105회 생일 태양절 맞아 대규모 열병식을 거행함: 신형 대륙간탄도미사일ICBM 등으로 대미국 무력시위. 4-16 북한, 함남 신포新浦 일대에서 탄도미사일 발사에 실패함: 상승 중 폭발 추정. 4-17 황교안黃教安 대통령 직무대행, 방한 중인 미국 펜스Pence 부통령을 면담함: 북한 도발 행위 경고. 4-29 북한, 평남 북창北倉 부근에서 탄도미사일 1발을 발사함: 동해상에서 공중폭발. 5-1 삼성중공업 거제조선소에서 타워크레인 충돌사고 발생함: 6명 사망, 22명 부상. 5-2 바른정당, 국회의원 13명이 탈당하여 자유한국당으로 복당함: 홍준표洪準杓 대통령 후보 지지 선언. 청송군, 유네스코가 인증한 세계지질공원이 됨: 제주도 이어 두번째. 5-6 경기도, 미세먼지 경보를 발령함. 강원도 강릉·삼척과 경북 상주에 대형 산불 발생함. 5-9 제19대 대통령 보궐선거를 실시함: 더불어민주당 문재인文在寅 후보 당선. 5-10 문재인 대통령, 국무총리 후보자에 이낙연李洛淵 전 라남도지사, 국가정보원장 후보자에 서훈徐薰 전 국가정보원 3차장을 지명함: 대통령 비서실장에 임종석任鍾晳 전 서울시 정무부시장, 대통령 경호실장에 주영훈周映訓 전 경호실 안전본부장 임명. 국민의당, 박지원朴智元 대표가 대통령 선거 패배에 책임 지고 사퇴함: 25일 비상대책위원장에 박주선朴柱宣 국회 부의장 선출.	4-4 시리아, 북부 이들리브주Idlib州 칸 세이칸Khan Sheikhoun 지역 주택가에서 화학무기공습 발생함: 어린이 포함 86명 사망, 300여명 부상. 4-6 미국, 시리아군 비행장에 미사일 폭격을 감행함: 시리아의 화학무기 사용 응징. 4-7 미국, 트럼프 대통령이 방미중인 중국 시진핑習近平 국가주석과 정상회담 가짐: 북한핵 억제 방침에 합의. 4-15 시리아, 시아파 주민 호송버스에 폭탄테러 공격 발생함: 100여명 사망. 정부군과 반군 사이의 내전이 잠정 휴전에 들어감: 미국과 러시아 간 합의 결과. 4-20 유엔 안전보장이사회, 북한의 탄도 미사일 발사를 규탄하는 언론 성명을 채택함. 4-29 유엔, 안전보장이사회 장관급 회의를 개최함: 새로운 대북한 제재 논의. 5-4 미국, 하원에서 대북한 제재결의안을 채택함: 김정은 정권 자금줄 차단. 5-5 중국, 베이징 미세먼지가 최악의 농도를 기록함: 대륙 6분의 1이 황사 영향권. 5-7 프랑스, 대통령 선거에서 마크롱Macron 전 경제산업부장관이 당선됨: 39세의 역대 최연소 프랑스 대통령.

연 대	우 리 나 라	다 른 나 라
2017 (4350) 정유	**5**-11 김수남金秀南 검찰총장, 사의를 표명함: 새 정부의 검찰 개혁 고려. **5**-12 문재인文在寅 대통령, 역사 교과서 국정화 폐지를 지시함: 5·18기념식 제창곡으로 〈임을 위한 행진곡〉 지정 지시. 이우성李佑成 성균관대학교 명예교수 사망. **5**-14 북한, 평북 구성에서 중장거리 탄도미사일 화성-12형의 시험발사에 성공함: 문재인 대통령, 국가안전보장회의 소집하고 북한에 엄중 경고. **5**-16 국정기획자문위원회가 설립됨: 위원장에 김진표金振杓 의원. **5**-19 문재인 대통령, 헌법재판소장에 김이수金二洙 헌법재판관을 지명함: 9-11 국회에서 부결. **5**-21 문재인 대통령, 부총리 겸 기획재정부장관에 김동연金東兗 아주대학교 총장, 외교부장관에 강경화康京和 유엔 사무총장 정책특보를 내정함: 청와대 정책실장에 장하성張夏成 고려대학교 교수, 국가안보실장에 정의용鄭義溶 전 제네바 대사 임명. 한국인터넷진흥원, 서울 서초구 토플 시험장 컴퓨터가 랜섬웨어Ransomware에 감염된 원인 조사에 착수함. 북한, 지상대지상 중장거리전략탄도탄 북극성-2형 시험발사에 성공함: 부대 실전배치. **5**-24 국민인수위원회가 공식 출범함: 국정기획자문위원회의 국민참여기구로 정책 제안. **5**-26 슈퍼문Super Moon 현상이 나타남: 평소보다 2만km 가까운 그믐달. 서울회생법원, 의정부경전철에 대해 파산선고함: 4년 10개월 만의 파산. **5**-28 경남 창녕의 부곡하와이가 폐업함: 운영난으로 38년 만에 영업 중단. **5**-29 북한, 강원도 원산에서 동쪽으로 탄도미사일을 발사함: 일본 배타적경제수역EEZ에 낙하. **5**-30 문재인 대통령, 행정자치부장관에 김부겸金富謙 의원, 문화체육관광부장관에 도종환都鍾煥 의원, 국토교통부장관에 김현미金賢美 의원, 해양수산부장관에 김영춘金榮春 의원을 내정함: 모두 여당(더불어민주당) 의원. **5**-31 서울교통공사가 공식 출범함: 서울메트로와 서울특별시도시철도공사 통합. 정유라(최순실 딸), 덴마크에서 입국함: 서울중앙지검으로 압송. **6**-1 서훈徐薰 국정원장, 국내정보 담당관의 기관 출입을 폐지한다고 발표함.	**5**-18 미국, 법무부가 트럼프 대통령에 대한 특검 수사를 결정함: 러시아와 의 내 통 의 혹 관련. **5**-22 영국, 맨체스터 경기장 콘서트 도중 폭발사건 발생함: 22명 사망, 59명 부상. **5**-25 필리핀, 민다나오섬에 계엄령을 선포함: 이슬람국가IS 추종세력 소탕 군사작전. **5**-26 미국, 브레진스키 전 백악관 안보보좌담당관 사망. 이집트, 남부지역에서 소수종교 콥트Copt 교도 노린 총기난사사건 발생함: 28명 사망, 22명 부상. **5**-31 아프가니스탄, 수도 카불의 외교단지에서 자살폭탄테러 발생함: 90명 사망, 400여 명 부상. **6**-1 미국, 트럼프 대통령이 파리기후변화협정 탈퇴를 공식 선언함: 미국 경제와 일자리에 타격 이유.

연 대	우 리 나 라	다 른 나 라
2017 (4350) 정유	**6**-4 전북 군산에서 조류인플루엔자 발생됨: 이후 제주, 울산, 경기 파주, 경남 양산, 전북 순창·완주, 부산 기장군 등지로 확산. 권익현權翊鉉 전 국회의원 사망. **6**-8 유섬나(유병언 전 세모그룹 회장의 장녀), 프랑스에서 입국함: 인천지검으로 압송. **6**-9 강원도 인제 야산에서 북한 무인기가 발견됨: 성주 사드기지 촬영 후 귀환 중 추락. **6**-11 문재인文在寅 대통령, 부총리 겸 교육부장관에 김상곤金相坤 전 경기도교육감, 국방부장관에 송영무宋永武 전 해군참모총장, 법무부장관에 안경환安京煥 서울대학교 명예교수, 고용노동부장관에 조대엽趙大燁 고려대학교 교수, 환경부장관에 김은경金恩京 전 청와대비서관을 내정함. **6**-12 문재인 대통령, 국회 첫 시정연설에서 일자리 창출을 강조함: 헌정사상 첫 추경 관련 연설. **6**-13 문재인 대통령, 통일부장관에 조명균趙明均 전 청와대비서관, 미래창조과학부장관에 유영민兪英民 포스코연구소 사장, 여성가족부장관에 정현백鄭鉉栢 성균관대학교 교수, 농림축산식품부장관에 김영록金瑛錄 전 국회의원을 내정함. 북한, 17개월째 억류해 왔던 미국 대학생 웜비어Wambier를 의식불명 상태로 석방함: 6일만에 사망하여 북한의 잔악성 대두. **6**-15 박영석朴永錫 전 국사편찬위원장 사망. **6**-16 안경환 법무부장관 후보자가 허위 혼인신고, 음주 운전 등의 의혹 관련하여 후보직에서 사퇴함: 27일 박상기朴相基 연세대학교 법학전문대학원 교수 내정. 서울·광주·세종 등 전국 곳곳에 폭염특보가 내려짐: 24일 해제. **6**-18 한국수력원자력, 고리원자력 1호 발전기를 영구정지시킴: 탈핵에너지 전환점. **6**-22 한빛문화재연구원, 경북 경산 임당동 고분군에서 압독국押督國 지배층 무덤을 발견했다고 발표함. **6**-24 무주세계태권도대회가 개최됨: 30일 한국 남녀부 동반 우승으로 폐막. **6**-26 바른정당, 당 대표에 이혜훈李惠熏 의원을 선출함. 박주선朴柱宣 국민의당 비상대책위원장, 문재인 대통령의 아들(문준용) 입사 관련한 녹음파일 조작사건에 대해 사과함. **6**-27 보스턴마라톤대회 우승자 서윤복徐潤福 사망.	**6**-2 필리핀, 수도 마닐라 인근 카지노에서 이슬람국가IS에 의한 총격·방화사건 발생함: 한국인 1명 포함 38명 사망. 유엔 안전보장이사회, 대북한제재결의안을 만장일치로 채택함: 탄도 미사일 도발에 대한 제재. **6**-7 이란, 수도 테헤란에서 이슬람국가IS에 의한 의사당과 호메이니묘지에서 동시다발 테러 발생함: 17명 사망, 52명 부상. **6**-11 프랑스, 총선거 1차 투표에서 마크롱Macron 대통령의 창당 1년 신생정당이 대승함: 19일 2차 투표에서 577석 중 350석 차지하며 대승. **6**-14 영국, 런던 시내 24층 아파트화재사건 발생함: 58명 사망, 수십명 부상. 소말리아, 수도 모가디슈 식당에서 폭탄 테러와 인질극 발생함: 31명 사망, 40명 부상. **6**-16 독일, 콜Kohl 전 총리 사망. **6**-19 포르투갈, 중부지방에서 큰 산불 발생함: 62명 사망, 60명 부상. **6**-21 이라크, 모술Mo-sul의 알 누리al-Nuri 사원이 이슬람국가IS에 의하여 폭파당함: 844년 된 첨탑도 파괴.

연 대	우 리 나 라	다 른 나 라
2017 (4350) 정유	**6**-28 문재인 대통령, 미국 방문차 출국함: 30일 트럼프Trump 대통령과의 정상회담에서 대북한 정책에 합의. 양승태梁承泰 대법원장, 판사회의 상설화 방안을 수용함: 사법개혁의 시작. 상주~영천고속도로가 개통됨: 총연장 94km. **6**-29 영화배우 손현주, 모스크바영화제에서 〈보통사람〉으로 남우주연상을 수상함. **6**-30 서울~양양고속도로가 개통됨: 주행시간 90분으로 40분 단축. 구리~포천고속도로가 개통됨: 주행시간 70분에서 35분으로 단축. 민주노총, 서울 광화문광장에서 사회적 총파업 대회를 개최함: 비정규직 철폐 주장. **7**-2 문정왕후文定王后 어보와 현종顯宗 어보가 미국에서 돌아옴: 6·25전쟁 때 불법 유출. 전국에 장맛비가 시작됨: 그동안의 최악 가뭄 해소. **7**-3 문재인文在寅 대통령, 상업통상자원부장관에 백운규白雲揆 한양대학교 교수, 보건복지부장관에 박능후朴凌厚 경기대학교 교수를 내정함. 자유한국당, 당 대표에 홍준표洪準杓 후보를 선출함. **7**-5 문재인 대통령, 검찰총장에 문무일文武一 부산고검장을 내정함. 독일 방문 및 세계주요20개국정상회의 참석차 출국함: 독일 메르켈 총리와의 정상회담에서 북한 핵문제 논의. 6일 중국 시진핑 국가주석과의 정상회담에서 동아시아지역 평화구축에 합의. 한미일 정상회담에 참석함: 미국 트럼프 대통령, 일본 아베 총리와 북한에 대한 제재에 합의. 러시아 푸틴 대통령과의 회담에서 북한 비핵화에 합의. 합동참모본부, 동해상에서 한미연합탄도미사일 사격훈련을 실시함: 전날 북한의 대륙간탄도미사일 '화성 14형' 시험발사에 대응. **7**-6 문재인文在寅 대통령, 독일에서 이산가족 상봉, 군사분계선에서의 상호 적대행위 중지, 한반도 평화협정, 북한의 평창동계올림픽대회 참가 등 뉴베를린선언을 발표함: 북한 김정은金正恩 국방위원장과의 회담 의사 피력. **7**-11 정의당, 새 대표에 이정미李貞味 의원을 선출함. 미8군사령부, 평택 신청사 개관식을 개최함: 주한미군 평택시대 시작. **7**-12 검찰, 국민의당 이준서 전 최고위원을 구속함: 이정미 당원의 문재인 대통령 아들(문준용) 입사 관련한 녹음파일 조작자료 공개 혐의. 안철수安哲秀 전 국민의당 대표, 위 사건 관련하여 사과함. 미국 무역대표부가 한미자유무역협정 개정 협상을 공식 요구해 옴: 미국우선주의 원칙 강조.	**6**-22 아프가니스탄, 남부 라슈카르즈가Lashkar Gah의 은행 앞에서 차량자폭테러 발생함: 군인 등 36명 사망, 59명 부상. **6**-24 중국, 쓰촨성에 산사태 발생함: 140여명 매몰. **6**-25 파키스탄, 바하왈푸르 인근 고속도로에서 유조차폭발사고 발생함: 150여명 사망. **6**-29 중국, 시진핑 국가주석이 홍콩을 방문함: 홍콩 반환 20주년 계기. **7**-2 일본, 도쿄도의원 선거에서 집권 자민당이 참패함: 아베 총리 비판 여론 비등. **7**-9 이라크, 이슬람국가의 최대 거점도시 모술Mosul의 해방을 공식 선언함: 점령 3년만에 접수. **7**-13 중국, 류샤오보劉曉波 사망: 인권운동가이자 노벨평화상 수상자. **7**-20 인도, 대통령 선거에서 코빈드Kovind 후보가 당선됨: 최하위 카스트 제도 불가촉천민(달리트Dalit) 출신.

연 대	우 리 나 라	다 른 나 라
2017 (4350) 정유	**7**-13 조대엽趙大燁 고용노동부장관 후보자가 전문성 부족 및 과거 행적 등의 의혹 관련하여 후보직에서 사퇴함: 23일 김영주金榮珠 의원 내정. 경북 경주의 최고기온이 39.7도를 기록함: 7월 더위로는 78년만의 최고 기록. **7**-14 청와대, 박근혜정부 민정수석실에서 삼성 경영권 승계 관련 문건 등을 발견했다고 발표함: 20일 보수단체 지원 내용 문건 발견 공표. 한국수력원자력 이사회, 신고리 5호기와 6호기 건설 잠정 중단을 결정함. 검찰, 한국항공우주산업KAI을 압수 수색함: 원가 조작 통한 개발비 편취 혐의. **7**-15 최저임금위원회, 내년도 최저임금을 7,530원으로 확정함: 인상폭 17년만에 최대. **7**-16 충북 청주에 290.2mm의 물폭탄이 내림: 22년만의 홍수. **7**-19 국정기획자문위원회, 국정운영5개년계획을 발표함: 5대 목표, 100대 과제 설정. **7**-20 국회, 정부조직법 개정안을 의결함: 중소기업청을 중소벤처기업부로, 미래창조과학부를 과학기술정보통신부로, 행정자치부를 행정안전부로 개편. 국민안전처 폐지하고 소방청과 해양경찰청 신설. **7**-24 신고리5·6호기공론화위원회가 출범함: 공사 중단 여부 결정할 시민배심원단 지원 관리. **7**-27 정부, 태풍 피해당한 제주도를 특별재난지역으로 선포함. 검찰, 국민의당 이용주李勇周 의원을 소환 조사함: 문재인 대통령 아들(문준용) 입사 관련한 녹음파일 조작 관련. 인터넷은행 카카오뱅크가 출범함: 케이뱅크와 경쟁체제. **7**-28 북한, 자강도 무평리에서 동해상으로 중장거리 탄도미사일 화성-14형의 시험발사에 성공함: 문재인 대통령, 국가안전보장회의 소집. **8**-4 국방부, 박찬주朴贊珠 제2작전사령관을 형사입건함: 부부의 공관병에 대한 부당한 대우 의혹 관련. **8**-8 문재인文在寅 대통령, 합참의장에 정경두鄭景斗 공군참모총장을 내정함: 정부 수립 후 처음 비육군 국방장관-합참의장 체제. 문무일文武一 검찰총장, 과거 시국사건 등의 잘못된 수사에 대해 사과함: 인혁당 사건 등 예시. **8**-11 박기영朴基榮 과학기술정보통신부 광학기술혁신위원장 내정자, 내정 나흘 만에 자진사퇴함: 최악의 연구부정행위 황우석黃禹錫 사태 연루 관련.	**7**-24 파키스탄, 펀자브주 라호르에서 경찰 겨냥한 자살폭탄테러 사건 발생함: 26명 사망, 58명 부상. **8**-5 유엔 안전보장이사회, 북한의 미사일 발사 등 무력시위에 대한 대북한 제재 결의안을 만장 일치로 채택함: 북한의 석탄·철광석·수산물 등 주력 수출품 전면 금지. **8**-7 필리핀, 마닐라에서 아세안지역안보포럼ARF 외교장관회의를 개최함: 의장 성명에서 북한의 미사일 발사 등의 도발에 우려 표명. **8**-8 중국, 쓰촨성에 규모 7.0의 지진 발생함: 24명 사망, 한국인 포함 493명 부상. **8**-11 이집트, 알렉사드리아 인근에서 열차추돌사고 발생함: 43명 사망, 100여명 부상. **8**-16 시에라리온, 프리타운Freetown에서 대규모 산사태 발생함: 1천여명 사망·실종. **8**-17 스페인, 바르셀로나와 캄브릴스에서 이슬람국가에 의한 연속 테러사건 발생함: 100여명 사상.

연 대	우 리 나 라	다 른 나 라
2017 (4350) 정유	**8**-13 김부겸金富謙 행정자치부장관, 경찰청 방문하여 이철성李哲聖 경찰청장, 강인철姜仁哲 중앙경찰학교장과 함께 국민에게 사과함: 두 간부 간의 경찰 SNS 문구 삭제 지시 의혹 관련. **8**-15 정부, 국내산 달걀 판매를 중지시킴: 경기 남양주·양주·광주, 전북 순창, 강원 철원, 전남 나주, 충남 천안 농장에서 살충제 성분 검출. **8**-17 문재인 대통령, 취임 100일 맞아 기자회견 가짐: 즉석 질의·응답. 2023년도 세계잼버리대회의 전북 새만금 개최 유치에 성공함: 강원 고성에 이어 두 번째. **8**-19 영화 〈택시운전사〉 관객이 1천만명을 돌파함: 5·18민주화운동 주제 영화 중 최고 흥행. 강진구姜晋求 전 삼성전자 회장 사망. **8**-21 문재인 대통령, 대법원장에 김명수金命洙 춘천지법원장을 지명함: 18년만에 50대 사법부 수장. **8**-24 문재인文在寅 대통령, 중소벤처기업부 장관 후보에 박성진朴成鎭 포스텍 교수를 지명함: **9**-15 후보자가 역사관과 종교관 논란으로 자진 사퇴. **8**-26 북한, 강원도 원산 깃대령 일대에서 동해상으로 탄도미사일 3발을 발사함: 한미연합훈련에 대한 반발. **8**-27 국민의당, 당 대표에 안철수 전 대표를 선출함. **8**-29 북한, 평양 순안 일대에서 북태평양 해상으로 탄도미사일 1발을 발사함: 처음으로 일본 상공 통과. **9**-3 북한, 6차 핵실험을 실시함: 5차의 10배 위력 지진파 발생. **9**-4 KBS·MBC 노조, 5년만에 동시 파업에 돌입함: 경영진 사퇴 및 공영방송 정상화 요구. **9**-5 마광수馬光洙 전 연세대 교수 자살: 〈즐거운 사라〉 작가. **9**-6 문재인 대통령, 러시아 블라디보스토크에서 열리는 동방경제포럼 참석차 출국함: 푸틴 대통령과의 정상회담에서 대북한 제재 동참 요청. 7일 일본 아베 총리와의 정상회담에서 대북한 제재 강화에 합의. **9**-7 국방부·주한미군, 경북 성주 사드 기지에 발사대 4기를 반입함: 1개 사드포대 임시배치 완료. 바른정당 이혜훈李惠熏 대표, 대표직을 사퇴함: 금품 수수 의혹 관련.	**8**-19 콩고민주공화국, 아투리주 앨버트호Albert湖 인근에 산사태 발생함: 200명 사망. **8**-21 미국, 동부와 서부를 가르는 개기일식을 관측함: 99년만의 자연현상. 러시아, 시리아 내 이슬람국가 차량 행렬을 폭격함: 200여명 사망. **8**-28 미국, 허리케인 하비Harvey가 텍사스주 휴스턴Huston 일대를 강타함: 수재민 45만여명 발생. **9**-7 멕시코, 남부지역에 규모 8.1의 지진 발생함: 100년래의 최대 규모. **9**-9 미국, 플로리다주에 허리케인 어마Irma가 내습함: 주민 대피령 발동. **9**-19 멕시코, 푸에블라주 라보소Lavausseau 인근에서 규모7.1의 지진 발생함: 320여명 사망. **9**-20 일본, 아키히토明仁 국왕 부부가 사이타마현埼玉縣 히다카시日高市에 있는 고마신사高麗神祠를 참배함: 고구려 왕족 제사 신사. 뉴질랜드, 중부지역에서 규모 6.1의 지진 발생함: 타이완, 가오슝高雄 동북동 해역에 규모 5.7의 지진 발생. 21일 일본 미야기현 센다이시仙臺市 해역에서도 규모 5.9의 지진 발생하여 환태평양 '불의 고리' 지역에 지진 공포 만연.

연대	우리 나라	다른 나라
2017 (4350) 정유	**9**-8 문재인 대통령, 경북 성주에 사드 임시배치와 관련해 입장문을 발표함: 현 상황에서 최선의 조치임을 강조. **9**-11 부산 지역에 358mm의 호우 내림: 9월 역대 최대 강수량 기록. **9**-15 한강韓江, 장편소설 〈소년이 간다〉로 이탈리아 말라파르테Malaparte 문학상 수상자로 선정됨. 북한, 평양 순안 일대에서 일본 상공을 지나 북태평양 해상으로 탄도미사일 1발을 발사함: 비행거리 3,700km. **9**-17 강원도 강릉 석란정石蘭亭이 화재로 무너짐: 소방관 2명 순직. **9**-18 문재인文在寅 대통령, 유엔총회 참석차 미국 뉴욕으로 출국함: 21일 유엔총회 기조연설에서 북한 핵 문제의 평화적 해결 강조. 미국 트럼프Trump 대통령과 일본 아베安倍晋三 총리와의 3자회동에서 대북한 제재에 합의. **9**-20 북한, 평양 보성리에서 3세기 고구려벽화무덤을 발굴했다고 보도함: 벽화와 유물 보존 상태 양호. **9**-21 국방부 보통군사법원, 박찬주朴贊珠 육군대장을 뇌물수수 혐의로 구속함: 13년만의 현역 대장 구속. **9**-25 고용노동부, 박근혜정부 때의 2대 지침 폐기를 선언함: '일반해고'와 '취업규칙 지침'. 북한, 이영호 외무상이 미국 뉴욕에서의 기자회견에서 영공 밖에서의 자위권 행사 성명문을 발표함: 미국의 '죽음의 백조' B-1B 랜서의 북한 동해공역 비행에 반발. **9**-26 국립경주문화재연구소, 경북 경주 인왕동 일대의 동궁東宮과 월지月池(옛 안압지) 인접지역에서 수세식 화장실 유적을 발굴함: 통일신라시대 왕족 사용 추정. **9**-27 문재인 대통령, 여야 4당 대표와의 청와대 회동에서 초당적 안보협력을 논의함: 자유한국당 홍준표洪準杓 대표 불참. 충북 진천선수촌이 공식 개촌됨: 서울 태릉선수촌 대체할 국가대표선수촌. **9**-27 이명박李明博 전 대통령, 문재인정부의 전임 정권 적폐청산 작업과 관련해 국익 해치고 성공도 못 한다는 입장을 밝힘: **11**-12 적폐청산 작업이 정치보복이라는 의심이 든다는 입장 밝힘. **10**-2 백진현白珍鉉 서울대학교 교수, 국제해양법재판소 소장에 당선됨: 한국인 최초. 부산항에서 붉은 독개미가 발견됨: 보건 당국, 맹독성 가진 살인 개미의 유입 경로 추적.	**9**-24 독일, 총선거에서 우파 기민당-기사당 연합이 승리함: 메르켈Merkel 총리 4연임 성공으로 최장수 총리 기록. **9**-25 이라크, 쿠르드Kurd 자치정부가 분리 독립에 대한 찬반 투표 시행함: 주민 90% 이상 찬성으로 국제사회 긴장. **9**-27 미국, 〈플레이보이〉 창시자 휴 헤프너Hugh Hefner 사망. **10**-1 미국, 네바다주 라스베이거스 호텔 콘서트장에서 역대 최악의 총기난사사건 발생함: 59명 사망, 500여명 부상. 스페인, 카탈루냐의 분리 독립에 대한 주민투표에서 90% 이상이 찬성함: 중앙정부, 불인정 방침 고수. **10**-5 영국, 일본계 가즈오 이시구로Kazuo Ishiguro가 노벨문학상 수상자로 결정됨. **10**-6 핵무기폐기국제운동ICAN, 노벨평화상 수상자로 선정됨: 핵무기 없는 세상 만들기에 공헌. **10**-8 미국, 캘리포니아주의 세계적 와인 생산지 나파 밸리 등 8개 카운티에 대형 산불 발생함: 주민 2만여명 대피, 건물 5,700여채 소실.

연 대	우 리 나 라	다 른 나 라
2017 (4350) 정유	**10**-3 김운룡金雲龍 전 국제올림픽위원회 부위원장 사망. **10**-11 검찰, 하성룡河成龍 전 한국항공우주산업KAI 대표를 긴급 체포함: 배임 수재 등 혐의. 연제욱 전 사이버사령관을 소환 조사함: 정치 관여 의혹. 경기도 수원 만석거萬石渠와 충남 당진 합덕거合德渠가 세계관개시설물유산으로 등재됨. **10**-12 국립해양문화재연구소, 명량해협 수중 발굴조사에서 명량대첩 때 사용된 것으로 보이는 조란탄鳥卵彈(돌포탄) 등을 발굴했다고 발표함. **10**-15 박근혜朴槿惠 대통령 퇴진 요구하는 촛불집회에 참여한 '대한민국 국민'이 독일 에버트Ebert 인권상 수상자로 선정됨: 민주적 참여권의 평화적 행사 평가. **10**-18 인천국제공항, 세계공항협의회의 공항서비스평가에서 12년 연속 1위를 차지함: 세계 최초. **10**-20 신고리5·6호기공론화위원회, 신고리5·6호기 '건설 재개' 정부 권고안을 공개함. 국립강화문화재연구소, 서울 풍납토성風納土城에서 서쪽 성벽과 석축 시설을 발견함: 문지門址 위치 첫 확인. **10**-22 문재인 대통령, 신고리5·6호기공론화위원회의 '건설 재개' 정부 권고안을 수용한다고 발표함: 탈원전 에너지 정책 계속 추진 의지 재천명. **10**-23 문재인 대통령, 중소벤처기업부 장관 후보에 홍종학洪鍾學 전 국회의원을 지명함: 취임 166일만에 내각 인선 완료. **10**-24 평창동계올림픽대회 성화의 국내 봉송을 시작함: 그리스에서 채화. **10**-27 문재인 대통령, 헌법재판소장 후보에 이진성李鎭盛 헌법재판관을 지명함. 북한, 동해상 북측 수역 넘어 북한 당국에 나포되었던 흥진호를 6일만에 송환함. **10**-29 검찰, 장호중張鎬仲 전 부산지검장을 소환 조사함: 2013년 국정원 대통령선거 개입 수사 방해 의혹 관련. **10**-30 코스피KOSPI 지수가 2500선을 돌파함: 1983년 1월 출범 후 첫 기록. **10**-31 외교부, 한중관계 복원 합의문을 발표함: 사드 배치 문제 갈등 15개월만에 봉합. 검찰, 이재만·안봉근 전 청와대 비서관을 체포함: 국정원으로부터 뇌물 받은 혐의. 조선통신사 기록물과 조선왕실 어보御寶·어책御冊, 국채보상운동 기록물이 유네스코 세계기록유산에 등재됨.	**10**-12 일본, 신모에다케新燃岳 화산이 폭발함: 화산 연기가 2,300m 분출. **10**-14 소말리아, 모가디슈Mogadishu에서 이슬람 테러조직 알샤바브Al-Shabab에 의한 연쇄 폭탄테러 사건이 발생함: 230여명 사망, 300여명 부상. **10**-17 시리아 민주군, 이슬람국가IS의 상징적 수도 락까Raqaa를 완전 탈환함: 이슬람국가의 몰락 가속화. **10**-18 중국, 제19차 중국공산당 대표회의가 개막됨: 시진핑習近平 국가주석, 집권 2기 청사진에서 샤오캉사회小康社會(풍족한 생활) 및 초일류국가 달성 목표 개진. 포르투갈, 4개월 사이 산불로 100여명이 사망함: 수자 내무장관 사임. **10**-19 뉴질랜드, 총선거에서 노동당이 9년만에 정권을 탈환함: 37세의 아던Ardern 여성 총리 탄생. **10**-21 아프가니스탄, 카불에서 사관학교 버스에 대한 자살폭탄테러 발생함: 군 간부 후보생 15명 사망. 오스트리아, 총선거에서 승리한 쿠르츠Kurz 국민당 대표가 정부 구성에 착수함: 31세의 세계 최연소 총리 탄생.

연 대	우 리 나 라	다 른 나 라
2017 (4350) 정유	**11**-1 문재인文在寅 대통령, 국회에서 내년도 정부예산안 관련 시정연설을 함: 예산안과 개혁법안 조속 처리 요청. **11**-3 자유한국당, 박근혜朴槿惠 전 대통령을 강제 출당시킴: 정치적 1호 당원 징계로 20년 관계 청산. 고용노동부, 택배기사들의 노조 설립을 허용함: 특수고용노동자에 대한 첫 허용. **11**-6 바른정당, 김무성金武星 의원 등 9명이 탈당함: 국회교섭단체 지위 상실. 검찰, 김재철金在哲 전 문화방송 사장을 소환 조사함: 이명박정부 시절 공영방송 장악 연루 의혹. **11**-7 미국 트럼프Trump 대통령이 방한함: 문재인 대통령과의 정상회담에서 한국 미사일 탄두 제한 완전 해제에 합의. 8일 국회연설에서 대북한 경고 메시지 전달. 검찰, 이명박정부 시절 군 사이버사령부의 여론조작 의혹 관련하여 김관진金寬鎭 전 국방부장관을 소환 조사함: 10일 구속. 국가기록원, 유네스코 국제기록유산센터를 충북 청주에 유치했다고 발표함: 2019년부터 운영 목표. **11**-8 문재인 대통령, 인도네시아 국빈 방문 및 동남아시아 순방차 출국함: 9일 인도네시아 위도도Widodo 대통령과의 정상회담에서 '특별 전략적 동반자 관계'로의 격상에 합의. 동남아시아를 대상으로 하는 신남방정책을 발표: 러시아 및 유라시라 대상의 신북방정책과 연계. 검찰, 박근혜정부 시절 국정원 특수활동비 청와대 상납사건 관련하여 남재준南在俊 전 국정원장을 소환 조사함: 10일 이병호李炳浩 전 국정원장 소환 조사. 13일 이병기李丙琪 전 국정원장 소환 조사 후 긴급 체포. **11**-10 문재인文在寅 대통령, 베트남 다낭에서 열리는 아시아·태평양경제협력체 정상회의에 참석함: 쩐 다이 꽝Tran Dai Quang 베트남 국가주석과의 정상회담에서 경제교류 확대에 합의. 11일 중국 시진핑習近平 국가주석과의 정상회담에서 모든 분야 교류협력 회복에 합의. **11**-11 정현 선수, 이탈리아 밀라노에서 열린 남자프로테니스투어대회에서 우승함: 한국 선수 14년 10개월만의 우승. **11**-12 이상설선생기념사업회, 미국 국립문서보관소에서 1910년 한일강제병합 후 러시아 블라디보스토크에서 작성한 〈성명회聲名會 성명서〉 원본을 발견했다고 발표함: 이상설李相卨·이범윤李範允·유인석柳麟錫·안정근安定根 등 독립운동사상 최다 8,624명 참여.	**10**-22 일본, 중의원선거에서 아베 총리의 연립여당이 압승함: 개헌안 발의 310석 이상 확보. **10**-26 인도네시아, 자카르타 인근의 폭죽공장에서 폭발사고 발생함: 47명 사망. **11**-2 미국, 트럼프 대통령이 연방준비제도Fed 의장에 파월Powell 이사를 지명함: 경제학박사 아닌 첫 의장. **11**-3 미국, 트럼프 대통령이 아시아 순방길에 오름: 5일 일본 아베 총리와의 정상회담에서 일본인 납북자 문제 해결 합의. 7일 한국 문재인 대통령과의 정상회담에서 북한 문제 논의. 9일 중국 시진핑習近平 국가주석과의에서 한반도 비핵화 의지 재확인. **11**-5 사우디아라비아, 빈살만 왕세자가 일가친척을 숙청함: 만수르 왕자와 압둘아지즈 왕자 사망. 미국, 텍사스주의 한 침례교회에서 총기난사 사건 발생함: 26명 사망, 20여명 부상. **11**-8 시리아, 민주군이 이슬람국가IS의 점령 도시 알카부라를 탈환함: 이슬람국가 거점 도시 완전 탈환.

연 대	우 리 나 라	다 른 나 라
2017 (4350) 정유	**11**-13 문재인 대통령, 필리핀 마닐라에서 열린 아세안+한중일 정상회의에 참석하여 중국 리커창李克强 총리와 회담 가짐: 양국 간 관계 복원에 합의. 필리핀 두테르테Duterte 대통령과의 정상회담에서 방위산업 협력에 합의. 바른정당, 당 대표에 유승민劉承旼 의원을 선출함. 방송문화진흥회, MBC 김장겸金張謙 사장 해임안을 의결함: MBC 노조 파업 중단. 합동참모본부, 북한 병사 1명이 판문점공동경비구역JSA에서 남측 지역으로 귀순해 왔다고 발표함: 북한군 총격으로 중상. **11**-14 권선택權善宅 대전광역시장, 대법원에서 유죄 선고받음: 시장직 상실. 이대용李大鎔 전 주월남 공사 사망: 마지막 공사. **11**-15 경북 포항에서 규모 5.4의 지진 발생함: 최초로 대학수학능력시험 1주일 연기. **11**-16 한국은행, 캐나다와 통화스와프협정을 체결했다고 발표함: 한도·만기 없는 상설 통화스와프. 전병헌田炳憲 청와대 정무수석비서관, 사의를 표명함: 보좌관의 롯데홈쇼핑 재승인 비리 연루 의혹 관련. 세월호 미수습자 가족들, 수색 요청 접고 목포신항에서 떠나겠다고 발표함: 1,311일만의 결단. **11**-17 북한, 중국 시진핑習近平 국가주석 특사 쑹타오宋濤 중국공산당 대외연락부장이 방북함: 최용해崔龍海 북한 노동당 부위원장과 한반도 문제 의견 교환. **11**-19 전북 고창에 조류인플루엔자 발생이 확인됨: 20일 전남 순천만, 27일 제주시 하도리에서도 발생. **11**-20 정부, 지진 피해당한 포항시를 특별재난지역으로 선포함. 검찰, 전병헌田炳憲 전 청와대 정무수석비서관을 소환 조사함: 롯데홈쇼핑으로부터 뇌물 수수 혐의. 대우건설, 인도 뭄바이 해상교량공사 수주에 성공함: 총 22km 연장의 인도 최장 교량. 국정원, 북한이 20년만에 인민군 총정치국 검열을 진행했다고 전함: 황병서黃炳瑞 인민군 총정치국장 등 처벌. **11**-22 해양수산부, 세월호 유골 발견 은폐 관련하여 김현태金賢泰 세월호 현장수습 부본부장을 보직 해임함: 23일 이낙연李洛淵 국무총리, 대국민 사과. 검찰, MBC 본사를 압수수색함: 부당노동행위 관련. **11**-23 문재인文在寅 대통령, 방한중인 우즈베키스탄 미르지요예프Mirziyoyev 대통령과 정상회담 가짐: 전략적 동반자 관계 심화 방안 논의. 성림문화재연구원, 경북 경산에서 압독국押督國 시대의 왕릉급 목관묘木棺墓를 발견했다고 밝힘: 인골人骨과 부채 3점 발굴.	**11**-10 사우디아라비아, 예멘 수도 사나 국방부 건물을 두 차례 공습함: 예멘 후티Houthi 반군 지도부의 거점. **11**-12 이란, 이라크와의 국경 지대에서 규모 7.3의 지진 발생함: 530여명 사망, 8천여명 부상, 이재민 7만여명. **11**-13 유엔, 평창동계올림픽대회휴전결의안을 채택함: 2018년 2월 대회 기간 전후 일체의 적대행위 중단 촉구. **11**-15 짐바브웨, 무가베Mugabe 대통령이 군부에 의해 축출당함: 37년간의 장기집권 종식. **11**-20 미국, 트럼프 대통령이 북한을 테러지원국으로 재지정한다고 발표함: 21일 중국인과 중국 기업, 북한 선박에 제재 단행. **11**-21 인도네시아, 아궁Agung 화산이 54년만에 분화함: 24일 재분화하여 높이 4천m의 화산재 분출.

연 대	우 리 나 라	다 른 나 라
2017 (4350) 정유	**11**-29 검찰, 우병우禹柄宇 전 청와대 민정수석을 소환 조사함: 불법사찰 의혹 관련. 북한, 평남 평성平城 일대에서 장거리 탄도미사일 화성-15형 1발을 발사함: 사거리 1만km 이상으로 미국 워싱턴 공격 가능 추정. **12**-2 김제니 학생, 폴란드 크리니카즈두루에서 개최된 미스슈프라내셔널Miss Supranational 선발대회에서 우승함: 세계미인대회 첫 한국 우승자. **12**-3 인천 영흥도靈興島 해상에서 급유선 충돌에 의한 낚싯배 전복사고 발생함: 15명 사망. 송광사 성보박물관, 묵암당默菴堂 진영이 일본에서 환수되었다고 발표함: 조선후기 고승 묵암대사의 초상화. **12**-6 한국전력공사, 영국 무어사이드Moorside 원전사업 인수전에서 우선협상대상자로 선정됨: 중국 꺾고 21조원 규모 수주 성공. 한국항공우주연구원, 75t 우주발사체엔진 연소 실험에 성공함: 소형 인공위성 발사 가능. 검찰, 최경환崔炅煥 의원을 소환 조사함: 국정원 특수활동비 1억원 받은 혐의. **12**-7 문재인文在寅 대통령, 감사원장 후보자에 최재형崔在亨 사법연수장을 지명함. 가상화폐(비트코인)의 한국 시세가 1600만원을 돌파함: 금년 110% 상승. 방송문화진흥회, MBC 사장에 최승호崔承浩 전 MBC PD를 선임함: MBC 해직 기자 출신. **12**-9 검찰, 국정원의 불법사찰 대상으로 알려진 조희연曺喜昖 서울시 교육감을 참고인 신분으로 소환 조사함: 11일 김승환金承煥 전북 교육감 소환 조사. **12**-10 전남 영암의 씨오리 농장에서 조류인플루엔자 발생이 확인됨: 29일 나주의 씨오리 농장에서도 확인. 검찰, 조윤선趙允旋 전 청와대 정무수석을 소환 조사함: 국정원 특수활동비 수수 의혹 관련. 임종석任鍾晳 대통령 비서실장, 대통령 특사 자격으로 아랍에미리트와 레바논을 방문함: 야당, 방문 목적 관련하여 의혹 제기. **12**-11 정부, 북한의 장거리 탄도미사일 화성-15형발사에 대응하여 추가 대북한 독자 제재 방안을 발표함: 북한 금융기관 및 선박회사 등 20개 단체와 북한 인사 12명 대상. 국민권익위원회, 청탁금지법 시행령 개정안을 의결함: 선물비 상한액을 농축수산물은 5만원에서 10만원으로, 경조사비 상한액은 10만원에서 5만원으로 변경.	**11**-24 이집트, 시나이 반도에서 무장테러범의 이슬람사원 습격사건 발생함: 305명 사망, 120여명 부상. **11**-27 교황 프란치스코1세, 불교국 미얀마를 방문함: 로마 가톨릭 수장으로 최초. **12**-4 예멘, 살레Saleh 전 대통령이 후티Houthi 반군에게 피살됨: 사나의 자택에 폭탄 공격. **12**-6 미국, 트럼프 대통령이 예루살렘을 이스라엘의 수도라고 공식 선언함: 아랍권 등 반발. **12**-8 미국, 캘리포니아주에 대형 산불이 5일째 계속됨: 9일 비상사태 선포. **12**-9 이라크, 이슬람국가IS와의 전쟁이 완전히 종식되었다고 선포함: 3년 반 만의 전쟁 종료. 아랍연맹, 이집트 카이로에서 외교장관회의를 개최함: 미국 트럼프 대통령이 예루살렘을 이스라엘의 수도라고 선언한 데 대해 미국정부의 중동평화 중재 역할 박탈 선언. **12**-13 이슬람협력기구, 동예루살렘을 팔레스타인 국가의 수도로 선언함: 예루살렘을 이스라엘의 수도라고 선언한 미국 트럼프 대통령 비난.

연 대	우 리 나 라	다 른 나 라
2017 (4350) 정유	**12-13** 문재인 대통령, 중국 방문차 출국함: 14일 시진핑 국가주석과의 정상회담에서 한반도 평화 4원칙에 합의. 15일 리커창 총리와의 회담에서 경제채널 재가동에 합의. 16일 충칭重慶 임시정부 청사 방문. 교육부, 서남대학교에 내년 2월 28일자로 학교폐쇄명령 내림: 재단비리로 재정 열악 사유. 검찰, 원유철元裕哲 의원을 소환 조사함: 불법 정치자금 수수 혐의. **12-14** 중국 경호원에 의한 한국 기자 폭행 사건 발생함: 국빈 행사 초유의 폭력. 검찰, 안광한安光漢 전 MBC 사장을 소환 조사함: 부당노동행위 의혹 관련. **12-15** 법원, 우병우禹柄宇 전 청와대 민정수석의 구속영장 발부함: 불법사찰 의혹 관련. 경찰, 신연희申燕姬 서울 강남구청장을 소환 조사함: 횡령 배임 혐의 관련. 국정원, 국내 가상화폐(비트코인) 거래소 해킹 공격이 북한의 소행이라고 밝힘. 한강이 평년보다 29일 빨리 결빙됨: 71년만의 기록. **12-16** 이대 목동병원 신생아 중환자실에서 4명의 미숙아 사망사건 발생함. **12-18** 검찰, 김장겸金張謙 전 MBC 사장을 피의자 신분으로 소환 조사함: 부당노동행위 의혹 관련. **12-20** 검찰, 이우현李愚鉉 의원을 소환 조사함: 불법 정치자금 수수 혐의. 경기도 용인에서 조류인플루엔자 발생함: 23일 전북 고창, 25일 충남 천안에서도 발생. 가수 나애심羅愛心 사망. **12-21** 충북 제천에서 스포츠센터 화재사건 발생함: 29명 사망, 36명 부상. **12-22** 경강선京江線 철도(서울~강릉)가 개통됨. 검찰, 이원종李元鍾 전 대통령 비서실장을 소환 조사함: 국정원 특수활동비 수수 의혹 관련. **12-23** 녹원綠園 전 조계종 총무원장 사망. **12-26** 검찰, 박근혜 전 대통령에 대한 서울구치소 방문조사를 실시함: 진술 거부로 조사 실패. 자유한국당, 유여해柳汝諧 최고위원을 제명함: 당의 위신 손상 및 해당행위 사유. **12-27** 외교부, 2015년 발표된 한일 위안부 문제 합의에 비공개 내용 있었다고 발표함: 일본정부, 강력 항의. 국민의당, 바른정당과의 통합 찬반을 묻는 전체 당원투표를 실시함: 74.6%가 통합 찬성. 부산항만공사, 부산항이 컨테이너 물동량 2천만개를 달성했다고 발표함: 세계 6위의 항만 진입. **12-31** 경기 안성과 충남 천안의 야생 조류 분변에서 조류 인플루엔자 바이러스가 확인됨.	**12-15** 인도네시아, 자바섬 해안지역에 규모 6.5의 지진 발생함: 해안 주민 대피. **12-16** 필리핀, 중부지역에 태풍 카이탁Kai-tak의 강타로 75명 사망함: 24일 남부지역에 태풍 덴빈Tembin 강타로 200여명 사망. **12-17** 파키스탄, 남서부 퀘타 지역의 한 감리교회에서 이슬람국가IS에 의한 자살폭탄테러 발생함: 8명 사망, 40여명 부상. **12-21** 필리핀, 마닐라 동부 해역에서 여객선 전복사고 발생함: 90여명 사망. **12-22** 유엔 안전보장이사회, 대북한 유류油類 제재를 한층 더 강화하는 제재 결의안을 채택함: 북한의 장거리 미사일 화성-15형 발사에 대한 제재. **12-26** 리비아, 이슬람국가의 테러공격에 의한 송유관폭발사건 발생함: 국제유가 폭등. **12-28** 아프가니스탄, 수도 카불의 시아파 종교문화시설에서 연쇄 폭탄테러 발생함: 40여명 사망, 80여명 부상.

연대	우리 나라	다른 나라
2018 (4351) 무술	**1**-1 문재인文在寅 대통령, 신년사에서 국민의 삶을 바꾸는 데 전력하겠다고 밝힘. 북한, 김정은金正恩 노동당 위원장이 신년사에서 평창동계올림픽대회에 대표단 파견 용의 있다고 언급함. **1**-3 남북간 판문점 연락채널이 재개통됨: 1년 11개월 만의 복원. **1**-4 문재인 대통령, 미국 트럼프Trump 대통령과의 전화통화에서 평창동계올림픽대회 기간 중 한미합동군사훈련을 하지 않기로 함: 한반도 긴장 수위 완화 기대. 박근혜정부의 잘못된 위안부 문제 합의에 대해 사과함: 후속 조치 약속. 법원, 최경환崔炅煥 의원과 이우현李愚鉉 의원에 대한 구속영장을 발부함: 뇌물 수수와 불법 정치자금 수수 혐의. 고양시, 서울~문산고속도로 행신IC 건설공사장에서 구석기시대 유물 8천여점을 수습했다고 발표함: 4만~6만 년 전 사용 추정. 영화 〈신과함께〉가 관객 1천만명을 돌파함. **1**-5 삼성전자, 반도체 분야에서 인텔 제치고 업계 1위에 오름: 2017년 매출 약 65조원 달성. 전해종全海宗 서강대학교 석좌교수 사망. **1**-8 아랍에미리트의 아부다비 왕세제 특사 칼둔Khaldoon 행정청장이 방한함: 9일 문재인 대통령과의 회동에서 양국 간 전략적 동반자 관계 격상에 합의. **1**-9 정부, 한일 위안부 문제가 해결은 안 되었지만 재협상 요구는 안 한다고 발표함: 일본정부, 항의 성명 발표. 남북고위급회담이 2년여 만에 판문점에서 개최됨: 북한의 평창동계올림픽대회 참가 및 남북군사회담 개최에 합의. 국립중앙박물관, 14세기의 고려시대 불감佛龕과 관음보살상이 일본에서 돌아왔다고 발표함. 북한, 서해 군통신선을 23개월 만에 복원함: 남북 상시 협의 가능. **1**-10 문재인 대통령, 신년 기자회견에서 개헌에 대한 의지를 강력히 피력함: 4년 중임제 거론. **1**-12 검찰, 박승춘朴勝椿 전 보훈처장을 소환 조사함: 국정원 지원받은 편향된 안보교육 관여 의혹. **1**-13 검찰, 이명박정부 시절 국정원으로부터 특수활동비 전달받은 의혹 관련하여 김백준金伯駿 전 청와대 총무비서관을 소환 조사함: 17일 구속. 교육부, 전문대학 최초로 대구미래대학의 폐교 신청을 인가함: 신입생 감소에 따른 운영난 이유. **1**-14 청와대, 3대 권력기관 개혁안을 발표함:국정원과 검찰 축소, 경찰 강화로 권력 상호간 견제. 서울특별시, 미세먼지 비상저감조치를 발표함: 15일 출퇴근 시 대중교통 무료 조치.	**1**-2 홍콩, 일지양검一地兩檢에 반대하는시위벌어짐: 홍콩내 고속철역에 중국본토 법적 용반대. 나이지리아, 남부의 오모쿠시 교회에서 무장괴한에 의한 총격사건 발생함: 17명 사망. **1**-4 아프가니스탄, 수도 카불에서 이슬람국가에 의한 자살폭탄테러 발생함: 20명 사망, 30명 부상. **1**-6 일본, 지바현千葉縣 북서부에서 규모 4.8의 지진 발생함: 지하철·열차 비상정지. **1**-8 중국, 동부 해안에서 파나마 소속 유조선 충돌사고 발생함: 선박 전소로 선원 32명 사망. **1**-9 미국, 캘리포니아주 산불 피해 지역에 폭우로 산사태 발생함: 40여명 사망. 3만여명 대피령. **1**-14 페루, 남부 해안에 규모 7.1의 지진 발생함: 광산 붕괴로 17명 실종 등 인명 피해.

연 대	우 리 나 라	다 른 나 라
2018 (4351) 무술	**1**-15 정부, 긴급 브리핑에서 가상화폐 실명제를 추진하겠다고 발표함: 정부 내 정책 혼선 정리. 검찰, 홍문종洪文鍾 의원의 불법 정치자금 수수 의혹 관련하여 사학재단 경민학원慶旼學園을 압수수색함: 25일 홍문종 의원 자택 및 사무실 압수수색. 경찰, 충북소방본부와 제천소방서를 압수수색함: 제천 화재참사 관련. 대동문화재연구원, 고령지산동고분군에서 대가야 유물 1천여점을 발굴함: 대가야와 고구려·백제·신라의 활발한 교류 입증. 평창동계올림픽대회 북한 예술단 파견 관계 남북 실무접촉이 판문점에서 열림: 삼지연관현악단 140여명 보내기로 합의. 전상운全相運 전 성신여대 총장 사망. **1**-17 이명박李明博 전 대통령, 최근 검찰의 적폐청산 수사는 노무현盧武鉉 전 대통령 죽음에 대한 정치보복이라는 성명서를 발표함. 검찰, 조현준趙顯俊 효성그룹 회장을 소환 조사함: 100억원대 비자금 조성 의혹 관련. 평창동계올림픽대회 북한 선수단 파견 관계 남북 차관급 실무회담이 판문점에서 개최됨: 한반도기 앞세워 공동입장, 여자아이스하키 단일팀 구성 등 11개 항의 공동보도문 채택. **1**-18 국민의당·바른정당, 통합 공동선언을 발표함: 통합개혁신당(가칭) 창당 계획 표명. 인천공항 제2터미널이 개장됨: 대한항공 등 4개 항공사 입주. **1**-20 국외소재문화재재단, 효명세자빈책봉죽책孝明世子嬪冊封竹冊을 프랑스로부터 반입함: 27일 《양봉요지養蜂要誌》 유일본을 독일로부터 반입. **1**-21 북한, 현송월玄松月 삼지연관현악단장 일행이 경의선 육로 통해 서울과 강릉을 방문함: 공연 시설 사전 점검차. **1**-22 사법부 블랙리스트 추가조사위원회, 법원행정처에서 특정 판사의 동향자료 작성 문건이 발견되었다고 발표함: 김명수金命洙 대법원장, 대국민 사과문 발표하고 인적 쇄신 등 후속조치 약속. 검찰, 이상득李相得 전 의원 사무실을 압수수색함: 이명박정부 시절 국정원 특수활동비 불법수수 의혹 관련. KBS 이사회, 고대영高大榮 사장 해임 제청안을 의결함: 24일 KBS 노조, 140여일 만에 파업 중지하고 업무에 복귀. 미국이 삼성·LG의 세탁기와 태양광 부품에 대해 긴급수입제한조치(세이프가드)를 발표함: 23일 민관긴급회의 개최하여 대책 협의. 정현 선수, 호주오픈테니스대회에서 최강자 조코비치Djokovic 누르고 8강에 진출하여 한국인 첫 메이저대회 최고 성적을 수립함: 24일 4강 진출에 성공.	**1**-15 이라크, 수도 바그다드 도심에서 2건의 자살폭탄테러 발생함: 38명 사망, 100여명 부상. **1**-20 미국, 연방정부가 셧다운shut down(부분 업무 정지) 상태가 됨: 트럼프 대통령의 불법이민정책에 대한 의견 차이로 예산안 협상 결렬 연유. **1**-23 일본, 군마현群馬縣 구사스시라네산草津白根山에서 화산이 분출함: 경계경보 발령. 필리핀, 알바이주Albay州 마욘Mayon 화산의 화산재가 3km 상공까지 분출함: 주민 5만 6천여명 대피. 인도네시아, 자바섬 남부 해저에서 규모 6.4의 지진 발생함: 쓰나미경보 발령. 미국, 알래스카 해상에서 규모 7.9의 지진 발생함: 환태평양 조산대 '불의 고리'에 위치. **1**-20 시리아, 미국군 주도 연합군이 이슬람국가IS 사령부를 폭격함: 150여명 사망.

연 대	우 리 나 라	다 른 나 라
2018 (4351) 무술	**1**-23 북한의 금강산·마식령스키장·갈마비행장 사전 점검단이 동해선 육로 통해 방북함: 남북합동문화행사 및 남북스키선수 공동훈련 현장 점검차. **1**-25 정부, 일본정부의 영토주권전시관 설치에 대해 즉각 폐쇄를 요구함: 독도 영유권 주장하는 상설 전시관. 국민의당 반통합파, 전남 목포에서 창당결의대회를 개최함: 당명을 민주평화당으로 결정. 검찰, 이명박李明博 전 대통령 소유의 영포빌딩을 압수수색함: 다스 비자금 의혹 관련. 전국에 한파특보를 발령함: 2월 초까지 강추위 계속으로 농작물 피해 극심. 북한, 평창동계올림픽대회 사전 점검단과 여자아이스하키선수단이 경의선 육로로 방남함: 시설 사전 점검 및 남북단일팀 훈련 참가차. **1**-26 전국에 최강 한파가 내습함: 서울 영하 17.8도, 철원 영하 24.7도로 한파특보 지속. 경남 밀양 세종병원에서 화재 발생함: 50명 사망, 150명 부상. **1**-27 경기도, 전역에 가금류와 관련 종사자·차량에 '일시이동중지 명령'을 발령함: 26일 화성에 조류인플루엔자 발생 이어 평택으로 확산되는 데 대한 대응. 검찰, 염동렬廉東烈 의원을 소환 조사함: 강원랜드 채용비리 의혹 관련. **1**-28 문재인文在寅 대통령, 박항서朴恒緖 베트남 축구대표팀 감독에게 축전 보냄: 23세 이하 대표팀을 준우승시킨 공로 치하. 국민의당 반통합파, 창당발기인대회를 개최하여 조배숙趙培淑 의원을 창당준비위원장으로 선출함: 안철수安哲秀 대표, 당무위원회 개최하여 반통합파 의원 16명 등 179명 징계. **1**-29 북한, 금강산에서 개최 예정인 남북합동문화행사를 취소한다고 통보해 옴: 남측의 북한 건군절 열병식 등 언론 보도 내용에 불만. 이성무李成茂 전 국사편찬위원회 위원장 사망. **1**-31 아시아나항공 전세기, 마식령스키장 남북스키선수 공동훈련 참가자 태우고 양양국제공항 떠나 북한 갈마비행장에 도착함: 2년 3개월만의 하늘길 개방. 노사정위원회, 8년 2개월만에 대표자 6명 전원이 참석하여 개최됨: 새 사회적 대화기구 설립에 합의. 호반건설, 산업은행 이사회에서 대우건설 인수자로 선정됨:	**1**-27 일본, 가상화폐거래소 코인체크가 해킹당했다고 보도 됨 : 역 대 최 대 5648억원 규모. **1**-28 아프가니스탄, 수도 카불에서 자살폭탄테러 발생함: 103명 사망, 235명 부상. 이란, 수도 테헤란 등 북부지역에 최고 80㎝의 폭설이 내림 : 학교 휴교 및 직장 임시 휴업. **1**-30 케냐, 오딩가Odinga 야권 대통령 후보가 비공식 대통령 취임식을 함: 케냐타Kenyatta 현 대통령에 반기. **2**-1 브라질, 카니발 축제 앞두고 황열병黃熱病이 상파울루 등지에 확산됨: 지난해부터 81명 사망. **2**-3 이스라엘, 적대국 이집트와 비밀 국사협력을 체결함 : 시나이 반도 내 이슬람국가 추종세력 격퇴 목적. **2**-4 타이완, 동부 화롄花蓮 해역에서 규모 6.4의 지진 발생하여 70여명 사망함: 7일 규모 5.7의 지진 발생하여 피해 확산. 이집트, 카이로 기자Giza 지역의 카프레Khafre 피라미드 인근에서 4천 년 전 여사제女司祭 헷펫HetPet의 무덤을 발굴했다고 발표함: 이집트 신화에서 여성과 출산 관장하는 하토르Hathor 신을 섬긴 사제.

연 대	우 리 나 라	다 른 나 라
2018 (4351) 무술	8일 대우건설의 해외사업 부실 심하여 포기. 한국천문연구원, 35년만의 특이한 개기월식 현상이 일어났다고 발표함: 블러드문Blood Moon · 블루문Blue Moon · 슈퍼문Super Moon 현상이 함께 발생. 검찰, 조희진趙嬉珍 서울동부지검장을 검찰 내 성추행조사단장에 임명함: 서지현徐志賢 검사 성추행 폭로 내용 진상조사. 주한 미국대사 내정자 빅터 차Victor Cha의 내정이 취소되었다고 보도됨: 코피전략(제한적 대북한 선제타격) 반대 이유. 황병기黃秉冀 가야금 명인 사망. **2-1** 법원, 해양수산부 김영석金榮錫 전 장관과 윤학배尹學培 전 차관에 대한 구속영장을 발부함: 세월호참사특별조사위원회 업무 방해 혐의. 검찰, 이현동李炫東 전 국세청장을 김대중 전 대통령 음해공작 관련하여 소환 조사함: 13일 구속. 북한, 평창동계올림픽대회 선수단이 양양국제공항에 도착함: 단장 원길우 체육성 부상 등 47명 강릉선수촌에 입촌. **2-2** 법무부, 법무부성희롱·성범죄대책위원회가 발족됨: 위원장에 권인숙權仁淑 한국여성정책연구원장 위촉. 유엔 구테헤스Guterres 사무총장이 뉴욕 주재 한국특파원단과의 인터뷰에서 한반도 위기에 대한 국제적 해법은 비극적 상황의 시작이라고 발언함: 유엔 안전보장이사회의 단결 유지해 한반도 비핵화 목표로 한 외교적 개입 강조. **2-3** 검찰, 정호영鄭鎬瑛 전 특별검사를 소환 조사함: 2008년 BBK투자자문회사 관련한 이명박 전 대통령 조사 의혹 관련. 제주특별자치도, 서귀포시 성산읍 오도리 철새도래지 야생조류 폐사체에서 조류인플루엔자 바이러스가 검출되었다고 발표함: 이동 제한 조치 발령. **2-4** 북한, 김영남金永南 최고인민회의 상임위원장을 단장으로 하는 고위급 대표단이 평창동계올림픽대회에 참석한다고 통보해 옴: 명목상 대외적 수반 파견. 장웅 국제올림픽위원회 북한 위원이 평창동계올림픽대회 참관차 인천국제공항 통해 입국함. **2-5** 국세청, 가상통화거래소 빗썸bithumb을 압수수색함: 탈세 혐의. 국정원, 북한 총정치국장에 김정각金正閣 인민무력성 제1부부장이 임명되었다고 밝힘. 충남 당진에 조류 인플루엔자가 발생함: 10일 천안에서도 발생하여 일시이동중지 명령 발령.	**2-5** 몰디브, 야민Yameen 대통령이 대법원의 정치범 석방 판결에 대응하여 15일간의 비상사태 선포함: 가윰Gayoom 전 대통령 체포. **2-10** 인도네시아, 자바섬에서 버스충돌사고 발생함: 27명 사망. 이스라엘, 전투기가 시리아 내 이란 군사시설 폭격작전수행 중 격추됨: 시리아 내 미사일 기지와 이란 군사시설에 미사일 공격. **2-11** 홍콩, 타이포로大埔路에서 이층버스 전복사고 발생함: 19명 사망, 65명 부상. 러시아, 모스크바 인근에서 여객기 추락사고 발생함: 탑승자 71명 전원 사망. **2-12** 통가Tonga, 남태평양에서 강력한 사이클론 발생함: 국회의사당 붕괴되고 수도 누쿠알로파 가옥75% 파손. **2-14** 중국, 유행성 독감으로 지난달 56명이 사망했다고 보도됨: 비싼 의료비와 의료 인력 부족으로 피해 커짐. 미국, 플로리다주 고등학교에서 19세 퇴학생에 의한 총기난사사건 발생함: 30여명 사상. 남아프리카공화국, 주마Zuma 대

연 대	우 리 나 라	다 른 나 라
2018 (4351) 무술	**2**-6 문재인文在寅 대통령, 평창동계올림픽대회 참석차 방한한 에스토니아 칼율라이드Kaljulaid 대통령과 정상회담 가짐: 7일 캐나다 파이에트Payette 총독, 리투아니아 그리바우스카이테Grybauskaite 대통령과 정상회담. 검찰, 박재완朴宰完 전 기획재정부장관을 소환 조사함: 국정원 특수활동비 불법수수 의혹 관련. 민주평화당, 중앙당 창당대회를 개최함: 대표에 조배숙趙培淑 의원 선출. 검찰 성추행진상조사단, 임은정林恩貞 검사를 참고인 신분으로 소환 조사함: 검찰 내부의 서지현徐志賢 검사 성추행 은폐 주장 관련. 북한, 현송월玄松月 삼지연관현악단장이 인솔하는 북한예술단 본진이 만경봉호로 묵호항에 도착함: 8일 강릉아트센터, 11일 서울국립극장에서 공연. **2**-7 법원, 이중근李重根 부영그룹 회장에 대한 구속영장을 발부함: 임대주택 불법분양으로 부당이득 취한 혐의. 북한, 김일국 체육상 등 동계올림픽 관계자와 응원단·태권도시범단·기자단이 경의선 육로로 방남함. **2**-8 문재인 대통령, 평창동계올림픽대회 참석차 방한한 독일 슈타인마이어Steinmeker 대통령 및 폴란드 두다Duda 대통령과 정상회담 가짐. 미국 펜스Pence 부통령 및 중국 한정韓正 상무위원 접견. 대법원, 박준영朴晙瑩 의원과 송기석宋基錫 의원 유죄를 확정함: 공천헌금 수수 혐의 및 공직선거법 위반으로 의원직 상실. 검찰, 김성호金成鎬 전 국정원장을 국정원 특수활동비 불법수수 의혹 관련해 소환 조사함. 하나은행·광주은행·부산은행 본점을 채용비리 관련해 압수수색함: 9일 대구은행 압수수색. **2**-9 문재인文在寅 대통령, 평창동계올림픽대회 참석차 방한한 유엔 구테헤스Guterres 사무총장 및 네덜란드 뤼터Rutte 총리와 정상회담 가짐. 일본 아베安倍晋三 총리와의 정상회담에서 위안부 문제와 대북한 정책에 대해 이견 보임. 북한, 김영남金永南 최고인민회의 상임위원장을 단장으로 하는 고위급 대표단이 평창동계올림픽대회 참석차 서해 직행로 통해 인천국제공항에 도착함: 김정은金正恩 노동당 위원장 여동생 '백두혈통' 김여정金與正 노동당 제1부부장, 최휘 국가체육지도위원장, 이선권 조국평화통일위원회 위원장 수행. 평창동계올림픽대회 개막식이 92개국 2,925명이 참가한 가운데 평창올림픽스타디움에서 거행됨: 남북한 선수단, 한반도기 들고 공동입장. 한국은행, 스위스와 통화스와프협정을 체결했다고 발표함: 106억 달러 규모로 3년간 계약.	통령이 783건의 범죄 혐의에 관련되어 9년만에 퇴진함: 후임에 라마포사 부통령 취임. **2**-15 중국, 세계 최초의 H7N4형 조류인플루엔자 감염사가 발생했다고 보도됨: 살아 있는 닭과 접촉 후 발생. **2**-16 멕시코, 남서부 와하카주에서 규모 7.2의 지진 발생함: 포포카테페틀Popocatepetl 화산 화산재가 1km 높이까지 분출. 에티오피아, 반정부시위 격화로 국가비상사태 선포됨: 데살렌Desalegn 총리 사임. **2**-18 이란, 중부 산악지대 세미롬Semirom 마을에서 여객기 추락사고 발생함: 탑승자 66명 전원 사망. **2**-19 시리아, 정부군이 반군의 최대 근거지 동구타東Ghouta 지역에 포격을 가함: 21일 어린이 포함 310여명 사망. **2**-21 미국, 빌리 그레이엄Billy Graham 목사 사망.

연 대	우 리 나 라	다 른 나 라
2018 (4351) 무술	**2**-10 북한, 김정은 노동당 위원장이 문재인 대통령의 평양 방문을 공식 요청함: 청와대 방문한 여동생 김여정 특사 통해 전달. **2**-11 경북 포항에서 규모 4.6의 지진 발생함: 3개월 전 규모 5.4 지진의 여진. **2**-12 검찰 성추행조사단, 의정부지검 고양지청 소속 부장검사를 부하 강제추행 혐의로 긴급체포함: 15일 구속. 강원도 삼척시 도계읍과 노곡면에서 산불 발생하여 주민 긴급 대피함: 15일 완전 진화. **2**-13 문재인 대통령, 평창동계올림픽대회 참석차 방한한 라트비아 베요니스Vejonis 대통령과 정상회담 가짐: 한반도 비핵화에 성원 요청. 바른미래당, 통합 및 창당대회를 개최함: 공동대표에 박주선朴柱宣·유승민劉承旼 의원. 정부, 김성수金性洙 전 부통령의 건국공로훈장 취소를 의결함: 친일행위 인정 판결 결과. 대법원, 박찬우朴贊佑 의원 유죄를 확정함: 공직선거법 위반으로 의원직 상실. 한국 지엠GM, 군산공장 폐쇄방침을 발표함: 경영난으로 인한 자구 차원 이유. **2**-15 문재인 대통령, 평창동계올림픽대회 참석차 방한한 노르웨이 솔베르그Solberg 총리와 정상회담 가짐: 양국 간 교류협력 방안 논의. 검찰, 이학수李鶴洙 전 삼성그룹 부회장을 소환 조사함: 이명박 전 대통령 관련 의혹 받는 다스의 미국 소송비용 대납한 혐의. 서울대학교·한국지질자원연구원·미국페롯자연과학박물관·중국지질과학원, 경남 하동에서 발견된 원시도마뱀 발자국이 세계에서 가장 오래된 것이라고 발표함: 1억1천만 년 전 두 발로 뛰는 능력 보여준 증거. **2**-16 윤성빈尹誠彬 선수, 평창동계올림픽대회 남자 스켈레톤 경기에서 우승함: 한국 및 아시아 썰매 경기에서 최초. **2**-18 박찬욱朴贊郁 영화감독, 영화 〈아가씨〉로 영국 아카데미 영화상을 수상함. 고은高銀 시인, 경기도 수원시 광교산 문화향수의 집에서의 퇴거 의사 밝힘: 주민 퇴거 요구 및 성추행 논란 관련. 한국극작가협회, 이윤택李潤澤 전 연희단거리패 예술감독을 성추행 논란 관련하여 제명함: 19일 한국연극연출가협회와 서울연극협회에서도 제명. **2**-20 문재인文在寅 대통령, 평창동계올림픽대회 참석차 방한한 슬로베니아 파호르Pahor 대통령과 정상회담: 양국 간 실질협력 확대 방안 논의. 문화재청, 하용부河龍富 밀양백중놀이 보유자의 전수교육지원금 지원을 중단한다고 발표함: 성폭행 의혹 관련.	**2**-23 미국, 대북한 최강도 제재를 가동함: 선박과 무역회사 대상 해상교역 봉쇄. 사이언스지Science Journal에 스페인 동굴벽화 그린 주인공이 네알데르탈인이라고 발표됨: 영국과 독일 연구진에 의해 약 6만4천 년 전 것으로 판명. 소말리아, 수도 모가디슈Mogadishu에서 이슬람 극단주의 테러조직 알샤바브Ai-Shabab에 의한 두 차례 자살폭탄테러 발생함: 38명 사망. **2**-24 유엔 안전보장이사회, 시리아에서의 30일간 휴전 요구 결의안을 채택함: 정부군 포격으로 고통받는 동구타東Ghouta 지역에 대한 인도주의 지원 목적. **2**-26 파푸아뉴기니, 멘디Mendi 남서쪽 지역에서 규모 7.5의 지진 발생함: 27일 규모 6.3 지진 등 10여 차례 여진 발생.

연 대	우 리 나 라	다 른 나 라
2018 (4351) 무술	**2-21** 충북지방경찰청, 조민기趙珉基 배우 겸 청주대 교수에 대한 내사에 착수함: 여학생 성추행 의혹 관련. 서울예대 총학생회, 오태석吳泰錫 극작가 겸 초빙교수 해임 요구하는 성명을 발표함: 배우 및 제자 성추행 관련. **2-22** 곽윤직郭潤直 서울대 명예교수 사망. **2-23** 미국 트럼프Trump 대통령의 장녀 이방카Ivanka 백악관 고문이 평창동계올림픽대회 폐회식 참석차 방한함: 문재인文在寅 대통령과 청와대 상춘재常春齋에서 만찬 회동. 북한, 김영철金英徹 통일전선부장을 단장으로 하는 대표단이 평창동계올림픽대회 폐회식에 참석한다고 통보해 옴: 야당(자유한국당)과 천안함 유가족, 연평도 포격사건 피해자 등이 그의 전력 들어 반대 의사 표명. **2-24** 이승훈李承勳 선수, 평창동계올림픽대회 남자 매스스타트 경기에서 우승함: 신설 종목의 초대 챔피언 등극. 윤호진尹浩鎭 연출가, 성추행 관련하여 사과함: 배우 조재현曺在顯도 사과. 김형효金炯孝 한국학중앙연구원 명예교수 사망. **2-25** 검찰, 이시형李始炯 다스 전무(이명박 전 대통령 아들)를 소환 조사함: 다스 소유주 내사 관련. 윤이상尹伊桑 음악가의 유해가 독일에서 49년만에 고향 통영시로 돌아옴:찬반 논란 가열. 배병우裵炳雨 사진작가, 서울예대 교수 시절의 성추행 관련하여 사과함. 한명구韓明求 서울예대 교수, 성추행 관련하여 사과하고 교수직을 사퇴함. 최일화崔日和 한국연극배우협회장, 성추행 사실을 고백하고 협회장직에서 사퇴함. 북한, 김영철金英徹 통일전선부장을 단장으로 하는 대표단이 평창동계올림픽대회 폐회식 참석차 방남함: 평창에서 문재인文在寅 대통령 면담하고 미국과의 대화 용의 표명. 평창동계올림픽대회에서 비인기 종목인 여자 컬링·봅슬레이·스노보드 등이 사상 최초로 은메달을 획득함. 평창동계올림픽대회 폐회식이 거행됨: 한국 종합 7위 기록. **2-26** 문재인文在寅 대통령, 평창동계올림픽대회 폐회식 참석차 방한한 중국 류옌둥劉延東 국무원 부총리를 접견함: 북·미대화 위한 중국 협조 당부. 검찰, 김장수金章洙 전 청와대 국가안보실장을 소환 조사함: 박근혜정부 당시 세월호 참사 보고시각 조작 혐의 관련. 안태근安兌根 전 법무부 검찰국장을 소환 조사함: 서지현徐志賢 검사 성추행 의혹 및	**3-1** 미국, 트럼프 대통령이 자국 산업 보호 위해 수입산 철강과 알루미늄에 대해 고율의 관세 부과하겠다고 밝힘: 중국 및 유럽연합과의 무역진쟁 빌빌 위기. 러시아, 푸틴 대통령이 미국의 미사일 방어체계를 무력화시킬 수 있는 핵추진 순항미사일과 핵추진 드론을 공개함: 새로운 냉전 시작 관측. **3-2** 중국, 시진핑習近平 국가주석이 태자당太子黨(혁명원로 자제)과 연루된 화신華信 에너지 공사 등 7대그룹에 대한 사정 압박을 시작했다고 보도됨: 반대 세력에 대한 경고 추정. **3-3** 부르키나파소, 수도 와가두구Ouagadougou에서 이슬람 반군에 의한 육군본부와 프랑스 대사관 습격사건 발생함: 28명 사망, 80여 명 부상. **3-6** 일본, 신모에다케新燃岳 화산 이 폭 발 함 : 2.3km까지 연기 분출. 러시아, 시리아 북서부 라타키아Latakia의 흐메이밈Hmeimim 공군기지에서 수송기 추락사고 발생함: 탑승자 32명 전원 사망.

연대	우리 나라	다른 나라
2018 (4351) 무술	인사상 불이익 준 혐의. 이상주 삼성전자 전무(이명박 전 대통령 사위)를 소환 조사함: 불법자금 수수 의혹 관련. 경찰, 미투Mee Too (나도 당했다) 운동 후 처음으로 성범죄 혐의 수사에 착수함: 김석만金錫萬 한국예술종합학교 명예교수, 박재동朴在東 화백, 조증윤 극단대표, 오달수 배우 등이 피해자에게 폭로당함. **2**-27 검찰, 김관진金寬鎭 전 국방부장관을 소환 조사함: 이명박정부 시절 군 사이버사령부의 여론조작 의혹 관련. 이팔성李八成 전 우리금융지주 회장을 소환 조사함: 이명박 전 대통령측에 금품수수한 혐의. 평창동계패럴림픽대회 관계 남북 실무회담이 판문점에서 개최됨: 대표단 4명, 선수단 20명 파견 합의. 김태훈 배우 겸 세종대 교수, 성추행 사과하고 교수직을 사퇴함: 28일 최용민 배우 겸 명지전문대 교수도 사과 후 사퇴. **2**-28 국회, 근로기준법 개정안을 의결함: 주당 법정 근로시간을 68시간에서 52시간으로 단축. 법원, 신연희申燕姬 서울 강남구청장의 구속영장을 발부함: 업무상 횡령 및 직권남용 등 혐의. 한국천주교주교회의, 김희중金喜中 주교 명의로 신부의 성폭행 사실에 대해 사과함: 교회법과 사회법에 따라 엄중 처벌 강조. **3**-1 검찰, 이상은 다스DAS 회장(이명박 전 대통령의 형)을 소환 조사함: 다스 관련 의혹 조사. **3**-3 김종호金宗鎬 전 국회부의장 사망. **3**-4 경찰, 박중현朴仲鉉 명지전문대 교수에 대한 내사에 착수함: 여학생 성추행 혐의 관련. **3**-5 정의용鄭義溶 청와대 국가안보실장과 서훈徐薰 국가정보원장 등 5명의 대북한 특별사절 대표단이 서해 직행로 통해 방북함: 김정은金正恩 노동당 위원장 접견 후 만찬 참석. 안희정安熙正 충남지사, 정무비서 성폭행 사실이 보도됨: 도지사직 사퇴 및 정치활동 중단 선언. 검찰, 천신일千信一 세종나모여행사 회장과 최시중崔時仲 전 방송통신위원장 자택과 사무실을 압수수색함: 이명박정부 때의 불법자금 수수 의혹 관련. **3**-6 정의용鄭義溶 청와대 국가안보실장, 제3차 남북정상회담을 4월 말에 판문점 우리 측 평화의 집에서 개최하기로 북한 측과 합의했다고 발표함: 남북 정상 간 핫라인 설치, 미국과 북한의 비핵화 논의 등 주요 현안도 합의.	**3**-7 엘살바도르, 군사정권 때 암살당한 로메로Romero 대주교가 성인위聖人位에 오름. 파푸아뉴기니, 규모 6.7의 지진 발생함: 18명 사망. **3**-9 미국, 트럼프 대통령이 중국 시진핑習近平 국가주석과 전화통화함: 한반도 문제에 대한 의견 교환. **3**-10 르완다, 남부 나루구루 행정구역의 제7안식교회에 벼락이 떨어짐: 16명 사망, 140여명 부상. **3**-11 중국, 전국인민대표대회에서 국가주석 3연임 금지조항을 폐기하는 개헌안을 의결함: 시진핑 국가주석의 장기집권 가능. **3**-12 방글라데시, 네팔의 카트만두 공항 인근에서 여객기 추락사고 발생함: 67명 사망. **3**-13 미국, 트럼프 대통령이 틸러슨Tilleson 국무장관을 전격 경질함: 후임에 강경파 폼페이오Pompeo 중앙정보국장 내정. 중앙정보국장 후임에 해스펠Haspel 부국장 지명: 최초의 여성 수장.

연 대	우 리 나 라	다 른 나 라
2018 (4351) 무술	**3**-7 문재인文在寅 대통령, 여야 5당 대표를 청와대로 초치해 북한 핵문제 등 안보협력 방안을 논의함: 홍준표洪準杓 자유한국당 대표도 처음 참석. 검찰, 이상득李相得 전 의원을 소환 조사함: 불법자금수수 혐의. 정봉주鄭鳳柱 전 의원, 서울시장 선거 출마선언 기자회견을 연기함: 성추행 의혹 기사 관련. 경찰, 안병호安柄鎬 함평군수에 대한 내사에 착수함: 성폭력 의혹 관련. 북한, 평창동계패럴림픽대회 선수단이 경의선 육로로 방남함: 김문철 단장 등 24명 강릉 선수촌에 입촌. 김기덕金基德 영화감독, 미국『버라이어티Variety』와 영국『가디언The Guardian』 등에 성폭행 의혹 뉴스가 보도됨: 신작 영화작품 개봉 연기. **3**-8 정의용鄭義溶 청와대 국가안보실장, 서훈徐薰 국가정보원장과 함께 북한 방문 결과 설명차 미국을 방문함. 9일 북한의 핵폐기 및 트럼프Trump 대통령 북한 초청 의사 수용 의지 발표. 정현백鄭鉉栢 여성가족부장관, 직장 및 문화계 성희롱 및 성폭력 근절 대책을 발표함: 피해자들에게 실질적 도움 방안 강화 강조. 강원랜드 수사단, 권성동權性東 의원과 염동렬廉東烈 의원 사무실을 압수 수색함: 업무방해 등 혐의. 법원, 이만우李萬雨 전 의원에 대한 구속영장을 발부함: 강간치상 혐의. 윤경빈尹慶彬 전 광복회장 사망. **3**-9 평창동계패럴림픽대회 개막식이 49개국 570명이 참가한 가운데 평창올림픽스타디움에서 거행됨: 남북한 선수단, 한반도기 독도 표기 이견으로 공동입장 무산. 조민기趙珉基 배우 겸 청주대 교수 자살: 여학생 성추행 의혹 관련. **3**-10 민병두閔丙梪 의원, 성추행 의혹 관련하여 의원직을 사퇴함: 5-6 번복. 검찰, 홍문종洪文鍾 의원을 소환 조사함: 불법 정치자금수수 의혹 관련. **3**-11 검찰, 박영준朴永俊 전 지식경제부 차관과 송정호宋正鎬 전 법무부장관을 소환 조사함: 이명박 전 대통령 때 불법자금 수수 혐의 관련. **3**-12 정의용鄭義溶 청와대 국가안보실장, 남북 및 북·미 정상회담 추진상황 설명차 중국을 방문하여 시진핑習近平 국가주석을 면담하고 지지 의사 확인함: 13일 러시아 방문하여 라브로프Lavrov 외무장관 면담. 서훈徐薰 국가정보원장, 남북 및 북·미 정상회담 추진상황 설명차 일본을 방문함: 13일 아베安倍晋三 총리 면담하고 지지 약속 받음. 최흥식崔興植 금융감독원장, 사의를 표명함: 하나은행 직원 채용비리 의혹 관련. 한국예술종합학교, 시인 황지우黃芝雨 교수 강의를 배제 조치함: 여학생 성추행 의혹 관련. 서울도서관, '만인萬人의 방'을 철거함: 성추행 논란 고은高銀 시인의 안성 서재를 재현한 공간.	**3**-14 영국, 러시아 외교관 23명 의추방을 결정함: 전직 러시아 스파이 암살시도 책임 추궁. 호킹Hawking 물리학자 사망. **3**-19 러시아, 대통령 선거에서 푸틴 대통령이 당선됨: 2024년까지 장기집권 가능. **3**-21 미얀마, 틴초Htin Kyaw 대통령이 사임함: 건강상 이유. 미국 연방준비제도이사회, 기준금리를 0.25% 포인트 인상함 : 경기회복 확신. 페루, 쿠친스키Kuczynski 대통령이 사임함: 뇌물수수 혐의로 탄핵 위기 관련. **3**-22 소말리아, 수도 모가디슈Mogadishu에서 차량폭탄테러 발생함: 14명 사망.

연 대	우 리 나 라	다 른 나 라
2018 (4351) 무술	**3**-14 검찰, 이명박李明博 전 대통령을 소환 조사함: 뇌물수수·비자금 횡령 등 20여 가지 혐의. **3**-15 정부, 강원랜드 부정 합격자 226명 전원을 직권면직 처리함: 채용비리 관련 철저한 후속조치 지침 의거. 충북 음성에서 조류인플루엔자 발생함: 16일 경기도 평택, 17일 충남 아산과 경기도 양주·여주에서도 발생. **3**-17 신의현 선수, 평창동계패럴림대회 크로스컨트리 7.5km에서 우승함: 한국 최초 금메달. **3**-18 평창동계패럴림픽대회 폐회식이 거행됨: 한국 종합 16위 기록. **3**-20 남측 예술단의 평양 공연 위한 실무접촉이 판문점에서 열림: 음악감독 윤상 대표와 북한 현송월 삼지연관현악단장 사이에 3. 31.부터 4. 3.까지 2회 개최에 합의. **3**-22 문재인文在寅 대통령, 베트남과 아랍에미리트 방문차 출국함: 23일 다이 꽝Tran Dai Quang 국가주석과의 정상회담 후 한·베트남 미래지향 공동선언 발표. 25일 아랍에미리트 모하메드Mohammed 왕세제와의 정상회담에서 특별전략적 동반자 관계로의 격상에 합의. **3**-26 문재인 대통령, 대통령 개헌안을 발의함: 국회 여야간 찬반 논쟁 가열. 북한, 김정은金正恩 국무위원장이 중국을 방문함: 시진핑習近平 국가주석과의 정상회담에서 비핵화에 따른 단계적 보상 제시. 한국인 선원 3명이 탑승한 어선 마린 711호가 가나 해적에 납치됨: 청해부대 문무대왕함 출동. **3**-27 전국에 미세먼지주의보가 발령됨: 전후 1주일간 미세먼지 피해 극심. 경기도 김포에서 돼지 구제역이 발생함: 국내 첫 A형 구제역. 진태하陳泰夏 전국한자교육추진총연합회 이사장 사망. **3**-28 강원도 고성에서 산불 발생함: 주민 1,300여명 대피. 정봉주鄭鳳柱 전 의원, 서울시장 선거 불출마 및 정계은퇴 의사를 발표함: 성추행 의혹 거짓 해명 관련. **3**-29 남북고위급회담이 판문점에서 개최됨: 남측대표 조명균 통일부장관과 북측대표 이선권 조국평화통일위원회 위원장 사이에 4월 27일 남북정상회담을 개최하기로 합의. 고용노동부, 전국공무원노동조합(전공노)을 9년만에 합법노조로 인정함: 해직자에게 조합원 자격 인정한 규약 개정 결과. 민주평화당·정의당, 공동교섭단체 구성에 합의함: '평화와 정의의 모임'으로 명칭 결정. 중국 양제츠楊潔篪 외교담당 국무위원이 방한함: 정의용鄭義溶 청와대 국가안보실장과의 회동에서 북중정상회담 내용 설명 후 한반도 비핵화·평화정착 공조방안 협의. 북한, 바흐Bach 국제올림픽위원장이 방북함: 북한의 올림픽대회 참가에 합의.	**3**-25 러시아, 시베리아 지방의 케메로보Kemerovo 쇼핑몰에서 화재사건 발생함: 어린이 포함 64명 사망, 48명 부상. **3**-26 중국, 허난성河南省의 평야지대에서 위魏나라 시조 조조曹操의 묘를 확인했다고 발표함: 안양현安陽縣 안평향安豊鄕 시가오쉐촌西高穴村에 위치. **3**-30 이스라엘, 가자지구 접경지대에서 팔레스타인 시위대를 무력 진압함: 17명 사망, 1,400여 명 부상. **3**-31 인도네시아, 보르네오섬 해저 송유관 파손으로 원유가 대량 유출됨: 인근 해역 오염으로 비상사태 선포.

연 대	우 리 나 라	다 른 나 라
2018 (4351) 무술	**3**-31 북한, 미국 폼페이오Pompeo 국무장관 내정자가 방북함: 김정은金正恩 국무위원장과의 회동에서 비핵화 조건 등 조율. **4**-1 한미연합훈련이 시작됨: 미국 민간인 본토 대피 훈련 병행. 금호타이어 노조, 중국 더블스타로의 매각 찬성 여부 투표를 시행함: 60.6%의 찬성으로 가결. 수도권 재활용 쓰레기 수거업체가 폐비닐과 폐스티로폼 수거를 거부하여 쓰레기대란 발생함: 가격 저하로 수거 기피. 방북 예술단이 평양에서 김정은 국무위원장 부부 참석리에 '봄이 온다' 부제로 단독공연함: 3일 '우리는 하나' 주제로 남북 합동공연. **4**-6 서울중앙지방법원, 박근혜朴槿惠 전 대통령의 국정농단에 대한 재판을 사상 최초로 전국 생중계리에 진행함: 징역 24년, 벌금 180억원 선고. 삼성증권, 배당 오류 사건 발생함: 11일 피해자들에게 당일 최고가 기준으로 보상 발표. 검찰, 염동렬廉東烈 의원을 소환 조사함: 강원랜드 채용비리 의혹 관련. 프로야구 경기가 미세먼지 이유로 수도권에서 연기됨: 37년 사상 최초. 전성우全晟雨 간송미술문화재단 이사장 사망. **4**-10 문재인文在寅 대통령, 방한중인 슬로바키아 키스카Kiska 대통령과 정상회담 가짐: 경제·과학기술 협력방안 논의. 검찰, 삼성전자서비스 노조원의 피해 사실을 수집함: 삼성그룹의 노조와해 의혹 관련. 경찰, 이재록李載祿 목사에 대해 출국금지 조치함: 여신도 성폭행 의혹 관련. **4**-11 산업은행, STX조선해양의 자구계획을 수용함: 법정관리 계획 철회. **4**-12 청와대, 김기식金起式 금융감독원장의 국회의원 시절 각종 의혹에 대해 중앙선거관리위원회에 유권해석을 의뢰함: 갑질 논란 및 셀프 기부 등 야권의 사퇴공세에 대응. **4**-13 문재인文在寅 대통령, 자유한국당 홍준표洪準杓 대표와 단독 정상회담 가짐: 국내 정치현안 논의. 검찰, 한국거래소·우리은행·더미래연구소를 압수수색함: 김기식金起式 금융감독원장의 국회의원 시절 외유성 출장 의혹 관련. 인천시 가좌동 이레화학공장에서 대형 화재 발생함: 최고단계 경계령 '대응 3단계' 발령. **4**-14 더불어민주당 김경수金慶洙 의원, 더불어민주당 당원 드루킹(김동원 닉네임) 등의 인터넷 댓글 여론조작사건과 무관함을 밝힘: 야당(자유한국당), 김영우金榮宇 의원을 진상조사단장에 임명. 북한, 중국예술단이 김일성 생일 축하 예술축전 참가차 평양에 도착함:김정은 국무위원장 여동생 김여정金與正 노동당 제1부부장이 직접 공항에서 영접.	**4**-2 중국, 우주정거장 톈궁天宮 1호가 임무 마치고 남태평양에 추락함: 2011년 9월 발사되어 우주인 체류 실험. **4**-3 미국, 최대 25%의 관세를 부과할 중국산 수입품 1,300여 품목을 발표하여 무역전쟁 위기 격화됨: 중국의 자국산 돼지고기 등 128개 품목에 대한 고율 관세에 대응. **4**-9 브라질, 룰라Lula 전 대통령을 부패혐의로 수감함: 12년 징역형으로 10월 대통령 선거에 영향. **4**-11 일본, 남동쪽 미나미토리섬南鳥島 주변 해저에서 1,600만t 이상의 희토류稀土類가 발견됨: 전세계가 수백년 사용 가능 규모. 알제리, 북부 보우파리크Boufarik 군기지 인근에서 군용기추락사고 발생함: 군인과 가족 257명 사망.

연 대	우 리 나 라	다 른 나 라
2018 (4351) 무술	**4**-16 김기식金起式 금융감독원장, 사의를 표명함: 국회의원 시절 위법 기부행위 관련. 대한항공, 조현민趙顯旼 전무를 대기발령시킴: 광고대행회사 직원 상대 '물벼락 갑질' 혐의 관련. 영화배우 최은희崔恩姬 사망. **4**-17 경찰, 황창규黃昌圭 KT 회장을 피의자 신분으로 소환 조사함: 정치자금법 위반 혐의. 김성룡金成龍 바둑기사, 외국인 여성 바둑기사 성폭력 의혹 폭로됨: 바둑계에도 미투Mee Too(나도 당했다) 운동 확산. **4**-18 김상현金相賢 더불어민주당 상임고문 사망. **4**-20 남북 정상 간 핫라인이 개설됨: 청와대와 북한 국무위원회에 설치. 북한, 노동당 중앙위원회 전원회의를 개최함: 함북 길주군 풍계리 핵실험장 폐기 및 경제건설 총력 노선 채택. **4**-22 한진그룹 조양호趙亮鎬 회장, 둘째딸 조현민趙顯旼 전무의 '물벼락 갑질' 논란 관련하여 대국민사과문을 발표함: 큰딸 조현아趙顯娥 칼호텔네트워크 사장과 함께 직책에서 사퇴 조치. **4**-22 국방부, 대북한 확성기 방송을 중단함: 남북정상회담의 성공적인 개최 지원. 경찰, 느릅나무 출판사를 압수수색함: 드루킹 일당 댓글 조작사건 관련. 북한, 황해도에서 중국인 관광객 교통사고 발생함: 중국인 32명, 북한 주민 4명 사망. **4**-23 한국 지엠GM, 노사간에 임금·단체협약에 잠정 합의함: 법정관리 직전 타결. **4**-27 제1차 남북정상회담이 판문점 우리 측 평화의 집에서 개최됨: 문재인文在寅 대통령과 북한 김정은金正恩 국무위원장이 한반도의 완전한 비핵화를 명시한 판문점 선언에 서명. 북한, 5월 5일부터 '평양시간' 취소하고 표준시를 남한과 통일시키기로 함: 남북한 시차 3년만에 소멸. **4**-30 이준구李俊九 태권도 사범, 미국에서 사망. **5**-1 국방부, 군사분계선 일대 대북한 확성기 방송시설 철거를 시작함: 판문점 선언 이행 차원. **5**-2 문재인 대통령, 방한중인 터키 에르도안Erdogan 대통령과 정상회담 가짐: 경제·문화 협력 지속에 합의. 북한, 중국 왕이王毅 외교부장이 방북함: 남북정상회담 결과 청취 및 시진핑習近平 국가주석 방북 문제 논의. **5**-3 여자탁구팀, 스웨덴에서 개최된 세계선수권대회에서 남북단일팀을 구성함: 27년만의 단일팀. 조계종, MBC 본사를 항의 방문함: 설정雪靖 총무원장의 은처자隱妻子 의혹과 현응玄應 교육원장의 성추행 및 유흥업소 출입 내용 방송 관련.	**4**-14 미국, 영국·프랑스와 함께 시리아를 합동 공습함: 시리아 정부의 화학무기 공격에 대응. **4**-17 일본, 아베安倍晋三 총리가 미국을 방문함: 트럼프 대통령과의 정상회담에서 북한문제와 무역 협상 논의. 미국, 부시 전 대통령 부인 바버라 Barbara 사망. **4**-18 쿠바, 라울 카스트로Raul Castro 국가평의회 의장이 퇴임함: 후임에 디아스카넬Diaz Canel 수석부의장 선출. **4**-22 아프가니스탄, 수도 카불의 관공서에서 이슬람국가IS에 의한 자살폭탄테러 발생함: 48명 사망, 112명 부상. **4**-30 아프가니스탄, 카불과 칸다하르Kandahar에서 자살폭탄테러 발생함: 언론인·어린이 포함 41명 사망. **5**-4 미국, 하와이 킬라우에아Kilauea 화산의 용암이 분출함: 1만여명 대피.

연대	우리 나라	다른 나라
2018 (4351) 무술	5-4 윤석헌尹碩憲 금융행정혁신위원장, 신임 금융감독원장에 내정됨: 위법 기부행위 관련하여 사임한 김기식金起式 전임 금융감독원장 후임. 5-5 김성태金聖泰 자유한국당 원내대표, 국회본청 앞에서 드루킹 특검 요구하며 단식농성 중 피습당함: 정국 급속 냉각. 5-7 북한, 김정은 국무위원장이 중국을 방문함: 다롄大連에서 시진핑 국가주석과 북·미정상회담 의제 조율. 5-9 문재인 대통령, 한중일 정상회의 참석차 일본을 방문함: 중국 리커창李克强 총리와 일본 아베安倍晋三 총리와의 정상회의에서 한반도 비핵화·평화체제구축에 공동 노력에 합의. 검찰, LG본사를 압수수색함: 오너 일가의 조세포탈 의혹 관련. 북한, 미국 폼페이오Pompeo 국무장관이 방북함: 북·미정상회담 안건 조율 후 납북 한국계 미국인 3명 동행 귀국. 5-10 현대삼호중공업, 세월호 선체의 완전 직립에 성공함: 참사 후 4년만. 가수 금사향琴絲響 사망. 5-12 북한, 함북 길주군 풍계리 핵실험장을 23~25일에 폭파한다고 발표함: 일본 제외하고 한국·미국·중국·러시아·영국 국제취재진의 현지취재 허용. 5-16 북한, 이날 판문점에서 개최하기로 한 남북고위급회담을 무기한 연기한다고 통보해 옴: 맥스선더Max Thunder 한미공군 연합훈련 이유. 5-17 이영희李英姬 한복 디자이너 사망. 5-20 구본무具本茂 LG회장 사망. 5-21 국회, 드루킹 특검법을 의결함: 문재인 대통령 측근 김경수金慶洙 경남지사 후보 연루 의혹 사건. 청와대, 송인배宋仁培 제1부속비서관이 댓글조작사건 주도자 드루킹과 접촉하며 금품 수수한 사실을 확인함. 5-22 문재인文在寅 대통령, 미국 방문하여 트럼프Trump 대통령과 정상회담 가짐: 북·미정상회담 이후의 남·북·미 종전선언 방안 협의. 하숙정河淑貞 요리연구가 사망. 5-24 문재인 대통령, 국가안전보장회의를 소집함: 미국 트럼프 대통령의 6·12 싱가포르 북·미정상회담 취소 발언 관련. 서울출입국·외국인청, 조현아趙顯娥 전 대한항공 부사장을 소환 조사함: 필리핀 출신 가사도우미 불법고용 관련. 국립문화재연구소, 반구대 암각화 주변에서 공룡 발자국 화석 30개를 확인했다고 발표함. 허동화許東華 한국자수박물관장 사망. 북한, 함북 길주군 풍계리 핵실험장을 폭파함: 비핵화 의지 표명.	5-8 미국, 이란과의 핵합의안 탈퇴를 선언함: 이란의 핵포기 약속 불이행이 이유. 5-9 케냐, 나쿠루Nakuru 카운티의 솔라이 마을 농업용 댐이 붕괴됨: 어린이 포함 41명 사망, 90여명 부상. 5-10 말레이시아, 총선거에서 마하티르Mahathir 전 총리가 은퇴 15년만에 재집권에 성공함: 93세로 세계 최고령 정상. 이스라엘, 시리아 내 이란군의 무기고와 정보센터 등에 미사일 공격을 가함: 이란군과 시리아군 23명 사망. 미국, 트럼프 대통령이 북한 김정은 국무위원장과 6월 12일 싱가포르에서 정상회담 개최한다고 발표함. 5-14 미국, 이스라엘 주재 대사관 개관식을 예루살렘에서 거행함: 이전 반대 팔레스타인 시위대에 이스라엘군이 발포하여 52명 사망, 1600여명 부상.

연대	우리 나라	다른 나라
2018 (4351) 무술	**5**-26 제2차 남북정상회담이 판문점 북측 지역 통일각에서 개최됨: 판문점 선언 이행 및 북·미정상회담 성공적 개최 위한 의견 교환. 시조시인 오현五鉉 스님 사망. **5**-27 문재인 대통령, 청와대에서 제2차 남북정상회담 결과를 직접 발표함: 고위급회담·군사당국자회담·적십자회담 등 조속 개최 등. 방탄소년단BTS, 한국 가수 최초로 미국 빌보드의 앨범차트 1위에 오름: 한국어 노래로 첫 1위 기록. 하동환河東煥 한원그룹 명예회장 사망: 한국 자동차 첫 수출 공로자. 북한, 최선희 외무성 부상이 미국 성 김 전 주한 미국대사와 판문점에서 실무 접촉 시작함: 6·12 북·미정상회담 의제 조율. **5**-28 경찰, 이명희(대한항공 회장 아내) 일우재단 이사장을 업무방해 폭행 등 혐의로 소환 조사함: **6**-11 서울출입국·외국인청에서도 필리핀 출신 가사도우미 불법고용 의혹 관련하여 소환 조사. **5**-30 김명수金命洙 대법원장, 양승태梁承泰 대법원장 시절 사법행정권 남용 의혹과 관련하여 대국민사과문을 발표함: 박근혜 대통령 국정운용 뒷받침 위한 대법원 판결 관련. **5**-31 북한, 김영철金英徹 노동당 부위원장이 미국 뉴욕을 방문하여 폼페이오Pompeo 국무장관과 북·미정상회담 의제를 조율함: 6-1 워싱턴 방문하여 트럼프 대통령에게 김정은 국무위원장의 친서 전달. **6**-1 남북고위급회담이 판문점에서 개최됨: 판문점선언 이행 위한 후속회담 개최와 개성공단 남북공동연락사무소 설치에 합의. 양승태梁承泰 전 대법원장, 기자회견에서 재임 중 사법행정권 남용 의혹을 전면 부임함: 김명수金命洙 대법원장, 강경 대응 방침 피력. **6**-4 문재인文在寅 대통령, 방한중인 필리핀 두테르테Duterte 대통령과 정상회담 가짐: 양국 간 향후 관계발전 위한 방안 협의. **6**-7 문재인 대통령, 드루킹 사건 특별검사에 허익범許益範 변호사를 임명함. 국토교통부, 우리나라가 국제철도협력기구 정회원이 되어 유라시아 대륙철도 연결이 가능해졌다고 발표함: 북한의 찬성으로 가입 성공. 더불어민주당, 자유한국당 전신인 한나라당과 새누리당의 과거 매크로(댓글 조작 프로그램) 의혹 관련하여 검찰에 고발장을 제출함. 국립가야문화재연구소, 경남 함안군 가야읍 가야리 일대에서 아라가야阿羅伽倻의 유적과 유물을 발견했다고 발표함: 높이 8.5km의 대규모 토성과 울타리시설·토기조각 등.	**5**-18 쿠바, 수도 아바나의 호세 마르티 Jose Marti 국제공항에서 항공기추락사고 발생함: 110명 사망. **5**-24 미국, 트럼프 대통령이 북한측의 극단적 분노와 공개적 적대감 표시 이유로 6·12 북·미정상회담을 취소한다고 발표함: 27일 북한측의 태도 변화로 회담 준비 시작. **6**-4 튀니지, 남부 해안에서 유럽행 난민선 침몰사고 발생함: 50여명 사망. **6**-5 과테말라, 푸에고Fuego 화산이 폭발함: 70명 사망, 300여명 부상. **6**-7 일본, 아베安倍晉三 총리가 미국을 방문하여 트럼프 대통령과 정상회담 가짐: 대북한 협상 공조 확인. **6**-8 러시아, 푸틴 대통령이 중국을 방문하여 시진핑習近平 국가주석과 정상회담 가짐: 한반도 정세와 이란 핵문제 등 관심사 논의.

연 대	우 리 나 라	다 른 나 라
2018 (4351) 무술	**6-8** 조광趙珖 국사편찬위원회 위원장, 박근혜 대통령 당시 역사교과서 국정화사업 추진에 대하여 사과함. **6-11** 북한, 김정은 국무위원장이 북·미정상회담 참석차 싱가포르를 방문함: 리셴룽李顯龍 총리 면담. **6-12** 북·미정상회담이 싱가포르에서 개최됨: 미국 트럼프Trump 대통령과 북한 김정은金正恩 국무위원장 간에 한반도의 완선한 비핵화, 북한체세 보장 등 4개항의 공동합의문 채택. **6-13** 전국 동시 지방선거를 실시함: 여당(더불어민주당) 압승, 야당 참패. **6-14** 문재인文在寅 대통령, 방한중인 미국 폼페이오Pompeo 국무장관을 접견함: 북·미정상회담 후의 공조방안 협의. 자유한국당 홍준표洪準杓 대표, 지방선거 참패에 책임지고 사퇴함: 바른미래당 유승민劉承旼 공동대표도 사퇴. **6-15** 바른미래당, 박주선朴柱宣 공동대표 등 지도부가 지방선거 참패에 책임지고 총사퇴함: 비상대책위원장에 김동철金東喆 원내대표 내정. **6-18** 남북체육회담이 판문점에서 개최됨: 통일농구경기 개최와 자카르타 아시아경기대회 개·폐회식 공동입장에 합의. **6-19** 북한, 김정은金正恩 국무위원장이 중국을 방문함: 북·미정상회담 향후 대응책 협의. **6-21** 문재인文在寅 대통령, 러시아 방문차 출국함: 하원 연설에서 남·북·러 협력구상 개진. 22일 푸틴Putin 대통령과의 정상회담에서 한반도 평화 및 유라시아 공동번영 논의. **6-22** 정부, 검경수사권 조정 합의안을 발표함: 검찰의 수사지휘권 폐지 및 경찰 1차 수사권·종결권 부여. **6-23** 김종필金鍾泌 전 국무총리 사망: 3김시대 종식. **6-24** 기상청, 영남 내륙지방에 폭염경보를 발령함: 영덕 37도로 6월 중 역대 최고 기록. **6-25** 검찰, 이채필李埰弼 전 고용노동부장관을 소환 조사함: 민주노총·한국노총 와해공작 관여 혐의. **6-26** 원희룡元喜龍 제주특별자치도지사, 예멘 난민 수용문제는 국가차원의 현안으로 다루어야 한다고 언급함: 제주도 예멘 난민 수용문제에 대한 찬반논란 관련. 남북철도협력분과회의가 판문점에서 개최됨:북한 철도 공동조사에 합의.	**6-15** 러시아, 월드컵대회가 개막됨. **6-18** 일본, 오사카 북부 지역에 규모 6.1의 지진 발생함: 과테말라에서도 규모 5.6의 지진 발생해 '불의 고리' 지각 변동 우려. **6-19** 중국, 조선족 출신 조남기趙南起 장군 사망. **6-24** 사우디아라비아, 여성에게도 자동차 운전을 허용함: 여성의 경제활동 촉진. 터키, 에르도안Erdogan 대통령이 대통령 선거에서 승리함: 2033년까지 집권 가능해 '21세기 술탄Sultan' 탄생. **7-9** 미국, 캘리포니아주에 대형 산불 발생함: 주민 3천여명 대피. **7-11** 타이, 북부 치앙라이주Chiang Rai州 의 탐루앙Tham Luang 동굴에 갇혔던 13명의 유소년축구팀이 17일만에 구조됨. **7-13** 파키스탄, 발루치스탄주Baluchistan州 퀘탄의 지방의회 유세에서 이슬람국가에 의한 자살폭탄테러 발생함: 후보 등 120명 사망. **7-16** 일본, 서남부 지역에 폭우 내림: 219명 사망.

연 대	우 리 나 라	다 른 나 라
2018 (4351) 무술	**6**-28 검찰, 조양호趙亮鎬 한진그룹 회장을 소환 조사함: 상속세 탈루 혐의. 남북도로교통회담이 판문점에서 개최됨: 동해선 고성~원산 구간, 경의선 개성~평양 구간 현대화에 합의. **6**-29 주한미군사령부 신청사 개청식이 경기도 평택시에서 개최됨: 73년만의 서울 용산시대 마감. **6**-30 문화재청, '산사山寺, 한국의 산지승원'이 유네스코 세계문화유산에 등재되었다고 밝힘: 양산 통도사, 영주 부석사, 안동 봉정사, 보은 법주사, 공주 마곡사, 순천 선암사, 해남 대흥사 등 7곳. 7-4 북한, 평양 정주영체육관에서 남북통일농구경기가 15년 만에 개최됨. 7-6 문재인文在寅 대통령, 인도와 싱가포르 방문차 출국함: 10일 모디Modi 인도 총리와의 정상회담에서 교역 수준 확대에 합의. 12일 리센룽李顯龍 싱가포르 총리와의 정상회담에서 역내 평화안정 강화에 합의. 7-10 문재인 대통령, 작년 탄핵 촛불집회 당시 국군기무사령부의 계엄령 검토 문건 관련해 철저한 수사를 지시함. 7-13 국회, 국회의장에 문희상文喜相 의원을 선출함. 7-14 최저임금위원회, 내년도 최저임금 시급을 8,350원으로 의결함: 10.9% 인상으로 최저임금 인상 계획 차질. 7-16 문재인 대통령, 최저임금 시급 1만원 공약 지키지 못한 것에 대해 사과함: 최저임금 인상 폭 조정 관측. 7-17 자유한국당, 비상대책위원장에 김병준金秉準 국민대 명예교수를 내정함. 7-20 문재인 대통령, 취임 후 처음 국정원을 방문함: 국정원의 정치적 중립 보장 약속. 청와대, 지난해 계엄령 문건 자료를 공개함: 광화문과 여의도에 탱크 투입 등 세부계획 문건. 기상청, 강원도 산간지역에 폭염경보 발령함: 2008년 이후 처음. 7-22 기상청, 경기도 여주의 최고기온이 39.7를 기록했다고 발표함: 서울은 38도로 24년만에 최고기온 기록. 7-23 산업통상자원부, 폭염으로 최대 전력수요가 역대 최고를 기록했다고 발표함: 전력 예비율 8.4%로 한 자릿수 기록. 기상청, 111년만에 아침 최저기온이 기록되었다고 발표함: 서울 29.2도, 강릉 31도. 소설가 최인훈崔仁勳 사망. 노회찬魯會燦 정의당 의원, 아파트에서 투신 사망함.	7-19 카자흐스탄, 데니스 텐Denis Ten 피겨스케이팅 선수가 피살됨: 대한제국 민긍호閔肯鎬 의병장 후손. 7-23 라오스, SK건설이 시공 중인 세피안-세남노이Xe Pian-Xe Namnoy 수력발전소댐의 보조댐이 폭우로 붕괴됨: 13개 마을 침수로 131명 사망. 그리스, 아테네 인근 마티 일대에 산불 발생하여 88명 사망함: 21세기 유럽 최악 피해. **8**-2 미국, 6·25전쟁 전사자 유해 봉환식을 하와이에서 거행함: 북한지역에서 전사한 55구가 65년만에 귀환. **8**-4 스위스, 알프스 산맥 휴양지에서 관광용 항공기 추락사고 발생함: 탑승자 20명 전원 사망. 포르투갈, 산타렘Santarem 마을의 최고기온이 47도를 기록함: 북아프리카에서 날아온 모래먼지 원인. 베네수엘라, 마두로 대통령이 연설 도중 드론 이용한 암살 기도당함: 콜롬비아 산토스Santos 대통령을 배후로 지목.

연 대	우 리 나 라	다 른 나 라
2018 (4351) 무술	**7**-25 전남 순천시가 유네스코 생물권보전지역으로 지정됨. 북한, 금강산이 유네스코 생물권보전지역으로 지정됨. **7**-26 서라벌문화재연구원, 경북 경주 형산강변 부지에서 초대형 신라 창고유적이 발굴됨: 8세기경의 건물터 4개소와 대형 항아리 50개 발굴. **7**-27 기상청, 대구의 아침 최저기온이 28.6도를 기록했다고 발표함: 기상관측 이래 최고. 북한, 6·25전쟁 때 전사한 미군 유해 55구를 송환함: 원산 갈마비행장에서 오산 미공군기지로 송환. **7**-31 남북장성급회담이 판문점에서 개최됨: 판문점 공동경비구역의 비무장화 등에 공감. **8**-1 기상청, 강원도 홍천의 낮 최고기온이 41.3도, 서울은 39.6도를 기록했다고 발표함: 역대 최고기온 경신. **8**-2 허익범許益範 특검팀, 김경수金慶洙 경남지사의 집무실과 관사를 압수수색함: 드루킹 댓글 조작사건 연루 관련. 검찰, 외교부를 압수수색함: 양승태梁承泰 대법원장 시절의 일제 강제동원 소송 관련. **8**-3 군·검합동수사단, 한민구韓民求 전 국방부장관과 장준규張駿圭 전 육군참모총장, 조현천趙顯千 전 기무사령관 등의 자택을 압수수색함: 국군기무사령부의 계엄령 검토 문건 관련. 기상청, 서울의 아침 최저기온이 30.4도를 기록했다고 발표함: 기상관측 이래 최고. **8**-4 여성 커뮤니티 '불편한 용기' 주최의 7만명 규모 시위가 서울 광화문광장에서 개최됨: 불법촬영 편파 수사 규탄. **8**-5 민주평화당, 대표에 정동영鄭東泳 의원을 선출함. **8**-6 허익범 특검팀, 김경수 경남지사를 소환 조사함: 드루킹 댓글 조작사건 공범 혐의 관련. BMW 코리아, 잇따른 차량화재 사고와 관련하여 대국민사과문을 발표함. **8**-7 정부, 폭염으로 인한 전기요금 지원대책을 발표함: 7~8월 두 달간 누진세의 한시적 완화 등. 경찰, 신일그룹에 대한 압수수색을 실시함: 보물선 사기 의혹 관련. **8**-9 허익범 특검팀, 김경수 경남지사를 다시 소환 조사함: 드루킹과 대질신문. **8**-10 이원순李元淳 전 국사편찬위원회 위원장 사망. **8**-12 허익범許益範 특검팀, 송인배宋仁培 청와대 정무비서관을 소환 조사함: 드루킹 댓글 조작사건 관련. 한국천문연구원, 북동쪽 하늘에서 시간당 100개 이상의 별똥별이 떨어진다고 발표함: 유성우流星雨 현상.	**8**-6 인도네시아, 롬복섬에 규모 7.0의 지진 발생함: 여진으로 259명 사망, 1,033명 부상. **8**-9 예멘, 북부 사다주 다히안Dahyan에서 사우디아라비아군에 의한 어린이 통학버스 폭격사건 발생함: 43명 사망, 70여명 부상. **8**-10 터키, 미국이 자국 목사 석방 거부에 대한 보복으로 터키산 알루미늄과 철강에 2배의 관세를 부과함: 터키 리라화 가치 폭락으로 경제위기 초래. **8**-12 미국, 알래스카 북부 노스슬로프North Slope에서 규모 6.4의 지진 발생함: 지역 최대 규모. **8**-14 이탈리아, 제노바의 고속도로 교량 붕괴사고 발생함: 42명 사망. **8**-18 가나, 아난Annan 전 유엔 사무총장 사망. **8**-25 미국, 매케인McCain 상원의원 사망.

연 대	우 리 나 라	다 른 나 라
2018 (4351) 무술	**8**-13 남북고위급회담이 판문점에서 개최됨: 9월 평양에서 남북정상회담 개최에 합의. **8**-14 국무회의, 국군 기무사령부 폐지령안과 국군안보지원사령부 제정령안을 의결함: 조직의 정치 개입과 민간인 사찰 금지. 국토교통부, 리콜 대상으로 긴급 안전진단 받지 않은 BMW 차량에 대해 운행정지명령을 발동함: 잇따른 차량화재사고 관련. 영화 〈신과함께 2〉가 관객 1천만명을 돌파함: 〈신과함께〉와 쌍천만 관객 기록. **8**-15 허익범 특검팀, 백원우白元宇 청와대 민정비서관을 소환 조사함: 드루킹 인사청탁 관련. **8**-16 문재인文在寅 대통령, 여야 5당 원내대표와 회동함: 협치協治 방안 논의. 조계종 중앙종회, 조계종단사상 처음 은처자隱妻子 의혹 받아온 설정雪靖 총무원장 불신임안을 의결함: 21일 자진 사퇴. 북한, 김영춘金永春 전 인민무력부장 사망. **8**-20 남북이산가족 상봉을 금강산에서 실시함. **8**-23 태풍 '솔릭'이 제주도 통과 후 상륙함: 전국 유치원 및 초중교 대부분 휴업. 심우성沈雨晟 전 공주민속박물관장 사망. **8**-24 가수 최희준崔喜準 사망. **8**-25 더불어민주당, 대표에 이해찬李海瓚 의원을 선출함. **8**-29 유남석劉南碩 헌법재판관, 헌법재판소장에 지명됨. **8**-30 문재인 대통령, 부총리 겸 교육부장관에 유은혜兪銀惠 의원, 국방부장관에 정경두鄭景斗 전 공군참모총장, 산업통상부장관에 성윤모成允模 특허청장, 고용노동부장관에 이재갑李載甲 전 근로복지공단 이사장, 여성가족부장관에 진선미陳善美 의원을 지명하는 개각을 단행함: 기임명 이개호李介昊 농림축산부장관과 함께 제2기 내각 구성. **9**-2 바른미래당, 대표에 손학규孫鶴圭 전 의원을 선출함. **9**-4 이왕표李王杓 프로레슬러 사망. **9**-5 정의용鄭義溶 청와대 국가안보실장과 서훈徐薰 국가정보원장 등 5명의 대북한 특별사절 대표단이 방북함: 김정은金正恩 국무위원장에게 문재인文在寅 대통령 친서 전달. 경찰, 조현오趙顯五 전 경찰청장을 소환 조사함: 이명박정부 시절 경찰의 '댓글공작' 지휘 혐의 관련. **9**-6 정의용 청와대 국가안보실장, 방북 결과를 발표함: 18~20일 평양에서 남북정상회담 개최, 북한 김정은 국무위원장의 비핵화 의지 재확인 등. 검찰, 대법원을 첫 압수수색함: 양승태梁承泰 사법부의 비자금 조성 의혹 관련. 이상훈李相勳 삼성전자이사회 의장을 소환 조사함: 노조 와해 의혹 관련.	**8**-26 브라질, 북동부 세아라주Ceare州의 포르탈레자Fortaleza에서 4일간 43명이 피살됨: 범죄조직의 보복살해 추정. **9**-2 브라질, 리우데자네이루 국립박물관에 화재 발생함: 소장 유물 2천만여 점 소실. **9**-3 중국, 중국·아프리카 정상회의를 개최함: 53개국 초청하여 경제지원 및 부채 탕감 약속. **9**-4 일본, 태풍 '제비'가 간사이關西 지역을 강타함: 간사이공항 기능 마비. **9**-6 일본, 홋카이도 남부에 규모 6.7의 지진 발생함: 40여명 사망, 400여명 부상. **9**-15 필리핀, 북부 지역을 강타한 태풍 망쿳으로 100여명 사망함: 16일 중국 남부와 홍콩·마카오 통과하면서 134조원의 피해 발생.

연대	우리나라	다른나라
2018 (4351) 무술	**9-8** 정의용 청와대 국가안보실장, 중국을 방문하여 양제츠楊潔篪 외교담당 정치국원에게 북한 특사단의 방문 성과를 설명함: 10일 서훈 국가정보원장이 일본을 방문하여 아베安倍晋三 총리에게 설명. 메르스MERS(중동호흡기증후군) 환자가 3년만에 발생함: 쿠웨이트에서 입국한 남성. **9-9** 북한, 정권 수립 70주년 기념 열병식을 거행함: 미국 의식 수위 조절. **9-10** 문재인 대통령, 방한 중인 인도네시아 위도도Widodo 대통령과 정상회담 가짐: 동아시아의 평화와 번영 강조. **9-11** 국무회의, 위수령衛戍令 폐지령안을 의결함: 제정 68년만에 폐기. **9-12** 경찰, 회삿돈을 자택 경비원에게 지급한 혐의 관련하여 조양호趙亮鎬 한진그룹 회장을 소환 조사함: 20일 재소환. **9-13** 문재인 대통령, 사법부 70주년 기념행사에서 사법농단 철저규명을 강조함: 김명수金命洙 대법원장, 검찰 수사에 적극적 협조 입장 재확인. 정부, 주택시장 안정대책을 발표함: 종합부동산세 인상 및 다주택자 신규 주택담보 대출 금지 등. **9-14** 개성공단 내 남북연락사무소 개소식을 개최함: 24시간 소통시대 개막. 법무부 제주출입국·외국인청, 난민 신청 예멘인 23명에 대한 인도적 체류를 허가함: 10-17 339명에 대해 추가 허가. **9-15** 송병기宋炳基 단국대 명예교수 사망. **9-18** 문재인文在寅 대통령, 북한 방문차 평양 순안공항에 도착함: 김정은金正恩 국무위원장과 평양시내 카퍼레드 후 정상회담. 19일 한반도의 실질적 비핵화와 평화체제 구축 및 김정은 국무위원장의 서울 답방 등의 내용 담은 평양공동선언 채택. 남북군사회담합의서 체결. 능라도 5·1경기장 내 15만 북한 주민 상대 연설. 20일 김정은 국무위원장과 함께 백두산 등정 후 귀환. **9-21** 검찰, 심재철沈在哲 의원 사무실을 압수수색함: 정부의 비공개 예산정보 무단 열람·유출 혐의 관련. **9-23** 문재인文在寅 대통령, 유엔총회 참석차 미국 뉴욕으로 출국함: 25일 미국 트럼프Trump 대통령과의 정상회담에서 북한 김정은金正恩 국무위원장의 비핵화 관련 메시지 전달. **9-24** 한미자유무역협정 개정안이 타결됨: 미국에 자동차시장 추가 개방 대신 투자자국가소송제도ISD 남발 제한.	**9-16** 미국, 허리케인 플로렌스가 남동부지역을 강타함: 16명 사망, 주민 20만명 대피. 케냐, 킵초게Kipchoge 선수가 베를린마라톤 대회에서 1분대 신기록을 작성함: 2시간 1분 39초. **9-20** 일본, 자민당 총재 선거에서 아베安倍晋三 총리가 3연임에 성공함: 전쟁가능 국가 개헌 예상. 탄자니아, 우간다와의 접경지역에 있는 빅토리아 호수에서 여객선 전복사고 발생함: 207명 사망. **9-21** 베트남, 쩐 다이 꽝 국가주석 사망. **9-22** 이란, 남서부 아흐바즈에서 군사퍼레이드 도중 이슬람국가에 의한 총격사건 발생함: 100여명 사상. 교황청, 중국의 주교 임명안에 서명했다고 발표함: 관계정상화 진전. **9-28** 인도네시아, 술라웨시섬 북부지역에 규모 7.5의 지진 발생함: 2천여명 사망. **9-30** 일본, 태풍 '짜미'가 수도권 포함 전국을 강타함: 140만여명에 피난 권고.

연 대	우 리 나 라	다 른 나 라
2018 (4351) 무술	**9-28** 경찰, 원희룡元喜龍 제주도지사를 공직선거법 위반과 뇌물 수수 의혹 관련하여 소환 조사함: 29일 재소환. **9-30** 검찰, 양승태梁承泰 전 대법원장과 3인의 대법관에 대해 압수수색을 실시함: 재판 거래 의혹 관련. **10-1** 국방부, 6·25전쟁 국군전사자 유해 봉환식을 거행함: 북한지역에서 전사한 64구가 68년만에 귀환. 판문점공동경비구역JSA과 철원 비무장지대DMZ 화살머리고지 일대의 지뢰 제거 작업을 시작함: 남북군사회담합의서 이행. 기획재정부, 감사원에 대통령비서실 포함 52개 중앙행정기관의 업무추진비에 대한 감사를 청구함: 심재철沈在哲 의원이 제기한 부정사용 폭로 관련. 검찰, 심창현申昌賢 의원 사무실을 압수수색함: 신규택지 자료 유출 관련. **10-5** 경찰, 조현오趙顯五 전 경찰청장을 이명박정부 시절 경찰의 '댓글공작' 지휘 혐의로 구속 수감함: 경찰의 첫 경찰총수 구속 사례. 남북한 공동으로 10·4선언 11주년 기념 민족통일대회를 평양에서 개최함. **10-12** 경찰, 이재명李在明 경기도지사 신체와 자택을 압수수색함: 친형 정신병원 강제입원 의혹 관련. **10-13** 문재인文在寅 대통령, 유럽 5개국 순방차 출국함: 15일 프랑스 마크롱Macron 대통령과의 정상회담에서 한반도의 완전한 비핵화에 합의. 17일 이탈리아 콘테Conte 총리와의 정상회담에서 양국 관계의 전략적 동반자 관계 격상에 합의. 18일 프란치스코Franciscus 교황을 면담하여 북한 김정은金正恩 국무위원장의 방북 초청 수락 의사 확인. 19일 벨기에 방문하여 아시아·유럽정상회의ASEM 참석. 20일 덴마크 라스무센Rasmusen 총리와 정상회담 후 2030글로벌 목표를 위한 연대 정상회의 참석. 김창호金昌浩 원정대장, 히말라야 구르자히말Gurja Himal 등반 중 대원 4명, 현지인 4명과 함께 추락 사망함. **10-15** 판문점에서 남북고위급회담을 개최함: 북측 구간 철도·도로 현지공동조사 관련 논의. 검찰, 임종헌林鍾憲 전 법원행정처 차장을 소환 조사함: 양승태 대법원장 시절 사법행정권 남용 의혹 관련. **10-17** 판문점공동경비구역JSA에서 한국군·북한군·유엔군사령부 장교들이 이 구역 비무장화를 논의함: 정전협정 후 55년만에 첫 3자 회동. **10-18** 군·검합동수사단, 김관진金寬鎭 전 국가안보실장과 한민구韓民求 전 국방부장관을 소환 조사함: 국군기무사령부의 계엄령 검토 문건 관련.	**10-5** 콩고민주공화국의 무퀘게Mukwege 의사와 이라크의 무라드Murad 여성운동가가 노벨평화상 수상자로 선정됨: 성폭행 여성 피해자 위한 헌신 및 여성운동에 공헌. **10-11** 미국, 허리케인 마이클이 플로리다주 등 남동부지역을 강타함: 주민 37만5천여명 대피. **10-16** 소말리아, 미군이 극단주의 무장단체 알샤바브를 공습했다고 발표함: 60여명 사망. **10-17** 러시아, 크림반도 동부 케르치 기술대학에서 재학생에 의한 자살폭탄테러 발생함: 18명 사망. **10-20** 미국, 트럼프 대통령이 옛 소련과 맺은 중거리핵전략조약INF 파기를 선언함: 신냉전 구도 형성 우려. **10-21** 타이완, 동부 이란현宜蘭縣에서 열차 탈선·전복사고 발생함: 208명 사상.

연대	우리 나라	다른 나라
2018 (4351) 무술	**10**-22 판문점에서 남북산림협력분과회담을 개최함: 북측 양묘장 현대화사업 10개 추진에 합의. **10**-23 국무회의, 평양남북공동선언과 군사분야합의서를 심의 비준함: 남북경협 가속 예상. **10**-25 판문점공동경비구역JSA의 남북 초소와 병력·화기 철수작업이 완료됨: 도끼만행사건으로 무장화한 후 42년만의 해제. 강원도 철원 비무장지대 화살머리고지 일대의 지뢰 제거작업 중 처음 국군 유해를 발굴함: 박재권 이등중사. 김윤식金允植 서울대 명예교수 사망. **10**-27 법원, 임종헌林鍾憲 전 법원행정처 차장에 대한 구속영장을 발부함: 양승태 대법원장 시절 사법행정권 남용 관련. **10**-29 경찰, 이재명李在明 경기도지사를 소환 조사함: 친형 정신병원 강제입원 및 '여배우 스캔들' 의혹 관련. **10**-30 대법원, 일제강점기 강제징용피해자 배상청구권이 인정된다는 판결을 확정함: 21년의 소송 끝 승소, **10**-31 미국과 미래한미연합사령부 창설에 합의함: 전작권 환수 후 한국군 사령관, 미국 부사령관 결정. **11**-1 문재인文在寅 대통령, 국회에서 내년도 예산안 관련 시정연설을 함: 예산안 처리 및 한반도평화 협력 요청. 대법원, 양심적 병역거부를 무죄로 판단함: 14년만에 유죄에서 무죄로 판례 변경. 남북한 간에 지상·해상·공중에서 적대행위를 전면 중지함: 포사격·기동훈련·정상비행 금지. **11**-4 남북한 군당국이 비무장지대 감시초소 철거작업에 착수함: 각각 11개소 대상. 영화배우 신성일申星一 사망. **11**-5 남북공동조사단, 한강과 임진강 하구 공동이용을 위한 수로 조사에 착수함: 정전협정 후 65년만에 처음. **11**-6 법원, 서울 숙명여고 전임 교무부장에 대한 구속영장을 발부함: 자신의 쌍둥이 딸들에게 시험문제 유출한 혐의. **11**-7 판문점에서 남북 보건의료협력 분과회의를 11년만에 개최함: 감염병 유입 방지 위한 방역과 점검의료 협력 논의. 경찰, 윤진호 한국미래기술 회장을 체포함: 직원 폭행 및 워크숍에서의 엽기행각 등 혐의. **11**-9 문재인 대통령, 부총리 겸 기획재정부장관에 홍남기洪楠基 국무조정실장, 청와대 정책실장에 김수현金秀顯 청와대 사회수석비서관을 내정함: 경제 핵심자 교체. **11**-8 방탄소년단BTS, 일본 방송 출연이 취소됨: 한 멤버의 광복절 기념 티셔츠 문구 문제 제기.	**10**-23 중국, 강주아오港珠澳 대교 개통식 거행: 홍콩-주하이珠海-마카오를 잇는 55km의 세계 최장 해상 교량. **10**-25 사이판, 태풍 위투가 전 지역 강타: 1935년 이후 미국 최강 폭풍. 에티오피아, 대통령 선거에서 제우데Zewde 여성 외교관 당선: 아프리카 첫 여성 대통령. **10**-26 중국, 시진핑 국가주석이 중국을 방문 중 인 일 본 아 베 총 리 와 정 상 회 담 : 양국 관계 정상화에 합의. **10**-27 미국, 펜실베이니아의 피츠버그 유대교 예배당에서 반유대주의자에 의한 총기난사사건 발생: 11명 사망. **10**-28 브라질, 대통령 선거에서 극우 성향의 보우소나루Bolsonaro 후보가 당선됨: 10여년의 좌파 세력 몰락. **10**-29 인도네시아, 자바섬 서부 카라왕Karawang 인근 바다에서 여객기추락사고 발생: 189명 사망.

연 대	우 리 나 라	다 른 나 라
2018 (4351) 무술	**11**-12 검찰, 김앤장 법률사무소를 압수수색함: 양승태 대법원장 시절 일제징용 재판개입 의혹 관련. **11**-13 문재인文在寅 대통령, 아세안(싱가포르)및 아시아태평양경제협력체(파푸아뉴기니) 정상회의 참석차 출국함: 14일 러시아 푸틴 대통령과의 정상회담에서 대북한 제재완화 문제 논의. 17일 중국, 시진핑習近平 국가주석과의 정상회담에서 한반도 평화 위한 노력에 합의. **11**-14 증권선물위원회, 삼성바이오로직스의 2015년도 회계처리 위반에 고의성이 있었다고 결론 내림: 검찰 고발 및 과징금 부과. **11**-15 호남문화재연구원, 전북 고창 무장읍성에서 비격진천뢰 11점을 발견했다고 발표함. 한국지질유산연구소, 2010년 진주에서 발견된 길이 1cm의 랩터Raptors 공룡발자국 화석이 국제공인 받았다고 발표함: 세계에서 가장 작은 크기. **11**-17 경찰, '혜경궁 김씨' 트위터 계정 주인은 김혜경 이재명 경기도지사 부인이라고 밝힘: 공직선거법 위반 및 명예훼손 혐의로 검찰 송치. **11**-18 금강산 관광 20주년 기념행사가 4년만에 금강산에서 개최됨: 현정은玄貞恩 현대그룹 회장 등 100여명 방북. **11**-19 검찰, 양승태 대법원장 시절 사법행정권 남용 의혹 관련하여 박병대朴炳大 전 대법관을 소환 조사함: 23일 고영한高永銲 전 대법관 소환 조사. 전국법관대표회의 개최: 사법농단 연루판사 탄핵소추 검토 의결. **11**-21 정부, 화해·치유재단 해산을 공식 발표함: 한일 관계 경색 전망. 민주노총, 여의도 국회 앞에서 총파업 결의대회를 개최함: 정부의 탄력근로제 확대 방침 반대. 김종양金鍾陽 전 경기지방경찰청장, 국제형사경찰기구(인터폴Interpol) 총재에 당선됨. **11**-22 경제사회노동위원회가 공식 출범함: 새 사회적 대화 기구. 남북한, 강원도 철원 비무장지대 내 화살머리고지에서 65년 만에 전술도로를 연결함: 길이 1.7km, 최대 폭 12m. **11**-23 삼성전자, 반올림(백혈병 피해자 단체)과 반도체 백혈병 분쟁 조정안에 서명함: 11년만에 사과 및 지원보상 약속. **11**-24 검찰, 이재명李在明 경기도지사를 소환 조사함: 친형 정신병원 강제입원 등 혐의 관련. KT 서울 아현지사에 화재 발생함: 인터넷·전화 불통으로 대혼란 야기. **11**-26 씨름이 유네스코 인류무형문화유산에 등재됨: 북한 씨름과 첫 공동등재.	**11**-6 미국, 중간선거에서 공화당(여당)이 상원, 민주당이 하원을 장악함: 트럼프Trump 대통령의 절반의 승리. **11**-7 인도네시아, 보르네오섬 칼리만탄Kalimantan 지역 동굴에서 손바닥 벽화가 발견됨: 5만 년 전 것으로 세계 최고最古 벽화로 추정. **11**-8 미국, 캘포니아주 북부와 남부 3곳에서 동시다발적으로 최악의 산불 발생함: 25일까지 85명 사망, 270여명 실종, 주민 30만명 대피. **11**-12 프랑스, 파리에서 제1차세계대전 종전 100주년 기념행사를 개최함: 미국 등 70여개국 참석. **11**-19 이탈리아, 폼페이 유적에서 약 2천 년 된 벽화를 발견함: 그리스 신 제우스Zeus가 백조로 변신한 후 스파르타의 왕비 레다Leda를 유혹하는 장면.

연 대	우 리 나 라	다 른 나 라
2018 (4351) 무술	**11**-27 문재인文在寅 대통령, 주요20개국 정상회의 등 참석차 출국함: 28일 체코 바비스Babis 총리와의 정상회담에서 체코의 원전사업에 관해 긴밀한 협의. 30일 주요20개국 정상회의 개최국 아르헨티나에서 열린 미국 트럼프 대통령과의 정상회담에서 북한 김정은 국무위원장의 서울 답방이 유익하다는 공감대 형성. 12-4 뉴질랜드 아던Ardern 총리와의 정상회담에서 미래지향적 발전방향 논의. 김명수金命洙 대법원장, 출근길에 화염병 투척당함: 재판 결과에 불만 품은 70대 남성 소행. **11**-28 한국항공우주연구원, 누리호 시험 로켓 발사에 성공함: 우리 기술로 개발한 액체 엔진 성능 검증. **11**-29 청와대, 민정수석실 특별감찰반 전원을 교체함: 근무시간에 단체골프 의혹. 대법원, 일제강점기 근로정신대 피해자들의 배상청구에 승소 판결 내림: 일본 미쓰비시중공업에 배상판결 확정. 한국유치원총연합회, 서울 광화문광장에서 총궐기대회를 개최함: 국회의 유치원 3법(유아교육법, 사립학교법, 학교급식법 개정안)에 반대. 김윤수金潤洙 전 국립현대미술관장 사망. **11**-30 남북철도공동조사단, 북한철도 공동조사를 위해 도라산역을 출발함: 18일간 경의선 개성~신의주, 동해선 금강산~두만강 구간 조사. **12**-1 민중공동행동, 국회 앞에서 집회 개최하여 문재인정부의 개혁 역주행을 규탄함: 노동자·농민·대학생 등의 진보 시민단체. **12**-4 한국우주연구원, 기아나Guiana 우주센터에서 기상관측위성 천리안2A호 발사에 성공함: 우리 기술로 개발한 첫 정지궤도위성으로 높이 평가. 검찰, 김혜경 이재명 경기도지사 부인을 소환 조사함: '혜경궁 김씨' 트위터 계정 주인 의혹 관련. **12**-5 원희룡元喜龍 제주도지사, 서귀포시에 중국계 녹지국제병원 개설 허가를 발표함: 국내 투자개방형병원(영리병원). 검찰, 탈렌트 장자연 자살사건 관련하여 방용훈方勇勳 코리아나호텔 사장을 소환 조사함: 13일 방정오方正梧 전 TV조선 대표 소환 조사. **12**-7 국회, 도로교통법 개정안을 의결함: 음주운전 처벌을 한층 더 강화하는 '윤창호법'. 백낙환白樂晥 전 인제학원 이사장 사망.	**11**-24 타이완, 집권 민진당이 타이완 독립을 표방한 지방선거에서 참패함: 차이잉원蔡英文 총통, 민진당 주석직 사퇴. 영국, 유럽연합 27개국과의 정상회의에서 유럽연합 탈퇴 합의문에 서명함. 이집트, 룩소르Luxor 유적도시의 고대무덤을 공개함: 람세스Ramses 시대의 유물 1천여 점 발견. **11**-26 미국, 항공우주국의 화성탐사선 인사이트호가 화성에 무사히 착륙함: 206일 동안 4억 8천만km 비행. **11**-30 미국, 알래스카 앵커리지에 규모 7.0의 지진 발생함. 아버지 부시Bush 전 대통령 사망. **12**-1 미국, 트럼프Trump 대통령이 중국 시진핑習近平 국가주석과의 무역담판에서 추가 관세부과 중단에 합의함: 90일 이내 합의점 도출 계획. **12**-6 캐나다, 미국 측 요구로 중국 화웨이 멍완저우孟晩舟 부사장을 대이란 제재 위반 혐의로 체포함: 미·중 관계 악화.

연 대	우 리 나 라	다 른 나 라
2018 (4351) 무술	**12**-10 검찰, 윤장현尹壯鉉 전 광주광역시장을 소환 조사함: 노무현 전 대통령 부인 권양숙 여사 사칭한 여성에게 송금한 거액 출처 및 용도 관련. **12**-11 오영식吳泳食 코레일 사장, 강릉선 KTX 탈선사고 책임지고 사퇴함: 문재인정부 '낙하산 인사' 논란. **12**-12 남북한 군당국이 비무장지대 감시초소 철거 상황을 상호 검증함: 1953년 정전협정 이후 비무장지대에서의 첫 만남. 경남 진주에서 세계에서 가장 오래된 개구리 발자국 화석이 발견되었다고 발표됨. **12**-18 동아세아문화재연구원, 경남 함안군 말이산고분군의 13호분에서 125개의 성혈星穴을 발견함: 고구려 외에 첫 발견한 돌에 새긴 별자리. **12**-19 정부, 수도권 주택 공급계획 및 광역교통망 개선방안을 발표함: 경기 남양주·하남·광명과 인천 계양에 신도시 건설. 청와대, 감찰 내용을 언론에 공개한 김태우 전 감찰관을 검찰에 고발함: 공무상 비밀 누설 혐의. **12**-20 군, 독도 인근에서 조난당한 북한 목선을 광개토대왕함을 급파해 구조함: 일본, 이 과정에서 자국 초계기를 광개토대왕함의 사격통제레이더에게 조사당했다고 항의. 택시업계가 카풀 상업화에 반대하는 파업을 강행함: 카카오 카풀 영업계획에 반대. **12**-24 조규광曺圭光 초대 헌법재판소장 사망. **12**-26 경의선·동해선의 철도·도로 연결 및 현대화 착공식이 개성 판문역에서 개최됨: 중국·러시아·몽골·유엔 관계자도 참석. 검찰, 청와대 민정수석실 산하 반부패비서관실과 특별감찰반을 압수수색함: 민간인에 대한 불법사찰 의혹 관련. **12**-27 동백대교(전북 군산~충남 서천)가 개통됨: 총연장 3.18km. **12**-28 문재인文在寅 대통령, 강원도 철원 비무장지대 내 화살머리고지를 방문함: 비무장지대 남북공동 지뢰 제거작업 결과 시찰. **12**-31 연간 수출액이 세계 7번째로 6천억 달러를 달성함: 6,055억 달러로 수출 시작 70년만의 쾌거.	**12**-12 영국, 메이May 총리가 의회 불신임 투표에서 승리함: 총리직 유지. **12**-15 베트남, 박항서朴恒緖 감독이 이끄는 축구대표팀이 스즈키컵Suzuki Cup 대회에서 10년만에 우승함: '박항서 매직' 열풍. **12**-20 미국, 트럼프 대통령이 시리아 주둔 미국 철수를 명령함: 서방 동맹국들 반발. **12**-22 인도네시아, 순다Sunda 해협 근해에 높이 3m의 쓰나미 발생함: 580여명 사망, 1400여명 부상. **12**-20 미국, 트럼프Trump 대통령이 이라크 미군기지를 방문함: 시리아 주둔 미군 철수 명령 후 첫 행보. **12**-30 필리핀, 열대폭풍 오스만Osman이 중부지역을 강타함: 59명 사망.

연대	우리 나라	다른 나라
2019 (4352) 기해	**1**-1 문재인文在寅 대통령, 신년사에서 돌이킬 수 없는 평화 만들겠다고 밝힘. 북한, 김정은金正恩 국무위원장이 신년사에서 한반도의 완전한 비핵화 만들겠다고 언급함: 자립경제 강조. 강원도 양양에 산불이 발생함: 주민대피령 발령. **1**-2 기획재정부, 신재민 전 사무관을 공무상 비밀 누설 혐의로 검찰에 고발함: 청와대의 적자 국채 발행 압박 주장. **1**-3 검찰, 감찰 내용을 언론에 공개한 혐의 관련하여 김태우 전 감찰관을 소환 조사함: 5일 재소환 조사. 경찰, 송명빈宋名濱 마커그룹 대표를 소환 조사함: 직원 상습폭행 혐의. 국정원, 북한 조정길 이탈리아 주재 대사대리 부부가 지난해 11월 공관 떠나 잠적했다고 발표함: 미국 망명 타진 추정. **1**-5 청와대, 문재인文在寅 대통령의 선거 공약인 대통령 집무실 광화문 이전계획을 보류한다고 발표함: 야당, 문재인 대통령의 사과 요구. **1**-6 전국에 부분 일식日蝕이 나타남. 영화 〈극한직업〉이 관객 1000만명을 돌파함. **1**-8 문재인文在寅 대통령, 대통령 비서실장에 노영민盧英敏 주중국대사를 임명함. 국민은행, 파업에 돌입함: 성과급 인상 등 요구조건 협상 결렬. 북한, 김정은金正恩 국무위원장이 중국을 방문함: 시진핑習近平 국가주석과의 정상회담에서 2차 북미정상회담 전 협상전략 논의. 심석희 쇼트트랙 선수, 조재범 전 코치로부터 성폭행 피해당했다고 고소함: 9일 문화체육관광부, 체육계 성폭력 비위자의 영구 축출 등 근절 대책 발표. **1**-9 법원, 일제 강제징용피해자의 신일철주금新日鐵住金 국내자산 압류결정이 효력을 발생한다고 밝힘. 경기도 용인 사령부에서 지상작전사령부 창설식이 거행됨: 육군의 1군사령부와 3군사령부 통합 부대. **1**-10 문재인文在寅 대통령, 신년 기자회견에서 국정운영 기조로 '혁신성장'을 강조함: 일자리 창출 의지 피력. **1**-11 양승태梁承泰 전 대법원장, 사법행정권 남용 의혹과 관련하여 대법원 앞에서 입장 표명하고 검찰에 출두함: 14일 재소환 조사받음. **1**-13 서울 등 수도권에 최악의 미세먼지가 발생함: 이후 3일 연속 비상저감조치 시행.	**1**-1 브라질, 보우소나루Bolsonaro 대통령 취임식이 거행됨: 극우 정권으로 남미 정치지형의 변화 예고. **1**-3 중국, 달 탐사위성 창어嫦娥 4호가 달 뒷면에 착륙함: 인류 최초의 쾌거. **1**-6 브라질, 북동부 세아라주Seara州 일대에서 연쇄 폭동 및 방화사건 발생함: 군 300명 투입. **1**-11 오스트리아, 1주일 동안 최고 3m의 폭설 내림: 30~100년 만에 나오는 적설량. **1**-15 영국, 유럽연합 27개국과 타결한 브렉시트 합의안이 하원에서 사상 최대 표차로 부결됨: 메이May 총리 참패로 정국 대혼란. 케냐, 수도 나이로비의 상업단지에서 이슬람 극단주의 무장단체 알샤바브al-Shabaab에 의한 총격·폭탄테러 발생함: 21명 사망. **1**-16 영국, 메이May 총리가 이끄는 정부가 하원 불신임안 표결에서 승리함: 24년만의 정부 불신임안 표결. 시리아, 북부 지역의 미군 주도 국제 동맹군이 이슬람국가에 의해 자폭공격당함: 미군 4명 포함 16명 사망.

연 대	우 리 나 라	다 른 나 라
2019 (4352) 기해	**1-14** 검찰, KT본사와 광화문지사를 압수수색함: 김성태金聖泰 의원 자녀 특혜채용 의혹 관련. **1-15** 황교안黃敎安 전 국무총리, 자유한국당에 입당함: 보수 우파 통합 강조. **1-17** 북한, 김영철金英徹 노동당 부위원장이 미국을 방문하여 폼페이오Pompeo 국무장관과 회담함: 트럼프Trump 대통령 면담에서 2월 말 2차 북미정상회담 합의. **1-18** 검찰, 양승태梁承泰 전 대법원장을 사법행정권 남용 의혹과 관련하여 구속영장을 청구함: 헌정사상 첫 사법부 수장 피의자 신분. **1-19** 박소연 동물단체 케어 대표, 기자회견에서 무분별한 동물안락사에 대해 사과함: 인도적 안락사 주장. 예천군 이장협의회, 군의원 일괄사퇴를 요구하는 집회를 개최함: 박종철 의원의 해외연수 중 폭행사건 관련. **1-20** 대한체육회, 체육계 비리와 적폐 근절 위한 혁신안을 발표함: 성폭력·승부조작 등 관련 비리단체 퇴출 등. 더불어민주당 손혜원孫惠園 의원, 탈당을 선언함: 전남 목포 문화재거리 부동산 투기 의혹 관련. **1-21** 질병관리본부, 대구광역시와 경북 경산시, 경기 안산시를 홍역유행지역으로 선포함: 1개월 사이 30명 환자 발생에 대응. **1-24** 법원, 양승태梁承泰 전 대법원장에 대한 구속영장을 발부함: 사법행정권 남용 의혹 등 관련. **1-25** 기상청, 서해상에서 미세먼지 해결 위한 인공강우 실험을 함: 28일 실험 실패 인정. **1-28** 경기도 안성에서 젖소 구제역 발생함: 31일 충북 충주에서도 발생. 김복동 할머니 사망: 일본군 위안부 피해자로 1993년 유엔인권위원회에서 성노예 사실 증언. **1-29** 정부, 국가균형발전 위한 예비타당성조사면제 방안을 발표함: 철도·도로사업, 공항 건설 등 23개 사업. **1-30** 법원, 김경수金慶洙 경남지사에게 실형 선고하고 법정구속함: 드루킹 등의 인터넷 댓글 여론조작 혐의. 해양수산부·국방부, 한강하구 공동이용 수역 해도海圖를 완성하여 북측에 전달함: 수로水路 측정 및 조석潮汐 관측 수행. **1-31** '광주형 일자리' 투자협약식이 광주광역시에서 개최됨: 현대자동차와 협력법인 통한 완성차 공장 설립. 김만제金滿堤 전 경제부총리 사망.	**1-18** 멕시코, 중부지역에서 유류 절도범에 의한 송유관 화재사건 발생함: 76명 사망, 85명 실종. **1-25** 베네수엘라, 과이도Guaido 국회의장이 임시대통령임을 선언함: 미국, 마두로Maduro 현 대통령은 불법이라고 선언. **1-27** 필리핀, 홀로Jolo 섬의 한 성당에서 인도네시아인 부부에 의한 연쇄폭발사건 발생함: 22명 사망, 101명 부상. **1-30** 미국, 미네소타주의 최저기온이 영하 48도를 기록함: 체감온도 영하 60도의 살인 한파로 20여명 사망. **2-1** 미국, 중거리핵전략조약INF 탈퇴를 선언함: 러시아의 조약 위반 이유. **2-5** 미국, 트럼프Trump 대통령이 국정연설에서 북한 김정은金正恩 국방위원장과 27~28일 베트남에서 회담할 것이라고 밝힘: 한반도 비핵화 및 평화체제 논의 예정.

연 대	우 리 나 라	다 른 나 라
2019 (4352) 기해	2-10 외교부, 한미상호방위분담특별협정문에 가서명함: 유효기간 1년, 1조원 초과. 2-14 검찰, 환경부를 압수수색함: 환경부 블랙리스트 의혹 관련. 자유한국당, 이종명李鍾明 의원을 제명함: 5·18망언 관련. 2-15 검찰, 이인걸 전 특별감찰반장을 소환 조사함: 민간인 불법사찰 의혹 관련. 2-16 경찰, 손석희孫石熙 JTBC 대표이사를 소환 조사함: 폭행·협박 의혹 관련. 2-21 대법원, 육체노동자의 노동가동연한을 기존 60세에서 65세로 상향해야 한다고 판결함: 보험·노동 분야 파장. 2-22 문재인文在寅 대통령, 방한 중인 인도 모디Modi 총리와 정상회담 가짐: 양국 간 특별전략적 동반자 관계로의 실질 협력 논의. 북한, 스페인 대사관이 괴한들에게 습격당함: 미국 정부 기관 연관성 제기. 2-27 문재인文在寅 대통령, 방한 중인 아랍에미리트 모하메드Mohammed 왕세제와 정상회담 가짐: 양국 간 경제협력 분야 논의. 자유한국당, 당 대표에 황교안黃敎安 전 국무총리를 선출함. 북한, 북미정상회담이 베트남 하노이에서 미국 트럼프Trump 대통령과 북한 김정은金正恩 국무위원장 간에 개최됨: 28일 비핵화와 제재 완화 이견으로 협상 결렬. 3-1 북한, 김정은金正恩 국무위원장이 베트남 쫑Trong 서기장과 정상회담 가짐: 경제 및 군사 등 전분야에서의 교류 정상화 논의. 3-4 한국유치원총연합회, 개학 연기 투쟁에 돌입함: 유치원 3법(유아교육법, 사립학교법, 학교급식법 개정안)에 반대. 합동참모본부·한미연합사령부, 한미연합훈련 '동맹' 연습을 시작함: 키리졸브연습·독수리훈련 대체. 3-5 한국은행, 우리나라 1인당 국민총소득이 3만달러를 돌파했다고 발표함: 3만 1,349달러로 선진국 진입 기준 달성. 서울특별시교육청, 한국유치원총연합회 법인 인가를 취소한다고 발표함: 개학 연기 투쟁으로 공익 훼손 이유. 전국에 미세먼지 주의보와 경보가 발령됨: 서울특별시교육청, 실외수업금지 명령. 3-6 문재인文在寅 대통령, 최악 미세먼지에 고강도 대책을 주문함: 국민 불안감 위험 수위 상황 인식.	2-14 이탈리아, 폼페이Pompeii 유적에서 약 2천 년 된 벽화가 발견됨: 그리스 신화 속 주인공 나르시시스Narcissus 모습. 오스트레일리아, 퀸즐랜드Queensland의 윈턴Winton 오지에서 9500만 년 전의 공룡발자국 화석군이 발견됨: 55m에 걸쳐 밀집된 형태. 2-15 미국, 트럼프Trump 대통령이 국가비상사태를 선포함: 멕시코 국경장벽 건설 이행 목적. 2-26 인도, 공군이 자살폭탄테러 보복으로 파키스탄을 공격함: 27일 파키스탄, 카슈미르에서 인도 공군기를 격추하여 양국 간 긴장 고조. 3-2 시리아, 민주군이 이슬람국가의 최후 거점 바구즈Baghouz 일대에 돌입함: 6일 이슬람국가 조직원과 민간인 3,500명이 투항. 3-10 에티오피아, 케냐행 여객기 추락사고 발생함: 탑승자 157명 전원 사망.

연 대	우 리 나 라	다 른 나 라
2019 (4352) 기해	3-7 택시-카풀사회적대타협기구, 출퇴근시간대 카풀 허용에 합의함: 오전 7~9시, 오후 6~8시 허용. 3-8 문재인文在寅 대통령, 행정자치부장관에 진영陳永 의원, 문화체육관광부장관에 박양우朴良雨 전 문화관광부차관, 국토교통부장관에 최정호崔政浩 전라북도 정무부지사, 해양수산부장관에 문성혁文成赫 세계해사대학 교수, 중소벤처기업부장관에 박영선朴映宣 의원, 통일부장관에 김연철金鍊鐵 통일연구원장, 과학기술정보통신부장관에 조동호趙東浩 한국과학기술원 교수를 내정함. 3-9 문동환文東煥 목사 사망. 3-10 문재인文在寅 대통령, 동남아 3국 순방차 출국함: 11일 브루나이 볼키아Bolkiah 국왕과의 정상회담에서 신남방정책 파트너 강조. 13일 말레이시아 마하티르Mahathir 총리와의 정상회담에서 교류 확대 및 한반도 평화 위한 협력 방안 논의. 15일 캄보디아 훈센Hun Sen 총리와의 정상회담에서 신남방정책 주요 파트너 강조. 3-11 전두환全斗煥 전 대통령. 광주지방법원에 피고인 신분으로 출석함: 회고록에서 고 조비오 신부 명예 훼손 혐의. 3-14 민갑룡閔鉀龍 경찰청장, '버닝썬 사태 경찰 유착 의혹'에 대해 경찰 명운 걸고 수사하겠다고 언명함: 반사회적 범죄 근절 강조. 경찰, 가수 승리를 소환 조사함: 해외 투자자 상대 성접대 혐의. 3-15 경찰, 가수 정준영을 소환 조사함: 여성과의 성관계 장면 불법촬영 및 유포 혐의. 3-20 포항지진 정부조사단, 지난 2017년 포항 지진은 포항 지열발전소 공사로 인해 촉발되었다고 발표함: 정부책임론 부상. 3-22 북한, 남북공동연락사무소의 북측 인원이 철수함: 남북협력사업 차질. 3-26 문재인文在寅 대통령, 방한 중인 벨기에 필립 국왕과 정상회담 가짐: 양국간 실질협력 강화 방안 논의. 3-27 대한항공 주주총회, 조양호趙亮鎬 회장의 사내이사 연임 안을 부결함: 국민연금의 주주권 강화로 재계 긴장감 고조. 3-31 문재인文在寅 대통령, 해외 부실 학회 참석 사실이 확인된 조동호趙東浩 과학기술정보통신부장관의 후보자 지명을 철회함: 최정호崔政浩 국토교통부장관 후보자, 부동산 투기 의혹 관련하여 자진 사퇴.	3-11 베네수엘라, 국회에서 국가비상사태 선포함: 5일째 정전사태에 대응. 3-15 뉴질랜드, 크라이스트처치hristchurch의 이슬람사원에서 총기난사사건 발생함: 50명 사망, 40여명 부상. 모잠비크, 사이클론이 중부지역을 강타함: 1천여명 사망. 3-19 미국, 뉴욕 증권시장 3대지수가 혼조에 빠짐: 중국과의 무역협상 부진 영향. 카자흐스탄, 30년간 집권한 나자르바예프Nazarba yev 대통령이 전격 사임함: 장기집권에 대한 국민의 불신 의식. 3-22 미국, 트럼프Trump 대통령이 이슬람국가의 시리아 내 영토가 소멸되었다고 발표함. 3-23 시리아, 민주군이 승리를 선언함. 이슬람국가의 잔존 전투원 전멸. 3-25 베네스엘라, 마두로Maduro 정권이 전력배급을 실시하기로 함: 민심 폭발 무마책.

연 대	우 리 나 라	다 른 나 라
2019 (4352) 기해	4-1 군, 강원도 철원 비무장지대 화살머리고지에서 6·25전쟁 국군전사자 유해 발굴에 착수함: 북측의 합의사항 불이행으로 남측 단독으로 시행. 검찰과거사위원회수사권고관련수사단, 김학의金學義 전 법무부차관의 별장 '성접대 사건' 연루 의혹 규명에 착수함. 4-2 국립경주문화재연구소, 경북 경주 월성 해자에서 발굴된 모형배와 나무방패를 공개함: 1,600 년 전 만든 가장 오래된 유물. 4-3 군·경찰, 제주 4·3사건 희생자들에게 71년만에 공식 사과함. 4-4 강원도 고성·속초·강릉 등지에 동시다발적으로 대형 산불 발생하여 주민 4천여 명이 긴급 대피함: 단일 화재로 역대 최대. 전남 신안군 천사대교 개통식을 거행함: 연장 10.8km로 압해도와 압태도 연결. 4-5 정부, 강원도 산불과 관련하여 국가재난사태를 선포함: 6일 고성군·속초시·강릉시·동해시·인제군 등 5개 시·군을 특별재난지역으로 선포함. 4-8 문재인文在寅 대통령, 5세대(5G) 통신 상용화 기념식에서 혁신성장 실현 의지를 피력함: 세계 최초 상용화 달성. 경찰, 하일(미국명 할리) 방송인을 마약 투약 혐의로 긴급 체포함. 조양호趙亮鎬 한진그룹 회장 사망. 4-10 문재인文在寅 대통령, 미국 방문차 출국함: 11일 트럼프Trump 대통령과의 정상회담에서 북미 비핵화회담 재개 의지 확인. 4-11 대한민국임시정부 수립 100주년 기념식을 서울 여의도에서 개최함: 4월 13일에서 변경 후 처음 한국광복군 착륙한 여의도비행장 있던 역사적 장소에서 거행. 헌법재판소, 임신 초기 낙태 금지는 헌법불일치라고 결정함: 66년만에 낙태죄 위헌 결정. 북한, 최고인민회의에서 김정은金正恩 국무위원장을 재추대함: 최고인민회의 상임위원장에 최용해崔龍海 노동당 부위원장, 내각총리에 김재룡金才龍 자강도 당위원장 임명. 4-16 문재인文在寅 대통령, 투르크메니스탄·우즈베키스탄·카자흐스탄 방문차 출국함: 17일 투르크메니스탄 베르디무하메도프Berdymukhammedov 대통령과의 정상회담에서 에너지·교통 분야 협력방안 논의. 19일 우즈베키스탄 미르지요예프Mirziyoyev 대통령과의 정상회담에서 특별전략적 동반자 관계 격상에 합의. 22일 카자흐스탄 토카예프Tokayev 대통령과의 정상회담에서 북한 비핵화에 양국 협력 합의.	4-1 일본, 나루히토德仁 새 일왕시대의 연호를 레이와令和로 결정함. 4-6 리비아, 군벌 세력 리비아국민군이 수도 트리폴리 외곽까지 공습함: 전면적 내전 돌입. 4-11 수단, 바시르Bashir 대통령이 군부쿠데타로 축출됨: 군부쿠데타로 집권 30년. 4-15 프랑스, 노트르담 대성당에 화재 발생함: 860년 역사의 인류문화유산. 4-21 스리랑카, 수도 콜롬보 교회 등 8곳에서 연쇄 폭발테러 발생함: 290여명 사망, 450여명 부상. 4-22 우크라이나, 대통령 선거에서 젤렌스키Zelensky 후보가 당선됨: 41세의 코미디언 출신. 4-30 일본, 아키히토明仁 국왕이 퇴위함: 나루히토德仁 왕세자에게 생전 양위. 베네수엘라, 마두로Maduro 대통령 퇴진을 요구하는 일부 군인이 반정부시위대에 참여함: 내전 방불 무력 충돌.

연대	우리 나라	다른 나라
2019 (4352) 기해	4-17 제주도, 중국계 녹지국제병원 개설 허가를 취소함: 개원 기간 내 정상적 개원 불이행 이유. 경찰, 가수 겸 배우 박유천을 소환 조사함: 남양유업 창업주 외손녀 황하나와 마약 투약한 혐의. 4-22 독립유공자 계봉우桂奉禹·황운정黃運正 지사 부부의 유해가 카자흐스탄에서 국내로 봉환됨: 21일 문재인 대통령이 직접 유해봉환식 주관. 4-24 북한, 김정은金正恩 국무위원장이 북러 정상회담 위해 러시아 블라디보스토크에 도착함: 25일 푸틴Putin 대통령과의 정상회담에서 한반도 비핵화 문제와 경제 협력 방안 논의. 4-29 문재인文在寅 대통령, 방한 중인 칠레 피네라Pknera 대통령과 정상회담 가짐: 한국의 태평양동맹 가입 협조에 합의함. 국회, 선거법개정안과 고위공직자범죄수사처법(공수처법) 등 사법개혁안을 신속처리안건(패스트트랙)으로 지정함: 야당(자유한국당) 강력 반발로 국회 파행. 4-30 국립문화재연구소, 전북 익산 미륵사지석탑 보수공사를 완료함: 연인원 12만명, 20여년 공사기간 소요. 법원, 이석채李錫采 전 KT 회장에 대한 구속영장을 발부함: 직원 부정채용 의혹 관련. 5-4 영화 〈어벤져스 4〉가 누적관객 1천만명을 돌파함: 역대 최단기간 기록. 북한, 원산에서 동해상으로 단거리 발사체를 발사함: 북미회담 재개 압박 추정. 5-6 극작가 유호兪湖 사망. 5-7 정부, 수도권 주택 공급계획 및 광역교통망 개선방안을 추가 발표함: 경기 고양·부천에 신도시 건설. 5-9 검찰, 김학의金學義 전 법무부차관을 소환 조사함: 성범죄 및 뇌물수수 의혹 관련. 북한, 평북 구성에서 동쪽 방향으로 탄도미사일을 발사함. 5-10 서울국제마라톤 겸 동아마라톤이 세계육상문화유산으로 선정됨: 아시아 최초, 세계 세 번째 등재. 5-15 법원, 강신명姜信明 전 경찰청장에 대한 구속영장을 발부함: 박근혜 대통령 시절 국회의원 선거에 불법 개입한 혐의. 5-16 법원, 김학의金學義 전 법무부차관에 대한 구속영장을 발부함: 성범죄 및 뇌물수수 혐의. 5-20 검찰과거사위원회, 자살한 탈렌트 장자연張自然 자살사건에 대한 재수사는 어렵다고 최종결론 내림: 조선일보사 측의 경찰 압력 행사 의혹은 확인.	5-1 일본, 나루히토德仁 왕세자가 일왕으로 즉위함: 레이와令和 시대 개막. 5-3 인도, 초대형 사이클론 '파니'가 동부지역을 강타함: 이웃 방글라데시로 이동해 24명 사망, 280만명 대피. 5-5 러시아, 모스크바 공항에서 착륙 중 여객기 화재사고 발생함: 41명 사망. 5-13 중국, 다음달 1일부터 미국산 수입품 일부에 대해 추가관세 부과 방침을 밝힘: 미국의 중국산 수입품에 대한 관세 인상에 대응. 5-16 미국, 중국 화웨이華爲를 거래제한기업 명단에 올림: 중국과의 무역 전쟁 일환. 5-25 미국, 트럼프Trump 대통령이 일본을 방문함: 새 일왕 즉위와 새 연호 레이와令和 시대 개막 축하 목적.

연대	우리 나라	다른 나라
2019 (4352) 기해	**5**-22 법원, 윤중천 건설업자에 대한 구속영장을 발부함: 김학의金學義 전 법무부차관 등에 대한 성접대 강요 혐의. **5**-25 봉준호奉俊昊 감독, 칸영화제에서 〈기생충〉으로 최고상인 황금종려상을 수상함: 한국영화사상 최초. **5**-30 헝가리 부다페스트 다뉴브강에서 한국 관광객 탄 유람선이 추돌당해 침몰함: 26명 사망·실종. **5**-31 강경화康京和 외교부장관, 헝가리 다뉴브강 유람선 침몰사고 현장 지휘 위해 출국함: 헝가리 외교부장관에게 신속한 수색작업 협조 요청. 농림축산식품부, 북한 접경지역 10개 시·군을 아프리카돼지열병 특별재난지역으로 지정함: 북한에서 발생 확인에 대한 방역조치. **6**-1 방탄소년단BTS, 영국 런던 웸블리Wembley 스타디움에서 첫 공연을 함: 첫 한국 그룹 공연. **6**-6 문재인文在寅 대통령, 현충일 추념사에서 전 북한 노동상 김원봉金元鳳의 독립무장부대가 대한민국 국군의 기원 중 하나라고 평가함: 서훈敍勳 논란 재점화. **6**-9 문재인文在寅 대통령, 북유럽 3국 순방차 출국함: 11일 핀란드 니니스퇴Niinisto 대통령과의 정상회담에서 한반도 평화 프로세스 공조 강화 논의. 15일 노르웨이 솔베르그Solberg 총리와의 정상회담에서 조선·해양·수소경제 분야 협력에 합의. 16일 스웨덴 뢰벤Lofven 총리와의 정상회담에서 과학 기술 분야 협력 방안 논의. **6**-10 이희호李姬鎬 고故 김대중 대통령 부인 사망: 14일 사회장으로 국립현충원에 안장. **6**-14 양현석梁鉉錫 YG엔터테인먼트 대표, 사내 모든 직책에서 사퇴함: 소속 가수 비아이의 마약 구매·투약 의혹 관련. **6**-15 북한 어선 1척이 군 제지 없이 삼척항에 들어옴: 군 해상감시체계 공백 논란. **6**-16 U-20 축구대표팀, 결승전에서 우크라이나에 패하여 사상 처음 준우승 기록함: 이강인李康仁 선수, 최우수선수로 골든볼 수상. **6**-17 문재인 대통령, 검찰총장에 윤석열尹錫悅 서울중앙지방검찰청을 내정함. 박남춘朴南春 인천광역시장, 10일째 이어진 붉은 수돗물 사태에 대하여 사과함: 원인 규명과 시설 정비 약속. **6**-19 정부, 세계식량계획WFP을 통해 북한에 국내산 5만톤을 지원하기로 함: 북한의 식량난에 대응.	**6**-1 미국, 국방부가 〈인도 태평양 전략보고서〉에서 타이완을 국가로 표기함: '하나의 중국' 정책에서 선회. **6**-9 중국, 홍콩에서 〈범죄인 송환법〉 개정안에 반대하여 100만여명의 시위 발생함: 16일 200만여명의 반대 시위 발생. **6**-13 이란, 호르무즈Hormuz 해협에서 발생한 유조선 포탄피격사건은 자국과 관련없다고 밝힘: 미국과의 갈등 고조 속 발생 사건. **6**-17 중국, 쓰촨성四川省에서 규모 6.0의 지진 발생함: 13명 사망, 200명 부상. **6**-18 일본, 야마가타현山形縣에서 규모 6.8의 지진 발생함: 일부 지역 쓰나미 주의보 발령. **6**-20 인도, 북부지역 계곡에서 버스추락 사고 발생함: 44명 사망, 35명 부상. **6**-24 인도네시아, 타님바르제도Tankmbar諸島에서 규모 7.3의 지진 발생함: 파푸아에서도 규모 6.1 및 5.3의 지진 연속 발생.

연 대	우 리 나 라	다 른 나 라
2019 (4352) 기해	6-20 북한, 중국 시진핑習近平 국가주석이 국빈방문함: 김정은金正恩 국무위원장과의 정상회담에서 한반도 비핵지대화 위한 적극 역할 강조. 6-21 문재인文在寅 대통령, 청와대 정책실장에 김상조金尙祚 공정거래위원장을 내정함: 기업과 민생경제에 활력 기대. 법원, 김명환 민주노총위원장에 대한 구속영장을 발부함: 집회폭력행위 지시 혐의. 6-24 대한애국당, 당명을 우리공화당으로 개정함: 박근혜朴槿惠 대통령과 정치적 교감. 6-26 사우디아라비아 빈살만bin Salman 왕세자가 방한함: 문재인文在寅 대통령 면담 및 5대 총수 그룹 회동. 이기흥李起興 대한체육회장, 국제올림픽위원회IOC 위원에 선출됨. 윤덕병尹德炳 한국야쿠르트 회장 사망. 6-27 문재인文在寅 대통령, 주요 20개국 정상회의 참석차 일본을 방문함: 중국 시진핑習近平 국가주석과의 정상회담에서 북한 김정은金正恩 국무위원장의 대화에 의한 한반도 비핵지대화 의지 확인. 29일 러시아 푸틴Putin 대통령과의 정상회담에서 한반도 비핵화지대화 협력 증진 방안 논의. 6-28 국회, 84일만에 정상화됨: 선거법개정특별위원회와 공수처법특별위원회 활동기한 2개월 연장에 합의. 6-29 미국 트럼프Trump 대통령이 방한함: 30일 문재인文在寅 대통령과 정상회담 후 함께 판문점 방문하여 북한 김정은金正恩 국무위원장과 회담. 미국 현직 대통령으로 최초로 군사분계선 넘어 북한 지역 월경하고 남측 자유의 집에서 남·북·미 정상 회동. 7-3 정경두鄭景斗 국방부장관, 북한 어선의 삼척항 입항 경계 실패에 대해 사과함: 관련자 엄중 문책 언명. 식품의약품안전처, 코오롱생명과학의 인보사Invossa 품목 허가취소 처분을 최종 확정함: 의약품 성분 뒤바뀐 골관절염 유전자 치료제. 민주노총, 공공부문비정규직 파업에 돌입함: 학교비정규직연대회의, 전국 3,600여교에서 급식 중단. 7-4 홍남기洪楠基 부총리 겸 기획재정부장관, 일본의 수출규제에 대해 명백히 경제보복이라고 언명함: 강제징용에 대한 한국의 사법판단 보복 조치로 판단. 한국도로공사 요금수납원 노조, 서울톨게이트 진입로 점거하고 농성 벌임: 자회사 아닌 직접고용 요구.	6-28 일본, 오사카에서 세계 주요 20개국 정상회의를 개최함: 29일 미국 반대로 공동성명에 반보호무역주의 채택 불발. 미국, 중국과 무역전쟁 휴전과 협상 재개에 합의함. 7-1 중국, 홍콩에서 시위대가 입법회를 점거하고 농성함: 〈범죄인 송환법〉 개정안 반대시위 격화. 7-4 미국, 캘리포니아주에 규모 6.4의 지진 발생함: 6일 규모 7.1의 지진 연속 발생으로 비상사태 선포. 7-16 유럽연합, 차기 집행위원장에 폰데어라이엔von der Leyen 전 독일 국방장관을 선출함: 첫 여성 수장. 7-18 일본, 교토에서 애니메이션 스튜디오 방화사건 발생함: 33명 사망, 36명 부상. 7-19 이란, 혁명수비대가 호르무즈Hormuz 해협에서 영국 선적 유조선을 나포함: 페르시아만 원유 운송 안전 우려 고조. 7-21 일본, 참의원 선거에서 아베安倍晋三 총리의 연립여당이 과반수 의석을 확보함: 개헌 발의선 확보에는 실패.

연 대	우 리 나 라	다 른 나 라
2019 (4352) 기해	7-6 서원書院 9곳이 유네스코 세계유산에 등재됨: 소수紹修·도산陶山·필암筆巖·병산屛山·옥산玉山·도동道東·남계南溪·무성茂城·돈암遯巖 서원 등 포함. 7-9 자율형 사립고(자사고) 재지정 평가가 완료됨: 24개교 중 11개교 지정 취소로 탈락 학교 반발. 7-10 문재인文在寅 대통령, 국내 30대 기업 총수들과 간담회 가짐: 일본의 수출 규제 조치에 대한 대책 논의. 부산 지하철 노조, 무기한 파업에 돌입함: 임금 협상 결렬에 반발. 유현진柳賢振 선수, 미국 프로야구 올스타전에서 한국인으로 처음 선발투수로 등판함: 1이닝 무실점으로 선방. 7-12 문재인文在寅 대통령, 최저임금 시급 1만원 공약 지키지 못한 것에 대해 사과함: 2.9% 인상하여 8,590원으로 결정. 광주세계수영선수권대회가 개최됨: 194개국 2,538명 선수 참가로 역대 최대 규모. 7-13 정의당, 당 대표에 심상정沈相奵 의원을 선출함: 2년만에 대표 복귀. 김수지 선수, 광주세계수영선수권대회 여자 1m 스프링보드 경기에서 동메달을 획득함: 한국 다이빙 역사상 최초. 7-14 외국영화 〈알라딘〉이 누적 관객수 1천만명을 돌파함. 7-16 정두언鄭斗彦 전 의원 자살. 7-18 문재인文在寅 대통령, 일본의 수출 규제 조치에 대한 방안 논의차 여야 5당 대표와 1년 4개월만에 회동함: 비상협력기구 설치에 합의. 한국은행, 기준금리를 0.25% 포인트 인하함: 경제 부진 타개책 일환. 7-20 태풍 '다나스'가 제주도 통과 후 남해안에 상륙함: 항공기·여객선 결항. 7-21 경북 상주에서 규모 3.9의 지진 발생함: 금년 한반도 내륙 최강 지진. 7-23 합동참모본부, 러시아 군용기 1대가 독도 영공 침범하고, 중국 군용기 2대가 한국방공식별구역에 진입하여 경고사격으로 퇴각시켰다고 발표함. 7-24 정부, 일본이 한국을 백색국가(수출심사 우대국)에서 제외하려는 방침이 부당하다는 의견서를 일본에 보냄. 스위스 제네바에서 열린 세계무역기구WTO 일반이사회에서 일본의 한국에 대한 수출 규제를 비판함: 세계무역 교란행위로 규정.	7-22 중국, 리펑李鵬 전 총리 사망. 7-23 시리아, 정부군과 러시아군이 반군 거점 북서부 마아렛 알루만 Maaret al-Numan 시를 공습함: 43명 사망, 100여명 부상. 7-24 영국, 새 총리에 존슨Johnson 전 외무장관이 취임함: 브렉시트 Brexit(영국의 유럽연합 탈퇴) 강경론자. 7-25 프랑스, 낮 최고기온이 42.4도로 사상 최고를 기록함: 독일 41.5도, 벨기에 40.6도, 네덜란드 40.4도 기록. 리비아, 알 콤스에서 유럽으로 가던 난민선 전복사고 발생함: 150여명 사망. 7-28 아프가니스탄, 살레Saleh 부통령 후보 선거운동 사무실에 폭탄테러 발생함: 20명 사망, 50여명 부상. 8-1 칠레, 중서부 태평양 연안에서 규모 6.8의 지진 발생함: '불의 고리' 속한 지역. 8-2 일본, 각료회의에서 한국을 백색국가(수출심사 우대국)에서 제외하는 안건을 의결함: 양국 간 우호협력 관계 파국.

연 대	우 리 나 라	다 른 나 라
2019 (4352) 기해	**7**-25 북한, 강원도 원산 일대에서 신종 단거리탄도미사일 2발을 발사함: 동해상으로 600여㎞ 비행. **7**-26 교육부, 전북 상산고등학교가 제출한 자율형 사립고(자사고) 지정 취소 요청에 부동의 결정을 내림: 평가 적정성 부족 이유. **7**-27 광주광역시에서 클럽 복층 구조물 붕괴사고 발생함: 2명 사망, 광주세계수영선수권대회 참가 선수 8명 포함 25명 부상. **7**-31 북한, 함남 호도반도 일대에서 단거리탄도미사일 2발을 발사함: 6일만의 발사. **8**-2 문재인文在寅 대통령, 임시 국무회의를 개최함: 일본의 한국 백색국가 제외 방침에 대응. 북한, 함남 영흥 일대에서 단거리 발사체 2발을 발사함: 2일만의 발사. **8**-3 전국 대부분 지역에 폭염특보가 발령됨: 경기도 안성 39.3도, 여주 38.7도 기록. **8**-6 북한, 황해남도 과일군 일대에서 동해상으로 단거리 탄도미사일 2발을 발사함: 한미연합연습에 반발. **8**-9 문재인文在寅 대통령, 일부 개각을 단행함: 법무부장관에 조국曺國 전 청와대 정무수석, 과학기술정보통시부장관에 최기영崔起榮 서울대학교 교수, 농림축산식품부장관에 김현수金炫秀 전 차관, 여성가족부장관에 이정옥李貞玉 대구가톨릭대학교 교수. **8**-10 북한, 함남 함흥 일대에서 동해상으로 단거리 탄도미사일 2발을 발사함: 한미연합연습에 무력시위. **8**-12 정부, 일본을 백색국가(수출심사 우대국)에서 제외함: 일본의 우리나라 백색국가 제외 결정에 맞대응. 민주평화당, 비당권파 '대안정치' 모임 의원 10명이 집단 탈당함: 군소 정당으로 전락. **8**-15 문재인文在寅 대통령, 15년만에 독립기념관에서 열린 광복절 기념 경축사에서 '아무도 흔들 수 없는 나라' 건설을 다짐함: 일본의 경제보복에 대응. **8**-16 북한, 강원도 통천 일대에서 동해상으로 단거리 발사체를 2회 발사함: 한미연합연습에 반발. **8**-17 경찰, YG엔터테인먼트 사옥을 압수수색함: 양현석梁鉉錫 전 대표와 가수 승리의 상습 도박 혐의 수사. **8**-22 정부, 한일군사정보보호협정(GSOMIA) 파기를 결정함: 일본의 경제보복에 강력 대응.	**8**-3 미국, 텍사스주에서 총기난사사건으로 20명 사망, 26명 부상함: 4일 오하오주에서 총기난사사건으로 10명 사망, 26명 부상. **8**-5 미국, 중국을 환율조작국으로 지정함: 환율저평가 및 무역흑자 시정 요구. **8**-12 중국, 홍콩 시위대가 홍콩 공항을 점령함: 시위 여성 실명 위기에 강력 반발. **8**-17 아프가니스탄, 수도 카불의 결혼식장에서 자살폭탄테러 발생함: 80명 사망, 180여명 부상. **9**-1 바하마, 허리케인 도리안이 상륙함: 역대 가장 강력한 위력으로 1천여명 사망·실종, 가옥 1만 3천여채 피해. **9**-2 중국, 홍콩 시위대가 파업 및 동맹휴학에 돌입함: 일부 중·고교생들도 동참. **9**-4 중국, 홍콩 캐리람Carrie Lam 행정장관이 〈범죄인 송환법〉 개정안 철회를 공식 발표함: 시위대 요구 일부 수용.

연 대	우 리 나 라	다 른 나 라
2019 (4352) 기해	**8**-27 검찰, 고려대학교·서울대학교·부산대학교·웅동학원·사모펀드운영사를 압수수색함: 조국曺國 법무부장관 후보자 각종 의혹 관련. **9**-1 문재인文在寅 대통령, 동남아 3국 순방차 출국함: 2일 타이 쁘라윳Prayuth 총리와의 정상회담에서 군사교류 및 방산협력에 합의. 3일 미얀마 수치Suu Kyi 국가고문과의 정상회담에서 경제개발 경험 공유에 합의. 5일 라오스 분냥Bounnhang 대통령과의 정상회담에서 양국간 실질 협력 방안 협의. **9**-2 조국曺國 법무부장관 후보자, 국회에서 기자간담회 열어 각종 의혹에 대해 해명함: 야당, 정치쇼라고 비난. **9**-7 태풍 '링링'이 제주도 통과 후 서남해안에 상륙함: 시속 189km의 강풍 동반. **9**-8 김성환金星煥 화백 사망: 〈고바우 영감〉 시사만화가. **9**-10 북한, 평남 개천에서 동쪽으로 초대형 방사포 2발을 시험발사함: 330km 비행. **9**-17 경기 파주에 아프리카돼지열병 발생함: 18일 연천, 24일 김포와 인천 강화에서도 발생. **9**-18 경찰, 화성연쇄살인사건 용의자(이춘재 무기수)를 유전자 검사로 밝혀냄: 1986년 9월 이후 33년 만. **9**-22 문재인文在寅 대통령, 유엔총회 참석차 미국 뉴욕으로 출국함: 23일 미국 트럼프Trump 대통령과의 정상회담에서 북미실무협상 실질성과 도출안에 합의. 24일 유엔총회 연설에서 비무장지대DMZ를 국제평화지대로 만들자고 제안. 태풍 '타파'가 제주도 통과 후 남부지방에 상륙함: 최대 700㎜의 폭우, 순간 초속 43.2m로 인명과 재산 피해. **9**-23 검찰, 각종 의혹 관련하여 조국曺國 법무부장관의 자택을 압수수색함: 사상 초유의 상급자 압수수색. **9**-24 농림수산식품부, 아프리카돼지열병 확산으로 전국에 일시이동중지명령을 발령함: 26일 48시간 연장. **9**-29 유현진柳賢振 선수, 미국 메이저리그에서 평균자책점 타이틀을 획득함: 아시아 선수 최초. **10**-2 태풍 '미탁'이 제주도 통과 후 전남 해안에 상륙함: 영남·영동 지방에 500㎜의 폭우로 주민대피령 발령. 14명 사망·실종. 북한, 강원도 원산 일대에서 동해상으로 탄도미사일 1발을 발사함: 잠수함발사탄도미사일 북극성 계열.	**9**-6 짐바브웨, 무가베Mugabe 전 대통령 사망: 37년간 장기집권한 최악의 독재자. **9**-14 사우디아라비아, 국영석유회사 아람코Aramco의 주요 시설과 유전이 예멘 반군 무인기(드론) 공격받아 불탐: 유가 급등으로 국제원유시장 혼란. **9**-17 아프가니스탄, 파르완주Parwan州 주도 차리카르Charikar에서 열린 가니Ghani 대통령 유세장에서 탈레반에 의한 자살폭탄테러가 2차례 발생함: 48명 사망. **9**-26 인도네시아, 동부 말루쿠Maluku 제도 해안에서 규모 6.5의 지진 발생함: 20여명 사망, 100여명 부상. 프랑스, 시라크Chirac 전 대통령 사망. **9**-29 미국, 콜먼Colman 선수가 도하 세계육상선수권대회 남자 100m 경기에서 우승함: 9초 76으로 세계신기록 수립. **10**-5 중국, 홍콩 시위대가 당국의 〈복면금지법〉 시행에 맞서 마스크 쓰고 행진함.

연대	우리 나라	다른 나라
2019 (4352) 기해	**10**–3 검찰, 정경심 동양대 교수(조국 법무부장관 부인)를 소환 조사함: 자녀 입시 및 사모펀드 투자 의혹 관련. **10**–4 제100회 전국체육대회가 서울에서 개막됨: '몸의 신화, 백년의 탄생' 주제. **10**–14 조국曺國 법무부장관, 취임 35일만에 사퇴함: 검찰개혁안 발표 후 사의 표명. **10**–16 한국은행, 기준금리를 1.25%로 0.25%포인트 인하함: 역대 최저치. **10**–18 한국대학생진보연합 회원 17명이 주한 미국대사관저 담을 넘어 침입하여 기습 점거하여 농성 벌임: 미국정부의 방위비 분담금 인상 요구 규탄. **10**–21 노신영盧信永 전 국무총리 사망. **10**–22 이낙연李洛淵 국무총리, 나루히토德仁 일왕 즉위식 참석차 일본을 방문함: 24일 아베安倍晋三 총리에게 문재인文在寅 대통령 친서 전하고 양국 관계 개선 의지 표명. 합동참모본부, 러시아 군용기 6대가 동해, 서해, 남해상의 한국방공식별구역에 진입하였다고 발표함: 한국 공군 전투기 10대가 대응 출격. **10**–23 문재인文在寅 대통령, 방한 중인 스페인 필리페Felipe 6세와 정상회담 가짐: 신산업 미래협력 강화에 합의. 한성백제박물관, 서울 석촌동 고분에서 화장火葬한 사람 벼 4.3kg을 수습했다고 발표함: 한성백제 왕실의 장례문화 관련 유물. 북한, 김정은金正恩 국무위원장이 금강산관광지구에 설치된 남측 시설 철거를 지시함: 남북 경협 진전 부족에 불만. **10**–24 법원, 정경심 동양대 교수(조국 법무부장관 부인)에 대한 구속영장을 발부함: 자녀 입시 및 사모펀드 투자 의혹 관련. **10**–27 경남 창녕에서 규모 3.5의 지진 발생함: 금년 한반도 내륙 두 번째 강진. **10**–28 검찰, 승합차 호출 서비스 '타다' 대표를 현행법 위반으로 기소함: 정부 정책과 배치. **10**–31 독도 인근에서 환자 이송 소방헬기 추락사고 발생함: 환자 포함 7명 사망. 북한, 평남 순천順川 일대에서 동해상으로 단거리 발사체를 2발을 발사함: 최대 비행거리 370km, 고도 90km로 탐지.	**10**–8 에콰도르, 수도 키토Quito에서 정부의 유류 보조금 폐지에 반대하는 대규모 시위 일어남: 모레노Moreno 대통령, 최대도시 과야킬Guayaquil로 피신. **10**–9 터키, 쿠르드족Kurd族이 통제하는 시리아 북동부 국경도시를 공격함: '평화의 봄' 작전 개시 표명. **10**–10 폴란드, 토카르추크Tokarczuk가 2018년도 노벨문학상 수상자로 결정됨. 오스트리아, 한트케Handke가 2019년도 노벨문학상 수상자로 결정됨. **10**–11 에티오피아, 아비abiy 총리가 노벨평화상을 수상함: 이웃 나라와 20년 분쟁 종식. **10**–12 일본, 태풍 하기비스가 도쿄 포함한 수도권 일대를 강타함: 77명 사망·실종, 1,300만여명에 피난 권고·지시. 케냐, 킵초게Kipchoge 선수가 오스트리아 빈 마라톤대회에서 1시간 59분 40초로 2시간 벽을 깨고 우승함: 이벤트 대회로 비공식 기록으로 인정. **10**–13 케냐, 코스게이Kosgei 선수가 시카고마라톤대회에서 2시간 15분 벽을 깨고 우승함: 2시간 14분 4초 기록으로 16년 만에 여자 마라톤 신기록 수립.

연대	우리나라	다른나라
2019 (4352) 기해	**11**-3 문재인文在寅 대통령, 아세안+한중일 정상회의 및 동아시아정상회의 참석차 타이를 방문함. **11**-7 손흥민孫興慜 선수, 유럽 축구 통산 123호 골을 기록함: 차범근車範根 선수 121골 경신. **11**-9 박홍朴泓 전 서강대 총장 사망. **11**-10 문재인文在寅 대통령, 여야 5당 대표와 회동함: 임기 반환점 첫 회동. **11**-12 현대산업개발, 아시아나항공 우선협상대상자로 선정됨: 재계 17위로 부상. **11**-13 삼성전자노동조합이 설립됨: 50년 무노조 경영 종식. **11**-14 검찰, 조국曺國 전 법무부장관을 소환 조사함: 자녀 입시비리와 부인 차명 주식투자 관여 의혹 관련. **11**-19 문재인文在寅 대통령, 국민과의 TV대화 시간에 출연함: 300명의 국민 패널 질문에 답변. **11**-20 철도노조, 회사측과 인력 충원 등 쟁점 타결에 실패하여 파업에 돌입함: 25일 노사협상 타결로 파업 종료. **11**-22 정부, 한일군사정보보호협정GSOMIA을 조건부로 연장하기로 함: 일본의 수출 규제 철회 위한 결정. **11**-23 문재인文在寅 대통령, 방한 중인 싱가포르 리셴룽李顯龍 총리와 정상회담 가짐: 양국 관계 실질 협력 방안 논의. **11**-24 문재인文在寅 대통령, 방한 중인 브루나이 볼키아Bolkiah 국왕과 정상회담 가짐: 에너지 자원 협력 방안 협의. **11**-25 한·아세안 특별정상회의가 부산에서 개막됨: 신남방정책 본격화. 문재인文在寅 대통령, 방한 중인 타이 짠오차Chanocha 총리, 인도네시아 유도요노Yudhoyono 대통령, 필리핀 두테르테Duterte 대통령과 정상회담 가짐: 아세안 국가와의 협력 증진방안 합의. **11**-28 문재인文在寅 대통령, 방한 중인 말레이시아 마하티르Mahathir 총리와 정상회담 가짐: 양국간 실질 협력 관계 증진 방안 논의. 북한, 함남 연포 일대에서 동해상로 초대형 방사포 2발을 발사함: 연발시험사격 진행.	**10**-19 칠레, 피네라Pknera 대통령이 15일간 국가비상사태를 선포함: 지하철 요금 50원 인상에 폭발한 격렬한 시위에 대응. **10**-20 러시아, 동시베리아에서 댐 붕괴사고 발생함: 20명 사망·실종. **10**-23 영국, 에식스주Essex州 산업단지의 화물트럭 냉동 컨테이너에서 39명이 숨진 채 발견됨: 밀입국 베트남인. **10**-27 미국, 트럼프Trump 대통령이 이슬람국가IS 수장 알 바그다디al-Baghdadi가 자폭 사망했다고 발표함: 시리아 북서부에 8대의 군용 헬기로 미군 특수부대 투입. **10**-30 칠레, 피네라Pknera 대통령이 11월의 아시아·태평양경제협력체 정상회의와 12월 의 유엔기후변화협약 당사국총회를 개최하지 않겠다고 발표함: 반정부 시위 장기화 이유. **10**-31 일본, 오키나와현 슈리首里 성터에서 화재 발생함: 세계문화유산 정전正殿·남전南殿·북전北殿 등 7개 동 전소. **11**-12 이탈리아, 베네치아가 호우로 85%가 침수됨: 조수 수위 187cm 기록. 볼리비아, 모랄레스Morales 전 대통령이 멕시코로 망명함: 부정선거로 불명예 퇴진.

연대	우리나라	다른나라
2019 (4352) 기해	**11-30** 보진재寶晉齋 인쇄소, 업계 불황으로 인쇄사업에서 철수함: 1912년 창립 100년 이상 장수기업. **12-3** 한국교육과정평가원, 대학수학능력시험 성적 사전유출에 대해 사과함: 312명이 성적을 미리 확인한 초유의 사건. **12-4** 검찰, 청와대 비서실을 압수수색함: 유재수柳在洙 전 부산시부시장 감찰 무마 의혹 관련. 중국 왕이王毅 외교부장이 사드 사태 이후 4년만에 방한함: 5일 문재인 대통령 예방하여 한중관계 정상화 의지 피력. **12-5** 문재인文在寅 대통령, 공석 중인 법무부장관에 추미애秋美愛 의원을 지명함: 조국曺國 전 장관 사퇴 52일만에 인선. **12-6** 검찰, 송병기 울산시부시장을 소환 조사함: 김기현金起炫 전 울산시장 비리 수사 기획 의혹 관련. **12-7** 영화 〈겨울왕국 2〉가 개봉 17일만에 누적관객 1천만 명을 돌파함: 애니메이션 장르 최초 기록. 북한, 평북 동창리 미사일 발사장에서 중요한 시험이 진행되었다고 발표함: 미국 타격 가능한 대륙간탄도미사일 연관 추정. **12-8** '변화와 혁신' 중앙당발기인대회가 개최됨: 바른정당계 바른미래당 의원 중심. **12-9** 김우중金宇中 전 대우그룹 회장 사망. **12-12** 경찰, 한기총 대표회장 전광훈全光焄 목사를 소환 조사함: 보수단체 집시법 위반 혐의 관련. **12-13** 북한, 서해위성발사장에서 중대한 실험을 실시함: 전략적 핵전쟁 억제력 강화 목적 추정. **12-14** 구자경具滋暻 전 LG 회장 사망. **12-16** 검찰, 조국曺國 전 법무부장관을 소환 조사함: 청와대 민정수석 당시 유재수柳在洙 전 부산시부시장 감찰 무마 의혹 관련. 이기백李基百 전 국방부장관 사망: 아웅산 사건 당시 생존자. **12-17** 문재인文在寅 대통령, 국무총리 후보자에 정세균丁世均 전 국회의장을 지명함. 검찰, 국무총리실을 압수수색함: 김기현金起炫 전 울산시장 첩보 자료 추적 관련. **12-23** 문재인文在寅 대통령, 중국을 방문하여 시진핑習近平 국가주석과의 정상회담에서 공동번영의 동반자 관계 강조함: 24일 일본 아베安倍晋三 총리와의 정상회담에서 양국 관계정상화 위한 대화 강조.	**11-24** 중국, 홍콩 구의원 선거에서 민주진영이 압승함: 새로운 시위 동력 확보. **11-26** 알바니아, 수도 티라나Tirana 인근에서 93년만에 규모 6.4의 지진 발생함: 47명 사망, 600여명 부상. **11-28** 미국, 트럼프Trump 대통령이 추수감사절 맞아 아프가니스탄을 방문함: 탈레반과의 평화협상 재개 선언. **11-29** 일본, 나카소네中曾根康弘 전 총리 사망. **12-9** 뉴질랜드, 북섬 동해안 화이트섬에서 화산 폭발함: 18명 사망·실종. **12-10** 핀란드, 마린Marin 교통부장관이 여성 총리에 취임함: 34세의 세계 최연소 현역 총리. **12-12** 영국, 보수당이 총선거에서 압승함: 브렉시트Brexit(영국의 유럽연합 탈퇴) 교착상태 해소 가능. **12-19** 미국, 하원에서 우크라이나 스캔들 관련하여 트럼프Trump 대통령 탄핵안을 가결함: 1868년 존슨 대통령, 1999년 클린턴 대통령 이후 세 번째.

연 대	우 리 나 라	다 른 나 라
2019 (4352) 기해	**12**–24 원자력안전위원회, 월성원자력1호기의 영구 정지를 확정함: 반대 의견 있어 표결로 통과. **12**–27 국회, 공직선거법 개정안을 의결함: 준연동형 비례대표제 도입, 선거연령 18세 이상으로 하향 조정. 헌법재판소, 2015년 한일 위안부 문제 합의는 헌법소원의 심판 대상이 아니라고 판단함: 위안부 측의 헌법소원 각하 결정. **12**–28 검찰, 백원우白元宇 전 청와대 민정비서관을 소환 조사함: 울산시장 선거 개입 의혹 관련. **12**–30 국회, 공수처법안을 의결함: 검찰 권력 견제 제도화. 검찰, 임동호林東昊 전 더불어민주당 최고위원과 김기현金起炫 전 울산시장을 소환 조사함: 청와대의 선거 개입 의혹 관련. 경남 밀양에서 규모 3.5의 지진 발생함: 경남 전역에서 진동 감지.	**12**–27 중국, 창청長征 5호 운반로켓 발사에 성공함: 중국 최대 화성 탐사 운반 로켓. 카자흐스탄, 알마티Almaty 공항 인근에서 항공기 추락 사고 발생함: 15명 이상 사망. **12**–28 소말리아, 수도 모가디슈 검문소에서 차량폭탄 테러 발생함: 90여명 사망, 120여명 부상.

연 대	우 리 나 라	다 른 나 라
2020 (4353) 경자	**1**-2 문재인文在寅 대통령, 4대그룹 총수들과 신년회를 가짐: 경제혁신 강조. **1**-4 검찰, 울산시청을 압수수색함: 청와대 선거 개입 및 하명수사 의혹 관련. **1**-5 새로운보수당(새보수당), 중앙당 창당대회를 개최함: 책임대표에 하태경河泰慶 의원 선출. **1**-6 영화 〈기생충〉이 미국 골든글로브 시상식에서 외국어영화상을 받음: 한국영화사상 최초. **1**-7 문재인文在寅 대통령, 신년사에서 확실한 변화를 강조함: 남북관계 개선 의지 피력. **1**-10 2024년 평창동계청소년올림픽 유치에 성공함: 유럽 이외 지역 최초. **1**-11 임택근任宅根 전 아나운서 사망. **1**-12 대안신당이 창당대회를 개최함: 대표에 최경환崔敬煥 의원 선출. **1**-13 국회, 검경수사권 조정안을 의결함: 검찰과 경찰의 권한이 상호협력관계로 전환. 유치원 3법(유아교육법, 사립학교법, 학교급식법 개정안)을 의결함: 사립유치원 회계투명성 강화 방안. 중앙선거관리위원회, 정당 명칭으로 '비례ㅇㅇ당' 사용할 수 없다고 결정함: 준연동형 비례대표제 의석 확보 위한 위성정당 창당 차질. **1**-14 문재인文在寅 대통령, 신년 기자회견에서 강력한 부동산 시장 안정화 추진을 강조함: 검찰 개혁 및 남북관계 개선 의지 표명. **1**-17 충남교육청 봉사팀이 히말라야 안나푸르나Annapurna 등반 중 눈사태로 재난당함: 교사 4명 실종. **1**-19 전진당, 중앙당 창당대회를 개최함: 당대표에 이언주李彦周 의원 선출. 신격호辛格浩 전 롯데그룹 회장 사망. **1**-20 검찰, 송철호宋哲鎬 울산시장을 소환 조사함: 공직선거법 위반 혐의.	**1**-1 중국, 홍콩에서 100만명의 대규모 시위 벌어짐: 〈범죄인 송환법〉 개정안 공식 철회 등 요구. **1**-2 타이완, 신베이新北 지역에서 헬리콥터 추락사고 발생함: 참모총장 등 8명 사망. **1**-3 이란, 솔레이마니So-leimani 혁명수비대 사령관이 미군 공습으로 사망함: 양국 관계 긴장 고조. 오스트레일리아, 뉴사우스웨일스 주 남동부 해안 일대에 대형 산불 발생함: 국가비상사태 선포. **1**-6 오스트리아, 쿠르츠Kurz 국민당 대표가 총리에 취임함: 34세의 세계 최연소 현역 총리. **1**-7 이란, 솔레이마니Soleimani 혁명수비대 사령관 장례식이 압사사고로 연기됨: 56명 사망, 200여명 부상. **1**-8 이란, 이라크 미군기지에 두 차례 미사일 10여 발을 발사함: 솔레이마니Soleimani 혁명수비대 사령관 피폭 사망에 보복작전. 우크라이나, 이란의 테헤란 호메이니 공항에서 여객기 추락사고로 탑승자 176명이 전원 사망함: 이란군의 적기 오인으로 격추 판명. **1**-11 타이완, 총통 선거에서 집권당 차이잉원蔡英文 총통이 연임에 성공함: 57% 득표율로 사상 최다 득표. **1**-12 필리핀, 수도 마닐라 근교 탈Taal 화산이 폭발함: 6천여명 대피, 공항 일시 폐쇄. **1**-15 미국, 중국과 1단계 무역 합의에 서명함: 갈등 18개월만의 합의. **1**-18 예멘, 후티Houthi 반군이 수도 사나Sanna 인근 정부군훈련소를 공격함: 100여명 사망.

연 대	우 리 나 라	다 른 나 라
2020 (4353) 경자	**1**-21 정부, 호르무즈 해협에 청해부대 파병을 결정함: 왕건함의 작전지역 한시적 확대 방식. 코미디언 남보원 사망. **1**-22 대구경북통합신공항 후보지가 의성군 비인면과 군위군 소보면 지역으로 결정됨. **1**-25 질병관리본부, 신종 코로나바이러스 의심환자 감시 대상 오염지역을 우한武漢에서 중국 본토 전체로 변경함: 중국에서 입국하는 모든 여행자에게 건강상태질문서 제출 요구. **1**-28 중앙방역대책본부, 코로나바이러스 감염자 많은 중국을 검역관리지역으로 지정함: 입국자들에게 건강상태서 의무적 청구. **1**-29 검찰, 송철호宋哲鎬 울산시장, 황운하黃雲夏 전 울산경찰청장, 백원우白元宇 전 청와대 비서관, 한병도韓秉道 전 청와대 정무수석 등 13명을 기소함: 청와대 선거 개입 및 하명수사 의혹 관련. **1**-30 검찰, 임종석任鍾晳 전 대통령 비서실장을 소환 조사함: 청와대의 선거 개입 의혹 관련. 경북 상주에서 규모 3.2의 지진 발생함: 대구·충북 등지에서도 진동 감지. **1**-31 신종 코로나바이러스 환자 발생한 중국 우한武漢의 교민 368명(**2**-1 2차 333명)이 귀국함: 아산 경찰인재개발원과 진천 국가공무원개발원에 각각 격리 조처. **2**-2 제주도, 신종 코로나바이러스 환자 방지책으로 무비자 입국제도를 일시 중단함: 도입 18년 만의 결정. **2**-5 교육부, 전국 모든 대학에 4주 이내 개강 연기를 권고함: 신종 코로나바이러스 확산 방지 대책. 미래한국당이 공식 창당됨: 준연동형 비례대표제 의석 확보 위한 자유한국당 위성정당. **2**-9 봉준호奉俊昊 감독의 영화 〈기생충〉이 아카데미영화제에서 작품상·감독상·각본상·국제영화상 등 아카데미상(오스카상) 4관왕을 수상함: 한국영화사에 금자탑 이룩. **2**-12 정부, 신종 코로나바이러스 감염증 명칭을 코로나19로 명명함. 코로나19 환자 발생한 중국 우한武漢의 교민 147명(중국인 가족 포함)이 귀국함: 이천 국방어학원에 격리 조처.	**1**-19 중국, 신종 코로나바이러스(우한武漢 폐렴) 환자가 200여명으로 급증함: 23일 600여명으로 급증하여 춘절春節(설) 대이동 때 전역 확산 우려. **1**-23 중국, 신종 코로나바이러스 환자 급증에 대응하여 우한武漢 봉쇄령 내림: 버스·전철·열차·항공 등 운행 중단. **1**-24 터키, 동부 엘라지Elazig에서 규모 6.8의 지진 발생함: 38명 사망, 1,600여명 부상. **1**-25 중국, 홍콩이 신종 코로나바이러스 확산에 대처하여 비상사태를 선포함: 우한武漢에서 오는 항공편과 고속열차 무기한 중단 조처. **1**-30 중국, 코로나바이러스(우한 폐렴)가 티베트 포함 전국으로 확산됨: 사망 170명, 확진자 7천여명으로 중국 전역 초비상. 세계보건기구WHO, 신종 코로나바이러스(우한 폐렴) 확산에 대해 국제적 공중보건 비상사태를 선포함: 1차 대유행으로 세계 각지로 확산되는 사태에 대처. **1**-31 영국, 유럽연합에서 탈퇴함: 가입 47년 만의 결정. **2**-3 중국, 신종코로나바이러스(우한 폐렴)로 인한 사망자가 361명에 달함: 2003년 사스 전염 때의 349명 추월.

연 대	우 리 나 라	다 른 나 라
2020 (4353) 경자	**2**-17 미래통합당이 출범식을 개최함: 자유한국당·새로운 보수당·전진당 통합으로 보수세력 통합. **2**-19 대구·경북 지역에서 코로나19 확진자가 20명 발생함: 슈퍼전파로 지역사회 확산 현실화. 법원, 승합차 호출 서비스 '타다' 측 대표 2인에게 무죄를 선고함: 합법적 운전자 있는 렌터카로 규정. 이기문李基文 서울대 명예교수 사망. 코로나19 확진자 발생으로 일본 요코하마항에 정박중인 크루즈선 한국인 탑승자 7명이 대통령 전용기 편으로 귀국함: 인천공항검역소에 격리 조처. **2**-20 경기도, 도내 신천지교회 일시 폐쇄를 결정함: 대구 신천지교회에서 40명의 코로나19 확진자 발생으로 1차 대유행에 대처. **2**-21 정부, 대구·청도 지역을 감염병특별관리지역으로 지정함: 코로나19 확진자 집중 발생에 대처. 서울특별시, 시내 노인복지회관·신천지교회·서울광장·광화문광장·청계천을 일시 폐쇄함: 코로나19 방역 차원. 국방부, 전 장병의 휴가·외출·외박·면회 통제지침을 내림: 코로나19 환자 발생에 대응. **2**-23 정부, 코로나19에 대한 위기경보 단계를 최고 수준인 '심각'으로 올림: 국무총리 주재 중앙재난안전대책본부에서 방역 총괄. 국민의당 중앙당 창당식이 거행됨: 당 대표에 안철수安哲秀 전 의원. **2**-24 국회, 일부 의원의 코로나19 검사로 인해 사상 처음 전면 폐쇄됨: 대법원, 전국 법원에 2주간 휴정 권고. 민생당이 창당됨: 바른미래당·대안신당·민주평화당의 통합. **2**-26 한국천주교주교회의, 코로나19 확산으로 신자와 함께 하는 미사를 모두 중단한다고 발표함: 236년 역사상 처음. **2**-28 문재인文在寅 대통령, 국회 방문하여 4당 대표와 회동함: 코로나19에 대한 초당적 대책 강구 요청. **2**-29 홍상수洪尙秀 감독의 영화 〈도망친 여자〉가 베를린 영화제에서 감독상을 수상함. **3**-2 교육부, 코로나19 확산에 따라 유치원 및 초중고교 개학을 23일까지 연기함: 사상 최초 장기간 연기. 이만희 신천지교회 총회장, 코로나19 확산에 대해 국민에게 사과함: 코로나19 퇴치에 협력 강조. 북한, 원산 인근에서 동해상으로 단거리 발사체 2발을 발사함.	**2**-5 미국, 상원에서 우크라이나 스캔들 관련하여 트럼프Trump 대통령 탄핵안을 부결시킴: 탄핵 절차 종료. **2**-9 타이, 동북부 나콘라차시마Nakhon Rachasima 쇼핑몰에서 현역 군인에 의한 총기난사사건 발생함: 27명 사망, 57명 부상. **2**-11 중국, 신종코로나바이러스(우한 폐렴)로 인한 사망자가 1천명, 확진자가 4만 2천명을 돌파함: 시진핑習近平 국가주석이 처음 현장 방문. **2**-12 세계보건기구, 신종 코로나바이러스 감염증 명칭을 COVID-19로 명명함. **2**-25 이집트, 무바라크Mubarak 전 대통령 사망. **2**-28 세계보건기구WHO, 코로나19의 글로벌 위험 수준을 '높음'에서 '아주 높음'으로 올림: 바이러스의 전 세계 확산에 대처. **3**-1 말레이시아, 무히딘Muhyiddin 총리가 취임함: 마하티르Mahathir 전 총리 장기집권 종식. **3**-8 미국, 뉴욕·워싱턴·캘리포니아 등 지역에 비상사태 선포함: 코로나19 누적 확진자 확산에 대응. 이탈리아, 코로나19 누적 확진자 수가 7천명을 넘음: 롬바르디아Lombardia 등 15개 지역 봉쇄.

연 대	우 리 나 라	다 른 나 라
2020 (4353) 경자	**3**-3 정부, 경산 지역을 감염병특별관리지역으로 추가 지정함: 코로나19 확진자 집중 발생. **3**-6 코로나19 사태로 한국인 입국 금지국이 100개국에 이름: 15일 138개국으로 증가. 심은경이 일본 아카데미영화제에서 〈신문기자〉로 여우주연상 수상함: 1978년 제정 이후 처음. **3**-8 코미디언 자니윤, 미국에서 사망. **3**-9 정부, 일본인 무비자 방문을 중단함: 일본의 조치에 따른 상호주의 원칙 적용. 마스크 부족 해결책으로 마스크 구매 5부제가 실시됨: 출생연도 끝자리 수 기준으로 요일 지정하여 2매 구매 가능. 북한, 함남 선덕 일대에서 동해상으로 단거리 발사체 3발을 발사함: 김정은金正恩 국무위원장 친서 5일만의 도발. **3**-11 서울 구로 콜센터 내에서 코로나19 확진자가 64명 발생함: 수도권 비상 사태. 감염자중앙방역대책본부, 코로나19 감염자 많은 이란과 이탈리아를 검역관리지역으로 지정함: 16일 유럽 전 국가로 확대 지정. **3**-13 이승윤李承潤 전 경제기획원 장관 사망. **3**-15 정부, 코로나19로 피해당한 대구와 경북 경산·봉화·청도 지역을 특별재난지역으로 선포함: 감염병으로는 최초 지정. **3**-16 한국은행, 코로나19 사태의 충격에 대응하여 기준금리를 0.75%로 인하함: 첫 0%대 시대 돌입. **3**-17 교육부, 코로나19 확산에 대응하여 각급 학교 개학을 4월 6일까지 연기함: 4월 신학기 개학 최초. **3**-18 더불어시민당이 공식 창당됨: 준연동형 비례대표제 의석 확보 위한 더불어민주당 등 6개 당 연합. **3**-19 정부, 해외에서 들어오는 모든 여행자에게 특별입국절차를 시행함: 코로나19 감염자 재유입 차단 목적. 코로나19 확진자 발생한 이란 교민 80명이 귀국함: 공항에서 특별입국절차 거쳐 입국.	**3**-10 이탈리아, 국가 봉쇄령 내림: 코로나19 누적 확진자 수 1만명 육박에 대응. **3**-11 세계보건기구WHO, 코로나19에 대해 팬더믹pandemic(세계적 대유행)을 선포함: 늑장 대응 비난 고조. **3**-12 그리스, 올림피아에서 도쿄 올림픽대회 채화식 거행함: 코로나19로 무관중 진행. **3**-13 미국·스페인, 코로나19 확산 막기 위해 국가비상사태를 선포함. **3**-14 미국, 코로나19 확산 막기 위해 유럽인 입국을 30일간 금지함: 미국~유럽간 인적 교류 중단. **3**-16 프랑스, 각급 학교에 무기한 휴교령 내림: 코로나19 확산에 대응. **3**-24 국제올림픽위원회, 코로나19 확산으로 일본의 도쿄하계올림픽대회를 1년 연기하기로 결정함: 전염병으로 인한 연기는 올림픽 사상 최초. 인도, 전국에 21일간의 봉쇄령 내림: 코로나19 확산에 대응. **3**-25 인도, 코로나19 확산으로 국가봉쇄령 내림: 산업시설 폐쇄로 노동자들 귀향 러시. **3**-26 일본, 코로나19 확산으로 도쿄·오사카 주민에게 외출자제령을 내림: 생필품 사재기 현상 극심. 미국, 코로나19 확진자가 8만 2천명에 달함: 중국 제치고 세계 1위.

연 대	우 리 나 라	다 른 나 라
2020 (4353) 경자	**3**-25 경찰, 여성 성착취물 제작 유포 범인(조주빈)의 신상을 공개함: 성보호 법률 위반자로는 최초. **3**-26 서울특별시, 신천지교회 설립 허가를 취소함: 코로나19 확진자 확산시킨 반사회단체로 판단. **3**-28 코로나19 확진자 발생한 페루 교민과 여행자 198명이 귀국함: 고립 10일 만. **3**-29 북한, 원산 일대에서 북동쪽 동해상으로 초대형 방사포 2발을 발사함: 비행거리 230㎞, 고도 30㎞. **4**-1 중앙재난안전대책본부, 한국에 들어오는 모든 입국자에게 2주간 자가격리를 의무화함: 코로나19 감염 입국자 증가에 대응. 주한미군 한국인 근로자 4천여명이 무급휴직 상태에 처함: 한미방위비 분담금 특별협정 미타결 결과. 코로나19 환자 발생한 이탈리아 교민309명이 전세기로 귀국함: 2일 2차 전세기로 205명 **4**-4 코로나19 확산으로 인하여 중국인 입국 수가 0을 기록함: 1992년 수교 이후 처음. **4**-8 코로나19 환자 발생한 러시아 교민 261명이 귀국함: 러시아 항공 운항중단에 대처. **4**-9 전국 중3, 고3이 온라인 개학을 실시함: 코로나19 확산으로 집에서 원격 수업. **4**-12 정원식鄭元植 전 국무총리 사망. **4**-14 북한, 강원도 문천 일대에서 동해상으로 순항미사일 수 발을 발사함: 내부 기념행사 연관 추정. **4**-15 제21대 총선거에서 여당(더불어민주당)이 압승해 의석 60%를 확보함: 35개 정당 난립해 투표용지 48.1cm로 수개표手開票 시행. **4**-23 오거돈吳巨敦 부산시장, 시장직을 사퇴함: 강제추행 관련. 경찰, 라임자산운용의 김봉현 회장과 이종필 부사장을 잠적 5개월만에 검거함: 1조원대의 환매중단사태로 피해자 양산 혐의. 윤병석尹炳奭 인하대학교 명예교수 사망. **4**-25 김정렴金正濂 전 대통령 비서실장 사망. **4**-26 경북 안동에서 산불 발생함: 주민 1200여명 대피.	**3**-27 영국, 존슨Johnson 총리가 코로나19 확진 판정 받음: 자가격리하며 집무. **3**-28 중국, 외국인 입국을 전면 금지함: 코로나19의 전세계적 확산에 대응. **3**-29 러시아, 모스크바시에서 전 주민에 자가격리 명령을 내림: 급속한 코로나19 확산에 대응한 조치. **4**-6 독일, 코로나19 확진자가 10만명을 넘음: 치명률 1.5%까지 증가. **4**-7 일본, 코로나19 확산에 대응하여 도쿄·오사카 등 7개 광역지자체에 긴급사태를 선포함: 16일 47개 광역지자체 전체에 확대 선포. **4**-11 미국, 코로나19 확산으로 전국을 재난지역으로 선포함: 전염병으로 인한 재난선포는 사상 최초. **4**-19 캐나다, 남동부 노바스코샤주Nova Scotia州의 한 시골 마을에서 총기난사사건 발생함: 23명 사망. **4**-22 이란, 마르카지Markazi 사막에서 첫 군사위성을 발사함: 425km 상공 궤도에 안착. **4**-30 브라질, 코로나19 확진자가 7만 9천여명, 사망자가 5,500여명에 달함: 남미 전체 확진자의 절반 차지. **5**-7 영국, 코로나19 확진자가 20만 명, 사망자가 3만명을 넘음: 유럽 1위 기록.

연 대	우 리 나 라	다 른 나 라
2020 (4353) 경자	**4**－29 경기도 이천 물류창고 화재사건 발생함: 40명 사망, 10명 부상. **4**－30 검찰, 종합편성방송 채널A 본사에 대한 압수수색을 실시함: '검언유착' 의혹 관련. **5**－1 강원도 고성에서 1년만에 또 산불 발생함: 장병·주민 1,600여명 대피. **5**－3 전남 해남 지역에서 규모 3.1의 지진 발생함: 전후 9일간 57차례 발생. 북한군이 강원도 비무장지대 한국군 경계초소에 총격 가함: 대응사격 후 중단 촉구 방송. **5**－4 정부, 1차 재난지원금 지급을 시작함: 코로나19 사태로 피해 본 전 국민 대상. **5**－6 정부, 코로나19 방역체계를 사회적 거리두기에서 생활 속 거리두기로 전환함. 이재용李在鎔 삼성전자 부회장, 경영권 승계과정 불법논란과 무노조경영에 대해 사과함: 자녀들에게 경영권 승계 않겠다고 선언. **5**－7 이용수 일본군 위안부 피해자, 기자회견에서 정의기억연대의 불투명한 기부금 사용 의혹을 폭로함: 수요집회 불참 선언. **5**－8 과학기술정보통신부, 다목적방사광가속기 구축사업 시행 지역으로 충북 청주시 오창을 선정함: 첨단산업 연구의 핵심장비 설치. 더불어민주당, 더불어시민당과의 합당을 가결함: 179석의 거대 여당 탄생. **5**－9 서울특별시, 모든 유흥시설에 대해 집합금지명령을 발령함: 이태원 클럽 집단감염 확산에 대응. **5**－10 문재인文在寅 대통령, 취임 3주년 특별연설에서 전국민고용보험을 공식화함: 고용안전망 수준 격상. **5**－13 경찰, 여성 성착취물 제작 유포 n번방을 최초로 만든 범인 갓갓(문형욱)의 신상을 공개함: 성보호 법률 위반. **5**－15 서울고등법원과 서울중앙지방법원이 1일 법정을 폐쇄함: 서울구치소 교도관의 코로나19 확진 이유. **5**－20 고등학교 3학년생들이 코로나19 사태로 80일만에 등교수업을 시작함: 나머지 학생들은 순차적으로 시행 계획. **5**－21 국회, 마지막 본회의에서 과거사법, 공인인증서 폐기안 등 133개 법안을 의결함: 역대 최저 법안 통과율 국회 오명. 검찰, 정의기억연대와 정신대문제대책협의회 사무실을 압수수색함: 회계부정 의혹 관련.	**5**－15 인도, 코로나19 확진자가 8만 5천여명에 달함: 중국 추월. **5**－20 중국, 양회兩會(전국인민정치협상회의와 전국인민대표대회)가 시작됨: 코로나19 확산으로 축소 개최 **5**－22 파키스탄, 카라치의 진나Jinnah 공항 인근에서 여객기 추락사고 발생함: 97명 사망. **5**－23 브라질, 코로나19 확진자가 35만명에 육박함: 미국 이어 세계 2위 기록. **5**－24 중국, 홍콩 시민들이 홍콩국가보안법 반대 시위 벌임: 중국 당국의 홍콩 전면 통제 법안에 반대. **5**－28 중국, 전국인민대표대회에서 홍콩국가보안법을 의결함: 반중국 행위 금지 내용. **5**－29 미국, 코로나19 확산으로 보스턴마라톤대회를 취소함: 124년 역사상 최초. **5**－30 미국, 시위대의 백악관 진입 시도로 한때 출입통제 봉쇄조치를 취함: 백인 경찰의 가혹행위로 인한 흑인 남성 사망사건 관련. 우주탐사민간기업 스페이스X가 우주비행사 2명 태운 유인우주선 크루 드래곤Claw Dragon 발사에 성공함: 민간 우주탐사시대 개막.

연대	우리 나라	다른 나라
2020 (4353) 경자	**5-23** 경기도 부천 쿠팡물류센터에서 코로나19 확진자 발생함: 28일 69명으로 늘어 방역 강화. **5-25** 이용수 일본군 위안부 피해자, 2차 기자회견에서 30년 동안 정의기억연대에게 이용당했다고 폭로함: 국회의원 당선자 윤미향尹美香 전 이사장 비판. 현승종玄勝鍾 전 국무총리 사망. **5-26** 최서면崔書勉 국제한국연구원장 사망. **5-27** 미래통합당, 김종인金鍾仁 비상대책위원회 체제 출범. 미래한국당과의 합당을 가결함: 비례위성정당 소멸. **5-28** 문재인文在寅 대통령, 21대 국회 개원 앞두고 여야 원내대표 회동에서 협치정치를 당부함: 더불어민주당 김태년金太年, 미래통합당 주호영朱豪英 원내대표 참석. 정부, 내달 14일가지 수도권 공공다중시설 운영을 중단시킴: 부천 쿠팡물류센터에서의 코로나19 확산에 대응. 한국은행, 기준금리를 0.25%포인트 인하하여 0.5%로 정함: 코로나19로 인한 경제타개책 일환. 이양호李養鎬 전 국방부장관 사망. **5-29** 윤미향尹美香 전 정의기억연대 이사장, 기자회견에서 자신에 대한 각종 의혹에 대해 전면 부인함: 국회의원직 사퇴 요구에 대해서도 거부. **5-30** 김용운金容雲 전 한양대 교수 사망. **6-2** 정부, 세계무역기구WTO에 일본에 대한 분쟁해결절차 재개를 결정함: 일본의 수출규제 해제 의지 없다고 판단. **6-4** 북한, 김여정金與正 노동당 제1부부장이 대북전단 살포에 대해 남측의 조치를 요구함: 남북연락사무소 폐쇄 등 언급. **6-5** 국회, 국회의장에 박병석朴炳錫 의원, 부의장에 김상희金相姬 첫 여성 의원을 선출함: 야당 불참 속에 투표. **6-9** 북한, 정오부터 남북간 모든 통신연락선을 차단 폐기한다고 발표함: 대남사업 적대 전환. **6-11** 한반도에 1억1천만 년 전에 두 발로 걷는 악어가 살았음이 밝혀짐: 김경수 진주교대 교수와 임종덕 국립문화재연구소 연구실장팀이 경남 사천에서 대형악어 발자국 화석 발견. **6-16** 북한, 개성공단 내 남북연락사무소를 폭파함: 남북관계 급속악화. **6-17** 홍사덕洪思德 전 국회부의장 사망. **6-19** 문재인文在寅 대통령, 김연철金鍊鐵 통일부장관의 사표를 수리함: 남북관계 악화 관련.	**6-2** 미국, 백인 경찰의 가혹행위로 인한 흑인 남성 사망사건 관련 시위로 뉴욕·로스앤젤레스 등 40여 개 도시에 야간 통행금지령 내림: 77년만의 통행금지령. **6-8** 부룬디, 은쿠룬지자Nkurunziza 대통령이 급사함: 코로나19 감염에 의한 사망설 제기. **6-16** 중국, 베이징 시내에 코로나19 확진자가 100여명 발생함: 전학년 등교중지 명령. **6-17** 인도, 잠무·카슈가르주Jammu and Kashmir州 라다크Ladakh 국경지역에서 중국군과 충돌함: 양측 100여명 사망. **6-28** 월드오미터Worldometer, 세계 코로나19 확진자가 1천만명, 사망자가 50만명을 넘었다고 집계함: 2차 대유행 경고. **6-29** 미국, 홍콩의 특별지위를 박탈함: 중국의 홍콩국가보안법 적용에 대응.

연 대	우 리 나 라	다 른 나 라
2020 (4353) 경자	**6**-21 한국천문연구원, 전국에 부분 일식日蝕이 2시간 11분 동안 관측되었다고 발표함: 달이 태양을 일부 가리는 현상. **6**-23 부산 감천항 입항 러시아 선박에서 코로나19 감염사태 발생함: 확진자 16명, 접촉자 61명 파악. **6**-24 북한, 김정은金正恩 국무위원장이 총참모부가 제기했던 대남군사합동계획을 보류함: 남북긴장관계 일단 진정. **6**-29 국회, 17개 상임위원장을 선출함: 35년만에 여당(더불어민주당) 독차지. 7-1 인천 계양구 수돗물에서 유충幼蟲이 검출됨: 이후 서울·부산 등 전국으로 확산. 7-2 추미애秋美愛 법무부장관, 검언유착 의혹사건 관련하여 수사지휘권을 발동함: 전문수사자문단 소집절차 중단 요구. 7-3 문재인文在寅 대통령, 국가안보실장에 서훈徐薰 국정원장, 국정원장에 박지원朴智元 전 의원, 통일부장관에 이인영李仁榮 의원을 내정함. 7-9 박원순朴元淳 서울시장 자살: 미투사건 관련. 7-10 백선엽白善燁 전 육군참모총장 사망. 7-12 권이혁權彝赫 전 서울대 총장 사망. 7-16 문재인文在寅 대통령, 21대 국회 개원식 연설에서 코로나19 이후의 거대한 변화에 대한 대처 강조함: 한국형 뉴딜 제시. 대법원, 이재명李在明 경기도지사의 허위사실 공포 혐의에 대해 무죄로 판결함: 도지사직 유지. 7-17 법원, 이동재 전 채널A 기자에 대한 구속영장을 발부함: '검언유착' 의혹 관련. 7-21 방위사업청, 통신위성 아나시스anasis 2호 발사에 성공함: 세계 10번째 군사위성 확보. 7-23 제주항공, 이스타항공 인수를 포기함: 대량 실직사태 우려 현실화. 7-26 북한, 코로나19 방역 위해 개성시 전역을 봉쇄하고 특급경보 발령함: 탈북민의 개성 귀환자 감염 의심. 7-29 국회, 임대차 3법과 공수처 3법을 의결함: 여당만의 단독처리로 야당 반발. 7-31 인도 한국대사관에서 인도정부가 한국어를 제2외국어 과목으로 채택했다고 발표함: 국경충돌 관련 중국어는 제외.	7-2 러시아, 개헌 국민투표에서 개헌안이 통과됨: 푸틴Putin 대통령의 종신 집권 가능. 7-3 미얀마, 북부 카친주Kachin州의 옥玉 광산에서 산사태 발생함: 170여명 사망. 7-4 일본, 구마모토현熊本縣에 기록적인 호우 내림: 50여명 사망. 7-7 브라질, 보우소나루Bolsonaro 대통령 부부가 코로나19 확진 판정받음: 마스크 착용 거부로 빈축. 7-12 중국, 양쯔강 일대에 호우 내림: 140여명 사망, 3800만여명 이재민 발생. 7-20 아랍에미리트, 화성 탐사선 아말Amal 발사에 성공함: 아랍국가 최초 개발. 7-22 미국, 휴스턴 중국 총영사관을 폐쇄함: 27일 중국이 청두成都 미국 총영사관 폐쇄. 7-23 중국, 화성 탐사선 톈원天問 1호를 발사함: 궤도선·착륙선·탐사차량 일시에 시도. 7-30 타이완, 리덩후이李登輝 전 총통 사망.

연 대	우 리 나 라	다 른 나 라
2020 (4353) 경자	**8**–1 법원, 이만희 신천지교회 총회장에 대한 구속영장을 발부함: 코로나19 방역활동 방해 혐의. 한국형원자로발전소 '바라카Barakah 원전 1호기'가 아랍에미리트에서 가동됨: 아랍권 국가 최초 핵에너지 원자로. **8**–5 한국수자원공사, 소양강댐 수문을 3년만에 개방함: 5일간의 집중호우에 대비. **8**–6 한강홍수통제소, 한강 본류에 홍수주의보를 발령함: 집중호우로 9년만의 발령. **8**–7 정부, 집중호우로 피해당한 안성·철원·제천·충주·음성·천안·아산 등 7개 시·군을 특별재난지역으로 선포함: 13일 남원·나주·구례·곡성·담양·화순·함평·영광·장성·하동·합천 등 11개 시·군을 추가 지정. 대한전공의협의회, 하루 집단휴진에 돌입함: 정부의 의과대학 정원 증원에 반대. **8**–8 산림청, 제주도 제외한 전국에 산사태 위기경보 '심각'을 발령함: 4단계 중 가장 높은 단계. 섬진강이 집중호우로 인해 범람함: 남원·구례·곡성 마을 및 화개장터 등이 침수. **8**–11 기상청, 올해가 장마가 가장 늦게 끝나는 해가 되었다고 발표함: 15일 장마기간 50일로 사상 최장기간 기록. **8**–13 리얼미터, 야당(미래통합당) 지지율이 여당(더불어민주당) 지지율을 4년만에 앞섰다고 조사 결과를 발표함: 부동산 정책 실패가 주원인. **8**–14 대한의사협의회, 하루 집단휴진에 돌입함: 정부의 의과대학 정원 증원에 반대. **8**–15 정부, 서울특별시와 경기도에서 사회적 거리두기를 2단계로 격상한다고 발표함: 코로나19 확진자 다수 발생에 대응. **8**–19 정세균丁世均 국무총리, 전광훈全光焄 목사의 사랑제일교회에 대해 구상권을 행사하겠다고 언급함: 600여명의 코로나19 확진자 발생에 대한 책임 추궁. 미래통합당 김종인金鍾仁 비상대책위원장, 광주5·18민주묘지 찾아 무릎 꿇고 사죄함: 보수정당 대표로는 처음. **8**–20 국정원, 북한 김정은金正恩 국무위원장이 여동생 김여정金與正 노동당 제1부부장에게 일부 위임통치를 하고 있다고 밝힘: 김여정 노동당 제1부부장이 제2인자 지위 확보.	**8**–2 미국, 우주탐사민간기업 스페이스 X의 우주비행사 2명이 멕시코만 해상으로 귀환함: 45년만의 바다 착수. **8**–4 레바논, 수도 베이루트항 선착장 창고에서 대형 폭발사고 발생함: 135명 사망, 5천여명 부상, 30만여명 이재민 발생. **8**–10 월드오미터World-ometer, 세계 코로나19 확진자가 2천만명, 사망자가 73만명을 넘었다고 집계함: 2차 대유행. 레바논, 디아브 총리가 내각총사퇴를 선언함: 반정부 시위 격화 관련. **8**–18 말리, 케이타Keita 대통령이 사임을 발표함: 군사쿠데타로 구금 상태. **8**–20 미국, 민주당이 바이든Biden 전 부통령을 대통령 후보로 선출함: 부통령 후보에 해리스 Harris 흑인여성 상원의원 지명. **8**–23 미국, 캘리포니아주 중북부에 대형 산불이 계속되어 11만9천여명의 이재민이 발생함: 군대 투입 진화 지원.

연 대	우 리 나 라	다 른 나 라
2020 (4353) 경자	**8**-21 대한전공의협의회, 파업에 돌입함: 정부의 의과대학 정원 증원에 반대. 국방부, 코로나19 확산으로 향토예비군 소집훈련을 취소한다고 발표함: 도입 52년만에 처음. **8**-22 서훈徐薰 국가안보실장, 방한 중인 중국 양제츠楊潔篪 외교담당 정치국원과 부산에서 회담함: 한반도 정세 등 논의. **8**-24 대법원, 전국 법원에 2주간 휴정을 권고함: 코로나19 확산에 대응. **8**-26 대한의사협의회, 정부의 의과대학 정원 증원에 반대하여 3일간 파업에 돌입함: 전공의·전임의 모두 참여. 정부, 수도권 전공의·전임의에게 업무개시명령 내림: 파업사태에 행정명령 발동. 태풍 '바비BAVI' 통과로 제주도 및 남부지방 피해 속출함: 항공·철도·여객선 운행 일시 중지. **8**-27 국회, 모든 일정을 전면 중단함: 코로나19 확진 기자 출입 관련. **8**-28 문재인文在寅 대통령, 국방부장관에 서욱徐旭 육군참모총장을 내정함. **8**-29 더불어민주당, 대표에 이낙연李洛淵 의원을 선출함. **8**-30 정부, 수도권에 사회적 거리두기 3단계에 준하는 2.5단계의 방역조치를 발령함: 코로나19 확진자 다수 발생으로 2차 대유행에 대응. **8**-31 방탄소년단BTS, 미국 빌보드 차트 1위에 오름: 영어 노래로 첫 1위 기록. **9**-2 미래통합당, 당명을 '국민의힘'으로 변경함. 태풍 '마이삭MAYSAK' 통과로 제주도 및 영남지방 피해 속출함: 고리원전 4기 운영 일시 중단. **9**-3 대법원, 전교조에 대한 고용노동부의 법외노조 처분은 위법이라고 최종 판단함: 6년 10개월만에 합법노조 인정. **9**-4 대한의사협의회, 여당과 의과대학 정원 증원 등 제문제를 원점에서 재검토하기로 합의함: 집단휴진 사태 종결. **9**-6 태풍 '하이선HAISHEN'이 제주도 및 영남·강원도 지방을 통과함: 전국에 태풍특보 발령. **9**-11 금호산업, 현대산업개발에 아시아나항공 매각계약 해지를 통보함: 코로나19로 항공업 타격 원인. **9**-12 질병관리본부가 질병관리청으로 승격함: 초대 청장에 정은경鄭銀敬 질병관리본부장. 수인선水仁線(수원역~인천역) 복선전철이 완전 개통됨: 폐선 25년 만에 복원.	**8**-24 일본, 아베安倍晋三 총리가 연속 재임일수 2,799일로 신기록 세움. **8**-28 일본, 아베安倍晋三 총리가 사임을 발표함: 궤양성 대장염 악화로 집무 곤란. **9**-1 이스라엘, 아랍에미리트와 은행·금융 분야에 관한 협정에 서명함: 중동 정치지형 변화. **9**-7 인도, 코로나19 확진자 수가 420만여명으로 브라질 제치고 미국에 이어 세계 2위를 기록함: 하루 9만여명 발생으로 사실상 통제 포기. 독일, 러시아 야권 운동가 나발니Navalny가 18일만에 의식을 회복했다고 발표함: '푸틴 정적'으로 독극물 중독 증세로 독일에서 치료. **9**-8 중국, 코로나19 종식을 선언함: 우한武漢 봉쇄령 7개월 반 만에 유공자 표창. **9**-11 미국, 캘리포니아주 등 서부지역 40여 곳에 산불이 계속 됨: 산불 연기로 낮에도 조명등 키고 운전. **9**-14 일본, 자민당 총재에 스가菅義偉 관방장관을 선출함: 16일 새 총리에 지명.

연 대	우 리 나 라	다 른 나 라
2020 (4353) 경자	**9**-14 정부, 수도권 사회적 거리두기를 2.5단계에서 2단계로 조정함: 소상공인·자영업자 고려한 판단. **9**-21 국방부, 육군참모총장에 남영신南泳臣 지상작전사령관을 내정함: 창군 사상 첫 학군단ROTC 출신. 북한, 북한군이 서해 소연평도에서 실종된 남측 공무원 사살하고 불태운 만행을 저지름: 남북 관계 후폭풍 초래. **9**-23 문재인文在寅 대통령, 유엔 총회 화상 기조연설에서 한반도 전쟁 종식 선언을 촉구함. **9**-24 문재인文在寅 대통령, 일본 스가菅義偉 총리와 첫 전화 통화함: 양국 미래지향적 한일관계 발전 의지 확인. **9**-25 정부, 2차 재난지원금 지급을 시작함: 코로나19 사태로 피해 본 소상공인 및 고용취약계층 등 대상. 북한, 김정은金正恩 국무위원장이 남측 공무원 사살 사건에 대해 사과하는 통지문을 보내옴: 매우 이례적으로 미안하다는 말 전달. **9**-28 정부, 앞으로 2주간 추석특별방역기간을 설정함: 방역수칙 준수 당부. **10**-1 도산서원, 이배용李培鎔 한국의서원통합보존관리단 이사장을 추계향사 초헌관初獻官으로 선정함: 서원사상 첫 여성 초헌관. **10**-4 이효재李效再 이화여자대학교 명예교수 사망. **10**-6 북한 조성길 전 이탈리아 대리대사가 작년 7월 국내에 망명했다고 보도됨: 남북관계 악화 예상. **10**-8 강원도 화천에 아프리카돼지열병 발생함: 야생멧돼지에 의한 감염 추측. 최윤칠崔崙七 대한육상연맹 고문 사망. **10**-9 정의당, 당 대표에 김종철金鍾哲 전 선임대변인을 선출함. **10**-12 중앙재난안전대책본부, 코로나19 대응 위한 사회적 거리두기를 2단계에서 1단계로 하향 조정함: 자영업자 등 영업 가능. **10**-14 문재인文在寅 대통령, 라임·옵티머스사건에 대한 검찰 수사에 청와대가 적극 협조하라고 지시함: 정관계 인사 연루 의혹 금융사기사건. 이스타항공 노조, 615명 대량해고에 항의하여 무기한 단식에 돌입함: 정리해고 철회 및 운항 재개 촉구.	**9**-19 타이, 수도 방콕에서 군주제 폐지 및 쁘라윳Prayut 총리 퇴진을 요구하는 시위 벌어짐: **10**-14 2차 시위 벌임. **9**-25 우크라이나, 동부 하르키우Kharklv에서 공군 군용수송기 추락사고 발생함: 사관생도 등 25명 사망. **9**-27 아제르바이잔, 아르메니아와 분쟁지역인 나고르노-카라바흐Nagorno-Karabakh에서 무력충돌함: 300여명 사상. **9**-30 스페인, 수도 마드리드를 봉쇄함: 코로나19 확진자의 1/3 차지. **10**-3 프랑스, 코로나19 확진자가 하루 1만 7천명으로 역대 최다를 기록함: 수도 파리 시내 주점 2주간 영업정지 조치. **10**-8 미국, 글릭Gluck이 금년 노벨문학상 수상자로 결정됨. **10**-9 유엔 세계식량기구WFP, 노벨평화상 수상자로 선정됨: 기아와 식량안보 책임지는 인도주의 기구. **10**-10 아제르바이잔, 아르메니아와의 모스크바 회담에서 휴전에 합의함: 18일 휴전 재합의하여 교전 중지. **10**-16 미국, 코로나19 확진자수가 유일하게 800만명을 돌파함: 누적 사망자 21만여명 발생.

연 대	우 리 나 라	다 른 나 라
2020 (4353) 경자	**10**–18 북한, 남포시 용강군 은덕지구에서 고구려벽화무덤 발굴했다고 보도함: 6세기경 사신도四神圖 주제의 석실봉토분. **10**–19 추미애秋美愛 법무부장관, 라임사건 관련하여 수사지휘권을 발동함: 윤석열尹錫悅 검찰총장의 지휘권 박탈. **10**–20 감사원, 월성 원자력 1호기 조기 폐쇄 결정에 경제성 부분이 불합리하게 낮게 평가되었다고 발표함: 조기 폐쇄 결정의 타당성을 판단 유보. 김용섭金容燮 연세대학교 명예교수 사망. **10**–25 이건희李健熙 삼성그룹 회장 사망. **10**–28 문재인文在寅 대통령, 국회 시정연설에서 '위기에 강한 나라' 주제로 연설함: 방역·경제 문제 강조. 국립가야문화재연구소, 창녕 교동·송현동 고분군에서 비화가야 지배자 유물을 발굴함: 꾸밈유물 일체를 처음 온전히 확인. **10**–30 국회, 정정순鄭正淳 더불어민주당(여당) 의원에 대한 체포동의안을 의결함: 4·15총선거에서 회계부정 및 불법 정치자금 수수 혐의. 방송통신위원회, 종합편성채널 MBN에 대해 6개월간 방송정지 처분을 내림: 자본금 불법 충당으로 방송 승인 혐의. **11**–1 중앙재난안전대책본부, 사회적 거리두기를 3단계에서 5단계로 조정함: 영업 제한 최소화. 정부, 52년간 닫혀 있던 북한산 북측 길을 개방함: 1·21사태 이후 일반인 출입 제한. **11**–2 이은주李垠珠 명창 사망. **11**–7 탈렌트 송재호宋在浩 사망. **11**–12 문재인文在寅 대통령, 미국 바이든Biden 대통령 당선인과 첫 통화함: 한미 동맹과 북한 핵 문제 논의. **11**–14 문재인文在寅 대통령, 화상으로 개최된 동아시아정상회의에서 연설함: 코로나19 극복 위한 국가 간 공조 강조. **11**–15 문재인文在寅 대통령, 역내포괄적경제동반자협정 RCEP에 서명함: 아시아·태평양지역 16개국 참여한 다자 자유무역협정. 한국환경공단, 서울에 미세먼지주의보를 발령함: 중국 미세먼지 여파.	**10**–18 체코, 수도 프라하에서 코로나19 방역 위한 봉쇄에 항의하는 시위 발생함: 하루 확진자 1만여명 발생에 대한 조치. **10**–21 스위스, 코로나19 확진자가 5,600명으로 인구 대비 최대 수치를 기록함: 지난주 대비 123% 증가로 심각한 확산세. **10**–29 세네갈, 인근 해역에서 선박 조난사고 발생함: 140여명 사망. **10**–30 터키·그리스, 에게해에서 지진 발생함: 75명 사망, 960여명 부상. **10**–31 영국, 영화배우 코너리Connery 사망. **11**–2 아프가니스탄, 카불대학교 내에서 이슬람국가에 의한 총격 테러 발생함: 40여명 사상. **11**–8 미국, 대통령 선거에서 민주당 바이든Biden 후보가 당선됨: 트럼프Trump 대통령, 부재자 투표 부정 주장하며 승복 거부. **11**–13 미국, 하루 신규 코로나19 확진자가 18만여명을 기록함: 10일 연속 10만여명 기록. 이탈리아, 코로나19 1일 신규 확진자가 4만여명을 기록함: 의료 시스템 붕괴 사태 우려.

연 대	우 리 나 라	다 른 나 라
2020 (4353) 경자	**11-17** 국토교통부, 김해신공항 건설안을 폐기함: 가덕도加德島 신공항 건설 예정. **11-19** 정부, 수도권·강원도·광주광역시의 사회적 거리두기를 1단계에서 1.5단계로 격상함: 코로나19 방역위기 심각 판단. 황선우 선수, 수영 남자 자유형 200m 경기에서 주니어 세계기록을 작성함: 1분 45초 92 기록. **11-20** 문재인文在寅 대통령, 화상으로 개최된 아시아·태평양경제협력체 정상회의에 참석함: 한국의 코로나19 방역 경험 공유 의지 표명. **11-22** 문재인文在寅 대통령, 화상으로 개최된 세계 주요 20개국 정상회의에 참석함: 코로나19 방역 불확실성으로 국제 연대 필요 강조. **11-24** 정부, 수도권 사회적 거리두기를 1.5단계에서 2단계로 격상함: 코로나19 확진자 6일 연속 300여명대로 3차 대유행에 대비. 추미애秋美愛 법무부장관, 윤석열尹錫悅 검찰총장의 여러 비위 의혹에 대해 징계 청구 및 직무 집행 정지 명령을 내림: 헌정사상 초유. **11-25** 중국 왕이王毅 외교부장이 방한함: 16일 문재인 대통령 예방하여 한중관계 장기 협력 방안 논의. 민주노총, 파업에 돌입함: 노조법 개정 저지 목표. 방탄소년단BTS, 〈다이너마이트〉로 미국 그래미 어워즈Grammy Awards 후보에 오름: 미국 주류 음악계 진입. **11-28** 농림수산식품부, 전북 정읍에 조류인플루엔자 발생하여 전국 일시이동 중지 명령을 발령함: 29일 경기 용인과 전북 부안에서도 확진. **11-29** 충청북도, 제천시에 사회적 거리두기 3단계에 준하는 방역 지침을 내림: 김장 모임으로 코로나19 확진자 63명 발생. 한국화가 서세옥徐世鈺 사망. **11-30** 법원, 전두환全斗煥 전 대통령의 5·18민주화운동 기간 헬기 사격 목격자 사자명예훼손 혐의에 대해 유죄 판결 내림: 회고록에서 고 조비오 신부 비난한 혐의. 부산광역시, 장구교실 등에서 코로나19 확진자 100여명 발생하여 사회적 거리두기를 2단계로 격상함: 수능일(12-3)까지는 3단계 수준으로 격상. 방탄소년단BTS, 〈라이프 고스 온Life Goes On〉이 미국 빌보드 차트 1위에 오름: 한국어 가사로 사상 처음.	**11-14** 일본, 신규 1일 코로나19 확진자가 1,731명을 기록함: 코로나19 3차 대유행 본격화. **11-23** 미국, 연방총무청이 민주당 바이든Biden 대통령 당선인의 승리를 공식 승인함: 정권 인수 지원. **11-24** 미국, 다우존스Dow Jones 지수가 124년만에 3만선을 돌파함: 정권 이양 순조 및 코로나19 백신 개발 호재. **11-25** 월드오미터Worldometer, 세계 코로나19 확진자가 6천만명을 넘었다고 집계함: 발생 11개월 만의 확산. 아르헨티나, 축구영웅 마라도나Maradona 사망. **11-30** 중국, 무인 달 탐사위성 창어嫦娥 5호가 달 표면 착륙에 성공함: 토양 및 암석 채취. **12-1** 프랑스, 지스카르Giscard, 전 대통령 사망. **12-3** 일본, 검찰이 아베安倍晋三 전 총리의 벚꽃모임 전야제 관련된 의혹 조사에 착수함: 지역구 인사 등에게 향응 제공 혐의. **12-6** 일본, 무인 탐사선 하야부사Hayabusa가 6년만에 지구에 귀환함: 지구에서 3억km 떨어진 소행성에서 토양 시료 채취 성공.

연대	우리 나라	다른 나라
2020 (4353) 경자	**12**-1 법원, 윤석열尹錫悅 검찰총장에 대한 법무부장관의 직무 집행 정지 명령의 효력을 중단하라고 결정함. 법무부 감찰 위원회, 윤석열 검찰총장에 대한 직무 집행 정지와 징계 청구가 부적절하다고 의결함. 고기영高基榮 법무부차관, 윤석열 검찰총장에 대한 징계위원회 앞두고 징계 부당 이유로 사표를 제출함: 2일 후임에 이용구李容九 변호사 임명. 국제수로기구IHO에서 동해나 일본해 명칭 내신 번호 표기로 할 것에 합의함: 일본측 주장 논리 불인정. 독일 베를린시 미테구Mitte區 의회가 평화의 소녀상 영구 설치 결의안을 의결함: 일본측 철거 요구 거부. **12**-3 문재인文在寅 대통령의 국정 수행 지지율이 37.4%로 조사됨: 추미애秋美愛 법무부장관의 윤석열尹錫悅 검찰총장에 대한 직무집행 정지 명령 등 영향받아 처음 30%대로 하락. 국민의힘(야당) 지지율이 더불어민주당(여당) 지지율을 앞선 것으로 조사됨. 전국에서 대학수학능력시험을 실시함: 코로나19 확산으로 처음 12월에 시행. **12**-4 문재인文在寅 대통령, 일부 개각을 단행함: 행정안전부장관에 전해철全海澈 의원, 국토교통부장관에 변창흠卞彰欽 한국토지주택공사장, 보건복지부장관에 권덕철權德喆 한국보건산업진흥원장, 여성가족부장관에 정영애鄭英愛 한국여성재단 이사. **12**-5 전남 영암에서 조류인플루엔자 발생함: 7일 경기 여주, 8일 충북 음성, 9일 전남 나주에서도 발생. **12**-6 서울특별시, 31일 밤 열리는 '제야의 종' 타종식 행사를 코로나19 확산으로 취소한다고 발표함: 1953년 이후 67년 만에 처음 중지. **12**-7 전국대표법관회의, 검찰의 '판사 조사 문건'에 대한 입장 표명 안건을 부결시킴: 정치적 중립 준수 의지 표명. 울산광역시, 양지요양병원에서 코로나19 확진자 97명이 발생함: 병원 밖 감염 현실화. 국립경주문화재연구소, 경주 쪽샘지구 적석목곽묘에서 신라 왕족 여성 유물을 발굴함: 바둑돌·돌절구 등 출토. **12**-8 정부, 코로나19 백신 4,400만명분을 확보했다고 발표함: 영국 아스트라제네카Astrazeneca, 미국 화이자Pfizer·존슨앤존슨John&John·얀센Janssen·모더나Moderna 제약사와 계약.	**12**-8 영국, 세계 최초로 코로나19 백신 접종을 시작함: 의료진 및 요양원 노인에게 우선 접종. 네팔, 중국과 함께 히말라야의 에베레스트산 높이를 측정함: 8,848.86m로 종전보다 1m 높은 결과 나옴. **12**-10 독일, 코로나19 확진자가 3만명에 육박함: 봉쇄 조치 강구. **12**-12 일본, 코로나19 확진자가 하루 3천여명으로 폭증함: 경제 활성화 위한 여행 장려책 등 여파. **12**-14 미국, 대통령 선거인단 투표에서 민주당 바이든Biden 후보가 과반수를 확보함: 대통령 선거 승리 공식화. 코로나19 확진 사망자가 30만여명으로 집계됨: 제2차세계대전 전사자 29만여명 초과. 코로나19 백신 접종을 시작함: 병원 간호사에게 최초 투여. 캐나다, 코로나19 백신 접종을 시작함: 간호사 및 요양원 근무자에게 첫 투여.

연 대	우 리 나 라	다 른 나 라
2020 (4353) 경자	**12**-9 정부, 수도권 코로나19 연속 600여명대로 사회적 거리두기를 2단계에서 2.5단계로 격상함: 타지역은 2.0으로 격상. 국회, 경제3법(상법·공정거래법·금융그룹감독법)과 노동조합법을 의결함: 야당 반대와 국회법 절차 무시하고 여당 단독 처리. 지방자치법 개정안을 의결함: 인구 100만 넘는 경기 수원·고양·용인, 경남 창원에 '특례시' 명칭 부여. **12**-10 국회, 공수처법 개정안을 의결함: 야당 강력 반대 속에 여당 단독 처리. 법무부 검사징계위원회, 윤석열尹錫悅 검찰총장 징계에 대한 위원회를 개최함: 결론 없이 15일에 재개최 결정. 한국감정원, 한국부동산원으로 명칭 변경함: 감전 평가 수주 업무 중단. **12**-11 영화감독 김기덕金基德 사망: 라트비아에서 코로나19 합병증 원인. **12**-12 조두순 아동 성범죄자가 12년 형기 마치고 출소함: 경찰이 24시간 감시 개시. **12**-13 코로나19 확진자가 하루 1천여명으로 폭증함: 3차 대유행 시작 우려. 강릉시, 전 시민을 대상으로 코로나19 전수 검사를 실시하기로 결정함: 지자체 중 처음. **12**-14 국회, 국정원법 개정안을 의결함: 권력기관 개혁 입법 모두 통과. 대북한전단지살포금지법을 의결함: 북한 접경지역에서 대북한 전단 살포 금지 내용. **12**-15 국민의힘 김종인金鍾仁 비상대책위원장, 이명박·박근혜 전 대통령 구속 사태 관련하여 대국민사과문을 발표함: 나라의 위기 초래한 책임 통감 피력. 법무부 검사징계위원회, 윤석열尹錫悅 검찰총장 징계에 대한 위원회를 개최함: 16일 정직 2개월 결정으로 사상 첫 검찰총장 징계 의결. 통일부, 판문점 견학을 잠정 중단함: 코로나19 확진자 폭증으로 안전 고려. 전북 임실에서 조류인플루엔자 발생함: 경북 구미, 충남 천안에서도 발생. **12**-16 연등회燃燈會가 유네스코 인류무형문화유산에 등재됨. **12**-18 손흥민孫興慜 선수, 국제축구연맹의 푸스카스상Puskas賞을 받음: 70m 드리볼로 골인 성공해 아시아 선수 중 역대 2번째 수상.	**12**-17 중국, 무인 달 탐사 위성 창어嫦娥 5호가 달 표면 샘플 5kg을 싣고 지구로 귀환함: 1976년 옛 소련 이후 처음. 프랑스, 마크롱Macron 대통령이 코로나19 확진 판정을 받음: 접촉 유럽 정상들자가 격리. **12**-18 나이지리아, 이슬람 무장단체 보코하람Boko Haram이 남학생 320명을 납치함: 서양식 교육 반대. **12**-19 사우디아라비아, 코로나19 백신 접종을 시작함: 자국민 및 거주자 모두 무료. 이스라엘, 코로나19 백신 접종을 시작함: 네타냐후Netanyahu 총리가 첫 접종. **12**-20 영국, 코로나19 변이 바이러스 확산으로 런던 등 남부지역에 긴급 봉쇄 조치를 단행함: 유럽 국가들이 영국 여행 제한조치 발표. **12**-23 남아프리카공화국, 신규 1일 코로나19 확진자가 1만4천여명으로 폭증함: 코로나19 변이 바이러스 확산 원인. **12**-24 영국, 유럽연합EU과 미래관계 협상을 타결함: 단일시장과 관세동맹 탈퇴로 브렉시트Brexit 공식 완결.

연대	우리나라	다른나라
2020 (4353) 경자	**12**-19 정부, 상급종합병원과 국립대학병원 대상으로 병상확보 행정명령을 내림: 코로나19 3차 대유행으로 중환자 병상 부족 해결책. 서울동부구치소에서 215명의 코로나19 확진자가 집단 발생함: 구속 중인 이명박 전 대통령은 음성 판정. **12**-21 대법원, 전국 법원에 3주간 휴정을 권고함: 코로나19 확산에 대처. 국립과천과학관, 목성木星과 토성土星의 대근접 관측 영상을 중계함: 400년만의 우주 현상. **12**-22 중국과 러시아 군용기 19대가 한국방공식별구역에 진입함: 미국 진출 견제 목적. 유현진柳賢振 선수, 미국 프로야구의 워렌 스판상Warren Spahn賞을 수상함: 최고의 좌완투수로 선정. **12**-23 정부, 영국과의 항공 운항을 연말까지 중단함: 영국의 코로나19 변이 바이러스 확산에 대응. **12**-24 정부, 코로나19 확산에 대응하여 특별방역대책을 시행함: 5인 이상 모임 금지 등. 법원, 윤석열尹錫悅 검찰총장의 징계처분 효력정지 신청을 수용함: 정직 2개월 처분 효력 중단. **12**-25 문재인文在寅 대통령, 윤석열尹錫悅 검찰총장 징계 논란과 관련하여 대국민사과문을 발표함: 국민에게 불편과 혼란 초래. 서울동부구치소 코로나19 확진자가 500여명으로 폭증함: 28일 757명으로 늘어 350명을 청송교도소로 이송. **12**-27 충남 예산과 경북 경주에 조류인플루엔자 발생함: 일시 이동 중지 명령. **12**-28 영국에서 유행 중인 코로나19 변이 바이러스가 국내에서 처음 발견됨: 22일 영국에서 입국한 일가족 3명에게서 검출. **12**-29 정세균丁世均 국무총리, 서울동부구치소에서 코로나19 확진자가 다수 발생한 데 대해 사과함: 정부 관리 교정시설에서 700여명 확진자 발생. **12**-30 문재인文在寅 대통령, 법무부장관에 박범계朴範界 의원, 환경부장관에 한정애韓貞愛 의원을 내정함: 국가보훈처장에 황기철黃基鐵 전 해군참모총장, 초대 공수처장에 김진욱金鎭煜 헌법재판소 선임연구관 지명. 청와대 노영민盧英敏 비서실장과 김상조金尙祚 정책실장, 김종호金宗鎬 민정수석이 사의를 표명함: 국정 일신의 계기 마련 의도.	**12**-28 일본, 모든 국가에서의 외국인 신규 입국 일시 중지 명령 내림: 코로나19 변이 바이러스 확산에 대응. **12**-29 미국, 트럼프Trump 대통령이 이라크 미군기지를 방문함: 시리아 주둔 미군 철수 명령 후 첫 행보. **12**-30 필리핀, 열대폭풍 오스만Osman이 중부지역을 강타함: 59명 사망. 중국, 유럽연합과 7년만에 투자협정 체결에 합의함: 상대국 시장에 접근 용이. 예멘, 아덴Aden 공항 폭발사건으로 26명이 사망함: 사이드Said 총리 등 정부 각료 긴급 대피. 미국, 영국에서 발생된 코로나19 변이 바이러스가 발생함: 코로나19 확산과 겹쳐 방역비상사태. 프랑스, 이탈리아 출신 디자이너 피에르 가르뎅Pierre Cardin 사망. 크로아티아, 중부 페트리냐Petrinja에서 규모 6.4의 지진 발생함: 50여명 사망. 독일, 코로나19 사망자가 처음 1천여명에 달함: 방역수위 완화 원인.

연 대	우 리 나 라	다 른 나 라
2020 (4353) 경자	**12**－31 문재인文在寅 대통령, 대통령 비서실장에 유영민俞英民 전 과학기술정보통신부장관, 청와대 민정수석에 신현수申炫秀 전 국정원 기조실장을 임명함: 김상조 정책실장 사표는 반려. 보건복지부, 내년도 의사국가고시를 2회 실시하기로 함: 시험 거부 의대생 구제하여 의료진 부족사태 해결 목적. 법무부, 전국 교정시설 사회적 거리두기를 3단계로 격상함: 서울동부구치소의 집단 감염 사태 관련. '제야의 종' 타종식 행사가 코로나19 확산으로 온라인으로 실시됨.	**12**－31 일본, 코로나19 확진자가 하루 4,520명에 달함: 최다 기록으로 긴급사태선언 고려. 영국, 11시 기준으로 유럽연합에서 공식 탈퇴함: 47년간의 관계 종결. 코로나19 확진자가 하루 5만5천명에 달함: 3일 연속 5만명대 기록. 세계보건기구, 화이자 백신에 대해 긴급 사용 인증함: 코로나19 사태 이후 처음.

연 대	우 리 나 라	다 른 나 라
2021 (4354) 신축	**1**−1 문재인文在寅 대통령, 신년 인사에서 국민께 '일상의 회복'으로 보답하겠다고 언급함: 코로나19 종식 의지 표명. 이낙연李洛淵 더불어민주당 대표, 이명박·박근혜 전 대통령 사면을 대통령에게 건의하겠다고 언명함: 정치계 찬반 논란. 추미애秋美愛 법무부장관, 서울동부구치소 집단 감염사태에 대해 사과함: 늑장 대처 비판 여론. 강원도 영월에 아프리카돼지열병 발생함: 야생 멧돼지 폐사체에서 검출. 북한, 김정은金正恩 국무위원장이 신년사를 친필 서한으로 대신함: 내세울 성과 없는 현실 고려. **1**−2 정부, 코로나19 확산으로 인한 수도권 사회적 거리두기를 2.5단계, 타지역은 2.0으로 2주간 더 유지하기로 함: 확진자 증가세 둔화 고려. 남아프리카공화국에서 발생한 코로나19 변이 바이러스가 국내에서 처음 발견됨: 세계 5번째 발생. 전남 무안에 조류 인플루엔자 발생함. **1**−3 리얼미터, 문재인文在寅 대통령의 국정 수행 부정 평가가 61.7%로 조사되었다고 발표함: 처음 부정평가가 60% 넘음. 행정안전부, 잔년 말 기준 주민등록 인구가 5,128만 9,023명으로 집계되었다고 발표함: 전년 대비 2만여명 감소로 사상 처음 인구 감소 현상. **1**−4 국가수사본부가 공식 출범함: 경찰의 수사 전담 기구. 전국 지방경찰청의 명칭에서 '지방'을 삭제함: 자치경찰제 시행에 의거. 한국 유조선 케미호가 호르무즈 해협에서 이란 혁명수비대에 나포됨: 한국 내 동결 이란 자금 협상 전략 추측. 용인시, 수지산성교회를 방역수칙 위반 혐의로 고발함: 과태료 부과 및 구상권 청구 예고. **1**−5 김창렬金昌烈 물방울 화가 사망. 북한, 노동당 대회가 개막됨: 김정은金正恩 국무위원장, 경제발전 목표 미달 자인. **1**−6 박병석朴炳錫 국회의장, 신년 기자간담회에서 국민통합이 시대적 요구라고 강조함: 의장 직속 국민통합위원회 구성 계획 표명. 코스피KOSPI 지수가 사상 처음 3000선을 돌파함: '꿈의 지수' 달성. 제주지방기상청, 도내 산지에 한파경보 발령함: 57년만에 처음.	**1**−1 미국, 코로나19 누적 확진자가 2천만명, 사망자가 34만명을 넘음: 세계 최다 피해국 오명. **1**−3 인도, 코로나19 백신 사용을 최종 승인: 확진자 1천만여명, 사망자 15만여명으로 미국에 이어 2번째로 확산. **1**−5 독일, 코로나19 확산에 대응하여 봉쇄조치를 더욱 강화함: 반경 15km 이상 이동 제한. 영국, 코로나19 하루 신규 확진자가 6만명을 넘음: 전역에 3차 봉쇄조치 도입. **1**−6 미국, 바이든Biden 대통령 후보 승리 확정 위한 의회 회의가 트럼프Trump 대통령 지지자들의 의사당 난입 사태로 긴급 중단됨: 초유의 사태로 미국 역사상 큰 오점. 워싱턴 시장이 바이든Biden 대통령 당선인 취임식 다음날까지 비상사태를 선언함: 트럼프Trump 대통령 지지자들의 의회 난입사태에 대응. **1**−7 일본, 수도권에 긴급사태를 재발령함: 코로나19 하루 신규 확진자가 6천명을 넘는 사태에 대응. 미국, 상·하원 의회에서 바이든Biden 대통령 후보의 선거 승리를 확정함: 306:232의 투표 결과 인정.

연 대	우 리 나 라	다 른 나 라
2021 (4354) 신축	**1**-7 문재인文在寅 대통령, 신년인사회에서 '위기에 강한 나라, 든든한 대한민국' 주제로 발언함: 코로나19 극복 및 선도국가 다짐. 상주시, 선교단체 BTJ열방센터에 일시적 폐쇄 행정명령을 내림: 코로나19 확산 장소 지목. **1**-8 국회, 중대재해처벌법을 의결함: 노동자 사망 산업재해 발생 시 기업주 1년 이상 징역형. 법원, 일본군 위안부 피해자 12명에게 일본정부가 1인당 1억원씩 지급하라고 판결함: 한일 관계 악화. 북극 발 영하 20도 내외의 최강 추위가 절정에 달함: 중부·남부 지방에 한파특보, 호남·제주 지방에 대설특보 발령. 북극한파로 전국 각지에서 최저기온 기록함: 서울 -18.6도, 세종 -17.9도, 해남 -17.1도, 고창 -17.0도, 상주 -16.3도, 창원 -14.0도, **1**-11 문재인文在寅 대통령, 신년사에서 회복·도약·포용의 국정 방향을 제시함: 2월부터 전국민 코로나19 백신 무료 접종 방침 발표. 정부, 3차 재난지원금 지급을 시작함: 코로나19 사태로 피해 본 소상공인·자영업자 등 대상. 북한, 노동당 대회에서 김정은金正恩 국무위원장을 노동당 총서기로 추대함: 유일 영도체제 강화. **1**-14 대법원, 박근혜朴槿惠 전 대통령에 대해 징역 20년, 벌금 180억원을 확정함: 사면론 부상. **1**-16 정부, 코로나19 확진자 계속 500명대 발생에 대응하여 현 사회적 거리두기를 2주간 연장한다고 발표함: 수도권 2.5, 비수도권 2.0 유지. 전북 김제와 전남 보성에서 조류 인플루엔자 발생함. **1**-18 문재인文在寅 대통령, 온라인 기자회견을 가짐: 부동산 시장 안정화, 남북 관계 개선 등 강조. 법원, 이재용李在鎔 삼성전자 부회장에 게 실형을 선고하고 법정구속함: 경영권 승계 위한 뇌물 공여 혐의. **1**-20 문재인文在寅 대통령, 외교부장관에 정의용鄭義溶 대통령 외교안보특보, 문화체육관광부장관에 황희黃熙 의원, 중소벤처기업부장관에 권칠승權七勝 의원을 내정함. 김상하金相廈 삼양그룹 명예회장 사망. **1**-24 대전 IM국제학교에 코로나19 확진자가 127명 발생함: 비인가 기숙사형 선교 교육시설.	**1**-8 중국, 수도권 허베이성湖北省에 코로나19 확진자가 급증함: 중심 도시 스자좡石家莊과 싱타이邢台 봉쇄. **1**-9 인도네시아, 수도 자카르타 앞바다에서 여객기 추락사고 발생함: 탑승객 62명 전원 사망. **1**-10 타이완, 아열대 기후에도 한파로 126명 사망함: 저온특보 발령. **1**-13 미국, 하원에서 트럼프Trump 대통령에 대한 탄핵소추안을 의결함: 내란 선동 혐의. **1**-14 인도네시아, 술라웨시Sulawesi섬에서 세계 최고最古의 동굴벽화가 발견되었다고 보도됨: 4만5천 년 전의 멧돼지 그림. **1**-15 인도네시아, 술라웨시Sulawesi섬 서부에서 진도 6.2의 지진 발생함: 67명 사망, 600여명 부상. **1**-20 미국, 바이든Biden 대통령의 취임식이 테러 대비한 2만 5,000명의 주방위군이 워싱턴을 포위한 속에 개최됨: 트럼프Trump 대통령 불참. **1**-21 이라크, 수도 바그다드에서 이슬람국가에 의한 연쇄 자살폭탄테러 발생함: 140여명 사상. **1**-22 미국, 홈런왕 행크 애런Hank Aaron 사망.

연 대	우 리 나 라	다 른 나 라
2021 (4354) 신축	**1**-25 김종철金鍾哲 정의당 대표, 대표직을 사퇴함: 같은 당 장혜영張惠英 의원 성추행 혐의. 검찰, 백운규白雲揆 전 산업통상자원부장관을 소환 조사함: 월성 원자력 1호기 경제성 평가 부당개입 의혹 관련. **1**-26 신세계그룹 이마트emart, SK와이번스 프로야구단을 인수함. **1**-27 법원, 서울 서초경찰서를 압수수색함: 이용구李容九 법무부차관의 택시기사 폭행사건 관련. 영화배우 윤여정尹汝貞, 전미 비평가위원회NRB에서 〈미나리〉로 여우조연상을 수상함: 미국 연기상 20관왕 기록 수립 **1**-30 서울 한양대학교병원에 코로나19 확진자가 27명 발생하여 코호트격리(동일집단격리) 조처 취함: **2**-19 누적 113명으로 확산. 정상영鄭相永 KCC 명예회장 사망: 현대가 1세대 경영 종막. **1**-31 정부, 코로나19 확진자 계속 발생에 대응하여 현 사회적 거리두기를 다시 2주간 연장한다고 발표함: 수도권 2.5, 비수도권 2.0 유지. 전북 김제와 전남 보성의 현 사회적 거리두기를 2주간 연장한다고 발표함: 코로나19 확진자 계속 500명대 발생에 대응. **2**-2 호르무즈해협에서 이란 혁명수비대에 나포된 선원이 석방됨: 선장과 선박은 계속 억류. **2**-4 국회, 임성근林成根 부산고법 부장판사를 양승태梁承泰 대법원장 시절 사법농단 관련하여 탄핵소추안을 의결함: 헌정사상 첫 법관 탄핵. 김명수金命洙 대법원장, 임성근 부산고법 부장판사 탄핵소추 관련 거짓 해명에 대해 공개 사과함: 정치권 의식해 사표 반려 논란. **2**-9 법원, 김은경金恩京 전 환경부장관에 징역형 선고하고 법정구속함: 환경부 블랙리스트 작성 관련. **2**-10 경기도 부천 영생교 승리제단 및 보습학원에서 코로나19 확진자가 53명 발생함: 15일 누적 133명 발생. **2**-13 서울 순천향대학교병원에서 코로나19 확진자가 37명 발생함: 19일 누적 189명 발생하여 외래진료 중단.	**1**-23 러시아, 전국 각지에서 야권운동가 나발니Navalny 석방 요구하는 시위 벌어짐: 100여개 도시에서 4만여명 참가. **1**-24 월드오미터Worldometer, 세계 코로나19 확진자가 1억명, 사망자가 200만명을 넘었다고 집계함: 발생 1년 만에 전 세계 확산. **1**-29 프랑스, 비유럽연합 국가에게 국경을 봉쇄함: 코로나19 누적 확진자 315만여 명, 사망자 7만 5천여명으로 세계 7위 기록. **2**-1 미얀마, 총선거 부정행위 대응 표방한 군사 쿠데타 발생함: 수치Suu Kyi 국가고문 등 구금 후 1년간 비상사태 선포. **2**-2 러시아, 법원에서 야권운동가 나발니Navalny에게 징역형을 선고하고 구속함: 석방 요구 시위 확산. **2**-3 일본, 수도권에 긴급사태를 1개월 연장함: 코로나19 확진자 계속 확산에 대응. **2**-7 인도, 히말라야산맥에서 빙하 떨어져 댐붕괴사건 발생함: 200여명 사망·실종. 미얀마, 군사쿠데타 항의하는 대규모 시위 발생함: 2007년 민주화운동 이후 최대 규모. **2**-9 아랍에미리트, 화성 탐사선 아말Amal이 화성궤도 진입에 성공함: 세계 5번째 기록. 미국, 상원에서 트럼프Trump 전 대통령에 대한 탄핵 심판이 합헌이라고 결정함: 상원의 탄핵심판 본격화.

연대	우리나라	다른나라
2021 (4354) 신축	**2**-14 환경부, 수도권 및 충청 지역에 초미세먼지 위기경보 발령함: 미세먼지 비상저감조치 시행. OK금융그룹배구단, 송명근·심경섭 선수의 올 시즌 출장을 정지시킴: 학교폭력 가해자 징계. **2**-15 정부, 코로나19 방역 대응 위한 사회적 거리두기를 수도권 2.0, 비수도권 1.5로 하향 조정함: 100만 곳 영업시간 제한 해제. 대한배구협회, 이재영·이다영 선수의 국가대표 자격을 무기한 박탈함: 학교폭력 가해자 징계. 백기완白基玩 통일문제연구소장 사망. **2**-16 충남 아산 귀뚜라미보일러공장에서 코로나19 확진자가 116명 발생함: 3밀(밀접·밀집·밀폐) 환경 연유. 신현수申炫秀 청와대 민정수석, 취임 1개월여 만에 사의를 표명함: 법무부와의 검찰 고위간부 인사 과정에서 의견 충돌. 북한 남성이 군의 감시카메라 피해 헤엄 쳐서 월남함: 군 당국, '헤엄 귀순' 경계 실패 자인. **2**-17 경기도 남양주 진관산업단지 공장에서 외국인 노동자 다수 포함한 코로나19 확진자가 114명 발생함: 19일 누적 132명 발생. **2**-20 전북 무주리조트 호텔에서 화재 발생함: 마이클 잭슨 등 유명인사 투숙했던 호텔. **2**-21 산림청, 전국 곳곳의 산불로 주민대피령 내림: 경북 안동시·예천군, 경남 하동군, 충북 영동군 등 4개 지역. **2**-26 국회, 가덕도加德島 신공항 특별법을 의결함: 부산시장 보궐선거 앞둔 포퓰리즘 법안 주장 대두. 코로나19 백신 접종이 시작됨: 전국 요양병원·요양시설·정신요양·재활시설의 65세 미만 입원자·입소자 및 종사자에게 처음 접종. **2**-28 영화 〈미나리〉가 미국 골든글로브에서 최우수 외국어영화상 받음: 영화배우 윤여정尹汝貞의 조연 출연 작품. **3**-1 강원도 동해안 지역에 최대 88cm의 폭설 내림: 각 고속도로에서 귀경차량 6시간 이상 고립. **3**-3 서울특별시, 지난해 말 총인구가 991만 1,088명으로 집계되었다고 발표함: 32년만에 '1천만 인구' 명칭 없어짐.	**2**-13 일본, 후쿠시마福島 앞바다에서 규모 7.3의 지진 발생함: 120여명 부상, 95만여 가구 정전 사태. 미국, 상원에서 트럼프Trump 전 대통령의 내란 선동혐의 탄핵안을 부결시킴: 탄핵 절차 무죄로 종결. **2**-16 이탈리아, 시칠리아섬의 에트나Etna 화산이 분출함: 24일 현재 계속 분출. **2**-17 미국, 30년만의 기록적인 한파로 각지에 정전사태 발생하여 텍사스주 삼성전자반도체 공장 가동이 중단됨: 18일 바이든Biden 대통령, 한파로 코로나19 백신공장 방문 일정 취소. **2**-25 미국, 시리아 내 친이란 민병대 시설을 공격함: 이라크 내 미군기지 공격에 대한 보복 차원. **2**-27 이탈리아, 폼페이 유적에서 2천 년 전 고대 로마시대의 마차가 원형 그대로 발굴됨: 축제나 결혼식 때 사용 추정. **2**-28 중국, 홍콩 경찰이 친민주주의 활동가 47명을 강제 억류함: 홍콩 보안법상 전복 모의 혐의. 미얀마, 최대도시 양곤 등 전국에서 쿠데타 반대 시위 벌어짐: 군경 무력 사용으로 18명 사망, 30명 부상. **3**-2 인도네시아, 수마트라 시나붕Sinabung 화산이 10여 차례 분화함: 5km 화산재 형성.

연 대	우 리 나 라	다 른 나 라
2021 (4354) 신축	**3**-4 한국토지주택공사LH, 직원들의 3기 신도시 예정지 사전투기 의혹 관련하여 대국민사과문을 발표함: 직원·가족 토지거래 사전신고제 도입 방침. 윤석열尹錫悅 검찰총장, 중대범죄수사청(중수청) 입법 추진에 반대하여 사퇴 의사 밝힘: 여야 대권구도 변화 예고. **3**-5 전북 정읍 내장사內藏寺 대웅전이 승려의 방화로 전소함: 다른 승려들과의 갈등 원인. 홍상수洪尙秀 감독의 영화 〈인트로덕션〉이 베를린영화제에서 각본상을 수상함. **3**-9 이낙연李洛淵 더불어민주당 대표, 내년 대통령 선거 출마 위해 대표직을 사퇴함: 김태년 원내총무가 직무대행. 경찰, LH 본사와 직원 13명 자택을 압수수색함: 광명·시흥 지구 부동산 투기 의혹 관련. **3**-11 국립환경과학원, 수도권 초미세먼지 농도가 '매우 나쁨' 수준을 기록했다고 발표함: 미세먼지 비상저감조치 시행. **3**-12 변창흠卞彰欽 국토교통부장관, LH 직원들의 3기 신도시 예정지 사전투기 의혹 관련하여 사의를 표명함: 취임 73일만에 사의. **3**-17 경찰, 국토교통부와 LH본사를 압수수색함: 직원들의 3기 신도시 예정지 사전투기 의혹 관련. **3**-18 한미 외교·국방장관회의(2+2회의)가 개최됨: 북한 핵 문제가 동맹의 우선 관심사임을 확인. **3**-19 북한, 말레이시아와의 외교관계를 단절한다고 선언함: 대북제재 위반 북한인 미국 인도 이유. **3**-21 북한, 평남 온천에서 서해상으로 순항미사일 2발을 발사함: 미국 바이든Biden 대통령에 대한 첫 도전. **3**-22 한국항공우주연구원, 카자흐스탄 바이코누르 Baikonur 우주센터에서 차세대중형위성1호 발사에 성공함: 10월부터 지상정밀관측영상 제공 예정. **3**-23 정의당, 당 대표에 여영국余永國 전 의원을 선출함: '쇄신하는 진보'로의 재출발 선언. **3**-24 문재인文在寅 대통령, 아스트라제네카 코로나19 백신을 접종함: 주사기 바꿔치기 주장 논란. 기상청, 벚꽃이 1922년 관측 이래 가장 이른 시기에 개화했다고 관측함: 지구 온난화 이유 추정.	**3**-6 교황청, 프란치스코Franciscus 1세 교황이 이라크를 방문하여 이슬람 시아파 지도자 알시스타니al-Sistani와 회동함: 기독교인들 포용 촉구. **3**-10 브라질, 코로나19 1일 확진자가 9만여명에 이름: 의료체계 붕괴 직전으로 중국에 백신 지원 요청. **3**-14 미얀마, 쿠데타 규탄 시위대에 발포하여 30여명 사망함: 양곤 밀집지역 2곳에 계엄령 선포. **3**-16 방글라데시, 수도 다카의 빈민가에서 대형 화재 발생함: 판잣집 1만 5000여채 전소. **3**-17 미국, 애틀란타에서 아시아인 겨냥한 연쇄 총격사건 발생함: 한국인 여성 등 8명 사망. **3**-18 미국, 중국과 알래스카에서 고위급 외교회담 벌임: 팽팽한 대치로 공동성명 없이 종료. **3**-20 일본, 코로나19 확산으로 1년 연기된 도쿄올림픽대회를 해외 일반관중 없이 개최하기로 결정함: 올림픽 사상 첫 조치. 도호쿠東北 지역에서 규모 6.9의 지진 발생함: 쓰나미 주의보 발생. 아이슬랜드, 남서부 레이캬네스Reykjanes 반도에서 화산이 분출함: 1240년 이후 처음. **3**-21 오스트레일리아, 시드니 광역권에 100mm 이상의 집중호우 내림: 100년만의 재난.

연 대	우 리 나 라	다 른 나 라
2021 (4354) 신축	**3**-25 중앙방역대책본부, 국내 코로나19 누적 확진자가 10만명 넘었다고 발표함: 작년 1월 20일 첫 발생 후 430일만에 10만 276명 발생. 북한, 함남 함주에서 동해상으로 탄도미사일 2발을 발사함: 유엔 안보리 결의안 위반. **3**-27 신춘호辛春浩 농심 회장 사망. **3**-29 문재인文在寅 대통령, 아파트 전세 보증금을 법정 요율 이상 대폭 올려받은 김상조金尙祚 청와대 정책실장을 전격 경질함: 후임에 이호승李昊昇 청와대 경제수석 임명. 정부, 4차 재난지원금 지급을 시작함: 코로나19 사태로 피해 본 소상공인 및 고용취약계층 등 대상. 기상청, 전국에 황사경보를 발령함: 중국 및 몽골 발 황사에 대응. **4**-4 김인金寅 전 프로바둑 국수 사망. 영화배우 윤여정尹汝貞, 영화 〈미나리〉로 미국배우조합상 여우조연상을 수상함: 11일 영국 아카데미상 여우조연상 수상. 22일 미국 인디펜던트 스피릿어워즈 여우조연상 수상. **4**-5 LG전자, 휴대전화 사업을 26년만에 종료하기로 결정함: 누적 적자 이유. **4**-6 북한, 7월 개막 예정인 도쿄올림픽대회에 참가하지 않겠다고 발표함: 코로나19 사태 이유. **4**-7 서울특별시장 및 부산광역시장장 보궐선거에서 야당(국민의힘)이 압승함: 서울시장 오세훈吳世勳 후보, 부산시장 박형준朴亨埈 후보 당선. **4**-8 국민의힘, 김종인金鍾仁 비상대책위원장이 당직을 사퇴함: 주호영朱豪英 원내대표가 대표권한대행. **4**-13 정부, 일본의 후쿠시마福島 원전 방사능 오염수 해양 방류 결정에 대해 반대성명을 발표함: 투명한 정보 공개와 검증 촉구. **4**-16 문재인文在寅 대통령, 국무총리 후보자에 김부겸金富謙 전 행정안전부 장관을 지명함: 과학기술정보통신부 장관에 임혜숙林惠淑 국가과학기술연구회 이사장, 국토교통부 장관에 노형욱盧炯旭 전 국무조정실장, 해양수산부 장관에 문성혁文成赫 현 차관, 산업자원부 장관에 문승욱文勝煜 국무조정실 2차장, 고용노동부 장관에 안경덕安庚德 경제사회노동위원회 상임위원 내정.	**3**-25 이집트, 수에즈운하관리청에서 운하 내 선박운항을 중단시킴: 좌초한 컨테이너 처리작업 이유. **4**-2 타이완, 북부 화롄花蓮 다칭수이 터널 내에서 열차탈선사고 발생함: 51명 사망, 150여명 부상. **4**-9 영국, 엘리자베스 2세 여왕 부군 필립Phillip 공 사망. **4**-13 일본, 후쿠시마福島 원전 방사능 오염수 해양 방류를 결정함: 어민 단체들 반발. **4**-16 일본, 스가菅義偉 총리가 미국 방문하여 바이든Biden 대통령과 정상회담 가짐: 중국·북한 도전 대응에 협력 확인. 인도, 하루 코로나19 확진자가 20만명 넘음: 이중 변이바이러스 확산. **4**-18 이스라엘, 실외 마스크 착용 의무를 해제함: 382일만에 코로나19 극복. **4**-19 미국, 항공우주국NASA의 우주헬기 인저뉴어티Ingenuity가 화성 하늘을 나는 데 성공함: 지구 외 행성에서 첫 비행으로 초속 1m로 약 3m 까지 상승해 30초간 정지 비행. 쿠바, 디아스카넬Diaz Canel 대통령이 공산당대회에서 총서기에 선출됨: 62년간의 카스트로Castro 형제 통치시대 종식.

연대	우리나라	다른나라
2021 (4354) 신축	4-17 검찰, 이성윤李盛潤 서울중앙지검장을 피의자 신분으로 소환 조사함: 김학의金學義 전 법무부 차관 불법출국금지사건 수사 중단 외압 의혹 관련. 4-18 중앙방역대책본부, 인도에서 발견된 코로나19 이중 변이 바이러스가 국내에서도 발생되었다고 발표함: 두 가지 변이가 함께 나타나는 현상. 4-21 국회, 이상직李相稷 의원 체포동의안을 의결함: 이스타항공 창업주로서 횡령배임 혐의. 법원, 일본군 위안부 피해자와 유족이 일본정부 상대로 낸 손해배상 청구소송을 각하함: '국가면제' 주장 일본 주장 수용. 4-22 문재인文在寅 대통령, 화상으로 개최된 기후변화 정상회의에 참석함: 미국 바이든Biden 대통령 주도로 40개국 정상 참석. 4-23 문재인文在寅 대통령, 세월호 참사 진상규명 특별검사로 이현주李賢柱 변호사를 임명함. 경찰, 서울주택도시공사 본사를 압수수색함: 직원들의 뇌물 수수 의혹 관련. 코로나19 확진자가 797명으로 급증함: 3차 대유행 여파 계속 우려. 4-26 정부, 코로나19 확산에 대응해 1주간을 특별방역관리주간으로 정함: 공무원 회식 및 모임 전면 금지. 영화배우 윤여정尹汝貞, 영화 〈미나리〉로 미국 아카데미 영화상(오스카상)에서 여우조연상을 수상함: 102년 한국 영화사상 최초. 4-27 정진석鄭鎭奭 추기경 사망. 4-28 삼성그룹, 고 이건희李健熙 회장이 유산의 60%를 사회에 기증한다고 발표함: 세계 최고 수준인 12조원 상속세, 1조원 의료사회 공헌, 2조원 미술품 기증. 4-29 국회, 이해충돌법을 8년만에 의결함: 국회의원 포함 190만명 공직자의 사적 이익 추구 차단. 4-30 한국갤럽, 문재인文在寅 대통령의 국정 수행 지지율이 29%로 취임 후 최저를 기록했다고 발표함: 부동산 정책 실패 및 코로나19 대처 미흡 주원인. 경찰, 남양유업 본사를 압수수색함: 자사 '불가리스' 제품이 코로나19 억제 효과 있다는 발표 관련. 5-1 강원지방기상청, 강원도 중부와 북부 산지에 대설주의보 발령함: 22년만의 발령.	4-20 차드, 데비Deby 대통령이 6연임 직후 반군과 전투 벌이다 사망함: 4성 장군 아들이 승계. 4-23 미국, 상원에서 아시아계 증오범죄 방지법안을 압도적 찬성으로 의결함. 4-24 인도네시아, 해군 잠수함이 발리Bali 섬 해역에서 어뢰훈련 중 실종됨: 탑승 53명 전원 사망. 수도 자카르타에서 개최된 아세안ASEAN 정상회의에서 폭력 종식 등에 합의함: 미얀마 쿠데타 주역 흘라잉Hlaing 최고사령관 참석. 4-25 일본, 도쿄·오사카·교토 및 효고현에 긴급사태를 17일간 발령함: 하루 코로나19 확진자 5천여명 발생에 대응. 4-28 콜롬비아, 정부의 세제 개편에 반대하는 시위 일어남: 5일 정부의 세제개편안 철회에도 정책 전반에 반대하는 시위 계속. 4-29 중국, 우주정거장 건설 위한 로켓 창정長征 5-B호 발사에 성공함: 5-9 인도양에 20t 잔해 추락. 이스라엘, 북부 메론산Meron山에서 열린 성지순례 행사에서 압사사고 발생함: 1만명 허가에 3배 몰려 45명 사망, 150여명 부상. 5-4 말리, 25세 여성이 아홉 쌍둥이를 출산함: 세계 최다 다둥이.

연 대	우 리 나 라	다 른 나 라
2021 (4354) 신축	5-2 더불어민주당, 대표에 송영길宋永吉 의원을 선출함. 5-3 문재인文在寅 대통령, 검찰총장에 김오수金浯洙 전 법무부차관을 내정함. 5-7 기상청, 충남·전북 등 내륙지방에 황사경보를 발령함: 13년만의 5월 경보. 5-8 이한동李漢東 전 국무총리 사망. 5-10 문재인文在寅 대통령, 취임 4주년 맞아 특별연설을 함: 부동산 정책 재검토 보완 필요 인정. 검찰, 성남시청을 압수수색함: 은수미殷秀美 시장 수사자료 유출사건 관련. 경찰, 박상학 자유북한운동연합 대표를 소환조사함: 비무장지대에서 대북전단 살포 혐의. 이애주李愛珠 살풀이 무용가 사망. 5-12 검찰, 이성윤李盛潤 서울중앙지검장을 기소함: 김학의金學義 전 법무부 차관 불법출국금지사건 수사 중단 외압 의혹 관련. 5-13 박준영朴俊泳 해양수산부 장관 내정자, 내정 나흘만에 자진사퇴함: 배우자의 도자기 불법 반입 및 판매 의혹 관련. 5-14 기상청, 낮 최고기온이 대전 31.8도, 영월 31.3도를 기록했다고 발표함: 역대 5월 중순 최고기록 관측. 5-16 황선우 선수, 수영 남자 자유형 200m 경기에서 자신의 기록 0.96초 단축하며 주니어 세계기록을 경신함: 1분 44초 96 기록. 5-18 공수처, 서울시교육청을 수사 1호로 압수수색함: 조희연曺喜昖 교육감의 해직교사 부당 특별채용 의혹 관련. 5-19 문재인文在寅 대통령, 미국을 방문함: 21일 바이든Biden 대통령과의 정상회담에서 코로나19 극복 위한 협력 강조. 42년간의 미사일 최대 사거리 지침 종료에 합의하여 북한 미사일 능력 추월 가능. 5-20 교육부, 대학 체계적 관리 및 혁신 지원 전략을 발표함: 학령 인구 감소에 대응해 신입생 충원율 낮은 대학 폐교 추진. 5-22 검찰, 이용구李容九 법무부차관을 소환조사함: 택시기사 폭행사건 관련. 5-23 방탄소년단BTS, 미국 빌보드 뮤직 어워즈에서 4관왕을 차지함: 다관왕 자체 기록 경신.	5-5 미국, 코로나19 백신에 대한 지식재산권 보호를 일시 해제한다고 발표함: 제약사들의 반대 극복이 관건. 5-6 인도, 하루 코로나19 확진자가 41만명을 넘음: 의료체계 붕괴. 5-7 일본, 코로나19 확진자 전국 발생에 대응하여 기존 긴급사태를 31까지 연장함: 10개 광역단체 추가. 5-8 아프가니스탄, 수도 카불의 여학교 인근에서 폭탄테러 발생함: 여학생 50여명 사망, 150여명 부상. 5-12 이스라엘, 내부 민족갈등으로 팔레스타인 가자지구의 반이스라엘 무장단체 하마스HAMAS 군사시설을 공습함: 하마스 사령관 포함 70여명 사망. 5-13 미국, 마스크 착용 완화방침을 발표함: 코로나19 백신접종 완료자. 5-15 중국, 화성 탐사선 텐원天問 1호가 착륙에 성공함: 미국·러시아 이어 세 번째. 5-17 일본, 스가菅義偉 내각의 지지율이 33%로 급락함: 도쿄올림픽대회 취소여론 고조. 5-18 이스라엘, 전투기 동원하여 팔레스타인 가자지구를 공습함: 사망자 213명, 피란민 5만여명 발생.

연 대	우 리 나 라	다 른 나 라
2021 (4354) 신축	**5**-26 문재인文在寅 대통령, 여야 5당 대표와 간담회 가짐: 방미 중 개최한 한미정상회담 결과 후속조치 협조 요청. 정부, 6월부터 코로나19 백신 1차 접종자는 가족모임 인원 제한 대상에서 제외한다고 발표함. 박범계朴範界 법무부장관, 국회 신속처리안건(패스트트랙) 충돌사건 피고인 신분으로 법정에 출석함: 최초의 현직 법무부장관 형사사건 피고인 출석. 3년만에 개기월식 현상이 일어남: 슈퍼블러드문SuperBloodMoon 발생. **5**-28 문재인文在寅 대통령, 화상회의 방식으로 서울녹색미래정상회의에 참석함: 한국에서 열리는 첫 환경 분야 다자회담. **5**-30 유희경柳喜卿 전통복식연구가 사망. **6**-2 더불어민주당, 송영길宋永吉 대표가 조국曺國 전 법무부장관 사태와 관련하여 대국민사과문을 발표함: 자녀입시 특혜문제로 청년층 좌절 반성. **6**-4 문재인文在寅 대통령, 이성룡李成龍 공군참모총장의 사의를 수용함: 성추행 피해 공군 여중사 사망사건 관련. **6**-8 더불어민주당, 부동산 불법거래 등 비위 의혹 의원 12명 전원에게 자진탈당을 권유함: 정당의 도덕적 기반 재건 위한 극약처방. **6**-9 서욱徐旭 국방부장관, 성추행 피해 공군 여중사 사망사건에 대해 대국민사과문을 발표함: 철저한 수사 및 근본적 개선책 수립 약속. 광주광역시 학동에서 철거중인 철거 건물 붕괴사고 발생함: 정차 중인 시내버스 덮쳐 9명 사망, 8명 부상. **6**-11 문재인文在寅 대통령, 영국에서 열리는 세계 주요 7개국 정상회의에 참석차 출국함: 12일 오스트레일리아 모리슨Morrison 총리와의 정상회담에서 경제협력 등 논의. 영국 존슨Johnson 총리와의 정상회담에서 글로벌 과제에 대해 의견 교환. 14일 오스트리아 첫 방문하여 판데어벨렌Van der Bellen 대통령과의 정상회담에서 4차산업시대 협력 파트너에 합의. 16일 스페인 방문하여 산체스Sanchez 총리와의 정상회담에서 양국 관계를'전략적 동반자 관계'로의 격상에 합의. 국민의힘, 대표에 36세의 이준석李俊錫 전 최고의원을 선출함: 헌정사상 첫 30대 교섭단체 대표. 유흥식兪興植 라자로 주교, 교황청 성직자성 장관에 임명됨: 한국 성직자 최초로 교구 사제와 부사제 사목활동 심의 및 지원 역할.	**5**-19 타이완, 코로나19 확진자가 0명에서 333명 발생함: 1개월간 국경 봉쇄. 인도, 서부 해안에 대형 사이클론 발생함: 120여명 사망, 주민 15만명 대피. **5**-20 이스라엘, 유엔과 이집트의 중재로 반이스라엘 무장단체 하마스HAMAS와 조건없이 휴전에 합의함: 개전 10일 만에 휴전. **5**-23 콩고민주공화국, 니라공고Nyiragongo 화산이 19년만에 폭발함: 180여명 사망·실종, 이재민 3만여명 발생. **5**-24 미국, 코로나19 확산되고 있는 일본 여행금지를 미국민들에게 권고함: 일본, 도쿄올림픽대회 개최에 영향 우려. **5**-26 나이지리아, 나제르강Niger江에서 페리호 침몰사고 발생하여 159여명 실종됨: 정원의 2배 탑승. **5**-27 시리아, 알아사드al-Assad 대통령이 4선에 성공함: 2000년 부친에 이어 28년 장기집권 예약.

연 대	우 리 나 라	다 른 나 라
2021 (4354) 신축	**6**-16 경찰, 현대산업개발 본사를 압수수색함: 광주광역시 학동 철거건물 붕괴사고 관련. **6**-17 경기도 이천 쿠팡물류센터에서 화재 발생함: 21일 닷새 넘겨 완전 진화. **6**-27 문재인文在寅 대통령, 김기표金起杓 청와대 반부패비서관의 사표를 수리함: 부동산 대출 투기 의혹 관련. **6**-28 중앙방역대책본부, 지난주 신규 델타delta 변이 바이러스 확진자가 267명으로 1주일 동안 2배 늘었다고 발표함: 영국 발 델타 변이 확진자가 다수. 최재형崔在亨 감사원장, 사표를 제출함: 대통령 선거 출마 관련. **6**-29 국회, 공휴일에 관한 법률 제정안을 의결함: 대체공휴일을 모든 공휴일로 확대. 문화재청, 서울 인사동에서 15세기 제작으로 보이는 한글·한자 금속활자 1,600여점을 발굴했다고 발표함: ㅸ ㅱ ㆆ ㆅ 등 동국정운식 표기 금속활자 최초 발굴. **7**-1 자치경찰제가 전국에서 전면 시행됨: 지역 맞춤형 서비스 제공. 중앙방역대책본부, 수도권 사회적 거리두기 완화 방침(사적모임 6인, 음식점 영업시간 10시 허용)을 1주일 연기한다고 발표함: 신규 코로나19 확진자 다수 발생에 대응. 이광철李光哲 청와대 민정비서관, 검찰로부터 기소되어 사의를 표명함: 김학의金學義 전 법무부 차관 불법출국 금지사건 수사중단 외압 조치 의혹 관련. **7**-2 유엔무역개발회의UNCTAD가 한국의 지위를 개발도상국에서 선진국으로 변경함: 57년만의 위상 격상. **7**-6 정부, 이스라엘과 코로나19 백신 70만 회분의 백신 교환(백신 스와프swap)을 체결함: 외국과 맺은 첫 사례. **7**-7 박영수朴英洙 특별검사, 사의를 표명함: 가짜 수산업자로부터 차량 등 로비받은 혐의 관련. **7**-9 정부, 수도권에 12일부터 2주간 코로나19 최고 대응 단계인 사회적 거리두기 4단계를 적용한다고 발표함: 오후 6시 이후 사적 모임 3인 이상 금지, 학교 원격수업, 종교행사 비대면, 스포츠경기 무관중 등 실시. **7**-13 한국야구위원회, 사상 처음 리그경기를 18일까지 중단함: NC야구팀 선수들의 코로나19 방역수칙 위반으로 확진자 발생 이유.	**5**-28 일본, 코로나19 확진자의 전국 발생으로 기존 긴급사태를 내달 20일까지 다시 연장함: 도쿄올림픽 대회 취소 여론 고조. **6**-7 파키스탄, 수도 카라치 발 충돌사고 발생함: 50여명 사망, 100여명 부상 **6**-9 엘살바도르, 가상화폐 비트코인을 법정통화로 승인함: 전 세계 처음. **6**-13 이스라엘, 야권정당들의 연립정부가 탄생함: 베네트Vennett 총리 취임으로 네타냐후Netanyahu 총리 12년 장기집권 마감. **6**-16 미국, 바이든Biden 대통령이 스위스 제네바에서 러시아 푸틴putin 대통령과 정상회담 가짐: 인권·해킹 문제 정면 경고. **6**-19 이란, 대통령 선거에서 극우 성향의 라이시Raisi 후보가 당선됨: 이스라엘과 강대강 대치 예상. **6**-24 중국, 홍콩의 반중국 매체 〈빈과일보蘋科日報〉가 폐간함: 국가보안법 시행 1년 만의 조치. 미국, 플로리다주에서 아파트 붕괴사고 발생함: 97명 사망. **6**-28 영국, 신규 델타delta 변이 바이러스 확진자가 2만여명으로 증가함: 백신 접종 연령을 18세로 낮춤.

연 대	우 리 나 라	다 른 나 라
2021 (4354) 신축	7-15 합동참모본부, 청해부대 문무대왕함에서 코로나19 확진자가 발생했다고 발표함: 20일 함장 등 270명 확진되어 승선원 수송기로 전원 송환. 7-17 질병관리청, 3일 개최된 전국노동자대회 참가자 중 코로나19 확진자가 발생했다고 발표함: 집회 참가자 전원에 집단검사 행정명령 발령. 방탄소년단BTS, 〈버터Butter〉가 연속 7주 미국 빌보드 차트 순위 1위에 오름: 19일 신곡〈퍼미션 투 댄스 Permission to Dance〉가 1위로 승계. 7-18 산악인 김홍빈, 열 손가락 없는 장애인으로 세계 최초 히말라야 14좌 등정에 성공함: 19일 하산 중 추락사. 7-19 문재인文在寅 대통령, 도쿄올림픽대회 기간에 일본을 방문하지 않기로 함: 소마相馬弘尙 주한일본공사의 문 대통령 대상 성적性的 표현 파문 등 이유. 중앙재난안전대책본부, 비수도권에서도 2주간 5인 이상 사적 모임을 금함: 코로나19 4차 대유행에 대응. 7-21 대법원, 드루킹 등의 인터넷 댓글 여론조작 혐의로 기소된 김경수金慶洙 경남지사에게 유죄를 확정함: 지사직 및 피선거권 상실. 기상청, 서울의 7월 중순 평균 최고기온이 32.4%포인트를 기록했다고 발표함: 27년만의 폭염. 조계종, 전남 해남군의 한 사찰의 승려들 술파티에 대해 사과함: 코로나19 방역수칙 위반도 사과. 7-22 국내 하루 코로나19 확진자가 1,784명을 기록함: 종전 최고기록 경신하며 전국 확산 조짐. 월주月珠 스님 사망. 7-25 도쿄올림픽대회 여자양궁 대표팀, 단체전에서 우승함: 9회 연속 우승 기록. 황선우 선수, 도쿄올림픽 수영 남자 자유형 200m 경기에서 1분 44초 62로 한국 신기록을 작성함: 28일 자유형 100m 경기에서 49초 56으로 아시아 신기록 작성. 7-26 '한국의 갯벌'이 세계자연유산에 등재됨: 충남 서천, 전북 고창, 전남 신안, 전남 보성·순천 등 4곳 묶은 유산.	6-29 캐나다, 서부 지역의 최고기온이 40.9도를 기록함: 폭염으로 134명 사망. 7-1 중국, 중국공산당 창당 100주년 기념식을 거행함: 시진핑習近平 국가주석, 외세세력 도전에 강력대응 경고. 7-4 필리핀, 남부 홀로Jolo 섬에서 군 수송기 추락사고 발생함: 47명 사망, 49명 부상. 7-7 아이티, 모이즈Moise 대통령이 괴한의 총격으로 사망함: 전국에 계엄령 선포. 7-11 쿠바, 수도 아바나 등 주요 도시에서 민주주의와 자유 요구하는 시위 벌어짐: 경제난으로 27년만의 공산국가 반정부 시위. 7-12 일본, 도쿄에 코로나19 긴급사태가 선포됨: 도쿄올림픽대회 개최 앞두고 비상사태. 영국, 브랜슨Branson 버진 갤럭틱Virgin Galactic 회장이 인류 최초로 민간 우주 관광에 성공함: 고도 88.5㎞에 도달하여 우주 관광. 남아프리카공화국, 주마Zuma 전 대통령 구금에 항의하는 대규모 시위와 폭동 일어남: LG·삼성 공장 등 방화로 피해. 7-14 인도네시아, 신규 코로나19 확진자가 5만4천여명 발생함: 델타 변이 바이러스 대유행으로 계속 세계 1위 기록. 7-15 독일, 100년만의 서유럽 호우로 이재민 속출함: 160여명 사망.

연대	우리 나라	다른 나라
2021 (4354) 신축	7-27 청와대, 남북 간 통신연락선을 복원하기로 북한과 합의했다고 발표함: 단절 413일 만에 복원 합의. 전력거래소, 전력 최대 수요가 9,149만kW를 기록했다고 발표함: 연중 최고치 경신. 7-28 국내 하루 코로나19 확진자가 1,896명을 기록함: 코로나19 발생 이후 최고 기록으로 4차 대유행 전방위 확산세. 7-30 기상청, 경북 영천의 낮 최고기온이 39.6도를 기록했다고 발표함: 1994년 이후 최고. 안산 선수, 도쿄올림픽 여자 양궁경기에서 3관왕을 달성함: 올림픽사상 처음. 8-1 산업통상자원부, 7월 수출액이 한국 무역사상 최대치를 기록했다고 발표함: 554억 4천만 달러로, 종전 기록보다 3억 2천만 달러 상회. 여서정 선수, 도쿄올림픽대회 여자 기계체조 도마 경기에서 한국 여자 선수로 처음 동메달을 획득함: 아버지 여홍철 교수와 부녀 올림픽 메달리스트 기록. 우상혁 선수, 도쿄올림픽 남자 육상 높이뛰기 경기에서 2m 35로 24년만에 한국 신기록을 작성함: 4위로 한국 트랙·필드 경기의 올림픽 최고 순위 기록. 8-2 신재환 선수, 도쿄올림픽대회 남자 기계체조 도마 경기에서 금메달을 획득함: 한국 체조사상 두 번째. 8-3 우하람 선수, 도쿄올림픽대회 남자 다이빙 2m 스프링보드 경기에서 4위를 차지함: 역대 올림픽 최고 순위. 도쿄올림픽대회 레슬링팀, 전 체급에서 메달 획득에 실패함: 1976년 이후 첫 노메달. 8-7 전웅태 선수, 도쿄올림픽대회 남자 근대5종 개인전에서 동메달을 획득함: 역대 올림픽사상 첫 메달. 8-8 한국 도쿄올림픽대회 선수단, 금메달 6개로 종합 16위를 기록함: 종합 10위 목표 달성 실패. 8-10 국내 하루 코로나19 확진자가 2,223명 발생함: 발생 568일만에 2천명대 기록. 북한, 남북간 통신연락선을 복원 14일만에 단절함: 한미연합훈련 실시에 불만 표시. 8-14 법원, 양경수 민주노총위원장에 대한 구속영장을 발부함: 방역지침 위반하며 대규모 집회 주도혐의. 조성태趙成台 전 국방부장관 사망: 제1연평해전 승리 주도.	7-19 페루, 대통령 선거에서 카스티요Castillo 후보가 당선됨: 초등학교 교사 출신 서민 대통령. 7-20 미국, 베이조스Bezos 아마존Amazon 사장 태운 뉴 셰퍼드New Shepard 로켓 발사에 성공함: 100km 상공에서 우주 관광 성공. 7-21 중국, 허난성 정저우鄭州에서 시간당 역대 최고 201mm의 집중 호우 내림: 30여명 사망·실종, 주민 20여만 명 대피. 7-23 일본, 도쿄 올림픽대회가 개막됨: 코로나19 확산으로 무관중 개막식 개최. 인도, 마하라슈트라Maharashtra 지역에 호우로 산사태 발생함: 130여명 사망. 이재민 15만 명 발생. 미국, 신규 코로나19 확진자가 5개월 만에 10만명을 초과함: 백신 접종률 급락으로 11만 8천명 발생. 7-29 일본, 도쿄 올림픽대회 중 하루 코로나19 신규 확진자가 1만여 명 발생함: 30일 수도권 및 오사카 등 광역지역에 긴급사태 발령. 7-31 프랑스, 수도 파리 등지에서 '백신특별여권'(백신접종증명서) 도입에 반대하는 시위 벌어짐: 전역에서 3주째 20여만 명 참가.

연대	우리나라	다른나라
2021 (4354) 신축	**8**-15 홍범도洪範圖 장군 유해가 카자흐스탄에서 순국 78년만에 봉환됨: 봉오동전투 승리 총사령관. **8**-16 안철수安哲秀 국민의당 대표, 국민의힘과의 통합 결렬을 선언함: 야권 대권 구도 변화. **8**-17 문재인文在寅 대통령, 방한 중인 카자흐스탄 토카예프Tokayev 대통령과의 정상회담에서 전략적 동반자 관계 확대에 합의함: 고려인 동포들에 대한 지원에 감사. **8**-24 국민의힘, 부동산 불법 거래 의혹 의원들을 징계함: 1명 제명, 5명 탈당 권유. **8**-25 문재인文在寅 대통령, 6·25전쟁 참전 70주년 맞아 방한 중인 콜롬비아 두케Duke 대통령과 정상회담 가짐: 포괄적 협력 파트너십 구축 논의. 윤희숙尹喜淑 국민의힘 의원, 부동산 불법 거래 의혹 관련하여 의원직 사퇴를 선언함: 대통령 후보 경선도 포기. **8**-26 한국은행, 기준금리를 0.25%포인트 인상하여 연 0.75%로 결정함: 가계부채·집값·물가 억제 효과 기대. **8**-27 아프가니스탄 탈출자 377명이 군 수송기로 입국함: 과거 한국 도운 협력자 및 가족. **8**-31 국회, 공석 중인 야당 몫 부의장에 정진석鄭鎭碩 의원을 선출함: 개원 1년 3개월만에 원 구성 정상화. 사립학교법 개정안을 의결함: 사립학교 교원 1차 필기시험의 교육청 위탁 의무화. **9**-6 정부, 태풍 피해당한 포항시를 특별재난지역으로 선포함. **9**-8 이낙연李洛淵 더불어민주당 대선경선 후보, 국회의원직 사퇴 의사를 밝힘: 정권 재창출에 매진. **9**-10 공수처, 김웅金雄 국민의힘 의원과 손준성孫準晟 전 대구고검 수사정보정책관의 사무실과 자택을 압수수색함: 윤석열尹錫悅 전 검찰총장의 여권 인사 고발 사주 의혹 관련. **9**-13 북한, 신형 장거리순항미사일 발사에 성공했다고 발표함: 1,500㎞ 표적 명중. **9**-14 조용기趙鏞基 목사 사망. **9**-15 군, 도산안창호함에서 잠수함탄도미사일SLBM 발사에 성공했다고 발표함: 400㎞ 날아가 목표 지점 명중.	**8**-8 미국, 캘리포니아주 산불이 1개월 계속됨: 진화율 21%로 주민 40%에 대피령 발령. **8**-9 중국, 서남부 쓰촨성四川省 일대에 최대 225㎜의 집중 호우 내림: 이재민 44만명 발생. 그리스, 전국 400여 곳에서 동시다발로 2주째 산불 계속됨: 에비아Evia 섬 주민 수백 명이 배 타고 바다로 대피. **8**-12 이탈리아, 시칠리아Sicilia의 낮 최고기온이 48.8도를 기록함: 유럽대륙 사상 최고기온 경신. **8**-14 아이티, 수도 포르토프랭스Port-au-Prince 125㎞ 지점에 규모 7.2의 강진 발생함: 1,700여명 사망·실종, 5천여명 부상. **8**-15 아프가니스탄, 탈레반Taliban이 수도 카불을 장악하고 대통령궁에 입성함: 가니Ghani 대통령, 국외로 탈출. **8**-17 아프가니스탄, 탈레반의 실질적 지도자 바라다르Barada가 카타르에서 입국함: 정권 인수 단계 해석. **8**-26 아프가니스탄, 카불 공항에서 이슬람국가에 의한 테러 발생함: 미군 13명 포함 170여명 사망, 150여명 부상.

연대	우리 나라	다른 나라
2021 (4354) 신축	**9**-19 문재인文在寅 대통령, 유엔총회 참석차 미국 뉴욕으로 출국함: 20일 영국 존슨Johnson 총리와의 정상회담에서 백신 교환에 합의. 방탄소년단BTS과 함께 지속가능발전목표 고위급회의에 참석. 21일 유엔 총회 기조연설에서 작년에 이어 다시 한반도 전쟁 종식 선언 촉구. 23일 하와이에서 개최된 한미 상호 유해 인수식에 참석. **9**-22 드라마 〈오징어 게임〉이 미국 넷플릭스Netflix 순위 1위에 오름: 29일 영국에서도 1위 기록. **9**-25 국내 하루 코로나19 확진자가 3,273명을 기록함: 추석 연휴 영향으로 첫 3천명대로 전국 확산 우려. 서울시 코로나19 하루 확진자가 1,200여명 발생함: 가락시장 및 중부시장 집단 감염으로 첫 1천명대 기록, **9**-26 곽상도郭尙道 국민의힘 의원, 당에 탈당계를 제출함: 아들이 대장동 개발사업 주최인 화천대유火天大有 회사에서 200배의 퇴직금 받은 사실 관련. **9**-27 경찰, 김만배金萬培 화천대유火天大有 대주주를 대장동 개발사업 특혜 의혹 관련하여 소환조사함: **10**-11 검찰에서도 소환조사. **9**-28 북한, 자강도 무풍리 일대에서 동해상으로 단거리 탄도미사일 1발을 발사함: 남측 반응 관측 목적 추정. **9**-29 국회, 정찬민鄭燦敏 국민의힘 의원에 대한 체포동의안을 의결함: 용인시장 시절 뇌물 수수 혐의. 검찰, 화천대유火天大有와 천화동인天火同人 사무실을 압수수색함: 대장동 개발사업 특혜 의혹 관련. **9**-30 대법원, 이규민李圭閔 더불어민주당 의원의 당선 무효형을 확정함: 상대 후보 허위사실 유포 혐의. 북한, 신형 반항공미사일을 발사함: 지상에서 공중 목표물 공격 지대공미사일. 김여정金與正 노동당 제1부부장이 국무위원으로 승진함: 명실상부한 제2인자. **10**-1 검찰, 유동규 전 성남도시개발본부 기획본부장을 대장동 개발사업 특혜 의혹 관련하여 긴급 체포함: 3일 구속. **10**-4 북한, 남북통신연락선을 복원한다고 발표함: 차단 55일만에 재개동. **10**-8 전국체육대회가 경북 구미시 등 12개 시에서 개막됨: 코로나19 확산으로 사상 처음 고등부만 축소 개최.	**8**-29 벨기에, 로게Rogge 전 국제올림픽위원회IOC 위원장 사망. **8**-30 아프가니스탄, 20년간 주둔한 미국군이 완전 철수함: 탈레반, 아프가니스탄 독립 선언. **9**-2 미국, 뉴욕이 집중 호우로 사상 첫 호우경보를 발령함: 허리케인 아이다Ida 이동 영향. **9**-5 기니, 무장 특수부대에 의한 쿠데타 발생함: 콩데Condè 대통령 억류. **9**-10 미국, 신규 코로나19 확진자가 하루 16만명을 기록함: 백신 접종 의무화 고강도 대책 시행. **9**-19 스페인, 카나리아Canary 섬의 라팔마La Palma 화산이 50년만에 폭발함: 25일 현재 계속 용암 분출하여 7천여명의 이재민 발생. **9**-28 에콰도르, 과야킬Guayaquil 교도소에서 마약 갱단 간의 충돌로 폭동 일어남: 150여명 사망. **9**-29 일본, 자민당 총재에 기시다岸田文雄 전 외무상을 선출함: **10**-4 새 총리에 지명. **10**-2 타이완, 중국 군용기 77대가 2일간 반공식별구역에 진입했다고 발표함: 중국 국경절 맞아 무력 시위.

연 대	우 리 나 라	다 른 나 라
2021 (4354) 신축	**10**-10 더불어민주당, 대통령 후보에 이재명李在明 경기도지사를 선출함: 이낙연李洛淵 후보, 무효표 처리에 대해 이의 제기. **10**-12 정의당, 대통령 후보에 심상정沈相奵 의원을 선출함. **10**-14 이완구李完九 전 국무총리 사망. **10**-12 황선우 선수, 수영 남자 개인 혼영 200m 경기에서 한국 신기록을 작성함: 1분 58초 4로 종전 기록을 2.27초 단축. **10**-15 검찰, 성남시청을 압수수색함: 대장동 개발사업 특혜 및 로비 의혹 관련. 이경식李經植 전 부총리 사망. **10**-17 서울의 아침 기온이 0도를 기록함: 10월 중순 기준 64년만의 최저기온. 영화배우 최지희崔智姬 사망. **10**-18 검찰, 남욱南旭 변호사를 인천국제공항 도착 즉시 체포함: 대장동 개발사업 특혜 의혹 관련. **10**-19 북한, 함경남도 신포 일대에서 동해상으로 탄도미사일 1발을 발사함: 고도 60㎞에서 590㎞ 비행. **10**-20 민주노총, 전국동시다발총파업대회를 개최함: 불평등 및 양극화 해소 촉구. 검찰, 정영학 회계사를 소환조사함: 대장동 개발사업 특혜 의혹 관련. **10**-21 한국항공우주연구원, 순수 국내 기술로 설계·제작된 한국형 누리호 발사에 성공함: 목표 궤도 진입에는 실패. 전경환全敬煥 전 새마을운동 중앙본부 회장 사망: 전두환 전 대통령 동생. **10**-24 김동연金東兗 전 부총리, 새로운 물결(새물결) 창당발기인대회를 개최함. **10**-25 문재인文在寅 대통령, 국회 2022년 예산안 시정연설에서 코로나19 극복 및 경제 성장 동력 확보를 강조함. 이재명李在明 경기도지사, 지사직을 사임함: 대통령 선거에 전념 차원. **10**-26 노태우盧泰愚 전 대통령 사망: 30일 국가장 거행. **10**-28 문재인文在寅 대통령, 이탈리아 로마에서 열리는 세계주요20개국정상회의 참석차 출국함: 29일 프란치스코Franciscus 1세 교황 면담하여 북한 방문 제안. 오스트레일리아 모리슨Morrison 총리와의 정상회담에서 수소경제 분야 협력 기대 표명. **11**-3 헝가리 방문 중 아데르Ader 대통령과의 정상회담에서 유망산업 교역 확대에 합의.	**10**-3 아프가니스탄, 수도 카불의 한 이슬람사원에서 열린 탈레반 대변인 모친 장례식에서 이슬람국가에 의한 테러 발생함: 15명 사망, 20여명 부상. **10**-7 일본, 지바현千葉縣에서 규모 6.1의 지진 발생함: 수도 도쿄에 흔들림 감지. 탄자니아, 구르나Gurnar가 노벨문학상 수상자로 결정됨. **10**-8 필리핀, 언론인 레사Ressa가 노벨평화상 공동수상자로 선정됨. 러시아, 언론인 무라토프Muratov가 노벨평화상 공동 수상자로 선정됨. **10**-14 타이완, 가오슝시高雄市에서 주상복합건물 화재 사건 발생함: 46명 사망, 40여명 부상. **10**-15 아프가니스탄, 칸다하르의 한 시아파 이슬람사원에서 자살폭탄테러 발생함: 33명 사망, 70여명 부상. **10**-16 러시아, 코로나19 사망자가 하루 1천명을 기록함: 30일부터 9일간 휴무령 시행 고시. **10**-18 미국, 파월Powell 전 국무장관 사망: 코로나19 감염 원인. **10**-19 영국, 신규 코로나19 확진자가 하루 4만8천여명을 기록함: 이완된 백신 대책 원인.

연대	우리 나라	다른 나라
2021 (4354) 신축	**11**－1 중앙재난안전대책본부, 위드 코로나로 방역 체제를 개편함: 사적 모임 10~12명, 다중시설 24시간 영업 허용. 안철수安哲秀 국민의당 대표, 대통령 선거 출마를 선언함: 세 번째 대권 도전. **11**－4 정부, 요소수 매점매석 행위를 집중 단속키로 함: 중국의 수출 규제로 품귀 현상. **11**－5 국민의힘, 대통령 후보에 윤석열尹錫悅 전 검찰총장을 선출함. **11**－12 문재인文在寅 대통령, 아시아·태평양경제협력체 정상회의에 화상으로 참석함: 코로나19 극복 주제. **11**－13 민주노총, 전국노동자대회를 개최함: 노조법 전면 개정 및 파견법 폐지 요구. **11**－16 검찰, 권오수 도이치모터스 회장을 구속함: 주가 조작 혐의. **11**－18 국내에서 다섯 쌍둥이가 태어남: 34년 만의 출생. **11**－19 한국천문연구원, 부분 월식을 관측함: 달 일부가 지구 그림자에 가려짐. **11**－21 문재인文在寅 대통령, 국민과의 TV대화 시간에 출연함: 부동산 문제 사과. **11**－23 충남 천안 광덕면 글로벌회개영성교회 신도 200여명이 집단으로 코로나19에 감염됨: 기도시설 통한 감염. 전두환全斗煥 전 대통령 사망. **11**－24 코로나19 확진자가 4,116명 발생함: 첫 4천명대. **11**－25 한국은행, 기준금리를 0.25%포인트 인상하여 1%로 정함: 0%대 시대 종료. 화물연대, 3일간 총파업에 돌입함: 안전운임제 도입 요구. **11**－28 중앙방역대책본부, 남아프리카공화국 등 8개국에서의 입국을 금지함: 오미크론Omicron 변이 바이러스 차단 대책. **11**－29 손학규孫鶴圭 전 경기도지사, 대통령선거 출마를 선언함: 네 번째 도전.	**10**－31 일본, 중의원 선거를 실시함: 집권 자민당 과반 확보. **11**－1 나이지리아, 라고스Lagos에서 21층 건물붕괴사고 발생함: 100여명 사망. **11**－6 시에라리온, 프리타운Freetown 교외에서 유조차폭발사고 발생함: 100여명 사망. **11**－8 미국, 항공편 및 육로 국경 개방을 다시 실시함: 코로나19 백신 접종 조건. **11**－11 중국, 중국공산당 중앙위원회 전체회의에서 40년만에 '역사결의'를 채택함: 시진핑習近平 국가주석의 3연임 가능케 한 결정. 남아프리카공화국, 클레르크Klerk 전 대통령 사망: 마지막 백인 대통령. **11**－16 미국, 바이든Biden 대통령이 화상으로 중국 시진핑習近平 국가주석과 정상회담 가짐: 극한 충돌 방지에 공감대 형성. **11**－19 독일, 하루 신규 코로나19 확진자가 6만 명을 넘음: 백신 미접종자 활동 제한. **11**－22 오스트리아, 10일간 전국적 봉쇄 조처를 시행함: 코로나19 대유행 경고. **11**－23 스웨덴, 안데르손 Andersson 여성총리가 예산안 부결을 이유로 취임 7시간 만에 사임함: 29일 재취임. **11**－26 세계보건기구, 신종 코로나19 변이 바이러스가 보츠와나와 남아프리카공화국에서 발생, 확산된다고 발표함: 오미크론Omicron으로 명명.

연대	우리나라	다른나라
2021 (4354) 신축	**12**-1 코로나19 확진자가 5,123명 발생함: 첫 5천명대. **12**-2 충남 대천항과 원산도元山島를 잇는 보령해저터널이 개통됨: 국내 최장 6.93㎞로 공사 기간 11년 소요. **12**-5 소설가 송기숙宋基淑 사망. **12**-8 코로나19 확진자가 7,175명 발생함: 누적 사망자 4천명 이상으로 코로나 쇼크. **12**-9 통계청, 인구가 지난해보다 9만여명 감소되었다고 발표함: 코로나19 여파로 혼인·출산 급감 이유. 서울행정법원, 대학수학능력시험에서 오류 논란 불거진 생명과학Ⅱ 문항의 정답 효력 정지 처분을 내림: 사상 초유의 사건. 중흥건설中興建設, 대우건설을 인수함: 건설업계 3위 도약. **12**-11 북한, 미국이 반인권 행위 이유로 제재 가함: 이영길李永吉 국방상 등 15명과 중앙검찰소 등 10개 단체 대상. **12**-12 문재인文在寅 대통령, 오스트레일리아 방문차 출국함: 13일 모리슨Morrison 총리와의 정상회담에서 수교 60주년 맞아 포괄적 전략 동반자 관계로 격상에 합의. **12**-13 조계종, 제15대 종정에 통도사通度寺 방장 성파性坡 스님을 추대함. **12**-14 기상청, 제주도 서귀포시 서남서쪽 41㎞ 해역에 규모 4.9의 지진이 발생했다고 발표함: 제주 전역에서 진동 감지. 국립해양문화재연구소, 전북 군산시 고군산군도古群山群島 해역에서 고선박과 고려청자 등 유물 200여점을 발굴했다고 발표함: 수중문화재 탐사 결과. 북한, 김영주金英柱 전 최고인민회의 상임위원회 명예부위원장 사망: 김일성 전 주석 동생. **12**-15 서울행정법원, 대학수학능력시험 생명과학Ⅱ 문항이 출제 오류라고 판단함: 강태중姜泰重 한국교육과정평가원장 사퇴. **12**-16 중앙재난안전대책본부, 18일부터 16일간 사적 모임을 전국 동일하게 접종 완료자 4인까지만 허용한다고 밝힘: 위드 코로나 출발 45일만에 포기. 문재인文在寅 대통령, 다시 방역 조치 강화에 대해 사과함: 방역 수칙 재정비 언급.	**11**-29 미국, 남아프리카공화국 등 8개국에서의 입국을 금지함: 오미크론Omicron 변이 바이러스 유입, 확산에 대비. **11**-30 일본, 모든 외국인의 입국을 금지함: 오미크론 Omicron 변이 바이러스 차단 대책. **12**-5 인도네시아, 자바섬 동부 스메루Smeru 화산이 폭발함: 40여명 사망·실종. **12**-7 중국, 100여개국 참여하는 인권포럼을 개최함: 미국의 인권 문제 거론에 대응. **12**-8 미국, 바이든Biden 대통령이 화상으로 러시아 푸틴 Putin 대통령과 정상회담 가짐: 우크라이나 침공 시 강력 대응 경고. 독일, 숄츠 Scholz 총리가 공식 취임함: 내각 절반을 여성으로 임명. **12**-9 미국, 민주주의 정상회의를 화상으로 개최함: 110개국 정상 참여. 니카라과, 타이완과의 외교관계 단절 후 중국과 수교한다고 선언함: 반미 성향 정권 등장. **12**-10 온두라스, 카스트로 Castro 여성 대통령 당선자가 타이완과의 외교관계를 계속 유지한다고 밝힘: 선거과정에서의 입장 번복. **12**-11 미국, 중부 6개 주에서 토네이도가 발생함: 100여명 사망.

연 대	우 리 나 라	다 른 나 라
2021 (4354) 신축	**12**-17 문재인文在寅 대통령, 방한 중인 우즈베키스탄 미르지요예프Mirziyoyev 대통령과 정상회담 가짐: 보건·자원·에너지 등 분야에서 실질적 협력 확인. 황선우 선수, 수영 소트 코스 세계선수권대회 남자 자유형 200m 경기에서 우승함: 25m 길이 풀에서의 경기. **12**-18 코로나19 위중증 환자가 1천명대를 넘음: 1,016명 발생으로 일반 환자에 대한 진료 차질 우려. **12**-21 이준석李俊錫 국민의힘 대표, 선거대책위원회의 모든 직책을 사퇴한다고 선언함: 대통령 후보 공보단장과의 갈등 이유. **12**-22 코로나19 대응 전국자영업자비상대책위원회, 서울 광화문에서 집회를 개최함: 방역 패스 및 영업시간 제한 철폐 촉구. **12**-24 정부, 신년을 계기하여 박근혜朴槿惠 전 대통령에 대해 특별사면한다고 발표함: 한명숙韓明淑 전 국무총리 복권 결정. 이석기李石基 전 통합진보당 의원에 대한 가석방 시행. **12**-26 더불어민주당, 열린민주당과 통합 위한 합의문에 서명함: 의원 수 173명으로 증가. 김건희金建希 윤석열 국민의힘 대통령 부인, 자신의 허위 이력 논란에 대해 사과함. **12**-27 문재인文在寅 대통령, 6개 대기업 총수들과 오찬 간담회 가짐: 일자리 창출 당부. 정부, 소상공인 320만명에게 방역지원금 100만원씩 지급함: 코로나19 방역조치로 인한 피해 보상 차원. 코로나19 피해자영업총연합 자영업자들이 간판 소등 시위 벌임: 방역규제에 항의. 중앙재난안전대책본부, 먹는 코로나19 치료제 64만 4천명분의 계약을 체결했다고 발표함: 내년 1월 말부터 투여 계획. 식품의약품안전처, 미국 화이자 개발의 먹는 코로나19 치료제 팍스로비드Paxlovid의 긴급사용승인을 결정함: 처방 통한 투여로 전세계 판도 변화 전망. 북한, 조선노동당 전원회의를 개최함: 김정은金正恩 국무위원장 사회로 당의 중요문제 토의. **12**-28 택배노조 CJ대한통운본부, 무기한 파업에 돌입함: 택배노동자 과로사 방지책 이행 촉구.	**12**-13 아이티, 카프아이시앵Cap Haitien에서 유조차 폭발사고 발생함: 75명 사망, 100여명 부상. **12**-15 중국, 시진핑習近平 국가주석이 러시아 푸틴Putin 대통령과 화상으로 정상회담 가짐: 대미국 공조 재확인. **12**-18 영국, 하루 코로나19 확진자가 9만여명 발생함: 수도 런던에 '중대사건' 선포. **12**-19 필리핀, 태풍 라이Rai가 중부지역을 강타함: 200여명 사망, 240명 부상. 칠레, 대통령 선거에서 보리치Boric 후보가 당선됨: 35세로 세계 최연소 정상. **12**-22 중국, 시안西安에 대한 봉쇄조치를 단행함: 코로나19 확산 방지책. **12**-25 미국, 하루 코로나19 확진자가 1년만에 20만명을 넘음: 오미크론 변이 확산으로 20만 1천명 발생. 항공우주국이 제임스웹James Webb 우주망원경 발사에 성공함: 태양과의 중간 지점인 150만km까지 이동하여 적외선 영역 관측. **12**-26 남아프리카공화국, 투투Tutu 성공회 주교 사망: 평화적 흑백 화해 전도사로 노벨평화상 수상. **12**-29 미국, 하루 코로나19 확진자가 44만명을 넘음: 쓰나미 현상 우려.

연 대	우 리 나 라	다 른 나 라
2021 (4354) 신축	**12**−31 국회, 공직선거법 개정안을 의결함: 국회의원·지방자치단체장·지방의회의원 출마 가능 나이를 만25세에서 만18세로 낮춤. 중앙재난안전대책본부, 현행 사회적 거리두기 조치를 2주간 연장한다고 발표함: 오미크론 변이 확산 우려. 중부내륙선 이천~충주 철도가 16년만에 개통됨: 이천~문경 간 철도 중 일부.	**12**−29 중국, 새해 및 춘절 연휴 기간에 해외 여행 자제를 공고함: 베이징동계올림픽대회와 맞물려 코로나19 확산 방지책. 프랑스, 하루 코로나19 확진자가 20만명을 넘음: 영국 18만명, 이탈리아 9만여명으로 전 유럽에 확산 추세. **12**−30 미국, 바이든Biden 대통령이 러시아 푸틴Putin 대통령과 전화통화함: 우크라이나 침공 시 강력 대응 다시 경고.

한국사연표 찾아보기

목차

찾아보기

* 숫자는 해당연도
* 전=기원전.
* ( ) 안의 숫자는 동음어 구분 표시

〈우리나라〉

ㄱ

결전 교육조치 요강 1945
결핵약 2013-3
결혼도감 1274
겸이병부상서 어사대부 1201
겸이포제철소 1920
겸익 526
겸재집 1728
겸지왕 492 521
경강상인 1809
경강선철도 2016-9 2017-12
경고사격 2016-5
경관군 1514
경교장 1949
경국대전 1460 1469 1516
경국대전병전 1470
경국대전이전 1470
경국대전주해 1555
경국대전형전 1461
경국대전호전 1460
경기 1018 1062 1136 1250 1271 1331 1343 1393 1432 1460 1489 1652 1969 1983 1969 1983 2001-7 2010-9 2014-8
경기감영 1831
경기도 898 1425 1427 1502 1608 1663 1671 1739 1757 1815 1851 1976 2014-1,5 2017-5 2018-1 2020-2,8
경기도교육청 2015-6
경기도청 1967
경기병 1739
경기병사 1750
경기북부지방 2006-7
경기수군절도사 1473 1485
경기수군절제사 1556
경기수영 1585
경기은행 1998
경기전 1410 1739 1872
경기지역 1986
경기토지 1345
경남은행 1928
경대승 1179 1183
경덕궁敬德宮(1) 1418
경덕궁慶德宮(2) 1620 1671
경덕왕 742 765
경도→교토
경동선 1918 1921
경략사經略司(1) 1271
경략사經略使(2) 1887
경령전 1190
경로당 2009-12
경로회 423
경루 1398
경릉 1471
경리청 1712 1747 1891
경림 169
경명궁 1157
경명왕 917 924
경모궁 1776 1839 1840
경무대 1960
경무법 1444
경무청 1900 1902 1905
경무총감부 1911
경문왕 860 861 875
경민편 1519 1656
경민학원 2018-1
경박호 1932
경방단 1939
경보慶甫(1) 947
경보慶補(2) 1406
경복궁 1395 1404 1412 1424 1429 1435 1503 1527 1554 1592 1868 1873 1875 1876 1885 1894 1895 1915 1916 1926 2006-12 2010-8
경복궁근정전 복원공사 2003-11
경복궁 복원 1993
경복궁 중건 1865~1867 1872
경복사 650
경복흥 1380
경부 1900
경부고속도로 1968 1970 2004-3
경부고속철도 1993 2005-2 2009-2
경부선철도 1903 1904 1916
경부선철도 급행열차 1913
경부선철도 남부기공식 1901
경부선철도 북부기공식 1901
경부선철도 열차 1912
경부철도가 1903
경비정 1967 2005-6 2010-5
경빈박씨 1527 1533
경사 1314
경사교수도감 1296
경산 102 2011-2 2016-8,12 2017-11 2020-3
경산시 2019-1
경산압량유적 100
경산임당동고분군 2017-6
경상감사 1853 1874
경상감영 1670
경상남도 1952 2010-11 2013-4,5
경상남도지사 보궐선거 2012-12
경상남도청 1924
경상도 1193 1204 1227 1273 1292 1293 1295 1314 1353 1382 1385 1407 1411 1420 1424 1429 1438 1440 1441 1449 1459 1474 1486~1489 1511 1514 1519 1520 1544 1546 1589 1633 1654 1668 1677 1805 1815 1831 1837 1843 1851 1853 1869~1871 1877 1892 1894 1900 1906
경상도 관찰사 1810 1820
경상도 군사 1578
경상도 도원수 1389
경상도민 1340
경상도 유생 1666 1818 1865 1881
경상도 주민 1440
경상도지리지 1465
경상북도 2012-8 2016-2
경상우도 병사 11861
경상우도 지도 1497
경상진합주도 1314
경상합동은행 1928
경서교청청 1668
경서훈해 1585
경석 1425
경성鏡城(1) 1410 1435 1460 1721 1920
경성京城(2) 1912~1914 1919 1920 1921 1923 1924 1926 1928 1930 1931 1939
경성감옥 1912 1937

고성군 2019-4
고성능 적외선 센서 2015-3
고성문암리유적 2012-6
고성술랑제석각 575
고소부리군 93
고속도로 2001-1 2010-7
고속버스 추락사고 2010-7
고속철도 개통식2004-3
고승덕 2012-1
고송→다카마쓰
고승전 702
고시관 1315 1330
고시언 1737
고안무 516
고야기원→다카노
고애사 1643
고양 1471 1757 1864 1936 2010-12 2019-5 2020-12
고양시 2001-12 2006-7 2014-6 2018-1
고양이 2016-12
고양종합터미널 2014-5
고엽제 1999 2011-5
고영구 2003-3,4
고영복 1997
고영창 1116
고영태 2017-4
고영한 2018-11
고왕 698 719
고용노동부 2010-7 2013-1,10 2014-6 2017-9,11 2018-3 2020-9
고용보 1341
고용취약계층 2020-9 2021-3
고우루 203
고우영 2005-4
고운봉 2001-8
고울부 장군 925
고원훈 1920
고위공직자 범죄수사처법 2019-4
고유상 1897
고유섭 1944
고은 2018-2,3
고이소 1942 1944
고이왕 234 286
고이즈미 2001-10 2002-3,9,10 2003-6 2004-5,7,12 2005-11
고익 413
고자국 212
고자라 921
고재욱 1962
고재호 2016-7
고적여 1015
고적출척법 1402
고정환율제 1980
고정훈 1981
고제덕 727 728
고조선 전2333 전770 전300 전194 전190 전108
고종高宗(1) 1213 1214 1245 1253 1259
고종高宗(2) 1863 1868 1873 1875 1880~1882 1884 1885 1889 1893~1898 1900 1907 1919 2009-3
고종밀사 1905
고종실록高宗實錄(1) 1277
고종실록高宗實錄(2) 1935
고종50회탄신축하연 1901
고종초상 1898
고종퇴위 1906
고지문 1052
고창 2014-1 2016-1,11 2017-11,12 2018-11 2021-7
고창고인돌유적 2000-11
고창군 2013-5
고체 1881
고촉동 1996
고추 1615
고추가 74
고추수매 1989
고취 238
고취놀이 1243 1246
고층건물 1901
고타군주 84
고하도 1597 1722
고향의 봄 1927
고허성 626
고형산 1528
고황경 2000-11
고흘 537
고흥高興(1) 375
고흥高興(2) 2001-1
고흥길 2010-12
고흥문 1998
고희동 1918
곡산 1811 1812
곡산부 1811
곡성 16 1827 2014-11 2020-8
곡식 93 145 161 194 335 428 707 793 988 1006 1044 1189 1644 1727 1827
곡식값 1132
곡식수출 1890
곡식저장 1809
곤룡표 1781
곤봉 2014-4
곤여도 1708
곤여만국전도 1603
곤파스 2010-9
골동품상 살인사건 1979
골든글로브 2021-2
골든글로브시상식 2020-1
골든캐리어그랜드슬럼 2016-8
골령 전35
골목상권 살리기 소비자연맹 2013-3
골벌국 236
골암진 920
골육상송 1520
골천 전17
골포국 215
공工(1) 1135
공公(2) 1242
공갈 막말 2015-5
공검제 1195
공경 1737
공경사서 1726
공공개혁 2015-8
공공기관 2013-4
공공기관 냉방시설 2013-8
공공물건 손상 2012-4
공공부문 비정규직 파업 2019-7
공공아이핀 2015-3
공공의료 정상화 2013-7
공관 1901 1904
공군 1949
공권력 2014-6

공천정안 1513
공천추쇄도감 1556
공천헌금 수수 2018-2
공충도 1778 1826 1871
공평사 1931
공한지 1256 1520
공항서비스 평가 2017-10
공해전 1178
공해전시 983
공험진 1109 1439
공홍도 1735 1747
공화당共和黨(1) 1963 1967 1969 1978
공화당共和黨(2) 1987 1990
공화당 항명파동 1969 1971
공휴일 1975 1985 2012-11 2014-1
공휴일에관한법률제정안 2021-6
과거 874 893 906 961 964 977 1083 1110 1147 1321 1324 1333 1841 1861 1874
과거급제자 1076
과거사법 2020-5
과거사정리위원회 2007-1
과거시험과목 961 1110 1452
과거시험관 958
과거응시 1045 1125 1625
과거장 1754
과거제도 958 1004 1154 1817
과교원 1045
과금사목 1789
과녁 324
과농소초 1799
과도내각 1960
과반수득표 대통령 2012-12
과세 1494 1729 2008-11
과속스캔들 2009-2
과실나무 1140
과외금지 1980 2000-4
과일군 2019-8
과장구폐절목 1818
과전법 1391 1466
과천 2016-11
과테말라 2007-6
과학기술부 2007-9
과학기술분야 협력방안 2019-6
과학기술 위성1호 2003-9
과학기술 위성2호 2010-6
과학기술 위성3호 2013-11
과학기술정보통신부 2017-7 2020-5
과학기술처 1967
과학위성 1992
곽노현 2011-8,9 2012-9
곽복산 1947
곽사원 1584
곽상도 2021-9
곽상훈 1954 1960 1980
곽여 1130
곽예 1286
곽윤직 2018-2
곽재우 1592 1617
곽종석 1919
곽종원 2001-8
곽주 994 1010 1016
곽충보 1403
관 983 1173
관개 1430 1795
관개수리사업 1683
관개시설 1662 1663 1760 1838
관계정상화 2019-12
관광미항 2016-2
관광버스 2014-2
관광버스 추락사고 2009-12
관광지 2000-8
관구검 244
관구검기공비 245
관군 822 1175 1194 1271 1467 1811 1812 1894
관극시 1826
관나 부인 251
관노비 1622
관덕정 1448
관도 487
관동대진재 1923 2013-11 2014-6
관동별곡關東別曲(1) 1330
관동별곡關東別曲(2) 1580
관동장유가 1859
관동지방 1758 1822
관둔전 1426 1427 1574
관등행사 866
관란사 1165
관례 1670 1877
관륵 602
관리 262 497 781 832 956 1036 1041 1119 1121 1138 1142 1164 1175 1188 1258 1271 1279 1293 1311 1325 1329 1343 1344 1387 1398 1402 1505 1528 1532 1550 1570 1575 1671 1683 1699 1739 1812 1815 1834 1846 1862 1893 1900 1912
관리복장 1834
관리영 169
관리자손 1041
관립소학교 1896
관립의학교 1899
관모 1774
관무량수경변상도 1323
관문성 722
관미령 387
관민 1260
관민공동회 1898
관방 386 1673
관방지도 1745
관보 1684 1894 2008-5,6
관복 1387 1388 1534
관복제도 1416 1433
관부 922 1058 1100 1186 1234 1311 1491 1505 1709 1781 1831
관부비용 1816
관부연락선→부관연락선
관부재물 1311 1312
관북유람일기 1829
관산성 554
관상감 1506 1526 1649 1723
관상감관 1735 1823
관상소 1903
관서별곡 1556
관서수미 삼분법 1735
관서악부 1774
관서지방 1761
관서지방 밀행 1761
관성 1182
관세부과 방침 2019-5

관세청 1970
관수관급제 1470
관아 1379
관역 1296
관역 공수 1048
관왕묘 1602 1716
관원 1420
관음보살상 2018-1
관음사 970
관음상 1151 1166
관인 675
관작 1568 1569 1691 1717 1722 1801 1872
관제 919 982 995 1076 1178 1298 1369 1372 1389 1896 1899 1900 1902 1905 1910 1912 1915 1916 1934
관직 895 975 1025 1080 1125 1140 1158 1159 1184 1186 1506 1545 1574 1674 1710 1801
관직명 1301
관찰사 1417
관찰 출척사 1393
관창 660
관천기목륜 1525
관철동사건 1920
관청 1879 1944
관품 1409
관학 1873
관훈클럽간담회 2016-5
괌 1997
괌사드기지 2016-7
광개토대왕함 2018-12
광개토왕 391 413 2013-4
광개토왕릉비 414
광계 886
광교산 문화향수의 집 2018-2
광군 947
광군사 947
광덕光德(1) 681
광덕光德(2) 950
광동→광둥
광둥 1845 1926 1938
광록병 2016-2
광릉 1468 1913 1987
광릉 숲 2010-6
광명 2018-12
광명성1호 1998
광명성2호 2006-7 2009-4
광명성3호 2012-4
광명성3호 2호기 2012-12
광명성4호 2016-2
광명지구 부동산투기 의혹 2021-3
광무 1897
광무대 1908 1930
광무 학교 1900
광문사 1902
광물 1793
광복군 1940
광복군사령부 1920 1922 1942
광복군총영 1920 1922
광복50주년기념경축식 1995
광복절경축사 1988 1998 2010-8 2012-8 2013-8 2015-8
광복절기념식장 1974
광복절기념 티셔츠 문구 2018-11
광복절 특별사면 1983
광복회 1915
광산채굴금지 1899
광성보 1871
광순 951
광양 1869 1889 2009-8 2016-3,7
광양시 2012-5 2013-2
광업령 1915
광역교통망개선방안 2019-5
광역단체장 2011-4
광역시 1994 1997
광역의회의원선거 1991
광역 1호 2014-10
광역 3호 2015-1
광우병 2003-12 2010-1 2012-4
광인관 1051 1093
광인사 1884 1885
광저우아시아경기대회 2010-11
광조사 923
광종 949 953 957 970 971 975
광주光州(1) 813 892 1896 1929 1930 1935 1980 1984 1986 2008-1 2010-4 2011-11 2013-7 2015-4,9 2017-6
광주廣州(2) 1690 1739 1752 1854 1862 2001-8 2011-8 2016-11 2017-8
광주廣州(3)→광저우
광주고등보통학교 1930
광주광역시 2006-6 2011-11 2013-7 2014-8 2016-7 2019-7 2020-11
광주광역시 첨단단지 2014-6
광주광역시 학동 2021-6
광주군 2001-3
광주~나주통학열차 1929
광주대단지사건 1971
광주민주화운동 1980
광주보상법 1990
광주부 1795 1839
광주비엔날레 1995
광주사태 1981 1983 1985 1987 1988
광주세계수영선수권대회 2019-7
광주시민 1988
광주5·18묘역 2003-5
광주5·18민주묘지 2020-8
광주유수 1750 1795
광주은행 2018-2
광주지역 대학수학능력시험 2004-11
광주지하철 2004-4
광주진상조사특별위원회 1988
광주하계유니버시아드 2015-6,7
광주학생 1988
광주학생운동 1929 1930
광주형 일자리 투자협약식 2019-1
광통교 1864
광평성 982
광평시랑 955
광학보 946
광한단 1922
광해 2012-10
광해군 1608 1611 1615 1620 1623 1641
광해군일기 1634 1794
광혜원 1885 1888
광화 1003
광화문光化門(1) 1434 1893 2010-8

근화여학교 1920
근화회 1928
글렌데일시 시립공원 2013-1
글로벌 과제 2021-6
글로벌 회개영성교회 2021-11
글로아르호 1847
금金(1) 전9 144 434 1113 1156 1412 1420 1440 1476 1806 1858
금金(2) 1115 1116 1118 1119 1124 1125 1126 1129 1130 1147 1163 1164 1170 1175 1184 1189 1206 1211 1220 1223 1226 1343
금강 2008-12
금강경 1464
금강반야바라밀경 1237
금강사 598
금강산 935 1778 1794 2001-1,5,11 2002-4,9 2003-2 2004-5,11 2007-4,5,10 2009-8,9 2010-9,10 2011-8 2013-8 2014-1 2015-10,11 2016-3 2018-1,7,8,11
금강산 관광 2008-7 2009-8 2010-3,4 2013-6~9 2014-1,2
금강산 관광객 2008-7
금강산 관광사업 독점권 2011-4
금강산관광20주년기념행사 2018-11
금강산관광지구 2008-7 2010-5 2019-10
금강산관광지구법 2002-11
금강산국제무역개발공사 1989
금강산 내 부동산 2010-3,4
금강산댐 1986 2002-5
금강산면회소 2006-7
금강산유람선관광사업 1998
금강산 육로관광 2003-2
금강산지구 2010-4
금강산화첩 1768
금강전도金剛全圖(1) 1734
금강전도金剛全圖(2) 1772
금계집 1584
금고 262
금고법 1725
금곡사 600
금관 1956
금관가야 42 532
금관소경 680
금광 1417 1808
금광업 1806
금광채굴권 1896
금교 1642
금굴유적→단양 금굴유적
금남집 1567
금납제 1753 1894
금니산수도 1662
금동관음보살좌상 2017-1
금리 현실화 1965
금마군 1329
금마저 670 684
금무봉 2015-1
금미호 2011-2
금보 1572
금보개조도감 1705
금본위제 1901
금 사신 1150
금사향 2018-5
금산 1440 2009-8
금산사 599 764 934 1111
금산사금당 766
금산사사리탑 892
금산사5층석탑 892
금산인공통신 지구국 1970
금산전투 1592
금살도감 1362
금성金城(1) 전32 101 138 232 262 297 346 393 444 482 652
금성錦城(2) 903
금성金星(3) 1923
금성대군 1457
금성일식 2012-6
금성태수 896
금속기 전2000
금속류 1942
금속화폐 996 1423 1651 1678
금속활자 1234
금속활자본 1377 1972
금수원 2014-5,6
금수회의록 1908
금시장 개장식 2014-7
금연 2014-3,9
금 연호 1142 1224
금오대 1014 1015
금와왕 전24
금위영 1682 1687 1703 1823 1856 1863 1864 1882 1884
금융감독원 2013-11 2014-4,9
금융감독위원회 1998
금융개혁 2015-8
금융거래 신용정보 유출 2011-4
금융그룹 감독법 2020-12
금융기관 1944 2000-1 2001-11 2012-5
금융기관 전산망 2013-3
금융노조 2016-9
금융사고 2014-4
금융산업 2002-5
금융세제 2013-8
금융실명제 1993
금융실명제법 2010-10
금융업무 2001-12
금융위기 2008-10
금융위원회 2011-2,9 2012-1,5 2013-2 2015-11
금융제재 2016-3
금융조합 연합회 1918
금은광 1417
금은세공품 1071
금의 1230
금자대장경 1289
금자묘법연화경 1101
금자화엄경 1077
금정구 2014-8
금정산성 1713 1808
금정산터널 2009-2
금제사리 봉안기 2009-1
금주 1223 1226 1263 2014-3
금주령 1338 1483 1490 1733 1756 1762
금주성 1641
금지곡 1929
금천교 1884
금탑 622 1078
금태섭 2012-9
금표 1506 1727

김성한 2010-9
김성호 2008-3 2018-2
김성환 2019-9
김세렴 1646
김세진 1986
김세호金世浩(1) 1874
김세호金世鎬(2) 2005-4
김소운 1933
김소월 1923 1924 1925 1935
김속명 1386
김수남 2015-10 2016-7,9 2017-5
김수로왕→수로왕
김수문 1556
김수민 2016-6
김수온金守溫(1) 1464 1481
김수온金守溫(2) 1829
김수옹 1126
김수장 1755 1763
김수지 2019-7
김수창 2014-8
김수천 2016-8
김수충 714 717
김수한 1996 1997
김수항 1689
김수현 2018-11
김수환 1969 1998 2009-2
김숙홍 1011
김순 1321
김순고 1550
김순성 1840 1862
김승규 2004-7 2005-6,8
김승연 2007-4,5 2012-8
김승일金勝一(1) 1988
김승일金承一(2) 2001-12
김승환 2017-12
김승훈 2003-9
김시민 1592
김시삼 1795
김시습 1456 1493
김시양 1632 1643
김시헌 1923
김식金式(1) 849
김식金軾(2) 1257
김식金湜(3) 1519
김신 2016-5
김신복 709
김신일 2006-8 2008-2
김심언 1013 1018
김신조 1968
김씨 356 683
김안국 1517 1538 1539 1541 1543
김안로 1524 1532 1534 1535 1537
김알지 65
김암 779
김앤장법률사무소 2018-11
김약로 1753
김약수 1924 1948 1949
김약연 1908 1942
김약온 1140
김양 838 839 857
김양감 1074
김양건 2007-11 2008-1 2009-8 2013-4 2014-10,12 2015-8,12
김양공 784
김양기 1211
김양상 764 774 777 780
김양순金良順(1) 837 843 847
김양순金陽淳(2) 1840
김억 1924 1941
김언림 1561
김언승 790 800 801 809
김엄마 2014-6
김여강 1871
김여정 2014-3 2018-2,4 2020-6,8 2021-9
김역기 808
김연 1113
김연아 2006-3 2008-11 2009-2,3,10 2010-2 2013-3 2014-2
김연준 2008-1
김연철 2019-3 2020-6
김열규 2013-10
김영기 889
김영남 1999 2000-9 2009-7 2012-8 2018-2
김영란 2004-7
김영란법 2015-3 2016-7
김영랑 1930 1936 1950
김영렬 2002-2
김영록 2017-6
김영배 2013-4
김영삼 1974 1975 1979 1980 1985~1987 1989 1990 1992~1998 2004-2 2009-8 2015-11
김영석金永錫(1) 1167
김영석金榮錫(2) 2018-2
김영성 2001-9
김영수 1877
김영우 2018-4
김영윤 2013-8
김영일金榮馹(1) 2004-1
김영일金英日(2) 2007-11
김영일金永逸(3) 2011-2
김영주金榮珠(1) 2017-7
김영주金英柱(2) 2021-12
김영철金榮哲(1) 1920
김영철金英徹 2018-2,5 2019-1
김영춘金永春(1) 2009-2 2018-8
김영춘金永春(2) 2017-5
김영환 2012-7
김영후 1361
김예 868
김예징 837 840
김오수 2021-5
김옥균 1874 1884~1886 1892 1894
김옥길 1990
김옥문 1805
김옥분 2001-12
김옥선 1975
김옹 763
김요 887
김용金鏞(1) 1362 1363
김용金墉(2) 2012-3
김용기 1966
김용섭 2020-10
김용순 2000-9 2001-3 2003-10
김용운 2020-5
김용준 1994 2012-12 2013-1
김용진 2016-8
김용채 2001-8,12
김용태金龍泰(1) 1968 2005-4
김용태金容兌(2) 2016-5
김용판 2013-5,6,8

김용환 2000-1 2017-4
김우명 1668
김우석 1997
김우식 2004-2 2006-1
김우옹 1603
김우중 1999 2005-6 2007-12 2019-12
김우진 1926
김우징 828 834 837 838 839
김운룡 2003-7 2004-1 2017-10
김웅 2021-9
김웅원 819
김원기 2003-9,11 2004-6 2009-4
김원길 2001-3
김원봉 1919 1936 1937 1939 1942 2019-6
김원상 1296
김원정 1063
김원충 1086
김월하 1996
김원홍 2013-7
김위제 1096
김유 1386
김유근 1840
김유립 1157
김유신 629 644 647 649 660 664 667 668 673 835 1561
김유연 1877
김유정 1936 1937
김육 1638 1644 1649 1650 1657 1658
김윤 869
김윤겸 1768
김윤경 1921 1922 1934 1938
김윤부 825
김윤석 2013-7
김윤수 2018-11
김윤식金允植(1) 1881 1886 1910 1914 1922
김윤식金允植(2) 2018-10
김윤환 2003-12
김윤후 1232
김융 770
김은거 767 768 775
김은경 2017-6 2021-2
김은국 2009-6
김은부 1011 1017
김은석 2012-1
김은성 2001-12 2002-5 2005-10
김은하 1981 2003-4
김은호 1936
김응란 1561
김응렴 860
김응하 1619
김응현 2007-2
김응환 1772
김의종 840
김의충 735 743
김의택 1981
김이 1327
김이교 1811
김이삼 1931
김이수 2017-5
김이안 1791
김이양 1816
김이재 1820 1824
김익경 1502
김익상 1921 1922
김인(1) 870
김인(2) 2021-4
김인겸 1764
김인경 1235
김인규 1142
김인기 2013-3
김인문 648 651 656 664 694
김인문 비 701
김인석 1112
김인식 1905
김인전 1993
김인존 1127
김인종 2011-10 2012-11
김인후 1545 1554 1560 1796
김일金逸(1) 1366
김일金一(2) 1984
김일金一(3) 2006-10
김일경 1721 1724
김일국 2018-2
김일성 1945 1946 1948 1949 1953 1955 1958~1961 1975 1977 1982 1986 1988~1992 1994 2013-1 2021-12
김일성 생일 2016-4 2017-4
김일성 생일 축하예술축전 2018-4
김일성탄생60주년기념행사 1972
김일성환영군중대회 1945
김일손 1495 1498
김일엽 1971
김일철 2000-9
김일환 2001-10
김임순 2012-6
김자옥 2014-11
김자점 1651
김자주 1476
김자지 1435
김장 2013-12
김장겸 2017-11, 12
김장모임 2020-11
김장생 1622 1631 1634 1646 1659
김장손 1882
김장수 2006-11 2007-11 2013-2 2014-5 2018-2
김장순 1813
김장여 816
김재광 1988
김재규 1979 1980
김재로 1755 1759
김재룡 2019-4
김재수 2016-9
김재순金在珣(1) 1913
김재순金在淳(2) 1988 2016-5
김재연 2012-6,7
김재찬 1827
김재철金在喆(1) 1933
김재철金在哲(2) 2012-1 2013-3 2017-11
김재춘 2014-1
김재현 1897
김재호 2012-3
김재홍 2011-12
김전 1523
김정金正(1) 862
김정金淨(2) 1521
김정각 2018-2
김정구 1998
김정국 1519 1541
김정길 2002-11
김정남 2001-5 2017-2,3

김정렬 1987 1992
김정렴 2020-4
김정욱 2014-2
김정은 2009-1,6 2010-9 2011-12 2012-4,7 2013-1,2,5 2014-1,3,4,8,9,11,12 2015-1,8 2016-1,5,6 2017-1,2,7 2018-1~6,9~11 2019-1~4,6,10 2020-6,8,9 2021-1,12
김정일 1991 1993 1994 1997 1998 2000-5,6 2001-1,5,7 2002-5,8,9 2003-8,9 2004-4,5 2006-1 2007-10 2008-9 2009-1,4,6,8~10 2010-2,5,8~10 2011-5,8,12 2012-10 2018-4
김정일 생가 2014-10
김정제 1957
김정주 2016-7
김정호 1834 1844 1861 1863
김정희 1817 1840 1844 1851 1856 1868
김제金悌(1) 1071
김제金堤(2) 1415 2006-11 2014-11 2016-1,11 2021-1
김제공 791
김제남 1613
김제니 2017-12
김제시 2008-4
김조근 1837
김조순 1802 1805 1832
김존걸 1193
김존중 1156 1159
김종 2016-11,12
김종길 2017-4
김종덕 2014-7 2016-12 2017-1
김종빈 2005-10
김종서 1437 1451-1453
김종성 2013-3
김종수 1778 1799
김종숙 2012-5
김종신 2013-7,9
김종양 2018-11
김종인 2016-1,3 2017-3,4 2020-5,8,12 2021-4
김종직 1465 1492 1498 1640
김종창 2011-6
김종철金鍾哲(1) 1981 1986
김종철金鍾哲(2) 2020-10 2021-1
김종필 1962 1964 1968 1971 1973 1980 1985 1987 1990 1995 1998 1999 2000-1 2001-1,10 2004-4 2018-6
김종호 2000-6 2018-3
김종훈 2013-3
김좌근 1853 1869
김좌진 1919 1920 1925 1929 1930
김주열 1960
김주원 777 822
김준 1258 1265 1268
김준거 1199
김준규 2009-7 2011-7
김준연 1917 1925 1926 1963 1964
김준엽 2011-6
김준옹 789 791 795
김중광 1376
김중권 2000-12 2001-6,8
김중보 1491
김지경 1329 1332
김지섭 1924 1928
김지숙 1310
김지정 780
김지하 1970 1975
김직량 882
김직재의 옥 1612
김진규 1998
김진섭 1931
김진숙 2011-6,11
김진여 1713
김진욱 2020-12
김진태 2013-10
김진표 2005-1 2017-5
김진현 1995
김진형 1853 1864
김진홍 2003-12
김질 1478
김집 1650 1656
김찬 1126
김찬경 2012-5
김찬국 2009-8
김창렬 2021-1
김창룡 1956
김창수 1896
김창숙 1910 1919
김창업 1712 1721
김창집 1721 1722
김창협 1708 1710
김창호金蒼浩(1) 2015-12
김창호金昌浩(2) 2013-5 2018 10
김창환 1936
김처의 1465
김처회 893
김천 1894 2016-12
김천일 1593
김천택 1728
김천흥 2007-8
김철金澈(1) 1919
김철金哲(2) 1921
김철金哲(3) 1985
김철우 1993
김철호 1983
김춘수 2004-11
김춘추 642 648
김춘택 1717
김충공 821
김충신 726
김충현 2006-11
김취려 1216 1217 1219 1220
김치 2001-7 2015-10
김치규 1826
김치수 2014-10
김치양 1003 1009
김치인 1777
김태년 2020-5
김태영 2010-11
김태우 2018-12 2019-1
김태정 1999
김태준 1934
김태현 1330
김태호 2010-8 2014-10
김태환 2009-8
김태훈 2018-2
김택영 1902 1905 1912
김통정 1270 1271 1273
김포 1936 2010-4,12 2015-5 2016-11 2018-3 2019-9

ㄴ

노사정대타협 2016-1
노사정위원회 1998 2009-12 2015-9 2018-1
노사합의 2011-6
노사협정 2003-8 2009-8
노산군 1457
노산군 묘호 1698
노산군 일기 1704
노산시조집 1934
노상상견례 1736
노성군 1479
노성민란 1894
노성일 2005-12
노송도 569
노수신 1590
노수희 2012-7
노숙동 1463
노승동자도 1714
노승환 1988 2014-5
노신영 1985 2019-10
노아합적→누르하치
노약순 1176
노영 1307
노영민 2019-1
노예 1819
노은집 1794
노인 93 1111 1667
노인복지회관 2020-2
노인폄훼 2004-4
노일 1356
노일환 1949
노자도덕경 738
노자영 1921
노장학 1131
노재봉 1991
노재헌 2016-4
노조법 전면 개정 2021-11
노조법 개정 저지 2020-11
노조설립 2017-11
노조와해 의혹 2018-9
노조전임자 2009-12
노조파업 2007-1 2011-6
노중례 1431 1433 1434 1445 1452
노차상우례 1033
노처녀 1491 1757
노천명 1938
노총각 1757
노크 귀순 2012-10
노탁유 1191
노태우 1985 1987~1992 1994~1997 2013-9 2016-4 2021-10
노형욱 2021-4
노회찬 2005-8 2008-3 2009 3 2018-7
녹과 1076 1407 1415
녹과전 1271 1278 1279 1331
녹관 1420
녹권 1401 1605
녹금서당 583
녹도 1497 1587 1889
녹둔도 1587
녹봉 1121 1178 1184 1186 1329 1387 1402 1532 1570 1601 1862 1863
녹색기후기금사무국 2012-10
녹색성장국제기구 2009-12
녹색연합 2000-7
녹아도→가고시마
녹엄 908
녹원 2017-12
녹음기록물 2013-7
녹음파일 조작사건 2017-6
녹음파일 조작자료 2017-7
녹읍 689 757 799
녹조 2012-8
녹조 경보 2015-6
녹지국제병원 2015-12 2018-12
녹지국제병원 개설 허가 2019-4
녹패 1036 1083
녹포 1757
논 240
논개 1593
논문 조작 2006-1
논문표절 2006-8 2007-2 2012-4 2016-11
논산 1634 1894 2011-2 2016-3 2017-2
논산시 2004-6
논어 375
놋그릇 1519
농가12월도 1682
농가월령가 1849
농가집성 1655
농경지 1494
농기구 전300 987
농득마인 2007-10
농림부 1957 2001-6 2002-5 2003-11
농림수산부 1987
농림수산식품부 2008-5 2014-1 2015-1 2019-5,9 2020-11
농림축산검역본부 2016-12
농림축산식품부 2014-3 2016-12
농마희 1168
농무 도감 1277
농민 1349 1927 2018-12
농민군 1697
농민·노동자 시위대 2005-12
농민단체 2001-12 2014-7
농민반란 1152 1155 1168 1227
농민반란군 1175 1194 1227
농민시위 1989
농민운동 1979
농민호조사 1927
농사 전41 82 122 187 272 489 859 1259 1460 1517 1620
농사직설 1429
농서 1518
농성 1893 1958 1971 1979 1985 1987 1990 1996 2001-6 2009-1,2,8 2013-8
농수산부 1987
농악 2014-11
농암문집 1665
농암집 1710
농어촌 고리채 정리법 1961
농업 1733
농업생산 통제령 1941
농업용수 2001-6
농업협동조합중앙회 1958 2011-4
농우 1842
농작물 2014-8
농작물 피해 2018-1
농장 1046
농정 신편 1885
농정 촬요 1886

ㄷ

단령 1599
단말기 유통구조 개선법 2014-10
단발 1902
단발령 1895 1897 1902
단병호 1990
단사관 1296 1353
단성사 1914 1918 1919 1926 1935
단속사 763
단속정 2016-5
단송 도감 1481
단식 1906 1929 2005-2 2020-10
단식 농성 2018-5
단심가 1392
단양군 2014-6
단양 금굴유적 전3000
단양 도담리 유적 전30만
단양 상시리 바위그늘유적 전3만
단양 수양개 유적 2015-11
단양이 513
단오 1243 1246 1345 1429
단원고 2014-4
단원도 1784
단일 변동 환율제 1965
단종 1448 1450 1452 1455 1457 1698 1699
단종 대왕 실록 1704
단종 대왕 실록 부록 1704
단종 능 1585
단종 복위 1456
단종 비 1521
단천 1764 1808
단천 은광 1566
단체 협약 2009-11
단촌신방 1687
단통법 2014-10
달가 280
달걀 2017-1
달구벌 689 839
달도가 488
달량포 1555
달레 1874
달로화적→다루가치
달벌성 261
달성 공원 1916
달성군 2014-6 2016-7
달솔 635
달천몽유록 1599
달 탐사 사업계획 2016-2
달홀주 568
담머 학원 1884
담배 1616 1732 1927
담배 소송 2014-4
담배 회사 2014-1
담뱃값 2014-9
담시 396
담양 2014-11 2020-8
담육 596 605
담진 1107 1114
담징 610 631
담화문 1954 1959 1975 1980 1997 2006-4 2008-5 2009-11 2010-5,12 2011-1 2013-3,10
답험손실법 1050
담황색 옷 1078
답빙사 796 799
답안지 변서사건 1755
당 619 621 623 625-629 636 640 641 643 645~ 651 653 656 658 660 661~666 668 670 671 674~ 677 692 694 695 699 701 703~705 707 709 712~717 723 724 726~ 736 738 741 743 746 749 754 756 762 767 772 773 784 789 790 792 804 805 807 808 810 815 818~821 823~828 830 831 833 840 845~847 851 856 858 865 869 870 873~875 878 879 882 885 886 890 891 893 906 908 909 911
당고→탕구
당군 661 662 667 668 671 672 676
당목면 1474
당백전 1866-1868
당상 1683
당상관 1550 1554
당서 1042
당십전 1816
당오전 1883 1886
당원투표 2014-4 2017-12
당유인원기공비 663
당은군 829
당의장 2005-1,10 2006-1
당직청 1505
당진 2007-12 2014-8 2015-4 2017-10 2018-2
당진공장 2010-3
당진~대전 고속도로 2009~5
당진군 2012-1
당진시 2012-1 2015-10
당진화력발전소 2013-8
당파 1765
당파심 1727
당파진 829
당파폐단 1572
당포해전 1592
당하관 1757
당항성 643
당항포 1594
대가 47
대가야 562 2018-1
대가야유물 2018-1
대각국사문집 1097
대각국사탑비 1125
대간 1169 1497 1515 1810
대간면계법 1390
대감 583 987
대검찰청 2010-4 2013-10 2014-1
대검찰청 감찰본부 2012-11
대검찰청 중앙수사부 2013-4
대곡 292
대곡성 748
대곡진 783
대공 768
대공의 난 768
대관대감 549
대관령 1992 2010-6
대관령목장 2011-1
대관령터널 관통행사 2015-11
대관식 1896
대관전 1170
대광 945
대광성 833
대광현 934
대구 689 839 1010 1203 1448

2006-4,7 2008-7 2011-3 2012-8,10 2013-11 2014-1 2015-4 2017-3 2018-12 2019-10
독도纛島(2) 1851
독도기념사업회 2013-11
독도대첩일 2013-11
독도 도지원센터 건립계획 2014-11
독도박물관 1997
독도 세레머니 2012-8
독도 시험 비행 2011-11
독도 영유권 1953 2008-7 2011-8 2013-10 2018-1
독도 침탈 야욕 2013-3
독도표지석 2012-8
독락당 1619
독로화 1241
독립관 1897
독립군 자금 1920
독립군 탄압 1925
독립기념관 1986 1987
독립기념관 건립준비위원회 1982
독립군 자금 1920
독립만세운동 1920
독립문 1896
독립법인 2011-1
독립서고문 1894
독립선언서 1919
독립신문獨立新聞(1) 1896 1899
독립신문獨立新聞(2) 1919
독립신문獨立新聞(3) 1919 1944
독립영화 2009-2
독립운동 1913 1918 1919 1942
독립운동가 1932
독립운동가보호 1931
독립운동단체 1911 1914 1931
독립운동 방침에 관한 선언문 1940
독립운동 후원 단체 1928
독립의군부 1912 1913
독립의군부 사건 1913
독립청원서 1905 1918 1919
독립촉성중앙협의회 1945
독립협회 1896~1899
독립협회 지도자 1898
독매신문 1977
독사신론 1908
독산성 409 548 636 659 1593
독산성주 373
독산책 전8
독살 2017-2
독서당 1510
독서당계회도 1531
독서삼품과 788
독서출신과 788
독수리훈련 2017-3 2019-3
독일 1882 1883 1887 1899 1919 1936 1945 1993 1995 2000-3 2001-3 2002-6 2003-9 2005-4 2010-11 2011-5 2014-3 2015-10 2017-7 2018-1,2
독일공사 1870
독일공항 2000-9
독일식 통일안 1977
독일여인 1902
독일여자월드컵축구대회 2010-8
독일영사관 1914
독일월드컵대회 2005-6
독일인 1866 1868 1881 1882 1899 1901 1916 2009-7
독일인 고문 1885
독일 총영사 1885
돈 1302 1735 1757 1775 1781 1785 1851
돈녕부→돈령부
돈대 1679
돈덕전 1901
돈령부 1414
돈무앙 공항 2009-12
돈봉투 2012-1,2 2013-5
돈암서원 1634 2019-7
돈의문 괘서사건 1860
돈화 698
돈화문 1412 1607
돌고래호 전복사고 2015-9
돌궐 537 551
돌싸움놀이 1345 1429
돌아악 57
돌절구 2020-12
돌포탄 2017-10
돗드 1952
동가강 전37
동강댐 건설계획 2000-6
동강유고 1858
동경東京(1) 997 1199
동경憧憬(2) 1937
동경東京(3)→도쿄
동경대전 1880
동경성 1933
동경용원부 785
동경유수 987 1204 1219
동계 1023 1039 1161 1249
동계올림픽대회 2003-7
동계행영병마사 1105
동공 2014-8
동관 1867
동관진유적 전3만
동광銅鑛(1) 1564 1668 1729 1780
동광東光(2) 1932
동교동계 2003-1
동구 공산권 국가 1989
동구 공산권 국가 원수 1990
동구릉 1855
동국내관 1430
동국대학교 1906 2007-7
동국문헌비고 1770 1845
동국병감 1450
동국사략東國史略(1) 1403 1412
동국사략東國史略(2) 1906
동국세시기 1849
동국약운 1416
동국여지승람 1481 1501 1505 1538 1707
동국여지지 1656
동국연대가 1436
동국이상국집 1241
동국정운 1447 1452 1972
동국정운식 표기 금속활자 2021-6
동국지도東國地圖(1) 1463
동국지도東國地圖(2) 1728
동국지리지 1615
동국통감 1458 1484
동궁東宮(1) 679 1054 1527 1543 1554
동궁東宮(2) 1527 1770
동궁東宮(3) 2017-9
동궁내관 1430

ㄹ

리우데자네이루올림픽대회 양궁팀 2016-8
리우데자네이루올림픽대회 여자골프 2016-8
리위안차오 2013-7
리조실록 1981
리지웨이 1951
리처드슨 2013-1
리커창 2015-9,10 2017-11,12 2018-5
리투아니아 2014-2 2018-2
리틀야구팀 2014-8
리틀엔젤스 예술단 1998
릭파이 1999
링링 2019-9

ㅁ

마건충 1882
마곡사 1781 2018-6
마곡사대광보전 1785
마과회통 1798
마광수 2017-9
마늘협상 2002-7
마니산 1259
마니산사고 1628
마닐라 2017-11
마도해역 2014-11 2015-8
마두성 87 94
마두성주 106
마라난타 384
마라도 2013-12
마라톤 1927 1936 1958 1992
마량진 1816
마려 752
마리지천도량 1209
마린 711호 2018-3
마립간 356
마봉옥 1927
마부노호 2007-5
마산 157 1282 1287 1302 1350 1900 1923 1960 1977 1979 1981 2012-12
마산발전소 1955
마생태랑→아소
마선촌→마셴촌
마셴촌 2013-1
마수산 30
마수성 전11 34
마스코트 1984
마스크 2020-3
마스크 구매 5부제 2020-3
마식령 스키장 2018-1
마약범죄 2001-11
마약투약 2019-4
마오쩌둥 1958
마운령 568
마의서 1466
마의태자 935
마이삭 2020-9
마이클 잭슨 2021-2
마적 1862
마적단 1903
마제석기 전6000
마진 904 905
마진방 1775
마찰도 1710
마천령 1718 1831 2016-6
마천성 655
마축자장 별감 1288
마카오신학교 1837
마크롱 2018-10
마테오 리치 1603
마패 1435
마포 1912
마품왕 253 291
마하티르 2019-3,11
마한 전57 전22 전19 전6 7 8 9 16 61 122 1329
마한조 1329
마해송 1923
막근 148
막덕 148
막리지 666
막사이사이상 1963 1966
만 1335
만경봉호 2018-2
만국기자협회 1907
만국사기 1906
만국사회당대회 1917
만국우편연맹 1900
만국평화회의 1902 1907
만권당 1314
만기요람 1808 1838
만년력 1732
만년사 1115
만년제 1798
만녕전 1858
만당 1930
만덕 552
만델라 1995
만동묘 1844 1865
만동묘 중건 1874
만동묘 철폐 1865
만리장성 2012-6
만민공동회 1898
만보산 1931
만보산사건 1931
만복사 1082
만부교 942
만분가 1498
만석거 2017-10
만석보 1893
만세 604
만세력 1903
만세루 1327
만세보 1906
만수정 1154
만어사 1180
만언봉사 1574
만월대 2013-6 2015-11
만월대발굴조사단 2014-7 2015-6
만인소 1823 1855 1878 1881
만인의 방 2018-3
만적 1198
만적의 난 1198
만전춘 1348
만종 764
만주 1832 1903 1909 1911 1919 1920 1923~1926 1929~1931 1935 1940 1941 1943
만주지역 1021
만주한인 1925
만춘정 1167
만파식적 682 786
만포 1484

무오사화 1498
무오연행록 1798
무왕武王(1) 600 639 641 1970 2009
무왕武王(2) 719 737
무왕비 2009-1
무용상 1941
무용총 300
무원록 1748 1859
무원록 언해 1791
무위사 597
무위소 1876
무위영 1881
무인기 2014-3,4
무인기 사건 2014-5
무인 기상 관측망 2016-8
무인기 추락사건 2014-4
무임소 장관 1981
무장 1731
무장공비 1968
무장군인 1964
무장대원 2014-1
무장읍성 2018-11
무정 1917
무정보감 1469
무정부주의 1921
무제한 토론 2016-2
무조 786
무주 1614
무주리조트호텔 2021-2
무주세계태권도대회 2017-6
무주·전주 동계유니버시아드 1997
무즙파동 1965
무진주 892
무진주도독 813
무창군 1523 1538
무천 전37
무초 1949
무태 904
무풍리 2017-7 2021-9
묵암당 진영 2017-12
묵암대사 2017-12
무학武學(1) 1133 1519 1595
무학無學(2) 1405
무학탑비 1828
무휼 13 14
묵계월 2014-5
묵호자 458
묵호항 2018-2
문경 879 1877 2011-1 2021-12
문경세계군인체육대회 2015-10
문경시 929
문경시멘트공장 1957
문경현 1892
문고리 3인방 2016-10
문공미 1116
문공유 1141
문과 1466 1553 1673 1773 1835 1857
문과강경절목 1443
문과고강법 1401
문관 1045 1112 1119 1202 1228 1454 1486 1734
문교부 1954 1967~1969 1972 1976 1980 1983 1985 1988
문국현 2007-10 2009-10
문귀 515
문규현 1989 2003-5
문극겸 1163 1189
문대성 2008-8 2012-4
문덕곡 1393
문덕전 1096
문동환 1989 2019-3
문량 706
문리산관 1180
문맹퇴치운동 1928
문묘 1020 1022 1319 1398 1407 1517 1592 1606 1610 1743
문묘 낙서의 옥 1606
문묘향사 1570
문무관료전 687
문무대왕함 2009-3 2018-3 2021-7
문무백관제도 1392
문무왕 661 663 665 667 669 680 681
문무왕릉 681 1967
문무일 2017-7,8
문민정부 1993
문병곤 2013-5
문산 2004-3 2007-12 2009-7
문서 1096 1099 1473
문서 응봉사 1411
문선명 1991 2012-9
문성근 2013-5
문성묘 1542
문성왕 839 857
문성혁 2019-3 2021-4
문세광 1974
문세영 1938
문소리 2002-9
문소전 1494
문수산성 1694
문수성 1912
문순득 1805
문승욱 2021-4
문신 883 1031 1173 1183 1399 1476 1497 1514
문신용 2004-2
문신종 1723
문양렬 1050
문예 1949
문예공론 1929
문예시평 1926
문예지 1922 1924
문왕 737 762 793
문용린 2012-12
문원보불 1787 1845
문원영화집 1090
문익점 1363 1398
문익점신도비 1834
문익환 1978 1980 1986 1989 1993 1994
문인구 2013-2
문인위 1019
문일평 1939
문자(명)왕 491 519
문장 1939 1940
문장고 1229
문재인 2007-3 2012-9,11 2013-10,11 2015-2,3,5,8,11 2016-1 2017-4~12 2018-1~12 2019-1~4,6~12 2020-1,2,5~12 2021-1,3~7,9~12
문재인 정부 2017-9 2018-12
문적 789
문정 1080 1093
문정사례 1782

미국 인디펜던트 스피릿어워즈 2021-4
미국작전부장 1945
미국잠수함 1943
미국전문가 2010-11
미국정보함 1968
미국정부 1951
미국정찰기 1969
미국중앙정보국 2001-9
미국진출 견제 2020-12
미국 페룻자연과학박물관 2018-2
미국 프로골프 2002-5
미국 하원 1977 1978
미국 항공사 2000-9
미국 항공청 2001-8
미국 해군 2002-12 2014-3
미국행 항공 2011-9
미군부대 2000-7
미군유해 2018-7
미군정 1945 1946 1947
미군철수 1949
미군헌병대 1957
미그기 1953 1982 1983 2010-8
미그 16기 1993
미나리 2021-1,2,3
미나미 1936
미납추징금 2013-7
미네르바 2009-1,4
미디어법안 2008-12 2009-2,3,7,10
미래기획위원회 2008-7
미래 라이프대학 2016-10
미래연합 2002-4
미래저축은행 2012-5
미래 지향적 한일관계 2016-9 2020-9
미래창조과학부 2013-3 2014-3 2016-2,3 2017-7
미래통합당 2020-2,5,8,9
미래한국당 2020-2,5
미래한미연합사령부 2018-10
미래협력 2014-12
미래희망연대 2010-2
미르재단 2016-11
미르지요예프 2017-11 2019-4 2021-12
미륵사 639 1262 2009
미륵사지 2009-1
미륵사지석탑 보수공사 2009-1 2019-4
미륵장육상 766
미마지 612
미사 2020-2
미사일 2009-5,10,12 2013-7 2015-6
미사일 최대 사거리 지침 종료 2021-5
미사품 403
미사흔 402 418 433 461
미상전 1863
미성년자 성매매범 2001-8
미세먼지 2018-3,4 2019-1
미세먼지 경보 2017-5 2019-3
미세먼지 고강도 대책 2019-3
미세먼지 비상 저감 조치 2018-1 2021-2,3
미세먼지 주의보 2013-12 2014-2 2018-3 2019-3 2020-11
미세먼지 해결 2019-1
미소공동위원회 1946 1947
미숙아 사망사건 2017-12
미스 슈프라내셔널 선발대회 2017-12
미쓰비시중공업 2018-11
미쓰야협정 1925
미쓰코시백화점 경성지점 1930
미야자와 1992
미얀마 1983 2012-5,10 2013-1,5 2014-11 2019-9
미얀마 전선 1943
미우라 1895
미유 132 147
미전향 장기수 1993 2000-9
미주 1941
미중정상회담 2017-4
미천왕 300 331 343
미천왕릉 342
미추이사금 261 284
미탁 2019-10
미터법 1926 1964
미테랑 1981 1993 1995
미투 2018-2,4
미투사건 2020-7
미8군사령부 2017-7
미혼 2014-2
민가 89 131 333 496 1100 1309 1379 1399 1805
민가협 1985 2009-2
민간방송 1954 199
민간방송업체 1994
민간 상업용 컨테이너 화물 2015-12
민간수비대 1954
민간은행 1899 2016-11
민간인 1469 1963 2004-10 2010-4, 7 2011-12 2014-6
민간인 불법사찰 1990 2010-7 2012-3,4 2019-2
민간 택지 아파트 2007-1
민간 헬리콥터 2013-11
민갑룡 2019-3
민겸호 1882
민경식 2010-6
민공 880
민관 긴급회의 2018-1
민관식 2006
민관위원회 2009-11
민군합동조사단 2010-5
민권당 1981
민긍호 1907 1908
민노각 471
민노당 2004-4,6 2010-7
민단 2006-5
민란 1162 1172 1177~1179 1182 1190 1199 1202 1233 1318 1372 1375 1557 1653 1671 1708 1727 1730 1813 1840 1851 1862 1869~1871 1875 1883 1889 1892~1894
민립대학 기성 준비회 1922
민무구 1410
민무질 1410
민방공 훈련 1971
민방위대 발대식 1975
민배식 1914
민백상 1761
민병두 2018-3
민보집설 1867

ㅂ

박문원 1903
박범계 2020-12 2021-5
박범훈 2015-4,5
박병석 2020-6 2021-1
박병선 2011-11
박병대 2018-11
박보록 1827
박봉주 2013-4
박비 1475
박사 학위 1900
박사 학위 위조 2007-7
박삼구 2009-7
박상 1515 1530
박상검 1722
박상규 2013-3
박상기 2017-6
박상옥 2015-3
박상은 2014-8
박상천 2003-9 2007-4 2015-8
박상학 2021-5
박서 1231
박서생 1429
박석명 1406
박선숙 2016-6
박성수 2016-3
박성용 2005-5
박성원朴性源(1) 1747 1767 1787
박성원朴聖源(2) 1757
박성진 2017-8
박성철 2008-10
박세거 1525
박세당 1676 1703
박세무 1541 1554
박세일 2005-1 2012-2
박세직 2009-7
박세채 1695 1711
박세화 1677
박소연 2019-1
박손 1546
박수경朴守卿(1) 964
박수경(2) 2014-7
박순 1402 1589
박순천 1963 1965 1983
박술희 943 945
박승주 2016-11
박승중 1113
박승춘 2018-1
박승필 1908
박승환 1907
박승희 1922 1928
박신자 1967
박씨 67
박아도 148
박안신 1447
박양우 2019-3
박에스터 1900
박연朴堧(1) 1427 1453 1458 1822
박연朴淵(2) 1628
박연차 2008-12 2009-3 2011-1
박연차 로비의혹 사건 2009-4,5
박엽 1623
박영규 936
박영문 1513
박영복 1974
박영석 2001-7 2004-1 2005-5 2009-5 2011-10 2017-6
박영선 2014-5,7~10 2019-3
박영수朴英洙(1) 1994
박영수朴英洙(2) 2016-11,12 2017-1, 2 2021-7
박영숙 2013-5
박영식 2013-11
박영준朴榮濬(1) 1934
박영준朴永俊(2) 2012-5 2013-8, 9 2018-3
박영효 1872 1882 1884 1894 1939
박영희 1925 1926 1931 1934 1937 1939
박완서 2011-1
박용만 1913 1914 1917 1918 1921 1928
박용만파 1915
박용성 2001-12 2009-2 2015-5
박용오 2009-11
박용철 1930
박원순 2011-9,10 2012-2 2020-7
박원작 1040 1093
박원종 1506 1507 1510
박원형 1469
박위 1377 1385 1389 1398
박유천 2019-4
박은朴訔(1) 1422
박은朴誾(2) 1504
박은식 1910 1912 1915 1917 1920 1924 1925 1993
박응서 1613
박이문 2017-3
박인량 1080 1096
박인로 1598 1601 1605 1611 1619 1634 1642
박인비 2013-7,11 2015-6,8 2016-8
박인수 1955
박인수 사건 1955
박인택 1178
박인호 1922
박일원 1781
박임항 1963
박작성 648
박재권 2018-10
박재규 2000-7
박재동 2018-2
박재완 2011-5
박재혁 1920 1929
박전지 1325
박정양 1881 1887 1889
박정현 2016-7
박정희 1961~1979 2013-7 2015-2
박정희대통령 저격 미수사건 1974
박정희정부 1963
박제가 1778 1805
박제검 1178
박제상 418
박제순 1905
박종경 1813 1817
박종규 1974
박종철朴鍾哲(1) 1987
박종철朴鍾喆(2) 1993
박종철(3) 2019-1
박종철 고문살인 조작은폐규탄 국민대회 1987
박종철 고문치사 사건 1987 1988
박종화 1921 1940 1981
박종훈 1841
박주선 2016-1 2017-5,6 2018-2,6

박주종 1878
박준규 1990 1992 1993 1998 2000-5 2014-5
박준병 2016-7
박준영(1) 2002-1 2016-1,3,5 2018-2
박준영(2) 2021-5
박준원 1807
박중도 1841
박중빈 1916
박중손 1466
박중현 2018-3
박지만 2014-12
박지번 1725
박지원朴趾源(1) 1780 1799 1805
박지원朴智元(2) 2000-9 2001-11 2002-4 2003-6 2007-12 2014-8 2016-1,4,6 2016-1,4,6 2017-1,5 2020-7
박진朴珍(1) 1928
박진朴振(2) 2009-3
박진재 1207
박진희 1711
박찬구 2009-7
박찬우 2018-2
박찬욱 2004-5 2018-2
박찬주 2017-8,9
박찬호 2012-12
박창세 1935
박창암 1963
박창신 2013-11
박천 1811
박철언 1991
박철웅 1979
박초 1432
박춘금 1924 1945
박춘석 2010-3
박충숙 1037
박충훈 1980 2001-3
박치화 1918
박태규 2011-8
박태석 2012-3
박태선 1958 1960
박태영 2004-4
박태원 1934
박태준 1990 1997 1999 2000-1,5 2011-12
박태환 2006-12 2007-3 2008-8 2015-3
박통사 1434
박통사 언해 1677 1765
박팽년 1456
박포 1400
박필관의 격쟁사건 1791
박한상 1966 2001-9
박한영 1913
박한철 2013-3 2017-1
박항서 2018-1
박헌영 1925 1940 1945 1946 1949 1955
박혁거세 전57 4
박현정 2014-12
박형규 2016-8
박형서 1826
박형준 2012-4
박홍 1994 2019-11
박홍우 2007-1
박화성 1934
박효관 1876
박홍렬 2013-2
박희영 1848
박희태 2003-1 2008-7 2009-5,9 2010-6 2011-12 2012-1,2 2013-1 2017-1
반값 등록금 2011-6
반거란 동맹 981
반계수록 1670
반공 1986
반공자유센터 1962
반공통일전선 1953
반공포로 1953 1954
반구대암각화 2013-6 2018-5
반굴 660
반궁 1743
반기문 2004-1 2006-10 2008-7 2011-6 2012-8,10 2014-9 2015-5 2016-5,12 2017-1,2
반다르스리브가완 2013-10
반달 1924
반도체 2018-1
반도체 백혈병 분쟁 조정안 2018-11
반독재·민주화 시위 1973
반란 16 104 165 190 191 197 248 286 327 478 502 562 631 647 681 684 700 740 768 770 775 780 791 822 825 838 841 846 847 849 866 868 874 879 887 889 892 918 974 980 1014 1072 1095 1103 1112 1126 1135 1147 1171 1174 1176 1177 1181 1186 1187 1193 1200 1217 1226 1232 1233 1270 1352 1362 1375 1402 1465 1467 1468 1507 1525 1624 1627 1646 1728 1815 1824 1844 1868 1877
반란군 1135 1176~1179 1193 1194 1200 1202 1624 1811 1812
반란자 1015
반록 1412
반룡사 650
반민법 1948
반민족 행위자 2002-2
반민족 행위자 처벌법 1948 1951
반민족 행위 특별조사위원회 1949
반민특위→반민족 행위 특별조사위원회 1949
반봉건 운동 1899
반부 1268
반부패비서관실 2018-12
반상회 2014-3
반상회날 1976
반서 1412
반수교 1742
반야경 1051
반야사 1125
반야월 2012-3
반역 1468 1817 1836
반역 음모죄 1895
반올림 2018-11
반외세운동 1899
반월 1976
반일데모대 1974
반잠수선 2017-3
반전도감 1328
반전색 1275 1382

2003-8 2004-2,9 2005-7,9 2006-12 2007-2,9 2008-7, 10~12 2009-10 2012-5 2014-11
베이징교회 1790
베이징 3자 회담 2003-4
베이징역 2014-4
베이징올림픽대회 2008-8
베이징올림픽대회 개막식 2008-8
베이징올림픽대회 선수단 2008-8
베이징올림픽대회 야구팀 2008-8
베이징형무소 1944
베이징회담 1995
베이핑 49
베트남 1992 1995 1998 2001-8 2002-5 2003-3 2004-10 2006-11 2007-3,10 2009-10 2010-10 2013-5,9 2014-10 2015-3 2017-11 2018-3 2019-2,3
베트남 민족 해방전선 1965
베트남 축구 대표팀 2018-1
벤처기업 2002-1
벤츠여검사 2011-11
벨기에 1901 1902 1986 1998 2001-1 2010-10 2013-11 2018-10 2019-3
벨기에 공사 1901 1902
벨테브레이 1628
벼 673
벼 농사 33
벼슬 1135
벽골군 851
벽골제 330 790 1146 1415 2016-11
벽돌 1744 1783
벽돌 제조법 1744
벽동 1447 1870
벽동진성 1494
벽력포 1522
벽보 1893
벽서의 옥 1547
벽제관 싸움 1593
벽파 1788 1806 1808 2009-2
변경 방어 1512
변계량 1421 1424 1425 1430
변급 1654
변동 환율제 1980
변란 1530
변발 1272 1352
변방 방비책 1228 1439 1514
변방장수 1526 1820
변사 1899
변산반도 국립공원 1988
변상벽 1773
변안열 1390
변양균 2007-9
변영로 1921 1924
변영섭 2013-11
변영태 1954 1969
변이중 1611
변조 수표 사기사건 2013-7
변창흡 2020-12 2021-3
변태섭 2009-3
변통 1673
변한 전39
변호사법 1905
변호인 2014-1
변화와 혁신 중앙당발기인대회 201912
변효문 1456
별감 1285
별곡조 1122
별공 1169
별궁 1160 1169
별기군 1881
별똥별 2018-8
별묘 궁호 1824
별무반 1104
별사전 1412
별안군 1830
별자리 2018-12
별장 1849
별좌 1455
별초군 1202 1249
병거 1710
병고 1161
병관좌평 312 390 398 407 476 482 497
병기 987 1129 1337 1462 1562 1814
병기공장 1883
병력철수작업 2018-10
병마 1599
병마녹사 1108
병마사兵馬事(1) 207 240 250 263 280 299 311
병마사兵馬使(2) 989 1097 1233
병마절도사 1397 1420
병마 평사 1558
병무청 1970
병법 786
병부 517
병부령 541 580 800
병부시랑 893
병사兵士(1) 572 1353
병사兵使(2) 1522 1589
병산 서원 2019-7
병산책 전8 34
병상 확보 행정명령 2020-12
병선 14 1044 1371 1408 1461 1736
병역비리 2001-4
병영 1738 1807 1894
병영문화혁신위원회 2014-8
병와가곡집 1713
병와문집 1774
병원노조 1997
병원 밖 감염 2020-12
병인박해 1866
병인양요 1866 2010-11 2011-4
병자자 1516
병자호란 1636
병자호란 창의록 1858
병장도설 1742
병장설 1528
병정 1528
병조 1389 1412 1529 1595 1668 1675
병조좌랑 1880
병조참의 1867
병조판서 1587 1632 1874
병주 168
병진자 1436
병천 1919
병충해 122 208 259 454
병풍 1708
병항 1108

봉동 2007-12
봉림 대군 1638 1645
봉부동전 1851
봉사 1582
봉사 10조 1196
봉산烽山(1) 224
봉산鳳山(2) 1271
봉산성 224 255 266
봉산지탑리유적 전4000
봉상시 1409 1902
봉상왕 292 300
봉석주 1465
봉선고 1093
봉선사 1469 1832
봉선화 1921
봉선홍경사 1016
봉성군 1547
봉성사 685
봉안각 1839 1840
봉암사 879 965
봉양 1959
봉어 750
봉역도 628
봉오동 전투 1920
봉원전 1225
봉위사 1189
봉은사 794 1039 1106 1142 1180 1213 1902
봉은사 주지 1551
봉정사 2018-6
봉조하 1683
봉주 1271
봉준호 2019-5 2020-2
봉천 1912 1925
봉화烽火(1) 1557
봉화奉化(2) 1853 2010-11 2020-3
봉화군 1446
봉화대 1423 1511
봉화령 1419
봉화 사목 1475
봉화산 2009-5
부賦(1) 961
부府(2) 983 992 993 1099 1391 1477 1694 1787 1818 1913 1930 1935 1938
부府(3) 1206
부가가치세 1977
부거현 1449
부계면 928
부곡 1045 1161 1355
부곡성 190 928
부곡하와이 2017-5
부관연락선 1913 1943 1945
부관참시 1498
부교 1504
부녀 대통령 2012-12
부녀 올림픽 매달리스트 2021-8
부녀자 1017 1447 1473 1447 1756 1763
부다페스트 1988 2019-5
부당 노동행위 2017-11,12
부당 대출 비리 2014-4
부당 해고 1934
부도→우키시마
부도 처리 1997
부동산 대출 투기 2021-6
부동산 동결 조치 2010-4
부동산 문제 2000-5 2006-11 2007-1 2013-1 2021-11
부동산 불법거래 2021-6
부동산시장 2013-3,4
부동산시장 안정화 2020-1 2021-1
부동산실명제 1995
부동산정책 2006-11
부동산정책 실패 2020-8 2021-4
부동산정책 재검토 2021-5
부동산종합대책 2005-8 2006-11 2007-1
부동산투기 2005-3
부동산투기 억제책 1978
부두 노동자 1900
부들러 1885
부량 862
부령 1432 1460
부령부 1449
부르즈 칼리파 빌딩 2010-1
부르크할터 2014-1
부림사건 2014-9
부마고속도로 1981
부마도위 256
부묘의 예 1651
부민관 1945
부민단 1912
부벽루 1168
부분노 전32 전9
부분월식 2021-11
부분일식 2009-7 2019-1 2020-6
부분 폐쇄 명령 2015-6
부사 1840
부사공신 1722
부사관 2015-9
부산 1475 1497 1607 1659 1853 1870 1875 1877 1878 1880 1881 1883 1885~1888 1893 1898 1901 1924 1930 1950 1951 1953 1958 1960 1963 1967 1979 1981 1986 1989 1993 2001-12 2004-7 2005-3,11 2006-1,7 2007-9 2009-2,3,11 2010-3,4,6,12 2011-2,6 2014-10,12 2015-9 2016-10 2017-10 2019-11 2020-7
부산경찰서 1920
부산광역시 2014-9 2016-10 2020-11
부산광역시 동구청 2016-12
부산광역시장 보궐선거 2021-4
부산구치소 2004-2
부산국제영화제 1996 2002-11
부산기상청 2016-8
부산대학교 2019-8
부산~동래온천 전차 1915
부산동삼동유적 전6000
부산 미국문화원 방화사건 1982 1983
부산방송국 1935
부산상인 1917
부산성 169
부산~신의주 복선철도 1945
부산~신징 열차 1934
부산아시아경기대회 2002-8,9,10
부산아시아경기대회 선수촌 2002-9
부산아시아경기대회 성화 2002-9
부산아시아경기대회 조직위원회 2002-9
부산아시아·태평양 장애인경기

BMW 차량 2018-8
BMW 코리아 2018-8
비열홀주 556 568
비유왕 427 455
비융사 1500 1504
비용 절감 2007-5
B-1B 랜서 2017-9
비인면 2020-1
비인현 1419
비자금 1995 1996 2007-12 2008-4 2011-1 2013-3,5,6,8~12 2016-6 2018-1
비자금 불법 조성 2014-4,5
비자금 조성 의혹 2018-9
비자 면제 가입국 2008-10
비자 면제 여행 2008-11
비자 면제 협정 2016-11
비자벌 561
비전투 병력 1965
비정규직 2007-7
비정규직의 정규직화 2013-7
비조부 522
비지 493
비지국 108
비첩 1414
비트코인 2017-12
BTS→방탄 소년단
BTJ열방센터 2021-1
비핵지대화 2013-2,7
비핵화 2007-6,9 2013-6 2018-3 2019-1
비핵화 관련 메시지 2018-9
비핵화 의지 실천 2018-5
비핵화 의지 재확인 2018-9
비핵화 입장 표명 2016-5
비화 가야 지배자 유물 2020-10
빅딜 2014-11
빅터 차 2018-1
빅토르 드게트 1879
빅토리아 1897 1900
빈 1986
빈민 49 273 428 707 1006 1348 1441 1494 1503 1532 1690 1901
빈민 폭동 1833
빈살만 2019-6
빈집 2004-9
빌 게이츠 2013-4
빌보드 뮤직 어워즈2021-5
빌보드 차트 2018-5 2020-8,11
빗썸 2018-2
빙하 해역 2011-12
빨간 마후라 2015-2
빨치산 투쟁 1949
쁘라윳 2019-9

ㅅ

사史(1) 797
사赦(2) 1276
사司(3) 1310 1420 1431 1678
사士(4) 1431
사가독서 1476 1497 1508 1554
사가독서당 1508
사간원 1506
사격연습 1069 1076 1091 1093
사격통재 레이더 2018-12
사격훈련 2010-12 2014-4
사경승 1305
사경원 1181
사고 1400 1402 1439 1614 1757 1803
사공 1245
사과문 2005-12
사관 1477
사관양성학교 1888
사구 248
사구성 417
4군 1433 1459 1746 1775
사금갑전설 488
사급법식 1446
사급전 1331 1383
사내악 230
사노공 1774
사내정의→데라우치
사냥 103 146 325
4년중임제 2018-1
사노비 1382 1603 1739
사다함 562
사단 1855
사단장 2014-10
사단칠정 1559 1572
사단칠정변 1622
사단칠정 이기의 논 1658
사당 1716
사대 320
4대강 보 2013-1
4대강 정비공사 2009-11 2010-11,12 2011-6 2013-5,7~9
4대강 정비공사 기공식 2008-12
4대개혁 2015-8 2016-1
4대국제대회 2011-7 2013-3
4대군사노선 1962 1972
4대그룹 총수 2020-1
사대부 1671
사대부가 1390
사대실록 1287
4대 의혹사건 1963
4대 평화방안 1988
4도 1136
사도 1762
사도몽 776
사도성 162 210 216 217 233 292 293
사도세자 1736 1761 1776 1899
사도세자 묘 1789
사도세자 시말 1762
사도하자 전투 1933
4도호 1173
사드 2015-2 2016-7~9 2017-3 2019-12
사드 배치 계획 2017-2,3
사드 배치 문제 2017-10
사드 임시 배치 2017-9
사드 포대 2017-9
사라예보 1973
사라호 1959
사랑에 속고 돈에 울고 1936
사랑제일교회 2020-8
사량진 1544
사량진웅 850
사력서 1506
사례편람 1844
사료 1641
사류 1579
사류망담 1569
사르코지 2010-11

삼척시 2018-2
삼척시 주민 2014-10
삼척 영장 1702
삼척항 입항 경계 2019-7
삼천리 1929 1936 1938
삼천만 동포에게 읍소함 1948
삼천사 1054
삼청교육대 1980
38선 1950
38선 돌파 1951
삼포 1438 1466 1469 1474 1480 1503 1609
삼포오루→미우라
삼포왜란 1510
삼포왜인 1494
삼풍백화점 붕괴사고 1995
삼한금석록 1858
삼한문화재연구원 2012-8
삼한시 귀감 1565
삼호드림호 2010-4
삼호주얼리호 2011-1
삽교읍 2006-2
삽량성 463
삿포로 1990
상賞(1) 755
상商(2) 1135
상경上京(1) 926
상경上京(2) 1474
상경로 1432
상경 용천부 756 794
상공부 1988
상공 학교 1899
상급종합병원 2020-12
상대등 531 576 579 588 636 645 660 706 763 771 780 764 768 774 801 835 838 840 862 875 912
상대별곡 1392
상락관 570
상례 1452 1709
상록수 1935
상록수 부대 1999
상루 271
상문사 714
상방무역 1677
상법 2020-12
상복 1575
상복 고증 1666
상복법 504
상복사 1430
상복식 1068
상산고등학교 2019-7
상서尙書(1) 995
상서上書(2) 1412
상서사 1388
상서성 1291
상서 우승 1112
상소 777 1002 1133 1134 1148 1158 1179 1322 1444 1515 1532 1537 1551 1565 1570 1573 1586 1636 1639 1657 1659 1679 1686 1762 1788 1808 1818 1822 1841 1855 1865 1868 1874 1880 1883 1888 1893 1897
상소금지령 1874
상소문 1661 1664 1674 1876 1909
상속권 1774
상속령 1934
상속세 탈루 2018-6
상수도 1903
상시 청문회법 2016-5
상아 1469
상언 1412
상업 1102 1773
상업 은행 1899
상여 1742
상여금 2013-12
상왕 1314 1316 1319-1321 1323 1325 1330 1332 1455
상왕십리역 2014-5
상원검은모루동굴유적 전50만
상원군 1322
상원사 724 1464
상원사종 725
상의원 1402 1530
상인 1485 1709 1764 1791 1815 1824 1841
상임전국위원회 2016-5
상장군 1014
상전 1739 1761
상점 1644 1793 1806
상정 1123 1415 1416
상정소 1435
상좌평 408 429
상주 906 1195 1592 1653 1894 2005-10 2007-11 2011-1 2015-7 2017-5 2019-7 2020-1
상주공관 2014-5
상주산성 1254
상주시 2021-1
상주~영천 고속도로 2017-6
상진 1564
상진안동도 1204
상채청 1743
상촌집 1630
상춘정 1152
상평전 1874
상평제용고 1375
상평창 993 1498 1502 1524 1539 1548 1581
상평청 1633 1635 1648
상평통보 1633 1634 1678 1680
상품 1736
상품매점 행위 1764
상하이 1884 1894 1912 1915 1917~1919 1921~1923 1925 1930~1933 1935 1993 2001-1,10 2011-3
상하이 사변 축하식장 1932
상하이 샐비지 2017-3
상하이 스캔들 2011-3
상하이엑스포 2010-4
상하이임시정부청사 재개관 2015-9
상하이차 2009-1
상호교류협력 1995
상호군 1404
상호방위조약 1961
상호신용금고 2002-3
상호저축은행 2002-3
새나라 자동차 사건 1963
새남터 1846
새누리당 2012-2,4,5,8,10,12 2013-4,5,7,10 2014-5~10 2015-2~4,7,9,10 2016-4,5,8,10,12 2017-2 2018-6
새누리당비상대책위원회 2016-6

새누리당윤리위원회 2017-1
새동무 1920
새로운 물결 2021-10
새로운보수당 2020-1,2
새마을운동 1970
새마을운동 기록물 2013-6
새마을운동 중앙본부 1980
새만금간척사업 1999 2001-5 2003-5,7 2005-12 2006-3
새만금 개최 유치 2017-8
새만금방조제 2006-4 2010-4
새물결→새로운물결
새보수당→새로운 보수당
새정치국민회의 1995
새정치민주연합 2014-3~5,7~10 2015-1~5,7~12 2016-1
새정치민주연합 중앙위원회 2015-9
새정치연합 2014-2,3
새정치추진위원회 2013-11
새진보통합연대 2011-12
새천년민주당 2000-1 2005-5
새크라멘트 1917
새한국당 1992
새 한국의 비전 2016-5
새한티이피 2013-5,11
색경 1676
색동회 1923
샌프란시스코 1905 1908 1913 1945 1990
샌프란시스코 공항 2013-7
샌프란시스코 지대 1943
샘물 교회 2007-7
생명과학II 문항 2021-12
생명의 봄 1924
생명의 서 1947
생물권 보전지역 2016-3
생산책임제 1944
생생자 1792 1796
생수 1994
생원 1147
생육신 1460
생의사 644
생활 속 거리두기 2020-5
샤스탕 1837 1839
서간도 1910 1912
서강西江(1) 1373 1391
서강徐岡(2) 1459 1461
서거정 1466 1474 1478 1481 1483-1485 1488
서건창 2014-10
서경 922 926 929 930 931 945 947 960 974 986 990 993 998 1004 1008 1011 1062 1081 1101 1102 1107 1125 1128 1129 1131 1132 1135 1136 1137 1144 1145 1154 1168 1175~1179 1217 1226 1233 1250 1270 1359 1360 1369
서경덕 1544 1546
서경별곡 1350
서경원 1989
서경유수 1174 1252
서경인 1147 1233
서경유수 판관 1178
서경제도 1638 1642
서경천도 1132 1134 1367
서곡성 633
서광범 1884
서구 2010-12
서긍 1618
서귀포 2001-6
서귀포 경찰서장 2011-8
서귀포시 2001-6 2005-1 2009-6 2012-3
서규룡 2002-7
서긍 1123
서기書記(1) 375
서기西紀(2) 1962
서기순 1854
서기원 1990
서남대학교 2017-12
서남 아시아 983
서남표 2011-4
서노련 1985
서눌 1042
서당 1305
서대문감옥 1912 1927
서대문구치소 1978
서대문~청량리 전차 1898 1899
서도西都(1) 960
서도西島(2) 2012-10
서독 1958 1964 1967 1986 1989
서독특별사절단 1969
서돈각 2004-8
서동요 599
서라벌 전57
서라벌문화재연구원 2018-7
서로군정서 1919 1921
서류상회사 2013-5,6 2016-4
서류소통절목 1777
서리 99 335
서림 1560
서만술 2001-5
서매수 1818
서면 1985
서명선 1791
서명응 1761 1772 1779 1781 1787
서문시장 1975 2016-11
서민호 1952
서반 1483
서법판본 1450
서변의 옥 1656
서병호 1919
서봉총 1926
서부 15 38
서부도서 방위사령부 2011-6
서북경략사 1883
서북면 989 1044 1064 1172 1187 1174 1178 1216 1236 1363
서북면 병마사 1042 1091 1112 1172 1178 1223 1226
서북면 순검사 1009
서북면 행영 병마도통 1104
서북인 1625 1682 1699
서북제번기 1501
서북지도 1501
서북지방 1625 1691
서북철도국 1903
서북철도 기공식 1903
서북학회 월보 1910
서불한 248 263 285 403 637 743
서빙고 1396
서산 2004-8 2005-4 2007-12 2010-12

서울외곽순환고속도로 2007-12 2010-12
서울운동장 1947
서울월드컵경기장 2001-11 2002-5,9
서울은행 2002-9
서울인구 2016-4
서울장애자올림픽대회 1988
서울저축은행 2013-2
서울주택도시공사 본사 2021-4
서울중앙방송국 1947
서울중앙지방법원 2018-4 2020-5
서울지방경찰청 2013-5 2016-5
서울지방경찰청 국제범죄 수사대 2015-1
서울지방경찰청 사이버 범죄수사대 2013-5
서울지하철 1974 1985 2009-7 2014-5
서울지하철 9호선 부실시공 2014-8
서울지하철 노조 1989 2004-7
서울천년타임캡슐 1994
서울~춘천 고속도로 2009-7
서울출입국·외국인청 2018-5
서울특별시 1966 1989 1995 2003-7 2004-5,7 2005-10 2013-11,12 2014-8,10 2015-6 2018-1 2020-2 2020-3,5,8,12 2021-3
서울특별시 교육청 2019-3
서울특별시 도시철도 공사 2017-5
서울특별시 인구 2014-2
서울특별시 인권보호관 2014-12
서울특별시장 보궐선거 2021-4
서울특별시 코로나19 하루 확진자 2021-9
서울~평양 민간 상설전화 2000-11
서울~평양 직통전화 2000-5
서울평화상 1989 2012-10
서울행정법원 2003-7 2014-6 2021-12
서울회생법원 2017-5
서원 1543 1564 1595 1644 1695 1704 1712 1724 1728 1741 1859 1862 1864 1868 1871 1878 2019-7
서원경 770
서원철폐 1741
서원폐단 1657
서원향약 1571
서원현 1871
서유견문 1889 1895
서유구 1797 1834 1835 1838 1845
서유대 1802
서유린 1802
서유문 1798
서윤복 1947 2017-6
서인庶人(1) 1389 1435 1709 1762
서인西人(2) 1575 1660 1680 1683
서일 1911 1919 1921
서자 657 1046
서장관 1590
서재필 1884 1896 1918 1921 1947 1994
서재 학사 992
서적 1027 1088 1091 1101 1290 1392 1410 1421 1466 1536 1552 1604 1645 1784 1786 1788 1812
서적소 1129
서적원 1392
서적포 1101
서적 휴대 1754
서점 1519 1533 1551 1897
서정 1638
서정길 1962
서정범 2009-7
서정순 1899
서정우 2003-12
서정욱 2001-1
서정일기 1811
서정주 1936 1941 1947 2000-12
서종태 1719
서주 850
서주집 1854
서지수 1768
서지현 2018-1,2
서창선 1952
서책 1505
서천 1380 1382 1419 2007-12 2013-9 2014-1 2018-12 2021-7
서천~공주 고속도로 2009-5
서천군 1419
서천왕 270 292 296
서천호 2014-4
서천화력발전소 2013-8
서청원 2002-5 2003-1 2004-1 2013-10 2017-10
서초경찰서 2021-1
서초구청 행정지원국 2013-11
서킷 브레이커 2016-2
서편제 1993
서평포 1511
서포 만필 1670
서표 1129
서프라이즈호 1866
서필 965
서필원 1657 1664 1671
서학 1788 1798
서학의 옥 1785
서학폐단 1788
서항석 1931
서해 251 1352 1845 1879 1999 2002-6 2004-6 2009-11 2010-1,3,5,8,9 2011-12 2012-5,8,10 2014-2,5,9,10 2015-5 2016-2,5 2020-9
서해 군통신선 2013-9 2018-1
서해대교 2000-11
서해도 1250 1312 1360 1395
서해 무력충돌 2002-7 2004-6
서해안 1352 1845
서해안 간척사업 1987
서해안 고속도로 2001-12
서해 5도 어민 2014-11
서해 5도 통행 질서 2000-3
서해 위성발사장 2019-12
서해 직항로 2018-2,3
서해 페리오 침몰사고 1993
서해해전 1999
서형산성 593
서호수 1790 1799
서화협회 1918
서후 1520~1522 1526
서훈 2017-5,6 2018-3,9 2020-7,8

서흥 529
서희 972 993 994 996 998
서희부대 창설식 2003-4
석가여래내영도 1307
석가탄신일 1975
석가탑 1966 2013-4
석경 1427
석곡문집 1804
석교 1518
석굴암 751 1911 1913 1995
석궁 2007-1
석담 1577
석대 1770
석두성 607
석란정 2017-9
석면 2009-4
석문성 214
석범 1846
석보 1487
석보상절 1446 1449
석빙고 1737
석성 671
석수 1446
석실봉토분 2020-10
석왕사 1810 1863
석우로→우로
석유가스개발 2011-3
석유화학 2014-11
석유황 1637
서적 1027
석조전 1910
석종 836
석주선 1996
석주집 1632
석지형 1653
석척군 1429
석천 240
석천현→이시카와현
석촌지하차도 2014-8
석총 901
석탄 1914 1940
석탄저장소 1885
석탈해 8 10
석토성 649
석탑 1080
석품 631
선 1406 1424 1550 1551 1929
선가귀감 1564
선각대사편광영탑비 946
선거공약 2011-4
선거관리위원회 2002-3 2013-4
선거관리위원회 디도스 공격 2012-2
선거관리위원회 홈페이지 2011-12
선거 무효 1960
선거법 1958 2004-3 2007-6
선거법 개정안 2019
선거법개정특별위원회 2019-6
선거법 위반 2009-10
선거연령 2019-12
선거운동 금지 2011-12
선거유세 2004-4
선거인단 1980
선거자금 지원 의혹사건 2001-1 2003-9
선거중립 2007-6 2012-9
선거 후보 매수 1989
선결도감 1485
선경그룹 1992
선경전 1168 1187 1215
선과 1551 1552
선광 1377
선교 1912
선교사 1832 1866 1885 1886 1887 1897 1912
선교석 1586
선군 1311
선군정치 2012-1
선기옥형 1669 1688 1732
선농제 1513 1553
선니 588
선대실록 1307
선덕 2002-7 2015-3 2015-3 2016-4 2020-3
선덕여왕 632 647 654
선덕왕 780 785
선덕진 1055 1161
선도국가 2021-1
선록 1841
선릉 1495
선마사 1064
선묘보감 1684
선문촬요 1586
선물비 상한액 2017-12
선박 1058 1064 1529 1852 1878 1995 2004-4 2014-11
선반가 1526
선봉 1991
선부 678
선부서 583
선비 전9 168
선비족 121 285
선산 577
선상탄 1605
선성십철 1303
선세 1343 1858
선수 1615 1619
선수도감 1617
선신니 588
선암사 2018-6
선양 1311 1637 1640 2002-5 2014-3,7
선왕 818 830
선우일 1919
선우혁 1935
선운사 581
선원仙元(1) 690
선원船員(2) 1802 1957
선원각 1660
선원계보기략 1783
선원록 1681
선원보략 1679 1700 1777 1801 1812
선원사 1245 1292 1398
선원속보 1867 1873
선원전 1430 1837 1900
선위 146 784 897 1327 1398 1400 1705
선잠단 1400 1478
선전관 1821 1867
선전포고 1941 1945 2002-1
선정비 1830
선정전 1647 1803
선조 1567 1568 1588 1591~1593 1608
선조 묘 668
선조보감 1805
선조수정실록 1641 1649 1657

ㅇ

아프가니스탄 2007-2,7
아프가니스탄 탈출자 2021-9 2,7
아프가니스탄 파병동의안 2010-2
아프리카 2006-11
아프리카 돼지열병 2019-9 2020-10 2021-1
아프리카 돼지열병 특별재난지역 2019-5
아학편 1821
아희원람 1803
악 1135
악가 1447
악공 818 1045 1120 1164 1188
악관 1552
악기 1114 1425 1745 1777
악기고 1803
악기도감 1777
악기조성청 1682 1745
악어 2020-6
악어발자국화석2020-6
악의 축 2002-1
악인 1140
악장 1170 1518 1651
악학궤범 1493 1742
악학도감 1511
악학습령 1713
악학제조 1430
안강 102 2013-4
안견 1442 1447
안경 1799
안경공 1269
안경덕 2021-4
안경수 1896 1900
안경호 2006-6
안경환 2017-6
안골포 1510
안공 1628
안광천 1926
안광한 2017-12
안국군 280
안국빈 1754
안국사 1864
안국선 1908
안귀생 1472
안기부 1980 1984 1988 1989 1993 1994 1996 1997 2003-9 2005-7
안기부법 1996
안기영 1881
안나푸르나 2011-10 2020-1
안남도호부 1150
안녕들 하십니까 2013-12
안달길 1840
안당 1521
안대희 2014-5
안도 580
안동 1361 1556 1574 1894 2007-7 2010-7,11 2012-8 2015-1 2020-4
안동김씨 1805 1851
안동다목적댐 1976
안동대도호부 1362
안동도독 699
안동도호부 668 1197
안동부 1197
안동선 2001-8
안동시 2021-2
안동 신청사 2016-2
안동수 2001-5
안두희 1949 1996
안란창 1067
안렴사 1276 1293 1388 1392 1393 1401
안류 191
안맹담 1462
안면도 1990 2011-2
안명근 1910 1911
안명세 1548
안무고려군민 총관부 1261
안무사 747 1012 1018 1107 1877
안민영 1876
안바르 2013-4
안방열 1272
안배진삼 →아베(2)
안변 1005 1372 1451 1510 1780 1810 1863 1882
안변부사 1402
안병룡 2012-1 2013-5
안병만 2008-7
안병욱 2013-10
안병찬 1929
안병호 2018-3
안병희 2006-10
안보대책회의 2010-1
안보태세 2010-5
안봉근 2016-10,11 2017-10
안봉선 철도 1909
안비취 1997
안삭진 952 970
안산安山(1) 2014-4
안산(2) 2021-7
안산시 2014-4 2019-1
안상수 2010-7
안상영 2004-2
안서 1299
안서대도호부 1247
안서도호부 727 1058
안서시초 1941
안성 1383 2002-5 2007-2 2015-1,6 2016-11 2017-12 2019-1,8 2020-8
안성시 2014-5
안소광 1017
안순 1440
안숭선 1452
안숭효 1460
안승 670 674 680 683 684
안시성 645 671
안심번호 국민공천제 2015-9
안심사 1028
안악 1911
안악사건 1911
안악3호분 357
안압지 674 2017-9
안양도호부 1203
안업 금제 1473
안열 1257
안용권 2009-11
안용복 1693 1696
안우 1360 1362
안우경 1372
안원왕 531 545
안위 1555
안융진 993
안익태 1929 1936 1955 1965
안장왕 519 531
안재홍 1917 1925 1931 1938

SK 2000-12 2003-10
SK그룹 2013-7,9 2016-12 2017-1,2
SK 대선자금 2003-10
SK 비자금사건 2003-10
SK와이번스 프로야구단 2021-1
SK텔레콤 2013-7 2014-3
SK하이닉스 2012-3
에스토니아 2018-2
에스트라다 1999
STX 조선해양 2018-4
에스페란토 연구회 1930
에이미 2014-1
에이비슨 1893
APEC→아시아·태평양 경제협력체
AP통신 1999
HSBC→홍콩상하이 은행
HLKA 1947
A형 구제역 2018-3
에케르트 1901 1911
에티오피아 1968 2011-7 2016-5
F15K 2002-4
F1→자동차 경주대회
FTA→자유무역협정
NC야구팀 선수 2021-7
NSC→국가안전보장회의
NH농협카드 2014-1
NLL→북방 한계선
NPT→핵확산금지조약
엘러스 1887
엘리자베스2세 1999 2013-11
엘벡도르지 2016-5,7
엘시티 비리사건 2016-11
LS전선 2013-8
LA다저스→로스앤젤레스 다저스
LH 2021-3
LH 본사 2021-3
LG 2018-1
LG그룹 1999 2016-12
LG반도체 1999
LG본사 2018-5
LG야구팀 2012-2
LG유플러스 2013-7 2014-3
LG전자 2021-4
MBC 1961 2002-12 2005-7,12 2010-1 2013-3
MBC 가요 콘서트장 2005-10
MBC 노조 1990 2012-1 2017-9
MBC 본사 2018-5
MBC TV 2003-5
MBN 2020-10
ML당 1926
엥흐바야르 2014-10
여객기 2014-12 2019-7
여객기 화재사고 2019-5
여객선 1967 1970 2005-12 2020-8
여객선 침몰사건 1953
여군 1951 2014-10
여군학교 2002-10
여권 인사 고발 사주 2021-9
여기자 1924
여당 1978 1987 1988 1998 2003-4 2004-6 2005-4 2006-2,5,7,10 2008-4,6,7,12 2009-4,10 2010-6,7 2011-4 2012-4 2013-10
여당의원 1958
여론조사 2002-11 2014-4
여론조사 조작 2012-3
여론조작 2013-10 2019-1
여무구축령 1720
여배우 스캔들 2018-10
여사제강 1667
여서정 2021-8
여석기 2014-6
여성 2005-7
여성가족부 2010-3
여성 기장 2008-11
여성 단체 1918
여성 대법관 2004-7
여성 대통령 2012-12 2014-2
여성동아 1967
여성 박사 1900
여성부 2000-7 2010-3
여성산악인 2009-7 2010-4
여성 성착취물 제작 유포 2020-3,5
여성 성폭행 범인 2006-1
여성 소위 2002-3
여성 연구원 난자 2005-11
여성 원내대표 2014-5
여성 장성 2001-11
여성 재판관 2003-8
여성 주한 미국대사 2008-9
여성지 1933
여성 총리 2006-4
여성 피의자 2012-11
여소 야대 2016-4,5
여수 1593 1599 1620 1953 1967 1995 2009-12 2011-10
여수~광주 철도 1930
여수국가산업단지 2013-3
여수 수산시장 2017-1
여수·순천 10·19사건 1948
여수시 2007-12 2012-5 2013-2
여수 앞바다 2014-1,2,4
여수엑스포 2002-12 2007-11 2012-5
여수장 우중문시 612
여수 출입국사무소 2007-2
여순→뤼순
여신 407 408
여씨향약 1517
여씨향약언해 1573
여악 1520
여야5당 대표 2021-5
여야원내대표 회동 2020-5
여·야·정 정치협상 회의 2006-11
여야협의체 2013-2
여엄 930
여연 1849
여연구 1991
여연군 1432 1435 1442 1523
여영국 2021-3
여요전주 1947
여우길 1607
여우조연상 2021-1,4
여우주연상 1987 2007-5 2017-2
여운계 2009-5
여운형 1918 1919 1922 1923 1926 1944 1945 1947 2005-2
여의도 1922 1975 1981 1989 2008-9 2018-7
여의도 비행장 1929 2019-4
여의도 시위농민 사망사건 2005-12

여의사 1920
여자 1427 1440 1667 1731
여자기계체조도마경기 2021-8
여자 노비 1668
여자 맹인학교 1903
여자아이스하키단일팀 2018-1
여자아이스하키선수단 2018-1
여자양궁경기 2021-7
여자양궁대표팀 2021-7
여자 정신근로령 1944
여자 탁구팀 2018-5
여적 1959
여정궁 1182
여정림 796
여주 1745 2001-8 2010-12 2016-9,11 2018-3,7 2019-8 2020-12
여주군 2013-7,9
여주시 2013-9
여중생 남치 살해범 2010-3
여중생 사망사건 2002-11,12
여지구 1645
여진 984 994 1019 1026 1062 1073 1080 1103 1104 1107~1109 1113 1114 1364 1371 1427 1433 1437 1460 1467 1479 1491 1511 1524 1602
여진군 1108
여진 기병 1433 1435 1474 1587
여진 소자 1225
여진인 1037 1051 1079 1130 1484
여진족 1439 1459 1460 1483 1501 1524 1528 1530 1538 1541 1585 1587 1610
여진 추장 1025 1404 1459 1595
여진 토벌군 1107
여천군 1730
여천석유화학공단 1978
여초시대 2015-9
여학생 1945
여홍철 2021-8
여훈 1532
역 983 1173 1415 1462 1600
역관 1808
역내평화안정 2018-7
역내포관적경제동반자협정 2020-11
역노공 1774
역대군신도상 1526
역대명감 1500
역대병요 1452
역대연표 1278
역대총목 1705
역로 993 1457
역린진팔랄 공주 1316
역마 1028
역모 1358 1618 1629 1644 1881
역박사 554
역법 674 1649 1811 1823
역분전제 940
역사役事(1) 1417
역사歷史(2) 1910
역사교과서 2015-10
역사교과서 국정화 2015-10
역사교과서 국정화 사업 2018-6
역사교과서 국정화 폐지 2017-5
역사교과서 집필기준 2011-11
역사문화관광지구 2012-
역사서 1381 1383
역사왜곡 2013-3
역사왜곡 교과서 2001-4
역사집략 1905
역서 602 1052 1649 1715 1730 1735 1825 1835
역술 674
역승 1457 1462 1512 1535
역옹패설 1342
역적 1735
역전분제 940
역참 983 1345
역참 망 1438
역청 1534
역학도설 1645
연燕(1) 전317 전300 전264
연鉛(2) 1740
연가 974
연가7년명금동여래입상 539
연개소문 642 650 662 666
연경 1264 1314 1323 1644 1735
연경궁 1196 1209 1312
연경당 1828
연경무역 1771
연기 1291 2011-2
연기군 2004-6,8
연길현 1923
연남건→남건
연남산→남산
연남생→남생
연대 1432 1510
연대 파업 2016-9
연덕궁 1143
연돌 497
연등 1431
연등행사 890
연등회 1010 1039 1067 1077 1146 1155 1209 1213 1306 1352 2020-12
연려실기술 1797
연무공원 1888
연방원 1505
연복사종 1326 1346
연복절목 1721
연복정 1328
연분9등법 1444
연불 243
연산 1673
연산군 1494 1497 1506
연산군일기 1509
연성대첩비 1608
연세대학교 1987 1996 2006-1
연세의료원 노조 2007-7
연쇄살인범 1975
연신 478
연안 932 1058 1247 1556 1854 2016-3
연안호 2009-7
연영전 1099
연예병사제도 2013-7
연오랑세오녀설화 157
연일현 1893
연잉군 1721
연재법 1473
연정토 666
연제욱 2017-10
연조귀감 1848
연좌농성 2014-5,8
연좌제 1894

연주漣州(1) 1175
연주延州(2) 1216
연주시격 1483
연지사종 833
연진 224
연천 675 2005-6 2009-9 2010-12 2011-8 2014-10 2017-2 2019-9
연천전곡리유적 전30만
연철 1503
연철호 2009-4
연초전매령 1927
연충 230
연통제 1919
연평도 1093 1962 2010-8,11,12 2011-2 2014-10 2015-5 2016-5
연평도 어민 2016-3,5
연평도 주민 2014-3,5
연평도 포격사건 2010-11 2013-11 2018-2
연포 2019-11
연한색 옷 1767
연한요람 1648
연한제 1181
연합군 1943
연합신문 1953
연해 1878
연해주 1891
연해주 동포 1908
연행기 1790
연행록燕行錄(1) 1765
연행록燕行錄(2) 1773
연행사 1857
연형묵 1989 1990 2005-10
연형제곡 1419
연호 237 391 536 551 568 572 584 634 647 650 698 719 737 795 809 813 817 818 822 830 875 882 886 904 905 911 914 918 950 960 1029 1116 1135 1896 1897 1907 1962
연회 489 769 881 1111 1120 1170 1245
연휴 2014-1
연흥사 1912
연흥전 1165
열녀도 1481
열대야 2014-5
열린민주당 2021-12
열린상호신용금고 불법 대출사건 2000-11
열린우리당 2003-11 2004-1,4~6 2005-1,4,10 2006-1,2,5,7,10,12 2007-2,5,6,8
열린우리당 당헌개정효력 정지 2007-1
열린우리당 지지 발언 2004-3
열반종 650
열병 1188
열병식 240 2017-12
열성어제 1776 1850
열성지장 1837
열성지장통기 1758
열양세시기 1814
열조어필 1725 1876
열차 2014-4
열차전복사고 1951 1993
열차추돌사고 2013-8 2014-5
열차충돌사고 1970
열하일기 1780
염거 844
염거화상탑 844
염동렬 2018-1,3,4
염불 1741
염불소 1471
염상 758 775
염상섭 1920 1921 1924 1963
염세 1603
염세별감 1292 1295 1331
염수정 2013-11 2014-1,5
염신약 1192
염장 846
염장관 1436
염제신 1354 1382
염종 647
염주 1058 1247
염직 1502
염철별감 1357
염초 1470 1633
염초도회소 1450
염포 1466
염포성 1490
염흥방 1388
엽기행각 2018-11
엽전 1854 1868
엿 1877
영슈(1) 591
영營(2) 1556
영객부 591
영객선 621
영건도감 1617 1865 1869 1872
영고 전37
영공 821
영광 1907 2020-8
영광군 2008-1
영광원년명금동구칠이배 전43
영구 국내 거주 1999
영국 1797 1845 1859 1882 1885~1887 1895 1900 1903~1905 1919 1942 1943 1957 1986 1989 1995 1996 1998 1999 2000-12 2001-12 2002-6 2003-7 2004-12 2005-1 2009-3 2010-11 2012-8,9 2013-11 2017-12 2018-5 2020-12 2021-6,9
영국공사 1903
영국군 1887 1943 1957
영국군함 1816 1845 1855 1881
영국배격 국민대회 1939
영국상선 1832 1860 1865
영국선박 1880 1840 1847
영국아카데미상 2021-4
영국인 1904 1909
영국총영사 1884
영국함대 1885
영규 1592 1788
영길도 1416
영남권 신공항 2016-6
영남권 의원 2011-3
영남권 주민 2011-3
영남내륙지방 2018-6
영남루 1460
영남예술제 1959
영남저축은행 2013-2
영남지방 1079 1747 1827 1855

오아시스 2002-9
오양우 1286
5역 1045
오연총 1105~110 1116
오영식 2018-12
오운 1609
오웅진 2003-3,7 2006-11
오원춘 1979
오월 909 960
5위 1457
5위도총부 1466
5위장 1852
5위진무소 1466
오윤겸 1636
오윤선 1920
오은선 2010-4
오이 전32
OECD→경제협력개발기구
오이코스신학대학 2012-4
오익제 1997
5인 이상 모임 금지 2020-12
5·1 경기장 2018-9
5·16 군사정변 1961 2012-9
5·17 사건 1995
5·18 고소 고발 사건 1995
5·18 광주민주화운동 기간 헬기 사격 2020-11
5·18 광주민주화운동 기록물 2011-5
5·18 광주민주화운동 진상규명 청문회 1988
5·18 기념식 제창곡 2017-5
5·18 내란죄 1995
5·18 민주화운동 2009-5 2013-5 2017-8
5·18 민주화운동 등에 관한 특별법 1995
5·18 사건 1995 1996
오작동→고척동
오장섭 2001-8
오재순 1792
5적 1045
오적 1970
5전 1863
오정숙 2008-7
오제도 2001-7
오존 경보제 1995
오주연문장전산고 1810
오증한 1715
오지영 1940
5진 1509
오진우 1976 1995
오창 2020-5
5천원권 1977 2006-1
오촌원심→오쿠무라
오충일 2007-8
오층윤도 1742
오치성 1971
오케스트라 1928
OK금융그룹배구단 2021-2
오쿠무라 1877
오키나와 1816 1820 1958
오키나와 상인 1826
오페르트 1865 1866 1868 1871
오행귀감 1653
오현 2018-5
오홍근 1988
오효신 859
오히라 1962
옥개석 2013-4
옥대 579 937
옥련몽 1857
옥룡사 1149
옥루몽 1857
옥류동 1736
옥사 1507 1722
옥산서원 1572 1573 2019-7
옥쇄투쟁 2016-3
옥시 2016-4,5
옥저 285
옥책도감 1634
옥천 486 554 1182 2016-11
옥천사 830
옥천사동종 1782
옥천사임자명반자 1252
옥천서원 1564
옥포조선소 1981
옥포해전 1592
옥호루 1895
온 1270 1271
온가보→원자바오
온 겨레에 유고한다 1914
온달 590
온두라스 2015-7
온라인 개학 2020-4
온라인 기자회견 2021-1
온성 1088 1441 1443 1478 1488 1726
온성군 1440 1441
온성부 1441
온정각 2001-5
온조왕 전18 28
온천 2021-3
올드 보이 2004-5
올랑드 2013-11 2015-11 2016-5
올레 1호 2010-12
올림픽공원 1986 1995
올벼 1838
올브라이트 2000-10
옵티머스사건 2020-10
옷 283
옷감 1071
옷로비 의혹사건 1999
옹주 1308
와룡산 2002-9
와산성 66 75 76 190
와우아파트 붕괴사고 1970
YWCA 1922
YWCA 위장 결혼식사건 1979
YWCA회관 1920
YH무역 1979
YMCA 1903 1916 1920 1986
YMCA회관 1906
YG엔터테인먼트 사옥 2019-8
Y2K 2000-1
YTN 2013-3
와타라 2014-10
와히드 2000-1
완구碗口(1) 1418
완구玩具(2) 1838
완당집 1868
완도 828
완도국제해조류박람회 2014-4
완산 1155
완산군 1341
완산별곡 1456
완산주 892 900
완안부 1103

유몽인 1621 1623
유물 2014-1,9
유민 300 489 510 1256 1283 1867
유배 668 942 992 1103 1112 1126 1127 1151 1170 1181 1203 1204 1207 1230 1278 1299 1320 1363 1367 1371 1390 1391 1457 1478 1507 1519 1524 1527 1530 1535 1537 1563 1583 1589 1590 1608 1613 1616 1660 1667 1675 1790 1795 1801 1836 1840 1851 1856 1864 1870 1873 1874 1876 1877 1880 1883 1886 1893 1894 1897 1914
유배가사 1675
유배인 1048
유배지 945 1321 1506 1533 1641 1724 1818 1875 1879 1916
유배형 1430
유병언 2014-4~8,11 2017-6
유병언 법 2014-10
유보 1302
유비고 1398
유비창 1298 1343
유사有司(1) 82 118 467
유사劉思(2) 565
유사눌 1430 1440
유사당상 1713
유산 2021-4
유상기 1718
유생 1473 1495 1510 1516 1565 1741 1823 1855 1873 1874 1894
유서 1916
유선 1039
유섬나 2014-5 2017-3
유성룡 1593 1607 1628 1633
유성우 현상 2018-8
유성원 1456
유성환 1986
유세창 1525
유소 1038
유수 1854
유수원 1737
유숙 1368
유순정 1512
유승국 2011-2
유승민劉承旼(1) 2015-1,2,7 2016-3,6 2017-3,11 2018-2
유승민柳承敏(2) 2016-8 2018-6
유승조 1511 1512
유시민 2006-1 2007-5 2011-3 2013-5
유시태 1952
유신 1104
유신정우회 1973
유신지교 15조 1127
유신체제 1975 2013-3
유신헌법 1972 1974 1975
유신회 1904
유심 1918
유씨 부인 1832
유아교육법 2018-11 2019-3 2020-1
유언비어 1923
유언술 1773
유엔 1948 1949 1991 1993 2005-9 2006-3 2009-12 2013-5 2016-3 2018-2,12
유엔가입 1949 1976 1991
유엔개발정상회의 2015-9
유엔검증단 2008-10
유엔경제사회이사회 2015-7
유엔군 1950-1952
유엔군 사령부 1957 1975 1978
유엔군 참전의 날 2013-7
유엔기구 2007-8
유엔기후협약 당사국 총회 2009-12
유엔무역개발회의 2021-7
유엔본부 2006-10
유엔북한인권 결의안 2006-11 2008-11
유엔북한인권 사무소 2014-6
유엔북한제재 결의안 2013-3
유엔사령부 2016-6
유엔사무총장 2006-10
유엔소총회 1948
유엔아동기금 2013-7
유엔안전보장이사회 2009-4 2010-12 2013-5 2018-2
유엔안전보장이사회 결의안 2014-3 2016-3 2021-3
유엔안전보장이사회 비상임 이사국 1995 2012-10
유엔인권위원회 2019-1
유엔인권이사회 2014-3
유엔인권이사회 의상 2015-12
유엔총회 1947 1948 1951 1988 1991 1992 1997 2001-9 2009-9 2011-6,9 2014-9 2015-9 2017-9 2018-9 2019-9 2021-9
유엔판무관실 2001-6
유엔한국위원회 1952
유엔한국임시위원단 1948
유엔 핵 사찰단 2010-12
유여해 2017-6
유영경 1608
유영렬 2004-7
유영민 2017-6 2020-12
유영석 1898
유영환 2007-8
유옥 1519
유우익 2008-1,6 2011-8
유원식 1880
유원진 1478
유원총보 1644
6월민중항쟁 1987
유유 244
유윤겸 1481
유은혜 2018-8
유응부 1456
유의양 1784
유인→히로히토
유이민 1431
U-20축구대표팀 2019-6
유인궤 675
유인석 1896 2017-11
유인우 1356
유인원 664 665
유인호 1937
유일 1799
유일영도체제 2021-1

육지 1259 1350 1455 2010-11
6진 1437 1449
육체노동자 2019-2
6현 105 1136 1143
육현가 1541
육혈포 강도 1912
육화진법 1687
윤결 1546 1548
윤경빈 2018-3
윤계선 1599
윤공왕 453
윤관尹瓘(1) 1099 1104 1106~1111 1439 1721
윤관尹琯(2) 1993
윤광웅 2004-7
윤극영 1924 1927
윤근수 1616
윤급 1770
윤기 1307
윤길중 2001-10
윤다 945
윤대 1502 1601
윤대홍 1719
윤덕병尹德炳(1) 1922 1923
윤덕병尹德炳(2) 2019-6
윤덕영 1905
윤동주 1943 1945
윤두서 1704 1714 1766
윤두수 1578 1580 1590 1601
윤문거 1672
윤미향 2020-5
윤발 1875
윤방 1640
윤백남 1912 1923
윤번 1248
윤병구 1903 1905
윤병석 2020-4
윤병세 2013-4 2014-3 2016-6
윤보선 1960 1962 1963 1966 1967 1974 1976 1978~1980 1987
윤봉길 1932
윤봉오 1769
윤봉조 1761
윤분 831
윤비 1966
윤사덕 1394
윤사로 1463
윤사수 1411
윤상 2018-3
윤상도 1840
윤상태 1915
윤석 1342 1348
윤석양 1990
윤석열 2019-6 2020-10~12 2021-3 2021-9,11
윤석중 1940 2003-12
윤석진 2006-1
윤석현 2018-5
윤석화 2013-5
윤선 1550 1553 1700
윤선거 1715~1717 1722
윤선도 1616 1617 1642 1643 1651 1652 1660 1661 1667 1671
윤선좌 1343
윤성빈 2016-2 2018-2
윤성식 2003-8
윤소종 1393
윤순 1741
윤시병 1904
윤신걸 1337
윤심덕 1920 1926
윤씨 1479
윤언이 1149
윤여정 2021-1,2,4
윤영관 2004-1
윤영철 2000-9
윤왕자수월관음도 2013-4
윤용구 1912
윤원로 1537 1547
윤원형 1537 1563 1565
윤유일 1790 1795
윤은수 1578
윤음 1857
윤의립 1643
윤이상 1967 1995 2018-2
윤이·이초의 옥 1390
윤인첨 1174 1176
윤임 1545 1547
윤장현 2018-12
윤재수 2019-12
윤정기 1859
윤정희 1977
윤종 211
윤중 1714 1717 1722 1732
윤중천 2013-5,7 2019-5
윤증현 2009-1
윤지 1755
윤지임 1517
윤지충 1791 2014-2,8
윤진숙 2014-2
윤진식 2003-12
윤진호 2018-11
윤질 923
윤집 1637
윤징고 1021
윤창중 2013-5
윤창호법 2018-12
윤천주 2001-9
윤충 725 736
윤치영 1964
윤치호 1896 1898 1906 1915 1925 1931
윤치화 1879
윤탕빙 1525
윤태식 2001-12
윤태식 사건 2002-1,2
윤필상 1479 1504
윤필용 1973 2010-7
윤학배 2018-2
윤현 1578
윤호尹虎(1) 1385
윤호尹壕(2) 1489
윤호진 2018-2
윤환 1386
윤회 1436
윤효손 1503
윤효정 1904 1906
윤휴 1642 1660 1675 1680
윤흥 866
율곡로 2016-11
율곡사업 1993
율곡전서 1814
율구미 1900
율령 373 520 1047
율령 박사 758
율문 감교청 1516

2009-3 2012-2
의원직 사퇴서 1965
의원직 상실 2006-12
의유당 김씨 1829
의인 1092
의자 1073
의자왕 641 656
의장고 1800
의정 국문자모 문해 1869
의정부議政府(1) 1400 1401 1404 1405 1529 1535 1541 1864 1865 1894 1896 1906 1907
의정부議政府(2) 1959 2011-1 2013-2
의정부 경전철 2017-5
의정부 지방법원 2009-5
의정원법 1919
의정원 의원 선거 1942
의종 1146 1147 1150 1151 1156 ~1159 1163~1168 1170 1173
의주 1117 1219 1220 1222 1223 1364 1369 1382 1450 1451 1481 1592 1628 1635 1709 1836 1837 1904
의주부윤 1811
의주상인 1828
의주성 1520 1630 1631
의직 647
의창 986 1023 1389
의천 1065 1085 1086 1090 1096 1097 1101
의친왕→의왕
의통 988
의학 1472
의학과강책 1831
의학박사 554 692 987
의학 장려책 1472
의학전문대학원 2002-1
의항 1537
의화군 1891
의흥부 1409 1412
의흥삼군부 1393
이가원 2000-11
이가환李家煥(1) 1801
이가환李嘉煥(2) 1802
이갑 1906 1907
이갑성 1981
이강 1891 1900 1919 1955
이강국 2006-12 2007-1
이강년 1907 1908
이강원 2006-11
이강인 2019-6
이강훈 1933 2003-11
이개 1456
2개의 국가 1977
이개호 2018-8
이거이 1412
이거정 860
이건명 1721 1722
이건순 1800
이건호 2014-9
이건희 1996 2006-2 2008-4 2009-12 2010-3 2020-10 2021-4
이겸로 2006-10
이경명 1788
이경석 1648
이경숙 2007-12
이경식 1999 2021-10
이경재 2013-3
이계상 전108
이계철 2012-2
이고 1170 1171
이곡 1333 1335 1351
이공로 1224
이공수 1366
이공승 1183
이공의 1137
이과吏科(1) 1446
이과李顆(2) 1507
이관구 1988
이괄 1624
이괄 반란군 1624
이광 1256
이광규 2013-10
이광린 2006-4
이광범 2012-10,11
이광사 1746 1777
이광수 1917 1922 1932 1933 1938 1939 1943 1950
이광실 1204
이광재李光載(1) 1825
이광재李光宰(2) 2003-12 2009-3 2010-6,9 2011-1
이광정李光艇(1) 1194
이광정李光庭(2) 1603
이광좌 1740
이광철 2021-7
이구 1996 2005-7
이국선 1685 1717
이국철 2011-10
이군현 2016-8
이궁 전17 1157 1259
이권개입 2002-4
이귀 1623 1633
이규경 1810
이규동 1933
이규민 2021-9
이규보 1205 1208 1215 1230 1241
이규태李圭泰(1) 2006-2
이규태(2) 2015-3
이규호 2002-4
이극균 1492 1497 1501 1504
이극돈 1503
이극로 1919
이극배 1495
이극인 1224
이근삼 2003-11
이근안 1999
이근영 2003-5
이근용 1897
이근택 1905
이근행 675
이금로 2016-7
2급 비밀문서 2013-6
이긍익 1797 1806
이기 1552
이기문 2020-2
이기백李基百(1) 1986 2019-12
이기백李基白(2) 2004-6
이기붕 1954 1956 1960
이기설 1544 1642
이기양 1802
이기영李奇英(1) 1646
이기영李箕永(2) 1934
이기영李箕永(3) 1996
이기웅 2012-3

이인규 2010-7
이인로 1205 1220 1260
이인모 1993
이인문 1820 1821
이인백 1824
이인복 1284 1342 1371 1374
이인상 1734 1736 1738 1739 1754 1760
이인순 1913
이인실 1153
이인영李麟榮(1) 1907 1909
이인영李仁榮(2) 2020-7
이인원 2016-8
이인임 1381 1388 1394
이인제 1997 2002-4,12 2004-5 2007-10 2012-5
이인좌 1728
이인직 1906 1913 1914 1916
이인철 2014-2
이일 1587 1588 1592 1601
이일규 1988 2007-11
이일직 1892 1894
2·18 성명 1963
이자 1533
이자겸 1108 1122 1124~1127
이자겸의 난 1126
이자량 1123
이자성 1233 1251
이자연 1053 1086
이자율 980
이자의 1091 1095
이자현 1125
이장석 2016-8
이장손 1592
이장용 1267 1268 1272
이재 1746 1844
이재갑 2018-8
이재관 1836 1837
이재록 2018-4
이재만 2014-12 2016-10,11 2017-10
이재명李在明(1) 1909
이재명李在明(2) 2018-10,11 2020-7 2021-10
이재민 2016-9
이재선 1881
이재수 1901
이재영 2021-2
이재오 2009-3 2010-7
이재용 2015-6 2017-1,2 2020-5 2021-1
이재원 1891
이재 유고 1829
이재정 2004-1 2006-11 2010-1
이재학 1956
이재현 2013-5,6
이재형 1985
이재호 1986
이재훈 2010-8
이정李楨(1) 1561 1564 1571
이정李楨(2) 1607
이정공 1081 1097 1099
이정구 1635
이정미 2017-1,7
이정법 1729
이정보 1766
이정빈 2000-7
이정암 1600
이정옥 2019-8
이정청 1703 1705
이정현 2014-7 2016-8,12 2017-1
이정희 2010-7 2012-3,10 2013-2
이제마 1894 1900
이제신 1885
이제현李齊賢(1) 1314 1323 1342 1344 1346 1363 1367
이제현李濟鉉(2) 1867
이조 1389
이조년 1340 1341 1343
이조묵 1840
이조 전랑 1574
이존비 1287
이존오 1371
이종걸 2016-2
이종구 1993
이종기 1999
이종면 1898
이종명 2019-2
이종무 1419 1425
이종백 1729
이종석 2006-1
이종욱 2003-1 2006-5
이종익 1532
이종인 1812
이종일 1925
이종준 1497
이종찬李鍾贊(1) 1951
이종찬李鍾贊(2) 1992 1997
이종찬李鍾讚(3) 2013-8
이종필 2020-4
이종호 1911
이종휘 1805
이주당 사건 1962
이주일李周一(1) 2002-1
이주일李朱一(2) 2002-8
이주하 1950
이준李浚(1) 1479
이준李儁(2) 1904 1906 1907
이준李鐏(3) 1995
이준경 1572
이준구 2018-4
이준명 1702
이준서 2017-7
이준석 2021-6,12
이준식 2015-12 2016-1
이준용 1886 1895
이중 1133
이중교→니주바시
이중근 2018-2
이중섭 1941
이중재 2008-12
이중하 1885 1887
이중환 1751 1752
이증 1730
이지 1583 1587
이지란 1371 1402
이지명 1191
이지문 1992
이지수 1858
이지순 1193
이지스 구축함 2007-5
이지억 1770
이지용 1905
이지원 2013-7,10
이지저 1145
이지함 1561 1578
이직 1431
이진彝震(1) 830 858

이회영 1932
이회창 1993 1994 1997 1998 2000-5 2001-1,8 2002-4, 5,12 2003-10,12 2004-3,5 2007-11 2008-1 2010-4,6 2012-5
이획 1478
이효상 1963
이효석 1936 1942
이효재 2020-10
이후 1761
이후락 1972 1980 2009-10
이휘림 1874
이흥우 962
이희건 2011-3
이희승 1935 1969
이희조 1724
이희평 1795
이희호 2011-12 2015-8 2019-6
익 48
익군 1455 1457
익령현 1007
익산 670 684 1329 1662 1862 1916 1970 2006-11 2009-1 2010-12 2011-10 2012-3 2015-12 2017-2
익산~장수 고속도로 2007-12
익선관 1781
익선관본 1549 1713 1836
익양후 1157
익재난고 1344 1363
익재집 1363
익조 1872
익종 1827 1830 1848
익종비 1863
인가 1503
인간배아 줄기세포 2004-2
인감증명제도 2009-7 2012-12
인걸 1227
인겸 785 791
인경궁 1616
인경왕후 1680
인골 2017-11
인공 강우실험 2019-1
인공기 2002-9 2003-8 2014-3
인공기 게양요구 사건 1995
인공섬 2010-10
인공위성 2017-12
인공지능 2016-3
인공지진 2016-1
인구 1961 2010-9 2012-6 2021-12
인구감소현상 2021-1
인구조사 1949 1961 1966 1989 1995 2000-12 2005 11 2012-6
인구편차 2014-10
인당 1356
인덕궁 1129
인도 526 723 727 1929 1943 1954 1985 1987 1996 2004-10 2006-2 2010-1 2014-1 2015-5 2017-11 2018-7 2019-2 2021-4
인도군 1953
인도네시아 1982 1988 1994 2000-2 2002-3 2003-10 2006-12 2009-3 2010-12 2011-2,5,7,11 2012-11 2013-10 2016-5,11 2018-9 2019-11
인도양 2002-12 2010-4
인도 한국대사관 2020-7
인류문화유산 2016-11
인명 1845
인명진 2016-12 2017-1
인목대비 1618 1623 1632
인물 1501
인물도 1936
인물추고도감 1281
인민 1320
인민군 대장 2010-9
인민군 대좌 2016-4
인민군 총정치국 검열 2017-11
인민위원회 1945
인민전토 1319
인민혁명당 사건 1964
인보사 2019-7
인보제 1407
인사권 1199
인사라아 463
인사동 2021-6
인사청문회 2002-7,8,10 2004-6 2010-8
인삼 1071 1700 1810 1829 1850
인삼 무역 1752
인선 906
인선왕후 1674
인성학교 1935
인쇄 1776
인쇄법 1421
인수 1651
인수궁 1549
인수대비 1472 1475
인순왕후 1567 1575
인신첩자 1430
인안 719
인열왕후 1635
인예 태후 1093
인왕경 636 1089
인왕도량 1064 1100 1210
인왕반야경 1085
인왕산 1616
인왕제색도 1751
인원 수 1474
인원왕후 1757
인월 700
인일제 1841
인장 1403
인재 497 769 1518 1586 1691 1808
인재양성 1895
인정 1884
인정문 1745 1804
인정전 1418 1803 1804
인제 2006-7
인제군 2013-7 2019-4
인조 1623~1625 1627 1636 1637 1647 1649
인조계비 1650
인조반정 1623
인조실록 1653
인종仁宗(1) 1122 1125 1126 1128 1132 1134 1137 1138 1146
인종仁宗(2) 1527 1544 1545
인종실록 1550
인주 1165
인지의 1467
인지재 1164

ㅈ

장태흥 1713
장택상 1946 1950 1952 1957 1959
장평진 969 1228
장하나 2013-12
장하성 2017-5
장학로 1996
장학사 시험문제 유출 2013-3
장한몽 1913
장항제련소 1936
장헌세자 1776 1855
장혁진 1877
장현광 1645
장혜영 2021-1
장호원 1882
장호중 2017-10
장혼 1803
장훤 248
장흔 299
장흥 826 1372 1593 1708
장흥진 994
장희빈 1701
재 926 1099
재개표 2003-1
재건국민운동본부 1961
재난관리 2011-5
재난지원금 2020-5,9
재능교육 2013-8
재등실→사이토
재령 1893 1920
재령군 1924
재만 한인조국광복회 1936
재무구조 부실 2004-12
재무부 1994
재물 262 1127 1336
재물보 1858
재미한족위원회 1943 1945
재벌기업 1980
재보궐선거 2001-4, 2003-4 2005-4 2006-7,10 2007-4 2008-6 2009-4,5,10 2010-7,8 2011-4 2013-4,10 2014-7 2015-4
재보궐선거 패배 2010-8
재산관리인 2014-10
재선거 1989 2005-10 20-8-3
재선거 공천 2009-3
재산피해 2001-1
재야단체 1986
재야인사 1979 2014-12
재인 1422 1423 1473
재일동포 1965 1968 1975 1999
재일동포 귀국 협정 1959
재일동포 북송 1959 1971
재일 조선인 총연맹 1955
재정경제부 2000-7
재정경제원 1994 1998
재정고문 1901
재정위기 1883
재추 1245
재판권 1950
재해 1531 1870
재호 1133
재활시설 2021-2
쟁의 1926
저고여 1221 1224 1225
저상전 1225
저수지 1726
저작권법 1957
저축은행 2011-2,9 2012-9
저축은행 비리사건2011-5,6,12 2012-7
저축은행 퇴출 저지 로비 2012-7
저화 1401 1402 1411 1425 1473 1515
저화통법 1410
저화행용 절목 1515
적고적 896
적군 1921
적군파 1970
적기 1925
적기사건 1925
적대행위 2018-11
적상산사고 1633 1864 1901
적상산성 1614
적성 638
적성면 2014-6
적십자사 실무회담 2014-3
적십자위원 1903
적암성 611
적외선 천문관측 위성 2013-11
적자 1046
적장 1064
적전 1134 1493 1513 1523 1553
적조경보 2015-8
적조현상 639 2001-8
적폐청산 2017-9 2018-1
적현성 210 216 391
전佺(1) 1240 1245
전倎(2) 1259 1260
전가사변법 1744
전가정배법 1667
전각 1138 1171 1834
전감 1612
전결 1725
전경專經(1) 1508
전경戰警(2) 2013-9
전경련 1968 2016-12
전경련 탈퇴 2016-12 2017-2
전경환 1988 2021-10
전곡 1519
전공노 홈페이지 2013-11
전공의 2000-8
전공지 1007 1012
전관예우 2014-5
전광도 1735 1738
전광훈 2019-12 2020-8
전교서 1466 1484
전교조 1989 2006-1 2010-2 2012-2 2013-10 2014-6 2020-9
전교조 교사 1994
전국경제인연합회 1968
전국경제인협회 1968
전국공무원노동조합 2004-11 2018-3
전국교직원노동조합 1989 2010-2 2020-9
전국구 1971 2001-7
전국노동자대회 2021-11
전국노동자대회 참가자 2021-7
전국노동조합협의회(1) 1959
전국노동조합협의회(2) 1990
전국농민운동연합 1989
전국대의원대회 2011-12
전국대표법관회의 2020-12
전국대학생대표협의회 1987
전국 동시다발 총파업대회 2021-10
전국민고용보험 2020-5

전악서 1409 1458
전안 1496
전양자 2014-5
전여옥 2009-2
전연 338~340 342 343 345 347 349 355 370 385
전염병 1109 1187 1717 1742 1833 1841 1859
전영보 1348
전영택 1919 1924
전용일 2003-12
전우총국 1893
전운상 1740
전운색 1446
전운선 1446
전원일기 2002-12
전월세 안정대책 2013-8
전위 1297 1329 1454 1468
전윤철 2002-1,4 2003-10
전율통보 1787
전의 1893
전의감 1831
전익경 1497
전작권 2014-10
전작권 환수 2018-10
전장箭匠(1) 1285
전장鎭江(2) 1937
전재국 2013-6,7,9
전재용 2004-2 2013-9
전재희 2008-7
전쟁 1594 1994 2006-6
전제 1395
전제상정소 1443
전조선 기자대회 1915 1925
전조선민중운동대회 1925
전주全州(1) 650 892 900 1155 1182 1253 1355 1376 1410 1439 1662 11739 1767 1894 1899 1935 1970
전주田主(2) 1111
전주 덕진선거구 공천 배제 2009-4
전주 덕진선거구 출마 2009-4
전주부성 1734
전주사고 1445 1473 1571
전주사고 도서 1593
전주시 의회 2012-2
전주화약 1894
전중각영→다나카(2)
전중소령 908
전중의일→다나카(1)
전지 394 397
전지왕 405 416 420
전진 370 372 377 381
전진당 2020-1,2
전진한 1919 1955
전차 1903 1917
전철운행 2010-9
전태일 1970
전택부 2008-10
전토 1475
전통 시장 2012-2
전투 387 658 660 812 1231
전투경찰 2013-9
전투기 추락사고 2007-3
전투사단 1964 1965
전투 예비군 부대 1975
전투함 2009-3
전폐 1464
전함 467 1268 1274 1279 1562
전함병량도감 1272
전해종 2018-1
전해철 2020-12
전협 1927
전호佃戶(1) 1111
전호殿號(2) 1902
전화 2001-12 2002-11 2018-11
전화규칙 1902
전화기 1893
전환국 1883 1886 1887 1892
전황 1781
전효숙 2003-8 2006-8,11
절→사찰
절교 345 1225 1369
절도범 1423 1443
절도사 1012
절도자 1510
절량민 1815 1822 1837
절목 1471 1472 1480 1482 1496
절미가 1282
절부 1111
절영도 1885 1898
절중 900
점군사 1108
점심도시락 2005-1
점제현 신사비 85
점필재집 1640
정錠(1) 1112
정呈(2) 1276
정禎(3) 1329
정가신 1298
정감록 1868 1870
정강왕 886 887
정개 914
정개청 1590
정경두 2017-8 2018-8 2019-7
정경심 2019-10
정계政誡(1) 936
정계政界(2) 1779 1894 2009-3,6 2012-5
정계복귀 1987 1995
정계은퇴 1779 1894 1980 1992 1993 2000-5 2002-12 2003-9,12 2004-4 2009-3 2014-7
정계진출 1992
정곤수 1602
정공도감 1570 1572
정과정곡 1151
정관계 로비 의혹 2001-12 2010-10 2012-1
정관대서성 669
정광모 2013-2
정광필 1537 1538
정교 1905
정구鄭矩(1) 1418
정구鄭逑(2) 1620 1807
정구영 1959 1963
정국검 1192 1203
정국수습 공동성명 1963
정국신사→야스쿠니신사
정국은 1953
정국주도권 1987
정권 642 1196 1249 1453 1455 1680 1863 1895
정권교체 1984 2007-12 2012-12
정권수립70주년기념열병식 2018-9
정권이양 1945 2012-12
정권인수 1945
정권재창출 2010-8

정서 1151
정서의 처 1161
정석가 1348
정석범 1883
정석오 1748
정선 1719 1734 1751 1759
정선민란 1889
정선 폐광촌 카지노 2000-10
정성근 2014-7
정성왕후 1757
정성진 2007-8
정세균 2005-10 2006-1 2007-2 2008-7,9 2010-4,8 2015-1,3,4,6~10,12 2016-6,11 2019-12 2020-8,12
정세영 2005-5
정세운 1362
정세유 1177
정세현 2002-1
정속 1518
정수동 1858
정수사 1667
정수일 1996
정수장학회 2012-10
정순왕후定順王后(1) 1521
정순왕후貞純王后(2) 1800
정순왕후貞順王后(3) 1805
정습명 1151
정승 1327 1330
정승화 1979 1997 2002-6
정시자전 1389
정신대 문제 대책협의회 2020-5
정신병원 강제입원 2018-10,11
정신여학당 1887
정신요양 2021-2
정신용 1014 1015
정씨 1231
정안왕후 1412
정암사 수마노탑 1719
정액 1729
정약용 1790 1792 1798 1800 1801 1810 1817~1819 1821 1822 1836
정약용 묘비 1959
정약전 1815 1816
정약종 1801
정언 1877
정언신 1591
정업원 1251 1549
정여립 1589
정여립모반사건 1589 1590
정여창鄭汝昌(1) 1504 1570 1610
정여창丁汝昌(2) 1882 1885
정역定役(1) 1425
정역正易(2) 1885
정연주 2008-8
정영애 2020-12
정영택 1908
정영학 2021-10
정오丁午(1) 1313
정오正午(2) 1884 1912
정온 1641
정왕 809 813
정용기 1906
정우택 2016-12
정우회 1969
정운찬 2007-4,9,11 2009-9,11
정운호 2016-5,7,8
정원 278
정원식 1991 1992 2020-4
정원용 1859 1873
정월 695 700
정유길 1588
정유라 2016-11,12
정유자 1777
정유재란 1597
정윤재 2012-1
정윤회 국정개입 2014-12
정융진 1076
정은경 2020-9
정음청 1443 1452
정음통석 1747 1787
정읍 1946 2008-1 2012-10 2016-11 2020-11
정읍시 2008-4
정읍현감 1589
정의기억연대 2020-5
정의단 군정부 1919
정의당 2013-7 2016-1 2018-3 2019-7 2020-10 2021-3,10
정의부 1925 1927 1929
정의용 2018-3,9 2021-1
정의현 1521
정의화 2014-5 2016-1,5
정인보 1950
정인복 1920
정인섭 1936
정인숙 1970
정인지 1443 1445 1478
정인홍 1611 1623
정일권 1964 1973
정일형 1982
정재각 2000-9
정재철 1997
정전 722
정전교섭 1951
정전대비 위기 대응 훈련 2012-6
정전사태 2011-9
정전협정 2004-6 2010-1 2016-6 2018-12
정전협정 백지화 2013-3
정전협정 체결일 2013-7
정정길 2008-6
정정순 2020-10
정제두 1736
정조 1776 1799 1800 1848 2009-2
정조비 1821
정조실록 1805
정조초상 1770 1781
정족산성 1866
정종貞宗(1) 741
정종定宗(2) 945 949
정종靖宗(3) 1034 1039 1046
정종定宗(4) 1398 1400 1419 1420
정종실록 1426 1431
정주定州(1) 1044 1907 1930
정주靜州(2) 1163 1165 1222 1364
정주성 1080 1104 1811 1812
정주성 기적비 1813
정주영 1984 1988 1989 1992~1994 1998 2001-3
정주영 체육관 2003-10 2018-7
정준길 2012-9
정준용 2019-3
정중부 1170 1172 1174 1175

제2이동통신 1992
제2차공산당사건 1926
제2차대장경판 1251
제2차세계대전 승전 70주년 기념일 행사 2014-12
제2차카프사건 1934
제2차한일협약 1905
제2한강교 1965
제2한국어과목 2020-7
제일모직 2015-7,9 2016-11,12
제일모직 물류창고 화재사건 2015-5
제1야당 1985
제일은행 1998 2005-1
제일은행권 1903
제일은행 부산지점 1878
제1인성호 2010-12
제일저축은행 2011-9 2012-2 2013-10
제1차공산당사건 1925
제1차카프사건 1931
제1차한일협약 1904
제전사 1184
제조 1541
제주祭主(1) 1767
제주濟州(2) 1223 1273 1295 1318 1372 1374 1375 1408 1419 1438 1448 1520 1521 1546 1553 1856 1862 1970 2011-6 2014-4 2016-1
제주교난 1901 1413
제주도 476 1530 1555 1628 1641 1647 1653 1670 1787 1797 1802 1803 1806 1813 1820 1821 1840 1845 1854 1873 1875 1880~1892 1901 1915 1948 1964 1991 1996 2000-9 2001-11 2002-11 2003-9 2004-2,7 2005-7,12 2006-7 2007-9 2009-6 2010-5,10 2011-8 2012-8,9 2013-8 2014-5 2015-8 2016-10 2019-4,7,9,10 2020-2,8,9
제주도동굴연구소 2005-5
제주도민 1078 1576 1901
제주도 4·3사건 1948 2002-11 2014-3
제주도 4·3사건 희생자 2019-4
제주도 생물권 보전지역 2002-12
제주도 선거관리위원회 2009-8
제주도 어민 1889
제주도 출입 1778
제주목사 1556 1557 1565 1670
제주민란 1318 1376 1891
제주 선적화물선 2007-5
제주은행 2013-3
제주지방기상청 2021-1
제주지역 2005-12 2006-1 2007-9
제주출입국·외국인청 2018-9
제주칠머리당굿 보존회원 2013-8
제주특별자치도 2018-2
제주특별자치도청 개청 기념식 2006-7
제주평화포럼 2001-6
제주항공 2020-7
제주해군기지 2012-3 2016-2
제주해녀문화 2016-11
제주해협 2001-6
제중신편 1799
제중원 1885 1904
제지법 1475
제천 1217 1856 2009-8 2020-8
제천단 1088
제천사기리유적 전3만
제천소방서 2018-1
제천시 2020-11
제천 창의대장 1896
제천 화재 참사 2018-1
제폐사목소 1318
제포 1466 1503
제포성 1486
제한적 대북한 선제타격 2018-1
제헌국회 1948
제헌왕후 1504
젠틀맨 2013-4
조 986
조개더미유적 전1300 1 100
조견朝見(1) 1374
조견趙狷(2) 1425
조경趙絅(1) 1661
조경趙璥(2) 1787
조경규 1955 1956
조경단 1899
조경묘 1771
조경원 1873
조경철 2010-3
조경호 1912
조경희 2005-8
조계사 1929 1941 2013-12
조계사 주지 2012-5
조계종 1200 1994 2001-1 2004-11 2007-10 2010-12 2011-12 2012-5 2018-5 2021-7,12
조계종문화유산발굴조사단 2007-7
조계종종정 1966 1993 2001-12 2003-3,12
조계종중앙총회 2018-8
조계종총무원장 2003-11 2004-11 2005-9 2012-1
조공 121 801 938 1021 1025 1029 1033 1043 1053 1082
조관 1415
조관빈 1749
조광趙匡(1) 1135 1136
조광朝光(2) 1935 1936
조광趙珖(3) 2018-6
조광조 1511 1515 1517~1519 1545 1568 1570 1610
조광진 1840
조국 2019-8~12
조국장 공주 1324 1325
조국 전 법무부장관 사태 2021-6
조국평화통일위원회→조평통
조군 1704
조규광 2018-12
조기문 2012-8
조기 여름방학 1967
조기준 2001-2
조나국 72
조난사고 2003-12
조남철 2006-7
조돈 1380
조동순 1870
조동종 1911
조동호 2019-3
조동희 1164 1168
조두순趙斗淳(1) 1870

조두순(2) 2020-12
조라포성 1490
조량 750
조·러 밀약설 1886
조령 1871
조령산성 1718
조례상정도감 1399
조로요 1642
조류인플루엔자 2003-12 2005-3 2006-11 2007-1,2 2008-4 2010-12 2011-1,2 2014-1,3,6,7,11,12 2015-1,2,9 2016-3,11,12 2018-1~3 2020-11,12 2021-1
조류인플루엔자바이러스 2013-2
조류주의보 2012-8
조만식 1920 1922 1931 1932 1950
조만영 1816 1819
조말생 1447
조명균 2013-7,11 2018-3
조명록 2000-10 2010-11
조·명 연합군 1593
조명하 1928
조명희 1927
조문기 1945
조문명 1721 1732
조문사 571
조물성 924
조미미 2012-9
조민기 2018-2,3
조민수 1376 1383 1388~1390
조반 1385 1401
조배숙 2018-1,2
조백상 2014-2
조병갑 1893 1894
조병기趙秉夔(1) 1858
조병기(2) 1955
조병세 1905
조병식 1889 1899
조병옥 1925 1956 1960
조병화 2003-3
조보 1577 1578 1608 1621 1776
조복 1058
조봉암 1950 1956 1958 1959
조분이사금 230 247
조비 1298
조비성 655
조비오 2019-3 2020-11
조사석 1693
조사의 1402
조삼 1843
조삼포소 1850
조서詔書(1) 599 1286
조서趙瑞(2) 1313
조석관측 2019-1
조석래 2013-10,12
조석문 1467 1477
조석우 1854
조선朝鮮(1) 전500
조선朝鮮(2) 1392 1393 1584 1592 1598 1832 1885 1894
조선가요집성 1934
조선건국준비위원회 1945
조선경국전 1394
조선고서간행회 1911
조선고적도보 1915
조선고학생갈돕회 1920
조선 공동 지배 1896
조선 공립소학교 규칙 1915
조선공산당 1925 1926 1928 1946
조선공산당 북조선 분국 1945
조선공화국 1923
조선과학사 1944
조선광문회 1910
조선교구 1877
조선교구 봉헌미사 1888
조선교육령 1911 1920 1941
조선교회 1792 1802 1825
조선구전 민요집 1933
조선국경 1847
조선국공 1124
조선국권 회복단 1915
조선국립교향악단 2000-8
조선군사령 1942
조선군서대계 1911
조선권업협회 1913
조선기독교청년회관 1919
조선노동당 1949
조선노동당 전원회의 2021-12
조선노동대회 1920
조선노동총연맹회 1923
조선농민사 1925
조선농업 보국청년대 1941
조선대학 1968
조선도도 1453
조선도서 1920
조선독립신문 1919
조선독립 요구서 1917
조선동요연구협회 1927
조선말본 1916
조선무역은행 2013-5
조선문단 1924 1935
조선문법 1917
조선문인 보국회 1943
조선문인협회 1939
조선문학급 어학사 1938
조선문화단체 총연맹 1946
조선물산공진회 1914 1915
조선물산장려회 1920 1923 1937
조선미술원 1936
조선미술전람회 1922
조선민력 1936
조선민속 1933
조선민족갱생의 도 1924
조선민족전선 1937
조선민족전선연맹 1937 1939
조선민족청년단 1946
조선민족혁명당 1937
조선민주주의인민공화국 1948
조선민중운동대회 1925
조선방직회사 1930
조선백자 2014-11
조선변호사대회 1928
조선 분야 협력방안 2019-6
조선불교도 총본산 1941
조선불교도총회 1922
조선불교월보 1912
조선비행학교 1929
조선사 1938
조선사 가강 1936
조선사상범 보호관찰령 1936
조선사상범 예방 구금령 1941
조선사연구초 1929
조선사정 연구회 1925
조선사편수회 1925 1938
조선사회당 1917
조선산직장려계 1915 1917

종묘악장 1696
종묘조천의 1495
종부시 1783
종북콘서트 2014-12
종성 1443 1453 1460 1602 1867 1896 1928
종성군 1440 1441
종신 1736
종실 67 1245
종이 610 1424 1541 1788
종이원료 1439
종자도→다네가시마
종저보 1834
종정 1994 2002-3 2011-12
종조 463
종중회원 2005-7
종지의→소오
종친 1399 1410 1412 1442
종친부 1872
종학 1499 1505 1511 1535
종합금융사 1977 1997 1998
종합부동산세 2008-11
종합부동산세 인상 2018-9
좌가려 190 191
좌군도통사 1388
좌도 1407 1450
좌명공신 1401 1437
좌보 10 25 123 147 166
좌소조성도감 1378
좌승 959
좌우익 충돌 1947
좌원 172 189
좌의정 1644 1761
좌이방부 797
좌익계 포로 1952
좌익 공신 1455
좌장 240 247
좌정언 1163
좌지왕 407 421
좌창 1186
좌측통행 2009-4
좌파 독립운동가 2005-2
좌평 657
죄수 226 228 243 585 1785
죄인 1509 1565 1761 1894
주周(1) 전1050경
주州(2) 33 67 81 90 186 187 505 635 658 781 817 819 834 853 879 904 926 929 949 983 987 988 992 993 996 1023 1040 1041 1044 1056 1059 1062 1064 1099 1121 1142 1144 1202 1242 1256 1310 1477
주奏(3) 1276
주가조작 2001-12 2007-12
주간 1929
주간신문 1885
주고 1541
주교舟橋(1) 1789
주교主教(2) 1835 1877 1890 1942
주교사 1789 1793
주교절목 1793
주권 미지정 지역 2008-7
주권침탈 1905
주근 16
주기철 1944
주나 74
주니어세계기록 2021-5
주단 1769
주러공사 1899
주류성 661
주리비아 한국대사관 2015-4
주몽 전37
주문모 1794 1795 1801
주미공사 1887 1891 1899 1901
주민대피령 2015-8 2016-1 2019-1,10 2021-2
주민등록증 1968
주민소환투표 2007-12 2009-8
주민투표 2005-7,11 2011-8 2012-6
주사 1491
주사기 바꿔치기 2021-3
주사파 파동 1994
주산성 518
주상전하 1894
주서백선 1794
주석朱錫(1) 1681 1829
주석酒席(2) 1940 1945
주석제 1972
주세붕 1541~1543 1550 1554
주시경 1906 1908 1910 1914
주식시장 2016-2
주씨 355
주영공사 1905
주영편 1806
주5일근무제 2001-12 2002-5 2003-8
주5일수업 2011-6 2012-3
주옥 144 434
주왕산국립공원 1976
주요산업 국유화 1946
주요 20개국 금융정상회의 2009-3 2009-9
주요 자금세탁 우려 대상국 2016-6
주요 지휘관 회의 2010-5 2014-4
주요한 1919 1924
주일 공사 1899
주일 대표부 1949
주자 대전 1717
주자 도감 1516
주자서 1290
주자서 절요 1556
주자소 1403 1410 1421 1433~1435 1460 1797 1800 1857
주자 초상 1290
주작 813
주재성 626
주저 1005 1024
주적 2001-2
주전 1693 1724 1816
주전관 1097
주전 도감 1097
주전소 1424 1731 1855 1881 1883 1889
주점 983
주종소 1429
주주 67
주지 1914
주진 548
주차 사령부 1904
주차 조선 총리교섭 통상사의 1885
주척 1430
주청사 1584
주체사상 1955
주체사상탑 1982

ㅊ

책명사 906
채무보증 승계 1992
책문후시 1719 1787
책보도감 1634
책봉 565 858 1133 1212 1260 1330 1385 1418 1421 1450 1596 1625 1638 1645 1690 1721 1736 1744 1830 1901
책봉사 1206 1377 1596 1609
책부원구 1151
책왕세자의 1421
처경의 옥사 1676
처녀 1307 1408 1479
처영 1593 1794
처용가 1348
처용무 2009-9
처용설화 879
처우개선 1930 1934
처인성 1232
처첩 1133
척사 1881
척사윤음 1839 1881
척석희 1345 1429
척왜척양 1893
척준경 1108 1115 1126 1127 1144
척화 1633
척화론 1640
척화비 1871 1882
천개 1135
천경 1029
천곡 서원 1573
천관사 786
천균노 1093
천녀 1553
천녕 1143
천도 전5 3 371 427 475 538 689 756 785 1096 1232 1390 1399 1404 1405
천도교 1905 1906 1918
천도교 교령 1934
천도교 교주 1922
천도교 소년회 1921~1923
천도교 청년회 1920
천령전 1179
천로역정 1895
천리경 1631
천리마 운동 1958
천리안 2010-6
천리안 2A호 2018-12
천리장성千里長城(1) 631 646
천리장성千里長城(2) 1033 1041 1044
천마문 2014-3
천마총 2014-3
천문 1645
천문관측기구 1657
천문도 692 1742
천문박사 749
천문서 602
천문수학서 1789
천민 993 1176 1198
천민종모제 1689
천보총 1725
천사대교 개통식 2019-4
천산대렵도 1352
천상열차분야지도 1395
천성관 2009-7
천성산 터널공사 2005-2
천세력 1782 1842 1903
천수 918
천수경 1797 1818
천수사 1116 1163
천신일 2009-5 2010-12 2013-1 2018-3
천안 550 1719 1919 2003-12 2007-1 2010-12 2011-1,2 2014-3,12 2015-2 2016-2,11 2017-8,12 2018-1 2020-8,12 2021-11
천안부탄가스공장 화재사건 2015-1
천안시 2004-6
천안함 2010-3
천안함 사건 2010-4,5
천안함 유가족 2018-2
천안함 침몰 원인 2010-5
천연가스 시내버스 폭발사고 2010-8
천연동굴 2005-5
천원절 1084
천은사 1774
천의소감 1755
천인 1336 1492
천자문 375
천자수모법 1039 1283
천장각 1117
천정배 2005-1 2005-6,10 2016-1,2,6
천제석도량 1060
천주교 1645 1758 1784 1801 1815 1839 1846 1906
천주교도 1785 1791 1795 1801 1815 1816 1827 1839 1866 1867 1901
천주교 서울교구 1927
천주교 신자 1839
천주교 신학교 1856
천주교 안동교구 1979
천주교 원주교구 1982
천주교 의식 1791
천주교 정의구현 사제단 1987 1989 2008-6
천주교 정의구현 사제단 전주교구 2013-11
천주교 조선교구 1831 1911
천주교 평양교구 1927
천주교회 1785 1825
천주상 1645
천지 238 243
천진→톈진
천체 1438
천추전 1009
천추절 982
천추총 2013-4
천추태후 997 1029
천태사교의 960
천태종 1092
천통 698
천하도 1469
천하여지도 1511
천하지도 1674
천호 1369 1413
천화동인 2021-9
천흥 1029
천희 1367 1382
철鐵(1) 324 1058
철徹(2) 1133

ㅋ

ㅌ

탈당 2002-2 2007-2,6 2009-4 2021-6
탈라바니 2009-2
탈레반 2007-7
탈북자 2001-6 2002-3,5,6,8 2004-7,9 2010-4 2011-9
탈북자 강제북송 중단 촉구결의안 2012-2
탈북청소년 2013-5
탈세 2002-10 2012-1,2 2013-3,6,8,10,12
탈원전에너지정책 2017-10
탈해이사금 57 80
탈핵에너지 2017-6
탐라 778 1007 1202 1223 1271 ~1273 1275 1294~1296 1362 1374
탐라국 476 498 508 679 801 1007 1043 1053 1063 1092 1105
탐라국정벌 498
탐라국태자 938
탐라민란 1202
탐라안무사 1168
탐라지 1651
탐라총관부 1273 1302
탐사대 1705
탐험 1991 2004-1
탐험선 1797
탕구 1235
탕정성 18
탕평비 1742
탕평책 1687 1725
태고사 1341 1941
태극기 1882 1883 2013-9
태극기규정 1900
태극기집회 2017-3
태극기 휘날리며 2004-3
태극도 교도 1958
태극음양도 1668
태릉 1565
태릉선수촌 2017-9
태묘 989 992 1726
태묘악 1372
태백 2006-12
태백산 138 1203 1657
태백산국립공원 2016-8
태백산사고 1606 1820
태복시 1883 1895
태봉 911
태부 370
태사감후 1057
태사국 1308
태산요록 1434
태상왕 1298
대서문예신보 1918
태수太守(1) 24 121
태수太守(2) 762
태시 817
태안 1077 1439 1535 2007-7,12 2011-2 2013-7 2014-11
태안 앞바다 2007-11 2009-11 2010-7 2014-4
태안해안국립공원 1990
태양력→양력
태양절 2016-4 2017-4
태영 1990
태영호 2016-8
태원→타이위안
태위왕 1316
태을교 1922
태을자금단방 1497
태인 1906
태자 7 10 14 48 166 176 213 243 314 340 355 394 397 409 533 565 724 739 785 791 792 794 795 895 938 1133 1170 1210 1257 1259 1260
태자부 1098
태자비 1174 1197
태자사낭공대사백월서운탑비 954
태조太祖(1) 926 927 929~931 936 937 943 951 969 992 1314
태조太祖(2) 1392 1393 1398 1408 1458 1836
태조(3) 1368
태조신 1235
태조실록 1410 1413 1431
태조영정 1106 1837 1872
태조왕 53 146 148
태조의 능 1670
태조탄 1217
태종太宗(1) 1400 1418 1422 1458
태종太宗(2) 1636 1637 1643
태종실록 1431
태지 1541
태천성벽석각 567
태평곡太平曲(1) 1296
태평곡太平曲(2) 1541
태평사 1598
태평소 1426
태평송 650
태평양 1972
태평양동맹 2019-4
태평양문제연구회 1925
태평양 방위선 1950
태평양 잡지 1913
태평양 전쟁에 임하여 동지동포에게 고하는 격문 1941
태평양포경회사 1889
태평어람 1192
태평정 1157
태풍 716 793 1078 1959 2002-8 2003-9 2007-9 2010-9 2011-6 2012-8,9 2013-10 2015-8 2016-10 2017-7 2018-8 2019-7,9,10 2020-8,9 2021-9
태풍특보 2020-9
태학 372
태학감 759
태화 647
태화관 1919
태황제 1907
태후 전24 53 228 234 748 1095
택견 2011-11
택리지 1751
택배기사 2017-11
택배노동자 과로사 방지책 2021-12
택배노조 CJ대한통운본부 2021-12
택시 1912 2012-11,12 2013-1
택시기사 폭행사건 2021-1,5
택시법 2012-12 2013-1

ㅍ

ㅎ

한국방공 식별구역 2019-10 2020-12
한국방문 2014-7
한국방송공사 1973
한국방송예술진흥원 2012-1
한국병합 2010-8
한국비료 1966
한국사韓國史(1) 1959
한국사(2) 1978
한국사 교과서 2013-10 2014-1
한국산 원산지 지위 2015-2
한국상인 1901
한국생명공학연구원 2008-12
한국서예사 701
한국석유공사 2002-3 2004-11 2010-11
한국선박 1991
한국선사문화연구원 2014-6 2015-11
한국선수 2013-9
한국송환 2001-6 2002-3
한국수력원자력 2011-12 2013-6,7 2014-1,12 2015-11 2017-6
한국수력원자력 이사회 2017-7
한국수영 2008-8
한국수자원공사2020-8
한국수출입은행 1976
한국 신기록 2010-6 2015-7 2021-7,8,10
한국신당 2000-1
한국신문편집인협회 1957
한국야구 2008-8
한국야구위원회 2021-7
한국어 1942 2020-7
한국어 가사 2020-11
한국어 교육 1942
한국어 노래 2018-5
한국어 사용 1942
한국어선 2005-6
한국어선 조업문제 2005-6
한국여성 1900
한국여자등반대 1982
한국여학생 1928
한국역사 1920
한국연극연출가협회 2018-2
한국영사관 영사 2011-3
한국영화 1919
한국영화사 2001-5 2004-3 2012-9
한국예술종합학교 2018-3
한국올림픽축구팀 2012-8
한국외교관 2002-6
한국외교관 첩보활동 2010-7
한국우주항공연구원 2006-12 2018-12
한국원자력안전기술원 2011-3
한국월드컵축구팀 2000-12 2002-5 2010-6
한국유네스코회관 1959
한국유치원총연합회 2018-11 2019-3
한국육군 1946
한국은행韓國銀行(1) 1909 1911
한국은행韓國銀行(2) 1950 1973 1977 1980 1983 2006-1 2007-1 2008-10 2009-6 2013-5 2014-10 2015-3,6 2016-6 2017-11 2018-2 2019-3,7,10 2020-3,5 2021-11
한국의 갯벌 2021-7
한국의료지원단 1991
한국인 1914 1915 1917 1923 1934 1942 1944 1969 1992 2001-11 2003-1 2007-4,5 2008-3,4 2009-8 2010-4,12 2011-2 2013-11 2014-2
한국인 게놈지도 2008-12
한국인 관광객 2013-7
한국인 관광단 2009-3
한국인 기구 1947
한국인 등산객 2013-7
한국인 선원 22007-5 2012-12 2014-12
한국인 선장 2011-4
한국인 성씨 1928
한국인 수 1928
한국인유학생학우회 1911 1914
한국인입국금지국 2020-3
한국인탑승자 2012-6
한국인터넷진흥원 2017-5
한국인페이퍼컴퍼니 2013-5
한국일보 1954 1962
한국일보사 2001-6 2013-6
한국임시위원단 1947
한국자동차 2018-5
한국장 공주 1310
한국저축은행 2012-5
한국전력공사 2005-3 2007-6 2013-5,10 2017-12
한국전력공사 컨소시엄 2009-12 2013-10
한국전력 부지 2014-9
한국전선 1950
한국전 참전국 1956
한국정부 2003-7 2010-11
한국정신문화연구원 1978 1991 2005-2
한국주재 외국인 2013-4
한국주차 군사령부 1906
한국주차 헌병에 관한 법 1907
한국중공업 2013-7
한국지엠 2018-2,4
한국지엠 군산공장 2018-2
한국지질자원연구원 2018-2
한국천문연구원 2011-3 2012-5 2014-8 2016-11 2018-1,8 2020-6 2021-11
한국천주교주교회의 2018-2 2020-2
한국천주교회사 1874
한국철도시설공단 2015-11
한국축구 2010-9
한국축구대표팀 2002-9 2005-6
한국탐험대 1994
한국토지주택공사→LH
한국통사 1915
한국통신 2000-12 2001
한국통신 강화지점 2001-12
한국특무독립군 1934
한국학중앙연구원 2005-2
한국항공우주산업 2011-5,7 2017-7
한국항공우주 연구원 2008-1 2013-8 2015-3 2017-12 2018-11 2021-3,10
한국해군 2010-5

한불문전 1881
한빛문화재연구원 2017-6
한빛부대 2013-12 2016-5
한빛은행 2002-1,5
한빛은행 불법대출사건 2000-9
한빛은행 불법대출 의혹사건 청문회 2001-1
한사군 313
한산漢山(1) 전6 전5 103 371 385
한산韓山(2) 661
한산거사 1844
한산도 1593 1849 1933
한산도대첩 1592
한산모시짜기 2011-11
한산성 482 483
한산주 704 718 782
한상대 2011-7,11 2012-11
한상렬 2010-6
한서 1042
한석우 2014-1
한선회 1897
한성漢城(1) 475
한성漢城(2) 1396~1399 1404 1405 1407 1411~1413 1423 1484 1518 1528 1571 1592 1593 1599 1606 1624 1637 1694 1720 1773 1782 1785 1788 1794 1804 1814 1822 1828 1833 1836~1838 1853 1858 1859 1863 1877 1883 1885~1888 1891 1892~1895 1897 1898 1900~1904 1907 1908 1910
한성~개성 전화 1902
한성도서 1920
한성백제박물관 2019-10
한성법학교 1905
한성부 1395 1396 1407 1426 1852 1865 1880
한성부 노비 1426
한성~부산 전선 1886~1888
한성부 인구 1428
한성상인 1829 1889
한성순보 1883 1885
한성~원산 북로전선 1891
한성은행 1897
한성은행 동경지점 1918
한성의학교 1899
한성~인천 전화 1902
한성~인천 전신 1885
한성임시정부 1919
한성전기회사 1898 1902
한성전보총국 1885
한성조약 1884
한성주보 1885 1888
한성준 1941
한성판윤 1903
한수漢水(1) 221 397
한수韓脩(2) 1384
한수재집 1761
한순 1220 1222
한승수 2001-9,11 2008-1,2,6,10
한신 1269
한신충 1181
한씨 1391
한·아세안안보대화 2013-10
한·아세안특별 정상회의 2014-2 2019-11
한·아프리카포럼 2006-11
한안인 1122
한양 1357 1373 1390 1391 1394
한양가 1844
한양대학교병원 2021-1
한양부 1395
한언공 991 1001 1002 1004
한역 967
한영 문법 1890
한영 자전 1890
한완상 2001-1
한용구 1828
한용운 1911 1913 1918 1926 1930 1944
한우근 1999
한운사 2009-8
한원진 1751
한·유럽연합 자유무역 협정 2011-5
한유충 1146
한응인 1599
한의사 1993
한인漢人(1) 298
한인閑人(2) 1034 1252
한인韓人(3) 11928 1941
한인 국방경위대 1943
한인 국어 교육 1916
한인 기독교회 1918
한인동포 1915
한인부인회 1917
한인비행사양성소 1920
한인 사회당 1918
한인애국단 1931 1932
한인촌 1893
한인혁명군 1926
한일각료회담 1967
한일관계 1974 1984
한일군사정보 보호협정 2012-6 2016-11 2019-11
한일기본조약 1965 2012-10
한일병합 2010-5
한일신협약 1907
한일어업협정 1999
한일역사공동연구회 2010-3
한일외교부 국장급 협의회 2014-4
한일외교회담 2013-4 2015-12
한일 위안부 문제 2017-12
한일 위안부 문제 합의 2019-12
한일의정서 1904
한일 청구권 협정 2015-12
한일통상협정 1949
한일협정 1965
한일협정 문서 2005-1
한일협정 반대시민궐기대회 1965
한일협정 비준서 1965
한일협정 비준안 1965
한일협정서 1904
한일호 1967
한일회담 1952 1953 1957 1961 1964
한일회담 반대시위 1964 1965
한자 1970
한자 관용약자 1967
한자 금속활자 2021-6
한정 2018-2
한정동 1927
한정애 2020-12
한조 1022
한족연합위원회 1941

현종어제 1850
현화가 737
헝가리 1988 1989 1999 2001-12 2009-12 2015-11 2019-5 2021-10
헤엄귀순 2021-2
헤이그 1902 1907 2014-3
헤이그 밀사 1907
헤이룽강 1654 1864
헤이허 사변 1921
헬리콥터 2013-11
혁련정 1075
혁명검찰부조직법 1961
혁명내각수반 1961
혁명위원회 1961
혁명재판소 1961
혁명재판소조직법 1961
혁신과 통합 2011-12
혁신단 1911~1914
혁신당 1961
혁신 성장 2019-1
혁신의 교서 1132
현 157 505 748 904 949 983 992 993 1023 1041 1056 1062 1099 1142 1172 1173 1242 1256 1384 1413 1450 1475 1755
현감 1869
현기환 2012-8 2016-11 2017-1
현대가 1세대경영 종막 2021-1
현대그룹 1988 1994 1998 2001-4 2003-8 2009-8 2011-4 2014-12
현대로템 2016-2
현대산업개발 2019-11 2020-9
현대산업개발 본사 2021-6
현대삼호중공업 2018-5
현대상선 2003-1 2016-8
현대아산 2005-8 2007-12 2008-7 2009-3,8 2010-3,5
현대자동차 2003-8 2013-7 2019-1
현대자동차 노조 2007-1
현대전자 1999
현대제철 2010-4
현대중공업 1989 2007-5
현대중공업 노조 1990
현대 증권 2016-3
현대차그룹 2014-9 2016-12 2017-2
현대캐피탈 2011-4
현도군 전108 전82 전75 110 111 118 167 274 302 385
현도성 121 315
현도태수 169 245
현등사 1411
현량과 1518 1519 1545 1568
현령 1005 1018 1143
현륭원 1798
현문항 1748
현물화폐 1410
현석 871 893
현석규 1478
현소→겐소
현송월 2018-1~3
현수교 2012-5
현승 918
현승종 1992 2020-5
현역군필자 가산점 제도 1999
현영희 2012-8,9
현욱 869
현응 2018-5
현인 2002-4
현인택 2009-1,3,8
현재현 2013-12
현정은 2009-8 2011-12 2014-12 2018-11
현정화 1987
현종顯宗(1) 1009 1011 1021 1031
현종顯宗(2) 1659 1660 1662 1671 1674
현종玄宗(3) 756
현종 비(1) 1028
현종 비(2) 1683
현종실록 1677 1727
현종어보 2017-7
현준혁 1945
현준호 1920
현지조사 1768
현진건 1922 1938 1943
현채 1901 1902 1906 1907
현충 1707
현충사 1969
현충사 낙성식 1932
현충원→국립현충원
현해탄 1926
현화사 1021 1095 1166
현화사종 1020
현화사창사비 1021
현화사7층석탑 1020
현휘 906 941 943
혈구진 844
혈의 누 1906
협력업체 2014-12
협박의혹 2019-2
협박편지 2014-9
협정 1904
협치방안 2018-8
협치정치 2020-5
형률 1433
형미 891 917
형벌 1699 1761
형부 1340
형사소송법개정안 2011-6 2015-7
형산강변 부지 2018-7
형세도 1523
형장 1797
형조 1427 1765 1858
형 집행정지 1981
형평사 1923
혜 556
혜거 968 974
혜경궁 김씨 2018-11,12
혜경궁 홍씨 1795 1805 1815
혜공왕 765 780
혜관 625
혜구 633
혜근 1376
혜덕왕사진홍탑비 1111
혜량 551
혜문 604
혜민국 1112
혜민원 1901
혜빈 홍씨 1744
혜산선 철도 1937
혜산진 1919 1937
혜성 46 78 149 182 186 269

315 336 419
혜성가 632
혜소 804 830 850
혜소국사탑비 1060
혜심 1234
혜암 2001-12
혜왕 598 599
혜인→게이닌
혜일사 1027
혜자 595 615 623
혜종 943 945
혜철 861
혜초 723 727 787
혜총 595
혜통 665
혜현 627
호경 998 1062
호구 1404 1428
호구조사 1669 1720 1726 1753 1759 1771 1788 1842 1869 1875 1877 1880 1899 1915 1928
호국의 다리 2011-6
호군 338
호군방 1420 1422
호금도→후진타오
호남고속도로 1970 1973 2005-12
호남대동청 1663
호남문화연구원 2018-11
호남병자창의록 1798
호남선 철도 1910 1914
호남원수 1826
호남유림 1858
호남은행 1920
호남지방 1564 1747 1870 1954 1959 2005-12 2008-1
호남지역 2005-12 2011-5 2014-7
호남창의대장 1913
호남창의대장소 1894
호남친목회 1917
호네커 1977
호네트호 1855
호놀루루 1903 1941
호도반도 2019-7
호돌이 1984
호동왕자 32
호란 1640
호련대 1830
호류사 금당벽화 610
호르무즈 해협 2020-1 2021-1,2
호르톤 1888
호리모토 1881 1882
호민 558
호반건설 2018-1
호발도 1382
호복 1272 1367 1388
호부상서 1247
호산외기 1844
호서은행 1913
호서지방 1651 1816 1851 1867 1870
호성원종공신 1605
호소가와 1993 1994
호수 1461
호수돈여숙 1904
호씨공 전22
호우 160 1946 1954 1957 1964 1984 1990 2001-7 2002-8 2006-7 2007-8 2009-8 2010-9 2011-7 2010-8,9 2011-7 2013-7 2014-8 2017-9 2020-8
호위3청 1778
호익위 1459
호인 1379
호적 1424 1869
호적령 1922
호적법 1690 1822
호적식년 1498
호조 1389 1619 1627 1630 1693 1718 1740 1776 1793 1806 1823 1852 1860
호주→오스트레일리아
호주오픈테니스대회 2018-1
호주제 2005-2
호주제 개정안 2005-3
호지명→호찌민
호찌민 1957
호코사 592
호태왕 호우 415
호패 1413 1626 1685
호패법 1402 1413 1416 1459 1461 1462 1469 1625 1626 1677 1680
호패사목 1463 1465
호패절목 1612
호패청 1612
호포법 1677 1871
호헌동지회 1954
호헌철폐국민대회 1987
혼개일구 1785
혼구 1313 1322
혼당 1214
혼례 1658
혼례 의식 1435
혼수 1392
혼외 아들 2013-9,11
혼인 8 312 344 1080 1274 1275 1296 1307 1316 1324 1330 1349 1427 1430 1442 1471 1491 1669 1733 1757 1765 1920
혼인식 1882
혼일강리역대국도지도 1402
혼천의 1433 1664
혼춘→훈춘
홀트Holt(1) 1967
홀트Holt(2) 2000-8
홈페이지 2009-4
홈플러스 2015-9
홍가신 1596 1615
홍간 1304
홍건적 1359~1362
홍경 928
홍경래 1826 1812
홍경래 반란군 1812
홍경래의 난 1811 1812 1814
홍경령 2002-11
홍계 917
홍계훈 1894
홍계희 1751 1765 1771
홍관 1112
홍구공원→홍커우 공원
홍국영 1776 1778~1780 1801
홍권 285
홍귀달 1500 1504

화산 1007 1702
화산도 1007
화산별곡 1425
화산잡희 1352
화살 1433
화살머리고지 2018-10~12 2019-4
화상 2021-4
화상회의 2021-5
화서아언 1867
화성華城(1) 1794 1795 1817 1821 1997
화성華城(2) 1999 2001-4 2014-1,5 2015-6 2016-2,11 2018-1
화성군 2001-3
화성시 2014-10
화성성역의궤 1796
화성-10형 2016-6
화성-12형 2017-5
화성-14형 2017-7
화성-15형 2017-11, 12
화성연쇄살인사건 2019-9
화성일기 1795
화순 1519 2020-8
화순고인돌유적 2000-11
화약 1377 1450 1665
화약고 1417 1435 1807 1876
화약제조소 1883
화약합제법 1719
화양동서원 1696 1843 1874
화엄경 695 1051 1156
화엄사 544 1592 1650
화염병 투척 2018-11
화왕산 2009-2
화원 1436 1848
화음방언자의해 1791
화의和議(1) 201 234 339 396 484 646 1104 1256 1633
화의和議(2) 1997
화의 혈 1911
화이역어 1407
화이자 2020-12
화자거집전민추고도감 1320
화장 1389 1470 2019-10
화재 132 262 482 705 855 1009 1060 1100 1119 1177 1189 1225 1514 1530 1535 1543 1617 1665 1672 1781 1803 1804 1807 1811 1819 1829 1830 1850 1857 1869 1876 1878 1883 1888 1900 1917 1953 1959 1960 1972 1974 1975 1986 1999 2001-2 2007-2 2008-2 2009-1, 11,12 2012-3,10 2013-5,9 2014-5,11 2016-11 2017-3 2018-11 2021-2
화전 1718 1729
화전별곡 1533
화조회 1928
화주 1222 1229 1290 1364 1426
화차 1451
화척 1422 1423
화천 2010-12 2020-10
화천대유 2021-9
화천별감 1102
화초 1441
화통 1418
화통군 1415
화통도감 1377
화폐 1002 1102 1634 1644 1652 1680 1682 1688 1692 1693 1747 1755 1764 1809 1816 1817 1823 1828 1829 1831 1839 1841 1852 1854 1855 1867 1871 1877 1881 1883 1892
화폐개혁 1947 1953 1962 2009-11
화폐발행 장정 1894
화폐조례 1901 1905
화폐통용 1874
화포 1377 1380 1444 1445 1447 1532 1592
화포공장 1445
화포전 1433
화포훈련 1378
화해 2006-5
화해·치유재단 2018-11
화훼농가 2014-6
확성기 선전전 2004-6
환 1953 1962
환경단체 2009-11
환경단체연합 2003-5 2009-11
환경부 2019-2 2021-2
환경부 블랙리스트 2019-2 2021-2
환경분야 다자회담 2021-5
환경영향조사 2005-2
환경처 1990
환경청 1990
환곡 1775 1841 1852
환관 1148 1151 1157 1163 1166 1185 1311 1320 1341 1374 1722
환국 1885
환궁 1874
환권 640
환기구 추락사고 2014-10
환도 1259 1270 1292 1361 1383 1391 1950
환도성 198 209 246 342 557
환련 전37
환매 중단사태 2020-4
환산별곡 1545
환속충군법 1509
환영지 1822
환율 2005-4 2010-10
환인→환런
환조 1361 1872
활 1715
활개성 462
활동사진 1899
활리길사 1299~1301
활빈당 1900
활쏘기 957
활인서 1512 1687
활자 1392 1519 1776
황간 1909
황강 댐 2009-9
황강현 1824 1834
황경원 1787
황교안 2014-4 2015-5,6,11 2016-4,12 2017-1~4 2019-1,2
황구첨정 1578 1754
황국신민서사 1937
황국신민화운동 1940
황국협회 1898

〈다른나라〉

고이케 2016-7
고전 1447
고조高肇(1) 514
고조高祖(2) 626
고조묘 21
고종高宗(1) 649 683
고종高宗(2) 1127 1129~1131 1142
고종高宗(3) 1735 1795 1799
고주 1374
고지키 711
고지현→고치현
고창 639 640
고체연료 로켓 2013-9
고츠지츠 전투 1742
고치高熾(1) 1404
고치(2) 1759
고치현 2013-8
고카메야마 1392
고켄 764
고코곤 1353
고코마스 1392
고쿠분니사 741
고쿠분사 741
고트족 150 253 256 262 267 321 335 374
고환 531 532 534 547
고후 1404 1417
고후의 반란 1426
고후쿠사 734
고흐 1890
곡물 567 1453
곡물법 1815 1846
곡왕 1417
곤드와나 왕국 1564
곤룡포 486
곤명→쿤밍
곤여만국전도 1602
곤주목 195
골란고원 1981
골란고원군 1974
골로빈 1687
골콘다왕국 1687
공거법 84
공경 273 594
공공 도서관 1463
공공부문 근로자 2011-11
공공부채비율 2012-5
공과 1338
공군군용수송기 2020-9
공군기 2013-11
공기성분분석 1777
공납 1366
공대공 미사일 1957
공도보 1031
공동대통령 1995
공동선언 1902 1923 1955 1957 1987
공동성명 1982
공동전선 1916
공동투쟁 1919
공룡발자국 화석군 2019-2
공립학교교과서 2014-1,3
공무원 2011-10
공문소 1184 1191
공물 1433 1684
공민권 법안 1866
공복5등제 486
공부 1394
공사公事(1) 1013
공사公使(2) 1900
공사관 1877 1900
공사한년법 222
공산국가 반정부 시위 2021-7
공산군 토벌전 1931
공산당대표대회 2002-11
공산당대회 1921 1925 1952 1956
공산당 배격 선언 1927
공산당선언 1848 1960
공산당 소탕전 1933
공산당원 1926 1929 1930
공산당 1당독재 1990
공산당 정권 1919
공산당 정보국 1947
공산당 제1서기 1953
공산당중앙위원회 1957
공산당창립대회 1920
공산독재정권 2011-12
공산정부 1948
공산주의 운동 1987
공산주의자 동맹 1847
공산주의 통치 종식 1996
공산주의 혁명 1959
공산화 1975
공선 966
공손강 204
공손술 24 25 32
공손연 233 237 238
공손찬 191 198 199
공손탁 190 204
공수동맹 1535 1671 1721 1778
공습 2002-9
공신 2 26 207 277 1370 1601
공아문 1662
공영달 640
공유덕 1633 1649
공유덕의 반란 1631
공익동맹 1464
공자 전551 전500 38 72 739 966 1008 1055 1530
공자묘 1104 1313 1499
공자상 1024
공자자손 1322
공작 1884
공장법 1825
공전 전48 66 108 1263
공제恭帝(1) 420
공제恭帝(2) 554 557
공제恭帝(3) 1274 1276
공주 814 853 873
공중납치 2008-8
공중사찰안 1955
공중전 1969
공포정치 1793 1794
공항 2000-12 2007-2 2010-12
공항폐쇄 2010-1
공해→구카이
공화국 1819 1824 1889 1910 1915 1924 1925 1953 1958
공화국 헌법 1925 1926
공화당 1854 2002-11 2013-10 2014-11 2018-11
공화정 1649 1792
공화제 1848 1870 1973
공화파 1877
공황 1869 1873 1893 1901 1907 1929

교역 1005 1578 1816 1846 1816 1846
교육령 1879
교육조직 1872
교의 1476
교자무 1023
교자소 1104
교주交州(1) 679 981 1010
교주膠州(2)→자오저우
교주의 난 980
교지 271 860 863 866 1076 1407 1408 1411 1414 1415 1417 1418 1420 1426 1427
교지군왕 1007 1010
교지의 난 181
교지의 독립 1427
교지포정사 1407
교차표결 2014-3
교초 1236
교초고 1154
교토 784 794 1024 1353 1361 1407 1426 1459 1484 1505 1520 1558 1560 1568 1589 1751 1788 1877 2019-7 2021-4
교토대화재 1500
교토천주교당 1612
교황 590 597 600 606 730 731 754 781 799 800 867 996 1000 1020 1073 1076 1077 1080 1084 1095 1096 1111 1112 1122 1133 1152 1154 1161 1165 1177 1209 1213 1227 1229 1239 1245 1296 1301 1303 1309 1312 1313 1324 1338 1356 1366 1376 1377 1408 1417 1447 1448 1451 1452 1476 1493 1495 1505 1511 1513 1517 1520 1527 1534 1538 1540 1582 1585 1592 1809 1814 1886 1904 1963 1978 1979 1981 1987 1999 2000-3 2001-5,6 2005-4 2006-9,11 2008-4 2010-9 2012-3 2013-2,3 2014-6,11 2015-1,9 2016-2
교황당 1130 1267
교황령 1809
교황 무과실의 교리 1870
교황사절 1247
교황의 지상권 1378 1545
교황청 1472 1500 1929 1963 1978 1979 1984 1987 1989 1993 1994 1999 2000-3 2001-5,6 2003-12 2005-4 2006-9,11 2008-4 2012-3 2013-2,3 2014-6,11 2015-1,9 2016-2 2018-9 2021-3
교황칙서 1393
교회 464 1164 1562 1589 1601 1870 1872 1899 2011-1 2013-9 2014-6 2015-3
교회개혁 1414 1431
교회령 754
교회분열방지 1414
교회분열종식 1417
교회붕괴사고 2016-12
교회수장 1541
교회의 금제 6개 조령 1539
교회의 평화시대 261
교회재산 과세 1296
구겸지 448
구경 1001
구경판 932 953
구교 1584 1593
구교도동맹 1609
구교도의 반란 1569 1641
구교파 사교 1553
구다라오사 642
구로다 정부군 1877
구룡→주룽
9류 326
구르나 2021-10
구마라습→쿠마라지바
구마모토현 2016-4 2020-7
구명줄 1984
9묘 20
구법 404
구사스시라네산 2018-1
구석기시대 전300만
구석기유적 발굴날조사건 2000-11
9성 504
구세군 1865
구스마오 2002-4
구스만 2014-2
구스타프2세 1630 1632
95개조의 반박문 1517
96주 661
구약 성서 400
구양수 1057 1067 1070 1072
구양순 641
구양흘 569
구엔왕조 1802
구엔 칸 1964
구엔 푹안 1802 1803
구영 1552
구오대사 974
구와르샤 2016-8
구유고 연방 1945
구이양 164
구이저우 1413 1494 1729 1795 1801 2012-9
9·11테러 2011-5
구임법 1574
구자라트 1573
구장산술주해 263
구전법 1743
9정 697
구정대공세 1968
구제금융 2010-11 2011-4 2012-6
구제금융안 2011-11 2013-3
구제역 2001-3
구주→규슈
구준 1019 1020 1022 1023
구진 157
구천 전482 전473
구축함 1964
구카이 804 806 823 835
구테레스 2016-10
구텐베르크 1450 1455 1468
9품 320
9품 중정제 220 595
국가國家(1) 1206 1872
국가國歌(2) 1888
국가경제비상사태 2016-1
국가보안법 2021-6
국가봉쇄령 2020-3
국가비상사태 1950 1989 2002-12 2006-2 2007-8,11 2009-

ㄴ

내관 1384
내란 68 69 602 1263 1516 1614 1615 1960
내란선동혐의 2021-1
내량→나라
내륙 쓰나미 2011-1
내부 1108 1674
내분 1168 1856 1898
내신 1013
내심원 1670
내안의 반란 1287
내장고 978
내전 1966 1973 1985 1992 1994 1995 2003-7 2006-11 2008-1 2009-5 2011-4 2019-4
내전종식 평화안 1993
내전종식 평화협정 2016-10
내전종식협상 1989
내정간섭 2008-12 2014-2,5
내지 1829 1830
낸시 2016-3
냉전종결 1989 2001-11
네덜란드 856 1247 1384 1426 1536 1550 1556 1568 1575 1578 1579 1581 1593 1602 1606 1609 1610 1615 1619 1621~1624 1628 1638~1640 1645 1652 1654 1656 1661 1666~1669 1671~1674 1676 ~1678 1689 1690 1692 1693 1695 1696 1712 1715 1717 1727 1731 1747 1782 1788 1793 1796 1810 1816 1824 1830 1839 1855 1858 1864 1899 1904 1907 1918 1922 1940 1945 1947 1948 1980 2001-2 2013-4 2019-7
네덜란드 국서 1627
네덜란드 대사관 1990
네덜란드 반란 1567
네덜란드 사절 1794
네덜란드 왕 1844 1845
네델란드의 상세 1736
네덜란드 의회 2000-11 2001-4
네덜란드인 1595 1623 1849
네덜란드 해군 1693
네덜란드 해상권 1674
네로 54 55 59 62 64 68
네로극장 62
네루 1934 1946 1950 1953 1964
네르바 96
네르친스크 1658
네르친스크 조약 1689
네바다 1962
네바도델루이스 화산 1985
네베스 1985
네스토리우스 431
네스토리우스교 635 638
네안데르탈인 전20만 1856 2018 -2
네윈 2002-12
네이샤부르시 2004-2
네즈드 왕국 1932
네차스 2013-6
네케르 1777
네타냐후 1996 2013-11 2020-12
네파탁 2016-7
네팔 703 1760 1816 2006-4,11 2008-7 2015-4,5,10 2018-3 2020-12
넬슨 1798 1805
노 전500
노구교→루거우차우
노다 2011-8,12 2012-9
노동당勞動黨(1) 1900 1906 1945 1964 1976 1994 1997 2001-6 2005-5
노동당勞動黨(2) 2002-10
노동당勞動黨(3) 2017-10
노동당勞動黨(4) 2007-11 2013 -6,9
노동당 내각 1924 1945 1974
노동대표 위원회 1900
노동자 1883 1905 1906 1919 1928
노동자계급 해방동맹 1895
노동자당 1920
노동자 대표 위원회 1906
노동자동맹 1863
노동자 시위 1905 1917 1953
노동자 파업권 1864
노동조합 1825
노동총동맹 1886
노르만 874 885 985
노르만 귀족의 반란 1075
노르만 왕조 1066
노르만인 789 795 1021 1072
노르만족 800 856 862 882
노르망디 1104 1200 1450
노르망디공 911 912 1066 1101 1151
노르망디 상륙 작전 1944
노르웨이 1015 1028 1255 1262 1847 1905 1906 1926 1940 1972 2000-8 2011-7 2015-5
노르웨이 왕 1319
노르웨이 왕국 900
노르웨이인 860
노리에가 1989
노몬한 1939
노몬한 사건 1939
노바스코샤주 2020-4
노발리스 1801
노방 37 40 42
노벨 1867 1896
노벨문학상 1970 2012-10 2013 -10 2014-10 2016-10 2017-10 2019-10 2020-10 2021-10
노벨상 시상식 1901
노벨평화상 2001-10 2002-10 2003-10 2007-10 2009-10 2010-10 2012-10 2013-10 2014-10 2016-10 2017-10 2018-10 2019-10 2020-10 2021-10
노벨평화상 수상 연설 2012-6
노보로시스코호 1984
노브고로트 왕국 862 1392 1478
노비 248
노비제 691
노빌레 1926
노숙 210
노스슬로프 2018-8
노신→루신
노예매매 367
노예무역 금지조약 1841 1878
노예반란 전73
노예수입 1808

ㄷ

독일영토 1466
독일영토 포기 1996
독일 왕 1039 1247
독일육군 1944
독일의회 1872 1924
독일인 1634 1908
독일인민공화국 1949
독일인 상관 1225
독일인 선교사 1897
독일 잠수함 1915
독일제국 1871
독일제국헌법 1849
독일제후연맹 1785
독일통일안 1989
독일황제 1871
독자노선 1977
독재관 전46
독재권 1922
독재자 2006-12
독재정치 1653 2011-1
돈조반니 1787
돈키호테 1605
돈황→둔황
돌궐 546 553 555 568 572 581 583 586 599 602 615 629 636 639 680~682 686 687 702 719 730 744 881
돌궐제국 552
돌궐족 601
돌리 2003-2
돌연 변이설 1901
돌풍 2007-5
돗도리현 2016-10
동경東京(1) 605 755
동경東京(2) 1116 1128
동고트 350 478 490 536 553 555
동고트 왕 540
동고트 왕국 493
동고트족 375
동관童寬(1) 1108 1117 1121 1122
동관潼關(2) 1216
동구타 2018-2
동굴 2012-8
동굴벽화 2014-10 2021-1
동기 938
동기창 1636
동남아시아 1600 2004-1,12
동남아시아각료회의 1967
동남아시아국가연합 1967
동남아시아반공방위 1954
동남아시아비핵화지대화 조약 1995
동남아시아수상회의 1954
동남아영연방국제개발계획 1951
동남아시아조약기구 1954 1977
동단국 928
동대사→도다이사
동도 12 717 925
동독 1949 1951 1953 1957 1964 1969~1973 1981 1986 1989 1990 2005-10 2012-3
동독 방문 1972
동독 수교국 1969
동돌궐 585 597 599 630
동로마제국 366 379 392 395 419 433 438 502 524 527~529 532~534 536~538 540 551 553~555 563 565 568 576 591 602 606 623 625~628 636 642 647 658 667 673 695 718 726 730 736 739 806 843 858 865 972 986 992 1014 1022 1039 1043 1071 1082 1165 1176 1179 1186 1364 1424 1450 1453
동로마제국 군사 1391
동로마제국 영토 1424
동로마제국 황제 1097
동림·비동림의 당쟁 1611
동맹 787 1578 1609 1652 1677 1741 1812 1854 1879 1902
동맹국 2014-9
동맹국 불간섭 1987
동맹시 전쟁 전91
동맹조약 1912 1913 1920 1921 1942
동맹파업 1919 1930
동맹회 1907 1911
동맹휴교 1919
동맹휴학 1919 2019-9
동묘 1459
동문관 1891
동물 692 1051
동물병원 1472
동방견문록 1299
동방문제 1878
동방여행 1271
동방정교회 2014-11
동방지역 전22~전20 전13 전1 17 167 214
동베를린 1981 1990
동북 국경에 대한 의정서 2008-7
동북아시아 갈등 해소 2013-12
동북아시아 전산망 2006-12
동북지방→도호쿠 지방
동사 823
동삼성 1909
동삼성의 독립 1922
동색슨족 597
동서 교통로 744
동·서 교회 484 1439
동서궁 336
동·서독의 유엔 가입 1973
동·서 베를린 경계선 1952
동·서 베를린 왕래 1971
동·서 분열 572 1321
동·서 분할 1945
동성 483
동시 다발 테러 2015-11 2017-6
동시베리아 2019-10
동아 작전 회의 1942
동아프리카에 관한 협정 1894
동안왕 304
동양무역권 1505
동예루살렘 1988 2017-12
동위 534~537 540 543 544 547 550
동유럽 1236 1947 1949 1955 1981 1989 2004-5
동이 381 382
동인도회사 1600 1602 1604 1614 1664 1668 1672 1680 1685 1731 1753 1765 1770 1793 1813 1858 1904
동작대 210

ㄹ

로스앤젤레스 1985 1992 1993 2008-10
로스앤젤레스올림픽대회 1984
로스앤젤레스올림픽대회 불참 1984
로스토프 온 돈 공항 2016-3
로욜라 1534 1540 1556
로욜라트법 1919
로이힐린 1522
로잔강화회담 1922
로잔조약 1912
로잔회의 1932
로저2세 1130
로제타 2014-11
로카르노조약 1925 1936
로켓 1961 2013-1,7,11
로켓공격 2012-11
로켓발사 2001-8
로켓포 2014-7
로크 1690 1704
로크에른 2013-6
로키 2011-9
로타르 817 841
로타르 2세 1133
로하니 2013-6 2016-1
로하스 2008-1
록히드사 1976
롤로 885 911
롤리 1584 1586
롬바르디아 774 2020-3
롬바르디아 도시동맹 1167
롬복섬 2018-8
롱고바르디 1629
롱펠로 1882
뢰머 1675
뢴트겐 1895 1932
루간스크 2014-4
루거우차우 1937
루고 2012-6
루고바 2006-1
루나 9호 1966
루니크 3호 1959
루덴도르프 1923
루드비히4세 1322 1324
루르지방 1590 1923
루리크 862
루마니아 1877 1878 1883 1916 1918 1929 1940 1941 1946 1977 1980 1989 1999
루마니아 공산당 1977
루마니아 공화국 1861
루마니아 왕국 1881
루뭄바 1961
루방가 2009-1
루벤스 1616 1640
루브르박물관 2013-4 2016-6
루블화 1997
루비콘강 전49
루소 1755 1762 1778
루손섬 1577 1591
루스벨트(1) 1901
루스벨트(2) 1932 1933 1936 1940 1941 1943~1945
루스족 865
루시오 구티에레스 2005-4
루신 1921 1936
루앙시성당 2016-7
루이 나폴레옹 1836 1851 1852
루이1세 817 840
루이2세 841
루이6세 1108
루이9세 1248 1250 1270
루이11세 1461 1464 1473
루이13세 1610
루이14세 1643 1661 1685
루이16세 1791 1793
루이18세 1814
루이지애나 1699 1803 2005-8
루카 전56
루커우차오 사건 2014-7
루터 1517 1520~1522 1524 1534 1546
루터파 1537
루터파신교 1555
루프트한자 1977
룩셈부르크 1684 1867 1940 1947 1948
룩소르 유적도시 고대무덤 2018-11
룰라 2002-10 2006-10 2018-4
룽먼석굴 494
룽산문화 전2100
뤄양 12 25 27 147 148 150 191 196 220 288 305 309~311 342 362 365 369 390 494 605 717 909 923 925
뤼순 1633 1894 1900 1903
뤼순조차권 1898
뤼첸전투 1632
류사오브 2010-10 2017-7
류사오치 1959
류큐 1879 1880
류타오거우→류타오호우
류타오호우 1931
르누아르 1919
르브리에 1856
르완다 1994 2018-3
르윈스키 1998
르펜 2002-4
리가 2013-11
리그 베다 전1300
리덩후이 1988 1995 2020-7
리델 1880
리라화 가치 폭락 2018-8
리마주재 미국대사관 2002-3
리먼 브러더스 2008-9
리바이어던 1651
리버티 7호 1961
리버풀 1830
리베리아 1847
리보니아전쟁 1557
리비아 1937 1971 1980 1985~1987 1995 2001-4 2002-5 2003-12 2004-6 2005-6 2008-8 2009-3 2010-5 2011-2,3,9,10 2013-7,11 2015-1,2,4,8,9 2016-8 2017-12 2019-4,7
리비아 국민군 2019-4
리비아 상공 비행 금지 구역 2011-3
리비아 외교관 1981
리빙스턴 1840 1852
리살 1892
리센넨 1987
리센룽 2004-8
리슐리외 1624 1635 1642
리스본 1433 1999
리스본대학 1290

ㅁ

마젤란해협 1520 1614
마조→마쭈
마주 2001-1
마쭈도 1962
마초 213
마치니 1831 1849 1853
마카오 1537 1553 1557 1566 1580 1622 1723 1802 1844 1887 1986 1987 1999 2018-9,10
마카오반환 1997
마카오반환협상 1985
마카오선박 1685
마카오포대 1808
마카우 2011-9
마케도니아 전367 전334 전323 전168 250 314 442 1878 1908 2001-8 2004-2
마크롱 2017-5,6 2020-12
마크리누스 217
마크 펠트 2005-6
마키아벨리 1513 1527
마타판해전 1717
마태복음 75
마테오 리치 1580 1587 1600~1602 1610
마티 2018-7
마하라슈트라 2021-7
마하티르 2003-10 2018-5 2020-3
마현 126 139 141
마호메트 570 610 622 624 630 632
마호메트 풍자 만화 2006-2
마흐무드 1409 1415
막등용 1538 1541
막등용의 난 1537
막부 1185
막사이사이 1957
막시미누스 235
막시미아누스 286
막언→모옌
만국박람회 1873 1970
만국사회주의자대회 1904
만국산업박람회 1855 1862
만국우편연합조약 1874
만국 우편회의 1874
만국 평화회의 1907
만년 통보 760
만델라 1990 1994 1997 2013-6,12
만리장성 2012-11
만보산 사건 1931
만사동 1701
만수르Mansour(1) 2016-5
만수르Mansour(2) 2017-11
만엽집→만요슈
만요슈 759
만유인력의 법칙 1687
만이 157 169
만족 162 179 180 182 940 1108
만주 1588 1615 1904 1931 1938 1939 1946
만주 관리 1753
만주국 1932 1937
만주국 불승인 1933
만주국 철퇴안 1933
만주 문자 1599
만주반환조약 1902
만주사변 1931 1932
만주사변 발발일 2010-9 2012-9
만주어 번역관 1785
만주족 1902
만주철병 1901 1903
만준 1468
만철선로 1931
만하탄교 1909
만호부 1290
만후추노 530
말 1514
말래카군도 1614 1615 1628 1824
말래카해협 2014-6
말레이시아 1867 1942 1963 2003-8 2013-5 2014-3,4,6,7 2016-11 2018-5 2020-3
말레이시아 여객기 2014-7
말레이연방 1895 1963
말렌코프 1953 1955 1957
말로리 1469
말루쿠 2000-6 2019-9
말리 2013-1,3 2014-7 2015-11 2020-8 2021-5
말리키 2006-6
말제 913
말테의 수기 1910
말피기 1661
맘루크 왕조 1517
망갈로르 공항 2010-5
망명 1470 1536 1824 1868 1913 1933 1979 1985 2012-8 2019-11
망산 542
망언 1321
망쿳 2018-9
매리아나 1899
매복 전14
매케인 2008-6 2018-8
매킨리 1901
맥나마라 1967
맥도널드 1924
맥밀런 1957
맥베드 1605
맥아더 1945 1950 1951 1964
맨체스터 경기장 콘서트 2017-5
맨체스터~리버풀 철도 1830
맬서스 1798 1834
맹가 1083
맹공 1233 1239 1240 1242 1244
맹양 1441
맹자 전367
맹지상 930 933 934
맹현 1423
맹호연 740
머독 2011-7
머시아 왕 777
먼로(1) 1816 1823
먼로(2) 2013-10
먼로주의 1823
멍완저우 2018-12
메가와티 2000-8 2001-7
메그나강 2014-5
메단 교도소 2013-7
메드베데프 2008-3,8 2009-7 2010-9,11
메디나 622 656
메디치가의 독재 체제 1478
메로빙거 왕조 481
메론산 2021-4
메르센조약 870

메르켈 2005-10 2009-9 2012-5 2013-9,10,12 2015-3 2017 -9
메리 1567 1568
메릴린치 2008-9
메소포타미아 전3500 전2333 전1500 114 199 244 540
메시나 1197
메이 2016-7 2018-12 2019-1
메이데이 행사 1920 1964
메이데이 행진 1890
메이도쿠의 난 1391
메이븐 2013-11
메이어 1842
메이저 1992
메이지 1868 1912
메이지 유신 1868
메이크틸라 2013-3
메이플라워호 1620
메카 570 622 630
메카군 624
메카 성지 순례 1998 2006-1
메콩강 1893 2013-10
메콩강 유역 수자원 공동개발 및 보존협정 1995
메테르니히 1809 1814 1848 1859
메트로파크 호텔 2009-5
멕시코 1490 1519 1521 1821 1824 1833 1846 1867 1888 1904 1907 1938 1985 1992 2001-3 2005-10 2009-4 2012 -3 2014-2,11 2016-2,4,12 2017-3,9 2018-2 2019-1,11
멕시코 국경장벽 건설 2019-2
멕시코만 2005-8 2008-8 2010-4 2020-8
멕시코 선거관리위원회 2006-7
멕시코 시티 1863 1985 2001-3 2012-3 2016-12
멕시코 올림픽대회 1968
멕시코 축구팀 2012-8
멘델 1865 1884
멘델스존 1847
멘도사 1458
멘디 2018-2
멜라민 분유 파동 2008-9
멜라카 1511 1867
멜란히톤 1560
멜란히톤 신앙 체계 1530
멧돼지 그림 2021-1
면견 1759
면류관 486
면죄부 1313 1472 1474 1500 1513 1
면죄부 판매 1412 1517
면책 특권 2000-8
면행법 1073
면화 경작법 1621
명 1368~1418 1420~1423 1425 ~1438 1440~1444 1446~1450 1452~1461 1463~1465 1467 ~1472 1474~1478 1480~1489 1491 1492 1494 1497 1499 ~1505 1507~1511 1513~1518 1520 1524~1526 1528~1530 1533~1537 1539~1544 1546 ~1563 1565~1567 1569~1581 1583 1585 1587~1592 1596 1599~1602 1605 1608 1610 1611 1622 1623 1625~1629 1631 1633 1634 1636 1639 1644~1646 1659 1741
명고옥→나고야
명당 461 593
명덕→메이도쿠
명륜 대전 1528
명법과 1089
명사 1739
명사 열전 1714
명사회 1787
명상록 174
명 상인 1578
명서 1762 1768
명승 1366 1371 1372
명신 269
명예 혁명 1688
명옥진 1357 1362 1363 1366
명왕성 탐사선 2006-1 2015-7
명 정벌 1405
명제明帝(1) 57 72 75
명제明帝(2) 465
명제明帝(3) 494
명제明帝(4) 560
명종 926
명치→메이지
모가디슈 2009-12 2012-4 2017 -6,10 2018-2,3 2019-12
모가디슈 공항 1977
모거 403
모건 2007-8
모나리자 1506
모네 1926
모닝 포스트 1772
모디 2014-5,8,9 2015-5,12
모디아노 2014-10
모라꽃 2009-8
모라토리엄 2001-12
모랄레스 2006-5 2013-7 2014-10 2019-11
모래 먼지 2018-8
모래 폭풍 2014-4
모레노 2019-10
모로이슬람 해방전선 2014-3
모로코 1056 1880 1904 1911 1912 1943 1963 1975 2004-2
모로코 독립 1906
모로코 사건 1905 1911
모로코에 관한 협정 1904 1909
모로코에의 군대 동원령 1908
모로코 영토 보존 1906
모로코 지배 1905
모르비츠 전투 1741
모리 2000-4 2001-3,4
모리해 1460 1467 1470
모문룡 1629
모미이 2014-1
모바일 시장 2013-9
모박온 1538
모범 의회 1295
모사덱 정부 1953
모세혈관 1661
모술 2014-5,6 2017-3,6
모술 미국군 부대 2004-12
모술 해방 2017-7
모스 1837
모스크바 1157 1237 1318 1812 1905 1920 1921 1941 1942 1960 1963 1979 1986 1993

ㅂ

불도징 310 335 348
불륜 스캔들 2012-11
볼바딘 2002-2
불법 65
불법무기운반 2012-10
불법이민정책 2018-1
불복종운동 1907 1940
불상 435 446 552 583 600 955
불신임안 1982
불의 고리 2016-4 2017-9 2018-1,6 2019-8
불정사 381
불평등 조약 1919
불황 1930
붉은 사원 2007-7
붕당 821 1038
붕당의 폐 1108
뷔퐁 1749
브나로드 1921
브라간자 왕조 1640
브라만테 1514
브라우닝 1855
브라운Braun(1) 1897
브라운Brown(2) 2007-6,7 2008-1 2009-8
브라운관 1897
브라질 1554 1565 1654 1661 1822 1889 1891 1926 1930 1985 2002-6,10,12 2006-5,9 2007-7 2009-6 2010-10 2013-1 2016-1,8,11 2017-1 2018-1,2,4,8~10 2019-1 2020-4,5,7,9 2021-3
브라질 상원 2016-5,8
브라질 의회 1888
브라질 축구팀 2012-8
브라질 해안 1500 1501
브라흐미 2013-7
브란덴부르크 1473 1618 1660 1666 1686
브란트 1969 1970 1974
브레다 조약 1667
브레스트·리토프스크조약 1918
브레슬라우 조약 1742
브레즈네프 1964 1973 1982
브레진스키 2017-5
브레티니 화약 1360
브렉시트 2016-6 2019-7,12
브렉시트 국민투표 2016-6
브렉시트 합의안 2019-1
브로뉴 1550
브론테 1855
브루나이 2002-7 2013-7
브뤼셀 1746 1887 1903 2011-12
브뤼셀 국제공항 2016-3
브뤼셀 동맹조약 1948
브뤼셀 지하철역 2016-3
브뤼셀 협정 1890
브르테르하우젠 조약1726
브리타니아 전54 43 44 78 81 84 120 122 208 295 495 597 789
브리타니아인 61
브리타니아 장성 210
브리타니쿠스 55
브리태니카 백과사전 2012-3
블라디미르 980 988
블라디보스토크~하바로프스크 시베리아 철도 1902
블라디보스토크 함대1904
블랑샤르 1785
블래터 2002-5
블랙 1927
블레어 1997 2001-6 2004-12 2005-5
비각 988
비너스의 탄생 1487
비단 551 829 1012
비동맹국수뇌회담 1961
비동맹운동정상회의 2012-8
비료공장 2013-4
비민주 국가 2006-1
비밀동맹 1883
비밀재판 1919
비밀투표 1981
비밀협약 1912
비밀협정 1878
비변고 845
비상경계령 1992 2002-3
비상대권 1938 1990
비상대책 1994
비상대통령 1921
비상령 1544
비상방역체제 2009-5
비상사태 1967 1986~1988 1993 1994 1998 2001-10,12 2002-8 2004-10,11 2005-8,9 2007-10 2008-5,7,9~11 2009-4 2010-4,12 2011-10 2012-10 2014-1,8 2015-4 2016-1,4~6 2017-12 2018-2,3 2019-7 2020-1,3 2021-1,7
비상통치 1993
비석 1143
비스마르크 1862 1874 1877 1890 1898
비시 1940
비시정부 1940
비엔나 1683
비엔나공의회 1311
B-29기 1944
B-52폭격기 2013-11
비오7세 1814
비용 1489
비자금 조성 의혹 2016-11
비잔티움 330
비자야나가르 왕국 1565
비적 1851
비적의 반란 1832 1833 1835
비정규군 요원 1945
비정부 기구 2000-1
비제 124
비준 1865
비창 소나타 1798
비키니섬 1946 1954
비텐베르크 1828
비텔리우스 69
비톤드 전투 1734
비파행 816
비폭력불복종운동 1920 1930
비폭력저항운동 1919
비핵화 노력 2009-10
비행기 1903
비행기 사고 1957 1961
비행선 1908
비행훈련 2013-11
비회원 옵서버 국가 지위 2012-11
빅토르 안 2014-2

ㅇ

안표 1462
안한공 1
안현수 2014-2
안화왕 1510
안후이성 1900 1907
안후이성 대학생 1986
안휘성→안후이성
안휘파 1920
알누리 사원 2017-6
알라리크 396 402 408 410
알라웅파야 왕조 1752
알라하바드 기차역 2013-2
알래스카 2014-6 2016-3 2018-8,11 2021-3
알래스카 국경 1903
알래스카 매입 협정 1867
알래스카 해상 2018-1
알레포 2014-5 2016-2,11,12
알렉산더 전334 전323
알렉산더대왕 시대 2014-11
알렉산더 3세 1161 1165 1177
알렉산더 5세 1409
알렉산더 6세 1493
알렉산더르 2013-4
알렉산데르 235
알렉산드르 1세 1801
알렉산드르 2세 1880 1881
알렉산드르 3세 1894
알렉산드리아 전30 250 288 1798 1882 2017-8
알렉산드리아 도서관 641
알렉산드리아 사교 328
알렉산드리아 포격 1882
알루미늄 2018-3
알류산 1946
알리Ali(1) 656 660
알리Ali(2) 1987
알리Ali(3) 2011-1
알리Ali(4) 2016-6
알링턴국립묘지 참배 2013-5
알마티공항 2019-12
알메이다 1505
알 바그다디 2019-10
알바니아 1478 1479 1910 1927 1939 1968 1990 2019-11
알바니아계 반군 2001-8
알바니아계 주민 1998
알바니아 국민회의 1925 1961
알바이주 2018-1
알베르 2세 2013-7
알베르티 1472
알부케르케 1515
알사바 2006-1
알사스 1871
알샤바브 2015-4 2017-10 2018-10 2019-1
알시스타니 2021-3
알아사드 2021-5
알와히시 2015-6
알 자르카위 2006-6
알자파리 2005-4
알제 2007-12
알제리 1541 1827 1830 1881 1960 1962 1963 1971 1980 1995 2003-3,5 2007-12 2013-1 2014-2,7 2018-4
알제리 임시정부 1958
알카부라 2017-11
알카에다 2001-12 2006-2,6 2009-6 2009-12 2010-10 2011-6 2012-3 2013-3,6~8 2016-1
알카에다의 테러 공격 2010-1
알코트 1751
알퀴누스 802
알트란시테트 조약 1706
알파벳 전1200
알폰소법전 1446
알프스산맥 2018-8
알 하킨 2003-8
암만호텔 2005-11
암살 1880 1910
암살기도 2018-8
암살음모 1993
암석 2020-11
암스테르담 1904
암스트롱 1969 2012-8
암페어 1820
암페어의 법칙 1820
암흑의 금요일 1866
압둘라 2005-8
압둘라 굴 2007-8
압둘아지즈 2017-11
압둘 칼람 2002-7
압력 밥솥 2013-4
압록강 1591 2010-8
압바스 2003-4,6 2003-9 2005-1
압사 사고 2006-1 2008-8 2010-3,11 2013-2 2015-1 2020-1 2021-4
압하지야 2008-8
앙골라 1574 1995
앙골라 철수 결의안1987
앙리 3세 1589
앙리 4세 1590 1593 1594
앙소 문화→양사오 문화
앙카라 1920 2010-3, 12
앙카라 공군사령부 2016-2
앙카라 전투 1402
앙카라행 여객기 2003-3
앙코르와트 사원 1112
앙코르톰 유적 880
알 콤스 2019-7
애국학사 1902 1903
애그뉴 1973
애니메이션 스튜디오 방화사건 2019-7
애덤스 1797
애리조나 기념관 2016-12
애리조나주 2002-6 2011-1
애머스트 1816
애벗 2013-9
애산섬→야산섬
애종 904 907 908
애치슨 1950
애치슨 라인 1950
애틀란타 2021-3
애틀리 1945
애플 2011-8,10 2013-7
앤드루 존슨 1999
앨뤼류커 1213 1216
앨버타주 2016-5
앨버트호 2017-8
앰피폴리스 2014-11
앵글로 색슨족 449
앵도→사쿠라지마
앵전→사쿠라다
앵커리지 2018-11

어양 128
어음 1416
언로 1700
언론 성명 2016-9
언론인 2018-4
언론 자유 1988
엄가감→옌자깐
엄답한 1542 1545 1548 1550 1553 1560 1566 1567 1570 1571 1582 1583
업 204 210 335 357
업주 전호 1710
엉클 톰스 캐빈 1852
에게해 2016-1
에그몬드 1558
에그버트 836
에너지 대란 2009-1
에너지 보존의 법칙 1842
에너지 불변의 법칙 1847
에도 1733 1772 1794 1811 1829 1868
에도 막부 1603
에도성 1457 1524 1590 1606 1657
에드워드Edward(1) 924
에드워드Adward(2) 1272
에드워드Adward(3) 1356 1376
에드워드 1세 1276 1295 1296 1298 1304
에드워드 2세 1326 1327
에드워드 3세 1327 1330 1333 1336 1371
에드워드 4세 1461 1470 1471
에드워드 5세 1483
에드워드 7세 1901 1910
에드워드 케네디→케네디(3)
에든버러 대학 1583
에디슨 1877 1879 1893 1931
에라스무스 1509 1536
에라토스테네스 전264
에르도안 2016-7
에르빌 2014-8
에르푸르트 1392
에르하르트 1963
에마누엘레 2세 1861
에머슨 1882
에미노 764
에밀 1762
에베레스트산 높이 2020-12
에베레스트산 등정 1953 2008-1
에볼라 2014-10
에볼라 바이러스 2014-8
에볼라 환자 2014-8,10
에비아 섬 2021-8
에셉시 2014-12
SK건설 2018-7
에스토니아 1929 1932 1934
에스트라다 2001-1,4,5
에스트라다 대통령 탄핵안 2000-11
에스트라다 대통령 탄핵 재판 2000-12
에스페란토 1887
에식스주 산업단지 2019-10
에안도르 2018-6
에어프랑스 여객기 2009-6
에이교의 난 1438
에이레 공화국 1937
에이로쿠사 1568
ABM→탄도탄 요격 미사일
에이사이 1191
ACT사 2001-11
H7N4형 조류 인플렌자 2018-2
APEC→아시아·태평양 경제협력체
에콰도르 2006-11 2010-9 2014-4 2015-5 2016-4 2019-10 2021-9
에콰도르 공화국 1830
에콰도르 의회 2005-4
에티오피아 1935 1936 1938 2008-9 2018-2,10 2019-3,10
에티오피아군 1934
에티오피아 문제에 관한 협정 1906
에티오피아 반군 2007-4
에페수스 종교회의 431
에펠탑 1889
에프탈족 457
X선 1895
엔가쿠사 1282
엔고 2012-1
엔닌 838 847 864
엔데버호 1995 2007-8
엔랴쿠사 788 935
엔랴쿠사 중당 938
엔리케 1460
엔사이클로피디어 브리태니카사 2012-3
NHK 2014-1
NGO→비정부 기구
엔클로저 반대 폭동 1514
엔클로저 제한법 1515
엔터프라이즈호 1968
엔테베 공항 1976
에테베 작전 1976
엘라지 2020-1
엘뤼 아바오지→야율 아보기
엘리엇 1836
엘리자베스 1486
엘리자베스 1세 1603
엘리자베스 2세 1952 1986 1994 2011-5 2014-4 2015-9
엘리자베스 2세 모후 2002-3
엘리자베스 2세 부군 2021-4
엘리자베스 2세 즉위60주년 기념 축하행사 2012-6
엘리자베스 테일러 2011-3
엘바라데이 2013-8
엘바섬 1814 1815
엘베강 5 789 808
엘살바도르 2001-1 2009-11 2016-11 2018-3
엘시시 2014-6
LG 공장 2021-7
엘 키브 2011-10
엥겔스 1848 1895
엥흐바야르 2008-7
여개 1243 1253
여객기 1974 1985 2002-5,11 2003-1 2007-5,7 2008-8 2010-1 2011-6 2012-5 2013-10
여객기 공중납치 2016-3
여객기 착륙사고 2006-7 2013-11
여객기 추락사고 2001-7 2002-5 2003-3,7 2004-1,2 2005-8~10 2006-8,10 2007-1,11 2008-8 2009-2,6,7 2010-5,

ㅈ

자민당自民黨(2) 2013-9
자민당 총재선거 2018-9
자바 1292 1511 1628 1696 1753 1811 1816 1891 1942 2006-5,7 2007-3 2008-8
자바섬 2017-12 2018-1,2,10 2021-12
자바섬공항 2007-3
자바인 전50만
자본론 1867
자사 전5 42 188
자살 1890
자살테러 2001-12
자살폭탄차량 2013-3
자살폭탄테러 2001-6,12 2002-3 2004-1 2003-1,5,10,11 2005-11 2007-2~4,8,12 2008-7 2009-3,10,11 2010-1 2011-1,5,9 2012-1,5,7 2013-4,5,9,11,12 2014-1,4,6,11,12 2015-1,3,7,9,10,12 2016-1~3,6~8,10,11 2017-2,3,5,7,10,12 2018-1,2,4,7,10 2019-2,8,9 2021-1,10
자설 1087
자손 269 1035 1322 2001
자업 465
자연의 체계 1737
자연재해지역 2001-12
자오저우 1897
자오저우만 1897
자오저우만 조차권 1898
자오쯔양 1980 1984 2005-1
자오칭 1646 1647 1651
자오퉁시 2014-8
자외선 1801
자위대→일본자위대
자유 교회 1843
자유 노조 1981 1988
자유당 1881
자유민 212
자유 선거 1122
자유주의 1819 1834
자유주의 반란 1820
자유주의자 1911
자유중국 1947 1954 1964 1971 1973 1975 1978 1979 1986 ~1988
자유중국군 지원 1954
자유중국 대일항로 1974
자은사 648
자은원→지온엔
자이나교 전525
자이툰부대 2007-5
자작 1884
자전거 1817
자치 1910
자치권 1922
자치령 1867
자치정부 수반선거 2005-1
자치제 1874
자치통감 1084
자치통감강목 1476
자카르타 1619 1994 2003-8 2009-3 2014-10 2016-1 2017-10 2021-4
자카르타 앞바다 2021-1
자카르타 주재 오스트레일리아대사관 2004-9
자크리의 농민반란 1358
자폭테러 2019-1
자한기르 1605
자훈 466
작센 1706 1763
작센군 1706
작센왕조 919 1024
작위 1671
작호 750
잔 다르크 1429~1431
잔드왕조 1794
JAL 점보여객기 추락사고 1985
잠무·카슈가르주 2020-6
잠베지강 탐험 1852
잠비아 2008-8 2014-10
잠수함 격침 1915
잠수함 작전 1917
잠수함 침몰사고 2003-5
잡세 469 1145
잡소 결단소 1333
잡혼 461
장가구 1691
장각 183 184
장간지 704~706
장강궁→나가오카궁
장개석→장제스
장거리미사일 발사 2016-2,3 2017-12
장거리미사일 발사 의장성명 2016-1
장거정 1572
장경 1554 1555
장경국→장징궈
장경사 767
장고봉 1938
장관급회담 2014-2
장광사 1747 1748
장광성 778
장구령 736 740
장구사 1298
장군→쇼군
장궤 313
장귀 1441
장규 1312
장기→나가사키
장기집권 2009-2,6 2011-4 2012-2 2013-3,8 2014-12 2018-3 2021-5
장기집권 반대시위 1986
장난감교향곡 1780
장년 대보전 848
장도릉 141
장독 1573
장돈 1094 1101
장량 전168
장량재 1462
장례 700 792
장로 211 215
장로파교회 1592
장링 250
장무 323
장미전쟁 1455 1485
장방창 1127
장백로 111
장병린 1903
장보 1406~1407 1409 1411 1414~1416 1447 1464
장부 432
장불 1168

중화민국 약법 1914
중화민국 임시정부 1937
중화민국 임시정부 조직강령 1911
중화 소비에트 임시 중앙정부 1931
중화인민공화국 1949
중흥공신 60
중흥회 1894
즉흥시인 1835
증공 1083
증국번 1847 1853 1855 1863 1872
증기기관 1765
증기기관 방적기 1790
증기기관차 1814 1830
증기선 1807
증기터빈 1884
증기터빈선 1897
증수태조실록 1418
증원유 878
중의원 해산 2014-11
증일본 1569
지각판 충돌 2014-11
지공거 1057
지구 2008-7
지구 물리학 화산 연구소 2011-4
지구온난화 2009-10
지구 외 행성 2021-4
지구자전축 2010-3 2011-3
지구전 1407 1558
지구정상회의 2002-8
지그문트 3세 1592 1598
지그스문트황제 1411 1416 1427 1431 1434 1436 1437
지난 170 1262 1928
지대공미사일 2006-1
지대은초 1309
지도 796
지동설 1530 1633
지드 1909
자롱드당 1793
자롱드당 당원 1793
지루가참 147 150
지리지 18
지머먼 2013-7
지멘스 1879
지바현 2001-9 2018-1 2021-10
지방선거 2014-11 2018-11
지배권 789 1883 1884 1905
지부 조약 1876
지브롤터 1606 1704 1727 1729
지상군 2001-10 2009-1 2014-7
지상권 606
지성선사 1530
G7→세계 주요 7개국
G8→세계 주요 8개국
지스카르 1974 2020-12
지식재산권 2021-5
지양양부 1267
GM회사 2009-7
지온엔 844
지용 404
지원보초 1287
지정조격 1345
지중해 1675 1676 1696 1985 1995 2009-3 2016-5
지중해 해상권 1571
지진 전37 133 1293 1556 1561 1751 1962 1966 1974 1976 1980 1985 1988 1993~1995 1999 2001-1 2002-2,3 2003-2,4,5,7,9,12 2004-2,10,12 2005-2,3,10 2006-5,10,12 2007-1,3,6~9 2008-5,8,10 2009-4,8,9 2010-1~4,9 2011-2~4,8,10 2012-1~4,8,9,12 2013-4,9,10,12 2014-3,4,6~8,10,11 2015-2~5,9~12 2016-1~4,8,10~12 2017-1,2,8,8,11,12 2018-1~3,6,8~11 2019-6~9,11 2020-1 2021-1~3,8,10
지진해일경보 2007-9
지질조사국 2011-3
지추밀원사 1257
지카 바이러스 2016-1,2
지폐 1023 1236 1334
지하철 2018-1
지하철 요금 50원 인상 2019-10
지하철 탈선사고 2014-7
지하철 테러사건 2017-4
지하철 폭탄테러 2004-2
지하핵실험 1995
지혜의 집 832
직군왕 1708
직례군 1922
직례총독 1870
직례파 1920
직립원인유골 1891
직선대통령 2008-7
직전 594 1031
직접투표 1981 1991
직할식민지 1867 1925 1937
진秦(1) 전222 전221 1098
진晉(2) 265~284 287~290 294 ~300 303 304 306 308~311 313 314 316 317
진鎭(3) 524 1103
진陳(4) 557 562 569 570 578 579 582 589
진晉(5) 917 918 922
진강→전장
진강 신하 1783
진고 1516
진공 263
진광성→천광청
진나공항 2020-5
진남 1907
진남대장군 278
진노쇼도키 1339
진독수→천두슈
진량 1178
진리 1363 1364 1372
진먼섬 1958 1962 2001-2
진번 168
진사 1036 1256 1315 1385 1404 1453 1256 1315 1385 1403 1433
진사과 606
진사시 833
진사 시경법 737
진서 629
진선 1429
진선기 786
진수 285 297
진수병 1684
진숙명 1372
진안왕 466
진양 916

ㅊ

청일 간의 분쟁 조정 1894
청일전쟁 1894 1895
청일통상조약 1896
청주 1226
청지해탄광 2002-6
청천백일기 1895
청천호 2013-7
청평조 743
청·프 전쟁 1884
청해→칭하이
청혼 625
청 황태자 1718
체 1390 1393 1396 1399
체감 온도 2019-1
체르넨코 1984 1985
체르노빌핵발전소 1986 2011-4
체임버스백과사전 1728
체임벌린내각 1937
체첸 1994 1995 2000-1 2002-12 2004-5
체첸반군 2002-10 2004-9 2010-3
체첸인 2001-3
체코 1993 1995 1999 2002-8 2011-12 2013-6 2020-10
체코대사 2008-9
체코슬로바키아 1918~1920 1948 1964 1968 1989 1990 1992 1993
체펠린 1908
체포 영장 2001-4
첸나이 1639 1746
첼랴빈스크 2013-2
첼린저호 1984
초 927 940 951
초관 1429 1471
초굉 1442
초등교육법 1882
초등학교교과서 2014-4
초법 1284 1350
초상 1103
초서 1400
초왕楚王(1) 68 71
초왕楚王(2) 927
초왕楚王(3) 1385 1397
초왕楚王(4) 1404
초음속여객기 2000-7
초일류국가 2017-10
초제 1127
촉蜀(1) 25 35 36
촉蜀(2) 220 221 223 230 244 245 263 269
촉蜀(3) 756 906 915 918 920 955 1242 1357 1371
촉왕蜀王(1) 24
촉왕蜀王(2) 903 933 934
촉왕蜀王(3) 1207
촉주 890
촌산부시→무라야마
총격사건 2001-12 2011-12 2013-9 2014-12 2015-1,10 2017-6 2018-1,10 2021-3
총격전 2011-1 2013-12 2016-1,3,4,7
총격테러 2004-5 2015-4 2016-10 2019-1 2020-11
총기규제 2013-1
총기난사사건 2007-4 2009-3,11 2011-1 2012-3,7,12 2013-9 2014-10,12 2015-1,2,12 2016-1,6 2017-1,5,10,11 2018-2,10 2019-8 2020-2,4
총기테러 2014-6
총기폭력 2013-1
총독 전22 17 78 1619
총독권 1793
총동맹파업 1908
총동원령 611 613 1914
총리 1976 2001-4 2005-10 2007-6 2008-9 2010-5 2013-3 2014-2
총리선거 2001-2
총병관 1533
총서기 1989 2002-11
총선거 1877 1880 1906 1924 1930 1932 1945 1948 1951 1952 1959 1964 1968 1979 1980 1987 1989 1990 1993 1995~1998 2001-1,8 2002-9 2003-1 2004-3,5,12 2005-1,5,9,12 2006-1,9 2007-7,11,12 2008-1~3 2009-6~8 2010-3,5 2011-7,9,12 2012-6 2013-2,5,9 2014-2,3,5,11,12 2015-5,9,10~12 2017-6,9,10 2018-5 2019-12
총선거 부정 규탄시위 2008-7
총선거 부정행위2021-2
총영사관 1999
총재정부 1795
총통 1922 1934 2000-3
총통선거 2004-3 2008-3 2012-1 2020-1
총회 1920
최고가격령 301
최고경계령 2002-1
최고기온 2016-5,7 2018-8 2019-7 2021-6,8
최고예배소 1362
최고재판소 2007-11
최고지도자 2011-3
최고항소법원 2006-11
최루탄 2014-3
최식 151
최악올림픽 2002-2
최저 기온 2019-1
최징→사이초
최초고용계약법 2006-3,4
최후의 만찬 1497
최후의 심판 1616
추국공 1083
추근 1907
추락 사고 2011-4
추룡 859 877
추밀원 1117
추밀부사 1080
추밀사 1053 1174 1247
추밀원사 1078
추방령 1593
추수감사절 2019-11
추장 885 1147 1468
축윤명 1526
축음기 1877
춘절 2021-12
춘절 대이동 2020-1
춘추전국시대 전770
춘희 1852
출가 전33 71 452

ㅋ

ㅌ

ㅍ

ㅎ

한국전쟁 파병 1950
한국정부 2014-6
한금산 1316
한기韓琦(1) 1040~1042 1045 1075
한기韓祺(2) 1463
한남 1251
한니발 전183
한락 1074
한례 86 87
한림시독학사 999
한림아 1355 1366
한림아군사 1357 1358
한림원 1385 1705
한림원 서길사 1404
한림원 시강 1398
한림학사 842 1067 1091 1316
한문 1506 1507
한반도 긴장완화 2013-6
한반도 문제 2018-3
한반도 비핵화 2013-1,6,7 2015-9 2017-11 2019-2
한반도 안정 2011-12
한반도 정세 2018-6
한반도 평화체제 2019-2
한북 1308
한불자전 1880
한비자 전222
한서 82
한세충 1130 1134 1151
한양 1352 1852
한옹 1465 1469
한왕漢王(1) 304
한왕漢王(2) 551
한왕漢王(3) 604
한왕漢王(4) 1359 1360
한왕漢王(5) 1404 1417
한유 803 819 823 824
한인 1286 1315 1337
한인 군사 1642 1810
한인 상인 2014-10
한인의 문자 1349
한일공동개최 월드컵대회 2002-5
한자동맹 1241 1317 1370 1372 1418 1597
한자동맹의 특권 1447
한자동맹 함대 1361
한전 1263
한전법 전7 1022
한족 1902
한중 230 244
한중 교수 1392
한중왕 219
한지 1252
한천 298
한충언 1090 1096 1100 1102 1109
한커우 1896 1915 1927
한탁주 1198~1200 1202 1204 1205 1207 1208
한트케 2019-10
한파 2005-12 2007-1 2010-1,7 2014-1,11 2021-1,2
한파경보 2016-1
한화정책 483
할로넨 2000-2 2006-1
할슈타인원칙 1969
할지왕조 1290 1320
함대 440 1676
함마르셸드 1953 1961
함무라비 전1792
함무라비법전 전1792
함부르크대학 1909
함안궁 1712
함양→셴양
함풍제 1861
합동군사훈련 2005-8
합밀 1411 1513 1715
합밀성 1482 1495
합병 1872 1938
합병조약 1997
합상 1482
합스부르크가 1491 1556 1617
합스부르크왕조 1273
합스부르크제국 1919
합주 1259
합중국 헌법 1787
합창단 단원 2016-12
핫산의 모스크 1362
항공기 2001-9 2003-5 2010-4 2012-12 2013-7
항공기 운행중지2013-2
항공기 추락사고 2001-11 2006-9 2016-5 2018-5,8 2019-12
항공기 폭파 음모 2006-8
항공로 2001-9
항공모함 1984 2016-12
항공우주국 2004-3 2005-7 2007-8 2008-7 2009-2 2010-3 2015-7,9 2016-7,9 2017-2 2018-11 2021-4,12
항구 1842 1878
항만노동자 1894
항복 전56 31 34 43 94 110 140 145 215 217 263 272 280 289 307 323 347 376 391 400 411 521 525 553 584~586 601 636 715 785 786 831 880 882 884 888 924 946 978 986 991 997 1030 1064 1126 1128 1209 1216 1227 1231 1253 1273 1275 1423 1527 1541 1570 1646 1657 1676 1677 1722 1749 1849 1940 1945 1975
항복문서 1945
항성계 2017-2
항우 전202
항일구국통일전선 1935
항일대집회 1931
항일봉기 1896
항일운동 1919
항일파 1935
항일학생폭행사건 1919
항저우 1129 1131 1138 1201 1276 1352 1356 1575 1730 2014-9
항저우만대교 2008-5
항주→항저우
항주성 909
항해 1503 1521 1570 1577
항해조례 1651 1654 1849
해경선 2014-11
해경선단 2013-9
해관세액 1698
해군 1726 1877
해군국방법 1889
해군군비조약 1922

헌법수정안 1865
헌법15조 807
헌법17조 604
헌법안 1993
헌법제정 1789
헌정옹호회 1912
헌제 196
헌종憲宗(1) 820
헌종憲宗(2) 1251 1257 1259
헌종憲宗(3) 1487
헝가리 893 1000 1052 1102 1222 1456 1491 1541 1551 1918~1920 1944 1947 1956 1977 1988 1999 2013-6
헝가리광시곡 1840
헝가리군 1444
헝가리사태 1956
헝가리왕 1411
헝가리의 반란 1671
헝가리의회 1990
헝가리인 954 955
헝가리인의 자치 1867
헤겔 1807 1831
헤로도토스 전451
헤롯 전37 전4
헤르만리크 350
헤밍웨이 1929 1952
헤브라이인 전1500
헤브류 대학 2002-7
헤어초크 1996
헤이그 1899 1907 1922
헤이글 2014-11
헤이룽강 1643 1649 1689
헤이룽장성 2002-6 2010-8
헤이룽장성 광산 2009-11
헤이안경 794
헤이안시대 784
헤이조궁 710 745
헤이지의 난 1159
헤자즈왕국 1932
헤지라 622
헨델 1759
헨리 1151 1153
헨리 2세 1172
헨리 3세 1216 1263 1264
헨리 4세 1399
헨리 5세(1) 1110
헨리 5세(2) 1420
헨리 6세 1465 1470 1471
헨리 7세 1310 1485 1486 1509
헨리 8세 1509 1527 1534 1539 1541
헬기 모함 2013-8
헬레니즘시대 전323
헬름스-버튼법 1996
헬름홀츠 1847 1894
헬리 1705
헬리콥터 추락사고 2020-1
헬베티아 공화국 1798
헬싱키 1969
헷펫의 무덤 2018-2
혁련발발 407
혁련정 428 431
혁명 1811 1820 1821 1862 1869 1870 1908 1910 1913 1918 1919 1926 1979
혁명군 1909
혁명사상 1904
혁명수비대 2019-7
혁명운동 1825 1836
혁명 원로자제 2018-3
혁명정부 1943
현縣(1) 606 624 718 738 811 844 855 970 1116 1295 1317 1338
현賢(2) 680
현도 127
현도군 106
현도성 전75
현량과 957
현령 566
현미경 1665
현생인류 전50만 전3만
현생인류 두개골 2012-8
현성 문성왕 1008
현의왕 1409
현장 629 645 646 664
현종 712 717 757
혈액순환의 법칙 1628
협력조약 1963
협약 1627 1883 1892
협정 1764 1874 1899 1906 1909
협정서 1941
형구 1745
형남 924 963
형남 유후 906
형부 440
형부상서 777
형부시랑 1503
형양 187
형옥 84
형주 201 215 415 1465 1470 1472 1476
형주목 209
형통 957 964
혜 1417
혜강 259
혜교 519
혜능 712
혜민국 1151
혜생 518 521
혜성 1705 2005-7 2014-11
혜성 탐사선 2014-11
혜원 390
혜원성 1765
혜자 596
혜제惠帝(1) 290
혜제惠帝(2) 1398 1402
혜주 1900
혜주사건 1900
혜총 596
혜하 1292
호겐의 난 1156
호경 전1050
호광의 반군 1455 1456
호광지방 1341
호광총독 1837
호구戶口(1) 39 707 1491 1578
호구湖口(2) 1855
호구조사 1252
호금도→후진타오
호남→후난
호네커 1987~1989 1992
호도 1053
호라이마주 2017-1
호류사 607 670
호류사금당벽화 1949
호류사금당약사상 607

휘종 1100 1125 1127 1135
휘트니 휴스톤 2012-2
휴대전화 도청 2013-10
휴대전화 사업 2013-9
휴대전화 제조업체 2011-8
휴대전화 해킹사건 2011-7
휴무령 2021-10
휴범 474
휴스턴 2017-8
휴스턴 중국 총영사관 폐쇄 2020-7
휴업 2003-4 2013-1
휴전 1360 1712 1742 1916 1918 1982 1993 1994 2005-2 2012-10,11 2014-1,2,8 2016-9 2020-10
휴전안 2014-8
휴전조약 1609
휴전축구결의안 2009-1 2018-2
휴전합의안 1970
휴전협상 2002-3 2014-7
휴전협정 1871 1897 1917 1940 1949 1963 1988
휴 헤프너 2017-9
휴헹 1255 1270 1273 1281
흄Hume(1) 1739 1748 1776
흄Home(2) 1965
흉기난동사건 2014-3
흉노 전128 전97 전57 전56 전54 전53 전51~전49 전33 전25 11 16 19 37 40 42 44~46 48 73 124 126 271 272 279 307 391
흉노의 반란 296
흐루니체프 우주센터 2013-7
흐루쇼프 1953 1956 1958 1959 1961 1964
흐메이밈공군기지 2018-3
흑기군 1883
흑도 전2100
흑룡강→헤이룽장
흑사병 1347
흑색 1274
흑인 1880 1963
흑인공민권 1866
흑인남성사망사건 2020-5,6
흑인노동자 1992
흑인노예무역 1441 1619
흑인대통령 2008-11
흑인배우 2002-3
흑인범죄 용의자 2014-12
흑인소녀 2013-7 2014-8,11
흑인시위 2014-11
흑인여성 법무장관 2014-11
흑인지도자 1968
흑인폭동 1967 1992
흑태자 1356 1376
흑해 150 1722 2001-10 2016-12
흑해 함대의 반란 1919
흘라잉 2021-4
흠정보민 사사전서
흠정헌법 1908
흠종 1125~1127 1156
흠차대신 1838 1840
흠천감부 1669
흠천력 956
흥경 1603
흥료국 1029
흥복사→고후쿠사
흥종 1034
흥중회 1895 1900
흥화 1422 1563
희熙(1) 329
희曦(2) 939
희망봉 1488 1498 1595 1652 1795
희성 929 930
희윤 1119
희종僖宗(1) 885
희종熙宗(2) 1135 1149
희종熹宗(3) 1620 1627
희토류 2018-4
히다카시 2017-9
히라도 1618 1621 1623
히로시마 1945 2014-8 2016-5
히로시마평화기념공원 2016-4
히로히토 1926 1989
히말라야 2014-10 2020-12 2021-2
히미코 239 248
히스 1965
히에로니무스 400
히자브 2012-8
히틀러 1921 1923 1929 1933 1934 1945
히틀러 암살 1944
힉스 2012-7
힌덴부르크 1934
힌두교 500
힌두교도 1948 2002-3
힌두교사원 2008-8 2010-3 2011-2 2016-4
힌두교축제 2013-2,10
힐라드 2007-3
힐라주유소 2016-11
힐라치안검문소 2016-3
힐러리 2008-1,12 2009-2,10 2016-7